域外漢籍珍本文庫編纂出版委員會

域外漢籍珍本文庫

第二輯

經部

西南師範大學出版社
人民出版社

第九册目次

禮疑答問分類（二）

禮疑答問分類卷之九

喪禮 營葬

權章仲問三月而葬

答曰及期甚當不幸而窮不及期則不得已而至於擇葬亦野所不免若如今人兄弟各拘吉凶久而不葬者甚不可也 鼇溪

答金邦良 德民 書曰山運難處之教謹奉承遣但鄙生平生不能深信其說前於賤家遭喪之日亦不能用焉是以今亦闇人水破之說年剋之論皆不能是之竊以為古人死必三月而葬必用昭穆之穴其死之第三月安能一一皆不犯於昭穆穴之年剋耶曾輯伊洛五先生禮說七卷諸先生論葬處甚多而無此等語亦集李先生論禮二冊而亦無此等語於是益信賤生少時所見之不甚謬也今承盛問雖不能無感而亦不能更為說以報安知為賤生彼拗之一病耶亦頗惻悽惟左右不必全信鄙言十分善為之酌處且深思亡靈若在則其的論當如何一從亡靈所以為心者而處之幸甚 鼇溪 同

祠后土

鄭汝仁問祠后土祝文朱子家禮稱后土氏而瓊山儀節據大全集稱土地氏今按大全所稱土地皆是所居宅之神而於墓山之神例稱后土不知瓊山所見如何而據以為證也

答曰當從朱子家禮 鼇溪

又問后土祭家禮無爵酒而瓊山儀節有爵酒之文爵酒當傾於地而以其盞即奠于神位如墓祭之祭酒乎

答曰從朱子 鼇溪

黃宗海問家禮於開塋域祠后土註無降神之文今據此而不降神乎至於墓祭之祠后土時乃有降神之節祠后土一也而降神之行不行何耶若降神則一如正祭之降神者乎

答曰家禮祠后土之下不許降神則大賢祭禮精微之意何敢仰測而乃輒引墓祭后土之祠而為之添入耶 鼇溪 同

槨

答鄭仁輔 榮後 書曰別紙所論極是極是陋見常以為槨是聖人之制家禮雖用溫公書儀不用槨其實所謂灰隔乃今之外棺也如得良材則固當用槨但今人難得許大好木與其用多節而白邊者必備其制決不如不用之為得也今得示喻尤更精切與司馬公所論正相符合蓋木雖良終歸腐朽與骸骨相雜且今壙中寬廣不能牢固然則雖有良材不如不用矣況今合兩棺於一槨之內則其占地尤為寬大使壙中虛曠易於摧陷豈非可慮之大者耶隔板用灰之制雖出於近代而石灰之堅完精緻比石槨片片相合者不啻過之以此附棺有何少欠於孝子必誠必信之心乎竊恐聖人復起必不以此制為不厚於其親矣聞湖西皆用此制都下士大夫家亦多用之云彼豈皆力不足者耶豈皆儉於親者耶必校於其心故用之耳 鼇伏

灰炭松脂

答李剛而書曰用油灰或槨內或槨外所宜不曾親歷其利害故不敢臆料以妄報也且此間士人曾有欲純用油灰者混意朱子既有瀝青無益之說而只用沙灰云今若用純油灰漸以成俗則貧者力不辦恐有緣此而葬不以時是自我開弊也如何其人遂不用此乃二十年前事今而思之開弊雖未安混勸止之亦無乃傷孝子之心又為未安以此今日尤難於答厚問也 鼇溪

答金而精問葬時棺槨之間或用油灰或用松脂此何如

答曰棺槨之間石灰用見家禮註然妄意少用則無益多用則又須槨大槨大又須壙大皆家禮所忌恐不用為宜如何 鼇溪

權章仲問作灰隔

答曰此當與下文加灰隔內外蓋處通看方得其詳蓋此所謂

灰隔非今人所用之灰隔也家禮不用外槨而頗多用瀝青故別用薄板權為外槨之形姑去其蓋板而塗瀝青於其地板與四周以此代槨而安於壙底炭灰之上乃下棺於其中正如下棺於槨中也然後始用今所用灰隔而下灰隔依今下灰隔之法轉轉築上及隔之平而止則其狀亦如槨外用灰炭也於是方加此隔內外蓋其內外蓋之制及所用先後節次家禮詳之可考而知也蓋無槨則瀝青無所用於塗故為此制專為用瀝青設也故此灰隔者所以隔灰與瀝青也今所用灰隔者所以隔灰與炭也今人未有無槨而葬者其用瀝青又不如家禮之多而只用於外槨之外則無所用於此灰隔為也不知者乃以今之灰隔之制解此灰隔之文牽強牽謬由不致詳於上下之文故耳（退溪集）

黃宗海問凡壙墓因改葬見之則壙中率多有水若以為土地卑濕而然也則山高水深之地亦不免有水者何也或謂壙底築灰無可淺水之處若以此而不築壙底之灰則棺物易為腐敗又或有引木根之路何如則可以安措而得無後悔乎

答曰壙中有水不隨土壤燥濕此理誠所未曉家禮壙底之灰如四方之厚而今世壙底例不用灰非止為淺水之計蓋為引得生氣云爾須見改葬處底不用灰者槨卒多有朽氣其用灰者不然焉矣（寒岡集續而今本無）

啓壙後服人持服

金而精問今人服制自期以下多斷以假寧格故及葬解不除服而其已除布帶還著以送葬何如

答曰按喪服小記久而不葬者唯主喪者不除其餘以麻終月數者除喪則已註期以下至緦之親服麻以至月數足而除不待主人葬後之除也然其服猶必收藏以俟送葬也據此則今之還服以送葬之未為非也（退溪集）

姜碩期問遷柩時已除服者將何服色以臨之歟

答曰期以下至緦之親月數足而除其服收藏之及其葬也又服其服虞則除之（退溪集）

又問家禮小斂條同五世祖者皆袒免自啓至葬以何服飾而臨之耶

答曰無服之親禮不言服飾即只著吊服而已（退溪集）

朝祖

答

金伯榮問曰儀禮將啓殯設奠奠於廟門外及朝祖又云重先奠從燭從柩從及正柩于兩楹之間奠設如初（此疑夕奠從柩來仍奠於此故云奠設如初）質明徹（徹前奠）乃奠（上既徹而此云乃奠此指廟門外奠至是乃奠也）古禮如此故文公家禮有設奠之禮（文公遷亦似指前奠隨柩來奠非別奠也）而瓊山則務簡既以魂帛代柩并此禮去之凡朝祖所以象平時出告之禮前奠之隨柩來奠者奠所以依神無時可去故耳非為朝祖設也故文公存之其別為設奠則平時出告未必皆有酒食之事故文公去之若瓊山并去二奠則無乃太簡乎儀禮雖別設奠猶不奠於祖禰者死而辭去無取於奠獻之義也亦無焚香再拜之文蓋靈柩辭廟喪者不可代行也（退溪集）

又答曰儀禮朝祖正柩于兩楹間主人升自西階柩東西面（衆人東即位衆人必衆子也）此非變服而入也蓋凶服不可入廟指他祭及他禮而言也若朝祖之時柩尚入廟何凶服之不可入耶（退溪集）

金而精問奉柩朝于祖之禮不得舉行而或以銘旌或以魂帛朝之殊甚不經何以得正乎

答曰朝祖丘氏謂人家彼隘者奉魂帛以代柩屋宇寬大者宜如禮此論得之（退溪集）

盧亨運問朝祖之禮祖廟或遠則廢此禮乎丘氏以魂帛代行是何如

答曰祖廟遠則難於奉柩丘氏之言蓋亦然矣（寒岡集）

又問廟中有高曾以下主而獨言朝祖何也雖禰廟在家

亦必朝于祖廟乎
答曰 如別有禰廟雖有祖廟恐當朝于禰廟 寒岡集
黃宗海問奉柩朝祖之禮非唯世俗不行柩既重大遷動
至難又於事勢有所不可行者謬意以爲只奉魂帛朝祖
雖失禮經之本意而既曰束帛依神則爲人子者不可虛
視今欲奉魂帛朝之是猶愈於已而亦不違死者之孝心
乎若不遷柩而只奉魂帛則不可以遷柩告之未知當何
以告也
答曰 以遷柩告者非謂朝祖而告古有啓殯之禮而當時既不
塗殯又不可全無節文故告以遷柩而暫爲動柩有若遷之之
意耳 寒岡續集 丘瓊山家禮儀節許以魂帛朝祖故今人多用魂帛之朝
盧亨運問奉柩至廟奠于柩西措柩之右乎
答曰 然 寒岡別集
鄭君燮問奉柩朝祖之禮固不可廢而亂後無祠堂神主
皆假安私室奉柩往來之際亦多未安何以爲也
答曰 朝祖乃生時出必告之禮也其禮最不可廢也但奉柩非
便則只奉魂帛而朝之恐亦不若全廢之爲大失也 旅軒集
孫濯問祖以上神主在安東宗家朝祖之禮何以爲之若
宗子來則爲牌位行禮何如
答曰 止朝于禰廟如何 旅軒集
宋浚吉問喪禮備要朝祖圖亦有燭日已明而猶且燃燭
何也抑朝當於未明時耶
答曰 燃燭爲日暗取其明也朝祖卽於朝奠後行之日暗則燭
以明之日明則滅之考於儀禮耳 沙溪集
既夕禮朝于禰廟燭先入者升堂東楹之南西面後入者西
階東北面在下又曰質明滅燭疏自啓殯至此時在殯宮在
道及祖廟皆有二燭爲明以尙早故也今至正明故滅燭也

又問朝祖時祠堂門似當開之亦當有告辭於祖考而禮
無所著何歟
答曰 生時出入經月而歸則並開中門以此推之朝祖時似當
開門但禮無告辭當闕之 沙溪集
李惟泰問朝祖條下附註所引奠設如初註云東面也若
以在殯時爲初則殯宮設奠本不東面所謂如初何義耶
答曰 儀禮註云奠設如初東面也者謂如殯宮朝夕奠設于室
中者從柩西來此還是從朝夕奠脯醢醴酒據中東面設之於
席前也觀此可知其如初之義而所謂東面者亦據特牲少牢
設席于奧東面而言也 沙溪集
又問不統於柩神不西面也不設柩東東非神位也柩既
北面而朝故謂之神不西面耶神既北面則東西宜若不
異而乃謂東非神位而必設於西者何義
答曰 儀禮本疏細考之可知其義 沙溪集
儀禮本疏不統於柩神不西面也者謂不近柩設奠若近柩
則統於柩爲神不西面故不近東統於柩前神不西面者特
牲少牢皆設席于奧東面則不西面可知不設柩東東非神
位也者此亦據神位在奧不在東而言也小斂奠設于尸東
者以其始死未忍異於生大斂以後奠皆設于室中亦不統
於柩此奠不設于室者室中神所在非奠死者之處故也

祖奠

宋浚吉問祖奠之祖字何義
答曰 禮註與諸家說不同當參考 沙溪集
儀禮既夕禮有司請祖期註將行飲酒曰祖祖始也疏死者
將行亦曰祖○檀弓祖者且也註且遷柩爲將行之始○漢
書臨江王傳黃帝之子累祖好遊而死於道故後人祭以爲
行神祖祭因饗飲也○白虎通共工之子曰脩好遠遊舟車
所至足跡所達靡不窮覽故祀以爲祖神註祖者徂也卽行

之義也
又問祖奠在夕上食後耶當兼夕奠耶
答曰晡申時也夕上食後設祖奠而兼行夕奠爲是以厭明徹
祖奠之文觀之可見 沙溪集
遣奠
黃宗海問遣奠條未見主人以下哭拜之文無乃該括於
奠畢二字中乎若果無哭拜之義則奠畢乃當徹腊納苞
而已乎
答曰遣奠雖無哭拜之文豈有設奠而無哭拜乎家禮文故不
言從儀節行之可也 沙溪集
發引
李士厚問柩奉魂帛升車焚香之後婦人蓋頭出帷降階
立哭守舍者哭辭再拜蓋婦人從而之墓故無拜辭之儀
今也事多未措不能依禮婦人當從守舍之例哭辭柩前
如何
答曰然 寒岡集
盧亨運問發引至墓所近祖父母與父母墳則亦有朝墓
之禮乎
答曰禮文之所未言情理之所未遑 寒岡集續集 而今本無
移窆山所
鄭子章問前期發引則遣祖奠因虛之而行至於葬時亦
將祭何
答曰遣祖奠當行於發引之時葬時亦當有告意 寒岡續集
又問移殯後尸床依前因設歟
答曰然 寒岡集
・又問遷柩及遣祖奠告辭已行於移殯之日到今葬時奠
儀告辭更從家禮歟
答曰夫旣已行禮難再舉只用酒果告以奉就葬所之意 寒岡續集

寒岡先生葬時儒生問發引時當行祖奠遣奠權殯一月
而後當爲窆奉其時亦有祖遣奠耶
答曰發引前一日因朝奠當用啟奠如祖奠但告以遷柩就轝
下之意不可用祖奠祝文發引之日又因朝奠但告以遷柩就
轝不可用永訣終天之語須於臨葬之時行祖奠遣奠如禮此
皆因僉兄下問陳以淺料非敢謂必須如是也 旅軒集
移安時祝
申汝浩問在家發引之日旣有祖奠告辭矣至山廬留六
七日乃窆窆之日又有發引節次然則似當又有奉柩車
遵祖道之文而告則疊用未安不告則忽略如何
答曰告至此留安六七日不告而載似無曲折雖有疊用未安
之慮更告似得 愚伏集
挽詞
鄭汝仁問今不用挽詞不如何如
答曰廣袖虛誇則非不然用之何害況今用者多而不用者罕
乎 沙溪集
答鄭子中問曰挽章納于壙中禮律無據從俗恐無害蓋不納
則置之無所宜故也 退溪集
答黃會甫 細問曰挽詞古今人多用之然終非禮文瑣山亦論
其不可鄙意內喪則尤不必用惟在量處耳 愚伏集
翣
黃宗海問家禮翣扇無定數而至圖乙註云黼翣二黻翣二
畫翣二然則翣凡六也而今人只用四者何所見而然耶
答曰禮士用畫翣二畫雲氣者謂之畫翣 寒岡續集
今據此而用六乎
李叔發問翣有戴帶之文而世皆不用何意耶本文如扇
而方圖則殺其下何所據耶
答曰世俗因循不用敝家曾用之而家兄之喪以家禮無之故

從家禮不用矣造法依本文（寒岡集）

孫灑問翣大夫四士二而今人士以下皆用四於禮未安何以為之

答曰用二宜也若兩柩則當四（旅軒集）

申湜問翣之制如扇而方兩角高云者只是大綱說也其角之圓曲而下有何大疑自其斜殺而謂之角亦可執之言如許不打緊之事至以知非作偽作之亦不知免之為可也恐駭俗見姑置之如何（申公方纂家禮說辦及圖故相訂議）

答曰既曰如扇而方則高廣皆二尺欲使縱橫正方而只兩角高四寸而已今若圓曲而下自其斜殺而謂之角則果可謂方乎翣制之失非大端事不須堅執若以駭俗為拘則每每從俗乎家禮圖及五禮儀圖皆為三角數十年前舉世悉從三角之制今公所纂改作兩角而何不以駭俗為拘乎（沙溪集）

宋浚吉問翣扇似當用造禮器尺而其高出於棺上似不稱勢當用周尺

答曰用周尺似可（沙溪集）

方相

宋浚吉問方相魌頭往夫為之何義

答曰諸家說可考（沙溪集）

集說軒轅本記云帝周遊時元妃嫘祖死于道因置方相亦曰防喪蓋始于此○周禮方相氏蒙熊皮黃金四目玄衣朱裳執戈揚盾大喪先柩註鄭氏曰熊之為物猛而有威百獸畏之蒙熊皮所以為威金陽剛而有制用為四目以見剛明能視四方癘疫所在無不見也玄者北方之色天事之武也朱者南方之色地事之文也以玄為衣所上者武以朱為裳輔之以文執戈擊刺揚盾自衛凶事多邪慝乘之○及墓入壙以戈擊四隅驅方良註鄭玄曰方相放想也可畏怖之貌方良罔良也國語曰木石之怪夔罔兩葬則用木石木石久而變怪生故始葬則毆之亦厭勝之術○風俗通曰周禮方相氏入壙驅魍像魍像好食死者肝腦人家不能當令方相立於墓側以禁禦之魍像畏虎與栢故墓上樹栢路頭立石虎○魌頭會通（魌音欺）兒首也亦方相今逐儺有魌頭○往夫為之方氏曰往疾以陽有餘足以勝陰慝故也

明器

答李剛而書曰明器古人亦有不用之說其不用者恐致壙中空潤且無益故也然制禮之意云不欲致死之故用乎時之物不當致生之故與而不可用其義亦甚切至而精微略用而別作便房以掩之恐無不可也（退溪集）

又答曰明器便房依家禮實土及半或過半穿壙一旁作小竅箴之而實塞其口因而下土見人葬皆用此禮未見用於棺槨閒者（退溪集）

鄭汝仁問朱子答陳安卿書曰某家不曾用明器云云而家禮却有藏明器一條明器者待死者以有知無知之間恐是孝子罔極之至情而朱子之所以不用者何意也且如笣筲等物尤見不忍死其親之至意而家禮註有雖不用可也之語今當何如

答曰古所謂明器象乎時服用人物車馬之屬皆為之故朱子以為不必用若如今人行器等亦不用則未安笣筲亦當用也（退溪集）

答鄭君奭問曰藏明器則車馬僕從下帳等儀乃孝子不死其親之意也不可不用（旅軒集）

孫灑問合葬時明器各用耶合用耶

答曰當各具而同槨（旅軒集）

又問明器及罌下帳在於禮文而今人或闕之難於造作而然耶又按儀節云脯肉腐敗生蟲聚蟻雖不用可也此論何如今之不用罌脯者有見於此而然耶

答曰皆當依禮文用之 旅軒集

姜碩期問家禮筲註竹器五以盛五穀云云既夕禮筲三盛黍稷麥云云二禮不同何意所謂五穀其名亦可聞歟

・答曰家禮與儀禮果不同可疑五穀之名見孟子註以此用之如何 沙溪集

孟子註五穀稻黍稷麥菽

下帳

宋時烈問下帳之文其義如何

答曰下帳者恐是對上服而言也如公服靴笏幞頭襴衫在身上之物故曰上服牀帳裀席倚卓在人身之下者也故曰下帳看下劉璋所引溫公喪禮陳器篇說則可知矣退溪之意則以爲當下之帳恐未然鄭道可問下帳置之不敢知愚答之云云道可曰來教得之 沙溪集

綱目周主贇造五后下帳註山陵中便房所用自居上帳五后居下帳之上帳下帳說當考

柩衣

裵子章問發引時用何物覆柩歟用壙中柩衣歟別有他製歟

答曰柩衣用以衣柩仍用於墓中禮又有素錦褚 寒岡集

孫瀣問柩衣今人多用錦段或云無官則未安雖用不害於禮耶柩衣玄纁若不得俱用錦則當用之於玄纁耶

答曰柩衣玄纁用帛不爲宜乎 旅軒集

宋浚吉問柩衣上玄下纁之制愚伏謂非但時俗皆用純色於禮亦未見上玄下纁之文如何如何

答曰柩衣乃夷衾也禮經可考 沙溪集

・答曰喪大記自小斂以往用夷衾夷衾質殺之制猶冒也註夷衾亦上齊手下三尺繒色及長短制度如冒之質殺○士喪禮林第夷衾跡冒緇質長與手齊䞓殺掩足夷衾亦如此上以緇下以䞓連之乃用也此色與形制大同而連與不連則異也鄭云小斂以往用夷衾夷衾本爲覆尸覆柩不用入棺矣○憮於朝廟後用夷衾註夷衾本擬覆柩故斂時不用今得覆棺及入壙雖不言用夷衾文無撤文當隨柩入壙矣

又問愚伏書曰近日始考禮記註疏則夷衾之制果如沙溪之說前此不曾致詳使賢者送終大事未盡如禮孤陋之失一至於此悚怍無已第家禮只曰柩衣而不曰夷衾未知夷衾之名自何時變爲柩衣抑後世不用夷衾之制只用柩衣如今日所用自宋時而已然耶亦未可詳也幸因書賚之云云

答曰通典及開元禮并稱夷衾柩衣之名不知始於何時然古禮既有明據遵用無疑 沙溪集

玄纁

答李平叔問曰玄纁如韓永叔說卷束而置棺左右比世人鋪在棺上此爲得之䫉帛恐不必如申啓叔說 愼獨齋

任卓甫問家禮贈下註曰奉置柩傍云而今人例多鋪置柩上者何義

答曰今人或奉玄纁鋪置柩上而亦有據奉置之文置之兩傍者 寒岡續集 而今本無

蔡靜應問昔者聞諸先生氏葬玄纁象天地置於柩上下云前日有人分置左右曰先生命也然則小子昔者之所聞者乃是誤聽上下與左右未知孰是

答曰天地之象左右之置其出於吾口與否久已皆忘之矣但玄置柩上之兩傍纁置柩下之兩傍是吾家舊例也此外不敢力疾多言 寒岡續集

宋浚吉問主人贈之義

答曰主人贈者重君之賜而設也後世雖無君贈之禮而家禮存之起亦是愛禮存羊之義歟 沙溪集

旣夕禮至于邦門公使宰夫贈用玄纁束註公國君也贈送也疏贈用玄纁束帛者卽是至壙窆訖主人贈死者用玄纁束帛也以其君物所重故用之送終也

又問玄纁置柩旁左右否

答曰按開元禮奠於柩東未知有意義耶（沙溪集）

開元禮主人受以授祝主人稽顙再拜祝奉以入奠於柩東

答盧正而（峻命）別紙曰贈幣當用玄六纁四但禮有貧不能具則二者各一亦可之文尋常每以太薄為歉思欲就其中用三二之數而不敢義起向年讀禮記得一明證有曰魯人之贈也三玄二纁長尺廣終幅註云譏其不用制幣也所謂制卽指丈八尺而言也但譏其短狹而不譏其三二之非禮心竊喜之故上年葬子時用此數而制用各丈八尺蓋出於貧不能具禮非有他義世尺非周尺乃造禮器尺尺樣在五禮儀今不能細記似是今布帛尺五寸五分強（愚伏集）

窆

權章仲問穿壙

答曰隧道後世上下通行然其間棺槨尺量等事或有差誤則有至難處者不如直下之為穩也（退溪集）

答金伯榮書曰若安車之物不可入則家禮必言之今只云靴勿安於棺上而無不用葦靴之說恐無不可入之理但不獨今俗有此說瓊山亦有布履今亦更無援證以破其謬誤然則姑從俗何如張說之說亦不知何所謂也（退溪集）

黃宗海問隧道乃天子之禮也溫公泛言葬有二法而不明言其僭退溪又曰後世上下通行今人不顧禮防而皆行之果不陷於僭越之罪乎

答曰隧道諸侯猶不敢用況其下者乎溫公非許以用之也泛言葬法之有二也退溪不以祀禮禁之似為未安（沙溪集）

申湜問挽柩底兩頭放下之說以索之兩頭稍則其可以一條索挽底柩當中而放下耶集說曰今人兩頭齊用活套索放下更詳之

答曰未諭得之（沙溪集）

誌石

答李平叔問曰葬既久而下誌石雖欲於壙內下之其勢為難所以不得不做壙南之說而處之依階砌下太遠於階上依數尺之說量宜用之（退溪集）

作主

李惟泰問古者大夫無主或曰有主何說為是

答曰諸家說附見于左可參考也（沙溪集）

通典後漢許慎五經異義或曰卿大夫士有主否答曰按公羊說卿大夫非有土之君不得祫享昭穆故無主大夫束帛依神士結茅為菆〇徐邈曰左傳稱孔悝反祏（祏主也言大夫以石為主）又公羊大夫聞君喪攝主而往（攝斂神主而已不服待祭）皆大夫有主之文自天子及士并有其禮但制度降殺為殊何至於主唯侯王而己禮言重主道也埋重則立主今大夫士有重亦宜有主以記別座位有尸無主何以為別〇士虞禮大夫士無木主以幣主其神天子諸侯有木主〇開元禮四品以下無主（按經傳未見大夫士無主之文有者為長徵）〇程子曰其家主式是殺諸侯之制也白屋之家不可用

答任卓爾問曰祠版是神主位牌似是牌子則與神主不同（朱子）（所謂不消二片相合者於祠堂章附位條註在位牌西邊安云者又似指神主未詳〇愚伏集）

櫝

答或人問曰櫝式家禮作主註說下朱子不明言其制而止云櫝用黑漆且容一主則無所謂坐蓋之式矣卷首圖乃出他人之手而其說曰今以見於司馬家廟者圖之云則恐不是古來正式不可易之制也而朱子旣謂櫝且容一主則不宜其內又有容一主之坐也第未知當世公卿好禮家用櫝用坐其果一

如家禮卷首圖式否也旅軒集

又答曰遣奠後祝奉䰟帛升車時別以箱盛主置帛後及壙靈車至主箱亦置帛後題主畢止云奉置靈座及祝奉神主升車時亦不云櫝之而至家奉主入就位然後始言櫝之則未題前主在箱既題後至家就位然後櫝之者恐有其義也然今人反哭在車時皆用櫝從俗恐無妨也旅軒集

申湜問坐式與櫝之制無論其所從而未見朱子非斥之論則後人并用之有何大病乎既置之坐式復安之櫝中藏之謹密愈見其貴重何害於大義而至欲徹去先世已用之櫝耶竊恐篤信家禮之過或不免於固執不通之歸矣韜藉二物亦朱子之所不取未知並與去之耶家禮元自未成書小小禮節後賢補入亦當有據何可一向揮斥乎况此圖則並入新舊圖容其行禮者之自擇去取尤不可以自意而去之也

答曰愚按坐式與兩窓櫝卷首有圖故後人有具用之者有用坐式者有用兩窓櫝者不能適從余嘗以為疑頃年偶得南雝家禮始知坐式司馬公家廟所用兩窓櫝韓魏公所用今於諺解圖分明書之如何僕之意非欲必去之也朱子之意以為坐式且容一主夫婦俱入祠堂乃如司馬公之制也近世礪城尉宋公寅不知其義廢坐式專用兩窓櫝只於出入時用坐式此非家禮本意也沙溪集

宋浚吉問反哭條云祝奉神主入就位櫝之然則自墓來時不櫝而納于靈車耶

答曰常時祭祀奉主櫝置西階卓上啓櫝奉主出位就此則非若有事時故奉主直入就位仍櫝之謂歟豈有自墓來不櫝而今始櫝之哉活看可也沙溪集

韜藉

答或人問曰韜藉之色其藉圖下說云考紫妣緋囊亦如之云則韜藉似用一色而紫緋之用不知出於何據而其果正不戾於古人正色之取耶不敢信其必然耳旅軒集

又答問曰韜式本圖下說謂式如斗帳頂用薄板則似是四隅有細柱着于其頂之薄板然後以色帛周繞合縫於其後則其闊必并容其趺者也而今俗不用頂板但造帛帽或有止容其趺上之身者或有上狹下廣一依神主之像而用者此在取用之何如耳旅軒集

宋浚吉問韜藉之制不見於家禮本文只見於圖不知可遵用否愚伏謂非程朱之制今見於家禮圖者乃楊氏復所為也瓊山儀節有不必用之說看來似是此說何如

答曰朱子大全答李堯卿書云考用紫囊妣用緋囊此非韜制而何其制本出溫公書儀云且景任謂家禮圖楊氏復所為此言出於何書楊氏乃朱子門人而神主圖有大德字大德即元成宗年號也鄙意此圖疑元末或大明人所為也沙溪集

又問韜藉世人所用其制不一或與主身齊或與趺方齊未知何者為得

答曰本註既曰式如斗帳頂用薄板云則其制可想并韜趺方為是本註所謂與主身齊者當通趺方所植看藉方闊與櫝內同疊布加厚裹之以帛考紫妣緋沙溪集

又問韜藉考紫妣緋何義

答曰集說有所論可考也沙溪集

馮氏集說曰古人重紫輕緋故有此分今國朝玄黃紫色不可僭用韜用紅羅當遵從之又云宋朝公服一品至三品服紫玉帶四品五品服緋金帶云云○小學註三品以上服紫五品應服緋云云尚紫非古乃唐俗也而先儒用之者姑從時俗耳

題主

宋浚吉問主式舊用皇字今用顯字云云皇與顯何義

答曰通典及丘說可考沙溪集

通典曰周制諸侯五廟考廟王考廟皇考廟顯考廟祖考廟註鄭玄曰王皇皆君也顯明也祖始也以君明始者所以尊本也○立壇山曰皇與顯皆明也其義相通

黃宗海問題主時主人立於其前北面云然則衆主人在於其下乎循坐於壙東之位否

答曰題主時主人立於其前北面則衆主在人其下豈坐於壙東之位乎 沙溪

屬稱職銜

答李剛而書曰行第稱號此事人多疑之按家禮云彼一等之親有幾人稱幾丈云云以此觀之通同姓有服之兄弟而分其先後生次第而為稱號明矣其或堂兄弟或再從兄弟或三從兄弟則各從其一時見在之親而為定似不拘恒規也若以為同生兄弟其數不應如許之多也題主所謂第幾者亦指此而言或以為上自始祖者以世代次第言之此說非 沙溪

又答曰前日所詢第幾之稱奉報有未盡今更及之其生時所稱則以再從三從等兄弟之次為定無疑矣至神主所題今人多以為世代之次嘗見治平要覽光武上繼元帝後處註云云其意亦以世代之次為第幾此註乃以本朝鄭麟趾等所為則吾東人自前輩已有此說然溷意終以為未然者一般第幾字生死異用恐無是理又朱子答郭子從論主式處云士大夫家而云幾郎幾公或是上世無官者也若為世代之稱豈宜曰幾郎幾公耶惟兄弟之次乃生以為號故死亦因稱之耳故溷謂今人生時既無第幾之稱神主不用此稱恐無不可者也 沙溪

又答曰陷中誤書云者謂第幾為世數之誤耶此本稱行輩而今為代數其誤明甚然改之亦重難姑仍之何如 朱門人有神主違尺度者有製喪服失古制者問欲追改先生皆答以不當改故云恐難改○退溪 沙溪

金而精問題神主時陷中第幾之說何指耶

答曰陷中第幾之說即題人祖父母亡疏中所謂彼一等之親有數人即加行第云幾其位幾府君幾丈幾兄之類也蓋行第稱號人各有定如溫公為司馬十二坡公為蘇三山谷為黃九之類生以是為稱故死亦因而為稱而書之耳俗云世代次第非也 沙溪

張德晦問伊川主式書屬稱本註屬謂高曾祖考云因此推之則旁親如伯叔父母亦當以伯考伯妣叔考叔妣書之又旁註施於所尊則伯叔父母亦所尊也當註其旁曰姪子某奉祀而於時俗或於旁親神主雖尊不書屬不書旁註者殊非闕失耶

答曰恐當曰顯伯考若書旁註則恐當曰從子某鄙見亦如所示而未敢的定其必是也 沙溪同

又問姊妹夫納粟受通政大夫帖然假職焉則妻不當同夫之假職而有顯稱耶

答曰既以教旨出通政則不當問真假但國法雖通政而非曾經實職則妻不許封嘗見一京朝官升堂十年而後喪室神主不敢書淑夫人其後經累年而除判決事始改題夫人神主聞者曰是禮也 沙溪同

權泰一問前日奉稟服喪一節蒙不斥外據禮裁教不勝感幸謹已遵命無復疑晦矣且中稱號一款未得正定復此申稟伏請下教稱顯考則恐有嫌戴之失稱養考則未有禮經之可據題主之時欲書伯考而但父之兄弟謂之伯父叔父古今之通稱也宋時濮王之議程子以皇伯父為定我朝　宗廟懷儕大王追崇之禮稱之以皇伯考此則皆用皇字以別之今士夫之家既不用皇字又嫌於顯字而只稱伯考則諸姪之於諸父皆可得以稱伯未見其鞠養繼世恩義隆重絕其等倫之道也況濮王事及　宗廟之禮則重於繼統而輕於所生故伊川先生論濮王疏曰濮王陛下所生之父於屬為伯陛下濮王出繼之子於

屬為姪既為伯為姪則其所稱伯顧亦無起而乃加皇字以著其不與諸父等之意朱子亦嘗有稱伯未安之說退溪先生答奇高峰書曰若去皇字只稱伯父無乃與泛稱同耶大抵為人後者於本生之親有叔姪之道而先儒猶有所別立殊稱者如此本家之事則與濮王等禮不同濮王等禮則以父子而有叔姪之名禮所謂義有所殺從重而輕者也本家事則以叔姪而有父子之道恩有所隆從輕而重者也從重而輕者猶且殊稱其號不為比同於伯叔從輕而重者其可與諸父夷等而無有殊別乎竊有所起於伯考之泛稱者誠以此也養考之說不見於禮經家禮八母圖只言養母而不及養父然我國五禮儀大典等書始有養父之名此乃一代成制而今俗以養考書于神主者亦或有之且杜氏通典曰生與養其恩相半又曰有養之義參於造化養之時義亦大矣與重矣故送往之日以養考題主蓋以過禮之變禮無明文不得不義起處之而猶未知其合宜今聞議者以養考之稱無所經據為非未知當稱某號而得禮之正無所舛謬耶神主不書養考則旁註亦不可以養子書之將何以改之或言當用顯字又稱考子為宜云此說如何顯字考字皆無所嫌得則稱顯伯考似無妨如何

答曰具悉示喻鄙意若書曰顯伯考云云旁註曰從子某奉祀似不甚妨但尊府大人備將前後曲折援引他例呈上言下禮書從賓回啓萬一獲蒙恩允則積鬱洞釋名義快正豈不幸甚矣乎請姑停改題先圖籲天一事如何三世宿願一朝獲伸豈不校乎（寒岡集）

黃宗海問婦人神主陷中亦稱第幾第幾之稱果是兄弟行第如稱三黃九之類則中國婦人亦有此稱否

答曰古者婦人亦稱行第如吊狀幾家幾妹是也我國男子婦人并不用之（渓集）

宋浚吉問無官而非學生者題主稱學生似未穩而且如子孫書四祖亦皆無合當稱號如何如何婦人則不書孺人只稱鄉貫亦不妨否

答曰無官而死者不稱學生則無他稱號勢不得已當書學生處士秀才各隨其宜可也婦人孺人之稱書亦可不書亦可丘氏謂無官婦人宜如俗稱孺人蓋禮窮則從下之義也（渓集）

陷中

張德晦問神主陷中婦人亦書諱字而今俗或有只書氏不書諱非為不可耶

答曰今人或書諱或不書諱但婦人之諱明知亦難不書何至甚妨（寒岡集）

答申晋甫問曰陷中之題我國人以有明朝鮮故其書之者以別於中國也或於朝鮮下有國字（旅軒集）

黃宗海問神主陷中諱某之諱字無乃不稱於卑幼耶

答曰死曰諱無尊卑矣（渓集）

申汝浚問今俗於題主陷中不書婦人之諱只云某封某氏姓所同也似泛何如

答曰書姓太泛不足以依神依禮書諱甚得今知禮之家皆書之矣（愚伏集）

旁題

答鄭子中書曰題奉祀左方以神主左方為是者不勝其多不獨今人為依何氏小學圖等古書亦或有之故金慕齋亦從之許魏兩使所云如此無足怪也依滉所以不敢遽信後而直欲從家禮者亦有說識言今人展紙寫字一行既寫了次寫第二行者其先寫第一行必在人之右次寫第二行必在人之左以此分上下故例稱在右者為上在左者為下矣朱子於題幾主後既明言其下左方題云云此必以先所寫一行為上故以次

行為其下以在上者為右故以在下者為左耳然則其分左右正與大學序次如左之說同皆以人對書而稱其方位恒言莫不為然豈於此獨舍恒言而遷易其方位向背以先偏在人右為上者變為在神右為上又以當在人左為下者遷就在神左而為下耶此必無之理也況於書標石處謂刻自左方轉及後右而周焉豈可謂自標石左始而乃及後右耶此亦為證無可疑也家禮圖雖或有誤豈容皆誤大明會典既從家禮圖我國禮圖又從會典今必欲舍先賢 時王之制而從何氏易恒言方位而強立無據之方位豈為當乎然今人主彼說者皆以神道尚右為說混又以謂今入 啓筆子書狀之類初面先與銜書姓名神座自西而東題奉祀於神主右邊安知其不與此同意耶然今既已從何氏說書之改書恐亦未安但金宇宏見弟初從何氏說後自覺其非以書來問欲改書當於何時改乎混答以必改書得失未可知欲改即不可以非時或於小祥為之何如云未知彼如何耳〔退溪〕

又答書曰題主左右之得失混亦未敢質言之但朱子家禮所謂左方定指人左非神主左也此又見濂洛風雅南軒諸葛忠武侯贊末註南軒作此贊文公跋其左方云云亦謂人左為左方是亦明證不獨前書所引標石刻左之左字為證也改題之說如欲為之當如來諭〔退溪〕

金敬夫問宇宏等考禮謬誤題奉祀於屬者之右 今悟其非欲改正而未知因練祭與大祥之日孰為得宜

答曰題奉祀名朱子家禮其下左旁卒謂屬者左旁非有可疑而後賢又有題神主左旁者今人多主後出之說必欲不用朱子說尋常所未喻也今若欲改固當於練祭改之何必更俟大祥而後為之蓋大祥改題主時新主尚在几筵雖俟其日改題亦與先世改題別一節次均是別一次先事而為之恐無妨也〔退溪〕

答金伯榮書曰奉祀題左之說從前只見家禮圖所題意謂與大學傳序次如左者同例蓋據自己向後而分左右耳更不致疑於其間頃在都下見一士人嘗趍慕齋門下者云慕齋謂左者指神主左旁而言以慕齋公之該博其言必有所據心始疑之及今示及小學圖〔何氏註〕見其所題正在神主左旁然後乃知慕齋公亦必據此而言也又得所喻神道尊右一橫內考右妣左而題奉祀於右為未當之說〔神主之右即生人之左也〕推究得亦精到恐當依小學圖為善〔後日又考大明會典奉祀書神主之右與家禮同乃更與書易川曰此是上國當日見行之禮孔子亦曰吾從周請并此祭考處之房川卒從家禮書左公退溪泉〕

金而精問神主左旁題考子左旁指何方

答曰家禮圖及儀節指人左旁而題也世多從之而慕齋則以為神主左旁未知其何所見而依也及見小學圖乃知慕齋之說卒於此頃年吾鄉士人有遭喪而講問以此告之而未及題復見大明會典則書人左旁此會典乃 時王之制以此更諭之則其人終書人左旁也〔退溪〕

又問凡題神主職銜字數多則所餘字行書于神主左邊未知獨於孝子旁題書其右旁何如

答曰職銜餘字書神主左旁僭未前聞此必以神道尚右以西為上以東為下而然也其為是者得失亦未可知也大抵此事從前鄙意欲以人左為是者亦無的確證據可指為朱子所定但目見家禮及大明會典等諸圖皆書人左故恐人左為是耳且假今以右為尊以西為上其初面下端先書考子名者恐或與今人上 御前單子政院書狀及諸尊處單狀皆於初面下端先書職銜姓名之意同然未知其必然於公意若苦未信亦當各從所見為定難以強相同也〔退溪〕

答趙起伯書曰題主左旁之說何士信小學圖雖書神主左旁然今家禮及大明會典等圖皆書神主右邊即人之左旁也此不容皆誤只得從家禮會典可也何必苦疑〔退溪〕

答宋寡尤言愼書曰神主旁題之左右古亦有兩說然混謂家禮朱子之制大明會典五禮儀　時王之制皆題在人左令當依此而書之近又見濂洛風雅張南軒武侯贊下記朱子跋云題其左旁此亦必指人左而言不亦為明證乎（退溪集）

孫譔命問孫昌原營葬定於四月二日而家有一子年幾一歲神主左旁以兒名書否

答曰神主左旁當題兒子名（寒岡集續而今本無）

黃宗海問神主旁題或以為當題於神主之左或以為當從僞者之左顧聞折衷之說

答曰何氏小學圖奉祀之名題於神主之左何氏之意蓋以神道以右為尊而奉祀不當書主衘之右創自改之考禮者不深究夲意而反以為家禮夲文文勢然也乃以其下左旁之左為神主之左不從卷首圖而從何氏所圖者恐非朱子夲意何以知其然也按家禮立小碑章曰略述其世系名字行實而刻於其左轉及後右而周焉此左字正與其下左旁之左文勢同然則碑文亦將近書而周為乎決不然也且主式雖自古有之至於程子其制始備而兩程全書所圖亦與家禮夲圖同程門諸子所纂豈無所見而然乎馮氏善所謂凡言右皆是上文言左皆是下文詳觀大學右傳十章及別為序次如左則左為下文不待辨說而自明云者近之（退溪答鄭子中書詳論之○沙溪集）

答東陽尉申翊聖別紙曰所疑甚精然旁題夲為奉祀故稱孝子以應祭稱孝子孝孫之文與書札之自稱有異似無未安如何（退溪集）

夫神主

答李平叔書曰夫存妻死則神主不書顯妣題當云亡室妻存無子而夫亡未詳當何書都下有一家書曰顯辟蓋依禮記夫曰皇辟之語也未知是否（退溪集）

韓應南問無子而夫亡則神主當何以題乎旁題不書乎

答曰婦人不得主喪旁題不可書若門中議建立後則善（寒岡集）

姜碩期問夫亡而無子則其神主當何書耶宋判書淳之喪朴靈光曇叙據近世名儒之說以顯辟書之云此辟字雖出於禮記而未知果穩當否朱子曰旁註施於所尊妻既主祀則旁註當何以書之

答曰妻祭夫稱辟出於禮記同元陽祭錄亦曰無男主而婦祭舅姑者祝詞云新婦某氏祭顯舅某官封諡顯姑某氏妻祭夫曰主婦某氏祭顯辟某官封諡夫祭妻曰某祭嫡某氏弟祭無子之兄曰弟某祭顯兄某官封諡兄祭弟曰弟某甫云稱顯辟似有據旁題禮無明文（婦人無奉祀之議見下答李以恂條當統者○沙溪集）

李以恂問凡喪無子孫只有子婦在家姪婿主喪而主婦奉其祭祀則其神主旁題以孝子某之婦某氏書之耶禮無婦女主祭旁題不書乎若有乳下之兒則以兒之乳名旁題及長定名後改題可乎

答曰婦人無奉祀之義周元陽祭錄婦祭舅姑者祝辭云顯舅某官封諡云云若不得已或依此題主耶旁題亦無明文若有乳下兒則定其名即書旁題何必待長（沙溪集）

妻神主

金士純問妻亡無后及妹在室成人而死則題主時屬稱旁題將何書之而可或云無旁題則神無所依或欲設紙牓祭妹此說何如

答曰示事皆禮之變處禮之變聖賢猶以為難昧者何敢妄議於其間乎然以所示諸說言之書亡室某封某氏而不書旁題者似為得之蓋旁題施於所尊以下則不必書乃朱先生說也亡欲代以故字鄙意果如此未知是否（無封則稱貫鄉）其於妹也亦然亦以右例書故妹云云無旁題蓋既稱為妹則固神之所依何必旁題而後可依耶旁題乃尊敬之禮不宜施於此等也紙牓之說亦恐太忽略耳（退溪集）

又問妻亡無子且無繼后則其神主祝文題辭當如何

答曰主則當書曰故室某人某氏云云朱門人常問此條朱先生曰當以亡室書之云云某意亡字似迫切非不死其人之意而以故字書之恐無妨祝告辭亦同但告者則當書夫之姓名而夫字不必書也恐敢昭告亦改曰謹告而去敢字恐或可也（退溪集）

安之恭問世人喪妻者於粉面有書以嬪而旁註不施或有以子書之者父在子不得為主則以子書之可乎又人妻生而其夫先死則以辟書之者有此何據而然耶

答曰妻喪旁註不書為是父在子不得為主則亦不可以子書之曾見宋朝有一祭禮書嬪於妻書辟於夫者矣今則好禮之士非不欲做焉而嬪嫌於宮中所用辟亦嬪於惟辟之辟所以皆不用也妻主或以妻書之鄙人則以亡室書之矣（寒岡集）

李君顯問題主規式粉面陷中何以書之耶

答曰一依家禮為之但今人於婦人喪或有不書諱者昨日崔季昇來問削奪者之妻當依無職者之妻假用孺人乎僕答曰似當依無職者之禮可也（寒岡集續而今本無）

申晉甫問題主則世俗稱以亡室某郡某氏此是合禮否當如何書之耶

答曰隨俗稱亡室似未為不可但於某郡上隨夫職有邦典之稱此則須當隨時書之不為例耶（旅軒集）

婦人神主稱號從夫實職（見[illegible]答宋浚吉問○沙溪集）

姜碩期問妻喪題主今人各執所見莫有定式未知當何書耶

答曰朱子稱亡室丘氏稱亡妻周元陽祭錄稱嬪當依朱子所定（沙溪集）

外家神主

金行遠志遠問題主時粉面何以書之而亦無旁題耶（以學外孫金朴後事問見外家奉祀）

答曰粉面之題最難指揮不知當書曰顯外祖考云云旁題曰孼外孫云耶（寒岡集續而今本無）

金士憑問妻母之喪無喪主粉面以外孫之名書之乎

答曰粉面之題出於變禮不知當如何而為得宜也如不得已則當書曰顯外祖妣密陽朴氏神主旁題則姑勿書（寒岡集）

姜碩期問世俗或有以外孫主祀者神主當以顯外祖考妣書之旁註亦書之耶外祖神主或傳於外孫女則亦將何以書之耶

答曰（沙溪集）外孫奉祀猶為不可況外孫女耶何必書奉祀關之可也

兄弟神主

宋光宅問父生時光宅外家祭祀及亡兄祭祀專付光宅末子時堅今當題主以此兒名書於旁題乎以光宅之名書之乎

答曰雖有先人之命若不得禮曹立案則不可徑書左旁恐姑書曰顯兄秀才府君神主而呈禮曹出立案（寒岡集）

崔季昇問兄弟姊妹之殤者既無稱號封氏則神主亦何以書之或書殤兄殤弟如何某封某氏之稱亦可書於殤親否

答曰神主書殤字未見於古書殤又不可以有封男子則當書曰秀才某郡某公神主女子則當書曰某郡某氏乎不敢的知（寒岡集）

答洪叔京（鎬）別紙曰不書旁題則當依祔主之例但前日賢季之主必書亡弟二字今當書故弟妻某郡孺人某氏耶於禮庶人曰妻妻字似未安然無他可穩字而今俗通尊卑皆用妻字書之於主雖似不雅猶不至大不當耶來書用婦字此則不可禮曰謂弟之妻婦者嫂亦可謂之母耶言不可稱婦也妻字嫂於太朴則只書故孺人云云又如何不敢質言（愚伏集）

班祔神主

答金汝涵淺問曰雖旁親若尊位則皆用顯字府君字且我東先賢於伯叔父亦用考字耳旅軒集

答金汝涵問有兩兄一弟死於亂中而皆參上殤矣欲於先世神主改成時并將題主粉面何以書之乎

答曰殤主粉面亦當稱顯兄秀才若下殤則不言秀才如何殤者若弟則當稱故弟耶旅軒集

子女神主

李汝樾問厚慶遭安壻之喪不幸無子其父主喪神主粉面何以書之耶

答曰當曰子秀才神主寒岡集

申晋甫問亡兒神主當何以書之

答曰無旁題粉面但題曰亡子某名神主陷中則明朝鮮故秀才申機字某神主旅軒集

李叔發問女子之葬父雖主之祝文則當書其夫名歟神主亦書亡室云歟

答曰未見舅姑未見廟而夭此未成婦也當不得入夫家之廟今以亡室題主似不可為須更問于知禮之人如何旅軒集

又答問曰女子子在室而夭父當主其喪則其題主也似當曰亡女神主或但曰女子子神主其或可乎顧廣問而酌定如何旅軒集

三殤立主見湧喪答洪瀷問

妾神主

答寓齋宦姪書曰古禮妾亦有神主今造主似無不可然此則不須造主只用位版為可若只書紙牓太為忽略尤易於廢亡之勢故酌其中而為位版可也退溪集

安之養問喪妾者或有設主此何自而然耶子程子曰立牌子而私室奉祀云則為妾設主可乎

答曰程子於妾喪令作牌子亦有令作主之說今於病中未及考之尊若欲知後當考上寒岡集

李汝樾問父妾生時不許稱氏死後銘旌神主其姓下何字書之耶

答曰此姓下字著之最難世俗或書召史字或書閣氏字或避此兩稱而書娘字亦有書姓字者未知何者為勝在左右量用之如何耳寒岡集續而今本無

庶孽神主

庶孽婦人神主見鎔往答宋浚吉問

禮疑答問分類卷之十

喪禮 題主服色

李士厚問題主檀弓曰不可以凶服交神故必擇遠親或賓客以吉服行之云而先考遺大父喪題主之人以黑團領從事而前歲冬先生夫人葬時吳佐郎以素服題主何如

答曰家禮無題主人吉服之文故東岡在時以為必會葬之人題主則既無變服之節似是仍素服故不禁素服題主矣然而曹先生題主時議論不一題主者以黑團領為之矣檀弓所謂凶服者卽喪服之謂古人以吾親托體地中當以禮敬接於山川之神故不能用純凶之服於是縞素為冠篤為環絰便引此而許用吉服則非所敢知也蓋常疑此一節而未有所考據焉耳寒岡集

題主奠

宋浚吉問家禮題主只言炷香斟酒而今俗別設盛奠無害否

答曰從俗不妨五禮儀亦有題主奠也沙溪集

祭文

答申晉甫問曰子喪葬時略敍之詞未知欲伸慈懷於亡亂耶古人告死之文不頫孔聖哭鯉之辭無傳延陵季子瘞子之告亦略此可驗也然慈情所極何敢禁旅軒集

墓碣

金而精問合葬之墓碣面兩書墓字何如

答曰府君書墓而夫人只書祔字似得宜也退溪

盧寡悔穌齋祖問考妣一穴而分窆異封今欲於兩封之間竪一石表面刻右題考左題妣此俗所行也俗又或單題考前而妣前則否此又如何

答曰一穴異封表面分刻混所聞俗例亦如此恐程子所謂事之無害於義者從俗可也者此類之謂也其單題考前恐未安退溪集

又問兩封共一表則其世系名字行實之刻也當首祖考次祖妣可乎合而述之可乎

答曰兩封共表銘文之刻例未有考今世或有分刻者有合述者愚意分刻固善然以同穿一體共穴合祭之義言之合而述之亦似為得退溪集

答或人問曰朱子教夫婦合葬者誌石上面之題曰某故進士某君夫人某氏之墓云淺意合葬碣面之題亦用此式如何若雙封各碣則兩碣須當并書之墓又若雙封一碣則正面當中題曰某國某官某公之墓其左傍低其題曰某夫人某氏祔為左封其又如何也如碣面所題國號職名當與神道碑同恐是也旅軒集

朴鑒問墓道碣面或有直書姓名者或有只書某公之墓者何者為得乎姓名以細字淺刻於碑陰則歲久磨洗莫辨字畫以此觀之若莫直書姓名於碣面昭示永久之為愈何以則合於情禮耶

答曰我國古人之墓亦有直書姓名者而涉於未安故今人不書姓名只書公字而錄其名字於碑陰矣若其字畫風雨之傷則鐫深大其畫爲得永世無保哉姑避前面直書之為未安耳旅軒集

合祔葬

任卓甫問合葬左右位則朱子之存東畔者何義而陳安卿男當居左之說下曰祭時以西為上則葬時亦當如此方是云者其証之云耶

答曰朱子初存東畔後悔其非陳安卿問朱子之言而禀焉則其所謂者乃朱子之曰也寒岡集

黃宗海問凡有前後室者既與前室合葬而後室則不與

爲此不幾於未安乎或謂前後皆滿葬而三壙共爲一墳
此說其有據乎
答曰程子曰合葬須以元妃則後室似當同塋異墳矣世俗亦有三棺同壙合葬者然淺見曾亦以爲不妨竊更思之似不若同塋異墳之合宜 寒岡續集

答或人問曰將以合葬則開土地祀后土果似不便然而將祔體魄於此山不可以無告於山之主神似當於舊墓將葬之傍略倣家禮開塋域之儀設祭以告恐無妨且於舊墓亦不可以不告則鄙意恐先於未祭后土之前先用酒果告于舊墓訖行后土之祀遂行治葬節次及將安金井穿壙之日又告以開封合葬之意於舊墓而旁破西畔一半姑安勿金井先暫穿以驗舊墓灰滿上下傍後乃始量設金井而穿壙爲及至葬之日俟平土後盡破舊墓前未破之封乃量塋域而成墳似當矣然此皆出於賤臆所料未知果合於義理事勢與否爲耳幸更廣問知處擇用爲如何告文則此無家禮未得依倣草上只在臨時便宜草用不妨 寒岡集

宋浚吉問人有繼室或三室則其葬其祭似皆合祔而令人多以有子者爲主無子之妻或不作主恐乖禮意如何

如何

答程張朱子論之已詳可考也 沙溪集

程子答富鄭公曰合葬用元妃配享用宗子之所出 遺書 〇張子曰祔葬祔祭極至理而論只合祔一人夫婦之道當其初昏未嘗約再配是夫只合一娶婦只合一嫁今婦人夫死而不可再嫁如天地之大義夫豈得而再娶然以重者計之養親承家祭祀繼續不可無也故有再娶之理然其葬其祔雖爲同穴同筵几譬之人情一室中豈容二妻以義斷之須祔以首娶繼室別爲一所可也 理窟 〇朱子曰程先生說恐誤唐會要中有論凡是嫡母無先後皆當並祔合祭與古者諸侯之禮不同又曰夫婦之義如乾大坤至自有等差故方其生存夫得有妻有妾而妻之所天不容有二況於死而配祔又非生存之比橫渠之說似亦推之有大過也只合從唐人所議爲允況又有前妻無子後妻有子之礙其勢將有甚杌揑而未安者〇惟葬則今人夫婦未必皆合葬繼室別營兆域宜亦可耳 大全 〇黃勉齋曰今按喪服小記云婦祔于祖祖姑有三人則祔於親者再娶之妻自可祔廟程子張子考之不詳朱先生所辨正合禮經也 續通解

又問合葬是同槨耶只是同壙耶妻當祔於何方

答曰禮記及朱子說可考 沙溪集

檀弓孔子曰衛人之祔也離之魯人之祔也合之善夫註既同室死當同穴故善魯人離之謂以一物隔二棺之間於一槨之中也魯人則合幷兩棺置槨中無別物隔之〇朱子曰古者槨合衆材爲之故大小隨人所爲今用全木則無許大木可以爲槨故合葬者只同穴而各用槨也〇陳淳問合葬夫婦之位曰某初葬亡室時只存東畔一位亦不曾考禮是如何淳問地道以右爲尊恐男當居右曰祭時以西爲上則葬時亦如此方是

又問同壙而葬者若待後喪而掩壙則其間日子稍遲似爲未安

答曰張子既有教恐不可違然爲日若久似不可膠守耳 沙溪

張子曰古者幷有喪則先葬者必不復土以待後葬之入相去日近故也

雙墳

權章仲問雙墳分左右

答曰自北面南而分左右則考當西爲右妣當東爲左蓋神道尚右地道亦然而祭時設位亦以右爲上故也朱子自云葬亡室時虛東一坎此則可疑然恐或記者之誤未可以此而易神

道尚右之義也雙墳表石床石今人率用一件恐不違禮 退溪

答鄭子中書曰詢及葬地前後之宜古禮未有考只以世俗所行及事理度之似以考前妣後爲當然前既無地可占合葬雙墳勢俱爲難則似不得不隨地勢以處更須十分商度以決如何 退溪

答李剛而書曰兩親墓東西定位想中國俗葬皆男左女右故朱先生葬劉夫人時只循俗爲之其後丘文莊亦不欲異俗而云云也然朱子答安陳卿之問分明謂祭而以西爲上葬時亦當如此方是則此乃爲晩年定論而後世之所當法也今者尊先祖考妣墓雖與今所定左右不同滉意朱子定論既如彼又西邊狹側不可用則用於東邊恐無可疑也今之所恨在於先祖考妣位次難改無如之何耳不當緣此而有疑於今所定也如何如何大抵丘文莊好惡頗有不當中理處恐不必盡從其論也 退溪

各葬

答柳希範書曰所喩尊先塋各葬事正與滉家相類奉讀以還爲之哽愴據禮言之兩妣皆當祔於考塋未則邊先以祔可也滉先妣葬在別處而先考葬於族葬族葬乃家後山也滉兄弟六七人遭後母喪取便近而祔葬於先塋先妣墓已經七十餘年難於遷動又亡兄嫂及姪隨葬亦多已成一族葬因遂未遷其於事理極爲未安尚賴所云別處亦去家僅五六里而近每祭兄弟子姪祭於先塋次日祭於先妣墓未嘗設位於先塋而遂祭之也兩處皆有齋舍或於其一處有故不可行祭卽就無事處設位合祭之耳此乃從前處事未盡善暨于今日雖欲改之事勢有甚難之故也 退溪

金伯昷 璟 問父母合葬情事合當而勢力單薄不能發引於數百里之外依朱夫子天湖白水之葬葬於所寓居之地何如

答曰事出於甚不獲已則權宜各葬似不大害義理但不當援引先賢且力單地遠非甚不獲已之故古有負喪營葬者 退溪

成墳

宋浚吉問圓墳與馬鬣不知何制爲得檀弓子夏曰昔者夫子言之曰吾見封之若堂者矣見若坊者矣見若覆夏屋者矣見若斧者矣從若斧者焉馬鬣封之謂也云云據此則當以馬鬣爲準而今俗罕爲此制何歟

答曰馬鬣比圓墳覆土頗廣稍去稜隅則似或堅完吾家累代墓皆從此制 退溪

成墳祭

金而精問成墳祭無禮文而世皆行之如何

答曰成墳三日祭是不安神於神主而仍安於墓所甚無謂也但今世俗崇重墓祭成墳之祭他日墓祭之始也恐不免循俗而行之 退溪

宋浚吉問五禮儀有成墳奠而退溪亦有雖非禮而從俗之教如何如何

答曰成墳之奠於禮無據不敢爲說 退溪

君臣禮葬

答柳希範書曰君臣禮葬周禮凡有爵者之喪職喪以國之喪禮涖其禁令序其事孟子公行子有子之喪註以君命往弔故謂之朝廷又禮記君臨臣喪所記非一然則以君命治臣喪而葬之謂之君臣禮葬耳若謂君從君禮而葬則於孔子之事不應舉此再言之也 退溪

虛葬

申湜問人死不得其尸體者聖賢立言何無處此之道耶或招魂葬或遺衣而葬在禮何所據耶

答曰虛葬之非先儒已言之何謂無處此之道耶僕嘗抄錄數條詳見于下 退溪

通典晉元帝時袁瓌上表請禁招魂葬云故僕射曹馥沒於寇亂嫡孫胤招魂殯葬聖人制禮因情作教槨周於棺棺周於身非身無棺非棺無槨胤無恩而葬招幽魂氣於德為愆氣於禮為不物監軍王崇太傅劉洽皆招魂葬請下禁斷博士阮放傅純張亮等議如瓌表賀循啓辭宜如瓌所上荀組非招魂葬議亦如前或引漢之新野公主魏之郭循皆招魂葬答曰末代所行豈禮也或引喬山有黃帝塚是葬神也答曰時人思帝葬其衣冠非葬神也干寶駁招魂葬以為失形於彼穿壙於此亾者不可以假存無者獨可以僞有哉未若於遭禍之地備迎神之禮宗廟以安之哀敬以盡之犯行禁招魂葬議云招魂而葬委巷之禮殯葬之意本以葬形旣葬之日迎神而返不忍一日離也況乃招魂而葬反於人情以亂聖典宜可禁也李瑋難曰伯姬火死而叔弓如宋葬恭姬宋玉先賢共武明主伏恭范逡並通義理公主亦招魂葬豈皆委巷乎衍曰恭姬之焚以明窮而殯正不必灰燼也就復灰燼骨肉雖灰灰則其實何緣舍理灰之實而當反葬魂乎此末代失禮之舉非合聖人之舊也北海公沙歆招魂論云即往推亾依情處禮則招魂之理通矣招魂者何必葬乎蓋孝子竭心盡哀耳陳舒武陵王招葬議云禮無招魂葬之文宜以禮裁不應聽遂張憑招魂葬議云禮典無招靈之文若葬虛棺以奉終則非奉形之實埋靈爽於九泉則失事神之道博士江淵議葬之言藏所以閉藏尸柩非為魂也無屍而殯無殯而窆任情長虛非禮所許○宋庾蔚之論葬以藏形廟以享神季子所云魂氣無不之寧可得招而葬乎○綱目范氏曰人之死也魂氣歸于天形魄歸于地葬所以藏體魄也若魂氣則無不之也苟無體魄則立廟以祀之而已魂氣不得而葬也而必為之墓不亦虛乎○朱子曰招魂葬非禮先儒已論之矣○通典亾失尸柩服議劉智云說葬而變者喪之大事畢也若無屍柩則不宜有葬變寒暑一周正服之終也是以除首絰而練冠也亾失親之屍柩孝子之情所欲崇也可因今周練乃服變衰絰雖無故事而制之所安也○開元禮云亾失屍柩則變除如常禮

權葬

黃宗海問權葬出於亂時而今人於無事時行之是果不悖於禮律耶

答曰權葬非禮至於無事時行之甚無謂也 沙溪

返魂

金而精問返魂時奠酌用何禮而何人奠酌

答曰返魂時奠禮未知所指似指今都下人返魂日親舊出城迎奠之事此禮古無所據亦不知今俗所為如何竊意迎奠乃親舊所為則非主人所當行也若主家自辦奠具則主人行之然主人侍廬三年因而侍來至門外而行奠似無意謂也如何

如何 退溪

又問大祥返魂俗例門外迎奠今以極寒遠程事多有礙欲勿設郊祭直到于家且祥祭姊妹妻皆當祭故欲前期一二日奉還何如此於就礪服制者或無妨故敢稟

答曰古不廬墓葬日返哭故無迎奠之事今人率不能免俗留魂山野過三年乃返雖甚無謂然久於外而今返親舊之出郊迎奠亦人情所宜有也且父在為母服朞者十三月而祥則宜此日返魂（返魂居廬飲食一依喪禮以終朞祥而除几筵所謂心喪者此也）今人又復仍留必至二十五月而後返則失禮之中又失禮焉公雖好古禮此等節目皆未免俗而依行獨於郊迎之事不循俗禮如何如何但再期之祭以俗禮例則行於山依古禮則行於堂與其因循而遂遵俗失寧欲從禮宜而反用古禮則前期一二日奉還以行恐為得之大槩如此其間曲折可否之決在公裁處難以遙度也（郊迎奠祭兩項節目或貧家有難兩全者故云難遙度也）○退溪集

又問或返魂于家使婢僕朝夕上食不謹殊多恐不如不行也

答曰此甚未安但亡者或患其若是而有廢上食之遺言則只朔望可矣無是而卻几筵之奉恐亦未可輕議也 退溪集

權章仲問反哭

答曰古人深以返魂為重且急葬之日未及成墳而反虞所以欲反其平時所居處安樂之處庶幾神魂不至於飄散也自廬墓俗興此禮遂廢仍奉魂於空山荒僻平昔所未嘗居處安樂之地以歷三年而後反之重體魄而輕神魂其不知而無稽也甚矣然未喻欲反而因遂入廟與前神主合櫝共祭此又何其考之不詳而擬議謬耶據禮既返而設几筵於正寢三虞而卒哭卒哭而祔祔時暫奉至廟行祔祭後復反於几筵以終三年而後入廟皆有節次不遑詳且謹也何可以遽入廟耶且今人葬後合祭前後主以前主而言既吉而反凶非禮也以後主而言方凶而援吉亦非禮也觀忌日之祭猶只祭當主而不并祭他則喪不可合祭前主較然矣雖然今有人篤孝而能謹居喪者反哭後能嚴內外之辨寢苫枕塊以終三年則固為至善雖違衆而不廬墓何不可之有苟或不然反後凡居處守喪之道有不能致謹者則其罪又甚於不返魂之非此在喪者自信而能盡心以處之耳合祭雖衆俗皆然然亦在孝子信古據禮至誠哀痛而致之則致世俗之非禮以從禮文亦何不可之有我若不幸而信不能及此難於違俗而合祭則只設紙榜之類以行猶或可言至於出主合祭廬所尤為大錯千萬不可為也 退溪集

答丁景錫書曰孝其返魂時其學徒或步或騎之爭孝之丘氏家禮中已有親舊騎乘之節臨行遍未考本家禮然本家禮想必言之此非奧僻難知之禮彼既不考而相爭吾輩亦聞而疑之可為笑怍平日於節文不熟講臨事窒礙如此深可戒也

家禮所謂卑幼亦乘車馬恐是指家衆而言若親朋則不當以卑幼稱之大抵禮之反哭乃在當日事非如今人廬墓反哭與葬日事各為一項節次也故禮無親朋迎主之節且送葬親朋以情之厚薄為遠近各已散歸則雖有終葬隨反者亦必少也故繫以卑幼泛稱家衆則親朋之隨反者當包在其中耳 退溪集

盧亨運問返魂之後哭於廳事世人皆不行之廢之可乎

答曰如禮可宜何可以世人之不行而廢之乎 寒岡集

侍墓

黃宗海問或謂若墓近則几筵設於家而諸子皆守墓朝夕上食時來參至於晨昏省墓亦可不廢此意如何

答曰固為甚善但難使墓遠之人皆如之奈何 續寒岡集

盧亨運問宗子侍墓則返魂於室堂之文亦廢哭於廳事之禮窮家亦無奴婢供祭事於墓下必欲侍墓則返魂於室堂而使主婦奉朝夕祭事宗子往來於朔望行祭於禮如何

答曰宗子有兄弟則相遞往來不妨或不然主婦可以奉行朝夕之奠喪主朔望時往來不妨 寒岡集而今本續集無

廬墓

金而精問少祥止朝夕哭則廬墓者可於祥後晨昏上塚哭臨此亦止乎或云廬墓非禮哭亦無據然若上塚則情不自已哭臨何害

答曰晨昏哭塚本為非禮況敢乎此而猶為彼乎此等事君子不貴也 退溪集

又問如有夫存妻亡或妻存夫亡而無子者使行者廬墓三年何如

答曰廬墓子孫守之猶為未安況無子孫委神主於空山使奴行祭甚無謂也不如反魂而祭於家生存者檢婢僕行之猶為少近情也 退溪集

答李平叔書曰郭巨埋子與廬墓之是非申啓叔之説近是但以爲聖賢復起必爲廬墓此則非矣若公則知廬墓之非而欲矯之其意非不善矣惟其言太激發過當請廬墓太刻急至比於郭巨埋子其事本不相同而强同之宜乎啓叔之不肯可也（退溪集）

趙起伯問居廬與返魂事何者爲是

答曰設殯於正寢者使其神安在於生存之處也歸葬于山野平土纔畢題主畢使子弟看封墓即速返魂者恐神魂飄散無依泊欲速依歸即安於平昔居息之處此孝子之心也今只以居廬爲善未知返魂之意至畢三年後乃返魂于家魂散久矣其能返乎胡伯量問曰某結屋數間於墳所葬後與諸弟常居其間敬子以爲主喪者既葬當居家蓋神已歸家則家爲重却令弟輩宿墓可也舜弼亦云廬墓非禮某自此常在中門外别室更令一二弟居宿墳庵某時一展省未知可否朱子曰墳土未乾時一展省何害於事但不立廬墓之名耳蓋漢唐以下未有居廬之名其中或有廬墓者表旌其閭由是廬墓成俗而返魂之禮遂廢甚可歎也但末世禮法壞亂返魂于家者多有不謹之事反不若廬墓之免於混雜也然其不謹如此者雖廬墓恐亦不能致謹於廬墓也（退溪集）

朴汝昇問當初占葬於太山深谷之中情事益復罔極遂作廬山之計而年深偏母常嬰疾病往來覲省引日侍藥兹據禮經魂返室堂而獨守山廬朔望及省母之來則哭於几筵伏聞人以爲古之居廬也同設几筵於墓下故三年之内跡不到門近世君子或有返魂而廬墓者次子也尤有喪主在家奉几筵也今以喪主而廬山則三年之喪所事者惟朝夕上食而委之主婦或次子甚不可云云曾聞禮經曰既練兄弟之異居者可以歸云伏見家禮小祥章下亦曰惟朔望未除服者會哭云練後未除服者惟三年喪則練後次子之歸亦明矣然則以次子奉朝夕之祀者果拂禮經之意矣如何

答曰所謂小祥後未除服者豈必三年喪之謂也期大功而聞喪晚則不妨其爲未除服於小祥之後矣若誘以練後未除服者惟三年喪而許令次子之歸其家則無乃未安乎昔者胡伯量欲歸在家間主喪奉主令一二弟居宿墳庵自己則時一展省朱子答曰墳土未乾時一展省何害於事但不須立廬墓之名耳以此觀之廬墓之名聖賢蓋不許之矣然近世孝子亦有不忍遽離體魄之所安而仍留過三年於墓側或仍奉几筵或返哭於家而自來守墓皆隨一時所見而爲之不知稟於古賢則其將以何説爲是耳（寒岡集）

宋浚吉問禮言反哭而或以廬墓爲善將何適從

答曰栗谷所論可考也（沙溪集）

栗谷曰反哭固正禮但人效嚬遂廢廬墓返魂還家妻子同處禮防大壞凡喪親者自度一一從禮則當依禮返魂如或。然則未當依舊俗廬墓可也

五服歸家

宋浚吉問禮大小喪練後葬後有歸家之節願聞其詳

答曰禮經及朱子説可詳之（沙溪集）

喪大記大夫士父母之喪既練而歸朔日忌日則歸哭于宗室諸父兄弟之喪既卒哭而歸注命士以上父子皆異宫庶子爲大夫士而遭父母之喪殯宫在適子家既練各歸其宫至月朔與死之日則往哭于宗子之家期服輕故卒哭即歸也○婦人喪父母既練而歸期九月者既葬而歸注喪父母謂婦人有父母之喪也練後乃歸夫家也女子出嫁爲祖父母及爲父後之兄弟皆期服九月者謂本是期服而降在大功者哀殺故葬後即歸也○喪服記女子子適人者爲其父母卒哭折笄首以笄布總注卒哭而笄之大事畢女子子可

以歸於夫家而著吉笄折其首者為其太歸疏喪大記云女子既練而歸與此註違者彼小祥歸是其正法此歸者容有故許之歸耳○既夕禮兄弟出主人拜送註兄弟小功以下異門大功亦可以歸疏此兄弟等始死之時皆來臨喪殯訖各歸其家朝夕哭則就殯所至葬開殯而來喪所至此反哭各歸其家至虞卒哭祭還來殯也故喪服小記云緦小功虞卒哭則皆免是也異門大功亦可以歸者大功以上有同財之義為異門則恩輕故可歸也○葉賀孫問賤婦喪母卒哭而歸緣看喪大記曰喪父母既練而歸期九月既葬而歸賀雖今反終其月數而誤歸之月不知尚可補填乎曰似他人或在母家彼此有所不便不可以待練之久其不可以不歸也朱子曰補填如今之追服意亦近厚或有不便歸而不變其居處飲食之節可也衣服則不可不變

葬祥禫待客

退溪先生嘗謂學者曰吾東方喪記廢墜無可言者世俗例於葬送祥祭之日喪家必設酒食以待弔葬之客客之無知者或酗呼違庭甚無謂也君輩其講此處是之道及易簀之日遺命禁之若勢有所難則設於遠處以待之云云 退溪集

金士純問今人居喪例於葬送祥祭之日設酒食以饋弔客甚無謂也

答曰喪次設酒食甚非禮而其說甚長今不敢輒云 退溪集

又問喪次設酒食固為悖禮所謂其說甚長者何謂也

答曰喪次設酒食處之之道如陳安卿書所云當矣此則已赴他喪所處之宜耳最是已當喪而待客欲反今之弊俗而合古之禮意其間曲折至為難處者多故前云其說甚長今不敢輒云 退溪集

答或人問曰禫日時俗請客設宴禮既無文酌以情理恐或未安 寒岡集

宋浚吉問葬時具酒肴以待弔客鄉俗滔滔甚無謂也好禮之家自不徇俗而至於練祥人皆謂異於初喪雜記云小祥之祭主人之酢也嚌之衆賓兄弟皆啐之大祥主人啐之衆賓兄弟皆飲之可也此則非惟飲客主人亦自飲之譏為末流之口實或無乃漢儒傅會之誤處耶忌日不飲家禮所著安有練祥之日而主人與客酬酢之理乎今人於練祥雖不酬酢而設酒饌以待之若不可已者然練祥喪祭也非忌日比而行此忌日所不為之事鄙野之俗一至於此程夫子所謂毋隔人於惡者正謂此耶或云家禮弔禮護喪送至廳事茶湯而退今人既不用茶則以酒待客不至甚害而遠來之賓亦不可全無接待之禮云未知如何

答曰古人祭禮與後世不同主人獻賓賓酢主人皆祭時事非如後世之餕也禮以為重故不敢廢心不能安故不敢飲至遂而已入口而已乃其節也不可視為傅會之誤若今人於祭饌之外或備酒食有如宴賓之為則無理甚矣決不可從若以祭餘待來會之客而合族人為禮不至褻瀆則庶不為隔人於惡矣 愚伏集

虞祭

鄭汝仁問虞祭謹按家禮無參神條儀節雖補入而乃在降神之後蓋既出主不可虛視必當拜而肅之則參神宜居於降神之前灌則所以為將獻而親饗其神之始則降神宜居於參神之後今欲先降後參依四時祭為之未知可否

答曰虞祭參神朱子所以虞祭無參神一節非闕漏也虞者祭之未吉者至卒哭而後謂之吉祭且參者謁見之名當是時如事生如事存之兩際故去參神以見生前常侍之意行降神以見求神於恍惚之間此甚精微曲盡處瓊山輩意添入恐有不

知而作之病也當從朱子（退溪集）
又答曰來諭先降後參恐當作先參後降（退溪集）
　鄭寒岡問大小祥卒哭辭神並如虞祭而虞祭辭神再拜乃在歛主之後與吉祭先辭神後納主之儀不同不知更有微意否
答曰未詳何意不敢臆說（退溪集）
　盧玉溪問虞卒哭無添酒再拜何也
答曰侑食非添酒而何其無再拜豈非以悲遑不能備禮只令執事就添盞中酒也（寒岡集）
　蔡靜應問有人居父喪有母焉有兄弟焉有妻焉當祭也或曰喪主初獻主母亞獻主婦終獻或曰喪主初獻主婦亞獻弟終獻以行焉何言是歟
答曰家禮以亡者妻為主婦則喪主之母當為主婦喪主之妻不得為主婦若獻焉則喪主初獻主婦亞獻非無喪者之妻而必使親賓為終獻則喪主之弟若成人而與祭焉其為終獻恐無不可（寒岡別集）
　宋浚吉問初虞用日中再虞三虞則皆質明者何義歟
答曰禮經可考（沙溪集）
士虞禮日中而行事註朝葬日中而虞君子舉事必用辰正也再虞三虞皆質明疏辰正者謂朝夕日中也以朝有葬事故云日中而行虞事也再虞三虞皆質明者以朝無葬事故皆質明而行虞事是用朝之辰正也
　又問家禮虞卒哭大小祥及禫祭無參神而丘義補入是何意耶
答曰家禮虞卒哭大小祥禫祭並無參神之文而只於祔祭有之又其下註特言參祖考妣則其於新主無參神之禮明矣退溪說可考丘氏補入恐非家禮本意意者所謂參神者參謁也吉祭則既奉主於其位而不可虛視其主故必先拜而謁之然後降神禮也至於新主則三年之內奉置靈座而孝子常居其側未練之前又有朝夕哭以象平日昏定晨省未嘗一日離也雖遇行祭之日無可參謁之義故不設此禮而只入哭盡哀而已歟（沙溪集）
答全淨遠書曰檀弓曰葬日虞不忍一日離也鄭氏曰虞者安也棺柩既去恐父母精神彷徨無所依故祭以安之也蓋魂氣已散孝子欲萃聚之故虞必於是日其用意深矣然則未實土而先題主其未安小俟實土而待翌日其未安大愚意當看日勢雖未及復土不得已先為題主依朱子所言行虞祭於所館似得（愚伏集）
　申汝涉問題主後返魂而虞若路遠則於所館行之既到家乃行三虞禮也而楊家在數百里之遠必三宿而後得返則三虞之久不祭勢也等其久也曷若於山廬留奉几筵待數日墓事畢後返魂而行三虞乎
答曰葬形原野之後魂無所依聖人恐其飄蕩彷徨故必於是日虞又必於所居之室堂其慘怛悲惻之意蓋不忍一日離也依禮文留子弟敦事速返而行三虞於室堂甚善甚善（愚伏集）

倚杖

　宋浚吉問倚杖於室外者何義當倚於室外之東乎西乎
答曰小記虞杖不入於室祔杖不升於堂註虞祭在寢祭後不以杖入室殺哀之節也士虞禮主人倚杖入註主人北旋倚杖西序乃入所以倚於西序古禮虞祭男女序立反於初喪必男西女東而其升降男子亦由西階而其入室也近於西序故仍以倚之所以取其便也今家禮位次變於古而丈夫處東西上則其倚杖亦於東壁下可也（或云主人兄弟升降必由西階則倚杖之所不必變也未知是否○沙溪集）

玄酒

　姜碩期問祭用玄酒何意耶
答曰禮經可考（沙溪集）
鄉飲酒義尊有玄酒教民不忘本也註古之世無酒以水行

酒故後世因謂水為玄酒不忘本者思禮之所由起也○據
運註每祭必設玄酒其實不用之以酌．

茅沙

宋浚吉問家禮束茅聚沙何義至祭始祖條小註始云截
茅八寸束以紅絲亦有所據耶他祭則不束以紅耶

答曰諸家所論可考（沙溪集）

集說或問束茅聚沙是聚沙於地擁住茅束否曰然曰用茅
何義曰郊特牲云縮酌用茅註醴濁用茅以泲之也曰盤戴
以酹何也曰程子謂降神酹酒必澆於地家禮亦同未聞有
盤至劉氏補註祭初祖條始有茅盤截茅八寸束以紅立于
盤內劉必有考但其不註於時祭各條又恐止宜初祖不敢
據也曰茅或用三束何也曰按三祭于茅者三滴酒於茅上
非三束茅也豈誤其數也近見他書每位一獻用酒三盞者
尤非又曰祔位不設○周禮註必用茅者謂其體順理直柔
而潔白承祭祀之德當如此也○會通註曰截茅一搤許紅
帛縛束立沙中束之有竅沃酒滲下故謂之縮茅（或云士虞禮是用茅之始歟）

利成

盧亨運問虞祭讀祝告利成皆西向卒哭東向何義也祔
祥禫皆如卒哭之儀。無利成之文利成通用於四祭乎而

答曰西向者尚用凶禮也東向者漸以之吉也祔祭侑食止辭
神下曰並同卒哭則其無告利成之儀乎祥禫侑食止辭神下
亦曰皆如卒哭之儀則獨不用卒哭之利成乎（寒岡集）

宋浚吉問告利成何義今不必行否

答曰利成之義禮經詳之後世既不用尸則恐不須行也家禮
既有之行之恐當（沙溪集）

曾子問註云利猶養也謂供養之禮已成也饋食禮畢祝告
尸以利成不言禮畢若言禮畢有發遣尸之嫌故直言利成
而已蓋古者祭有尸事尸禮畢則告利成雖告主人而其實
欲令尸聞而起也是以其下文即曰尸謖（謖起也）

又問告利成或西面或東面之異何義歟

答曰虞祭喪祭故西面告卒哭吉祭故東面告也（沙溪集）

虞卒哭變除

答金伯榮書曰虞祭漸用吉禮文稍備着網巾似當而禮文無
據故今人不用蓋網巾亦出於後世故禮文不載耶未可知也
但又有一事喪服小記云緦小功虞卒哭則免又云既葬而不
報虞則雖主人皆冠及虞則皆免云云此言既葬而有事故未
得虞者（報即虞也）且冠以歸首及虞則主人至緦小功者皆免也
免者去冠而以布繞髻者也比於冠則免乃哀飾也虞卒哭乃
去冠而用免者喪事主哀故雖漸吉而反用哀飾也以此言之
虞不用網巾似無妨也（退溪集）

答金希元問曰無葛之鄉以穎（音뎝）為之喪未曉穎之為何物此
中人亦或以귀어저為穎云而是否則亦未敢知也（寒岡別集）

宋浚吉問退溪先生曰虞祭漸用吉禮云云（見上答金伯榮書）詳
此退溪之教則虞祭用網巾雖似未安而卒哭後則用之
似若不妨今人或有卒哭後着布網巾者未知如何如何

答曰古禮親喪小斂去笄纚開元禮小斂變云男子斂髮裹布
帕頭杜氏佑曰古者無幘以六尺縿韜髮其狀如乙尾以笄橫
貫之加冠其上後漢時遭喪者裹布帕頭即笄纚之存象也丘
氏曰今網巾與纚頗相似但古禮只言其去纚之節而不言其
還施之時至祔祭主人以下沐浴櫛髮則此時似當用纚而無
明文開元禮及杜氏說雖與古禮不同喪人當斂髮之義則似
有據未知如何如何（沙溪集）

又問葛經乃古之卒哭所受之服而丘氏以為練服之經
今可遵行否且卒哭之葛用練乎用麤皮乎

答曰卒哭受服後世不行丘氏仍以葛為練服之經正合古禮
也禮經初不言麤則疑用麤皮耳（沙溪集）

喪服斬衰既虞卒哭去麻服葛帶三重
又問三重四股之制如何
答曰間傳詳之 沙溪集
間傳曰既虞卒哭去麻服葛帶三重註卒後以葛絰易腰之
麻絰差小於前四股糾之積而相重則三重蓋單糾為一重
兩股合為一繩是二重又合為一繩是三重也 見祥禫有喪李惟泰問
既練者既虞受服之時以葛絰易腰之麻絰
申汝涉問卒哭以後主人親執奠獻而兩鬢披髮似不齊
潔今若裁用生布象網巾以為斂髮之用如何
答曰淺見如此頃於叔父卒哭之後欲令從弟著布終以臆斷
為難未敢然似無不可矣 愚伏集
卒哭後上食
全而精問虞祭後朝夕上食家禮別無可行可罷之文如
何
答曰嘗見朱子答陸子壽兄弟書反覆言其不可罷子靜不以
為然惟子壽悟前說之非有內疚負愧之語蓋三年內若撤几
筵則孝子哭泣之禮無所於行故祔後主反于寢主既在寢朝
夕上食自不當撤此家禮所以無罷上食之文也 退溪集
愚嘗問虞祭之前朝夕朔望奠而不獻虞卒哭之後漸
用吉禮則必用三獻固也但朝夕上食亦必用三獻則近
於繁只用一酌則非祭之告未知如何而可耶世或有上
食不斟酒者此則務為苟簡決不可從也草堂以謂古人
既葬之後恐無朝夕上食之禮事有明證朱先生丁外憂
居寒泉精舍只以朔望來拜几筵若朝夕上食則先生豈
可遠去几筵而獨處寒泉乎云云愚意以為既罷朝夕之
奠又廢上食之禮則几筵之設為何事耶無乃先生守墓
於寒泉而主婦追饋於几筵耶
答曰虞後吉禮三獻謂如卒哭祔練祥禫等祭用此禮耳上食
非祭之比安有三獻但或人欲不奠一酌此則又非也至於葬
後上食與否許祭酒所疑似然而實有未然者昔陸子壽兄弟
亦有此說又謂几筵不終喪而撤朱子力辨其不然其答子壽
書可考也夫几筵既云當仍設而終三年則上食決不可廢當
如公說是矣朱子於寒泉往來之禮顧如彼混亦每疑於此而
不得其說今亦不敢妄為之說恐只當從俗終三年上食每上
一酌為是耳 退溪集
趙起伯問終三年上食否
答曰返魂於正寢設几筵於其前至卒哭後行祔祭几筵不撤
朱子答友人書論葬後几筵不可撤但據儀禮則當不復饋食
於下室云云所謂几筵不可撤者尚有朔望祭故也若不復饋
食於下室則祔祭後似不復上食矣但今人皆終三年上食禮
宜從厚從俗而行之可也 退溪集
姜碩期問朱子丁祝夫人憂常居寒泉精舍朔望來奠几
筵云云朝夕不行饋奠耶今人葬後或廢上食何如
答曰葬後朝夕上食罷與不罷尋常有疑嘗考諸書以橫渠溫
公說及朱子答葉味道書觀之當不罷然以檀弓卒哭而諱生
事畢而鬼事始下鄭註及疏及朱子答陸子壽書胡伯量李繼
善等問目觀之古禮分明罷之家禮雖無罷之之語而以朱子
常居寒泉朔望來奠几筵之文觀之似於罷朝夕奠之日幷罷
上食只行殷奠於朔望誠難為準唯當以朱子所謂不害其為
厚又無嫌於僭且當從之教為定論耳 沙溪集
張子曰禮卒哭猶存朝夕哭若無祭於殯宮則哭於何處國
語言日祭月享禮中豈有日祭之禮此正謂三年之中不撤
几筵故有日祭朝夕之饋猶定省之禮也如其親之存也○
朱子答葉味道書曰國語有日祭之文則是主復寢後有日
上食矣○檀弓曰卒哭而諱生事畢而鬼事始已鄭註謂不
復饋食於下室而鬼神祭之疏下室謂內寢生時飲食有事

處世未葬猶生事當以腆盤奠殯又於下室饋設黍稷至朔
月月半而殷奠殷奠有黍稷而下室不設也既虞祭遂用祭
禮下室遂無事也然不復饋食於下室文承卒哭之下卒哭
之時乃不復饋食於下室皇氏以爲虞則不復饋食於下室
於理有疑見通解續卒哭祔練祥禫記○朱子答陸子壽書曰據禮小斂
有席至虞而後有几筵但卒哭後不復饋食於下室按子壽欲於祔
後撤几筵朱子痛闢之累百言大意似謂祔後主復于寢几筵終三年而上食則卒哭後當罷也更詳之○胡伯
量問按儀禮始虞之下猶朝夕哭不奠書儀亦謂葬後饋食
爲俗禮如此則几筵雖在但以朝夕哭爲猶有死生之意耳
按朱子所答不以爲非○李繼善問檀弓既祔之後唯朝夕哭拜朔奠
按檀弓無此文問疑無乃指上柰所引鄭註及疏說耶更詳之而張先生以爲三年之中不
撤几筵故有日祭溫公亦謂朝夕當饋食則是朝夕之饋當
從喪行之不變與禮經不合不知如何朱子曰此等處今世
見行之禮不害其爲厚而又無嫌於僭且當從之詳此語意似謂朝夕
饋食古禮當罷而從俗從厚爲不害也○家禮虞後罷朝夕奠無罷朝夕上食
之文○退溪答人曰朱子答友人書云云見上答趙起伯問
宋浚吉問弟死而無妻子者葬後即祔祖龕撤几筵否
答曰弟雖無子卒哭後撤几筵有所不忍禮妻喪期年後撤几
筵依此行之未知如何沙溪集

無疑事

從疑給

卒哭後祭禮

權章仲問卒哭後祭禮云云

答曰未葬事死如事生專以凶哀爲主故奠而不祭既葬則曰
反而亡焉於是不得不以神道事之所謂事亡如事存也以神
事之則何可專循孝子哀痛之故而尚純凶只奠而不用祭禮
乎故備三獻等節文而讀祝於主人之左此所謂漸用吉耳孝
子哀經以行之何所疑哉退溪集

祔祭

答金亨彥恭廷書曰今人廬墓成俗葬不返魂故卒哭明日而
祔卒不得依禮文退至於喪畢返魂之後是與程子喪須三年
而祔之說名雖同而其實則大遠矣其失不在於三年而祔乃在於葬不返魂一事今
謹喪之家若能依古禮而返魂則事皆順矣既不能然而行於
祥後則不卜日當以返魂到家之日行之來論□禫日而祔非世又□時祭日而祔
亦非也按五禮儀大祥祭行於靈座畢即詣祠堂行祔祭○退溪集
又答問曰同堂異室群主皆遷而獨祔祖一位朱子亦以爲無
意義而猶以愛禮存羊之意處之今當從之但家禮祔在卒哭
後則遷廟尚遠猶或可也今在祥後正當諸位遞遷之日而不
及他位左爲未當五禮儀曾祖考妣以下合祭當如此○退溪集
答趙起伯問曰祔祭事陸象山以謂祔祭畢新主入于廟可也
朱子曰祔祭所以告先祖以當遷他廟而告新主以當入此廟
之漸耳祭畢祖還于故龕主返于几筵以畢三年而後遷且入
也退溪集
趙起伯問祔祭時亡人小宗者則先祖之靈已入於大宗
之廟何以爲之

答曰就大宗廟行之家禮已言之退溪集

鄭寒岡問先妣之祖妣在大宗之廟而仲兄主其事今祔
祭仲兄當爲主人而仲兄所後父斬衰之服尚未除當服
斬衰主祭而祝文稱孤子否

答曰恐然退溪集

又問家禮喪主非宗子則惟喪主主婦以下還迎今祔祭
仲兄以宗子爲主人則還奉先妣神主時仲兄當從還迎
之列抑以宗子壓尊於祖妣而不敢往迎否

答曰不敢往迎爲是退溪集

又問喪主主婦以下還迎則此主婦非主人之主婦乃喪
主之主婦

答曰喪主之妻退溪集

又問祔祭當告于先妣之祖妣而家禮只云孝子某適于

某妣儀節云某孝孫適于顯曾祖妣鄙意大宗廟高曾祖稱神主未及改題今用曾孫曾祖等稱謂恐亦未安如何

答曰家禮豈不以此祭主於升祔先考先妣而設故只稱孝子耶雖未改題恐不可以曾祖妣為祖妣也皆所未詳退溪集

盧寡悔問古者祔新主于祖廟故告祖今既直祔于禰龕而猶告祖實無意義朱子明言之而猶有存羊之意蓋以其時習然故姑從之耳今擬直告禰龕所必無疑而或復廟制不妨告祖又何為過慮存羊而苟行無義之禮乎此意如何

答曰廟非昭穆之制而猶祔於祖朱子以愛禮存羊處之今宗直告禰廟在所不疑其下又云廟制不妨告祖則何為苟行無義之禮不知廟制如何而可不妨告祖乎似謂廟制以下條作東西昭穆則可也然此制恐難行也滉謂今為同堂異室之制一新主入而群主皆遷動獨告祖雖未安猶有羊存之意獨告禰則與古違而今亦非宜如何如何且今人廬墓葬不返魂祔既失時至喪畢乃返而或都告群主而入新主皆非禮也故愚意喪畢返魂而獨祔於祖新主猶未入其龕且祔於祖龕或祖龕有非便則廟中別奉安群主依舊在各龕及禪後時祭新主與群主合祭畢遷主之時祧遷與新主皆依禮入之則既不失祔祖之禮又不遺群主皆告之義恐兩全而可行也不知孝意以為如何家禮楊氏註朱子說已明言此禮○退溪集

鄭汝仁問崑壽出繼從伯父之後今遭本生母喪又遭所後父喪本母當祔於本母之祖妣則祖妣之主又在所繼之宗於禰祔之祭崑壽當以宗子主之而又以重喪在身則祝板當何如書乎崑壽當書曰孝曾孫孤子某使再從弟孫哀子某適于顯曾祖妣某封某氏祔以孫婦某封某氏云云又於本母前曰從姪孫子某使再從弟孫哀子某薦祔事于從叔母某封某氏適于曾祖妣某封某氏云云否與舍弟并告于本母而曰從姪某使再從弟某云云於情意

極為未安不知何如

答曰祔祭四稱謂雖極未安然舍此無他道理無他故實可做稱謂只得如是退溪集

或問家禮曰卒哭明日祔云此禮當行於宗家之廟而有高祖以下神主只奉祖考神主出置于廳事則其奉出之際似有告文而家禮無據何以為之耶行祭只設脯醢實果耶麵餅并設耶

答曰家禮以為非宗子而與繼祖之宗異居則宗子為告于祖而設虛位以祭祭訖除之別無必行於宗家之廟之文亦無奉出之際必有告祠之儀家禮祭饌今一依卒哭而卒哭亦同虞祭朝奠尚有脯醢朔日尚有魚肉米麵食羹飯則況於虞卒哭祔盛祭而寧有只設脯醢實果之理乎寒岡集

答或人問曰葬而返哭禮之經也固無可疑世之孝子或有不忍即離墳塋或因歸家不無難謹之嫌遂以廬墓成俗既不即返哭故卒哭明日而祔之禮亦廢遂以喪畢返魂之後為之李先生答人問曰與程子喪須三年而祔之說名雖同其實則大遠矣謹喪之家若能依古禮而返魂則事皆順矣寒岡集既不能然而行於祥後則不卜日當以返魂到家之日行之

黃宗海問凡祔者祔於祖廟之謂也而若繼禰之小宗無祖廟未知祔於何處

答曰祔於亡者之祖者以亡者繼祖之宗子主之若異居則宗子為告於祖而設虛位題紙牓而祭之祭訖焚而除之寒岡集

權恭一問前喪卒哭後未即行祔祭蓋以其時有拘礙難便之事故也程子曰喪須三年而祔五禮儀亦移祔於大祥之後祥後之祔不為無據故今將依此設行恭一為繼祖之小宗新主當祔于曾祖考而曾祖祠堂在繼高祖宗子之家當依禮文設虛位以祭但朱子曰古人所以祔于祖者以有廟制昭穆相對新死者安于祖廟故設祔祭使

死者知其將來安於此位亦令其祖知是將來移上去也令不異廟只共一堂排作一列以西爲上新死者移在禰處如此則只當祔禰而令祔于祖全無義理退溪先生亦曰祔在卒哭後則遷廟尚遠禰或可也祔在祥後則正當諸位遞遷之日不及他位尤爲不當云云同宗一廟之內新主應入之處只祔祖而不祔禰先儒以爲不可之意如此況令爲別宗兩廟而只設祭於不當遷不當入之他廟全然無所事於應遞遷之禰位尤不合祔祭之本意也祔祖愛禮存羊之意雖不敢不從新主應入之禰廟亦難廢祭令依五禮儀合祭則如何但兩宗家神主并享於一處亦未知其合禮否也且喪主當爲主人於繼祖之廟而不可爲主於繼曾祖之廟一處合祭亦無兩主人並行之理未知何以處之

答曰退溪先生之教固當來諭亦善鄙意則存羊之義亦不可全廢祔祭既行於大祥後一日則當令繼曾祖之宗子用紙牓行祔事於亡者之祖考宗子若遠在則以宗子之名代行無妨又於繼祖之廟畧外告辭之祭恐或得之不知如何祥祭之日未可撤去几筵宜俟明日奉主祔廟然後撤之詳見朱子大全答陸子壽書（寒岡集）

盧亨運問卒哭而祔禮也而或有故未行追行祔祭當用何時日也

答曰未及祔於卒哭之明日則恐當行於大祥之明日然則大祥日之夕未行祔祭神未有所歸也几筵不可撤其夕上食不得不行（寒岡集）

金休閣衰斬服祥禫已過而祔祭尚未過禫後即行如何

答曰既祥則大喪（時一家有大小兩喪故云）神主當奉祔于廟豈可無祔祭而奉祔乎病中莫得致思於變禮之節又不得面議曲折姑以淺料奉禀焉耳（孫軒集）

申悅道問按家禮祔祭條若喪主非宗子而與繼祖之宗異居則宗子爲告于祖而設虛位以祭云當從此禮否廬墓則亦何以爲之耶

答曰祔時設虛位以祭雖於廬墓恐當從此禮也（孫軒集）

答申活問曰祔之爲祭於禮重之過時未行猶爲不可況可全然廢之乎第當哀喻哀門宗子非但稚弱方在初喪之中則有次宗子之可攝行乎不然哀侍當權主其事而稍變其祝辭耶若祝辭中第行禰號則似當依常時屬稱而用之未聞禮書中別有可據之稱也（孫軒集）

宋浚吉問祔祭宗子告祠堂當前期一日以酒果只告所祔之龕耶

答曰是（沙溪集）

又問喪禮備要祔祭若祖妣二人以上則只設親者即舅所生之母一位云觀舅字則必以祔母言之也若祔父於祖則祖妣雖二人以上當并設否

答曰祔母於祖妣則只祭舅所生之祖妣宜矣若祔父于祖考則并祭前後祖妣爲可（沙溪集）

又問祔祭先考雖并設曾祖考妣兩位而妣位則不舉於祝辭耶宗子告亦不書亡者名否

答曰妣位則不舉於祝文亡者名亦不書皆當依家禮（沙溪集）

又問祔祭告亡者祝文隨宗子所稱則哀字當不用之府君字則因用之否

答曰哀字不用似是府君乃尊之之辭古人於兄亦稱府君卑幼則否（沙溪集）

又問孫祔於祖禮也而祖死未久尚在几筵則孫喪祔祭當於何設耶

答曰凡祔從昭穆祖父母在則當間一代而祔於高祖今者祖已死喪雖未久猶當祔祖以昭穆同故也禮經詳焉（沙溪集）

雜記王父死未練祥而孫又死猶是祔於王父註孫之祔祖禮所必然故祖死雖未練祥而孫又死亦必祔於祖

黃宗海問祔祭進饌以祖考為主則當依禮飯右羹左而乃云並同虞祭虞祭之設如朝奠云虞與朝奠皆象生時飯左羹右則祖考之前亦用新死者之禮耶

答曰自虞以後之祭則左設三年朝夕上食則象生時右設未知如何　沙溪集

喪中合祭考妣

答金伯榮書曰葬後合祭於古禮無考則所行節目皆難義起今既不能免俗而行之則當取其稍穩便者為之位板今難而後難處不若紙牓令附櫝內而後日焚之為便或者之說宜可從也　退溪集

答權章仲書曰今人葬後合祭前後主以前主而言既吉而反凶非禮也以後主而言方凶而援吉亦非禮也觀忌日之祭猶只祭當主而不并祭他則喪不可合祭前主較然矣　退溪集

金而精問廬墓朝夕上食世多有合祭兩親曾已在廟之主還奉于廬所或有假為桑木主者何如

答曰合祭非但無文可據吉凶並行非禮無疑況忌日尚只祭當忌之主當喪而豈可合祭乎廟主還廬所固為無理桑木假主三年後處之亦難孝子如禮者不為并行則善矣若未免俗而并祭者以紙牓行之三年後焚之差可然終始非禮也　退溪集

答鄭子中書曰忌日與喪三年並祭考妣非禮無疑其遵俗行之無害之說或可用於忌祭矣若於三年喪則吉凶并行祝辭象矣既不可專主於一位又不可兼行於兩位於此最所難處静存之說亦去泰去甚之謂耳父喪母喪其為非禮一也　退溪集

答孫灩問曰合新舊主同祭三年雖非禮文豈有大妨哉　孫軒集

答申悅道問曰考舊外客為尊位而來奠則不可以妣主同櫝辭而拒之但主各有韜則外客入奠時妣主不去韜如何　孫軒集

几筵各設

答康明甫應哲書曰向年有人並有喪而同几筵者當練除之際節目甚難來問於生未有以處之答云當各設几筵而既不能然今則只得于分世界中化現出來而已未敢質言云今見來書擬為儀節雖詳亦有未精細處夫服輕服入哭之後更易重服先奠考位又易輕服次奠妣位乃讀祝云者固無大段不可但三獻每次易服則煩瑣難行不易則又成以輕服行重喪之祭矣且祝文單告則未安並告則措辭又難凡此曲折豈可諉之於生人自行之小節而任為茅纏紙裹之禮耶朝夕之奠當壓於重服固也然三年之內齊衰之服終無用處惟用於二期變除之日凡所謂致其誠信於父母小無所異者又何居耶聖人之答曾子曰葬先輕而後重其奠也先重而後輕此豈非異殯之文耶奠之先後穿鑿者或可以奠酌之先後當之其下又曰其虞也先重而後輕禮也此則分明是兩祭各行之文若如來示同設几筵則何苦而不為同祭之簡便必為先後之紛紜煩數耶釋之者曰葬是奪情之事故先輕奠是奉養之事故先重豈不較然明白而合於人情耶只緣今人以常情度之必欲其同殯一室同祭一筵而於練祥之祭曲為節目以求中禮恐於因人情則得矣而謂之節天理則未也　愚伏

又曰向年全淨遠丁內憂未二旬又丁外艱曹汝善趙汝緝治其喪以同異殯為疑以書問於余余令異殯其後成士悅康晫甫疑同殯為是蓋徇情之見也明甫以書來問余引曾子問並有喪小記偕喪兩條及士虞記男女異尸等語以辨之且論同殯則三年之內節目多礙費了多小說話後攷儀禮疏云司几筵云每敦一几鄭註雖合葬及同時在殯皆異几體實不同祭於廟同几精氣合乃知古人已有分明定論而未及攷據有此紛紜真朱夫子所謂學之不講其害如此也　愚伏集

禮疑答問分類卷之十

禮疑答問分類卷之十一

喪禮　喪中祭祀

嘗總不祭（見寒岡問齋成鄭）

一獻不讀祝（見喪中宋敬甫問祭先服）

宋敬甫問期大功未葬前忌祭墓祭同居者廢而異居者行否時祭則異居者亦於葬後當行否緦麻小功成服前則忌祭亦可廢而成服後則時祭亦可行耶

答曰禮大夫之祭俎既陳籩豆既設而有齊衰大功之喪則廢外喪則行外喪即異居者也可考曾子問篇第二十二條而然酌行之則庶乎得之矣（愚伏）

初喪遇忌日

李茂甫問初三日乃高祖考忌日而四日亦高祖妣忌日也從兄臨日背逝未三日成服則不能致齋三日四日行祭似爲未安而以子孫之喪廢先祖之祭亦甚未安謹喪

執事外若干子孫致齋行祭如何

答曰據禮則大功重服尚未成適值先祖諱辰雖至廢祭似不甚妨然而在常情既不堪未安則令主祭一人執事一兩人權宜齋祭於別所其餘則全聚護喪恐不得不備〔寒岡〕

盧脊問遭喪未葬而遇父母忌辰而他無代行者則可以闕之乎抑前期致齋而行之乎

答曰賓文卿以此事問於朱子朱子答曰忌者喪之餘祭似無嫌然正寢已設几筵卽無祭處恐亦可暫停也竊恐如有可祭處或可暫行無妨〔寒岡〕

朴宗佑問孽息之妻死則初喪其父母祭祀行之不有未安之意歟

答曰所謂其父母卽死者之父母乎雖是孽産而初喪之內祭祀之行豈不未安乎若同居孽息之妻死焉則孽息之父母卽行父母祭祀亦似未安〔寒岡〕

金孝徵問以家禮觀之則喪家葬前廢祭於先廟無疑故小生家亦依此廢祭矣竊見近邑士友家亾人兄弟忌日則以紙牓行祭於其家俗節則行祭於墓所此俗之近厚者而墓祭亦非吉祭之比行之似無害於義未知何如

答曰喪家廢祭固不得不已矣若亾人兄弟之忌辰則其兄弟之妻子值其夫其父之諱日豈可全然無事哉略設行之者卽其情也然如在未殯前及既啓後則不可行也墓省雖與忌哭不同亦隨俗爲之似無大妨於義理此等無定規之事只合隨宜而已〔旅軒〕

更詳錄詢所謂忌日卽追言先世忌日耶鄙報則視爲亾兄弟之忌日故其說如右若是先世忌日則紙牓行祭於同宗之家在不可已也宗家雖有喪諸子孫之在宗中者則須當有追感歲時之禮也〔旅軒〕

答朴堅問曰祖父母初喪之日設行父母忌事果爲未安不行何傷若有他昆弟而略措素饌行之於別處則其或可乎〔旅軒〕

答或人問曰禮有喪三年不祭之文則父喪初喪之日雖忌事不當行矣但母喪再期則異於他忌不可全然無事然而祥事已畢於十三月之期則今又不可以祥之就今日所示之變而酌之則當於其日略備祭著殺禮奠行如何〔旅軒〕

又答問曰喪主自不可不與其事暫脫衰服喪冠只以喪巾衷衣就神位前俯伏號哭而已若奠獻則令輕服子弟常服行之如何○又曰雖不敢廢祭而祭不備禮無祝如何○又曰魚肉之著隨宜用之不爲未安〔旅軒〕

喪中忌祭

盧亨運問葬後祖父母忌祭當次行於家中則亦可忝之乎若有他子孫可行雖行於他家亦可忝祭乎若忝祭則當用何服

答曰若行於他家則其他家自可奉行著喪服而往他家似未安棄喪服而往亦似不便不得已則以白布衣巾暫伸追慕於其家別室〔寒岡〕

李汝樾問妻家遭父喪其母忌在於未葬前逾月後欲暫行於外處如何

答曰大喪未葬似難奉行忌祭然或無服與輕服者暫行別處何妨〔寒岡續集〕

又問夫之喪三年內行婦之忌祭則祭需用魚肉否

答曰魚肉之忌只生人當然〔寒岡續集〕

盧亨運問宗子當喪葬前值父母忌則設祭于他子家使旁親姪孫行之如何單土之人雖不忝祭亦無爲位之哭乎

答曰既曰當喪而值父母忌則喪是誰喪大槩遭父或母或承重者居祖父母喪則未葬前何能設祭亦何能爲位哭只使無服或服輕者設位他處略伸追慕之情而已〔寒岡別集〕

又問葬後以衰服行忌祭乎

答曰葬後則可以設祭而衰服則不可如無輕服代行之人則以素巾布衣暫伸追慕卽還喪服恐不甚妨然不如使子孫服輕者代行之便（寒岡續集）

宋浚吉問三年內祖先忌祭當遵要訣行一獻則亦不侑食否

答曰侑食亦盛祭時也禮只獻一盃則無侑食也（沙溪集）

又問宗子死未葬前祖考忌祭墓祭喪家當廢而如有介子異居而欲行則亦不悖於禮否愚伏答曰禮士緦不祭所祭於死者無服則祭以此推之則宗子之喪乃祖考之正統服未葬廢之似當

答曰鄭說是（沙溪集）

喪中節祀

金而精問遇四時祭日几筵設享朱子已行今遵否

答曰恐無妨（退溪集）

禹景善問性傳反哭于家而往來展墓譯意始以為朔望之奠既行於几筵而又欲設於墓側旋被諸公明諭悟其非而止之矣但吾東人四時節祀皆得墓祭故節祀則性傳依此往奠墓側而李養中以為寒食端陽可矣正朝秋夕乃朔望殷奠也盧几筵而往奠墓側不可云此說如何大抵節祀家廟亦當有事而以上墓之故不得躬往每令代行此亦未安曾見南中人前期三四日行事於墓側此與朱子所云鄉里所為者嘗似未知其果不違於義理也如何

答曰葬後反魂已得古禮之意若朔望奠於几筵朱子所行已見於家禮言行錄大全等書今悟初許之非善矣至如節祀亦當於几筵行之但節祀古所無而起於後今人平日皆行於墓所如使三年內幷節祀皆歸几筵則體魄所在一無所事是謂神不在於彼也直待喪畢然後始行於彼則無乃有求神於所無之嫌乎李君養中所謂正朝秋夕朔望之祭亦思得良是或此二節依南中所為而寒端二節用當日行之於墓或正秋仍只行於几筵而餘二節行於墓恐皆無不可也如何（退溪集）

廬墓者朔望節日（鏡[illegible]）

權章仲問宗子居喪

答曰家廟四時大祭則孫不可以代行若節日及薦新則可行此朱先生之論已見於家禮註（退溪集）

又答曰宗子居喪宗子妻喪雖已過三年其子之祭其母亦當依上所云而行之不得別異於先祖而獨用時祭也（退溪集）

答朴汝昇問曰曾先祖閒喪祭之禮朱子答曰家間頃年居喪於四時正祭則不敢擧而俗節薦享則以墨衰行之又答王子合曰家祭一節薦頃居喪不曾行但至時節略具飮食還衰入廟酌酒瞻拜而已以此觀之聖賢居喪節祀之祭亦不廢（寒岡集）

宋浚吉問三年內俗節依朔奠禮因朝奠兼上食行之耶抑朔與俗節有間上食後別設酒果粄饌否

答曰俗節曰朝奠兼上食行之似過盛朝上食後別設無妨（沙溪集）

宋浚吉問古禮雖有喪三年不祭之文然亦不可膠守如何則可以得禮之中歟

答曰程朱諸先生說可考而酌處之（沙溪集）

問伊川謂三年喪古人盡廢事故併祭祀都廢今人事都不廢如何獨廢祭祀故祭祀可行朱子曰然百日外方可然若獻之禮亦行不得是歸排酒食儀物之類後主祭者去拜今百日之內要祭或從伯叔兄弟之類有人可以行或問今人以孫行之如何曰亦得○又曰期大小功緦麻之類服今法上日子甚少便可以入廟燒香拜古人緦麻已廢祭恐今人行不得○竇文卿問夫為妻喪未葬或已葬而未除服當時祭否不當祭則已若祭則宜何服朱子曰恐不得祭熹家則

廢四時正祭而猶存節祀只用深衣涼衫之屬亦以義起無正禮可攷也忌者喪之餘祭似無嫌然正寢已設几筵即無祭處亦可暫停也○答胡伯量曰薦新告朔吉凶相襲似不可行未葬可暫廢既葬則使輕服或已除者入廟行禮可也四時大祭既葬亦不可行如韓魏公所謂節祀者則亦如薦新行之可也○答曾光祖曰家間頃年居喪於四時正祭則不敢舉而俗節薦享則以墨衰行之蓋正祭三獻受胙非居喪所可行而俗節則唯普同一獻不讀祝不受胙也○答范伯崇曰喪三年不祭但古人居喪衰麻之衣不釋於身哭泣之聲不絕於口其出入居處言語飲食與平日皆絕異故宗廟之祭雖廢而幽明之間兩無憾焉今人居喪與古人異卒哭之後遂墨其衰凡出入居處言語飲食與平日之所為皆不廢也而獨廢此一事恐亦有所未安竊謂欲處此義者但當自省所以居喪之禮果能始卒一一合於古禮即廢祭無可疑若他時不免墨衰出入或其他有所未合者尚多即卒哭之前不得已準禮且廢卒哭之後可以略倣左傳杜註之說遇四時祭日以衰服特祀於几筵用墨衰常祀於家廟可也左傳僖三十三年傳曰凡君薨卒哭而祔祔而作主特祀於主烝嘗禘於廟杜氏註謂此天子諸侯之禮不通於卿大夫蓋卒哭後特用喪禮祀新死者於寢而宗廟四時常祭自如舊也○楊氏復曰先生以子喪不舉盛祭就祠堂內致薦用深衣幅巾祭畢反喪服○粟谷曰朱子之言如此未葬前則準禮廢祭而卒哭後於四時節祀及忌祭墓祭亦同使輕服者朱子喪中以墨衰薦于廟今人以俗制喪服當墨衰者而出入若無服輕者則喪人恐可以俗制喪服行祀行薦而饌品減於常時只一獻不讀祝不受胙可也

喪中墓祭

李士厚問身在草土先世墓祭祝文酌獻何以為之山神祭亦如何行之耶或云不讀祝只獻一酌云此禮如何

答曰古之居喪廢祭之人先祖墓祭亦必不能為之矣家廟節祀既今無服之人攝行則墓祭亦必使無服者攝行恐無妨蓋身有衰絰之服省祭先世墓所似未安也如旁無子姪則雖外甥亦可權使行之如何如何一酌無祝之說未詳無祝則勢或然矣單獻則恐未安告土之祭恐亦然 寒岡

黃宗海問卒哭之前家廟節祀皆當廢之而如前頭八月十五日今人無不上墓他支子欲祭則如之何

答曰未葬之前何暇舉此等事支子之服輕者欲自祭其祖墓則何能禁得 寒岡

李以直問門中出重喪而未過半月行先墓掃事不為未安否伯考之墓喪是伯考之子婦喪如或未安而不行則如高祖之墓及他山旁墓亦何以為之

答曰未葬前固不合上墓矣但非吉祭之比一門之人何能皆廢墓事乎若行事於旁墓則何可獨廢於伯氏之墓乎況祖墓與高祖曾祖之墓乎喪出異鄉尤難全廢 寒岡

盧守運問墓祭父母墳各處則以衰服行之乎父喪祭母墳母喪祭父墳亦皆以所服之衰行之乎

答曰父母墳異處而時在衰絰中則冒衰絰往省他處之墓恐未安 寒岡

又問祖父母墓祭若無他子孫行之者則重服之孫可行墓祭乎不得已行祭則亦用何服耶

答曰恐未安 寒岡

鄭慶輔問三年之內遇節日上墓若是合葬則固不當別墓省雖與忌哭不同亦隨俗為之見初喪是日答金孝徵問卓而祭而但位有新舊服有吉凶似甚未安聞鶴峯先生居憂親行節祀於合葬之墳此前事之可法而但思之喪亦有輕重鶴峯在喪妣先而考後雖如此似亦無害若考先而妣後則當若何又聞西厓先生丁內艱合葬于先府君墓而節祀則令子姪代行此禮似好何如何如

答曰使子姪代行甚得朱先生論節祀已有此語矣 鶴伏

只敬甫問先考既已遷窆于先妣墓西墓祭當合設耶抑先行於先考而後行於先妣耶人或謂合設爲可而喪有新舊禮宜不同舉哀一節似爲難處若先後設則似不大段害義而無所謂難處之節但未知有所先後或乖於象生時一時進饌之義耶

答曰家禮墓祭有哀省之文先喪舉哀恐無所妨 愚伏

喪中新墓祭

答李善立問曰家禮雖未有三年內墓祭之文亦未有三年內不墓祭之語孝子於體魄所托雖三年之後而尚不堪雨露霜露之感況三年之內墳土未乾之時乎時月古人今用三月上旬十月初一今之四名日之祭非禮也祭饌之備拜獻之節亦自有家禮明文不必更問但三年之內祭必有哭況於此寒暑之變乎 寒岡

又答問曰后土之祀既無損行之人衰絰權行恐不免也 寒岡

黃遠甫問三年內常祀於几筵如三月上旬墓祭亦不可行歟若新墓在先世墓後偏祭先廟而獨不及於新墓事甚未安如何

答曰墓祭非如吉祭退溪先生似亦許之然更考之爲可 愚伏

喪中省墓

盧脅問葬其母者與父同塋異室而每遇掃祀則於父墓亦當服衰而哭臨乎

答曰似不得闕之哭臨則恐過焉 寒岡

盧亨運問服喪之人或於父母墳若祖父母同岡則當省拜乎若服父喪而見母墳或服母喪而見父墳必生哀痛之心則當哭拜乎

答曰同岡先壠省拜何妨古人於遠祖之墳亦有哭拜況當喪而省墓哀慟之迫切何能禦乎 寒岡

喪中祭先服色

禹景善問喪三年不祭禮也朱子獨廢此一事恐有未安之論尤有以合今之宜得禮之正卒哭之後當依朱子之說行之可也但我國俗卒不制墨衰出入只有喪服朱子所謂深衣著衰入家廟既云不可況服所謂喪服而行祭於廟乎坐此廢祭尤未安其有不悖於禮而可以行之者乎為此欲追制墨衰以為廟祭之服則既有喪服又有墨衰事涉繁亂當如何可耶不以繁亂為嫌而制墨衰以行乎廟祭與墓祭同

答曰今制未有墨衰恐未易論至此也或只用白衣無妨但冠帶用純白以祭亦極未安權用玉色未知何如或令子弟代行亦可 退溪

又問喪三年家廟行事固不可全然廢之而吾東人無墨衰難其服昔者先人之居憂也仿禀門下先生答曰云云墓祭以玉色乃既祥就吉之服決非墨衰之比似難輕著而且於彼時有胜傳在故只遵代行之教矣今則曾祖以下胜胜傳一身便無可代之人痛哭痛哭廢而不祭則已祭則胜胜傳當主不能臆斷議于諸丈論說紛紜未之適從伏望下教何如金而精以為廢而不祭亦可云此則然矣但居喪萬不及朱子一節而廢朱子之所嘗行者無乃過乎如何如何此中有令婢僕代行者此則如不祭也固不可論也

答曰三年內家廟祭否先賢已有定論今以無墨衰致有諸論之不一愚意有子孫者令子孫行之上也無而自行者其服色前日謬論玉色固不可其所謂白衣即河西所謂白布衣似若差可所難者冠亦白布尤為乖異如何如何愚今又思得一說與其創新而用白布冠衣孰若倣家禮所稱墨衰之服其制如今直領樣冠亦用墨一如侍者冠服而行事即去蔵之以待後祭其出入等時勿用中原例服之以取俗駭此意如何但禀鄙意勿以語人恐大得衆誹也 退溪

又問前論墨衰如侍者冠服云云侍者只有俗所謂頭巾而無其冠又當着何帶

答曰墨衰冠帶之制未詳率意言之未安然似不過冠頭巾而帶亦墨耳退溪

又問前論墨衰更思之上衣下裳一如正服之制而但墨其色冠與巾亦必用墨爲之而只去腰首絰如何

答曰墨衰既曰衰矣似當如示然未有考據不敢索言之退溪

金而精問服中當忌祭必不得已忝行則當用何服

答曰服中不得已忝忌祭當用白衣但冠用麻巾未安用白巾左異不若使子昻行之爲宜退溪

權恭一問大祥前一日當告遷于祠堂喪主自爲主人則似不可以凶服入廟行事告遷重禮亦不可使人攝行家禮及瓊山儀節皆不言其服色豈以告遷非如祭禮仍以衰麻行之無妨歟不然則當用何冠服而可得合宜耶退溪先生答禹景善問曰三年內家廟之祭與其創出而用白冠衣孰若倣家禮墨衰之服其制如直領樣冠亦用墨而行事云云今此告遷時亦依此制而用之無妨否

答曰李先生答禹景善之言固然而鄙人亦嘗禀居喪入廟之服當用黑草笠白布衣白帶何如云而先生不以爲不可今君之依答禹之言用直領樣則當染墨矛冠亦用墨則當如齊斬之冠矛恐或駭俗若依答鄙生之問則如何今之單笠或不甚黑只暫烱熏彷彿於黲色無乃或不至甚不可矛寒岡

盧亨運問三年喪不祭禮也時祭則固不行節薦之祭宗子當喪而無旁親子昻之可行者則宗子坐廢其祭矛古人以墨衰入廟墨衰之制今不可行不得已入廟則用何服耶

答曰如此設問知是好禮之人好禮之人則倣朱子墨衰之教亦何至甚不可矛朱子曰節祀禮簡墨衰行事亦無不可寒岡

宋浚吉問葬後廟祀用布直領孝巾似未安家禮墨衰可復於今耶且近世不行卒哭受服之禮不可以成服時絞帶入廟當用何帶耶

答曰當用布直領孝巾行祀此外無他可服墨衰是晉襄公代秦之服而朱子時因爲俗制卒非古禮不過如今俗所謂深衣而已頃者禹公性傳問於退溪欲復之恐不穩當絞帶入廟果爲未安別具布帶似或無妨沙溪

又問喪三年不祭雖是古禮而朱夫子又有今人居喪與古人異卒哭後用墨衰常祀家廟之教栗谷李先生亦以爲葬後若遇忌祭墓祭及四時節祀皆以生布直領孝巾絞帶躬自行之而忌祭墓祭皆一獻不讀祝餕品減於常時云遵此行之未知如何

答曰依栗谷所行行之不妨但未知所謂絞帶者是何帶耶若是成服時絞帶則非徒以此入廟未安儀禮卒哭受服斬衰絞帶變麻服布用七升布爲之緣何既葬後有絞帶耶今俗多不行卒哭受服之節無乃栗谷亦只從俗耶更質之沙溪而行之爲善愚伏

喪祭拜禮

鄭子中問虞祭朔望奠則降神之禮焚香酹酒各行再拜時祭則二者并行一再拜何以不同

答曰按非獨虞祭其於祔及祥禫皆再拜夫虞朔之類禮宜簡節而反備時祭禮宜繁縟而反略皆不可曉徐更詳之退溪

李淳問父臨子喪亦當拜否子若無子則父當告否

答曰禮同居者各主其妻子之喪註妻則當拜子不當拜退溪

又問叔父祭姪亦可拜否

答曰亦不當拜退溪

鄭寒岡問祭神辭神朱子則用再拜瓊山則用四拜

答曰程子亦以爲當再拜瓊山意未可知退溪

權方伯昉仲明問凡喪祭無有不拜而亦有不當拜者祔
祭儀云若亡者於宗子卑幼則不拜禮曰父不次於子兄
不次於弟疏曰喪卑故尊者不居其殯宮之次若然則兄
之於弟似不當拜且平日兄無拜弟之禮而遽變於旣亡
之後神道人情俱有所未安未知如何或云兄弟雖有長
幼之序而旣是同行其尊卑之懸非子姪之比況待神之
道似異於待生而若命士大夫則其禮亦似有異此言亦
未知如何

答曰朱子曰夫祭妻亦拜夫妻生有交拜之禮而朱子猶懼其
或不拜也明言以訓之況兄之於弟生旣無可拜之理則豈有
遽變於旣亡之後者乎如有之朱子豈不并稱於拜妻之言乎
弟之於兄雖曰同行而常談必曰父兄子弟據是則尊卑之序
亦不可謂不辨矣雖曰待神異於待生而今所謂神道人情俱
有所未安者亦不可以不計至於命士大夫之說則恐不得引
以為證也寒岡

宋浚吉問家禮朔望焚香灌酒各再拜時祭則只於灌酒
後一再拜其義何耶

答曰焚香再拜求神於陽也灌酒再拜求神於陰也時祭一再
拜恐闕誤故喪禮備要依朔祭禮以兩再拜添補未知得否沙溪

姜碩期問儀節拜禮以四為度其意何據

答曰丘氏四拜或是其鄉俗所行之禮未可知也當從家禮再
拜沙溪

退溪曰程氏遺書有云家祭皆當以兩拜為禮今人事生以
四拜為再拜之禮者蓋中間有問安之事故也事死如事生
誠意則當如此至如死而問安却是瀆神若祭祀有祝有告
謝神等事則自當有四拜六拜之禮據此而推之則四拜六
拜之義可知矣但今家禮不論祭之有祝有告等而皆為再
拜瓊山又皆為四拜此又未知其何意耳

黃宗海問祖奠及題主條云再拜哭盡哀遷柩條哭盡哀
再拜虞祭則哭再拜文勢之不同各有意耶丘氏於此數
者皆以且哭且拜為之儀節是果合於家禮本意耶

答曰丘儀亦可從也沙溪

改喪祭非禮

答金惇叙書曰喪祭從先祖此意亦好且有父兄在如之何其
聞斯行之故祭儀差失率然改之為難然吾之躬行出於誠篤
父兄宗族漸以孚信則其不合禮者猶可以方便請改而從善
矣恐不可終付之無可奈何而已也寒岡

鄭寒岡問喪祭雖曰從先祖量力可改則不若一從禮文
之為愈也

答曰亦有不得盡如此者退溪

禮疑答問分類卷之十一

禮疑答問分類卷之十二

喪禮　練

金敬夫問小祥別製服古也據家禮雖云陳練服而無別製衣裳之文又據禮記檀弓練衣黃裏註曰正服不可變以練為中衣承衰而已今擬不製服但依練冠去首經以下又以練布製承衰之中衣庶幾從簡而不失存古

答曰小祥不別製服朱子所以斟酌損益得時宜之禮如所示為之甚當退溪

金而精問小祥練服之制今不可行乎

答曰小祥練服以上三條豈有不可行人自不行耳退溪

答金而精問曰朝議非所敢指點也其考證禮文亦為詳悉但其辭禮之意與去取之決不無可疑其實丘瓊山別有冠別有衰之說為合古禮蓋古人自初喪以至虞卒哭練祥禫皆有受服遞加升數漸殺以至于閱小祥一期之周為一大變殺之節故於首去經而別以加一升練布為冠於身去負版辟領衰而別以加一升布為衰又別以加一升練布為中衣以承衰以其練冠練中衣故謂之練耳非謂幷練衰也惟其衰不練故檀弓註云正服不可變耳非謂仍舊衰不別製也此周極文時喪制如此古今文質因時損益有難以盡從古制者故溫公書儀無受服與練服但以去首經等為之節斯為太儉朱子家禮因書儀雖亦無別製衰服其益之以練布為冠之文正是顧名反古因時酌中之制今五禮儀謂練布為冠所以從文公之制也而成廟之喪以滌衰為非禮只改練冠亦得文公之意竊恐後之處此禮一以文公為法則庶乎其得宜耳其他未敢悉云來喻仍用舊冠亦恐非也退溪

禹景善問期而功衰之文只見於戴記問喪雜記等篇而未見於儀禮經傳是何耶抑有之而性傳不能詳考耶古者卒哭亦有受服而家禮無此節次故性傳依此行之今於期亦只依家禮練布為冠去首經負版辟領衰而不別有功衰耶何以則不戾於聖賢制禮之意耶家禮雖不言中衣而性傳依古禮制之今不可不受以練如何

答曰功衰之不見儀禮經傳亦不知何故卒哭受服家禮闕之於期亦只練布為冠去首經等不別有功衰乃古今損益之宜須年廷議　國恤於練亦以不別制服為定今當遵依練中衣則依示為當退溪

又問以練為冠則武纓當用澡麻俗所謂頭巾亦皆當練如何

答曰既以練為冠武纓自當以澡麻為之頭巾亦當用練不可獨仍生布也退溪

受以縕縰合於漸殺之意退溪答禹景善問

盧寡悔問朱子當禮極毀之日姑為復古之漸家禮多從脩便非本意也今當據經依練衣裳無疑顧未每或有論不以為然者否

答曰練服升數有殺當為別製然禮經註亦有只變練冠承衰服之文朱子家禮斟酌古今之宜變除只如此國典又從之往年廷議練制詳考古今禮文亦歸定於不別製恐此等事當以吾從周之義處之退溪

答李汝樨問曰練時節次在几筵脫服則依家禮小祥祭變服之規若在他處而脫服則當設位而一如家禮之儀退溪答問

朴汝昇問練服不詳於家禮其冠服經帶以何物為之耶伏聞古者不煮治其縷曰生布練用熟縷曰成布云而今世不作生縷之布初喪亦用熟布則以熟布而用灰水治之者亦可稱練之名耶或云正服不改只練其中衣云者是正禮耶經帶則或以蔦為之云而我國不慣取蔦不得柔靱交不如生麻奈何

答曰所謂不改正服只練中衣者以練布為中衣也若不脫經

帶則至期而弊破殆盡安得治其前服耶且今初喪所用之布亦是生布恐不可謂之熟布也經帶之葛我國不用之不敢強說然葛經古人廣變服時為之則練時之用蓋亦晩矣 寒岡

盧亨運問練服之制家禮不言其詳又不言婦人經帶之文何耶

答曰司馬公曰古者既葬練祥禫皆有受服今世俗無受服自成服至大祥其衰無變家禮本書儀則其不受服蓋自書儀矣張橫渠有小祥練其功衰之說黃勉齋以為與先儒異今不敢輒論其詳禮曰男子除乎首婦人除乎帶婦人當除腰經非不言也 寒岡

又問正服既不可改而又無改帶之文世人冠武多用熟麻帶亦用熟麻果合於禮乎無文而改帶亦何所據也

答曰檀弓練衣黃裏縓緣疏曰小祥着練冠練中衣故曰練也練衣者以練為中衣正服不可變中衣非正服但承衰而已喪服圖式以練易其冠別無冠武及帶用熟麻之說 寒岡

又問丘氏黃裏縓緣世無行者禮家亦不用此禮乎

答曰黃裏縓緣檀弓文也黃裏者以黃為中衣裏也縓淺絳色緣謂中衣領及襈之緣也有以此問於朱子朱子答曰便是不可曉此個制度差異 寒岡

答申晉甫問曰練服乃練中衣也正服則不練但練時正服升數稍細則古人亦必用他布製之而衰負版辟領皆在所去矣今人只見練服之文以為正服當練遂濟舊服而仍之者甚非矣中衣之練亦宜用他布改製恐非未安也 旅軒

又答曰服既練之則冠必用練非所疑也帶繐亦以葛繩禮亦然矣祭未見今人之用之者蓋有之矣而未之見耶 旅軒

答崔伯王 山輝 問曰練服因除一依家禮但所練者冠及中衣

又答曰喪主或不得與祭而服之當練者隨而練之也 旅軒

答申活問曰頃承用葛之問賤答以練時之用為不可者非謂葛不可用也但若不用於卒哭之變則及練始用非其時故也在卒哭時既用葛矣則練後仍用其葛者乃常也 旅軒

宋時烈問小祥練服或曰只練冠及中衣或曰衰裳并練何者為是

答曰先儒所論開列于左以備參考 沙溪

通解喪服圖式曰按練再受服經傳雖無明文謂既練而服功衰則記禮者屢言之服問曰三年之喪既練矣期之喪既葬矣則服其功衰雜記曰三年之喪雖功衰不弔又曰有父毋之喪尚功衰而祔兄弟之殤則練冠是也按大功之布有三等七升八升九升而降服七升為最重是斬衰既練而服功衰是受以大功七升布為衰裳也故喪服斬衰章賈氏疏云斬衰初服麤以葬後練後大祥漸細加飾斬衰裳三升冠六升既葬後以其冠為受衰裳六升冠七升小祥又以其冠為受衰裳七升冠八升女子子嫁反在父之室疏云至小祥受衰七升總八升又按間傳小祥練冠孔氏疏云至小祥以卒哭後冠受其衰而以練易其冠故今據此例開具在前而橫渠張子之說又曰練衣必鍛鍊大功之布以為衣故言功衰功衰上之衣也以其著衰於上故通謂之功衰必著受服之上稱受者以此得名受蓋以受始喪斬衰之衰而著之變服其意以喪久變輕不欲摧割之心亟忘於內也據橫渠此說謂受以大功之衰則與傳記註疏之說同謂鍛鍊大功之布以為上之衣則非特練中衣亦練功衰也又取成服之初衰長六寸博四寸綴於當心者著之於功衰之上是功衰雖漸輕而長六寸博四寸之衰猶在不欲衰心之遽忘也此說則與先儒異今并存之當考○儀節曰韻書練漚熟絲也雜記三年之練冠註謂小祥之冠也小祥別有冠明矣服問云三年之喪既練矣服其功衰小祥別有衰明矣又檀弓云練練衣黃裏縓緣葛要經繩屨註練衣中衣之承衰者也今擬冠練

用稍麤熟麻布為之不用負版適衰要經用葛為之麻屨用
麻繩為之小祥除首經唯餘要葛經（按檀弓疏曰正服不可變此說恐誤禮練衣以大功布為之故謂之功衰家禮大功以熟布為衣則練服并衰裳用練似宜豈從練中衣而已○更按喪服圖式練除受服圖中衣及冠以練為之衰裳以卒哭後冠受之卒哭後冠卽大功七升布也大功布儀禮則元無用練之文以此推之練時衰裳似不用練也令依圖式練冠與中衣而衰裳以大功七升之布改製而不練則恐無違於古禮而與疏家正服不變之文相合矣若橫渠用練之設圖說引之而不以為非家禮亦謂大功用熟布小祥撫練布則疏并練衰裳亦不為無據未知如何）

又問練而去衰負版辟領不見於儀禮禮記通解通典未
知家禮何所據而變除若是耶

答曰朱子因溫公書儀酙酌添定是後賢因時損益之制也若
從古禮不去衰負版辟領未為不可矣但已經溫公朱子之證
宜遵而行之亦可也（沙溪）

吳敬甫問家禮小祥條曰設次陳練服為冠去首經負版
辟領衰所謂練服者練承衰之服耶以此觀之承練之不
可不練明矣而世或有只於衰服去負版辟領衰而已中
衣則仍舊者未知何所據耶瓊山曰溫公書儀謂今人無
受服練服小祥則除首經及負版辟領衰時俗所為其出
於此耶今當何從耶退溪李先生有言小祥不別製服朱
子所以酙酌損益得時宜之禮此非定論耶瓊山引服問
雜記功衰之說曰今依服制上衰下裳一如大功衰服而
布用稍粗熟麻布為之不用負版適衰金沙溪喪禮備要
曰衣裳制如大功衰服而布亦同若貧不能改備者依家
禮仍舊只去辟領負版衰此則沿瓊山之說耶蓋小祥別
製服雖古禮朱子既有定論而退溪亦以為得時宜之禮後
之人所當據而行之無有異議而瓊山沙溪之說若是其
相戾何也且所謂貧不能改備者依家禮仍舊云者尤所
未曉小祥別製服仍舊衰是乃大段節目似不當以貧富
論於其間而其說若此者何也其意抑有所謂子時俗亦
有據此說別製者乎練布升數亦有定說耶

答曰退溪先生既以不別製服為損益得宜則後學不敢有他
議然瓊山所引諸條皆有明據似難攻破況儀禮經傳通解有
練除受服圖云衰以卒哭後冠受之卽七升布也大功衰用七
升布此禮所謂功衰也且以事勢度之初喪之衰著過一年已
盡穿破更不可著且卒哭亦有受服則練祭大節必不當獨仍
舊服竊恐家禮註或非既年定論也西厓先生亦有別製練衰
之說（愚伏集）

又問瓊山據檀弓為說曰要經用葛為之麻屨用麻繩為
之人有問於退溪先生曰屨家禮言以粗麻儀禮曰菅屨
楊氏以儀禮為正今若依古禮於期當受以麻屨如何云
云先生答依楊說以繩屨合於漸殺之意沙溪亦謂腰
經以葛為之無則以熟麻為之三重四絞見間傳及儀禮
圖式絞帶亦以葛為之三重四絞齊衰以布為之屨用繩
麻為之三說如此似是可據而家禮小祥條無改經屨之
文是豈忽忘而然耶今雖不敢究其微意而必有所以參
酌之意似不敢舍家禮而用右說如何如何

答曰屨亦練時受以繩屨在儀禮經傳練服圖朱子之疾革也
門人問治喪當用書儀乎先生曰疏略又問當用儀禮乎先生
領之以此觀之則家禮乃是初年所草未成之書與晚年說不
同處頗多（愚伏集）

練奠
或問小大祥前一日夕上食時世俗例設殷奠而此則家
禮無據何以為之

答曰家禮無有不敢曰可（寒岡續集）

答崔伯玉問曰奠前日之有祖奠禮也練祥前一日則自有上
食故禮無別設矣然俗有其事則隨俗行之又何至於不可哉（旅軒集）

練後止朝夕哭

禹景善問或因小祥止朝夕哭之文并與上食時哭臨而廢之愚意恐未可也禮當漸殺練後朝夕之哭止之無疑但上食非如朝夕之比几筵有奉而不爲哀臨或乖人子之情如何全而精亦云當并止之未知其果合情禮也伏望下誨

答曰細觀禮意卒哭漸用吉禮朝夕之間哀至不哭猶存朝夕哭練而止朝夕哭惟朔望會哭哀漸殺服漸殺哭亦漸殺也若猶朝夕上食哭不應曰惟朔望哭而已今欲以己意行之亦恐未安古之篤孝一節人或有如此者知禮君子自當依禮盡誠而行之恐未宜特出踰禮之行以徇情而掩俗也夫苟循情以行則情何窮之有（退溪）

徐行甫問小祥後止朝夕哭註惟朔望未除服者會哭禮文如此朝夕上食情不可不哭當如何

答曰家禮令小祥後止朝夕哭不哭則只當焚香再拜而已食時上食一如朝夕之儀恐難哭（寒岡集）

朴汝昇問練後止朝夕哭則上食與晨昏省墓似當止哭而三年之喪尤無所事故姑從俗不能變也如何

答曰此在孝子自酌其情禮而爲之（寒岡集）

答申活問曰練後上食哭并止之未安淺見亦略同於哀侍之意（旅軒集）

上食時止哭（見心喪撤几筵申晉南問）

姜碩期問家禮小祥止朝夕哭故今人或有因廢上食之哭三年之內臨奠而不哭者非人子哀慕終喪之道也

答曰小祥後雖止朝夕哭至於上食則當有哭泣之節退溪以不哭爲教恐不可從也近世諸先生皆謂旣爲祭奠不可不哭此言恐爲得之（沙溪集）

朔望未除者會哭（見宋浚吉問朔望會哭）

盧亨運問有人問於退溪先生曰祥後朝夕上食之哭皆可廢乎先生曰哀漸殺哭亦漸殺廢之可也何以處焉

答曰先生說已斷矣寧復有說於哀漸殺哭漸殺之外乎（寒岡集）

練後晨昏展謁

禹景善問練後雖廢朝夕之哭而只於晨昏展拜几筵似合情禮或云禮無明文難以義起或謂家禮有晨謁祠堂之文依此只得晨謁爲當夕則不可遏以爲未然几筵三年不廢生事之禮恐與祠堂有異晨昏之禮廢之實所不忍且嘗見朱門人問於先生曰趙子直晨昏必謁影堂而先生只行晨謁如何先生答云昏則或在宴集之後此似未安故只用晨謁云云以此觀之先生不以晨昏之謁爲未當而只以宴集等有礙不可行故只存晨謁之禮也憂人旣無此等事而況几筵與祠堂不同晨昏之謁未有所妨也如何全而精亦以鄙說爲是

答曰未說欲行朝夕至當（退溪）

宋浚吉問練後雖止朝夕哭而晨昏展拜几筵似合情禮退溪先生亦許之云遵行如何

答曰似然然以朱子說觀之三年內有常侍之義朝夕參拜亦未知其如何也更詳之（沙溪集）

朔望會哭

盧亨運問祥後止朝夕哭註曰惟朔望未除服者會哭未除服指何人也

答曰朞以下喪皆已除則未除服者豈非三年喪之人乎期喪之晩聞而未除者亦當會哭（寒岡集）

宋浚吉問小祥止朝夕哭註朔望未除服者會哭未曉其義愚伏曰尋常致疑於此後考喪大記有曰大夫士父母之喪旣練而歸朔日忌日則歸哭于宗室註宗子之家謂殯宮也觀此則家禮此條無所疑矣蓋古禮如此也云云

一說只言小祥後未除服者至三年祥後而除耳。若大功而喪既服喪服者及小祥後未及除服者，三年喪而計令次之，而後問之其服則曰乃至故云，而後問之。

答曰鄭說有證但稅服者似亦在其中矣沙溪集

毀喪服

金敬夫問禮云斷杖而無焚衰之文今人焚衰不知何據曲禮云祭服弊則焚之衰亦祭服也焚之似得或有據禮不當焚云者其說如何

答曰滉所疑亦如來諭但君當焚之家禮何故不言是未知耳退溪集

答鄭子中曰大祥日只云杖斷棄不言衰與絰處之如何按禮云祭服弊則焚之衰絰似亦如此依禮無明文不敢臆說退溪集

金而精問喪畢後絰杖棄之潔處禮有其文而衰衣何以處之衰衣冠絰杖世多付火此其得禮之正乎若以此得禮之正則婦人蓋頭背子亦付火否

答曰喪畢喪服置處古禮無文未知何所處而可也但曲禮祭服弊則焚之今人喪冠服并杖付火恐或得宜也婦人喪服不須別有議也家禮但言斷杖棄之潔處不言絰他禮文亦未見有舉絰處來諭并絰言之何所據耶退溪集

盧寡悔問凡喪服之釋者恐不合事神例焚埋之亦不敢賤依斷杖例棄屏處然據此兩例蓋皆不欲以他用而褻之也今不復已而依京例猶之可乎思之未得其所安願明以教之

答曰禮記祭服弊則焚之則喪服之釋似當焚之但家禮杖言斷棄而不言焚服及他禮亦無焚之之文不敢率意爲恐惟以不褻用爲可耶退溪集

宋浚吉問凡喪服既除之後當如何處之

答曰張子說可考沙溪集

張橫渠曰祭器祭服以其常用於鬼神不可褻用故有焚埋之禮至於衰絰冠屨不見所以毀之之文惟杖言棄諸隱者棄諸隱者不免有時而褻何不即焚埋之常謂喪服非爲死者已所以致哀也不須道敬喪服也禮云齊衰不以邊坐大功不以服勤皆言主在哀也非是爲敬喪服毀喪服者必於除日毀以散諸貧者或守塋者皆可也蓋古人不惡凶事今人以爲嫌留之家人情不悅不若散之焚埋之又似惡喪服

脫服

答鄭汝仁書曰寡於別處除服恐當與成服同成服條爲位不奠其註云若喪側無子孫則設奠如儀云其不然者不奠明矣退溪集

李叔發問姨母之喪姪之服制將盡不勝悲感但成服在八月晦日并計此月於情未安於禮如何當祭哭朔望祭後免服而時值家廟祀事爲位望哭而免服亦如何

答曰當有正朝家廟之祭難伸几筵之哭廟禮畢來哭几筵而脫服前既有約矣爲位固不妨而乃復新生此議何歟寒岡續而今無

李惟恭問凡喪出於月晦則成服在於次月之初大功以

下以月數爲限者其除服也以成服爲始計耶以喪出爲始計耶

答曰期以上皆既以死月爲計獨於大功以下以成服爲計恐無義意當以死月爲準 汝溪集

祥後遇閏月

宋浚吉問大祥後不許閏如何

答曰據先儒說大小祥以年數則不許閏冝矣禫則本當在祥月之中雖從鄭氏間一月之說猶是以月數則禫之不許閏無據家禮所謂不許閏者統言自喪至此非必謂祥後也張子說似分曉 汝溪集

鄭玄曰以月數者數閏以年數者雖有閏不數之○張子曰三年之喪禫閏月亦筭之

禫

禫前朔望

金而精問祥後禫前朔望奠其於家廟素行朔望者則可行於廟其不然者行於何所

答曰依家禮本文祥畢主入于廟則素行朔望者合行於廟素不行者則請出當奠之主於正寢而行之可也其或既祥且祔祖廟者亦只得依古禮行之 退溪集

朴汝昇問禫前主人晨謁則可以禫服行之耶朔望亦以禫服入廟祭獻耶或奉神主而出外行禮耶

答曰禫前主人晨謁於大門之外用禫服白衣恐亦無妨朔望入廟亦既非衰麻之比則恐不得不俑奉神主出外恐未安 寒岡集

或問撤几筵後未禫祭前行朔望奠時亦依前哭臨乎

答曰几筵既撤恐難哭奠況行於廟中則尤有所不敢者乎 寒岡續集

或問三年內則朔望奠仍朝上食并設飯羹而祥後撤朝夕上食則朔望奠時只設麵餅脯果乎

答曰既撤几筵則似難更設上食況當行於廟中則尤有所非便者乎 寒岡續集

或問在平時家廟朔望參謁則不設麵餅脯醢只以酒果行之乎

答曰考家禮正至朔望則參之註然神主祔禫未畢之前或別設盛饌以祭恐不知甚妨 寒岡續集

或問祥後奉神主入廟則朔望奠當行於廟中而但在前朔望奠不行於舊神主而忽令合行何如

答曰既奉祔廟朔望設奠似難請出別行家禮有朔望之參鄙意恐依此并行於廟中不妨或因此遂不廢參禮亦何甚妨耶 寒岡集

金汝涵問禫前身用純白而朔望入廟亦極未安使同祖弟代行可乎奉出神主于他處而行禮亦如何

答曰若朔望之著則黲中服行事何妨乎況先世神主未安廟矣則何嫌厭於紙牓之蔵乎恐不可代行也且既入廟安之則朔望之事何必奉出他所而行乎 旅軒集

禫祭

鄭寒岡問虞祭無祭神一條前蒙下教極盡情理如大小祥祭乃三年之內有常侍几筵之義宜不用祭神之禮至於禫祭乃在祔廟之後似與常侍之義不符而亦無祭神敢用仰稟

答曰豈以禫亦喪之餘故耶 退溪集

答金肅夫[illegible]書曰過詢禫日變服之飾所疑果似有之然變服禮之大節目若果祭而後始變吉服家禮當明言以曉人豈宜泛然云皆如大祥之儀其無陳變服之文豈不以喪服之漸變者當陳吉服之即常者不當陳也耶且既祭之後改服之節又當何如而可納主而後變則是不告神以喪畢之故抑未納主而吉則吉後都無所爲於告神喪畢之飾恐皆未安也嘗覲

禮經自禫即吉其間服變之節殆有五六周禮文繁乃如此後
世固未可一一而從之故家禮只如此今若以尚有哭泣之文
純吉未安只得依丘氏素服而祭何如何如至如上丁國忌
之避不避無所考據尤不敢輕說只在僉加商度之宜竊恐禫
古卜日以祭其無恒定之日可知退行亥日其或可乎混不學
昧禮每於誤訪每有陳獻極知過僭不加斥外復此咨問跼蹐
尤深 退溪集

黃宗海問家禮禫祭卜日條未卜已卜皆有告辭今雖不
用櫛珓之法而猶行此二番告辭乎

答曰只告以某日祗薦禫事之意 寒岡續集

李惟泰問喪有有禫者有無禫者當禫者有幾

答曰禮記及朱子說可考 沙溪集

喪服小記為父母妻長子禫註當禫之喪有此四者然妻為
夫亦禫慈母之喪無父亦禫○宗子母在為妻禫註父在則
適子為妻不杖不杖則不禫父歿母存則杖且禫矣非宗子
而母在者不禫矣○庶子在父之室則為其母不禫註此言
不命之士父子同宮者○賀循云出母杖朞禫○檀弓註出
母無禫○問女子已嫁為父母禫否朱子曰據禮云父在為
母禫止是主男子而言

禫服色

鄭寒岡問禫服朱子祭取書儀用黲衣冠 國朝五禮儀
又許白衣笠而今人例用黑色笠碧色衣是何據鄙意擬
用黲制如朱儀何如

答退溪集曰黑笠於古無據但黲冠巾之制混所未及行不敢云如何

又問家兄以出後初期除服之時只用玄單笠玉色衣今
逮若用黲制則一几筵之中而服色不同不知何如

答曰兄既徇俗而弟獨改之如何 退溪集

又問禫祭之服當用何服家禮既無所云儀節只云主人
以下俱素服詣祠堂而更無易服之儀今俗則例以吉服
如大小祥陳服易服之節此何如
不依陳服易服之節不知禫服除在何節吉服著在何日

答退溪集曰

金肅夫問禫冠用單玄笠是玄冠極未安五禮儀用白笠
俗用草笠不知何據今欲黲布裹笠如何

答曰單玄笠固未安五禮儀白笠之制不知自何時變而為玄
冠也若此等事向也皆不能據禮變俗今不敢硬說 退溪集

多以黲布白衣居之 見答鄭汝仁問并有喪變除

答鄭汝仁問曰黲色與玉色無甚異從俗何害 退溪集

一

黃宗海問禮經云從祥至吉凡服有六又云祥而縞今六
服之制雖不可行而聖人制禮其意有在而人子之心亦
不忍遽黑其服則祥日著縞冠無疑矣而家禮陳禫服條
冠衫皆用黲者何也今之欲稱黲字之義者皆著草笠此
則世之無服者所著惡在其吉凶之別乎況今日衰麻明
日黑笠似無漸殺之意世之或著白笠者其得於祥縞之
說而今不可行乎

答曰家禮之黲即縞之遺意也草笠非縞黲之比也特不忍直
戴緇笠故姑取草笠之不甚奢華耳世之或著白笠者五禮儀
許用焉耳 寒岡續集

李善立問禫祭卒章既不言設次陳服之節而禮記閒傳
禫而纖註言以玄冠朝服行祭祭訖首著纖冠身著素端
黃裳以至吉祭云然則自禫後至於吉祭之前所著別有
制矣古制雖未可復而亦恐有斟酌如儀節用白布巾白
直領布帶以依家禮畢脚幞頭之制乎且或以事出入則
冠用何巾禫祭後則雖未畢祫事而遠地親舊之喪循可
往弔乎

答曰禫而纖儀禮文也儀禮變服各有節次而家禮從簡不盡
言其節次今則勢須一從家禮但未吉祭之前不用華盛之服
而已雖未行祫事如有不得不見親舊之喪恐不得不見寒岡
盧亨運問禫祭吉服未安於哭位宜從丘氏素服行之後
即吉如何
答曰丘氏之義未詳儀禮禫祭所服許以玄衣黃裳則古人亦
不用素服矣寒岡
朴汝昇問祥日禫服如何世人所用白笠異於家禮之黲
紗亦何所據耶笠既白則巾亦未可以白耶伏聞或有以
黑經白緯為冠云而曾聞禮經曰禫訖著纖冠以至吉祭
云則纖似為禫後之服如何
答曰祥日禫服 國朝五禮儀許用白笠但黑經白緯之冠今
世不用不敢為說或以黲色裹笠或用草笠之不黑染者恐皆
無妨網巾包布恐亦可也寒岡
答權恭一問曰告遷在祥後則以禫服入廟恐無妨禫服五禮
儀許用白笠但世人或嫌於 國喪之服鄙生則倣家禮以黲
色為笠子衣亦用黲巾帶用白布網巾用黲布矣當時皆稟於
李先生而為之寒岡
朴宗祐問家禮大祥章陳禫服註丈夫垂脚黲紗幞頭黲
布衫布裹角帶所謂黲何色歟幞頭角帶今世不用則冠
以黲色布為之而帶亦以生布為之歟
答曰黲淺青黑色如物將敗之色鄭家以槁灰水染而用之如
今僧人所衣之色幞頭角帶今俗士人不用之或有用黲為巾
者俗所謂冠也或有用黲為笠者 國朝五禮儀今用白笠故
亦有用白笠者帶用白布帶寒岡
黃宗海問俗所謂網巾古無其制而今人無故者所著則
是純吉之物而乃於祥後著之者似不相稱無乃有先賢
議論乎

答曰果似不稱世或有黲布作網巾者今此 國喪多有用布
網巾寒岡
或問祥禫易服古有其禮而家禮則只於大祥陳禫服而
禫祭則無文敢問禫祭時猶著禫服乎
答曰禫祭時無陳服之文但儀禮祥祭用縞衣素裳禫祭玄衣
黃裳禫訖朝衣緌冠踰月吉祭朝服玄冠則禫祭時便著純吉
之服亦似未安李先生以依丘氏素服而祭不謂之不可云今
不敢妄言寒岡集續今本無
全孝徵問大祥章陳禫服註婦人以鵝黃青碧白為衣履
云云丘氏女子之已嫁者其服色自當如此婦之於舅姑之
於夫女子之未嫁者及已嫁而無夫與子應服三年者禫
事之前以鵝黃青碧黑白為衣飾豈可乎
答曰禮文曲折雖如此恐不須必與此服也旅軒
全汝涵問禫服條黲色淺青黑色也今之何名色也不言
足之所著抑仍前不易之意耶俗用白笠白衣白帶此何
所考證乎網巾或用黑布或用馬尾何者得中而黲白中
何從何捨乎
答曰黲為淡黑色也黲自是其名復何名乎網巾亦用黲布可
也履則俗用白靴子若未措得則白皮履或熟麻履不為可乎
黲巾服乃家禮之制也中古吾東人祥必用草笠白衣在宣
廟朝以盧稿齋守愼議祥用白笠白衣帶行文于八道而依行
矣今當以黲巾服行祥祭而居常則白笠布衣恐為宜也巾即
方巾也服則熟布團領也旅軒
李惟恭問家禮大祥條未大祥間假以出謁者何義
答曰昔年鄭道可問此段置之不敢知云愚答之曰宋時俗禮
未大祥間或服此服出以謁人此非識禮君子者之所為也朱
子以此移為大祥之服也云云道可答曰來教得之沙溪
宋浚吉問祥後黑網巾甚不稱於素縞之色以白布作網

巾不至於駭俗否抑練時用黃裏縓緣為中衣之飾中衣承衰而已無可嫌以此推之網巾在冠內雖黑與此相類否

答曰以白黑麼鬃雜造用之如何白布則駭俗且非古禮沙溪集

姜碩期問禪祭變服之節

答曰今有或者之言禪祭有哭泣之節不可遽著純吉之服世或有用其言以素服為是者而以雜記間傳見之則祥祭著微吉之服祭訖又服微凶之服禪祭著純吉之服祭訖著微吉之服以至吉祭無所不佩也或者禪祭不可遽著純吉之說不可從也退溪所答前後不同未知當以何服為定沙溪集

雜記註曰禪祭玄冠黃裳禪訖朝服綬冠踰月吉祭玄冠朝服既祭玄端而居〇間傳陳氏曰禪祭之時玄冠朝服祭訖首著織冠身著素端黃裳以至吉祭平常所服之物無所不佩〇退溪答金肅夫之問今若以尚有哭泣之文純吉未安只得依丘氏素服而祭如何申知事叔正曰丘氏所謂素服恐非白服中朝人以無紋衣為素服凡於國是及凶禮皆著青素服去附子俗禮皆近帛喪亦依此行之儀御所謂素服或處措此而言世又答鄭道可之問不依大小祥陳服易服之節不知禪服除在何節吉服著在何日按或曰縞既曰黑經白緯纖又曰黑經白緯綬又曰黑經白緯三字皆同一色此甚可疑考韻會綬白經黑緯通作纖云云曾問鄭絲江未得於中原所謂鑑如今所謂半水色所謂縞即白經黑緯云亦可起世且古書凡言縞者皆白色詩傳素冠註雖以黑經白緯剳縞而出其東門註則云縞白色孔氏曰縞是薄繒不染故逆白禮記曾子問布深衣縞總註縞生白綃雜記矣時史練冠註云縞冠韻會爾雅縞皓也文送重賜黃項同縞漢高記兵皆縞素且儀禮圖禪後綬冠禪後冠色如此則禪前必稱出以此擬之國制與丘儀祥服用純白無乃有所播耶更詳之

又問觀補註石梁王氏之說則禪祭宜易吉服而禪亦有舉哀節次著吉舉哀似或未穩未知如何

答曰禪乃吉祭不可不服吉三年喪畢孝子有悲哀之心則雖著吉哭泣似不悖於情禮矣沙溪集

黃宗海問禪祭依禮用吉服祭訖著黲笠以倣古之縞冠至吉祭始著純吉之服如何

答曰禪後著黲黑笠至吉祭著吉衣冠無妨沙溪集

吉祭

答金亨彥書曰所謂三年後祫祭之三年謂禪後也未禪不可謂喪畢又不可以吉服入廟故俟禪後行祫祭但士大夫祫禮不可考今以時祭當之退溪集

黃宗海問祫者天子祭名非士庶所當行之禮朱子亦以為先祖之祭似祫而不敢祭則祫之不可祭明矣而乃於祔遷時祭之者何也又其祭禮不見家禮未知當與何祭同其儀節乎

答曰謂之祫則未安而禪後吉祭則禮有明文當一從家禮四時祭之儀同春續集

宋浚吉問喪大記吉祭而復寢陳註吉祭四時之常祭也禪祭後值吉祭同月則吉祭畢而復寢若禪祭不值當吉內矣值正祭之月而不忍不祭故行禪於寢即於同旬之內行正祭於廟觀鄭註亦不待踰月之文則知踰月為常制而值正祭之月則不待踰月而即行廟祭也然則陳註所謂四時正祭之常祭者特以釋吉祭之名耳非謂必待仲月也更稟於沙溪丈而行之云云此說如何

答曰鄭說是沙溪集

又問父在母喪十五月禪後當行吉祭否

答曰吉祭乃四時祭外之別祭蓋喪三年不祭故喪畢而合祭於祖廟仍行遞遷之禮也若父在母喪則父為主以朱子答竇文卿書見喪中御[illegible]答宋浚吉問觀之雖妻喪廢家廟四時正祭而以答範伯崇書見上同觀之雖父母喪亦似不廢當更詳之妻喪中家廟正祭如果不廢而妻喪又是祔位無遞遷之禮則喪畢後吉祭似無義恐不當設如何沙溪集

又問父先死已入祠堂則母喪畢後吉祭亦必待踰月乎

答曰似然(沙溪集)

禮疑答問分類卷之十二

禮疑答問分類卷之十三

喪禮

心喪服色

金而精問父在為母降服者及為人後為私親降服者當心喪時朝夕祭所服主意以玉色團領為未安宜白布衣云是有合於聖賢禮經乎

答曰父在為母降服者為人後為本親降服者朝夕祭時用玉色團領或以為未安欲著白布衣主意說然既曰禫服心喪則玉色衣無乃可乎(退溪集)

答金而精問曰父在為母期而除除後冠服所宜前者韓永叔為申啓叔問此事略以鄙意答之公所見知也然此只據家禮及今士大夫見行之制而言耳今來示乃引五禮儀士大夫喪制條大祥後白衣白帶白笠之說因以推之於為母期除後心喪之服亦欲以白衣冠帶行之此實近於古禮而可行者然於鄙意恐不當然也按禮縞冠素紕既祥之冠詩人亦歎素冠素衣素韠之難見可知是古之禫服冠衣帶皆用白此五禮儀用白之所從出也文公家禮禫服皆用黲(黲笠辮非疑 縞其繰也)雖未知何所祖述然今人禫服依此行之已成習俗其他喪制亦率遵文公禮何獨於此必舍舉世遵用之家禮而從試古中廢之時制乎然此則以三年之禫言之矣若以是移用於為母期喪之禫恐尤有所未安者雜記曰期之喪十一月而練十三月而祥十五月而禫鄭玄曰此為父在為母又攄檀弓祥而縞是月禫註馬氏之說云云是古人之於此喪止十五月而除畢矣至家禮大祥章註朱子答或人曰今禮几筵必三年而除則小祥大祥之祭皆夫主之(由此者言 之故曰夫)但小祥夫已除服大祥之祭夫必須素服可也是子之期除後猶以心祥終三年矣由古禮則祥禫盡於期餘由家禮則祥禫在於再期矣且禮但有為師心喪無服之說則無為母心喪其服之制又禮曰父在為母何以期也至尊在不敢伸其私尊也由是言之為母伸心喪三年恐後

王之制家禮著之而垂世教耳儀禮父必三年而娶達子之志也唐賈公彥疏有心喪三年之說則恐周時已有其禮但禮經無文故又起其出於後王之制耳今人既遵家禮之教耳為心喪當用家禮之禫服以循世俗之成例就儀裁之中而申仁愛之情用意宛轉無有不盡之憾矣必若以是為未足期除之後衣冠又用純白服家禮所損之禫服用損黲白而跨古禮無服之一期其於至尊在不敢伸私尊之義何如我且吾聞之孔子謂子路曰有父兄在如之何其聞斯行之今也人家父兄習熟見聞皆以為禫用黲黑一朝乃用純白之服以此趁庭進退以了此一箇期年未知其嚴親之意以為可乎安乎未也若親意不可不安而子強而行之亦恐未為得禮也愚故於前所答韓永叔書外不能別有他說也鼂溪

金而精問為父降毋服條謹依誨諭行之但園頎王邑非徒於心未安今當　國恤法用純白依此服白笠重服在身當服淡乎

答曰聞之古者君服在身不敢服私服此禮今雖難行既當改私服而値　國恤服白之時雖不用家禮之黲而從古禫用白之禮恐不至異常也如何如何鼂溪

又問降服者網巾或以淡黑布製之今從否

答曰恐駭俗鼂溪

禫服以終喪乃心喪已成服之例見奔往服答韓永叔書

申晉甫問心制喪者冠用黲巾網巾亦用黲布為之耶鞋則著繩屨耶

答曰冠用黲布巾亦用黲似乎可也屨用繩亦宜耶鼂溪軒

或問嫡孫父卒祖在為祖毋降服杖期則小祥當白笠素帶至十五月而禫後黑笠緇帶耶

答曰是鼂伏

答申汝淺書曰所示不忍即吉之云有以見孝思之無已深用感歎然儀禮註中既明有心喪無禫之文後學但當守古不可以義起今於十五月既已服禫則再期之易服似當從吉但有一事今之再期乃是第二忌日也常時忌祭尚且服黲況於大祥之日乃以吉服易黲服果為未安鄙意用白衣白靴仍戴黲笠不加漆如常時忌祭之服翌日如示改漆黲笠以着其月又是仲月卜日行時祀祫祭以應古人吉祭之文是日乃純用吉服行祭似為得宜如何如何鼂伏

心喪練祥禫

任卓爾問雜記期之喪十一月而練十三月而祥十五月而禫註父在為毋張子曰父在為毋服三年之喪則家有二尊有所嫌也處今之宜齊衰一年之外可以墨衰從事可以合古之禮全今之制云云練云云者如初期之練耶祥云者如大祥之祥耶禫後則雖未終三年凡事一如二十七月之禫者耶何無漸降漸殺之節而直曰十五月而禫云耶

答曰十一月而練十三月而祥十五月而禫當與初期之練大祥之祥中月而禫其禮無異訖禫之後只有心喪而已他無間於二十七月之禫矣且練而祥而禫則何以曰無漸輕漸殺之節也鼂同

又問父子皆禫於十五月則二十七月之禫不復行之耶若然則非但期後都無事禮宜從厚之說無所晉行之耶

答曰喪無再禫之禮故禮心喪無禫禮宜從厚之說非此等之謂也鼂同

或問父在練服當於十一月之晦為之耶或於念後卜日為之耶祭物從何儀而又無祝辭乎小祥後服色何以為之除練撤几筵之後神主當入祠堂乎朔望參謁亦何處為之乎　國恤三年之內凡人家不得行時祀云此亦然乎大小祥祝文夫於妻無變改處耶

答曰十一月而練云則所謂練即練祭也今俗小祥祭也服色祭物祝文當一依而曾見古人所記當用十一月之晦云再十三月之祥即大祥祭也亦皆一依焉撤筵之後神主亦當祔廟朔望之祭自當依禮亦何疑焉祥禫祝文夫主之則似當櫽括用之也　國恤卒哭後許行大小祀則私家之祭恐亦行之無疑也（寒岡集）

答或人問曰若從古禮則其間不可無變節故十一月而練十三月而祥十五月而禫練在第十一月之中而日則以古人卜得其吉而行之今不能卜日則或以其月（即第十一月）之晦日行之蓋以既經其月又經其日為未安而乃取月終之日行之者也賤所聞如右只望酌而行之也（旅軒集）

或問父在母喪禫後服則用禫服而中月之事行於二十七月乎至於大祥則亦用是祭祝文乎

答曰禫畢則難用禫服然心喪之服何可準常時乎心喪無禫則二十七月似無中月之事三年而第再期則自是是祭非祥祭也當用是祭祝文（寒岡集）

安應昌問父在為母心喪者既行禫事至二十七月之期無再禫之禮而虞度亦似未安何以則可乎

答曰再期則只依是祭之禮而行之二十七月之期則就其月中或丁或亥以吉祭設行似可（旅軒集）

姜碩期問父在母喪既行禫祭於十五月固不可再行於二十七月則當於何日復吉耶禮有禫後踰月而行吉祭復吉之制此亦倣而行之耶

答曰來說得之（沙溪集）

又問父在母喪至十一月而練子則既練其服而姪孫仍其衰絰何其重者輕而輕者反重耶

答曰三年之喪特為父而屈祥禫之制布升之數自與期服迥別詎以練變之節而遽有反輕之疑乎（按疏云除親惟至十三月而除不練服也○沙

（沙溪集）

宋浚吉問或云十一月服練之制乃父在為母之禮夫之為妻不當用也未知此說亦有據否

答曰或說誤禮經諸說可考（沙溪集）

雜記云期之喪十一月而練十三月而祥十五月而禫鄭註云此謂父在為母為妻亦伸疏云夫為妻年月禫杖亦與母同（見喪服杖期章及為妻章註疏）

又問為妻十一月而小祥當擇日而祭擇之之禮當如何

答曰家禮大小祥用初再忌祭故卜日一節無所施只於禫用卜日之儀而禫者吉祭故先命以上旬之日若夫為妻小祥用十一月而祭則其祭日卜如禫儀而先命以下旬日似宜（沙溪集）

曲禮凡卜筮日旬之外曰遠某日旬之內曰近某日喪事先遠日吉事先近日註今月下旬筮來月上旬是旬之外日也喪事謂葬與二祥是奪哀之義非孝子所欲但不獲已故先從遠日而起示不宜急微伸孝心也吉事謂祭祀冠婚之屬

只汝和問小記曰為父母妻長子禫然則父在為母為妻為長子之喪十一月而練十三月而祥十五月而禫之禮皆一例行之乎小記宗子母在為妻禫註父在則嫡子為妻不杖不杖則不禫喪服傳曰庶子不得為長子三年不繼祖也云不繼祖則其服當為不杖期為妻為長子不杖則皆無練祥禫歟

答曰練祥二祭喪禮之大節即禮所謂必再祭者何可以不杖而廢之耶惟禫不杖則無之矣十一月而練十三月而祥十五月而禫者乃父在為母及為妻之禮若父在而為長子則只服期年似不用此禮矣如何如何（愚伏集）

答李潤卿書曰凡喪以歲計者不數閏以月計者數閏乃禮家說非有輕重之分特以二年三年之喪不得不以初朞再朞為斷故耳然則十一月而練亦是以月計者或者之說似矣但此

是三年喪之練而前與祥禪相為次第若數閏於練則祥為十
四月禪為十六月矣若數於此而不數於彼則一喪禮節前後
衡斷又似未安恐未若與祥禪同義以歲計之文而不數閏似
合於禮而順於事未知於台意如何又有一義禮曰凡卜筮日
喪事先遠日吉事先近日喪事即葬與練祥也蓋有奪哀之義
非孝子所欲故春秋傳亦曰先遠日避不懷也聖人制禮之意
惻怛如此今若拘於以月計之文而數閏以練之恐人未免欲意
之　非先儒禮疑從厚之意如何如何 愚伏集□意之下有落字而本集空一闕

答　全德久慨書曰心喪無禪之文載在通典尤無可疑但朱門
有一問目曰子為母大祥及禪夫已無服其祭當如何朱子答
曰今禮几筵必三年而除則小祥大祥之祭皆夫主之據此則
又與禮經所言不同此是古今異宜之故也然朱子之答但言
二祥而不及禪無乃有微意耶鄙意大祥之祭依今例設行而
祝辭以再期易大祥字禪則不再行似得禮之意如何如何 愚伏

答申汝涉書曰朱夫子答門人之問曰今禮几筵必三年而除
則小祥大祥之祭皆夫主之但改其祝辭不必言為子而祭也
觀此則初期再朞皆有祥祭明矣今依雜記之文練祭既行於
十一月則又不當疊行於初朞祥祭既行於初朞則又不當疊
行於再期此甚不可曉意者雜記所云是三代之禮朱子所云
是時王之制各有節目而不能相通者耶此尋常所疑今不敢
質言于左右耳然此是大節目朱夫子必不以今禮廢之無乃
練祥二祭自依雜記之文而祝辭直書小祥大祥及後再朞之
祭則只曰奄及再朞而沒其大祥之稱耶此是暫見臆說切願
裁度畧處 愚伏

答黃倉南別紙曰非練而練非祥而祥非禪而禪者皆子為父
屈之禮而夫乃主其祭祝曰奄及小祥奄及大祥云者似無意
義鄙意古禮三祭皆令子主之其祝辭悉用家禮之文再朞之
祭則夫自主之祝辭大祥二字換以再朞似於情禮無大妨礙

如何如何但閏十一月已過云此尤難處然與其全廢寧於此
月中旬內得日行之為差愈耶更須酌處 愚伏

心喪撤几筵

任卓甫問妻小祥撤其几筵人有言之者而朱子答竇文
卿曰今禮几筵必三年而除云云則或者撤之之論見於
何書耶若非周公孔子之訓則朱子之訓其可不從耶

答曰期而撤靈古禮多言之故唐盧履冰以為禮父在為母一
周除靈三年心喪橫渠所謂墨衰從事義起之言也朱子所謂
三年而除據當時令甲而言也然近來鄙見張朱兩先生之言
既如是則父在母喪祥禪既盡之後母之神主既別置一處則
仍上朝夕之食更設一周而止或近於合古禮全今制庶無嫌
於孝子從厚之至情此意何如 寒岡

安之恭問橫渠先生曰父在母服三年之喪則家有二尊
有所嫌也處今之宜但可服齊衰一年外可以墨衰從事
可以合古之禮全今之宜朱子曰卒哭即祔更立木主於
靈座朝夕奠就之三年除之退溪先生曰父在為母降服
者朝夕祭時用玉色團領或以為未安欲着白布衣然既
曰禪服行心喪則玉色衣無乃可乎

答曰盧履冰以為禮父在為母一周除靈三年心喪又曰祖
母安存子孫妻亡沒下房筵几亦立再周甚無謂也以此觀之
父在母喪既朞而除之後決不得仍存几筵矣但三先生之論
既如彼則據禮即撤朝夕祭者孝子之心恐有所不能已者古
之孝子或有設遺像終身上食者況父在而母之神主別置一
處古有其言則子於心喪之內几筵則雖撤而就別處仍略上
朝夕之食或近於合古禮全今制而庶無嫌於孝子從厚之情
此意何如 寒岡

申晉甫問祥禪後不撤几筵仍行朝夕上食既已聞命矣
上食時當止哭而朔望亦為不哭耶家長過禪則不參朔

望饋奠耶

答曰祥後上食乃權設也喪已除焉復何得有哭乎朔望同吾若家長祭之未為不可亦不必祭也如鄙人老病者不能祭矣後軒集

善碩期問父在母喪十三月大祥後或有不撤几筵至三年仍行上食者此雖非古禮然今人居喪鮮克由禮而獨於此等事便欲從禮則不但情有所未安禮疑從厚古亦有說祥後上食至再朞乃撤未知如何

答曰據朱子說非不以盧履氷議為善但不敢違時王之制耳家禮不著父在為母朞亦此意也今　國制既用古禮則正朱子之所欲從復何所疑今俗或祥後不撤几筵固非矣或有仍服三年者亦或有出後子為本生親服三年者尤可駭此皆禮經之罪人孝子至情寧有窮已先王制禮不敢過耳汝溪集

儀禮喪服父在為母期傳曰何以期也至尊在不敢伸其私尊也〇盧履氷曰禮父在為母一周除靈三年心喪又曰祖父母安存子孫妻亡殁下房筵几亦立再周甚無謂也〇朱子曰盧履氷議是但今條制如此不敢違耳按唐武后表請父在為母終三年服宋朝因之不改故云〇又曰喪禮須當從儀禮為正如父在為母期非是薄於母只為尊在其父不可復尊在母〇國制父在為母十一月而練十三月而祥十五月而禫

又問前承下教父在母喪十三月祥後當撤几筵矣但今見退溪集中金而精問心喪之人朝夕祭所服圭菴以玉色團領為未安宜著白布衣未知合於禮經乎退溪答曰玉色衣果未安白布衣為當心喪之人祥後撤祭則朝夕祭所服固不當論而退溪亦云宜用白布衣則終三年上食亦有可據之禮耶

答曰祥後祔廟禮有明文朝夕祭所服非所當議退溪恐或從俗而言之耳汝溪集

或問雖十五月而禫朝夕上食朔望盛饌則與服三年者無異耶

答曰古禮則不然而但朱夫子答學者書曰今禮几筵必三年而除只得依此退溪集喪畢後吉祭似無義恐不當設見上吉祭來溪吉問答

新主入廟

答李剛而書曰既除服而父之主永遷於影堂耶將與母之主同在寢耶子從時遭父母偕喪而將先除父喪故所問如此古人葬後卽返魂設几筵於正寢奉神主在此經三年子從偕喪兩神主同在寢矣今當父大祥除父服故問祥後禫前父之神主當先永入於影堂乎抑姑且無入而與母主仍在正寢為可乎云云先生謂自當先遷云者父既祥除主當先入于影堂可世然此必子從之父是衆子非入祖祔廟故其禮如此若入祖祔廟則其入廟節次又與此不同詳見家禮退溪集

朴汝昇問喪須三年而祔先儒之論定矣祥後處遷之儀詳載於家禮大祥章下而有曰新主祔于祖廟云當以何日行祔祭耶祥之翌日祭而祔之然後乃撤几筵耶吉祭之前則姑取祖父龕西南東向安之耶告遷之禮當用高氏祝辭耶

答曰卒哭而祔家禮既有明文所謂祔祭於三年後先儒之說定矣云者未詳祥後處遷者謂卒哭明日而祔大祥前一日則只以處遷之意告之而虛東一龕以俟厥明祥畢奉新主入廟以安耳但卒哭之明日或差過未及行祔祭則不得已當於大祥之明日行祔事而朱子答陸子壽書曰既撤之後未祔之前尚有一夕其無所歸也祥祭之日未可撤去几筵或遷祔近廟廟直俟明日奉主祔廟然後撤之則猶為亡於禮者之禮耳以此觀之似當於祥祭之夕仍行夕上食以待明日祔遷而後方始撤得几筵矣祝辭高氏之文載在家禮恐當用之寒岡集

盧亨運問母喪以父在不敢先祔而未入廟則父喪禮當同祔祔祭之後父喪未畢先妣神主先入廟乎

答曰寒岡不可先入廟當仍奉於父在時所安之處而偕祔入廟也

李善立問既無祖廟而惟有禰廟則新主入廟之禮何以爲之若用大祥本章下李繼善楊慎齋註說之意則未祭告前奉安於何所以待祭告之日乎大祥前一日告遷于祠堂但改題主而遷主及新主入廟之禮乃行於祥禪祭後吉祭之時乎告遷改題之禮亦并行於祥禪之後而待吉祭畢後新主入廟乎或云既無祖廟則新主姑用奉安于考廟東壁下待禪前一日告遷改題此近於朱子所謂今人獨執祔于祖之文今若遂變而祔于禰則似無義意如何

答曰改題遷主之儀當一從李繼善楊慎齋之言大祥前一日不安行告遷之禮且雖非宗子祔祭一事不可不行當曰幾代孫其使其親敢昭告于云云而設虛位以行祭後除之可也雖不入其廟而祔事不可闕故家禮有非宗子則以亡者繼祖之宗主此祔祭云所謂幾代孫卽宗子所謂使某卽喪主也且祔祭若未及於卒哭之明日為之則當於大祥之明日為之大祥祭畢不敢卽入廟稍移新主於故處而仍行夕上食乃於其明日祔祭後始爲入廟矣寒岡

盧咨問前妻神主已祔於禰廟東壁下後妻神主祥畢入廟時亦當以次各設卓子耶

答曰然寒岡

全汝涵問亂後家廟依舊而先世神主則時未造安各其龕前用紙牓行祀事故淩遭此大喪如朝祖祔祭等事亦於紙牓行之今則大祥已迫新主將入廟而先世之龕則惟紙牓矣新主入廟先安或似未安則新主仍留故處或置他室待其喪畢改造先世神主合享然後同時奉安于各龕其亦可乎神主與紙牓尊敬則無異而新主仍留故處亦極未安循禮入廟置于東邊空龕先世立廟時作五龕故云東邊空龕待喪畢改題合享後遷于各龕如何

答曰大祥後奉新主入祔于祖父之廟待喪畢當有合祭祭前一日告遷改題翌日祭畢舊主遷而西新主卽安于當入之龕者乃橫渠之議也而朱子從之則今且依行可也但貴廟在亂後用紙牓行事于各龕則乃權宜之設也木主則未奉安焉新主先安為未安者果似然矣然若無他室假安之所則雖奉安于廟內亦未為不可矣但不可致安于龕姑當於東壁下西向之位設倚奉安待合祭後先世神主并安之日隨安于當龕恐是宜禮也如設龕至五則禮無可據未知何義也旅軒

宋浚吉問先考實繼禰之宗而以最長房奉高祖神主於家廟先妣神主則從東序西向之坐矣今於先考祥後姑同安於先妣西向之位禫後循還故處至祫祭時設位則變為南向之位祧主與新主皆坐於一行如時祭之儀否祔祫祭時則循為西向之位祫祭後祧出易世之主然後還祠堂始為南向之位而以次迭遷否丘氏儀節曰家禮時祭之外未嘗祫祭又不知設新主於何所云云而遞遷之節直在大祥之下今當何從問于愚伏答云前喪則契長以宗子祔亡妻於祖廟安于東壁西向之坐固當今此祥祭則前一日告遷諸位虛其東一龕以待新主翌日大祥祭畢奉安新主於卒龕南向之坐次以先妣從入於禮為順若欲依朱子晚年所論待祫祭後入廟則亦當權安新主於別所或仍留几筵不輟以奉之至以祔之於先妣西向之坐則乃為以尊從卑似無退禮如何如何祧主與新主一行自不妨矣然更以資之沙溪而行之云云幸乞祭商指教

答曰朱子晩年與學者書祔與遷是兩項事旣祥而撤几筵祔于祖廟竢祫祭而遷用意婉轉後人不可違也丘氏云云未暁其意以哀家言之雖未能就祔於宗家祖廟姑安於哀家祠堂之東序以竢祫祭似不失朱子之意旣安於東序則不得不與先妣同安非爲以尊從卑也事勢然也愚任欲從朱子初年之論殊未安當至於仍留几筵權安別所尤爲禮意恐不可從也（沙溪集）

吉祭時新主姑就祔位入廟後奉安正龕恐當如何如何

朱子答李繼善書云云○楊氏曰云云（詳見家禮附註大）

又問若父先亡已入祠堂而母死則只告先考而入祔不須幷告先祖耶有事則告雖小事尙然況新主祔廟何等大事而可昧然歸匣耶妄意雖母死祔父不行虛遷而幷告先祖似不可已如何如何

答曰幷告祖先亦無妨（沙溪集）

改題主

答金施普書曰改題事大祥前一日爲之曾祖書曾孫祖書孫高祖書玄孫而不云高孫也但家禮雖有四代之祭今五禮儀只祭曾祖以下當用時王之制也其間或有好古尙禮之家依家禮祭及高祖則必有高祖當入之龕矣今示祔位之說甚非也代盡之主遷奉於族中代未盡中最長者之家祭之旣祭於彼安有宗子復祭之禮乎改題只視宗子宗孫之存亡而已衆子孫不得與於其間也（沙溪集）

任卓甭問伯兄夫妻已亡宗姪無依故父母祀事此姪攝行其改題之禮尙未行之或曰姪子得相然後可行或曰嫂喪畢後當改題而不改爲非此意亦以爲尙今不敢尋常未安若改題則擇日爲之乎朔望日爲之乎若改題之後則凡祭姪當爲之降神初獻耶其敘立亦在此之前耶

答曰改題旣未及喪畢之日似當於時祭前一日具文以告而題之改題之後則宗子當主之降神初獻宗子爲之敘立節次則載家禮祠堂章正至朔望則參之註（寒岡集）

李以直問凡改題主或因時事忌祭時爲之則祭前改之耶祭後改題耶祝文措辭以告之耶

答曰因時祭而改題則時祭前一日以酒果告而改題或別卜日設祭而告之忌祭改題則未安矣（寒岡集）

吳翼承長問賤廟奉祀尙不改先人之名或云家婦在世則是序未有繼不可徑改以愚度之家婦初獻勢甚難行而況人已爲降神而名尙直書於義爲不宜子祭而父名直書循存於心尤爲未安故玆欲於二月享時改題奉祀直書慶長名此意如何如何

答曰旁題尙未改極爲未安須速因享前期告由而改之或人之云必不考家禮而言也（寒岡集續而今本無）

黃宗海問葬日題主畢必卽設奠讀祝告以遷依是實奉安先靈之意而至於改題時未有其文只待明日祫祭者不其緩乎

答曰改題之前旣告以酒果矣厥明又有祫祭之禮其間又欲設祭則無乃煩乎（寒岡續集）

答金依問曰楊氏三年喪畢云者禫祭後値時祭之月必有合祭在三年喪畢之後故耳告遷改題在祫祭前其祭之一日遷主新主皆歸于廟在厥明合祭之畢則禫祭前改題之擧未知何據以張子朱子楊氏之意參觀則今當從合祭時者乃爲是耶祝辭似與祥前之辭略變而不過改一二字如何（旅軒集）

姜頊期問祖喪三年內其父死則其孫當代主其祀矣但神主不可仍其舊題當於何日改題乎

答曰改題恐宜在喪畢後不敢死其親之意也然無經可據不敢以爲是也（沙溪集）

李惟泰問改題主祝辭丘氏乃不稱高曾只稱其官其封今於備要取之曰子下旣書子孫屬稱而於高曾則不書

稱謂者果為恰當乎卒哭明日而祔也直稱曾祖而三年後又稱某官可乎謂意以為直書屬稱而惟以諸位改題之意告之無乃可乎

答曰丘儀不書諸位之屬稱似為未安故喪禮備要欲改之而未及耳備要重刻時用先人遺意改之耳○沙溪集

遞遷

答宋寡尤書曰祖母及母生存而孫奉祀廟主遞遷之疑世人亦多有之然若如是不可改則家禮大祥前一日何故不論祖母或母之存否而直行改題遞遷之禮乎夫奠重於昭穆之繼序而或子或孫既當主祭則世代之變已無可奈何雖有所大悲感者而亦不得不隨以改遷也退溪集

奇明彥問今世人家改題遞遷多不能行而親盡之祖遷于最長之房則尤不能行此雖世俗苟偷因循之弊而其遷奉一節亦有難行之勢非獨世俗之失也蓋若用家禮遞遷之儀而準以今世之法則曾孫主祀者死而其子奉祀前日之曾祖乃為高祖法當祧去其母雖在不得為最長當遷于曾孫中次長之房也然在曾孫行者或皆已死而妻獨在則其祧去之主當埋之否乎埋之則曾孫雖死而妻尚在埋其曾祖之主似為未安且若奉祀者之祖母尚在而無他兄弟則當埋其祖之主乎此又未安也若以母及祖母尚在而遷奉其主于別室如遷于最長之禮則便是家婦主祭之說與禮之本意不相對值似不可行也且或因家婦主祭之法強而行之則一家之祭乃有及於五代六代者此恐於禮於俗交有所妨也大升門户凋落群從散居合族尊祖久不舉禮高祖神主尚在主祀家而主祀者乃其五世孫也先是叔母尚在乃其曾孫之世故雖未得遷奉而不敢祧出今則叔母亦亡以今之條制推之勢不得不祧而曾祖亦於主祀者為高祖此當遷奉但最長之兄遠居湖南遷奉之禮有所難行而主祀者以母尚在不欲遷于他房此雖涉於家婦主祭而從一時權宜事亦可行至於祧高祖之議則從兄有以家禮祭及高祖而今乃祧去為未安云若欲遷于他房則如前所陳勢有難行而主祀者以母尚在留奉于別室則乃是祭五代而若主祀者母死之後則遷之既難埋之亦未安不知何以處之而主祀者年歲已長在從叔列者又多年火以常理言之主祀者或先死而其子主祀則一家乃有六代之祭此於禮於俗尤有所妨也且弊族雖衰然奉小宗者無慮十餘家若定為四代則當通行於一門族不但行之於宗家今條制而欲行之於門族自為一家之法則亦恐涉於議禮之嫌而祀於不韙之罪極為未安以此常欲定從今制而適又家兄方立祠堂以書來通當作幾龕與否於是復有林惕之懷又欲斷從家禮為當而但於宗家則斷以三代於禰廟則定以四代處人處已判而為二尤覺未安未委何以處之可合於禮而不拂於時伏幸誨諭凡此曲折亦有難以書陳者然大槩如是併祈鑑諒

答曰所論祧遷之禮有難行者曲折甚悉愚及德門先世祧遷有疑礙之故皆推說到極處不勝歎尚然所謂將有五代六代之祭者非獨德門為然滉衰門亦正有此事而更甚焉嘗因是思之其大要皆由於妻尚在母尚在祖母尚在之說而生出此許多違礙也既蒙不鄙敢先以躬所遺者言之滉曾祖神主在小宗家向來族姪主祀己為祭四代世數三年前族姪死而族姪之子當主祀則為五代矣俄而此子又死而族姪之孫今當主祀則又為六代矣若以今制處之當族姪主祀時曾祖當遷于最長之房第以門長曾有僉議謂曾祖於吾門最有庇廕不當循例祧遷云此雖出於一時之議有難遵行者然若用家禮則祭及高祖不為過故因仍未遷之間族姪父子相繼死亡循

以族姪妻尚在疑可以未遷令則姪妻又死曾祖遷奉在所不疑而主祀者尚守門議不欲遷出而其下亦有當祧二位方講求古禮欲各遷奉而時未行之矣冬春間有一二儒生來訪偶言及祧遷等事其所疑正與來諭同且云今日都中士大夫家率用母在不祧遷之說乃母在者父喪畢歲其主於別處以待他日與妣同入廟始行祧遷之禮祖母曾祖母皆然云可知人情於此皆有所不安者意亦甚厚然詳考禮文竊恐未爲得禮之正也謹按文公家禮祔章註高氏但言父在而祔妣則不可處遷祖妣云云不言母在而祔考則不可處遷祖考楊復亦但言父在祔妣則父爲主云云喪畢未遷尚祔於祖妣待父喪畢處遷祖考妣始考妣同遷而已亦不言母在祔考則母爲主云云喪畢未遷尚祔於祖考待母喪畢處遷祖考妣始考妣同遷也又大祥章改題處遷新主入廟等事皆爲父喪而言而其禮之首末一直如此行將去未嘗言若母在則不可處行改題處遷等事且當置考主於別處俟他日母喪畢後方可行此禮也此章註朱子與學者書及楊氏說雖皆有新主且祔祖廟云云然至緣行合祭說便即入廟非待他日母喪畢而同入也聖人非不知母在而遽代爲未安其所以如此者何也父既死則子當主祭子既主祭子之妻爲主婦行奠獻母則傳重而不奠獻故曰舅歿則姑老不與於祭與則在主婦之前內則註老謂傳家事於長婦也此與家婦不主祭之說當通爲一義矣蓋夫者婦之天夫存則婦雖亡而不易代夫亡則婦雖存而以易代論斯固天地之常經尊卑之大義聖人之制禮以義裁之而孝子之情不得不爲所奪焉故也昔胡伯量問於朱子曰先兄既娶而死念欲爲之立後既立則當使之主祭則其之高祖亦當祧去否曰既更立主祭者即祠版亦當改題無疑高祖祧去雖覺人情不安然別未有以處也家間將來小孫奉祀其勢亦當如此今詳此言亦不論母之在否而直如此斷置豈非所謂無可如何而然者耶由是觀之其以妻在母在祖母在而不行祧遷其可乎其不可乎可則已如以爲不可則來諭所謂曾孫之妻尚在埋其曾祖之主奉祀者之祖母尚在埋其祖之主雖皆未安恐不得不限於禮而奪於義況可以二母在故遷奉其主而可行乎在德門其他所處殆亦決於所稟可不可之間不敢重複安陳其中有云曾祖於主祀者爲高祖在今當遷而勢難行焉則恐此事不須以母尚在爲說只據家禮祭四代之義而祭之雖若小違於今而正是得合於古來喻以謂權宜可行者真確論也至其上又一代則在古制當祧雖用母在之說猶未宜留奉況不用乎恐於遷奉雖有難勢舍此更杜撰不得朱先生所謂別未有以處者正謂是也如何如何然德門六代頹料而言之耳如樊門已見其事而遷奉之樂泥於門議雖考得禮意如右而事勢緯績尚未能斷然行得承問之及深用愧惕然又不可不盡於左右以求是正敢歷陳瞽見坳堂精加參證後以辱岐之幸甚退溪

答金亨彥書曰告遷題主大祥前一日行之禮也若墓遠非一日所可往返又不可喪主在彼而使他人攝行則前期數日來行告題而還及祥祭勢出於不得已也如何如何如來諭返魂之明日行之亦無不可但欲依禮文前期而行之故耳〇右數段說移祔於祥後而據家禮本文丘氏家禮及五禮儀士大夫祔禮祭酌爲言其節文詳於五禮儀乃　時王之制考而行之可也退溪

又答曰若欲從朱子與學者書云云之說俟祫祭而行遷廟禮則大祥前告遷改題等禮皆且停退返魂日祔祭亦只請出當祔之主祭畢奉新主隨入其祖室以俟喪畢後祫祭前期一日乃以酒果告遷改題主猶各仍入于其室厥明合祭新主同祭畢還主時乃依朱子及楊氏說行之退溪

又答曰竊詳朱子之意初述家禮惟以酒果告遷者豈不以喪三年不祭禮也而合祭群室乃祭之大者非喪中可行故也歟

後來又以謂世次迭遷昭穆繼序其事至重但以酒果告遷行迭遷爲不合情禮故引張子語及鄭氏註以爲禮當如此此古人所謂禮雖先王未之有可以義起者也其用意婉轉得禮之說今如右行之則於祔既不失孫祔于祖之文於遷又以見迭遷繼序之重亦無古今異宜難行之事在人所擇也退溪

鄭寒岡問今人姑老在堂則當廢之祭亦不敢廢曰家婦在是何如

答曰古無此禮退溪

朴宗祐問告遷于祠堂下註其支子也而族人有親未盡者則祝版云云未知祝辭何以書之歟

答曰朱子晚年定論詳載家禮大祥章最下註李繼善問云云與楊氏復曰云云蓋楊氏發揮朱子之言而加詳焉耳然則大祥前一日姑勿祭告大祥祭畢神主奉祔于祖考之龕以待禫後吉祭前一日以薦告遷主告畢乃改題廞明合祭行禮畢祧主奉遷于最長之房高祖以下神主次次遞遷新主亦得奉安于第四龕寒岡

黃宗海問家禮大祥前一日有告遷題主遞遷等節而按本條下李繼善所問及楊氏註則告遷等事當待祫祭而行之其將以楊說爲正乎然而橫渠先生曰祫祭於六廟同其告祭畢祧遷云云楊氏云當俟告祭前一夕以薦告遷主畢乃題主廞明祫祭云云由前之說則祧遷二事當在祫祭之後由後之說則祫祭前夕已行遷主之禮未知將何所適從乎

答曰楊氏說最合禮意告祭之告恐吉字吉祭前一夕以薦告遷主之意告畢乃改題廞明祭畢以次遞遷寒岡

又問楊氏既以爲遷主事重不可但以酒果告則所謂告祭前一夕告遷之時其不用酒果而告乎

答曰楊氏之意迭遷繼序其事至重但告以酒果而無祭禮爲不可耳若吉祭前一夕以薦告遷主之意遂改題主廞明祫祭畢而乃遞遷焉何不可之有寒岡

鄭逑問世問遞遷改題兩節大祥前一日行之是家禮本條而朱子許用橫渠祫祭之論退溪先生亦從朱子及楊氏說此大有可據而但本條如此何以爲之大祥前若行告遷之禮則主人以衰服入廟耶

答曰朱子晚後之論及退溪先生之語亦如此今當據用則楊氏所謂告祭前一夕以薦告遷云者其告當在祫祭臨時矣豈有衰服入祠之事乎寒岡

奉遷最長房

鄭寒岡問代盡將祧而無繼宗主人則諸孫中只以次子之嫡孫主之否抑其雖擇非支宗代稍近而年稍大者乎

答曰禮只云代未盡最長之房不分適支也退溪

任卓爾問有一士族錯認以門中一人爲最長之房而當奉遷其曾祖考神主於其家厥後其門中更察之則其人非最長之房最長之房則別有他人乃通其遞奉之意於他人則所謂他人者辭且不慧示以不肯之色其門中議曰稱爲最長者如彼次長則不可奉奠如營建祠宇於墓山之下以奉香火可也云云若代盡則祠山而奉之可也今既有最長之房又有次長者最長者雖不慧次長者亦可奉安建祠之議可否何如或曰最長者不良如彼而次長者出於其間排門中建祠之議頗露而請奉之者既有越分僭祭之失又有聖己罪兄之嫌不如姑循門議以俟他日之爲善也未知何以則無失無嫌而得盡其尊祖敬宗之道也

答曰最長之房辭且不慧而不肯則固難强焉既有次長之房則親猶未盡建祠墓山無乃或未安乎彼所謂最長房不比宗子之截然難犯鄙意次長之房權宜奉祭無乃出於不得已之

勢而或未爲不可乎如何如何寒岡

又問曾祖神主奉遷前一日以奉來遽遷之意告於父母神位耶當日即告之耶其告辭何以爲之耶

答曰考妣前亦當以曾祖考妣以長房奉來之意略叙以告前一日預告則恐不須爾也且考妣自安於第四龕別無遽遷之事尤不可以遽遷告寒岡

又問其安祠堂之後似有合祭之儀可否若祭則其祭備設羹飯耶唯以酒果祭之耶其告辭亦何以耶

答曰其安祠堂適在仲月時事之時則與羹飯盛祭爲當不然則用酒果以告然與三獻盛祭亦何甚妨不若時事之偶然相値情理最便寒岡

金坽問家禮大祥章前一日告遷于祠堂註云族人有親未盡者則遷于最長房推以是則最長沒又遷于次長次長沒又遷于次長次次迭遷且族人之衆多者則神主往歷家家遷動往來似近乎煩瀆令人或於墓所立祠堂以奉祭祀未審於禮何如也

答曰雖嫌煩瀆親未盡之孫尚在而徑先遷奉於墓所無乃未安乎寒岡

權暐問家禮大祥條告遷于祠堂註遷于最長之房云云所謂最長者子孫序次最長或序次一列則年齒最長今人見之如此行之亦如此未知所謂房字之義如何或以爲房字乃家字之意或以爲乃屬字之意或以爲神主奉安之所如龕之類云云未知何者爲得耶遷主主祭之人祝文不書孝子不敢與宗子同稱此亦果合於禮耶暐宗家不幸二代夭折祖父母神主當遷堂兄弟之中暐與醴泉居權時皆同年生而暐月日居先支子而無祠堂時奉仲父祀有祠堂暐則以爲當遷於有祠堂之家時以最長之言爲拘不敢奉去暐曾已奉來而無家廟之家多有苟簡未安者方欲立祠堂以奉之未知如此處置果合於禮意否耶暐死若子若孫連世奉祭親盡然後遷于親未盡之家耶未知如何

答曰最長之說來諭是古人同居而異房則房即房室之房唯宗子稱孝子則祭遷主之人恐不敢輒書孝字古之人生而異居者預於其地立齋以居如祠堂之制死則因以爲祠堂況旣奉遷主則立祠以祭恐無不可與後子孫親苟未盡連世奉祭以待親盡然後遷于親未盡之家理恐當然寒岡

族人有親未盡見遠遷宗祐問　朴

黃宗海問祧主當遷於最長之房最長者死其子雖亦親未盡而門中又有諸父諸兄則當遷奉於其房耶

答曰然沙溪

又問祧主旣遷於最長之房則神主當以主祀者所稱改題乎若然則其節次當在於遷奉之日而旁題不稱孝只稱曾玄孫乎

答曰然沙溪

姜碩期問宗子死而嫡孫承重則祧主已遷于最長之房矣嫡孫又死無後而宗子之弟代奉其祀則其祧主當還入於祠堂耶或云既已祧遷則不當復入未知如何

答曰當還奉無疑沙溪

黃宗海問祧主遷於最長則彼親盡之宗子當立於衆子孫之列不以祠堂序立之次耶

答曰廟毀不相宗固有其說而若大宗子則似不可一例看或曰程氏遺書氏小宗以五世爲法親盡則族散若高祖之子尚存欲祭其父則見爲宗子者雖是六世七世亦須許會今日之宗子然後祭其父宗子有君道云云當考　沙溪集

又問最長之房房字何義

答曰以朱子說觀之古人累世同居者於一門之內子孫各有私房亦若儀禮所謂南宮北宮者祠堂若有親盡之主當遷而有

族人有親未盡者則遷于其中最長者之房以祭之也汶溪集
語類朱子曰賀州有一人家共一大門門裏有兩廊皆是子房如學舍僧房每私房有客來則自辦飲食引上大廳請尊長伴五盞後即回私房別置酒云云

宋浚吉問庶人只祭考妣則祧主子孫有庶孽猶不可以最長房論歟

答曰庶孽地位雖卑其於祖先均是子孫據程子說則初無不可奉祭之義但嫡兄弟盡歿後奉祭似不妨汶溪集

別室藏主

禹景善問親盡之主當遷於最長之房勢有所不能然者則出於祠堂而安于別室不得已也四時之享共設於正寢則是涉於祭五代之僭廢而不祭則又大違於情禮如何愚意享日之曉先就別室行事於遷主然後奉四代之祭於正寢如何或倣古制踈數不同之義只於春秋設之亦庶乎可也如何前日再稟每教以難言然當此變禮豈可諉以難處而每於失禮之中又失禮乎伏望明誨

答曰親盡之主四時共設於正寢實未為安奉安別室只於春秋設祭似為處變之宜然終未必其當否退溪集

又問辛酉四月先生答鄭子中問曰云有子之妻則既祔而主遷几筵及喪畢仍祔祖妣或別置他室可也云云家禮祔下高氏別室藏主之說先儒非之未知如何

答曰妻喪高氏別室藏主之說先儒非之固依禮文而云也況所以云云者夫尚主祭如設酒果等時夫拜跪庭下而妻祔祖妣龕有所未安權藏別室恐未為大失故耳如何如何退溪集

別廟何妨見承重孽子所生觀祭答朴廷先問

宋浚吉問玄孫為高祖承重而從 國制只祭三代則高祖喪畢當埋其主而高祖母在則情理有所不忍如何

答曰情不忍埋奉安別室恐當汶溪集

又問姑姊妹女子之無後而死者其夫黨無可祔者則勢不得已當祔本宗而其夫神主似不可同祔當祭之何所

答曰祭之別室似可汶溪集

姜碩期問五代祖神主禮當遷于最長之房而事勢或有難便則仍奉於宗子之廟未知如何若以五代為僭而不敢則奉安於別室祭時以最長者為主而使諸子代行未知如何退溪曰奉安於別室只於春秋設祭為宜此合於禮耶

答曰最長者不能遷奉姑當安於別室矣四代後仍安家廟則僭不可為也若退溪祭春秋之說無妨最長房既不奉祀則恐不可以是人為主也汶溪集

與鄭寒岡別紙曰朱子曰妻先亡別廟弟亡無後亦為別廟須各以一室為之不可雜也此與家禮班祔條不同却可疑然弟與妻不可同祔一室之意則據此又更分明旅軒集

祧主埋安

金而精問母在而父歿則三年後親盡神主祧出而別立一室以祭待他日母喪畢然後埋安乎其勿祧出乎

答曰父在母歿則祔于祖妣不祧親盡之主禮也父歿母在而不祧親盡之主已為不可祧出而別立一廟尤不可為也退溪集

宋浚吉問祧主埋於何處

答曰朱子說可考汶溪集

朱子曰只得如伊川說埋於兩階之間而已某家廟中亦如此兩階之間人跡不到取其潔耳今人家廟亦安有所謂兩階但擇淨處埋之可也思之不若埋于始祖廟邊緣無箇始祖廟所以難處只得如此○又曰禮記藏於兩階間今不得已只埋於墓所

始飲酒食肉

許羨叔對問司馬公論喪章首云禪而飲酒食肉是則曰

今俗通行之禮而言其下則曰大祥之前皆未可以飲酒食肉是則據王肅之說服二十五月而除也二說似有前後之不同而載于小學書何也君子至當歸一之論果若是乎

答曰此事禮家已有兩說然中月而禫本謂大祥月中自鄭玄訓中為間之後遂為二十七月而禫朱子以王肅說為得禮本意故家禮大祥後飲酒食肉而禫從鄭說禮宜從厚故也其後丘氏禮移飲酒食肉於禫後故今人以是通行皆是從厚之意耳禮之本則只以孔門彈琴一事觀之可知王肅非誤也(退溪集)

宋浚吉問嘗聞辛都遷慶晉吉祭之後始著純吉飲酒食肉禮意然否愚伏曰禮曰禫而纖註黑經白緯曰纖蓋吉祭之前禫祭雖竟尚纖冠素端黃裳辛君可謂得禮意矣惟飲酒食肉則禮無必俟吉祭之文云云禫訖著纖冠素端則帶亦用白否且喪大記吉祭後復寢則飲酒食肉當在此時而喪禮備要乃在於禫祭之下何也

答曰禫後食肉飲酒於禮為合復寢比酒肉尤重故在吉祭之後也雖著素端白帶則似過矣(沙溪集)

姜碩期問胡伯量問曰比者祥祭只用再忌雖衣服不得不易惟食肉一節欲以踰月為節朱子曰踰月為是退溪曰朱子以王肅說得禮本意故家禮大祥後飲酒食肉退溪之說似有乖於朱子踰月之意

答曰按朱子雖以王肅之說(以中月為祥月之中)為是而家禮則用鄭說(以中月為間一月)家禮雖曰大祥飲酒食肉而答胡伯量則又以踰月為是意各有在家禮大祥飲酒食肉之文本出喪大記(喪大記云祥而食肉)與間傳之說(間傳云禫而飲醴酒始飲酒者先飲醴酒始食肉者先食乾肉)不同蓋別為一說也然古人祥祭必卜日而行故猶可於是日食肉今皆用再忌則此一節決不可行此家禮不及再修處也世人或於祥日食肉謂遵家禮云實傷風教當以間傳及溫公丘氏說為準愚嘗答人禮五月三月之喪比葬食肉飲酒期九月之喪既葬食肉飲酒三年之喪祥而食肉飲酒(詳見喪大記)不待服盡而食肉飲酒五服皆然蓋古禮然也家禮大祥條食肉飲酒之文實出於此亦非謂必於再期之日食肉飲酒也觀踰月為是之教可見且小學乃朱子之成書其所引司馬公之言曰凡居父母之喪者大祥之前皆未可食肉飲酒(此則以喪大記為據)以此祭者可知朱子之意也然其上文引司馬公之言曰古者父母之喪禫而飲醴酒始飲酒者先飲醴酒始食肉者先食乾肉(此則以間傳為據)云云今國俗以此行之已久亦從厚之道也今當從之但司馬公之言曰五十以上血氣既衰必資酒肉扶養者則不必然如此之人祥後飲酒食肉亦不至悖禮也如何如何(沙溪集)

朱子曰二十五月祥後便禫當如王肅之說而今從鄭氏說雖是禮疑從厚然未為當○司馬公曰所謂中月而禫者蓋禫祭在祥月之中也歷代多從鄭說今律勅三年之喪皆二十七月而除不可違也又曰禫而飲醴酒始飲酒者先飲醴酒始食肉者先食乾肉○丘氏曰按禮禫而飲醴酒食乾肉禫猶未可以食肉飲酒惟飲醴食脯而已而況大祥乎今擬禫後始飲淡酒食乾肉庶幾得禮之意

禮疑答問分類卷之十三

禮疑答問分類卷之十四

喪變禮 并有喪

答禹景善問曰鄭君重遭大禍天之於此一何如是之酷耶不忍道不忍聞奔喪曲折古無可據雖有吾未知之何敢妄云須更問知禮處然以臆料言之重喪既成服在途恐只以重喪服行而至彼行變成之禮似可蓋重喪遭輕喪當其事則服其服既事反重服云則重服為常故也何如何如 退溪

禹景善問今既成服當告南中訃音發喪則當別設哭位就哭位時仍着衰服乎輒脫出哭後當還奔喪次以待成服乎出在別設哭位以待成服乎若仍在別設哭位以待成服則其間亦常着衰服乎

答曰此事亦未有考據但以意言之就哭位時不得已脫去衰服而就位自此至成服中間恐不可間間還着衰服入前喪次之理須待成服還脫而入前喪次耳然此亦斟酌而言須博問而處之 退溪

答李平叔書曰妻喪在途而聞兄弟之喪此等事古無明文臆說為難恐遇此變者固當奔兄弟之喪然若妻喪無人幹護不可以成葬則至妻喪掩壙而後奔其或可也 退溪

姜碩期問祖父母與父母偕死則襲斂將何後先若從先輕後重之禮則承重孫於祖父母與父母何重何輕耶

答曰襲斂與窆葬有異不可以先輕後重為拘當以尊卑為主而先祖後父也然古禮無據不敢以為是未知如何 退溪

又問祖父母與父母同死襲斂諸事當先祖後父而成服一節若從通典父母未殯服祖服之說則父喪三年之制為重設令祖先死似不可先服祖服矣但有諸父在則決不可以渠之父母喪未成服而退行於第四日之後也此間禮節實有所難處未知何以為之

答曰喪在一日內襲斂當先祖後父若父喪差先一二日則當以先死為先也成服亦然若祖喪差先則諸父諸兄諸孫不可拘於承重孫退日成服也宗孫在父母喪被髮或括髮之時不可遍成祖父母之服而殺其哀也待成服日先祖後父似為得也然此等禮皆以臆說未知是否 退溪

宋浚吉問前喪練後遭後喪几筵當合設於一處耶服則常持何服

答曰禮有明據可考而行之 退溪

曾子問并有喪自啓及葬不奠反葬奠而後辭於賓註從啓母殯之後及至葬柩欲出之前惟設母啓殯之奠不於殯宮為父設奠云故及葬不奠謂不奠父也及葬母而反即於父殯設奠告語於賓以明日啓父殯之期○士虞禮男男尸女女尸疏虞卒哭之祭男女別尸○司几筵云每敦一几鄭註云雖合葬及同時在殯皆異几體實不同祭於廟同几精氣合几右筵異○喪服小記父母之喪偕先葬者不虞祔待後事其

葬服斬衰註其葬母亦服斬衰者從重也以父未葬不敢變服也○又曰斬衰之麻與齊衰之麻同皆兼服之註經殺皆是五分去一斬衰卒哭後所受葛經與齊衰初死之麻經大小同兼服之者謂居重喪而遭輕喪服麻又服葛也○間傳斬衰之喪既虞卒哭遭齊衰之喪輕者包重者特註卑可以兩施而尊者不可貳疏斬衰受服之時而遭齊衰初喪男子所輕者腰得着齊衰腰帶而兼包斬衰之帶婦人輕首得着齊衰首經而包斬衰之經故云輕者包也男子重首特留斬衰之經婦人重腰特留斬衰之腰帶是重者特也○通典杜元凱曰云云見下宋敬甫問右按重服

又問父死未殯而母死者其亦以父尸尚在而不服三年歟母喪將周而父死猶不得為母申三年服歟

答曰先儒說可參考而酌處之沙溪集

儀禮經傳通解父卒則為母疏直云父卒為母足矣而云則者欲見父卒三年之內而母卒仍服期要父服除而母死乃得伸三年故云則以差其義○通典庾氏問徐廣曰母喪已小祥而父亡至母十三月當伸服三年猶厭屈而祥也答曰按賀循云父未殯而祖亡承嫡猶周此不忍變在也故自用父在服母之禮靈筵不得終三年也○庾蔚之云諸儒及太始制皆云父亡未殯而祖亡承祖嫡者不敢服祖重為不忍變於父在也況父在之日母亡已久寧可以父亡而變之乎○杜元凱曰云云見下宋敬甫問○按疏說雖如此而按之情禮終有所未安若父死未殯母死則未忍變在猶可以父未殯服祖周之說推之而服母期也如父喪將竟而又值母喪亦以父喪三年內而仍服期果合於情理乎杜說則似無服期之意未知如何

又問父喪未殯遭祖父母喪則當何服

答曰通典父未殯服祖以周愚以為只服期年則是無祥禫其可乎然古人之言如此不敢輕議沙溪集

通典賀循喪服記云父死未殯而祖父死服祖以周既殯而祖父死三年此謂嫡子為父後父未殯服祖以周者父尸尚在人子之義未可以代重也○庾蔚之曰父喪內祖父亡則兼主二喪立二廬為父喪未吊則往父廬為祖喪未吊則往祖廬○虞喜曰服祖但周則傳重在誰庾蔚之曰父亡未殯同之平存是父為傳重正主已攝行事事無所闕○徐邈曰大功者主人之喪猶為之練祥再祭況諸孫耶君周既除當以素服臨祭依心喪以終三年

又問祖喪未葬又遭父喪則長孫當追服其祖三年否

答曰儀禮經傳通解之說可據但亡在練後則只伸心喪云者未知恰當否也沙溪集

通解曰本朝石祖仁言祖父中立亡叔從簡成服後亡祖仁是嫡長孫欲乞承祖父重服博士宋敏求議曰子在父喪而亡嫡孫承重禮令無文通典晉人問嫡孫在喪中亡疑於祭事徐邈曰可使一孫攝主而服本服期何承天曰既有次孫不得無服但次孫先已制齊衰今不得便易服當須中祥乃服練裴松之曰次孫本無三年之道宜為喪主終三年不得服三年之服司馬操駁之謂二說無明據其服宜三年大功外襄終事內奉靈席為練祭祥祭禫祭可無主之者乎祖仁名嫡孫不承其重而乃曰從簡已當之矣而可乎按儀禮女子嫁反在父之室為父三年註遭喪而出者始服齊衰期出而虞則以三年之喪受既虞而出則小祥亦如之既除喪而出則已杜佑號通儒引其義附前問答之次況徐邈裴松之之說已為操駁之是服可再制明矣又喪必有服今祖仁宜解官因其葬而制斬衰其服三年後有如其類而已葬者用再制服通歷代之闕詔如敏求議○又曰今服制令嫡子未終喪而亡嫡孫承重亡在小祥前者則於小祥受服在小祥後者則申心喪并通三年而除嫡孫為祖母及為曾高祖後者為曾高祖母準此

又問承重者居祖母喪既而母亡則何服為重而書疏自

稱云何

答曰通典有所論可考而行之 退溪

通典晉雷孝淸問曰爲祖母持重既葬而母亡服制云何別開門更立廬不言稱孤孫爲稱孤子范宣曰按禮應服後喪之服承嫡居諸父之上一身爲兩喪之主無緣更別開門立廬以失居正之意至祖母練日則變除居堊室事畢反後喪之服禮無書跡稱孤子孫孫之文今代行之合於人情稱孤孫存傳重之目宜幸祖母訖服然後稱孤子○庾蔚之曰二喪共位廬堊室雜處恐非適時之禮謂宜始有後喪便別室爲廬兼主二喪○杜元凱曰若父已葬而母卒則服母之服至虞訖服父之服既練則服母之服父喪可除則服父之服以除之訖而服母之服 按祖母既葬而母未葬則當服母服母喪已葬則還服祖母服祖母服既練則還服母服母服既練則還服祖母服祖母服既除則還服母服以終喪與父母偕熱增重服係祭考惟稱號則不可隨服衰改祖母禫前當稱哀孫

兵允諧問杜氏通典賀循云父死未殯而祖父死則服祖以周盖父尸尚在人子之義未可以代重故也云若以父尸尚在服祖以周則父死未殯而母死者其亦以父尸尚在而不得服三年徼其或不然而直行三年則果不嫌於死其父徼父死既殯之後則父尸已殯可以代重徼遣此變者苟不盡禮則彼此所係極重不可不審

答曰禮父母之喪偕先葬者不虞祔以待後事其葬也服斬衰註父喪未葬不可以變服也賀循之議盖曰此義而推之可謂精矣今左右曰此而又推之又益精矣但禮論并有喪及偕喪處非一而諸不及此不敢臆說 愚伏

又問此段既以不敢臆說爲教似不敢更稟雖然人家不無遣此變者若以禮無明文而睽然過了則父母終天之喪失彼失此俱不免不孝必欲亡於禮者之禮也得其無害於義者則何以處之證古叅今詳教伏望

答曰無於禮而義起豈僭陋所及不敢聞命但賀循之言雖未有先賢折衷之論求之情理似爲合當遵行不妨至於服母以期乃是屈於父在千萬不得已而稱情耳若以賀循之論比類而降服則恐於心不安寧從禮疑從厚之說無乃爲得耶不敢知不敢知 愚伏

并有喪葬禮

答金伯榮可行惇叙書白并有喪所以先輕而後重者盖葬是稟情之事人子之所不忍也特不得已而爲之故先輕爾 退溪

又答金伯榮書曰曾子問曰并有喪如之何何先何後孔子曰喪先輕後重 如并有父母喪則先葬母 其奠也先重而後輕禮也 奠則先父 自啓及葬不奠 其先葬母也惟設母啓殯朝廟之奠不爲設奠也 行葬不哀次 行葬之時不得爲母仲哀於所次之處 反葬 葬母而反 奠而後辭於殯遂修葬事 既返即於父殯告辭於殯以啓父殯之期遂修嘗葬父之事也 其虞也先重而後輕禮也 如虞祭偶同則異日而祭先父後母○退溪集

申悅道問發引時父母喪當何先後而下棺時亦何先後耶

答曰葬如先後其期則先輕後重常禮也若同日發引則似當尊喪在先下棺亦如之 旅軒

黄宗海問偕喪同日葬者在道雖當父先母後至其下棺則先母柩可不違於聖賢制禮之微意耶

答曰來示得之 退溪

答全湜問曰并有喪葬則先輕而後重其奠及虞先重而後輕此聖人之訓也釋之者曰葬是奪情之事故先輕祭是奉養之事故先重其義甚明但今不能一依禮意不免同日而葬則既於奪情之義無取而先發輕喪未安議者之寧欲先發重喪以應男先之義亦不爲無見然聖人既明言先輕後重則有不可違易况啓殯之際先啓輕喪視載既訖而後還啓重喪之殯雖時刻之間猶有尤不得已於重喪之意行乎其間發引在途至山下棺奠不皆然恐當從禮經之文爲是又按鶴峯問同葬父

毋則先輕後重奪情故也改葬啓墓時亦當先啓母出棺改斂時亦當先斂母否退溪先生答曰皆當先據此則在山改葬尤無取於奪情之義而猶且云然又曰與其無據而創行臆見寧比類於并有喪之例而行之庶不乖禮意今只得先輕後重尤無可疑（鶴伏集）

答康應哲書曰聖人之制禮其文理密察有不容毫釐其輕重大小之分雖細微處亦未嘗混淹況於送終大事耶是故曾子以并有喪何先何後爲問而聖人答之如此非爲力屈勢拘者發也自是不可混淹耳據禮註先啓母殯行朝祖祖奠遣奠至山下棺雖不復土而歸即啓父殯行節次諸奠既窆而歸先行父虞次行母虞如此行之則又安有易服煩數之礙乎（鶴伏集）

并有喪祭禮

答金伯榮書曰虞祭偶同則異日而祭若同日合葬則虞不必異（異亦作且）日所疑正然與夫婦一體虞祭偶同同日而祭似不害義但所謂先重後輕未必皆非合葬也然猶必云異祭此必有深意不敢強爲之說然與其徑直而行恐不若從禮文之言如何（退溪集）

任卓爾問禫祭則何以行之之間者蓋喪出一月禫亦在一月未知上丁行祖母之禫而行父之禫於亥日耶或曰在一日之內先行祖母之禫後行其父之禫云此論則何如

答曰若同堂修祭則何如不然先卜日行先喪之禫次卜日行後喪之禫（寒岡）

又問若葬日同出於一日更無他日則有必欲同葬於一日者而冬日極短雖待鷄以發事多未及虞祭何以行之既非經宿館行之所則雖行之於夜亦不至於大失耶

答曰何至大失（寒岡）

答申悅道問曰并有喪妣期在考期之先則先練之祭舊服新服皆當自異又有易服節次以禮言之決不可并祭于考位似須別用幃幕設位於便近之所而行之但奉出妣主時當有告辭孤哀子某今以顯妣某封某氏初朞之辰敢奉神主出就他位（旅軒集）

又答曰前承孝問曾未有見於變禮之文而只以謬見奉報深悚第復思之齊衰既壓于斬衰凡事一以重喪之義行之則今於先朞之日位不別設惟當共設殷祭如常而盡其哀痛之情而已不行易服之節以過之待重喪之朞以斬服備行練禮節目或是從俗用簡之宜耶如此則于先朞闕了練節恐又未安耶伏願與前所奉報之說參酌如何（旅軒集）

朴壓問父卒既葬又遭母喪遷其父墓合葬于母而卒哭之日値父之小祥則先行小祥而退行卒哭乎

答曰此在卜葬日者之先後得其宜焉（旅軒集）

姜碩期問并有喪者大小祥則當服其服而行祭矣若前喪禫祭似不可行於後喪未除之前然則終廢前喪之禫耶

答曰禫吉祭也喪中不可行也亦所謂不忍於凶時行吉禮之意也據朱子說不可追行亦明矣（沙溪集）

答康應哲書曰宋孟氏問於周續之曰有祖喪而父亡則其輕重當何分答曰於情則祖輕於義則尊重語在杜氏通典以此處之則自無來論所疑子先父享之云矣且念三代之制祭必及高祖而有月祭享嘗之跡等是爲父不得享而子獨享之以人情言之則豈不尤大未安聖人亦豈不念及此而爲此制也以此推之則設使先虞於父既已各設几筵似無大段未安而老兄毎毎如此起疑前日奉覲以人情爲重者正指此等處也士悅所疑一條果爲難處然亦臨時當有不得已變通之事而己何可預慮不幸倘來之變而必破禮家父殯母殯之文耶至於虞之先後尤不可以進饌奠爵之先後當之如此則自是常事聖人必不言也郭子從有修喪引曾子問此章而問於朱子

語類問三年而葬者必再祭鄭註以為只是練祥祭無禪朱子曰看見也是如此

曰同葬尚葬亦有何害而其所先後者何意耶答曰此雖未詳其義然其法具在不可以己意輒增損也先賢尊信經文其嚴如此雖有所疑只得遵守而已 愚伏集

幷有喪持服

答鄭汝仁曰小祥後往來卒生喪時在途及廬中恒服恐不得輒去衰服入于卒生几筵前則亦難以衰服服玉色而卒入事退又返喪服如何如何 退溪集

雖重服在身於變除之節自當各服其服 見幷有喪變除鄭汝仁問

任卓有問嫡孫喪父未久又遭祖母之喪則一應喪事皆從重行之常著齊衰常用削杖而入其父靈座之時著斬衰杖苴杖否

答曰此等變禮豈敢妄議而毋被謬問慚悚慚悚從重云者是矣而葬未知斬衰重乎齊衰重乎削杖輕乎苴杖輕乎然父喪既葬後遭承重齊衰之服則未葬前服齊衰既葬後服斬衰有事於祖母几筵則服齊衰從事或合權宜如何 渼集同

又問前日所稟嫡孫疊遭斬齊喪服杖輕重禮節既聞命矣若喪父未闋月又遭承重喪則其服與杖及朝夕哭與饋奠先哭後哭先奠後奠人有爭其父與母之間者故并稟焉且三年之內恒用何服何杖耶

答曰在父廬則服斬杖苴在祖母廬則服齊杖削奠用先重後輕之禮則斬固重而齊固輕矣但須參乎時齊一家之儀則不得不先奠於祖母矣昔有人父喪未除而遭承重祖母之喪不廢父喪主而祖為母居廬人不以為非也云然鄙意則此必父喪將盡而未除若并皆新喪則居不得不著重服唯就祖母廬之時用齊服恐或得禮之變之宜也如何 渼集同

黃宗海問偕喪者先葬母而必服斬衰者以父未葬故不變服也然則母殯雖各設而父喪未葬之前不可服母服而哭之乎

答曰小記之說分明今不可違也 沙溪集

喪服小記父母之喪偕先葬者不虞祔待後事其葬服斬衰註葬先輕而後重先葬母也不虞祔不為母設虞祔祭也蓋葬母之明日即治父葬父畢虞祔然後為母虞祔故云待後事祭先重而後輕也其葬母亦服斬衰者從重也以父未葬不敢變服也

幷有喪變除

答鄭道可問曰既曰當齊衰期年而除申心喪三年則期而禫服 駿也 雖重服在身於變除之節自當各服其服既事又服重服無乃可乎雖在母喪次常服恐宜服重服不可輒去重而服黲也至於上食等有事於几筵時又當服黲蓋不可以斬衰入又不可以他服故也妄意如此不知得否如何 退溪集

答金伯榮書曰曾擇之問於朱子曰三年喪復有期喪者當期喪之服以奠其喪卒事則反初服或者以為方服重不當改服

衣輕服曰或者之說非是〔退溪集〕

答鄭汝仁書曰除服各服其喪之除服卒事反喪服禮有明文奇承旨之言未知何如而云爾也然則既不服黲服又不與小祥祭則是自此以後至畢喪無復更入於其喪次矣恐無是理也今之喪人廬中或未能常著衰服者多以麤布白衣居之廬中依此以處似不戾於權宜也如何〔退溪集〕

既云除服則暫釋黲服而行之〔見妻為夫斬生服鄭汝仁問〕

姜碩期問疊遭親喪者前喪大祥之祭著白笠白衣網巾白帶卒事之後還著後喪衰服旋吉旋凶有所未安雜記云有父之喪如未沒喪而母死其除父之喪也服其除服卒事反喪服所謂除服若如家禮所謂丈夫黲紗幞頭黲布衫婦人鵝黃青碧皂白為衣履之類則比今俗所著尤為向吉未知如何

答曰前喪大祥之祭服其喪服入哭後服大祥服祭畢還服後喪之服可也雖於緦功之輕服亦暫釋重服而服其服況於此乎且大祥之服本非吉服又何疑乎嚴陵方氏曰服其除服而後反喪服以示於前喪有終也〔沙溪集〕

服中死

答禹景善書曰服中死者斂襲所用吉凶之服此亦所當議定而未有所考不敢輒為之說公須廣問知禮者後日示及望望若古禮未有考據而以意推之如公言用孝服似當然一用此服地下千萬年將為凶服之人此亦情理極礙難執處如何愚意襲用素服黑巾帶斂時著與正服亦用素其餘顛倒用服雜用吉服當大斂入棺之時其孝服一具與吉服一具對置孝服右而吉服左似有服盡用吉可以兩得之意不至長為凶服之人或非大乖否耶〔退溪集〕

與琴聞遠書曰夭亡於父母者有父母喪其祭用肉與否禮文無之難以臆決當俟後日更商量也〔退溪集〕

答金沙溪書別紙曰服中死者襲斂之制恐來教皆得之也喪中死者未葬之前則象生時用素饌喪服常置之靈床既葬之後則撤喪服而用肉祭鄙見如是焉耳〔寒岡集〕

李君顯問妻母大祥來月初四日也亡妻葬期定于今月十九日朝夕之奠既不用肉則遣奠不可以用脯醢乎遣奠不可以用脯醢則以何物而代用乎苞之所盛盛何物也筲之所盛盛何物也筲則古人或有不用亦可不用乎

答曰葬之時雖先夫人祥事未畢而服則已除矣朝夕上食則雖不用。祖奠遣奠則肉大禮也恐不得不用既用肉則苞當盛脯筲當盛酒醢明器之類朱子以為鄭家不用脯醢之屬亦曰雖不用可也然好禮之家不敢全不用之矣〔寒岡集〕

姜碩期問喪中死者襲斂當用何服

答曰退溪及或人有說而與鄙意不合故嘗辨之亦未知是否〔沙溪集〕

退溪曰服中死者襲斂用孝服〔見上答禹景善書〕○又有或者曰禮喪從死者故凡襲斂大夫士各有其服且禮云所祭於死者無服則祭也以其哀戚之情與生時無異也愚以為當襲以衰麻斂以縞素顛倒衣裳則雜用吉服至於冠絰則高硬不安或用麤布為大帶及幅巾以代之恐亦不妨〔按或者之言似有據而終未穩當退溪之言似合於情理然亦不能無疑於其間也既以為生死有異變用黑巾帶為襲又雖以凶服一人之身而吉凶雜用既不為吉服又不為凶服進退無據恨不得絰貫於凶文也又如齊斬重服斂以凶服於情此似至於緦麻小功之輕服及　國恤中死者亦以凶服襲斂極有妨礙雖行惟以孝服隨魂帛出入置諸靈座以待其服盡之期似或可也己卯諸儒議定喪中死者襲斂皆用吉服喪服則陳於靈牀若既葬而撤靈牀則藏於靈座之傍以待除服之期乃遺衣服必置靈座之葦也練祥時奠告去首絰負版辟領衰以至易服一如生時昔年以此問鄭道可答曰來教得之也未葬之前則象生時用素饌喪服常置靈座既葬之後則撤喪服用肉祭未知如何云云〕

宋浚吉問子死於父母喪中則其成服前父母朝夕祭當廢否遇伏答曰禮君薨則祝取群廟之主而藏諸祖廟卒哭而後各反其所釋之者曰象生者為凶事而聚集也以

此推之則未殯前朝夕上食不得已當廢矣云云

答曰鄭說是。鰓退溪

宋浚吉問有子女先父母死及父母喪未葬前其忌祭墓祭皆可廢耶葬後則當以素饌行祭耶抑生死有異用肉無妨否

答曰未葬前廢之無疑葬後則祭用肉似當鰓伏

代父繼喪

答奇明彥書曰祖喪內父卒其子以不死其父之義不敢爲繼重成服出何典記幸須考示或後日見臨曉破鰓退溪

答李仲久書曰母喪身死其子代喪之疑此中亦有數家遭此故來問者考之前籍未有可據其一家答以不知其後一家則答以如所示甲者之言而致疑於其間令其自擇而處之未知其人終何如也然以事理言之甲者所謂祝文及奉祀之類皆當以長孫名行之所以不可不追服此恐不易之理也乙者所謂其子已服其孫不追服〇祝文不可無名而行之又禮無婦人主喪之文則家婦主喪之說又不可行也如何如何然古今人家比比遭此變故而禮文所載如儀禮經傳等書乃無一言及此何耶以是益疑而不敢決然至於不得已處此事則終不過如前所云爾鰓退溪

與宗道之書曰鰓退溪金上舍代喪之服竟何所定前日所以難決汝問者於古既無考據又古者過時聞喪者或奔喪或未奔喪其成服必爲始死以後節次而後乃成服又必未行父母喪者或有既壯而追服者正以爲非禮今父死服中而子代喪者若依過時成服之例爲始死後節次而後成服則有似於追服者之非禮余以是爲疑故只以不知答之汝矣庶權起文之子亦遭此事因人來問余意每以不知答之亦非爲人謀忠之道更細思之方知余前見未盡也蓋此事與過時聞喪而成服與必未行壯追服者不同彼所以必爲始死後節次者皆已所當行之禮而未行故追行之也今此代喪之事則其始死後諸禮父皆已行之但未畢喪而死耳故其子則只當代父而行其未畢之禮而已不當再行其父已行之禮此必然之理也然則其成服之節但於朔望或朝奠告于兩殯所以代喪之意仍受而服之乃行奠似爲當也故以此答權之問若金上舍必已有定行禮但事同而答異恐致汝疑故聊告以釋汝疑耳鰓退溪

答禹景善書曰前日金謹恭云有祖父母喪而遭父喪者不爲祖父母追制服之文見於儀禮不知見儀禮何卷第幾校某條爲中孚問金生示及何如鰓退溪

金而精問父未畢喪而死則子可幷服其父未畢之服否其祖父母返魂時用何服而祥禫之際何以爲之

答曰父死服中子代其未畢之喪此事古今多有而古無言及處未知何故而爲說亦難矣但若以追代其服爲不可則其未畢之喪或葬或虞祔祥禫爲孫者豈可付之無主而坐視不行耶如既代其服則返魂及祥禫之祭恐不得不服其服而行其禮也蓋家禮重喪未除而遭輕喪月朔服其服而哭之既畢返重服況此所代之不服可謂輕服乎然此乃大節自當廣詢博考而審處之不可只因瞽說以斷也鰓退溪

吳汝和問祖父母之喪無長子則長孫代喪者例也若長子初喪時生存既服其服而未及喪畢先歿則爲長孫者追服代喪之服歟抑仍服其父未畢之服歟長孫追服而遷代其重則近於死其父若嫌此而不服則祖父母三年之喪不可無主如何

答曰退溪先生答李仲久書論此頗詳而以禮無明證爲恨嘗考杜氏通典有論此處今無冊子可驗不記其文大意謂只服本服周周後以素服申心喪三年亦不至闕事云其下長孫持重而亡次孫傳重議一條中有曰長孫既已持重重議已立次孫不得傳重猶父爲嫡居喪而亡子不得傳重也云云詳此

文勢則分明是以此證彼更無可疑之語但不知此語來歷出自何處為可欠耳且禮氏服從初無中間改服之義故女適人者父母之喪未練而出則遂之既練而出則已未練而反則期既練而反則三年（此亦不記全文其大意如此）此皆從初之義也以此推之則通典所論只服本服周者似為得之更記儀禮經傳通解續五服沿革條亦有論此處而不記其文大意以為父喪在祖父母喪未葬之前則因其葬受以三年服在葬後則練時受以三年練服在小祥後則以素服終三年云云此亦無時不得變服之義也此則宋朝禮官之議而泐齋採入通解中為可遵行但記得不仔細幸更考之（愚伏集）

庶孫代嫡孫繼喪

答鄭喪主惟淵護喪所別紙曰先生之喪既失喪主次孫代為承重自是常經也姑以前服行事待前喪主葬後或先生喪小祥特改服其或為宜耶然當此變禮不可率爾料定伏願僉須商議酌指何如病中聞訃神不能自定草此陳報（旅軒集）

宋浚吉問嫡孫持重死於喪中而無後庶孫代之不悖於禮耶

答曰通典論之頗詳可考也但庾蔚之云猶父為嫡居喪而亡孫不傳重分明是引古證今之語而未詳其來歷可疑更詳之喪服圖式所論與庾說不同見祖喪父死代服條以此遵行恐宜（見附有喪宋敬甫問○沙溪集）

徐邈曰今見有諸孫而祖無後甚非禮意禮宗子在外則庶子攝祭可依此使一孫攝主攝主則本服如故禮大功者主人之喪猶為之練祥再祭況諸孫耶若周既除當以素服臨祭依心喪以終三年宋江氏問甲兒先亡乙兒後亡嫡孫傳重未及中祥嫡孫又亡有次孫今當應服三年否何承天曰甲既有孫不得無服三年者謂次孫宜持重也但次孫先已制齊衰今不得便易服當須中祥乃服練居堊室耳昔有問范宣云入有二兒大兒無子小兒有子起於傳重宣答小兒之子應服三年亦粗可依裴松之答何承天曰禮庶不傳重傳重非嫡皆不加服期嫡不可二也范宣所云次孫本無三年之道無緣忽於中祥重制如應為後者次孫宜為喪主終竟三年而不得服三年之服也何承天與司馬操書論其事操云有孫見存而以疎親為後則不通既不得立疎豈可遂無持重者次孫豈不得服三年耶庶不傳重傳重非嫡自施於親服卑無關孫為祖也庾蔚之謂嫡孫亡無為後者今祖有衆孫不可傳重無主次子之子居然為持重范宣議是也嫡孫已服祖三年未竟而亡此重議已立必是不得卒其服耳猶父為嫡居喪而亡孫不傳重也次孫攝祭如徐邈所答何承天司馬操并云梅服三年未見其攝

答金子亨（安節）追服一節曾見退溪先生答學者書論此事今未能記得全文其大要以為祖喪三年內不可無饋奠者似當為承重之服云云而雖其禮不為質言頃考杜氏通典嫡孫持重在喪而亡則次孫為攝主本服如故期年而除以素服臨祭依心喪以終三年又曰嫡孫既為傳重未竟而亡次孫不得傳重猶父為嫡居喪而亡孫不得傳重也又曰凡服皆以始制為斷以此參之則似不當追服小祥前以本服行祭祥後以素服行之以未為闕事惟在商量處耳（愚伏集）

攝主

盧亨弼問從祖兄亨遇繼曾祖之宗也不幸身死只有六歲孤兒依古人抱衰之文雖製斬衰而病弱不堪喪且在遠外葬時遣黃贈玄纁等節亡人之弟攝行之則祠版告祝亦當以攝者名乎必以孤兒為主而一如成人所為乎

答曰若非質高早成如王溪先生則六歲幼童何能勝喪其有哀季攝事行禮豈非權宜其季既攝其事則以其名告祝其或可乎（旅軒集）

又問弟為攝主而大祥則服除矣祝辭夙興夜處哀慕不寧等語似不可用如何

答曰待大祥時當觀孤兒入事從宜行之可也 寒岡

嫁女主私親喪

李厚慶問厚慶妻父無子永葬後神主無托長女婿金應鑑別設喪次於其家朝夕行祭而今當小祥出嫁之女從禮文脫衰服十三月而練十五月而禫竣事無他奉祭者女子雖脫衰服亦當行朝夕祭耶

答曰無子而靈几就設於女子之家斯蓋禮之變而為無於禮者之禮也合於義而不宜焉矣於禮無之而為禮之變且合於義而不宜焉則雖精於禮學之人猶不能為之說况素昧於禮而不可以與權者乎無已則其於設几從處必有常祭祀之婢僕如俗所謂行者矣如以練後遽撤為未安而欲仍留三年則無寧使此人仍奠之乎然大本既誤非講禮君子所知也 寒岡

因喪而冠

李士厚問姊兒之孫孤兒年已十七古有因喪而冠之禮今未可便行此禮耶若節目繁多則憂遑之際似不可行欲待喪畢行禮以遂亡人好禮之志此意如何若不冠則只以孝巾加首絰耶

答曰齊衰以下則可以因喪而冠斬衰則不可也况亡人好禮欲行冠禮而冠之年尚隔三載待喪畢如禮而冠以成先人之志有何不可乎禮童子哭不偯聲之委曲也不踊不杖不菲草屨也不廬惟當室則杖適子也戴氏曰禮不為未成人制服者為用心不能一也其能服者亦不禁衰絰不以制度惟其所勝喪冠既是冠者之所冠則非不冠者之所當冠其不用喪冠恐在所不問 寒岡

葬祥禫有喪

金甫夫問雜記曰父母之喪將祭而昆弟死既殯而祭同宮則葬而後祭祭謂大小祥之祭也喪服傳曰有死於宮中則三月不舉祭今妹歸夫家有年以喪來此死於是而殯於是則是同宮也先妣禫事當為之三月不舉乎又卒哭之前四時吉祭似不可行如朔望忌祀薦以時食之類可以行之無碍否

答曰右禮蓋所難處從古禮則葬前未可舉行審矣但此等事入家比比有之練祥等祭少依古禮葬後而行或葬不得以時因此而廢大祭似甚為難竟不知當如何亦在僉議善處幸甚 退溪

金士純問為人後者服養母服闋將行禫又遭養母父母喪則可行禫否

答曰不可為人後者為人子則養母之父母是吾外祖父母也豈可行吉待服盡別擇後月行之似合情文記曰為所後者妻若子云則其不得行禫可知矣 退溪

金玲問父母喪未畢而又遭祖父母喪則長子定為長孫承服重三年矣然則父母喪禫祭使次子攝行乎若嫡於非正禮而不為禫則次子不得除喪矣次子攝行則祝辭言長子以服未親行之意歟

答曰未見古人論此事處不敢輕為說但恐次子既難終三年不禫又不可不禫而除喪如不得已次子當禫月自行禫事承重孫承重喪畢又追行禫事似不得不然而既無古據隨臆信說大懼得罪於禮學也次子先行禫事時祝辭恐不必言長孫在服之意 寒岡

金愫問斬衰服已除禫在閏月而猶齊衰在身縱過練祥或云喪中借吉未安當并行於齊衰服除之後此說恐不然斬衰重服也祥禫大祭也豈可為輕服以中月之祭退行於一年後乎退溪先生文集服中入廟者可着玉色衣則團領當用此色笠亦淡墨之祭後即脫去似無大害於

義者如何

答曰大祥之禫固不可以齊衰之在身而廢其事也若所着之服前於斬衰之除已製用黲笠團領則其於禫日仍用如何巾亦製用黲笠巾如何 鰲軒

又問雜記曰父母之喪將祭而昆弟死既殯而祭同宮則葬而後祭祭謂大小祥之祭也云今年四月乃然亾妹禫月而妹之舅喪處出於未禫之前不得已權爲停退以待葬後如何

答曰妻喪未禫前若遭大喪則雖在葬後何得行禫祀乎 鰲軒

李惟泰問退溪喪祭禮問答爲人後者服所後母服闋將行禫又遭所後母之父母喪可行禫否退溪曰豈可行吉待服盡別擇後月行之似合情文此說如何

答曰外祖服乃小功五月也必盡五月服行禫則是三年而加五月也其後若有期服如延一年又不幸疊遭期服則將至四五年不脫服豈有是理以禮經諸說推之三年喪則既顈得爲練祥其餘喪初不擧論殯後可行練祥之意據此可知愚意自期以下既殯之後擇日行練祥禫不須待服盡也如何如何恨不得質正 沙溪集

雜記父母之喪將祭而昆弟死既殯而祭如同宮則雖臣妾葬而後祭註將祭將行小祥或大祥之祭也○又曰三年之喪則既顈其練祥皆行註前喪後喪俱是三年之服其後喪既受葛之後得爲前喪行練祥之禮也既顈者既虞受服之時以葛絰易腰之麻絰也顈草名無葛之鄉以顈代

鄭弘演問主妻喪者未練祥而遭斬衰之喪則及其妻之練祭當服期服祥而亦然但祥祭時易練服後當服何服以卒事耶禫祭則以重喪在身固可廢也但其子既於十三月之祥除練服着祥冠則及其十五月當禫之時以其父之不主祭已亦廢母之禫乎抑可自攝其祭而除服乎且此子方有祖父期服在身今若釋期服即禫服於義無據如欲廢母之禫而遂祖父之喪則其除母之祥服當在何時耶

答曰父喪既顈之後方行妻之二祥以布衣孝巾將事禫則不可行然其子不可以父之故而久持祥服至當禫日只設位哭除之而已其父則斬衰服盡後依過時不祭之禮更不祭未知如何此等禮是臆說無據不敢爲是耳 沙溪

宋浚吉問承重孫將行祖父之禫又遭母喪則當待母喪畢後行之耶若爾則諸叔父當何時而脫服耶

答曰喪中既不可行禫而過時又不可追行諸父豈可以嫡孫之故而不脫服也設位哭除恐當 沙溪

姜碩期問所後親喪中値所生親之禫則不可祭耶所生家無他兄弟則婦人行祭乎祝辭何以爲之婦人不得主祭則出後者雖在衰絰中猶可行之耶婦人有當行禫祭者則禫祭亦不可不行未知如何

答曰禫吉祭也身有重喪不可祭也如君家則長婦雖存而不在於家君則服已盡且無他兄弟除服者禫祭不設似可 沙溪

李敬輿問祖母小祥前祭議叔父棄世叔父長子厚興承重代喪矣祖母禫期不遠叔父喪尚在三年之內禫祀時承重者當以何服行祀乎且禫後行吉祭祔廟禮也而斬衰人行吉祭於禮如何

答曰父喪中不可祭祖母禫諸叔父告辭行之可也吉祭不可行也當俟父喪畢後行之承重孫父喪雖畢祖母禫不當追行蓋過時不禫朱子說有之耳 沙溪

寄櫬過伏書曰雜記曰父母之喪將祭而昆弟死既殯而祭若同宮則雖臣妾葬而後祭註祭謂練祥昆弟指小功兄弟惟其異居故殯則可以祭耳若親兄弟則豈有異宮之理乎孔子答曾子之問曰緦不祭又何助於人既謂身有緦服尚不得自祭

己家宗廟何得助他人祭乎儀禮註天子諸侯適子死斬衰既練乃祭據此數條則今日之事當有以處之矣節祀及墓祭葬後可行時祭則必須練後方擧忌祭則與吉祭不同六月三忌從便設行 龜伏

過時練祥禫

答或人問曰葬不能及時或在十一月之後則葬前不可有練事待卒哭後始行練祭待十三月祥期行祥事至十五月而禫依禮文 龜軒

金應祖問亡弟再期已過而寡嫂孤姪俱患癘未能祭祭獨令尊叔一人略行祥事於几筵到今病患差復而寡嫂練服尚在不可因禫事除之古有擇日行祥事之文今當依此更擇日行大祥祭而除服否

答曰喪主主婦既不得祭行祥事則雖令門尊攝行於再期之日而喪主主婦則依舊爲衰絰中人矣何可謂之祥事已過乎其勢在今不得不用擇日行祥之古禮然後始得有大祥一節而禫事旋須又擇日行之無乃可乎 龜軒

寓中成服

答金烋問曰喪初不成服而出避已爲失禮何可越月踰時而喪主不加衰服於其身乎今既避在別所則尤不可待秋爲不成服之喪人要就功近不煩處成服耶 龜軒

寓中禫事

任卓爾問當禫月家里癘氣熾發則禫事何以爲之或曰當初避出時奉神主行之則禫事當行於子之所寓處或曰避時雖未及奉主染癘奴僕若皆結幕旋出家里時無痛者則暫入奉出而行之或曰設紙牓行之或曰於墓行之此等論議何者可據折別有合行之道歟

答曰奉主避癘則行禫事於權安處不然則設紙牓病者出幕家無痛焉則備持祭物就行於本家皆不妨臨時觀勢而爲之以盡孝子之心至於祭於墓所云則甚害於理 龜閒

李善立問禫月已迫而不幸家下痘疫染熾兄弟皆未疫出避于墳廬將設虛位以行禫事亦欲權行於外家外家則愈非其所又不如墳廬不得已行祭於他所則恐有請歸迎神之儀告辭及節次何以爲之

答曰禫事重禮不可廢焉不得不於所在處設位行之韓魏公祭儀有迎神之節奠家曾行之今則不能如爲之告辭當以請出神主告辭變文用之 龜閒

旅喪

金士純問在途遭兄喪飯含之具不能備禮幎目握手亦裁布假用到家大斂之時依禮作二件物事安之於當面手處此等事出於臨時杜撰未知是否如何

答曰逆旅倉卒臨時杜撰勢所不免 龜溪

又問在途喪未斂殯故兄弟過四日亦未成服到家斂殯後一日方成服而第念奔喪者至家四日方成服則此雖非奔喪之例以兄嫂觀之則聞喪而喪未至亦猶奔喪而未到喪次者也喪至之日大斂則雖卽爲之其儀節則一依始死之禮第四日成服如何

答曰當如是 龜溪

又問成服後始行朝夕奠禮也途中不斂未服而日數已過四日不忍廢奠將生時路次所用之物食時乃上食此亦徑情直行是否如何

答曰亦當如是 龜溪

速葬

答裵尚益書曰未及期而速葬古人謂之渴葬渴葬豈合施於尊季父之喪乎葬之以禮今日所當諶他非有所慮也欲速則四月旬前豈無其日不信禮而信卜豈吾所望於吾賢契乎惟左右諒之 龜閒

鄭四震問古禮則士踰月而葬今則大夫士皆三月而葬不知從何者而可也時事多艱又居邊境切擬從權速窆何如

答曰踰月之葬雖古有其文三月之葬既定于家禮而至今通行則惟當遵守之可也但時事之難定固不可不慮古亦有赴葬之說赴葬者未及葬月而速葬之謂也然則古人亦有赴葬者矣而其勢必有不能待其葬月故也惟在哀酌得其中矣但赴葬則赴虞而卒哭則待其月亦惟考行 旅軒集

宋浚吉問不及期而葬者虞卒哭亦依常例行之則其無未安之意歟 沙溪集

答曰禮經可攷喪服小記報葬者報虞三月而後卒哭註報讀爲赴急疾之義謂家貧或有他故不得待三月死而即葬者既疾葬亦疾虞虞以安神不可後也惟卒哭則必俟三月

過時不葬

李淳問祥期已過襄事未畢則不當變服否

答曰不變 沙溪問解

申悅道問初期已迫而尚未經葬過葬後欲爲服服未知如何

答曰凡服未葬則雖過月數姑留之葬後始除乃禮也 旅軒集

安應昌問踰年未葬則祥日練服何以爲之

答曰未葬之前雖過祥日只可行祥祭不可練服葬後擇日別爲文設祭練服似當 旅軒集

李惟恭問過期不葬至於終三年則其服制當如何練祥祭亦何以爲之

答曰禮記及通典諸說可攷 沙溪集

喪服小記久而不葬惟主喪者不除其餘以麻終月數者除喪則已註主喪者謂子於父母妻於夫孤孫於祖父母未葬不得除衰經也麻終月數者期以下至緦之親以主人未葬不得變葛故服麻以至月數足而除不待主人葬後之除也然其服猶必收藏以俟送葬也○又曰爲兄弟既除喪已及其葬也反服其服 開元禮虞則除之 ○又曰三年而後葬者必再祭其祭之間不同時而除喪註孝子以事故不得治喪中間練祥時月以尸柩尚存不可除服今葬畢必舉練祥祭故云必再祭也但此二祭仍作兩次舉行不同可在一時如此月練祭則男子除首経婦人除腰帶次月祥祭乃除衰服○開元禮父母之喪周而葬者則以葬之後月小祥其大祥則依再周之禮禫亦如之若再周而後葬者則以葬之後月練又後月爲大祥祥而即吉無復禫矣至未再周葬者則以二十五月練二十六月祥二十七月禫註禫一月者終二十七月之數○東晉徐靈期問曰親喪未葬出適女應除不張憑答曰禮云久喪不葬主喪者不除又曰主人不除此無緣獨施男子正嫡一人故當總謂男女衆子耳又無明文別言已出之女猶應除也今論者據已服周故謂宜從除例然緣情處意獨有所疑女雖外出降從周制至於居喪之禮同於重者誠以天性難可盡奪卒重不得頓輕何必既降盡與周同禮者人情而已疑則從重若繹衰経以處殯宮襲吉服以對棺柩非孝子之所安也○晉杜挹問亡婦未葬挹服便周既無喪主未應得除徐邈答曰按禮夫不應除即於下流多不能備禮今且宜變至葬反服亦無不可之理也○宋庾蔚之曰喪服小記爲兄弟既除喪及葬反服其服女子子適人及男子爲人後者皆隨其服而釋除緣其出有所屈故也素服心喪以至過葬但今世輕於下流之喪妻猶去其杖禫不容復有未葬不除也議者疑不得以下流之未葬而廢祖禰之烝嘗君事屢過於服限亦不得停殯在宮而響樂在廟吉凶相干心所不忍 通典

喪服改造

金應祖問孤姪練服則尊叔擅自付火只餘頭巾喪杖或以為改擇日行大祥祭則喪主不可無練服今當改製而行祭或以為三年已過改製練服實為未安只以頭巾喪杖衰布衣行入哭廳事之禮未為不可何說為是

答曰以禮言之則大祥所除之服即練服也而祥祭所著之服即黲色衣布也今既無練服則所除者何服也或所謂改製則服入哭盡哀後還出著黲復入行事乃是祥祭時前後節次則此固不可欠過者也但喪家未能卒辦舊服則只用所餘頭巾喪杖及衰布衣行事其亦勢所不免也惟在斟酌指揮亦或可乎〔旅軒集〕

宋浚吉問衰服破毀或裂失其制欲改之何如

答曰禮經及朱子說可攷〔沙溪集〕

喪服四制苴衰不補註不補雖破不補完○大全李繼善問昨者遭喪之初服制只從俗苟簡不經深切病之今欲依古禮而改為之如何朱子曰服已成而中改似亦未安不若且仍舊

改棺

答或人問曰初喪所用之棺非有大段欠闕似不可改如不得不改則啓殯之日啓即改之然後朝祖如何〔旅軒集〕

答或人問曰古禮啓殯有變服之節見尸柩故也止見尸柩猶變同小斂之節況如改棺則恐尤不得不變服也〔旅軒集〕

遺命不用槨

答權景受書曰示及龍宮葬事曾已聞之遺意當從遺命至痛之意無疑何者有棺無槨孔聖葬鯉之法顏淵之死嘆不得如葬鯉之得宜家禮葬不用槨亦有明文貧窮守禮者猶可法此況此人平生懷至痛之情有此命而家人朋友乃欲徇情而棄遺意最為無理故前此云云今聞又有要措灰槨之言到此則吾亦難斷君等當觀其命之治亂隨宜善處然不用至善之治命而用其或出之亂命恐非相知朋友成其美之至意也〔退溪集〕

追後封墳

金休問新墓以癘氣尚未成墳今當封後似有告辭而成墳後亦似有祭告之禮當具盛奠耶兩度祝告皆隨宜措語耶神主前別無告禮耶

答曰臨作成墳之後似將厥由為辭以告之而成墳之後歸誥几筵致一盛奠亦似不可已也〔旅軒集〕

神主改造

答李平叔書曰神主尺度不中改造似當然昔李堯卿造家先牌字〔不用伊川神主制而用溫公牌子木詳〕只用匠尺其後覺長大不合度欲改之問於朱子朱子云而今不可動以此觀之神主與牌字庸何異乎牌字不可動則神主可易改乎〔退溪集〕陷中題書改之亦重難〔[illegible]答李剛而書〕

神主追造

答崔季昇問曰先世神主因兵亂未保誠為痛憫而追造於親盡之後恐未合理支孫之親未盡者雖為之權奉而追造代盡之主亦似未安曾於此等處不知合當道理今亦不敢強說〔寒岡集〕

安應昌問葬時或因變亂未及設主則追造於何日

答曰或祥或朔望似可〔旅軒集〕

神主火改造

金而精問神主火災者題神主於墓所何如而題主慰安祭祀依虞卒哭之禮子服則何服而可稱其情禮

答曰神主火災者只祠廟火而室屋猶存則當題主於家不當之墓所若并室屋蕩燼則寧從權而題主於墓所似或可矣慰安則可倣虞禮而用素服行之似當〔退溪集〕

趙起伯追跋曰振視此題主於墓所一節不能無疑戊辰七月先生承召命來京頤庵〔即礪城尉宋寅〕招振問曰進士成惕奉

先世三代神主安於家樓上不意失火盡為延燒來問於余曰改題神主當於何所耶余答曰似當題於墓所其後更思之題於墓所似無其理須問於先生何如振以此意往質於先生先生答曰人死則云云見下黃宗海問今觀金而精處所答與振問所答不同而精所問在於辛酉振之所問在於戊辰則先生晚年所見可知矣

黃宗海問家廟災禮當如何改造神主題於何所耶或云當題於墓此說如何

答曰經史及退溪說可考沙溪集

檀弓曰有焚其先人之室則三日哭故曰新宮火亦三日哭註先人之室宗廟也魯成公三年焚宣公之廟神主初入故曰新宮春秋書二月甲子新宮災三日哭註云書其得禮此言故曰者謂春秋文也○漢宣帝甘露元年太上皇太宗廟火帝素服五日○退溪曰人死則葬於山野題主畢即速返魂者使其神安在於生存之處也一朝神主火燒則神魂飄散無依泊矣即於前日安神之所設虛位改題神主焚香設祭使飄散之神更依於神主可也前日已返之魂豈可往依於體魄所在之處乎

墳墓遇變

答李叔發書曰長松則雖有所傷而不至枯損矣所痛歎者丘壠之不免焉耳今之燒黑當即趁補於數月之內何至槁草之蓋只當淨掃而已慰安之祭當哭行矣素服行素恐三日而止如何寒岡集

答宋浚吉問墳墓遇賊見毀處變之節當如何

答曰古人論此多矣當觀其遭變之輕重而酌處之耳沙溪集

通典大興二年東晉司徒荀組表言王路漸通士人得視冢墓多聞凶問朝野所行不同臣謂墓毀之制改葬緦麻當包之矣鄭康成王子雍皆云棺毀見尸痛之極也今遇賊見毀理無輕重也杜夷議墓既修復而後聞宜依春秋新宮之災哭而不服江啓表按鄭玄云親見尸柩不可無服如鄭義以見而服不見不服也臨穎前表改葬之緦不以吉臨凶今聽其墳墓毀發依改葬服緦麻不得奔赴及已修復者惟心喪縞素深衣白幘哭臨三月○宋庾蔚之謂人子之情無可輕聖人以禮斷之故改葬素服不過於緦麻服雖輕而用情甚重意謂聞其親尸柩毀露及更葬便應制服奔往緦已修復亦應臨赴苟途路阻碍猶宜制服緦依三月而除豈可以不及葬事便晏然不服乎○梁天監元年齊臨川獻王所生妾謝墓被發不至埏門蕭子晉傳重禮官何修之議以為改葬服緦見柩不可無服故也此止侵土墳不及於槨可依新宮火三日哭而已帝以為得禮

加服

宋浚吉問曰族屬有恩義或加服以報之未知如何

答曰張子理窟論之詳矣量恩義之輕重心喪可也沙溪集

張子曰韓退之以少孤養於嫂故為嫂服加等大抵族屬之喪不可有加若為嫂養便以有恩而加服則是待兄之恩至薄無母不養於嫂更何處可養若為族屬之親有恩而加等則待己無恩者可不服乎昔有士人少養於嫂生事之如母死自處以齊衰或告之非先王之禮聞而遂除之惟持心喪遂不復應舉人以為得禮

追服

金而精問人有少時喪親及長追服其喪者此可通行之禮否

答曰追服朱先生以為意亦近厚觀亦近二字其非得禮之正明矣既非正禮則又豈可立法而使之通行耶蓋既失其時而從事吉常久矣一朝哭擗行喪已不近情其於節文亦多有窒礙難行處故也禮有稅服此乃聞喪後時追服與此又不同也○退溪集

答申景翼書曰追喪之制於禮無文豈鄙昧所敢論但雖行素累年而既不得伸哭踊之節被衰麻之服推以人子之情理則想宜有不忍已者矣古人論在遠方聞親喪過三年後始奔喪者謂宜當先之墓歛髮袒絰不製麁衣及杖也哭盡哀遂除於墓歸不哭也家人待之自如常不變服也其不製麁衣者其以哀服已除不當重製也（寒岡集）

任卓爾問退陶先生嘗曰遠處期功之服聞訃若在於月數既盡之後則不可追服云云此之功服出於上年至月而聞之前月故琴丈使之仍服然必欲考見文集中定論然後以決之遍閱集中時未考出始著素帶伏望教誨何如又聞雖三年之喪如上國地廣處則聞之或在於初期再期之時猶且不可追服已往之月數只服將來日月數云此說未知何如

答曰禮曰小功不稅曾子曰不可韓子亦疑之以為別有所指而傳註者失其宗劉敞以為降而無服者麻而不稅此亦麻而不稅謂哀之以麻哭之以情踰月然後已後人遂善劉說第未知今者左右之所遭者大功乎小功乎小功則宜如劉說大功則恐不得不稅也至於三年之喪或在初期再期之時而猶且不服已往之月數曾未之得聞但竊衛無禮書率口以對安保或是（寒岡集）

安之泰問人有為父母追喪者此禮何以為之耶遇其諱日衰麻服一如初喪而朝夕及朔望祭亦一遵初喪禮乎抑不設衰麻不祭朝夕而但以心喪乎

答曰此是無於禮之禮不敢為說而指揮之或世俗徑情之人遇忌日製喪服服之哭泣薦奠一如初喪此豈可舉以為禮而教人者乎（旅軒集）

答申活問曰父母喪聞訃於最晚者其喪制之節則雖從在家兄弟之所行而若自己持服則不可不準其常之數（旅軒集）

追服人變除

姜碩期問聞親喪於數三月之後始為奔哭則其成服固後於在家兄弟不可與在家兄弟同時變除在家兄弟行禫追服者可以參祭否

答曰變除之節朱子已有定論向者黃正字爽論在順天問以此等禮節僕亦以此為答矣若兄弟行禫則追服之人不可參吉祭也（沙溪集）

朱子曰親喪兄弟先滿者先除後滿者後除以在外聞喪有先後稅服

申叔正問有人無子未及立後而死者其妻取同宗無服之人立後於葬前後或練前後則其追服之節當如奔喪者之禮變服袒括髮成服等事皆如初喪時例乎祭告其由改題傍題等事亦不可已者當何以處之耶幸考示之

答曰袒括髮成服當一依初喪祭告其由所後神主亦當改題詳見通典錄在于下司馬操之言為是（沙溪集）

通典宋何承天問婦人夫先亡無男有女已嫁婦人亡未周宗從之兒乃繼其後今既更制廬杖未知當及亡月一周便練為取出後日為制服之始荀伯子答出後晚異於聞喪晚稅服也應以亡月為周不以出後日為制服之始假使甲有婦及男女甲死甲兒持重服已練甲兒復死甲弟乙方以子景後甲景已為伯父持周年服訖便更制二十五月服甲婦女不合先景除服何容持三周服耶司馬操難為人後者盡禮於彼致降於此所以全受重之道成若子之義豈不父子之名定於受命之辰加崇之恩起於辭親之日大義昭然無厭奪之變論云甲死甲兒持服已練甲兒死甲弟乙方以子景後之景無緣為伯持周服畢復更制二十五月服難曰景以甲練後方來後甲彼喪雖殺我重自始更制遠月於義何

傷且昔以旁尊服不喻齊今為其子禮窮於制事乖義異深
淺殊絶豈宜相蒙共為三年論云甲婦女無緣持三周服又
不合代景除服難曰甲婦女二周終訖何事三周吉凶有期
何必顧景論云或疑甲服垂除而景出後景應服斬旬日而
除意謂應待除服而出後難曰景不及甲始喪蓋由事趣且
喪位無主骨肉悼心既為置後宜及三年之內豈得持疑以
俟吉視再周之徒過哉論云甲死婦女持服再周弟乙二子
遠還以景後甲景弟丁為伯父追周景以出後之故更居緦
縞旬日而除舛錯淺深不復是過難曰乙之子景今來後甲
既不可與弟丁同稅周服又不可暫居緦縞旬日而除則景
於甲之喪終闋微服親為甲子而反不如丁有周月之制處
之於三年之地而絶之於一日之哀待吉之義於此為蹟論
云甲婦女無緣避此出居別卜吉宅又不可婦女歌於內繼
子哭於外難曰甲婦雖後緦麻去身號咷輟響然素服發居
與代長戚夫何圖于吉宅何務於謳歌云云

宋浚吉問小記生不及祖父母諸父昆弟而父稅喪己則
否註稅者日月已過始聞其死追而為之服也此言生於
他國而祖父母諸父昆弟皆在本國已皆不及識之今聞
其死日月已過而父則追而服之己則不服也祖父母至
親而以己之在遠不及識不稅其喪揆諸情理終有所未
安無乃鄭註或失本意抑有他義於其間耶（沙溪）

答曰小記註說固可疑也通典張亮果有云云
北齊張亮云小功兄弟居遠不稅曾子猶嘆之而況祖父母
諸父兄弟恩親至近而生乖隔而鄭君云不責人所不能此
何義也生不及者是已未生之前已沒矣乖隔斷絶父始奉
諱居服而已否者尋此文義蓋以生存異代後代之孫不復
追服先代之親耳豈有并代乖隔便不服者哉

又問小功稅服則以小功而降在緦者亦稅否

答曰檀弓及小記註詳之（沙溪）
檀弓曾子曰小功不稅則是遠兄弟終無服也而可乎註若
是小功之服不稅則再從兄弟之死在遠者聞之恒後時則
終無服矣其可乎疏此據正服小功也馬氏曰曾子於喪道
有過乎哀是以疑於此然小功之服雖不必稅而稅之者蓋
亦禮之所不禁也○喪服小記降而在緦小功者則稅之註
降者殺其正服也如叔父及嫡孫正服期在下殤則皆降服
小功如庶孫之中殤以大功降而為緦也從祖昆弟之長殤
以小功降而為緦也如此者皆追服之檀弓曾子所言小功
不稅是正服小功非為降也凡降服者重於正服

又問稅服是指服期已過而始聞者耶抑垂盡而聞必踰
月數耶

答曰古人論之詳矣于下（沙溪）
晉元帝制小功緦麻或垂竟聞問宜全服不得服其殘月○
賀循曰不稅者謂喪月都竟乃聞喪者耳若在服內則自全
五月○徐邈答王詢云鄭玄云五月之內則追服王肅云服
其殘月小功不稅以恩輕故也若方全服與追何異宜服餘
月○宋庾蔚之謂鄭王所說雖有理而王議容朝聞夕除或
不容成服求之人情未為允愜

戰亡人服

答許僩書曰賢庶弟隨從事於西師之敗其死其生既不可知
則不得不處之以死而為之禮也只聞西敗家屬或俱棺虛殯
其是否不敢知而設位成服則恐不得不為也（寒岡）

改葬

崔晛問改葬節目家禮無文當從丘氏儀節耶

答曰他無考據恐不得不用丘儀（寒岡）

告廟

鄭汝仁問改葬前一日當告于祠堂而服衰入廟極為未

安姑使無服者假告否雖服衰而不若白告否抑欲權以黑縗入廟則何如古人多言黑縗而黑縗之制未詳今欲皂紵網巾黑草笠（國喪則用白笠）白衣白帶白皮靴子不知可否

答曰 改葬告廟使無服者為之而已不入告亦甚非宜其服如來諭為可蓋黑縗今無而又當國喪故也（退溪集）

金士純問丘氏曰前期一日告于祠堂云云墓所若近則此禮固也若在遠則其告廟節次當如何或云當先定遷墓之日主人臨行告廟而去或云主人先去墓所經營葬事及其葬前一日令在家子姪代行其禮二說是否何如

答曰 似兩可（退溪集）

答伯榮可行（退溪集）敘書曰葬畢告廟時則與未變時不同皆素告何如前云告廟時素衣亦出臆見葬時既不敢變服至此而變服似為未安但既不可不告又不可以凶服不得已代墨縗之例素服行之庶得權宜但喪冠絞帶不可入廟令子弟出主而以右服奠告又子弟及主何如（退溪集）

宋設告問父喪未葬改葬母告廟酒果遍設諸位否主人自告則父喪未葬以凶服入廟未安使子弟奉出他所而告之耶

答曰 酒果本為告事而設只奠本龕可也主人自告豈可代行也凶服入廟於祔祭可見矣葬畢告廟則有哭泣之節當出主也

告由（沙溪集）

喪子章問破殯之日遣祖奠既不可行則別無告祭節次

答曰 儀節家禮有及葬節次可參考也然今則禮變事異似當別撰告文具由以告也（退溪集）

靈座 金士純問初葬則有魂魄為之主改葬則無魂魄於靈座中設紙牓子只設靈座乎

答曰 似只設靈座（退溪集）

宋浚吉問改葬靈座當只設倚子耶若有遺衣服置於倚上似宜如何如何 [illegible]

答曰 然（退溪集）

改棺 任卓甫問改葬重事人多有經之者或曰年歲久遠且為薄葬者則啓墓之後極為無形難可收拾事至罔措則別以枝子詳量初棺之長短廣狹而造棺去地板單蓋罷斂殮以成墳為得或曰雖至無形若妙手則移斂安頓不至散處雖百歲之久亦可移安此兩說未知誰善

答曰 後者之言是也雖百歲之久雖無形之甚若着手精妙百分謹慎則用竹片移奉無形之形斂襲安頓不差毫釐（寒岡集）

答鄭四勿別紙曰移墓於歲久之後則例未免拾骨所謂拾骨者以其所拾者骸骨而已不可以親膚而并收其土所以改葬者必用綿子以將其所拾之骨使之有所維持而無所亂雜其次序者也惟在是重是謹從容完密罔有所後憾則豈非孝子之幸乎此乃鄙人從前多所經驗者也故因下問而奉悉焉（旅軒集）

啓墓皆葬輕重先後 金士純問若同葬父母則先輕後重集情故也改葬啓墓時亦當先啓母出棺改斂時亦當先殮母否

答曰 皆當先（退溪集）

答金伯榮可行（退溪集）敘書曰若改葬則所謂集情之義比於新葬者則似有間矣前日問及時所以謂與并有喪之禮少異者此也蓋今日之事既與曾子問之意不同則疑可以不拘先輕之例也然此出於臆見正犯汰哉之誚為未安其後歷考諸禮當喪而改墓合葬之禮并無據證而改墓一事古人皆以喪禮處之考於瓊山儀節可見今與其無據而創行臆見寧比類於并

有喪之例而行之庶不畢禮意故緣而有先輕後重之云正所以救前言之失也第其日適會病冗未盡其曲折耳惟在僉望退溪集

又答曰禮叉葬云云遂修葬事又云先葬者不虞祔待後事據此則先改葬畢但未實土以祭曾子問並有喪章小註張子曰先葬者必不實土以待後葬者之入相去日比故也後土謂實土也其明日治後葬今若如此則所論奉新喪至墓所又詣遷墓所一節不為患矣但改墓卜日未必恰在後葬前一二日或相去日遠則未實土多經日亦為難矣若緣此不得已在一日內則新喪未窆露處不可無守留昆季一人奉守為當蓋守喪次為重此一人雖未往遷墓所恐無不可也退溪集

喪子章問發引時何喪當先歟

答曰恐府君當先寒岡集

任卓爾問共窆疑窆時考妣柩孰先孰後

答曰禮先輕後重論新舊則舊為輕以齊斬則斬為重寒岡集

申悅道問曰若兩喪皆遷葬則依遷墓儀可也如或夫喪乃新窆則當從新葬之儀旅軒集

黃宗海問因喪改葬者又有前後喪輕重之疑退溪初謂改葬舊情之義比新喪有間可不拘先輕之例其後謂改墓古人皆以喪禮處之與其創行臆見不若比類於並有喪之例云今何所適從耶

答曰退溪後說恐當沙溪集

玄纁明器銘旌

鄭汝仁問改葬時贈玄纁送明器等事當一如初喪時乎雖合葬亦當各具否

答曰改葬玄纁之類隨力措送雖合葬力不及之物外不可兼也退溪集

任卓爾問柩經宿而無銘旌則何如初喪時銘旌及贈玄纁及明器等改造而用之否玄纁明器各備於兩位否

答曰銘旌玄纁明器皆不可不新備兩位當各備寒岡集

答鄭四勿別紙曰文公改葬之儀未有所考若瓊山儀節或多措議其類誤不可盡信而全用之耳銘旌所以志其柩也有柩則不容無今啓舊塋既新其柩則所銘之旌其可頃刻無乎其於改殮改棺之後即設為得其義云爾玄纁乃贈死之禮此焉而已孝思罔極之情附諸此物而今見舊棺而新窆若不用是將何以致其永訣之誠乎不但見如是今世改葬者亦皆用之矣旅軒集

祭禮

鄭汝仁問改墓開出舊棺未葬之前當行朝夕上食否

答曰改葬朝夕上食不可考然今既見柩事象初喪者多恐上食為當退溪集

崔晛問凡喪自初喪至葬時皆設奠于靈座今改棺未窆之前亦當設奠食時亦上食耶設奠則無靈座當奠于何所

答曰改棺未窆之前設奠上食一依初喪不用靈座只設虛位寒岡集

孫瀣問破墓舊欲以其日奉轝于山所并奠除夜而若或未及則以翌日奉轝下棺為計大喪祖奠遣奠并行於其日而合奠則行於題主奠如何

答曰祖奠在葬前一日遣奠在葬日豈可并行於其日乎題主奠只行於新主亦豈有合奠之事乎旅軒集

又問儀節改墓後只行初虞於墓所今則大喪返魂後奉出舊主合祭則自初虞至祔祭因合櫝并祭耶其祝文變辭下教

答曰初虞則合祭而並告再虞三虞則雖同祭只告于新主祔祭則只奉新主同祭于祖考也舊主則曾已祔廟何更祔之有哉旅軒集

姜碩期問退溪曰改葬只設靈座朝夕上食云朝夕奠則

不設耶

答曰：設靈座則朝夕哭奠亦在其中（沙溪集）

答東陽尉（申翊聖）別紙曰：丘氏儀節亦無上食之文，然若至經日則闕然無事，於情未安。今俗所為亦必出於至情而不暇問禮之有無也，朱子所謂禮疑從厚亦謂此等處耶（翊聖伏）

或問同殯則奠前當留數日，其間朝夕奠上食不獨行於新喪則情有所未安，若欲并行則舊喪既有神主，不設靈座于喪次，何為而得其中乎

答曰：兩柩之南設靈座，以紙牓設於其所而并行，猶為無於禮者之禮乎。盖情之所安而無害於理者，即禮之所在，如何如何

（翊聖伏）

虞祭

鄭汝仁問：竊考丘瓊山改葬儀節，當就幕所只一虞而止，新葬則有反哭三虞於正堂之禮。今合葬則母之初虞當並父之虞而行於墓，既虞次之後反哭母於室，哭畢却入廟告父以改葬，自再虞仍只祭母於堂否。抑既題神主即當反哭，則父之虞亦當并行於正堂，自再虞亦只祭母否。曲折處之甚難，伏乞詳教

答曰：兩葬行虞之節，按禮偕喪偕葬，先輕後重，虞則先重後輕。今改葬當於幕所虞，新葬反哭而虞（沙溪集）

金士純問：丘氏曰既葬就墓所靈座前行虞禮云云，但言行虞禮而不言三虞，此與初喪襄事不同，故虞止於一否。緦三月內別無行祭之禮否

答曰：虞祭則只一，三月內別無行祭節次（沙溪集）

裴尚龍問：同窆之後虞祭未可并行歟

答曰：改葬只用一虞祭于墓所，先妣之虞當在返哭之後（寒岡）

崔晛問：改葬儀無再虞三虞者何意。世人或於是日脫緦服即吉服，或服緦麻以終三月，何從而可。若終三月則既緦無靈座，服緦于何處，脫服亦于何處，其間無祭祀一節耶

答曰：初葬時已行三虞，改葬則只有一虞之告，還家告廟之外別無他祭祀之節（寒岡）

宋時烈問：語類問改葬神已在廟久矣，何得虞乎。朱子曰便是如此，而今都不可考，看來也須當返哭於廟云云。據此，改葬當不行虞祭，而丘氏儀節有之，今士大夫皆遵行，未知何據

答曰：朱子說固然，但王肅以為既虞而除之，朱子又有一說云云，恐丘氏因此而推之為儀節也，更詳之（沙溪集）

宋浚吉問：父喪未葬，遷改母墓與父同葬，則葬雖先輕，奠當先重，而新喪之虞當行於家，改葬之虞當就幕次行之，勢有相妨，何以為之

答曰：據禮記及朱子說，父之虞祭葬日返哭後行之，母之虞祭翌日行之（沙溪集）

改葬服

答金伯榮可行惇叙書曰：改葬之服既云親見尸柩，不忍無服，則於改葬母也獨無服而可忍乎，此甚可疑。雖然竊意人子於父母情非有間，而聖人制禮則多為父壓降於母者，家無二尊之義最重，故謹之也。其意豈不以五服最輕者緦，降緦無服，今既以斬衰當緦，則齊衰以下無服可當，故只以素服行之耶。瓊山儀節改葬服註惟云子為父、妻為夫，餘皆素服布巾，而無為母之文。然則以意加服亦為難矣。但今當喪改葬，當處以偕喪之禮，則改葬時仍服斬衰，正得不變之義，非如只改葬母素服未安之意，如是行之如何。若曾擇之所問，乃指諸父昆季之喪哭奠所服之節，與偕喪葬禮自不同，故朱子答云云，不當與此合而為說也（曾擇之所問 瓊山家禮）。或曰大明會典孝慈錄服制，父與母同服斬衰，既服斬衰，則改葬緦服豈不可同耶。曰孝慈錄服制即瓊山禮所謂今制者，多變先王之制，殊不可曉，未知

中國人一遵此制與否若用斬衰則緦服固當同之恐終有未合古制之議耳 鯤溪

金士純問丘氏曰改葬緦子與妻也云云所謂妻者莫是子之妻否死者妻否但云子與妻而不及女何也

答曰所謂妻子之妻也女在其中 鯤溪

任卓甫問改葬時緦服告墓時着之乎

答曰緦服當服於告啓墓之初 寒岡

又問遷葬時宗孫父亡者亦可以緦服臨之否

答曰孫爲祖禮不服緦父亡代服之義恐推不得然禮既無文不敢強說 寒岡

崔晛問改葬緦服云者以數月言耶以服制言耶經營改葬之時何日始服而何時脫出耶

答曰改葬成服以服制言而月數在其中當服於舊墓改壙之初當脫於虞祭葬畢之後仍蔵其服以待三月而除之 寒岡

裵子章問改葬當服緦麻而方在衰中哭從之時當服何服歟

答曰當服重服葬先考時服緦麻 寒岡

黄宗海問改葬服只云子爲父而不云爲母則改葬母者無服乎

答曰言父則母在其中退溪曰不爲母服緦者家無二尊故也此說誤矣子思曰禮父母改葬緦王肅曰非父母無服喪服疏子爲母亦同豈有葬母而無服之理乎 沙溪集

宋浚吉問婦於舅姑改葬亦服緦否通典有出嫁女爲其父母改葬緦之語此亦有據否

答曰按禮意應服三年者改葬當服緦古禮子之妻爲舅姑期至宋陸爲三年服則改葬服緦恐當喪服記改葬緦疏云不言女子子婦人外成在家又非常故亦不言據此通典所謂出嫁女緦恐誤 沙溪集

姜碩期問改葬承重之孫亦只着素衣布巾否

答曰承重者雖至曾玄孫與長子無異當服緦麻豈但素服而已通典已論之 沙溪集

晉步熊問改葬孫爲祖亦宜緦但不受重於祖父亡後祖墓崩不知云何許猛云父卒孫爲祖後而葬祖雖不受重於祖據爲主雖不曾爲祖服斬亦可制緦以葬也

鄭弘演問前母繼母出母嫁母改葬皆當有服耶

答曰通典皆有明文然徐廣之言亦似可疑也 沙溪集

晉胡濟改葬前母服議云禮無其章故取繼母服唯事前繼一也爲前母改葬宜從衆子之制○劉鎮之問父尚在母出嫁亡今改葬應有服否徐廣答云改葬服緦唯施極重此既出嫁未聞兒有服之文然緣情立禮今制服奉臨就從重之義合卽心之理亦當無疑於不允也

姜碩期問改葬之緦除服之節諸儒所論不同今欲不失禮之正則當從何說

答曰當從朱子所定 沙溪集

儀禮喪服記改葬緦鄭氏註臣爲君也子爲父也妻爲夫也必服緦者親見尸柩不可以無服緦三月而除之賈氏疏曰三月而除者謂葬時服之及其除也亦法天道一時故亦三月而除也若然鄭言三等擧痛極者而言父爲長子子爲母亦與此同也○韓文公改葬議緦三月而除之 以上鄭氏賈氏韓文公文 三月而除之○魏王肅曰司徒文子問服於子思子思曰禮父母改葬緦葬而除不忍無服送至親也非父母無服無服則吊服加麻○開元禮既葬除之○丘氏儀節葬後出就別所釋緦麻服服素服云云 以上子思及王氏開元禮丘氏儀節葬後除 ○語類問改葬緦鄭玄以爲從緦之月數而除王肅以爲葬畢便除如何朱子曰如今不可考禮疑從厚當如鄭氏

鄭弘演問父喪既葬改葬母者服緦從事否禮凡重喪未

除而遭輕服者制其服而哭之其除之也亦服輕服云則
何獨於改葬緦而有異乎以此而言雖在斬衰當其改葬
母也服緦從事無疑又按喪服小記父母之喪偕先葬者
不虞祔其葬服斬衰疏曰其葬母亦服斬衰者從重也父
未葬不敢變服以此而推之似亦有以重壓輕之義今以
斬衰改母之葬是或一道耶

答曰 既葬與未葬有異改葬服緦似無不可 沙溪集

或問竊聞改葬緦既葬而除又聞重喪未除遭輕喪則製
其服而哭之既畢反重服又聞齊衰之喪既虞卒哭遭大
功之喪麻葛兼服之又聞有父之喪如未沒喪而母死其
除父之喪也服其除服卒事反喪服註若母喪未葬而值
父之二祥則不得服祥服云今遭母喪而將遷父墓一子
往迎前喪于遠地一子留侍几筵雖異於新遭輕喪者為
父之緦似不下於卒服大功矣但未葬不得服祥服則改
葬之緦與祥服有間乎

答曰改葬之緦蓋為親見屍柩不可無服故制五服中最輕之
服以執其事較然所謂舉下緬也乃此意也今云為父之緦似
不下於卒服大功者恐不然矣竊詳禮經易服之節皆以重者
為主故曰有三年之練冠則以大功之麻易之重而葛輕故
也又曰斬衰之葛與齊衰之麻同齊衰之葛與大功之麻同麻
同皆兼服之麻葛之大小同故兼服之也又曰父母之喪偕先
葬者不虞祔待後事其葬服斬衰蓋父喪未葬故服斬衰以葬
母也據此數條則以齊衰服改葬前喪似為不妨恐不當必以
最輕之服易之如何如何 退溪集

改葬持服

金士純問改葬緦三月古禮也七日今制也今之改葬父
母而為之制服者以古乎以今乎

答曰以今似非 退溪集

又問丘氏曰祭畢撤靈座主人以下出就外所釋緦麻服
素服而還云云禮衰麻不去身改葬若服緦則宜若不當
去身而釋之而還何耶在道素服則還家當服何服而終
三月乎

答曰 疑仍服素 退溪集

又問在官者與士庶不同國有七日之制七日之後不許
三月之服則如何或云出仕用吉服居家還服素此說何
如

答曰 居家則服素為是 退溪集

又問丘氏曰三月而除云云除時別無除服節次否

答曰 未詳 退溪集

又問按丘氏之禮則葬時服緦麻既葬易服而還更無除
緦節次而乃曰三月而除所謂除者除何服也

答曰 丘說可疑然恐有所據豈不以既葬非如見柩時而仍服
麻似無漸殺之意故只服素食素而持緦服之意在其中焉三
月而止以為終服之節也 鄕 退溪集

又問韓文公改葬議曰或曰經稱改葬緦不著月數則三
月而後除也子思對文子則曰既葬而除之今宜如何自
啓至于既葬而三月則除之未三月則服而終三月按此
說則宜若服緦終三月而丘氏乃謂素服而還何也二說
柢牾未知何去何從

答曰安知韓公所謂除不與丘說同耶然未敢質言 退溪集

答申活問曰改葬緦服之用淺見亦以為於遷母同用之為可
也然則父喪未禫者之遷母亦當別制緦服耶服雖除於葬畢
行素終三月豈非至情也哉 檜軒集

宋浚吉問改葬既見尸柩則非他緦服之比終三月不出
入食素居外如何

答曰不與宴樂居外為可既不辭官不出入食素無乃太過乎

答東陽尉別紙曰脫斬服緦未安云者於情理甚合故也況禮曰父母之喪偕先葬者不虞祔待後事其葬服斬衰先葬卽毋喪也其葬亦指毋喪也齊斬各有所為當各服其服而猶以斬衰為重不敢服齊衰於葬毋之際今大喪已葬雖與初喪未葬時有間然脫而服緦畢竟未安矣 愚伏集

鄭仁輔榮後問改葬緦服丘氏以為葬畢祭後卽除之易素服而還此未知何所據而云然耶愚意旣見屍柩之後哀痛惻怛之懷無異喪初而聖人制禮參商折衷定以緦麻則雖不可徑情踰越葬後留其服以時省墓服以哭盡哀月數旣盡後上墓除之未知如何

答曰常時上墓禮有哀省之文況改葬三月之內與常時不同擧哀一節允合情禮 愚伏集

禮疑答問分類卷之十四

禮疑答問分類卷之十五

祭禮　廟制

答李剛而書曰影堂自家廟之制廢士大夫祭先之室謂之影堂蓋奉安畫像於此而祭之故稱影影堂卽祠堂也 祠堂之名始於文公家禮前此稱影堂 退溪集

答鄭子中書曰古人謂正寢為前堂蓋古之正寢皆在人家正南故祠廟皆在其東而無所礙今人正寢或東或西其在西者祠堂難立於其東矣欒門繼曾祖小宗家在安東西寢而東祠勢甚不便近年方移置西軒之後蓋隨地勢不得不爾耳遺衣服祭器依古制藏於廟固善而密為防盜之策亦可若患此而藏於他各在其人善處他人似難為說也 退溪集

鄭寒岡問祠堂之制欲依文公家禮而家禮所載圖自今觀之似有未解不知正寢是今之中堂廳事是今之外廳否曰架曰龕其制如何

答曰祠堂圖多與本文不相應未詳何意但正寢與廳事非係祠堂之制正寢今之東西軒待賓客之處然古人正寢皆在前而不在東西故曰正寢前堂也廳事如今大門內小廳所謂斜廊者耳柱上加梁楣曰架龕字書以為塔下室。蓋室之小者 退溪集

又問支子生而立齋死而為祠亦可否

答曰家禮云云者以生時居處神所依安故也 退溪集

又問中國人家皆有正寢故告請神主有出就正寢之文我國之人旣無正寢而槩稱正寢類為未安今欲改稱正堂不知可否但逮自先世未有家室早脫營構欲略倣堂寢之制

答曰正寢謂前堂今人以家間設祭接賓處通謂之正寢若用右制甚善第恐或有異宜處耳 退溪集

答趙起伯書曰異姓人待養自是人家苟且之事然旣云奉祀則不容無安神設祭之所仍指其所為廟亦勢所必至然此廟

制亦當稍減損乃爲得之（退溪）

黄宗海問祠堂四龕之制亦載家禮而世俗鮮有從者偏見謬識無所對證若只以家禮爲準則正北一架作龕堂以板隔截爲四龕而已然則龕北爲土壁龕上虛中其南則但各垂小簾而已乎

答曰　亦可（寒岡）

又問家禮大宗世數未滿者及繼曾小宗以下皆祠堂內虛其西龕然則繼祖繼禰之宗亦皆預設四龕以待後來世數之滿乎

答曰　然（寒岡）

又問古人立廟又皆有牖朱子亦有户在東牖在西之說今廟面南向坐則牖在何處

答曰　今之廟室之制既不能如古牖户之制亦安得盡如見今之爲祠屋者或有東西牖者或於南壁中户而左右牖者（寒岡）

申湜問殿屋廈屋之說來示然矣今悉改之但集覽圖中五架之制出於何書耶如無經據則欲去此圖而分殿屋廈屋於兩張之上未知如何

答曰　集覽中廈屋殿屋全圖出於申生義慶大槩本於儀禮圖解及何氏小學圖而兩書只有下字之制無上棟之制申友以朱子大全釋宮說補其未備不無經據不可不録（沙溪）

廈屋全圖

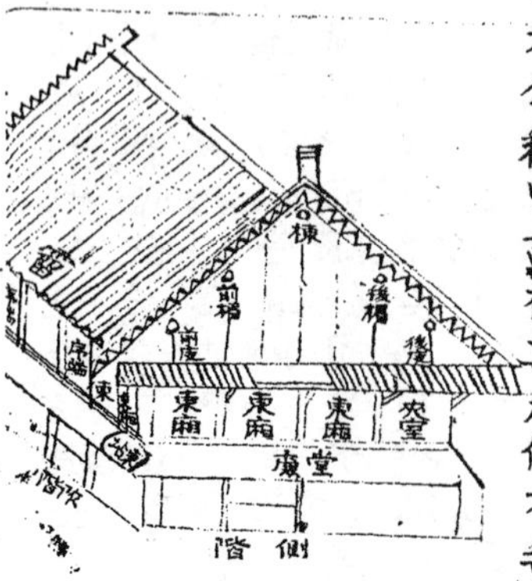

朱子大全殿屋五間前皆爲堂後爲房室中間之前爲東北之東又夾東爲阼階上夾楹爲東序後爲東房西間之前爲西楹之西又大西爲賓階上夾北爲西序後爲西房序即墻也設位在東西序者負墻而立也其南爲序端東序之東而序之西爲夾亦讀之廂又說文云廂廊也廊東西序也此亦可見但疑序下脫一外字其前爲東西堂其後爲東西夾室夾外之廣爲側階房後爲北階此其地之盤也其棟則中三間爲一棟横指東西至兩序之上而盡

殿屋五架圖

廈屋五架圖

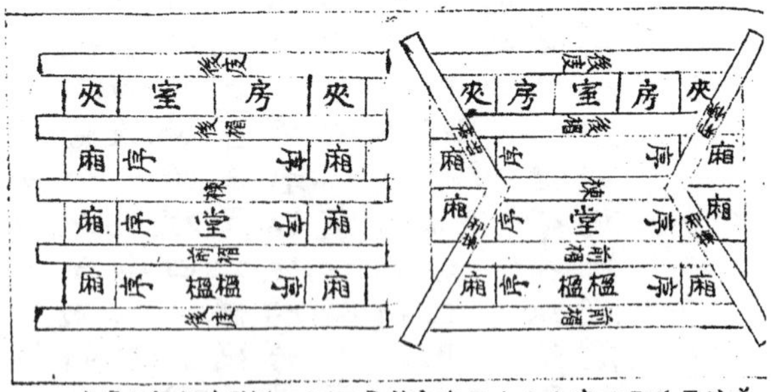

逐自此廣分爲四棟邪指四隅上接横棟下與霤齊此其上棟之制所謂四阿也其字則横棟前後即爲南北兩下横棟盡外即爲東西西下四棟之旁即各連所向而下四面楹楣覆堂廡出階外者謂之廂説文云廂堂下周屋也其屋盡水下廣謂之霤此其下宇之制也○廈屋則前五間後四間無西房堂中三間之後只分爲兩間東房西室其除楣如殿屋之制但五間皆爲横棟棟之前後皆爲兩下之字横棟盡外有版下垂謂之榑風揭風之下亦爲兩廡椽連南北以覆側階但其廡亦不出榑風之外耳儀禮疏鄉大夫爲廈屋其室兩下而四周之殿屋四阿連下爲廡四面之簷其水皆多故其簷皆得以霤爲名廈屋南北兩下之廡與殿屋間故其簷亦謂之霤東兩兩廂則但爲楣簷不連棟下又不出搏風之外與或有水亦不能多故但謂之榮謂之翼而不得以霤名也榮翼乃腰簷之名頭乃直指榑風誤矣

申湜問後寢之制如作左右房則三間之制晩然而今作東房西室疑其爲二間亦宜祠堂之制亦然今加點於立柱處未知如何且兩楹之稱指堂中中間兩柱而言謂楣之兩柱也則前度所柱之兩柱亦不可無當奈何即大柱槩廈屋之制東西凡五間南北凡四間房室當在後度後楣之間而自後楣至棟自棟至前楣當有通二間之兩大栿栿頭即兩楹所立之處自前楣至前度之一間亦豈可無柱乎亦當有曲栿然則并爲四柱此爲可疑也若曰立四柱無據當用通三間之兩大栿竪之於前度之下云則凡兩楹間行事甚多又有楹內楹外之別若有則有楹內而無楹外亦似不當詳考見示爲望

答曰　後寢之制前見公所作謄解圖似作二間非矣今附圖如左殿屋廈屋之制自後度至前度通五架一大梁梁上南北各立短柱以擎前後架則只立兩柱明矣見於儀禮及河氏圖與

朱子大全釋宮說更無可疑楹外簷下堦上有餘地亦可行事鰲溪

後寢

答申叔正湜問曰此屋本五架五間之制而中三架三間為正堂後楣北三間中為室左右為東西房其東西兩序外各一間亦分前後前為東西廂亦各東西堂盖與中堂雖隔墻壁而位次則相并後為東西夾室亦與東西房隔壁而并位此所謂前皆為堂後皆為室也其前楣南五間則中一間謂之兩楹之間左右各一間謂之東楹東西楹西又其外各一間謂序端窮料其制大槩如此故坊疑以廂為齋以夾藏書未免堂室換位今承鐫誨猶未瑩然無疑於僉見以此觀之書札之不及於面論審矣前堂後寢之制不知別有三間單屋每以後堂當之故前書以不得明快致疑承示甚愧孤陋但此語似不載朱書釋宮篇未知見出何書乞於後便示及至仰至仰古之主奧者在西東面入者自户內西向而拜乃是生人之禮故祭時亦於階下西向而拜者與奧相對之義果無拜於户內之禮而前書泛筆錯了可歎可愧鰲溪

奉安位次

禹景善問我國人家正寢南北長而東西短凡四時大祭於北壁下自西設位狹窄難行不得已高祖在北曾祖祖禰分東西相對若昭穆之列者祠堂既為同堂異室之制而至此乃變其位無乃未安如何

答曰正寢設祭位有大屋可依禮設者自當如古其不然者不得不隨地形排設雖若未安亦無如之何矣鰲溪

答金亨彥書曰祠堂三龕欲增作四龕而患狹隘與其取東壁添作一龕愚意不如取西壁添一龕為得之盖西壁東向本始祖居尊之位今以為高祖之室非但有居尊之義仍不失遞遷

而西之次未有不可若考妣居東西向古禮無可據矣鰲溪

盧寯梅問欲畧倣昭穆龕諸東西復恐如是則於古者南北東西之位多有所礙而反不若以西為上之為便易也伏乞詳諭

答曰龕以東西分昭穆既非古又非今創作此制恐多礙難行而得罪於先王之典也鰲溪

金士純問朱子嘗歎昭穆之禮久廢作家禮却徇時俗之禮何也

答曰時王之制豈可輕改且禮者天下之通行者也舉世不行則雖成空文何益故其答門弟子書深歎古禮之不復而終曰豈若獻議于朝一一滌其謬之為快也云云鰲溪

崔季昇問古者昭穆之制甚明而程子以西為上四代列序之意何也今之士大夫立廟未可為昭穆之制耶衆子以不得祭始祖則入廟最尊之主居始祖之位耶自天子以

故不見於經傳我國　文昭殿日祭夏月則用燒酒栗谷亦謂喪中朝夕祭夏月則清酒味變用燒酒甚好云煎膏之物不用出於儀禮今俗必用蜜果油餠以祭恐不合於古禮也鰲溪

士喪禮記凡糗不煎註以膏煎之則褻非敬疏云凡糗直空糗而已不用脂膏煎和之○家語孔子曰果屬有六而桃為下祭祀不用不登郊廟○黃氏曰按鯉魚不用於祭祀云

又問家禮魚肉是生魚肉否栗谷用生遵此行之無妨否

答曰家禮所謂魚肉非生魚肉也乃魚湯肉湯也栗谷之用生雖本於書儀與儀禮饋食禮不同嘗質于家庭問于牛溪答曰祭用生熟雖是古禮至於家禮則朱子曰以燕器代祭器常饌代俎肉則不用生明矣鰲溪

牲特饋食禮註祭祀自熟始曰饋食饋食者食道也亨于門外東方註亨煑也豕魚腊以鑊各一爨○郊特牲曰腥肆爓潛腍而審祭豈知神之所饗也主人自盡其敬而已註祭之

下降殺以五以三而程子之必以四代者何意耶諸侯之廟大祖正東向之位則昭北穆南祭祀時亦依此設位耶大祖居北而昭東穆西耶士大夫家廟若倣昭穆之制則亦始祖東向而昭北穆南耶

答曰以西為上而自西徂東之制非出於程子自漢而然矣衆子不得祭始祖則廟中最尊之位恐不得居也好禮之家或略倣昭穆之制南北相向恐無不可程子以高祖有服不得不祭而今祭四代非有取於降殺以兩之義也（寒岡）

盧亨運問家廟不能如禮只立一間則自高祖至父母當為四龕而四龕於一壁狹窄難容一龕權宜移設東西壁如何而父母位東之乎高祖位西之乎

答曰曾見中朝禮文高祖居中南向而曾祖祔坐東西向祖坐西東向（寒岡）

任卓爾問有人常攝行其父母之祭祀者以最長之房而當奉遷其曾祖父母之神位以世代言之則曾祖當第一位祖當第二位而祖父母神主則宗孫主之然則虛其第二位乎不虛而安其父母神主於第二位乎

答曰奉父母之祭者又奉曾祖之祀則曾祖當安於西之第二龕考妣當安於東之最下龕西之第一龕與中一龕則當虛之矣（寒岡）

黃宗海問左右昭穆古有其制而自朱子定禮以後遂不分昭穆位以西為上則昭穆之制不可復見而高氏祔遷之祝詞乃有昭穆繼序之說今雖以西為上而猶以是告之乎

答曰以西為上雖出於漢明帝之後而取愛禮存羊之義祝稱昭穆繼序之云何至甚不可乎（寒岡）

前後室配祭覸（合祔祭敬甫問）

鄭景任問廟中位次以中為尊古無此說而創於皇朝（帝王廟伏羲居中亦）其是非得失非所敢論然禮曰席南嚮東嚮皆尚右西嚮北嚮皆尚左古人之坐皆從一頭排起一二三四循此而坐至於太廟祫享之坐雖太祖居中而此非一行之坐太祖居西則乃是不遷之卒坐群昭群穆之祫入者左右分坐南北相向其次序行列整截不紊今依一行南向之坐於北壁之下而以中為尊則既不應禮經尚右之文又非太廟昭穆之坐而左右交互之序起於錯雜今從朱子神坐尚右以西為上之說為定似不必更究神制未知如何（今文廟之坐乃是聖師中堂群弟環侍之象左右分行又與昭穆之坐相似與此自不同）其

西厓答曰皇朝近世諸儒之議皆以中為是然其言之合義與否未可知從朱子尚右之說以西為上亦無妨朱子書有濂溪兩程祠堂記又有四賢祠記其坐次排置必有已行定禮更詳考得攜而行之則左善世（書過在伏巢集中心故西耳堰答）

答韓益之（淺說）別紙曰立廟則左昭穆祫享則昭北穆南上而遷祔祧藏雖百世之遠各從其廟下而祧毛合食雖百世之遠各就其列先王之制所以明父子辨世代之意為重非以父子并肩為嫌也若然則雖祖孫亦豈得并肩耶漢明以後昭穆之制蕩然無復存者而卒哭明日之祔猶適于祖先儒雖知其甚無義意而終不敢改者恐其羊亾而古禮遂廢也然而又不敢便復古禮者以無其位而不敢議禮也文昭前殿之坐雖不敢輕議而其為半上落下不純於古則明矣況又未嘗立法須條以為上下通行之規則不可謂時王已定之制矣尊伯令兄篤信好古不顧旁人是非隱之於心求其所安而斷然行之勇往則有矣區區淺陋之見猶恐不可以為訓何者後生少年其見其識不及於此兄而或欲效之則末流之弊將至於人自為制而議者曰久庵啓之豈不大可慮耶近見中朝人輕變禮制流而至於浦江鄭氏家儀則其祠堂位置排列不古不今直任己意心竊病之故於此一款執筆逡巡而不敢書者為此惧也伏

望另爲祭高更賜指教謹端拜以俟不敢執迷矣 愚伏

共一卓

答柳希范書曰祠堂神主則兩妣同入一龕而先妣共一櫝後妣別櫝安別床及出主行祭時先妣共一卓後妣別一卓聯席而坐蓋兩妣并祔朱先生答李晦叔書已言後妣別櫝雖未明言其勢似當如此墓祭不當進祭亦於答王晋輔書言之惟祔葬事自不能盡得如禮故於來問不敢云如何只在量處 退溪

鄭寒岡問前後室三神主共安一櫝否主人後出則前後坐次何如

答曰朱子曰繼室亦禮聘當并配然未知共一櫝或異櫝耳坐次不可以所出先後有改易也 退溪

崔季昇問考妣神主合于一櫝若父有三室則如何四主各櫝則龕狹難容合于一櫝則當廣其櫝制耶然祠堂奠獻之時非有出主節目若合一櫝而陳四位奠物則遠隔神主未安或有四主分爲兩櫝考與先室爲一櫝第二三室爲一櫝此亦似未安非但櫝制爲然祠堂龕制亦當廣濶令容四位奠物則四代之龕皆依此廣之乎抑隨其神主而或狹或廣乎非但龕制爲然凡人祭祀時考妣共一卓今四主共爲一卓則其勢難便分爲四卓則各位共卓亦有異同似未安或有以妣位先後爲序初室合于考位第二三位共爲一卓者何如

答曰所謂櫝即家禮坐式之制耶考妣合一坐式已爲未安若四位合一坐式則恐尤未安不出主而奠獻之祭是正至朔望之祭每龕設一大盤於卓上俗節之獻亦以時食薦以大盤則皆共一卓無四位各陳之難矣考與先室爲一櫝共一卓則或可矣二三室合一櫝而共一卓則似甚未安不得四位各卓則寧四位共一卓而盞盤飯羹炙肝之類各設恐無妨於不得已之權宜也 寒岡

盧亨運問床卓祭物不能各設欲從共一卓制高曾二代皆兩室合櫝一卓如何

答曰不知當如何退溪集有說此禮處可考也 寒岡

黄宗海問古人立祠堂爲四龕小小祭祀只就其處大祭祀請則出或堂或廳所謂堂者祠堂之內而廳者正寢之中耶竊見今之所謂正寢多是狹隘實不如祠堂況先賢有請出或堂及分至設於堂等說則時祭合享皆當於祠堂內行之而猶有所可疑者祠堂三間秪足以容其四代八卓而不能容執事之出入又四代相承或有前後娶者而其位數或九或十則祠堂內決不可容焉若以丘瓊山所圖考妣共一卓之規爲準則雖無狹隘難容之患而有違於家禮每位各設之意且兩位并設甚涉踈略敢問如之何而不失其禮意乎

答曰堂即正堂古之正寢也廳即廳事也設位於祠堂或請出於正寢或廳事隨一家形勢而爲之恐皆不甚妨考妣各設最爲合宜而緣地勢不便亦緣一家資力不給不免依丘禮共一卓者皆然 寒岡

盧亨運問兩室不可合櫝一卓則奉祀子孫皆後室子孫以所生祖母與祖考異室亦無未安於情乎

答曰於情未安則元妣不當祀乎先賢講禮多說此事朱子深以爲未安 寒岡

宋敬甫問今俗同奉考妣於一椅又兼設饌於一卓與家禮考妣各用一椅一卓之意大不相同而孤家從前從俗今欲變改未知如何

答曰兩位共一卓五禮儀之文從時王之制亦無妨吾家自先世尊五禮儀今不敢必變 愚伏

奉祀世代

盧寡悔問國制不許祭四代而俗尚有毋則不遷高祖然

則立祠須作四龕而可乎今擬建宇務欲小其制為久遠計而在遷高之後則有徒虛而狹之嘆故欲於西壁為高龕似合東向自如之意但祭者既北面又恐更有所未安

答曰詳據古禮有毌而不遷親盡之祖乃今人意厚而不知禮之失也西壁作高龕一事近有人自云其先世廟作三龕今欲祀四代擬於東壁作一龕以奉祔主滉答以與其東壁安祔主不若就西壁作之以安高主庶與古者始祖東向之意相近而勝於東壁奉祔之都無據也此則因其誤而稍使從善也後來思之循有未安今始作廟而如是創為之竊恐見非於禮家而未免汰哉之誚也（遞遷祭四代則作四龕祭三代則作三龕宜矣○退溪集）

答宋寡尤書曰士大夫祭三代乃時王之制固當遵守而其祭四代亦大賢義起之禮非有所不可行者今世孝敬好禮之家徃徃謹而行之國家之所不禁也豈不美哉但其踰數不同之說古者廟各為一故可如此今同奉一堂之內而獨踰舉於高一位事多礙理如何如何（退溪集）

答奇明彥書曰末段三代四代之定與主祭說一紙皆為一件事故合而論之夫為周人而從周之制聖人所不免況今吾非五宗之主而令於十餘派小宗欲通行古制豈不難乎此固一說也然今有人焉主祭而篤孝好禮自出意欲祭四代則是亦一道豈至於違條礙格而不可行乎故滉常以為若此等事於己度義量力而行之則可矣論人而人自樂從亦無不可若欲卒人以強之必行則乃王公之事非匹夫所敢為也今也令伯氏書俗以當作幾龕是有欲遵古制之義意因此而勸以成之正得好幾會也吾非居位故於人或可從周士貴稽古故於己不害返古恐兩行而不相悖安有議禮拂時之嫌也然弊門未有此幾會而僭言之及此亦殊犯古者言不出之戒汗蹙無地（退溪集）

金士純問高祖之祭準以古禮則士大夫分不當祭而朱子著為家禮何也

答曰祭高祖斷以古禮則士大夫似不敢祭然高祖既有服禮記又有干祫及高祖之文故程子以謂不可不祭朱子因著為家禮今好禮慕古之士依此行之豈為僭乎但　時王之制祭三代有典夫子亦從周則又恐難於據家禮盡責人人以行此禮耳（退溪）

又問世俗多不行高祖之祭是日或食肉飲酒甚者至預於宴樂可駭

答曰高祖乃有服之親何可不祭程朱已行之放諸禮文可見也然時王之制如此何可責從之不行但當自盡而已（退溪）

五禮儀只祭曾祖以下（見改題答金祗普書）

答趙起伯書曰祭四代古禮亦非盡然禮記大傳大夫有事省於其君干祫及其高祖說者謂祫本諸侯祭名以大夫行合祭高祖之禮有自下于上之義故云干祫以此觀之祭四代本諸侯之禮大夫則家有大事必告於其君而後得祭高祖而告之不常祭也後來程子謂高祖有服之親不可不祭朱子家禮因程子說而立為祭四代之禮蓋古者代各異廟其制甚鉅故代數之等不可不嚴後世只為一廟分龕以祭制殊簡率猶可通行代數故變古如此所謂禮雖古未有可以義起者此也今人祭三代者時王之制也祭四代者程朱之制也力可及則通行恐無妨也（退溪集）

金孝仲問四時祭前一日設位陳器註朱子曰雖七廟五廟亦止於高祖既曰七廟五廟而又曰亦止於高祖者云何義歟

答曰當更攷王侯祭禮（旅軒集）

宋敬甫問古者庶人只祭考妣國制亦然所謂庶人若是未入仕之通稱則只祭考妣似為大略如何如何

答曰程子曰雖三廟一廟以至祭寢亦必及於高祖又曰雖庶

人必祭及高祖今世之遵行此禮者不為無據（沙溪集）

又問今世士大夫家或祭四代或祭三代何者為得

答曰祭三代乃時王之制然高祖當祭不但程朱有明訓我東先賢如退溪栗谷諸先生皆祭高祖云（沙溪集）

問今人不祭高祖如何程子曰高祖自有服不祭甚非某家却祭高祖又曰自天子至於庶人五服未嘗有異皆至高祖服既如是祭祀亦須如是○朱子曰攷諸程子之言則以為高祖有服不可不祭雖七廟五廟亦止於高祖雖三廟一廟以至祭寢亦必及於高祖但有疎數之不同耳疑此最為得祭祀之本意今以祭法攷之雖未見祭必及高祖之文然有月祭享嘗之別則古者祭祀以遠近疎數亦可見矣禮家又言大夫有事省於其君干祫及其高祖此則可為立三廟而祭及高祖之驗○問士庶當祭幾代曰古時一代即有一廟其禮甚多今既無廟又於禮煞缺祭四代亦無害

答宋敬甫問曰祭三代固是時王之制而程朱之論皆以為高祖有服不可不祭退溪先生謂士子好禮之家從古禮祭四代亦不為僭具由告辭于先廟而不為祧出未知如何（愚伏集）

祭儀

答李剛而書曰祭時當立據禮文無疑但國俗生時子弟無侍立之禮祭時不能盡如古禮如墓祭忌祭皆循俗為之惟於時祭則三獻以前皆立侑食後乃坐此家間所行之禮也未知今意何如（退溪集）

許美叔問官備則具備註云具者奉祭之物也鈞竊以為雖外內之官不備視吾力所及當盡力而已豈可待外內之官備然後乃備奉祭之物乎未審所謂具者的指何事

答曰非謂官不備則物不備亦非謂官備然後方備此物主人主婦各有所薦獻假令主婦不與祭而主人或他人代之則雖薦此物亦不可謂具備故云耳（退溪集）

鄭寒岡問參則先降神祭則先參神何意

答曰參則是日之禮本為參而設若先參則降神後都無一事其所以先降神者為參故也祭則降神後有許多薦獻等禮所以先參而後降耳（退溪集）

又問瓊山儀節如獻時不奠而先祭與主婦共一卓等處皆未決意

答曰瓊山禮多可疑（退溪集）

又問當祭之時神主當脫櫝時坐否其所謂當者其制何如

答曰似當脫櫝當未詳（退溪集）

宋敬甫問家禮祭禮則先降神凡祭則先參神未知何義家禮及喪禮備要墓祭皆先參後降而擊蒙要訣先降後參亦何義耶虞祭無參神一節果曰常侍几筵故不為云爾則辭神亦不必為如何至於禫祭則既已祔似當有參神之節而亦闕之何耶

答曰凡神主不出仍在故處則先降後參如朔望參禮之類是也設位而無主則亦先降後參如祭始祖先祖及紙榜之類是也若神主遷動出外則不可虛視必拜而肅之如時祭忌祭之類是也至於墓祭及禫祭果如哀示可疑也喪中雖有常侍之義祭畢辭神不可不為也喪禮備要墓祭欲依擊蒙要訣先降後參而改家禮未安故仍之耳退溪曰參則本為參神而設云（見上鄭寒岡問）未如其果是否（沙溪集）

姜碩期問凡祭進茶後旋即辭神似為太遽或立或伏少遲如何

答曰立而少遲可也伏則無據（沙溪集）

宋敬甫問人家行祭或早或晚未有定式何者為得

答曰先儒說可攷（沙溪集）陳氏曰小牢大夫之祭宗人請期曰早明行事子路祭於季

氏質明而始行事晏朝而退孔子取之此周禮也然禮與其失於晏也寧早則雖未明之時祭之可也○張子曰五更而祭非禮也○朱子語類先生凡遇四仲時祭隔日滌倚卓嚴辦次日侵晨已行事畢

又問祭飯啓盖宜在何時

答曰祭時揷匙飯中雖在侑食之時啓盖則應在初獻之後未讀祝之前以特牲饋食禮觀之可知 汶溪集

特牲饋食禮曰祝洗爵奠于鉶南遂命佐食啓會佐食啓會郤于敦南

姜碩期問辭神之禮虞祭與時祭不同虞祭則歛主匣之後主人以下哭再拜時祭則主人以下辭神再拜後納主未知不同者何意

答曰未詳 或曰虞祭主無遷動故先歛後拜時祭將奉就西階卓歛櫝故未出先拜未知是否○汶溪集

尸童

申叔正問尸童之童字不見於本註雖欲諺解而不可得也且尸必着死者之衣非童子所可衣也

答曰曾子問可攷然禮周公祭泰山以召公為尸則不必童明矣 汶溪集

曾子問孔子曰祭成喪者必有尸尸必以孫孫幼則使人抱之無孫則取於同姓可也

男

男尸女女尸 并有喪宋敬用蹈士虞禮

祭初祖

姜碩期問家禮初祖之祭只設一位而并祭考妣先祖之祭分設考妣兩位者何意耶

答曰初祖之祭只一位故只設一位而并祭考妣先祖之祭不一位故分設考妣兩位以兼享之 汶溪集

止語類問冬至祭始祖是何祖朱子曰或謂受姓之祖如黎氏則祭叔之類或謂厥初生民之祖如盤古之類曰立春祭先祖則何祖曰自始祖下之第二世及己身以上第六世之祖曰何以只設二位曰此只是以意享之而已○問祭先祖用一分如何曰只是一氣若影堂中各有牌字則不可

不遷主

金孝仲問喪禮備要禪後因吉祭遷遷之際若有親盡之祖始為功臣百世不遷者則代數外別立一龕祭之若祭四代家則并不遷之主乃五代也古禮人臣不可祭五代不得已高祖當出云云夫所謂不遷者以有功之故代數之外得以祭之也今若遷不當遷之主而以不遷之主充其代數則其於情理恐有所不安者也如何如何

答曰不遷之主豈可并數於四代之當祭乎 稼軒集

姜碩期問有不遷之位則高祖雖非代盡似當遞遷而或云不遷之位當特設於四龕之外未知如何

答曰四龕外又特設則乃五龕也僭不可為也或問如今有始基之祖四龕之外欲別立廟朱子曰如今祭四代已為僭又答汪尚書曰天子之三公八命及其出封然後用諸侯之禮立五廟仕於王朝者其禮又有所壓而不得伸云云今者立五廟則乃全用諸侯之禮其可乎吾宗家五代祖乃不遷之位故四代祖雖未代盡而出安別室耳近聞崔伯進以其父希勳預立五龕極非矣 汶溪集

又問家廟設五龕之僭旣聞命矣但以近世言之則李光岳三代策勳皆不遷之位也世次迭遷至於光岳曾孫則將不得祭其祖設或四代策勳則又不得祭其父矣甲者曰唯始封勳不遷其餘雖有功勳自當遞遷乙者曰國家待勳臣旣有常制為其子孫者自不敢擅祧不遷之位雖多皆當特設於四龕之外何者為得

答曰甲說為是若連四代策勳而皆不遞遷則祖與考亦不得入廟豈有是理大典只言始為功臣則第二以下祧遷從可知

也或者因大典別立一室之文而欲別立一廟廟與室果同乎
役死知安作欲立七八代龕室者亦不足言也 沙溪集

大典奉祀條始爲功臣者代雖盡不遷別立一室
宋敬甫問不遷位或書幾代祖或書始祖未知孰是
答曰稱先祖可也或稱幾代祖亦可也始祖之稱似有嫌於厥
初生民之祖恐未安 沙溪集

班祔

偶景善問祔主當於祖考妣室西向奉安而國俗祠堂例
不寬敞龕室亦小然平時則或可以容祔主至於朔望俗
節設酒果之時尤覺不便安如何家禮祠堂圖置祔位於
堂東壁下此何所據耶
答曰祔主祖考妣室西向奉安古禮然也今同堂異室而龕小
難設正如所諭嘗反覆籌度未得其宜朱先生非不知其然尙
以愛禮存羊之義不敢變其所祔位置之他處今亦何敢輕爲
之說欲從古制者不如寬作龕室令其可容西向之設及其設
酒果時出置東壁下行之庶或可也 退溪集

崔季昇問班祔之主或尊於正位子孫行則奠物奠爵何
先何後高曾旁親死而無後亦當入廟否若行時事而所
祔之主無祖父母位則祭時祔于何主祝文不及祔位否
答曰程子曰成人而無後者其祭終兄弟之孫之身則高曾旁
親之無後者恐不得入廟不得祭所祔祖父位則不得不權祔
於禰位祝文固不用於祔位若祔于祖考則以某位祔食家禮
自有明文但權祔禰位不知當如何不敢強說 寒岡集

李以直問長子年既長未娶而死則其神主入祠堂耶別
設祭所耶
答曰未娶而死未成人也用殤禮祔于廟中 寒岡集

黃宗海問朱子曰既祥撤几筵其主當祔于祖廟若繼禰
之家無祖廟則未禪之前當奉何處
答曰恐當姑祔于東壁 寒岡集

崔季昇問古者代各有廟旁親之無後者班祔祖廟今無
各代之廟祔祭只祔于祖而祭畢奉神主于禰廟置于東
壁祔位甚多則亦可分東西否若然則嫌於昭穆如何
答曰恐然 寒岡集

黃宗海問凡旁親班祔之禮孫常祔祖則繼禰之家雖有
無後之子而似不得入廟祔食至於班祔條云姪之父自
立祠堂則遷而從之是則子亦有祔禰之禮宜何以處之
答曰昭穆之班則孫固祔于祖而禰之子送祔之于祖之廟實於
今世情理不便古人必有處之者而時未有所考耳 寒岡集

崔季昇問古禮廟制皆以昭穆爲序孫當祔祖故祔祭及
班祔皆於祖廟今四代列序子繼父下而不告禰廟無端
祔食無乃未安乎家禮有四代一祝之文若然則以某親
祔食之文泛書于末端而不必書祔食于某祖考云則今
祔食兄弟書于考妣祝文下如何
答曰無端祔食固爲未安而亦不得不然但四代一祝乃丘瓊
山之禮而非家禮所許也祝文書祔食未安之意已具於前 寒岡集

金孝仲問祠堂章旁親之無後者以其班祔註成人而無
後者祭止於兄弟之孫之身金沙溪喪禮備要祔位之主
夲位出廟然後埋于墓所云云然則所謂成人者祭止於
兄弟之孫之身而今待夲位出廟而後埋于廟所則是其
祭當止於兄弟之玄孫之身何所據而云然耶
答曰所謂夲位則所祔祖考位也所祔祖考既出則祔主亦從
而出此非祭止於兄弟之孫之身耶 旅軒集

宋敬甫問家禮繼祭高祖畢卽使人酌獻祔于高祖者云
祔于高祖者卽曾祖之子先父食未安
答曰此當活看豈可先也 沙溪集

黃宗海問長子無後次子之子奉祀長子則無人奉祀坐於東壁之祔位此長子乃前之日奉祀之宗子而今坐東壁以之位若以曾閔僖之位次言之先承正統者雖弟亦得之位兄之上況以兄而爲宗子者反居於不曾奉祀之弟之下極礙於情理若緣此而以無後之兄位於奉祀者之父之上則士禮異於諸侯何以則不違於情文乎

答曰示意甚好然長子無後而死次子承重則長子雖嘗承重當班祔無疑若帝王家則雖以叔繼姪兄繼弟亦有父子之道今不可引以爲證 畝溪

宋敬甫問高氏妻喪別室藏主之說胡氏非之引朱子內子之喪主只祔在祖妣之傍爲證朱子答萬人傑妻喪問目亦曰祔祖母室歲時祭之東廂又家禮班祔條小註先生云兄弟嫂妻婦祔于祖母之傍又曰遇大時節請祖先祭于堂旁親祔祭者右丈夫左婦女不從昭穆了在廟却各從昭穆祔據此數條凡祔位皆當祔入于本龕之內無疑但有一節不能無妨礙如本位應祔之孫或至三四則無許多神主同入一龕必有狹窄難容之患且如主人有亡妻既祔于祖妣又有兄弟祔于祖考則是謂嫂叔同入一室雖東西異坐以生人之理言之則畢竟未安且朱子答陳焞妻喪問目曰妻先亡別廟弟亡無後亦爲別廟須各以一室爲之不可雜也此與家禮班祔条不同却可疑然弟與妻不可同祔一室之意則分明又曰祔畢於家廟傍設小位以奉其主不可於廟中別設位也又家禮大宗小宗圖下小註朱子曰嫂則別處後其子私祭之據此數條又是別室藏主之論也將何所的從耶

答曰所引諸條果不同然前數說似是定論惟當祔於祖先雖嫂叔同龕何嫌之有所謂各以一室不可雜云者初非班祔之謂也 畝溪

又問祔位之祭劉氏引朱子說謂右丈夫左婦女云云時祭設位則祔位皆於東序或兩序相向尊者居西云云此則不分男女只以尊者居西也兩說不同今當何從

答曰果有二說而居右亦西上之意也然夫婦神主相分未穩鄙家從下說 畝溪

又問姪之父自立祠堂則遷而從之未詳其義

答曰曾問於鄭道可其答云云 畝溪

鄭道可云班祔姪之父生則姪之父家無廟不得不姑祔於宗子之父亦所以順昭穆之序也姪之父亡而立祠堂則姪又不得越其私祠而就祔於宗子之廟故不得不歸祔於其父之祠堂竊恐人情有不得不然

善碩期問碩期所生父大祥已届而兄嫂無後且在遠地不能奉祭若祔於祖廟以待其立後似或可矣而既非旁親無後者之比則班祔亦有所未安未知如何

答曰姑爲班祔無妨 畝溪

貝汝和問小宗無祖廟則新主祔於何處既非應入祖父之廟者而猶祔於祖似涉虛文若從廟中見在之位而祔於禰則又非禮意未知何以爲之家禮不明言無祖廟祔於某處云云則無乃雖非應入祖廟者猶以神道必祔於祖歟 畝溪

答曰家禮祠堂章子姪祔于祖其下又云姪之父自立祠堂則遷而從之祔祭條喪主非宗子而與宗子異居則宗子告于廟而別設位於喪家以行之詳此兩條則雖不應入祖廟者猶以昭穆合於其神也 鶴伏

殤祭

朴廷老問程子曰下殤之祭父母主之終其身中殤之祭兄弟主之終其身上殤之祭兄弟之子主之終其身成人而無後者兄弟之孫主之終其身又曾子問云凡殤與無

后者祭於宗子家則程子之言與曾子之言不同何耶宗法已廢而然耶欲行殤與無後之祭者當如程子所言耶

答曰三代之時宗法甚嚴故曾子問所謂殤與無後者祭於宗子實為得禮之正而在今時家法有不能如古禮則不得不如程子之言為之矣(寒岡)

姜碩期問程子曰下殤之祭終父母之身云云而今世雖知禮之家其於殤喪鮮有造主而班祔者程子之言終不可行歟

答曰三殤之作主班祔已載於家禮今人自不行之耳寧不可行乎(沙溪)

紙牓

答淳叙書曰紙錢之祭祭於門此禮混所未聞也古人祭必祭於祊以為不知神之在此乎在彼乎故祭祊而求之祭祊祭門也今此祭門似近於祊然朱子家禮於時祭備舉古禮之宜於今者而祊祭不舉豈無意耶今紙錢祭門雖未知本出於倣祊與否然紙錢非備禮之盛祭而於祊則獨舉家禮之所未舉恐失禮典之本意也(退溪)

鄭寒岡問韓魏公祭式有祠版長尺二寸(象十二月)廣四寸(象四時)之規又有迎神等禮弊家亦用紙牓必用魏公祠版之規與迎神之儀定為恒式

答曰自定一家之禮恐不必問人人亦不敢與論(退溪)

盧脩問紙牓祭畢後有再拜送神禮則其無迎神之儀乎

答曰古有迎神送神之儀鄙人少時亦行此禮今則未(寒岡)

金坽問父母祖父母祭或行於齋舍而嫡子若孫皆有故不得與只令庶孽行事則紙牓亦當書顯考顯祖耶

答曰嫡子有故而使孽子行事則顯考顯祖之稱雖不得不書而禮合從簡如利成之禮恐不得行(寒岡)

宗法

答奇明彥書曰父母生存長子無後而死為長子立後而傳之長婦此正當道理也若不立後而讓付之長婦則是使家婦主祭世或有此事而今所辨云云者也如何且看人家遇此故父母之情多牽愛次子而欲與之為次子者亦多不知為兄立後之為義而欲自得之因卒歸於不善處者比比有之尤可歎耳(退溪)

李淳問繼祖之小宗固不敢祭曾祖若與大宗異居時物所得獨祭吾祖似未安奈何

答曰獨祭祖雖未安越祖而及曾祖恐尤未安若是支子則雖權宜殺禮而祭禰亦未可及祖(退溪)

重宗之義不敢不循([illegible])

主祭

答金淳叙書曰尊者與祭卑者為主人此祭祖考之稱以宗法之主人論之則攝主人而稱之無疑矣若只如今人輪行辨祭之主而謂之主人則尊者雖非辨祭而既在其位矣子弟卑行安可以一時辨祭之故越尊長而以己之昭穆稱祖考乎(退溪)

黃宗海問長子無後而死不立後次子死而有子又季子生存則誰當奉祀耶

答曰子之子當奉祀也(沙溪)

宋敬南問長子無後取從兄弟或再從兄弟之子而為後則國典只為長子之後而其父其祖之奉祀則傳之親子云亦有禮經之可據者乎

答曰長子立後而不得奉祀則禮防大毀此法由近世一相臣之議仍為藉口之資棄禮經不易之典惜哉栗谷集中立後議可考(沙溪)

安嬪(中廟後宮)長子益陽君次子德興大院君益陽君無子以興寧君為繼宣廟朝相臣沈守慶獻議以大院長子河原君奉安嬪之祀厥後遂成謬禮云(書 仁祖朝禮曹判崔鳴吉建議擬)

老而傳重（禮經繼后子今奉祖先祀如所生久之遂為定式）

宋敬甫問老而傳重於情理似未安何以則不失處變之禮耶

答曰語類以為難行然大全有告廟傳重之文可攷（沙溪集）語類問七十老而傳則嫡子嫡孫主祭如此則廟中神主都用改換作嫡子嫡孫名奉祀然父母猶在於心安乎曰然此等也難行也且得躬親耳○又曰某自十四歲而孤十六而免喪是時祭祀只依家中舊禮禮文雖未備却甚齊整先妣執祭事甚虔及某年十七八方考訂得諸家禮禮文稍備是時因思古人有八十歲躬祭事拜跪如禮者嘗自期以為年至此時當亦能如此在禮雖有七十曰老而傳則祭祀不預之說然亦自期儻年至此必不敢不自親其事然自去年来拜跪已難至冬間益艱辛今年春間僅能立得住遂使人代拜今立亦不得了然七八十而不衰非特古人今人亦多有之不知某安得如此衰也○大全致仕告家廟文曰行年七十衰病侵凌筋骸弛廢已蒙聖恩許令致事所有家政當傳子孫而嗣子既亾嫡孫鑑次當承緒又以年幼未堪跪奠今己定議屬之奉祀而使二子埜在相與佐之云云

歸宗

申叔正問出後於人者本生兄弟皆無後則當罷繼歸宗否

答曰出後者本生親無後則兩家父相議歸宗古有其例兩家父歿則子不可擅自罷繼當以本生親為班祔也（沙溪集）

序立

金孝仲問家禮正至朔望註主人有諸父諸兄則特位於主人之右少前有諸母姑嫂姊則特位於主婦之左少前云云然則主人主婦之位正當堂中而祠堂圖則諸父諸兄位於主人之左少前諸母姑嫂位於主婦之右少前云不但與註跪之說相反如小生家諸父諸兄甚衆皆位於主人之上則主人之位當在末端似非禮文本意將依註說為叙否

答曰恐註中序次為正（旅軒集）

又問主人位於堂中則諸父諸兄之少前者宜矣諸弟之於主人諸妹之於主婦似當為一行而其所少退者何歟

答曰恐諸弟諸妹之少退者所以尊主人主婦也（旅軒集）

申叔正問祠堂序立圖只據家禮舊圖圖之而尊兄非之未知何意耶按正至叅條註主人有諸父諸兄則特位於主人之右少前重行云尊兄所見重在少前二字而不顧重行二字之意故如是着也重行者兩行之謂也主人雖尊豈敢立諸兄之上乎決有所不敢者故特為重行之制主婦之於姑嫂姊亦同此也其云在主人後主婦後者豈必腹背相挨然後方謂之後乎凡在後行者皆可謂後也非惟家禮舊圖如是儀節序立圖亦如是豈必皆誤儀節圖兄若弟兩行之間西邊別作主人之位正合於少前少後之意也兄意兄弟當為一行而分作兩行為不是故有是說其所以重行者恐勢不得不然耳更詳之如何

答曰所謂重行者諸父異行兄弟則只有少前少退之異非重行也若如令公之說諸兄一行主人又一行諸弟又一行主人兄弟中豈有三行之異乎恐不然詳見擊蒙要訣序立圖更詳之（沙溪集）

叅謁

禹景善問朔望之叅必設酒果而主人或有疾或遠出子弟又無代行之者則姑廢不設似合情禮世俗或令婢僕為之其瀆褻不敬甚矣如何且其設酒果若只為叅禮而起則子弟雖存不可無主人而擅入祠堂獨行叅拜如何

答曰朔望奠專爲主人自展己思慕之誠而設有故而使子弟猶或可也婢僕必不可也俗節之祭亦然然此事今世或已他居者於墓祭等事不得已有令婢僕代行者又使盡廢尤甚未安如何如何 退溪集

鄭寒岡問逐日晨謁出入必告或未潔則奈何

答曰若許此則是乃周澤長齋恐無是理蓋晨謁但行庭拜非有薦獻故也 退溪集

黃宗海問聽禮之儀丘氏謂男子唱喏女子四拜今當如是否或訓以揖或訓以作揖聲何者爲是

答聽禮乃今之揖也唱喏揖時之聲也 沙溪集

拳使許國曰喏字出漢書兩手垂下作揖之狀○金河西曰喏音惹揖也○河燕泉曰揖相傳曰唱喏想古人相揖必作此聲不默然於叅會間也唱喏者引氣之聲也宋人記虜庭事實虜揖不作聲名曰啞揖衆所嗤笑契丹之人手於胷前亦不作聲是謂相揖宋人以爲恠即宋以前中國之揖作聲可知今日永元之後揖不作聲久矣而其名唱喏猶存官府升堂公座輿皂排衙猶引聲稱揖豈非唱喏之謂歟此固自有本也

支子謁廟

金孝仲問主人晨謁於大門之內云寒岡先生長兄無子而死先生爲攝主問當攝此禮否退溪先生答以旣爲攝主當攝此禮云云然則支子不得行此禮否中門之外展謁之禮雖支子豈不可爲乎

答曰 旅軒集 主人晨謁則支子當從之若無主人支子恐不得開門也

姜碩期問晨謁若子弟姪孫同居則猶可以偕謁乎若主人有故則未可獨謁乎

答曰晨謁乃主人之禮與主人同謁無妨無主人而獨行則不可 沙溪集

告廟

黃宗海問生子而見及納采壻家以復書告祠堂皆不用祝主人自告是以言語告之也抑何意耶

答曰所告之辭多則用祝校少則只以口語告之也鄙家幷用校 沙溪集

告廟稱謂

黃宗海問家禮自稱孝何義告事條稱元孫時祭條稱玄孫亦何義

答曰經史及丘氏說可考 沙溪集

郊特牲曰祭稱孝子孝孫以其義稱也註祭主於孝士之祭稱孝子孝孫以祭之義爲稱也○宋真宗大中祥符五年冬十月聖祖降延恩殿詔聖祖名曰玄即不得斥犯先是追封孔子玄聖文宣王至是改至聖文宣王以玄字犯聖祖諱也○丘氏曰宋朝諱玄凡經傳中玄字皆改爲元故家禮稱元孫今悉改從玄 玄者親屬微昧也孫猶後也

又問告五代祖則自稱當云五代孫或來孫而今曰玄孫玄孫即告于高祖之稱也如何

答曰禮云曾祖以上皆稱曾祖以此推之稱玄孫亦可然稱五代孫何妨亦來孫之稱古雖有之先賢所未用不敢爲說 沙溪集

遺衣服

宋敬甫問家禮祠堂章所謂衣物即遺衣服耶父母遺衣服固不忍他用而其數頗多則似不可盡存如何如何其所謂神廚即備祭物之所耶

答曰遺衣服祭則設之或以衣尸乃是古禮而今則亾之蔵之祠堂似無所用不如依禮文稱數多用於大小斂得之矣衣物即衣服及他服用如顧命所陳之類神廚即與祭饌之所 愚伏集

又問父母遺衣服不能盡用於大小斂而今不用尸則亦

不可以衣尸藏之祠堂果無所用而旣不可他用則依漢朝原廟之禮藏之祠堂而時時設之亦如何神廚乃備祭物之所而在祠堂壇內殊非君子遠庖廚之義如何沙溪答謂漢之原廟藏遺衣服月出遊之儀未知是否不須援而爲初祠堂內神廚非殺牲之所只臨祭時炊爨烹炙而已與遠庖廚之義自不同云云

答曰 沙溪答皆是 鰓伏

又問遺衣服藏之祠堂果似無用而處之亦甚難便竊以意度之遺衣服則或澣濯以爲子孫衣服亦無不可至於冠帶諸物比於杯圈書冊尤不能接目而存之難處焚之墓所或埋於潔地未知如何沙溪答謂示意曲折甚好焚之墓所似可而古無此禮不可創始也云云

答曰 禮所不言先賢之所未嘗論何敢折衷 鰓伏

祭服

鄭寒岡問臨齋先生奉先雜儀註凡時祭盛服無官者用黑團領鄙意盛服無如黑團領若紅團領豈是盛服古人不以爲褻服

答曰 恐然 鰓溪

香卓合

黃宗海問祠堂旣各設香卓兩階間又共設香卓其所以設二卓者何耶

答曰 龕前不各設香卓只箴外堂中特設一香卓以爲大小祭祀之用又於兩階間設一香卓爲晨謁及出入必告之用 鰊岡

燭

鄭寒岡問家禮陳器下不言用燭儀節只有香卓上一燭今人逐位例用雙燭

答曰 不言用燭而用燭雖可疑喪禮弔客之入有燃燭以待之文用燭恐無不可但不須每位雙燭 鰓溪

祭饌 此條上當有祭器備

答宋寡尤書曰祭之儀節饌品從禮文爲當而古今異宜亦有不得一一從禮文處循祖先所行恐無不可也 鰓溪

鄭寒岡問祭酒用清酒用醴酒或用平生所嘗嗜何如 鰓溪

答曰 用平生所嗜恐未安屈到嗜芰遺言要薦君子有譏 鰓溪

又問家禮本註魚肉用二味而通禮獻以時食註引語類云大祭則每位用四味請出木主俗節小祭只就家廟止二味故今欲用四味盖於大祭只設二味太略故也

答曰 善 鰓溪

又問家禮陳器下有設鹽楪之文至於設饌進饌之時皆無用鹽之處獨儀節鹽醋俱設鄙意煎鹽之尚貴天產也朱子之說鹽楪而不用似與玄酒之義同而瓊山輒以己意入於圖中恐非朱子本意

答曰 未詳 鰓溪

金敬夫問家禮祭饌有醋楪喪家三年之中只象平日用醬代之後日家廟常祭當如何又饌有鹽楪而不言設處丘氏儀節則鹽醋二楪并設於前一行而亦不設醬醬者食之主也於祭不設醬有何義

答曰 只一依禮文鹽醋俱設其設處且當從丘氏然凡飲食之類古今有殊不能必其盡同以今所宜言之鹽不必楪設各就其器而用之醬則恐不可不設也所謂象平日用醬代之者得之 鰓溪

鄭寒岡問匹士大牢以祭謂之擐則大牢無乃不可乎今或一家代牛十家分用將以薦祖廟甚非薦俎之意若家貧則寧以雞鴨代牲而不欲用此何如

答曰 殺牛以祭非士之禮然買肉以祭亦恐難非之 鰓溪

又問蘋藻之薦簠簋之用古人所尚而朱子之時已不能復今之時又與朱子時不同三品脯醢固不易得米麪之

食亦不能辨只依家中所有云云又以麪代麪食餅代米食何如

答曰溫公書儀已不能盡依古朱子家禮酌古禮書儀而又簡於書儀今俗又異於朱子時安得一一依得如所示爲善但尋常以麪爲麪食以餅爲米食今以兩物代兩物云其別爲他物耶是今之何物耶此遇所未知也至如今人骨董雜陳只務多品此不知禮者之事何用議爲 退溪

全士純問祭禮考五禮儀則祭饌品數自卿大夫至士庶人各有其品數之外斷不可越否

答曰祭者之名位有分祭禮亦隨其品可也但五禮儀亦有難從者祭品脯醢果則最多而魚肉之膳極火人家魚肉隨所得猶可易備脯醢果則豈能常畜之多乎遇意不必盡從其禮雖稱家有無而祭之恐亦無妨也但不至僭越可也且品數不可極煩煩則瀆又不能致潔耳 退溪

答權終允問曰如四時祭只有省牲拴殺之文魚肉各一盤肝各一串肉各二串之語別未有進牲之節而祝文中稱潔牲云云則雖不用生肉而謂之牲者無疑矣今俗罕得用牲故例用清酌庶羞之文 寒岡

答洪霶問曰太古未火化之時人食生肉故祭禮用生肉後世火化之後則用熟物故禮有烹燔之薦今時果有用生不用熟者亦有用熟不用生者然循俗用熟亦何至爲不可乎朝家用生乃尚古之義非以此爲尊貴之享而用之也然用生之家亦豈避嫌乎 旅軒

又答曰圖中連三器脯醢者蓋謂三器之設或脯或醢非是一器中脯醢合盛也東俗行祭設脯一器乾魚一器醢一器者其器數止三則似與圖說三器之類不戾而第其所謂佐飯者何等物耶若用俗設常品雜物則恐非事神之儀也若以鄙家所用之禮言之則三品之間各以三種之蔬間之其橫行爲六品此亦一家常行之儀非敢有以爲遵古禮也 旅軒

又答問曰禮有魚東肉西之文蓋東南多水魚所宅也西北多山禽獸所居故耶此所謂東西皆以神位分也 旅軒

河淵尚問祭物之品家禮必有定數而俗人之家多設各色佐飯之類混雜無倫物品之數伏乞一一下教

答曰當考家禮四時祭與儀節及陳設圖 寒岡

又問祭物脯醢不可不用而或人以爲塩醢只可用於與飯之祭如墓祭既不用飯則塩醢決不可用云此言或萬一近理乎

答曰醢醢之類豈但於飯食爲用今人於宴次通用脯醢則豈獨於祭祀而不設乎 寒岡

盧亨遇問祭物若不能俱備則只設魚肉各一湯耶如節薦時雖無果脯若得新物只以新物獨薦何如

答曰家禮陳設圖魚肉各一則各一固無妨不必皆用湯餚肴獻之類古人皆用之節薦新物亦無妨但酒醴則不可闕 寒岡

孫處訥問家禮圖列魚肉於左右肉則湯而魚則炙而用之耶頃在火時請問先生答云魚湯二品肉湯二品似可處訥依此行之而有人隨所得湯味多至五六七八品此則難繼之道書芝山不用鷄云有所見而然歟處訥祀事頻數或不繼物有時用鷄鴨卵湯此是未成物用之何如仲月若有故分至及丁亥日未及行事則別擇宜祭祀日行之何如

答曰賤家今亦用魚肉四品或人之用五六七八品則非所敢識也炙則自有三獻之進何必更奠於其旁耶且魚不以湯必炙之意亦未曉曹君不用鷄未知出於何見鷄鴨卵雖非正味而既不能備焉則恐不能禁也烹熟則恐循勝於湯之也人家多事或不能用分至與丁亥則擇得宜祭祀日何至甚不可乎 寒岡

宋敬甫問家禮時祭果用六品擊蒙要訣用五品何義

答曰要訣蓋本司馬公及程氏儀或者常以為非讀禮記知或說止之今人六品之果若難備四品或兩品庶合禮意（沙溪）郊特牲曰鼎俎奇而籩豆偶陰陽之義也籩豆之實水土之品也不敢用褻味而貴多品所以交於神明之義也○長樂陳氏曰鼎俎之實以天產為主而天產陽屬故其數奇籩豆之實以地產為主而地產陰屬故其數偶也

黃宗海問用其平日不食之物而祭之恐非思其所嗜之意然若子孫世守不替則亦止於屈到薦芰之譏何以則果合情禮乎

答曰來示然矣然并諸位設之則不敢獨異耳（沙溪）

宋浚吉問今俗梔及鯉魚燒酒不用於祭祀未知何義或云膏煎之物用之亦未安果皆有據耶

答曰梔及鯉魚不用於祭見家語及黃氏說燒酒則出於元時故不見於經傳我國文昭殿日祭夏月則用燒酒栗谷亦謂喪中朝夕祭夏月則清酒味變用燒酒甚好云煎膏之物不用出於儀禮今俗必用蜜果油餅以祭恐不合於古禮也（沙溪）士喪禮記凡糗不煎註以膏煎之則褻非敬既云凡糗直空糗而已不用脂膏煎和之○家語孔子曰果屬有六而桃為下祭祀不用不登郊廟○黃氏曰秋鯉魚不用於祭祀云

又問家禮魚肉是生魚肉否栗谷用生遵此行之無妨否

答曰家禮所謂魚肉非生魚肉也乃魚湯肉湯也栗谷之用生雖本於書儀與儀禮饋食禮不同嘗質于家庭問于牛溪答曰祭用生熟雖是古禮至於家禮則朱子曰以無尸代祭尸常饌代俎肉則不用生明矣（沙溪）牲特饋食禮註祭祀自熟始曰饋食饋食者食道也亨于門外東方註亨煮也豕魚腊以鑊各一爨○郊特牲曰腥肆爓（潛）腍（又而審）祭豈知神之所饗也主人自盡其敬而已註祭之為禮或進腥體或薦解剔或進湯沉或薦煑熟豈知神果何所享乎主人不過盡其敬心而已耳

宋浚吉問時祭三獻各進炙忌祭墓祭亦如是否

答曰忌祭三獻亦當進炙墓祭雖殺於時祭家禮本註如家祭之儀云則三進炙似當（沙溪）

茶

鄭寔問茶是古人常用故祭亦用之今既罕用點茶何以為之

答曰今人進湯水是古進茶之意（退溪）

祭尸（此條當在祭尸條上）

答李剛而書曰筒制未詳恐未必別有其制也（退溪）

禮疑答問分類卷之十五

禮疑答問分類卷之十六

祭禮　時祭

盧寯悔問家禮時祭于正寢今欲祭于祠堂以倣古者合食大祖廟之意不知其可否（俗或有祭于祠堂者）

答 祭于正寢患祠堂之狹隘也祠堂可容行禮則安有不可難得如許大祠屋耳（退溪）下於階下設位（全見醮禮祔祭問答）三年內不得行時祀（祥見禫心 或見練問）

任卓爾問時祭用仲月註曰諏此歲事適其祖考適字未詳

答曰適其祖考特牲饋食之文註疏無釋（寒岡）

卜日

答鄭子中書曰卜以環珓古所未聞而後世用之其間於神明之意則與古寔異然其為物不能如蓍龜之靈則安能保其必得神明之告而不差乎只緣龜卜不傳蓍草又不可得則不得已而用其次故其於筮占亦用竹筊意亦如此耳（退溪）

鄭寒岡問四時之祭卜日則立於右讀祝則立於左

答曰卜日亦立于左矣至其終立于右者主人執事與諸執事東西相對而立皆北上以次而南則主人之右者即為首者對立之處故就此而告為順若左則不與對也（退溪）

又問時祭或前旬擇日或例用分至或例用上丁不知誰最得宜所謂環珓即今之何物若仲月有故則季月當不祭否

答曰家禮卜日註溫公及朱子說已明不必更求異況環珓今不知為何物以意造作而用反淺不虞乎過時不祭禮經之文（退溪）

又問樊家既於四時之祭例用分至未能卜日此不敢獨行卜日之儀只用上丁為之可否

答曰今皆用上丁（退溪）

又問四時之祭雖用分至而前期旬有一日例有告曰戒衆之儀故今亦擬用此禮可否

答曰此等亦不須問人何者他人難可否於其間（退溪）

宋時烈問祭必用丁亥其義如何

答曰經傳論之詳矣可考也（沙溪）

小牢饋食禮來日丁亥用薦歲事于皇祖註丁未必亥也直舉一日以言之耳禘于太廟禮曰日用丁亥不得丁亥則己亥辛亥亦用之無則苟有亥焉可也疏丁未必亥也直舉一日以言之耳者以日有十辰有十二以五剛日配六陽辰以五柔日配六陰辰若云甲子乙丑之等以日配辰丁日不定故云丁未必亥經云丁亥者不能具載直舉一日以丁當亥而言餘或以己當亥或以丁當丑此等皆得用之也不得丁亥則己亥辛亥亦用之者鄭云此吉事先近日唯用上旬若

上旬之内或不得丁巳以配亥或上旬之内無亥以配日則餘陰辰亦用之無則苟有亥爲可也者即乙亥是也必須亥者按陰陽式法亥爲天倉祭祀所以求福宜稼于田故先取亥亥上旬無亥乃用餘辰也○劉氏敞曰丁巳丁亥皆取於丁所以取丁者以先庚三日後甲三日故也大抵郊祭卜辛社祭卜甲宗廟祭卜丁無取於亥註家不論十干之丁巳専取十二支之亥以爲辭其失經文之意遠矣日有十干辰有十二支以五剛日配六陽辰以五柔日配六陰辰甲子乙丑之類是也以日配辰或丁丑或丁卯或丁巳或丁未或丁酉或丁亥丁日不定故直舉丁當亥一日以言之其意或以己當亥或以丁當丑皆用之云耳○朱子曰先甲三日是辛後甲三日是丁先庚三日亦是丁後庚三日是癸丁與辛皆是古人祭祀之日但癸日不見用處又曰庚之言更也辛之言新也丁有丁寧意

齋戒

答鄭子中書曰時祭極事神之道故齊三日是日廟祭則後世隨俗之祭故齊一日祭義有不同齊安得不異 退溪

許美叔問致齋於内散齋於外陳曰致齋者心不苟慮之類散齋者不飲酒不茹葷之類只曰内外以廟之内外言或以前說爲長或以爲二說皆有理當兼看如何

答曰雖兼有此義然其内外字實以廟内外言 退溪

又問立如齋註云當如祭前之齋謂方祭之前乎未祭之前乎

答曰方祭以前皆爲祭前也 退溪

金士純問七日戒三日齋古禮也而家禮時祭只言三日齋何也

答曰七日戒三日齋古禮爲然故今廟社四時大享百官前期十日受誓戒誓戒之辭正以云云之事爲禁前三日入清齋所患人不能盡如禮耳蓋大享禮之至重故如此其他祭不盡然也 退溪

又問七日戒三日齋只施於大享而他祭則不得盡然者何

答曰七日戒三日齋在士大夫則家廟四時祭齋戒是也但家禮只言前期三日齋不言七日戒必有所以然當思而得之若忌日則通言前期一日齋戒而已家間每遇親忌自有不忍之意故從前二日齋戒今若并七日則爲十日齋戒雖或甚厚自一介篤行之士言之誠是至孝然以是爲天下萬世通行之法則恐或過中矣 退溪

鄭寒岡問遂喪緦不祭蓋齋則忘哀哀則未齋所以廢祭

答曰服有重有輕祭有備有簡緦而廢祭者恐未然 退溪

趙起伯問時祭忌祭齋戒

答曰朱子祭辭本義曰湛然純一之謂齋肅然驚惕之謂戒是祭及節祭則禮之小而近人情者故只齋一日時祭則禮之重大所以致盡於事神之道者故七日戒三日齋也清齋二日并祭日爲三也然今人親父母忌日則迫於情意亦或齋二日 退溪

宋時烈問時祭是祭俱是祭先也而齋戒則有三日一日之異者何也

答曰開元禮齋戒條註云凡大祀之官散齋四日中祀三日小祀二日致齋大祀三日中祀二日小祀一日退溪曰時祭極事神之道是墓祭後世隨俗之祭祭儀有不同齋安得不異以此觀之祭有大小而齋戒之日亦隨而異也 [illegible]

答任卓爾問曰記曰齋之玄也以陰幽思也蓋人之心動而處明則散靜而居幽則聚故古人之齋也玄端而深居不與人坐所以專意於思親也昏乃嗣親之事人子感念之情自有所不能已者故曰娶婦之家三日不舉樂思嗣親也此所謂陰幽之義亦是齋心靜念之事不欲以和樂之聲散感念之情也 [illegible]

沐浴

任卓爾問素病羸乏之人冬寒沐浴勢不可爲至於廢祭心所不忍則設饌獻酌何以爲之令子弟他人代行而已則禮於外位而已耶

答曰冬寒沐浴固非衰病人所堪若又以不能沐浴而至於全廢則尤爲未安略爲澡洗而躬親奠獻寧不愈於使他人代行而有如不祭之憾耶寒岡集

陳設

金而精問祭圖陳饌尚左而扱匙則西柄似有尚右用右手之義何也

答曰祭饌尚左之說恐未然蓋食以飯爲主故飯之所在卽爲所尚如平時陳食左飯右羹是爲尚左而祭則右飯左羹是乃尚右所謂神道尚右者然也而今云尚左非也扱匙西柄果如所起人之尚左食用右手則神之尚右似當用左手矣然嘗思得之所謂尚左尚右但以是方爲上耳非謂尚左方則手必用右尚右方則手必用左也故雖陳饌以右爲上而手之用匙依舊只用右手何害焉退溪

金士純問祭時奠物右陳何也

答曰神道尚右故也蓋左爲陽而右爲陰所以尚右神道屬陰故也退溪

答洪霧問曰所謂魚一器肉一器者非謂魚止一器肉止一器特言其魚肉之不可不并用也魚有或湯或燔肉亦有或燔或湯則魚肉不當各止一器東俗加設雖異於圖中器數之各一似無傷焉未知知禮者何以爲之也悔軒集

黄宗海問時祭陳饌飯右羹左而喪內陳饌未見明文或以爲三年內象生時飯左羹右爲是愚意亦當然之而今更思之則卒哭始用吉禮事以神道此不得獨象生時如何

答曰陳饌飯右羹左未知其意至於扱匙西柄以右爲尚則左陳之意尤不可知也愚意三年內上食則象生時左飯右羹爲是亾友趙重峯汝式嘗曰禮食居人之左羹居其右酒醆處其間生死異設何所據耶烹飪具饌代神祭酒扱匙西柄皆用養生之道而陳饌引致死之義亦未詳其所指也沙溪集

曲禮凡進食之禮左殽右胾側吏反食嗣居人之左羹居人之右膾炙柘處外醯醬處內蔥渫商處末酒漿處右以脯脩置者左朐劬右末註肉帶骨曰殽純肉切曰胾骨剛故左肉柔故右飯左羹右燥濕也膾炙異饌故在殽胾之外醯醬食之主故在殽胾之內蔥渫蒸蔥亦菹類加豆也故處末酒漿或酒或漿也處羹之右若兼設則左酒右漿疏曰脯訓始始作卽成也脩亦脯脩訓治治之乃成薄析曰脯捶而施薑桂曰腶脩朐謂中屈也朐置左也脯脩處酒左以燥爲陽也呂氏曰其末在右便於食也食脯脩者先末方氏曰食以六穀爲主穀地産也所以依陽德故居左羹以六牲爲主牲天産也所以依陰德故居右○特牲饋食禮主人升入復位俎入設于豆東主婦設兩敦黍稷于俎南西上及硎芼于豆南南陳觀此殽設凡祭設饌羹宜居西飯宜居東家禮則不然羹居東飯居西未知何義恐是出於當時俗禮書儀從之而家禮亦未之改故微然當依家禮左飯不可有異議

又問時祭設饌最所難解者蔬菜三件似異於常時脯醢自是兩物而幷設於蔬菜之行則是蔬菜爲一行脯醢爲兩行耶醋設於匙羹之間者可遵行否家禮之饌卽當時之饌今亦以生時所用而祭之如何若五禮儀士庶人祭饌圖得無大略耶

答曰所謂蔬菜三件沉菜熟菜醋菜等物在其中有何難解脯醢兩物各設爲是圖則合設誤矣以禮意推之脯熟菜醯沉菜清醬醋菜等相間排設似當擧要訣似然醋在匙羹之間遵行不妨以生時所用常饌祭之亦可五禮儀圖雖有云云稱家

之力豈拘於此乎

出主

姜碩期問凡云出主者出主身於設位處而世俗於行祭之時只開櫝而不出主身此是習謬而然耶

答曰出主出於櫝外也以祔祭及時祭條看之可知矣 沙溪

獻

鄭汝仁問竊考祭禮初獻主人為之亞獻終獻則主婦或主人之弟或長子或親賓為之而不許諸父諸兄為之今雖諸父諸兄共祭亦不使為亞終獻只使主婦或弟或長子或親賓為之乎諸父諸兄或欲自為亞終獻則亦當以主人既以子弟之行為初獻不可倒使尊長為亞終獻之意申告強止之否不知當如何

答曰亞終獻不使諸父雖有其意不可考然以情理言之廟中以有事為榮况諸父之於祖考非眾子弟之比終祭無一事豈非欠缺耶若諸兄則其所云兄弟之長此兄即諸兄也非不使為獻也來諭申告而強止之恐不近情也如何 退溪

鄭寒岡問亞獻終獻如禮文則當只俯伏興否

答曰亞獻終獻並云如初儀則當拜 退溪

又問凡獻禮參則主人手自斟酒祭則執事斟之

答曰恐無他意只是參無代神祭節文似略故自斟為盡愛敬之心祭則有代神祭等許多自行節文足以盡愛敬之心故雖非自斟亦可耳 退溪

祭酒

家禮無酹酒 見祠后主鄭汝仁問

朴廷老問虞祭獻酹三祭于茅上後置于故處時祭及忌祭則執事斟酒于盞主人奉奠于故處而執事即出奉奠盞授主人主人跪受祭于茅上後授執事還奠故處其節目不同何也吉凶異禮而然耶抑則有他義耶又以祭酒之事觀之則家禮及儀節三獻皆祭酒云云今以知禮為稱者皆曰初獻祭酒亞終獻不祭酒然則非徒有違於禮文抑與虞祭時奠酹有同此亦可乎必有得禮之中者明辨何如

答曰虞祭與時祭獻酹之禮不同者豈不以虞祭哀遽其禮當循時祭嚴敬其禮不得不備也耶但司馬公書儀則與虞祭同禮而朱子於家禮不用書儀而備其曲折云耳楊氏於家禮論潮州本亞終獻不祭酒之非謂三獻皆當祭酒于茅云則來示所謂知禮者亞終獻不祭酒云者恐或非真知禮也 退溪

宋浚吉問祭酒代神也論語君祭先飯之祭亦祭酒之義耶其註曰若為君嘗食然不敢當客禮也祭之義似無關於主客之禮而朱子云然何儆前承下教侍尊丈食有遊德敬如父兄者外其餘年長者為祭似可也云云過伏謂禮主人延客祭註延導之也論語註所謂不敢當客禮正謂此也若待君祭而祭待君食而食則是以客禮自處也侍長者當祭與否沙溪丈說斟酌得是當云云

答曰鄭說得之但古者座中上客祭酒餘人不為祭國子祭酒之名由於此家禮四時祭正位皆祭酒與古禮不同未詳 沙溪

闔門

鄭寒岡問闔門之後或有不出而俯伏於前者何如

答曰家禮所闔之門即中門也出者出此門也既曰闔此門安得不出而闔耶但今人家廟中門與古所謂中門似異若以今楣下出入戶為中門則所謂俯伏於前即是出也 退溪

金而精問進茶後亦闔門何如

答曰古無此禮不再闔門可也 退溪

宋浚吉問時祭闔門所謂厭也願聞厭之義

答曰曾子問詳之 沙溪

曾子問註厭是饜飫之義謂神之歆享也厭有陰有陽陰厭

者迎尸之前祝酌奠訖為主人釋辭於神勉其歆享此時在室奥陰靜之處故云陰厭陽厭者尸謖之後佐食撤尸之薦俎設於西北隅得户明白之處故曰陽厭制禮之意不知神之所在於彼乎於此乎其庶幾其享之而厭飫也

俗節祭禮

名日祭前期而行見墓祭答金而精問

任卓爾問冬至豆粥以辟瘟之具而不薦望日香飯以飼烏之物而不薦何如

答曰初出於辟瘟飼烏而遂以成俗豈不聞節物各有宜人情於是日不能不思其祖考而復以其物享之者乎南軒廢俗節之祭朱子曰端午能不食粽乎重陽能不食茱萸酒乎不祭而自享於汝安乎蓋菰米飯絲囊萸豈從古所有者乎寒岡集

又問有人於俗節日祭於墳墓又設祭禮於神主者無乃瀆耶

答曰何瀆是家禮所謂俗節之祭也墓祭據禮只有三月上旬十月朔日之儀寒岡集

宋浚吉問四時墓祭時家廟亦行祭禮否

答曰墓祭與家廟處所既異雖兩行恐不妨沙溪集

薦新

金敬夫問告祭時果一大盤只一器否盞盤是盞臺否

答曰一大盤盤中所設恐不止一器而已盞盤應是盞臺退溪集

鄭寒岡問未嘗不食新在禮當然若出遊遠方未便即薦而再三遇之奈何

答曰隨地隨宜力所可及處當盡吾心其不及處恐難一一守一法為定規也若膠守而不變則出遠方者不食新穀亂而死矣無乃不可乎退溪集

任卓爾問祭禮四時之薦曰韭以卵麥以魚云以字意未詳

答曰王制註韭之性溫則陽類也故以配卵卵陰物故也麥與黍皆南方之穀亦陽類也故以配魚與豚皆陰物也稻西方之穀則陰類也故配以鴈鴈陽物故也植物之陽配以動物之陰植物之陰配以動物之陽亦使陽不勝陰陰不勝陽而已寒岡集

又問方設薦奠時若有新物自外來而欲薦新者則未知徹後獨薦新物耶因其已設者而并薦之耶

答曰方陳設未降神之前或得新物則并薦何妨既降神進饌之際復以新蔬果之類更陳於前無乃未安乎寒岡集

又問前日所稟朔望奠薦條答曰考家禮正至朔望則祭之條為之云朔望正至則依禮行之也至於小小奠薦亦依禮行之而亦必有降神祭神辭神之節耶人有譏之者曰一物一器之奠若必如是則無乃禮煩而瀆耶大槩大祭則備禮而行於小薦則從簡而行之可也雖先賢亦有隨時酌損之義不可一定行之云未知此論何如

答曰所論好寒岡續集

焚黃

盧亨弼問焚黃改題不可已於喪內而傍題以孤兒之名曾祖為高祖則曾祖妣神主因舊不改似為未安亦可改題耶其以下神主或因是改題耶

答曰其餘神主待後改題亦或宜耶旅軒集

姜碩期問焚黃用黃紙何義

答曰古之制誥用黃紙故謄以黃紙替焚之今則教旨既用白紙雖用白以焚似不妨如何如何沙溪集

瑣辭錄唐上元三年前制勅皆用白紙多有蟲食自後用黃紙○朱子曰以黃紙謄詔命宣畢焚之

禰祭

鄭寒岡問禰祭當前旬擇日而時祭用分至則獨於禰祭擇日何如欲例用重陽何如

答曰擇日之說見上(退溪集)

宋浚吉問禰祭之義可得聞歟擊蒙要訣闕之亦何義歟

答曰粟谷曰祭禰恐豊于昵然以先儒說参考祭亦不妨今好禮之家多行之者(沙溪集)

禮輯曰父廟曰禰禰者近也○程子曰季秋成物之始亦象其類而祭之○朱子曰某家舊時常祭立春冬至季秋三祭後以立春冬至二祭近禘祫之祭覺得不安遂去之季秋依舊祭禰而用某生日祭之適値某生日在季秋遂用此日○問禰祭如何曰此却不妨

忌祭

金士純問忌者喪之餘當親忌食稻自有所不忍昔吉注書每於忌日蔬食水飲依此行之何如

答曰吉注書忌日蔬食水飲甚善後人法之亦固至意若其人有父兄在則如當餕時父兄依他食稻己獨別設蔬食豈不難乎不如若此處當如何(退溪集)

鄭寒岡問忌祭行素只行一日否世俗亦於齋戒日不敢食飲此是過於厚處從俗何如

答曰禮宜從厚此類之謂也(退溪集)

又問忌祭若家內有故借僧舍以祭猶愈於廢祭否若於墓側立齋宇使僧守之何如

答曰墓所齋舍為祭而設其行於此豈害於事若借他僧舍則不可若墓舍僧守朱子於發源先塋亦令僧守恐無妨(退溪集)

又問忌祭欲定行於主人之家支子女子則只以物助之而已何如

答曰此意甚好然亦有一說朱子與劉平父書有支子所得自主之祭之說想支子所主之祭恐是忌祭節祀之類也今若一切皆歸於宗子而支子不得祭則因循偷惰之間助物不如式以致衆子孫全忘享先之禮而宗子獨當追遠之誠甚為未安又或宗子貧窶不能獨當而並廢不祭則反不如循俗行之之為愈也(退溪集)

忌日或食肉飲酒(見奉祀世代金士純問)

任卓爾問忌祭之哭主人妻及與祭子孫皆哭乎唯主人哭乎

答曰主人以下哭盡哀云則主婦固所當哭而子孫宜不得不皆哭以助主人之哀也(寒岡集)

李以直問大忌病重不能來哭則於調病處著上衣以哭何如

答曰病不能參祭而氣力猶可以伸一哭之情則姑著潔衣而哭之不妨(寒岡集)

盧谷問忌日後明日餘哀未盡禮雖不言與人會飲等事無乃未安乎

答曰明日餘哀家禮無言似當自為之斟酌(寒岡續集而今本無)

宋浚吉問忌祭之義

答曰忌者含恤而不及他事之謂非祭名也宋儒始以義起禮經及先儒說可考(沙溪集)

檀弓曰忌日不樂○祭義曰君子有終身之喪忌日之謂也忌日不用非不祥也言夫日志有所至而不敢盡其私也○又曰忌日必哀○張子曰古人於忌日不為薦奠之禮特致哀示變而已○又曰凡忌日必告廟為設諸位不可獨享故迎出廟設於他次既出則當告諸位雖尊者之忌亦迎出此雖無古可以意推○朱子曰古無忌祭近日諸先生方考及此○又曰忌日唐時士大夫依舊孝服受弔五代時某人忌日受弔某人弔之遂於坐間刺殺之後來只是受人慰書而不接見以謝書授之○問人在旅中遇有私忌於所舍設卓炷香可否曰這般微細處古人也不曾說若是無大礙於義理行之亦無害○每論士大夫家忌日用浮屠誦經追薦鄙

但可推既無此理是使其先不血食也先生家氏値遠諱早起出主於中堂行三獻之禮一家固自疏食其祭祀食物則以待賓客○先生爲無後叔祖忌祭未祭之前不見客○顏氏家訓云忌日不樂正以感慕罔極惻愴無聊故不接外賓不理衆務爾必能悲慘自居何限於深藏也世人或端坐奧室不妨言笑盛營甘美厚供齋食迫有急卒密戚至交盡無相見之理蓋不知禮意乎○通典王方慶曰按禮經但有忌日而無忌月若有忌月即有忌時忌歲益無理據

又問忌日謂之諱日何義其本於卒哭而諱之諱字耶卒哭之前不諱親名亦甚可疑如何

答曰忌是禁字之義謂含恤而不及他事也諱是避字之義其義相近又古語云如有不可諱註謂死也死者人之所不能避故云不可諱諱日之諱無乃出於此耶諱日之諱卒哭而諱之諱出處雖不同其避義似同卒哭而諱謂以謚稱之而不名以神道待之也亦非謂卒哭之前則直稱其名也但無用謚諱名之謂也沙溪集

又問考妣忌日固當舉哀祖父母以上忌則當如何哭之亦宜否

答曰丘儀似可行沙溪集

丘氏儀節考妣及祖考妣近死則舉哀祖考妣遠死則否按遺事祖考妣當舉哀

忌日合祭考妣

答柳希范書曰忌祭共行不應禮文但滉家自先世皆如此行之從前家長之意亦不欲改故未敢改耳退溪集

金而精問忌日府君夫人合祭

答曰古無此禮但喪祭從先祖吾家自前合祭之今不敢輕議退溪集

金士純問人於忌祭嘗並祭考妣何如

答曰甚非禮也考祭祭妣猶之可也妣祭祭考豈有敢援尊之義乎吾門亦嘗如此而非宗子故不敢擅改只今吾與後勿用俗耳退溪集

鄭寒岡問忌日欲祭一位何如

答曰退意亦然但中古亦有祭兩位之說此於當喪兩祭此似無甚礙故家間從先例兩祭退溪集

李以直問祠堂只有父母神主則忌祭行於祠堂而共一卓并祭如何

答曰奉出正堂而考妣并祭非家禮所許不敢曰可寒岡續集

河淵尚問忌祭設一位禮也而或有并設考妣位者未知何所從而合於禮也

答曰今俗於考妣忌日并設者多然若一從家禮則恐未安也寒岡續集而今本無

朴廷老問考妣忌日只奉一位行祭禮也而古賢亦有并祭之者今人則罕有一位之祭者若并祭則其祝辭何以爲書

答曰若一從家禮則須如家禮忌日奉一位行祭也若欲并祭考妣則祝詞在馮善集說家禮然恐未安寒岡集

答權赫問曰忌祭人多并祭考妣甚非禮也考祭祭妣猶可爲也妣祭祭考豈敢有援尊之義乎旅軒集

宋浚吉問忌祭或并祭考妣或只祭一位當何從雜記云有事於尊者可以及卑有事於卑者不敢援尊據此府君忌日配祭夫人夫人忌日不敢配祭府君似當未知如何

答曰忌日并祭考妣雖非朱子意我朝先賢嘗行之栗谷亦曰祭兩位於心爲安云援尊之嫌恐不必避也沙溪集

晦齋曰按文公家禮忌日只設一位程氏祭禮忌日配考妣今按眉山劉氏云問伊川先生曰忌日祀兩位否曰只一位云云與此不同可疑更詳之二家之禮不同盖只設一位禮之正也配祭考妣禮之本於人情者也若以

事死如事生鋪筵設同几之意推之禮之本於情者亦有所不能已也○退溪曰云云（見上金而精問○遇按忌日只祭所祭之位而不敢配祭者哀在於所為祭者故也配祭考妣似非禮之正也然今之士大夫配祭者多從俗恐不至甚害如何如何）

忌祭用肉

答金惇叙書曰禮於三年喪祭亦皆用肉况忌祭何疑今之喪與忌皆不用肉乃取便於生者之行素而失其義流傳成習則又以用肉者為恠可歎然則有能不拘流俗而用之以禮者何不可之有祖先忌日有淺所祭子孫之神而用肉祭之以事亾如事存之義推之似為未安而古未有所據不敢妄為之說然混意神道有異於生人用肉似無妨也若害理則古人已言之矣如何如何（退溪集）

宋浚吉問先考喪中祭先妣當用肉否

答曰神道有異不妨用肉也退溪所論（見上金惇叙書）甚合情禮但喪中死者異於是凡奠物死者餘度之物用以為奠也若初死以魚肉奠之非事死如事生之道朝夕奠及上食用以蔬菜至虞祭始以神事之用肉饌似可也昔年聞於鄭道可其意亦然（沙溪集）

忌祭服色

鄭寒岡問忌日着白笠何如

答曰恐異（退溪集）

又問忌日是君子終身之喪其服宜用禫服過禫之後欲留此一襲每遇忌日服此服而行哭奠之禮不知可否

答曰忌雖終身之喪與禫不同留禫服以為終身之用必非先王制禮之意曾參孝己亦未聞行此事今欲行之無乃太過乎（退溪集）

盧谷問忌祭服色今人皆不能如古人而今之布網直領中何者為可

答曰家禮言黲布衫則恐布是但直領非祭祀之服（寒岡集）

宋浚吉問忌日服色古今異宜未知何以則不違於禮意耶

答曰當以張子朱子說及退栗諸先生之教參酌行之（沙溪集）

橫渠理窟為曾祖祖考皆布冠而素帶麻衣為曾祖祖之妣皆素冠布帶麻衣為父布冠帶麻衣麻屨為母素冠布帶麻衣麻屨為伯叔父皆素冠帶麻衣為伯叔母麻衣素帶為兄麻衣素帶為弟姪易褐不肉為庶母及嫂一不肉○家禮補則主人兄弟黲紗幞頭黲布衫布裹角帶祖以上則黲紗衫旁親則皂紗衫主婦特髻去飾白大衣淡黃帔餘人皆去華盛之服○大全問自高祖至禰忌日之衣服飲食當如何伯叔父毋兄弟孫姪子再從三從忌日又當如何朱子曰橫渠忌日衣服有數等今恐難遍行且主祭者易以黲素之服可也○問忌日之變呂氏謂自曾祖以下各有等級不知如何曰唐人忌日服黲今不曾製得只用白生絹衫帶衫巾○語類其白有吊服絹衫絹巾忌日則服之○問黲巾何以為之曰紗絹皆可其以紗○問黲巾之制曰帕複相似有四隻帶若當幞頭然○先生毋夫人忌日着黲墨布衫其巾亦然○擊蒙要訣父毋忌則有官者服縞色帽垂脚或黲色帽垂脚玉色團領白布裹角帶無官者服縞色笠或黲色笠玉色團領白帶通着白靴婦人則縞色帔白衣白裳祖以上忌則有官者烏紗帽玉色團領白布裹角帶無官者黑笠玉色團領白帶婦人則玄帔白衣玉色裳旁親忌則有官者烏紗帽玉色團領烏角帶無官者黑笠玉色團領黑帶婦人只去華盛之服（縞白黑雜色也黲淺青黑色即今之玉色也）

閏月忌日

金士純問祖考之終在閏月者復遇亾歲之閏月則行祭於閏乎

答曰閏非正月人之行祭常以正月而獨於是歲依亾歲之月

而祭似未穩祭則依常月行之於閏月亡日則齋素而不祭似當也 退溪

答金惇叙書曰是日既已行之於當朔當日矣其於閏朔遇是日何有再行之義乎此意厚而不違於禮不可為訓典也且是日雖非己當行素之親者當行其祭則行齋素善矣何非耶 退溪

李叔發問先考卒逝之年閏四月三十日也今又值四月之閏欲於閏月晦日行祭何如

答曰吾意亦然而知禮之人皆以為不可用閏月當於本月其日行祭閏月其日則行素而已可也云吾不敢不以為然也 退溪

宋後吉問人或死於閏正月則是祭當用本正月否若值閏正月則當用何月且大月晦日死者後值小月當以二十九日為忌後又值大月則又當以三十日為忌否小月晦日死者後值大月當以二十九日為忌否抑亦以晦為重而用三十日為忌否

答曰通典諸說可考也或謂閏月死者後值閏月當用本月為忌而閏月死日亦當行素云云大月三十日死者後值小月固當以二十九日為忌值大月則自當以三十日為忌小月晦日死者又值大月當仍以二十九日為忌不可定待三十日也如何如何 退溪

通典范甯曰閏月者以餘分之日閏益月耳非正月也吉凶大事皆不可用故天子不以告朔而喪者不數○開元禮閏月亡者祥及忌日皆以閏所附之月為正○庾蔚之曰今年末三十日亡明年末月小若以去年二十九日親尚存則應用後年正朝為忌此必不然若其不然則閏月亡者亦可知

忌日待客

與尹安東復書曰在前或值忌日待賓自謂以己忌之故待賓以素饌已為未安若受賓饋肉留為後日之食尤非所當故例不敢受昨當拜受卑時不及致察至暮乃知其中有獐鹿等物如以既受仍留則非徒前者成虛後難復辭謹遣人奉還二物於下人伏想俯諒微悃不以為恠 退溪

金士純問私忌遇尊客設素食何如

答曰私忌遇尊客而設素食本為未安然忌有隆殺尊客亦有等級曰況於亡妻忌日方伯欲來前數日泛稱家忌辭於旁邑方伯不聽而來此乃忌輕而客尊不敢設素但於進肴客肉而主素方伯察知令俱進素矣若遇忌非此等之輕君子以畏之餘處之也何可謂進肉為宜乎自非極尊之賓恐皆當設素為禮然其中實有未安者故古禮以忌日不接客為言今欲遵此禮而客或知主人有忌亦至則非矣 退溪

又問忌祭邀客已赴人邀何如

答曰忌祭邀客已赴人邀雖為非宜況自不能盡如禮不敢為說以報然雖非當日忝祭之人而親族親客在傍雖與之同餕恐或無害若辨酒食召遠客則自不當為耳 退溪

又問昨當私忌而壓尊不敢告殊覺未安

答曰昨日之事今以來睞觀之正是欲致謹而反生病也當初辭以忌日而不入非為慢也若以初到未見不欲徑辭則來見而告之故以去亦可也所謂壓尊不伸私服者如臣於君前之類非謂尋常長者之前皆不得伸也既不敢告又不敢出此臨事過謹之病也若告故而長者不聽其去則如昨所處無不可耳 退溪

又問下示所謂極尊者以齒德乎以爵位乎

答曰極尊謂如下士於公卿之類非以齒德論也蓋下士為私忌而設素於公卿之賓恐不可為者卑之私故難以及於尊也雖重忌亦然但於己也重忌則設素輕忌則設肉不食何如輕忌如妻子忌之類 退溪

金士純又曰當於夫人忌日其侍食餕餘先生曰世人於忌日設酒食會隣曲甚非禮也今日則君適在傍故呼與同食

耳（退溪集）

任卓爾問齋戒時及諱日出見賓客或以為可或以為不可未知孰從

答曰古人諱日或有受吊不見客顏氏家訓以深居不見親賓而義其素食為非不記本文大槩則然（顏田）

墓祭

李淳問父母墳與外祖同托一山則祭之當何先

答曰先外祖（退溪集）

金而精問就礪曾祖始立家法是墓祭並不得輪行支子孫而宗嫡奉祀者專主設行至父身自曾祖及亡母並旁親十二位神主一家奉祀而且皆同原當墓祭則各就其墓位而祭之一日之內自朝至晡恭祭之人往復彼此氣力困怠專精未至祭饌奠器因怠而或不潔雖曰設祭而猶不祭也除夕前二三日則祔位行祭元朝則正位行祭而一年四名日以此推行何如前侍門下適值元朝先生行之如此而考之朱子之說在官者當如此云今考定之只未知四名日皆以此行之乎且家廟狹窄就礪之妻及旁親二位不得入廟而別藏故時祭不得並設而祭畢後乃祭亦未專精更擇日行之何如一家一月內再度時祭未知可否

答曰專主設行近於古禮甚善然朱子亦有支子所得自主之祭之言疑支子所得祭之祭即今是日墓祭之類然則此等祭輪行亦恐無大害義也如何如何同原許多墓各行祭之弊世多有此愚意不如掃視墓域後以紙牓合祭於齋舍無舍即設壇以行之可免瀆弊而神庶享也名日祭前期而行雖非在官者當日不免有禮俗往來之煩恐未專精祭祀徇俗行之耳上云除夕前祔位先行及此云更擇日行之恐皆未安家禮時祭條妻以下於階下設位（退溪集）

金士純曰先生以俗節墓祭為非禮而亦循俗上塚未嘗於家廟蓋亦朱子答張敬夫俗節一條之意也（退溪集）禹景善問按家禮凡祭進饌在初獻之前侑食在終獻之後墓祭獨無此兩節丘氏儀節數行其禮一依家祭之儀未知何據或又因此謂墓祭不設飯羹故無侑食之文既有三獻盛禮而不興酒食寧有是理愚意原野之禮所當有殺於廟寢之事故火變其節亦是情禮之固然也如何其節次何以則可飯羹魚肉並與蔬果而同進於趨正節即在降神之後耶

答曰墓祭無進饌侑食之節或人以為不設飯羹恐其不然也示喻原野禮當有殺云云此為得之况今宗法廢而不行人家衆子孫不能盡孝敬於家廟之祭而墓祭不得以不重乃反踈略如此無乃未安乎故竊謂依丘氏禮行之無妨（退溪集）

鄭寒岡問墓祭當依禮文則不用羹飯否

答曰禮文不見有不用羹飯之說（退溪集）

盧寡悔問祖墓之岡太短狹以促從先府君遺命窆列諸墳三四尺之次無地可容行祖祭當不免合祭于一今擬離先府君墓前一二尺許可設石卓以西為上右共一卓以祭祖考妣左共一卓祭考於禮何如或謂設兩卓於考妣墳前似混不若設于墓左或右此說恐非便既離墳砌非混也非直偏設未安復地勢無餘決難從奈何或又言設卓于次墓下之西然則祭者是位東是位南然此說終是窄狹別有善道（退溪集）

答曰上墓地窄設位次墓之前而祭之事涉苟且墓左右設位之說未為非便但云地勢無餘則不得已用次墓前設位之說於次墓下之西則祭者位而處之尤難其他又無善策可說位若出於此外也（此一條亦取退溪集附答而在編齋集附錄）

他居者於墓祭等事不得已有令婢僕代行（見禹景善祭禮問答）

盧脩問墓祭無飯羹之設而有三獻之儀只各三祭酒而無添酒之禮乎

答曰不侑食故無添酒之禮（寒岡）

河淵尚問上墓之祀家禮今用三月上旬而世人多行於四名日蓋舊俗俗人不能遵行古禮若欲矯俗弊而行古禮則皆以為祭禮從先祖不可改也云此言似亦有理而事有不便者專欲依倣古禮而用三月十月之制四名日則以酒醴行禮於家廟如何

答曰從先祖云者先世所傳雖出於禮而有或不同者或可從焉非謂先世失禮之甚者因仍踵襲以倡先世之非禮也我國未建家廟之時通行四時之祭於墓所今既立家廟而一遵朱子家禮則家廟與墓所祭禮自有定規不必更為之說而有所云云也家禮所謂俗節卽今四名日之類也（寒岡）

或問先考之葬與李固城夫人之墓一山每値節禮獨薦於先考似未安先以酒果奠酌於夫人墓仍祭於先考於情義如何且於家禮墓祭具饌如家廟之儀而近來法家除米食只薦麵餅此亦如何

答曰如是則意甚厚近來墓祭之人羹飯則或不用米食則未嘗廢蓋米食卽餅也（寒岡續集）

盧亨遇問上旬祭家禮只云三月上旬而無十月上旬此出於何禮耶

答曰十月一日程張司馬朱子所通行（寒岡）

姜碩期問墓祭之儀

答曰先儒論之已詳可考也（沙溪）

通典曰三代以前未有墓祭至秦始起寢於墓側○又曰古者宗子去他國庶子無廟孔子許向墓爲壇以時祭卽今之上墓儀或有憑然神道尚幽不可逼黷塋域宜設於塋南山門之外設淨席為位遂祭以時饌如平生所嗜若一塋數墓每墓各設位昭穆異列以西為上主人盥手奠酌三獻而止主人以下泣辭（精靈感墓有泣無哭）食餘饌者可於他處僻不見墳所孝子之情也○唐侍御鄭正則祠享儀云古者無墓祭之文漢光武初纂大業諸將出征鄉里者詔有司給牢今拜掃以為享曹公過喬玄墓致祭其文悽愴寒食墓祭蓋出於此○唐開元勅寒食上墓禮經無文近代相傳寢以成俗宜許上墓同拜掃禮不得作樂○柳子厚曰每遇寒食田野道路士女遍滿皂隸庸丐皆得上父母丘壟焉馬醫夏畦之鬼無不受子孫追養者○程子曰嘉禮不野合則犯不墓祭蓋緣饗祭祀乃宮室中事後世習俗廢禮有踏青藉草飲食故墓亦有祭如禮望墓為壇並塚人為墓祭之尸亦有時為之非經禮也○又曰墓人墓祭則為尸舊說為祭后土者非也○又曰拜墳則十月一日拜之感霜露也寒食則又從常禮祭之飲食則稱家有無○張子曰寒食者周禮四時變火惟季春最嚴以其大火心星其時太高故先禁火以防其太盛既禁火須為數日糧既有食復思其祖先祭祀寒食與十月朔日展墓亦可為草木初生初死（家禮集覽云并州俗以冬至後一百五日為介子推焚骸日斷火冷食三日是謂寒食後人因以是日上塚祭此幽張子說不同事文類聚亦有兩說）○朱子曰墓祭程氏亦以為古無之但緣習俗迷不害義理但簡於四時之祭可也○又曰墓祭無明文雖親盡而祭恐亦無害如又曰墓祭不可考但今俗行之已久似不可廢又墳墓非古人之族葬若只一處合為一分而遂祭之亦似未便此等不若隨俗各祭之為便也○又曰橫渠說墓祭非古又自換墓祭禮卽是周禮上自有了○又曰墓祭非古雖周禮有墓人為尸之文或是初間祭后土○亦未可知但今風俗皆然亦無大害國家不免亦十月上陵○周元陽祭儀或寓於他邦不及時拜掃松檟則寒食往家亦可祠祭○韓魏公家祭式寒食上墓祭又十月一日如上墓儀若與不能往并遣

親者代祭〇補註云南軒曰墓祭非古也然考之周禮則有家人之官凡祭於墓爲尸是則成周盛時固亦有祭於墓者雖非制禮之本經而出於人情之所不忍而其義理不至於甚害則先王亦從而許之

又問家禮墓祭必以三月行之者何意正朝寒食端午秋夕之祭抑有輕重可言歟以今俗言之正朝似重而擊蒙要訣則只以寒食秋夕爲殷祭正朝端午則欲略設行之此則何意

答曰三月上旬想朱子亦從俗爲之耳四節祭乃我國俗也栗谷之意以春秋爲重故寒食秋夕三獻餘祭則只一獻然於古禮亦無考據只當參情酌禮以處之耳 沙溪集

又問朱子家法展墓用寒食及十月朔家禮則只用三月上旬何歟今人展墓亦未可用十月朔耶

答曰朱子常行墓祭如韓魏公家祭式而與家禮所著果不同今嶺南人只用寒食及十月云然我國祭四節行之已久雖馬醫夏畦之鬼無不受子孫追養者以此思之從俗恐不妨 沙溪集

黃宗海問嘗聞寒岡鄭先生於四名日依朔望俗節禮行之四仲則一如家禮祭之上墓則倣家禮及韓魏公朱夫子所行以三月上旬十月朔爲之云好禮者所當遵行而猶未能者只爲俗禮難擺脫耳今擬援古參今端秋二節祭於廟以當夏秋二仲之時祭正朝則依朔望之儀上墓則一從韓魏公朱夫子以寒食及十月朔行之如何如何

答曰四名日墓祭固知其過重栗谷欲於寒食秋夕行盛祭正朝端午略行之此意似好但自祖先以來數百年從俗行之至于鄙人不敢容易改之來示亦好而未能斷定 沙溪集

宋浚吉問家禮凡祭進饌在初獻之前侑食在終獻之後墓祭獨無此兩節何也

答曰豈原野之禮殺於家廟故耶鄙家依擊蒙要訣三獻前並進魚肉蔬果抄匙正箸未知是否 沙溪集

又問墓祭無闔門之節亦肅竢後進水如何

答曰是 沙溪集

答李叔平問曰國俗太隆於墓祭至有四名日之號而四時正祭或爲之輕其失禮之本意固如來喻所言形體所藏魄靈依焉孝子追慕之情爲之展省於霜露改候之日亦人情之所不能已若以伊川野祭比之則其抑之太過矣今但致隆於四仲之祭而三月十月兩朔上旬卜日上墓似爲得宜 十月上墓家禮則無此文 而東萊宗法有之故前日鄙舍之會略陳此意而盛見亦同此則願相與共行之自今年爲始 愚伏集

先世墓祭

宋浚吉問先祖與祖考墓同在一山則只祭祖考未安欲略設酒果於先祖墓以伸情禮遇伏日饌品不可有豐約之別歲一祭可也云此說如何

答曰只祭祖考果爲未安然而雖在一山非如時祭同堂並享之比只設一獻猶愈於全廢也鄭說太執 沙溪集

墓祭祀后土

宋浚吉問祖先及子孫同托一山則土地祭當俟諸位祭畢行之耶

答曰諸位祭畢行於最尊位之墓左 沙溪集

家禮集說問祀后土如何不在墓祭之前曰吾爲吾親來薦歲事專誠在墓土神自宜後祭蓋有吾親方有是神也

又問家禮祭后土四盤云只言盤數不言其物何意

答曰上文具饌註既曰更設魚肉米麪食各一大盤以祭后土云則此云四盤實相照應但朱子嘗書戒子云可與墓前一樣吾家欲依此行之 沙溪集

墓祭服色

盧脊問墓祭素帶其儀何也

答曰體魄所安古有哭臨之禮所以有不忍於吉服（寒岡集）

善碩期問栗谷擊蒙要訣墓祭儀主人以下玄冠素服黑帶云云有官者必著白團領而品帶不可著耶

答曰墓祭素服黑帶之制他未有考有官者必著白衣角帶亦未知是否儀禮大祥祭用向吉之服喪祭尚然況墓祭乎僕有職時用先人之禮以紅衣品帶行祭而未知得禮與否欲更問知禮者定之（沙溪集）

先墓加土

孫幾道問先墓加土役日早朝先告由不用祝辭維年月日只如奉主出就之故而設蔬果脯醢役畢具三獻備庶羞別祭文何如先一日告由亦何如

答曰何必先一日告只於加土之日具酒果用祭文告曰維年月日孝幾世孫某敢昭告于云云一酌而畢加土畢役後亦備庶羞行祭恐無妨（寒岡續集）

祭土地神

任卓爾問儀節補曰按朱子大全有四時祭土地文夫墓祭祭后土則時祭而祭土地亦禮之宜也云云未知先生何以行之

答曰按大全集既有祭土地祝文則朱子蓋嘗祭之矣鄙人少時亦嘗有其意而既不能與禮未克如意而中年以後家道益壞非但此一節不能行事事皆不能如禮浩歎奈何（寒岡集）

宋浚吉問擊蒙要訣云謹按朱子居家有土神之祭四時及歲末皆祭之今雖不能備舉四時之祭例於春冬時祀別具一分之饌家祭畢除地築壇於北園淨處乃祭土神似為得宜云云依此行之如何但不設匙筯亦無侑食進祭之儀則應不設飯羹矣此是何義耶然則墓祭土神亦不設飯羹耶　國家山川廟社之祭不設飯羹匙筯祭神固異於祭先栗谷之不設匙筯於土神無乃有意耶

答曰家中土神祭世無行之者若行之則當依墓祭土神具飯羹匙筯也家禮墓祭土神有設盤盞匙筯于其北餘并同上之文則其有飯羹明矣丘氏儀節亦有匙筯家中若祭土神則宜無異同要訣無乃從簡而云耶（沙溪集）

祭田民

答鄭子中書曰國俗既有奴婢相傳與田宅無異則置承重奴婢豈有不可況兄弟衆多之家不置承重奴婢泛同於衆兄弟亦非尊祖重宗崇奉祭祀之義甚不可也（退溪集）

伐墓山木

金士純曰宗家歲久頹落宗道欲修治而家貧無以為財先生令伐墓木以為用或以斬丘木為疑先生曰以之為私用則固不可若取墓山之木治先祖之宮以奉先祖之祀則是肯構之大者也有何不可乎（退溪集）

禮疑答問分類卷之十六

禮疑答問分類卷之十七

祭變禮　攝祀

李淳問若有乳下兒猶以兒名告否

答曰兒名攝主告退溪集

答鄭子中書曰父不與祭而使子弟攝行則當依宗子越在他國而命介子代祭之例曰孝子某使子某退溪集

答鄭寒岡問主人已死無後將欲繼後而未果則為攝主者於晨謁大門之禮何如退溪集

答曰既云攝主宜攝此禮退溪集

又問惟主人由阼階則攝主亦不當由阼階否

答曰恐當避退溪集

又問既為攝主祝文中攝之之意當書何處

答曰宗子未立後已為攝主之意當告於攝行之初祭其後則年月日子下當云攝祀事子某敢告于云云退溪集

又問有冢婦則攝主妻不敢作亞獻否攝主既為初獻則冢婦之為亞獻甚為未安奈何

答曰禮曾孫為曾祖承重而祖母或母在則其服妻不得承重云然則攝主妻似不得代冢婦而行亞獻然嫂叔之嫌未知當避與否更詳之退溪集

又問迷以攝主自為初獻則亞獻不可使丘嫂為之前以此意奉禀伏蒙賜教禮曾孫為曾祖承重而祖母或母在則其祖母或母服重服妻不得承重然則攝主妻似不得代姑者為亞獻云鄙意竊恐未然孫既代父之服則妻不得代姑著代別嫌所以不容不然兄既無嗣弟為攝主與子代父之義不同而嫂叔之嫌更有甚焉行禮極礙敢以再禀

答曰似然退溪集

又問迷既為初獻賤婦為亞獻則終獻仲兄為之何如仲兄以出繼之故今次私喪不得為攝主所以當為終獻否賤婦當避嫡於主婦則仲兄為亞獻賤婦為終獻亦何如

答曰恐當如此此謂兄為亞獻主婦為終獻也○退溪集

答金惇叔書曰廟祭主人不在則為衆子者以主人之命行祭固當矣但於此亦有不可一槩斷之者若主人暫出或病可矣或子弟行於其家廟則為子弟亦或以物助辨而行於廟可矣或主人遠在而未及有命或勢不能行祭為衆子者率意自辨而行於宗子之家廟似有越分之嫌恐不可為也然古有望墓為壇以祭之文朱子亦有以木牌殺禮以祭之說此出於甚不得已之權誠有其理而不可以易言也若以寓遊祿食之人遠離家廟不得祭祭者則固當依朱子之說權以行之亦可既不得任卑備祭者則固當依朱子之說權以行之亦可既不得任卑

答曰古之人子未必無生不得忠養而死不得越嫡奉祭者彼亦非無追慕之痛撫所於寓而禮文重宗之義有不敢不循故孤露之懷或不能自伸今者為賢契相愛之深非不至焉而不敢為之謀退溪集

又問此自為攝主受服等禮皆廢未知此禮攝主則果不可行否

答曰受服等禮恐非攝主所敢寒岡集

盧亨弼問曾祖父易名之典將至於宗孫未葬之前攝喪之弟似不便為廟中主人支孫中最長之人攝主其事未知何如

答曰宗家方在初喪支孫最長者攝主其事何可已也稼軒集

答金時直書曰所詢禮疑曾見退溪先生答學者有兒名攝主告之文遂堅在嬬禮當以子名題祝某未知攝告節目尋常思索不透惟禮記曾子問篇中君薨而世子生三日而見必師奉子以衰祝告子從其下又有子升自西階北面子拜

稽顙哭等語蓋少師主養子之喪其升階拜哭皆猶子行之而禮經直稱曰子以此推之則祝文直書兒名而入爲之拜似爲得宜如何如何寒岡伏

吳敬甫問代行之人於主人爲叔行則曰某使某云者如何抑無所嫌耶

答曰似未安寒岡伏

兄弟神主一龕

張德晦問所喪之妹無後妹夫有一弟而亦有獨子族中又無可後者所謂一弟之獨子自其未離乳時就養於妹其視之無異所生今方在朞服中其將爲奉祀也欲不以班祔例之他日入廟其伯父母與生父母作一行連安正位使其子孫世守之直至於代盡而同之此事於義何如

答曰先伯氏未立後時與仲氏相議若未立後則必欲如是處之矣因幸立後而不果於禮可否則不敢知而私情之切則有不得已也盛問亦符鄙見不敢止也寒岡

權奈一問家廟之禮伯考妣不可比同於旁親班祔之例奉生父母則所重在此亦不可別容他議此等變禮既無經據若義起則何以處之伯考既爲繼禰之宗及其亡後應入禰廟生父以次繼兄而奉禰廟與伯考共爲一世則如何伯考生時意見如此而一家父兄之意亦欲依此處之未知無大碍否

答曰一家定論既如是則恐不得追立異議寒岡

宗子絶嗣

李茂伯問程叔子曰禮長子不得爲人後若無兄弟又繼祖之宗絶亦當繼祖云云以繼祖之重雖獨子而許爲人後則其私親後事何以爲之歟

答曰程子之意蓋謂長子雖不得爲人後而若無兄弟又繼祖之宗絶則不得不後於伯父以繼先祖之宗使之不絶者實爲義起之大節竊謂大賢之論出於至公私親後事自當酌處不可以私親之故而絶先祖之祀也程子之意恐出於此不知如何寒岡

朴廷老問宗子無子則次子之子奉祀者當世皆然而古無此等禮只有程子曰長子雖不得爲人後若無兄弟又繼祖之宗絶亦當繼祖爲後禮雖不言可以義起云云則次子之長子可以爲無後宗子之後而今人則不以立後爲意便以爲宗子無後以死則儼然奉祀者皆是此亦有據而然耶次子之子若奉祖祀則宗子父母之主固存于廟耶若仍存而又入奉祀人父母主則昭穆似亂出宗子父母則置于何處耶立別廟則已入廟之主遷出未安何如爲可耶宗子無嫡子只有妾子則士大夫之主不可委諸孽出云云然則古有立庶以德之禮施于何處耶古今之世不同禮亦有不同而然耶

答曰此一條常所未曉亦未有所據以程子繼祖之宗絶亦當繼祖爲後之意觀之則似當繼祖爲宗而父母之主或別廟此程子義起之意也然既未有的處不敢輕言士大夫之主固不可委諸孽出然古有庶子爲父母後之禮則亦必以庶子而奉先祀矣然亦不可一槩言當觀其爲庶子之如何而立言耳立庶以德之禮在何書須待考見而後當察其立言之意耳寒岡

立後

鄭寒岡問老母在堂而伯兄見背寡嫂獨存惟有二女子又仲兄出後大宗逮在母側而家廟即繼祖之宗與仲兄同薦時事未知孰爲主人祝文書名初獻行禮不知何以乃爲合宜母意欲待吾仲季生子以立兄後如是則事無難處情禮俱得矣苟或未果也伯兄之祀當從俗例使外孫奉之耶抑古禮班祔家廟耶

答曰宗子成人而死則當爲之立後朱子答李繼善之書可考令尊堂欲爲長子立後甚合禮義兩君極宜贊成之一舉而百

事皆順矣且宗子而已成人有室非旁親比而泛然班祔更恐非所宜為故必以立後為善耳廟祭祝文書名所宜亦有季繼善問答見於續集今依此處之則繼後子雖在襁褓亦當書其名而季也為攝主以奠獻可也然則其未立後之前亦不得已權以季為攝主不稱孝只書名稱攝而行之為可仲則已出繼人後雖攝主恐亦未安也（退溪集）

父母之情多偏愛少子而欲與之（見宗法答奇明彥書）

朴廷老問孫不可為繼後者亂昭穆也而昔白樂天以姪孫因為繼後何也唐時禮文不明而然耶無他姪子之類而然耶今有無姪為後而欲以姪孫為後者亦不可為耶

答曰白樂天事未及考知孫不可以為後既無他子姪行則今世多以族孫為侍養者然非古禮也（寒岡集）

追考樂天事在事文類聚蓋其門中無他子姪之可後者出於不得已非禮之正也（右繼別）

黃宗海問今法立後者必聞官然後方定父子今或闕此而為之者不可謂繼後耶且父母俱歿者不可立後耶

答曰立後者必命於君乃其法也父母俱歿者或門長上言云（沙溪集）

宋浚吉問無子者既立後後生子則當如何處之

答曰古人所行亦各不同當以禮律事勢參酌處之然胡文定所為畢竟似是（沙溪集）

通典漢諸葛亮無子取兄瑾子喬為子喬本字仲慎及亮有子瞻以喬為嫡故改字伯松喬卒後諸葛恪被誅絕嗣亮既自有後遣喬子攀還嗣瑾祀○晉賀循取從子紘為子後有晚生子遣紘歸本○名臣言行錄胡寅傳曰文定之長子朱子大全曰胡公明仲侍郎出為季父後（按胡文定公養其兄子寅後生二子寧宏而以寅為後）○國朝嘉靖癸丑受教立嗣後生親子親子奉祀繼後子論以衆子毋得紛紜罷繼嘉靖甲寅大臣議為人後者遇卒生父母絕嗣則依法歸宗許立後之家改立其後若其父母已死不得改立則從旁親例班祔（仁祖朝完城君崔鳴吉繼後後已生子請從胡文定公故事以繼後子為長子允之）

趙希逸問孤哀不幸父母未歿之前伯仲兩兄先死後四年先君即世親朋皆以孤哀主喪神主傍題亦以孤哀名書之後三歲祖妣繼歿孤哀亦服喪神主題名亦如之今長嫂欲取孤哀之子或舍弟之子為後以奉大宗為孤哀及舍弟者當聽從其言而一以遠嫌為重歟幸願指教

答曰古禮必以長孫承重至趙宋長子死則不用姪用次子非古禮也明道歿後伊川主太仲之祀亦時王之制而不合於禮也後來明道之孫昂與侯師聖等論宗祀見二程全書我國專用古宗法長子妻立後則是無子而有子當奉祀也又叉思之長子妻無子已移宗於次子到今立後必有辨爭之端未知國典舊禮之如何也（沙溪集）

二程全書伊川先生將屬纊顧謂端中曰立子蓋指其適子端彥也語絕而歿既除喪明道之長孫昂自以當立侯師聖不可昂曰明道不得入廟耶師聖曰我不敢容私明道先太中而卒繼太中主祭者伊川也今繼伊川非端彥而何議始定或謂師聖曰明道既死其長子不當立乎曰立廟自伊川始又明道長子死已久況古者有諸侯奪宗庶姓奪嫡之說可以義起矣況立廟自伊川始乎（尹子親註云此一端彥誤）○語類問伊川奪嫡之說不合禮經是當時有遺命抑後人為之耶朱子曰亦不見得如何只侯師聖如此說問此說是否曰亦不見得是如何○游定夫書明道行狀後云鄭州從事既孤而遺祖母喪與為嫡孫未果承重先生推典告之天下始習為常云（按明道既行古法而伊川家不行之亦不能無疑否豈太中公因國制遺命伊川使主之耶）

申湜問嫡孫先亡於祖在之時而無子其弟服祖父之喪又無子而死今二妻各欲立後何者當為承重耶

答曰頃年趙希逸問之答云云(見上沙溪集)○黃宗海問世說長子無後則次子雖有獨子當繼長子是於禮於法皆無逕庭否

答曰長子無後則儀禮及國典皆以同宗支子爲後故自前必以支子爲後曾有一宰臣引通典說陳許以其弟獨子爲後因成規例焉(沙溪集)

通典漢石渠議大宗無後族無庶子已有一嫡子當絶父祀以後大宗否戴聖云大宗不可絶言嫡子不爲後者不得先庶耳族無庶子則當絶父以後大宗魏田瓊曰長子後大宗則成宗子禮諸父無後祭於宗家後以其庶子還承其父○程叔子曰禮長子雖不得爲人後若無兄弟又繼祖之宗絶亦當繼祖爲後禮雖不言可以義起云云(以上是長子爲後之證然與禮經不同)

冢婦主祭

古無此禮(見退溪答鄭寒岡問)

奇明彦問冢婦主祭斷然不可今世之法雖爲寡婦免遣迫逐之患而大本已差更論甚禮若欲爲冢婦立一法令得所則不知如何爲法可合禮意鄙意竊以爲奉祀者無後而死其族人當傳受者即宜傳重而其寡婦仍留其家以終其生凡干祭祀之事皆付傳重者使之出入奉行則似於禮文之本時俗之宜兩不相妨此意未知何如伏幸鐫誨且今世人家父母生時其長子已娶無後而死其父母或傳重於次子或傳之於長子之婦者論者或以傳之長婦爲當按禮適婦不爲舅後者則姑爲之小功以此推之傳之次子實爲得禮未知於先生之意如何併乞批破至祝至祝

答曰爲冢婦立法令其得所如所示乃出於義理之正使傳受者而吉人也固至善可行之法也第念世降俗偷人率多如蠻如擧者又傳重之事不能皆在於叔姪至親之間或在於緦小功甚至無服之親如此而用此法勢必有難相容者如欲救此請復爲之立一法嚴其不容不養之罪以糾督之其亦庶乎其可也乎(退溪集)

答宋寡尤書曰竊意長子無子次子之子承重應指適子孫而言雖有妾産恐未可遽代承也冢婦奉祀當代者不得受則祭祀無主人事事皆難處所不可行也而國法決訟率用冢婦奉祀法中間尹彦久爲大憲欲改其法渾謂尹曰此法固可改但薄俗無義長子死肉未寒或驅逐冢婦無所於歸者有之當如之何故今若欲改此法必幷立令冢婦有所歸之法然後乃可尹極以爲然未知其後能卒改與否耳(退溪集)

支子主祭

朱子亦有支子所得自主之祭之說(見忌祭答鄭寒岡問及墓祭答金而精問)

黃宗海問朱子答劉平甫書云支子所得自主之祭則當留以奉祀所謂自主之祭指何祭耶今人支子爲守令者奉神主以行何如

答曰退溪有所論愚意恐此乃班祔神主也支子之妻若子孫曾已班祔於宗家而今宗子奉先祖神主遠去則其夫若父若祖在家自當主之不當隨宗子而遠去也支子爲守宰者奉神主以行非禮之正亦亂後權宜之道耳(沙溪集)

退溪曰四時正祭之外若是日俗節等祭支子亦可祭之又曰二主雖隨宗子而所當主之祭留於支子而不從也

妾子承重

鄭子中問庶人只祭考妣

答曰來諭論卞恐皆得之蓋禮既有妾子爲祖後之文又喪服小記云妾祔於妾祖姑萬正淳嘗擧此以問朱子所答亦以既義妾母不世祭之說爲未可從(語見節要書第十卷)然則庶人只祭考妣只謂閭巷常人耳若士大夫無後者之妾子承重者不應只祭

考妣故大典只云妾子祭其母止其身而已如今韓明澮奉祀
之類未聞朝廷以只祭考妣之法禁之也（退溪集）
有庶子爲父後之禮（見宗子絶嗣答朴廷先問）
黄宗海問無嫡子者賤妾子雖年長又已從良猶以良妾
之子奉祀乎
答曰禮律然也（沙溪集）
宋浚吉問庶孽則不可以最長房論耶庶人只祭考妣雖
是國法而古之所謂庶人實未受命者之通稱則此法恐
難行得也此法既不可行則今之庶孽固不可只祭考妣
而嫡兄弟皆沒則或可奉祭曾祖矣稟之沙溪答謂國法
庶孽雖曰只祭考妣其身自處不可斷然如是若有廟可
以祭之則當奉曾祖神主祭之可也云云未知如何
答曰沙溪說甚當（愚伏集）

侍養奉祀

李淳問有叔父恩愛無異親父而無後使侍養子奉之欲
於四時之祭以紙牓祔祭於祖廟何如
答曰既有侍養子奉祀則祔祭亦未穩不若以物助奉祀時時
參祭而已（退溪集）

無後神主

安之泰問有人雖既冠無妻而死則立牌立主何是何非
且其祀享同生已盡則廢乎至循子祀乎人多執見行之
孤哀莫知爲的如是敢稟（今本無其以下且）
答曰雖未及娶既成人而死不可無主其祭祀代數當考家禮

旁親無後以其班祔下（寒岡別集而今本無其祭以下）

崔季昇問姑姊妹適人而子孫并沒無後亦無夫家當祔
之親屬則本宗親屬亦可祔于家廟乎姊妹之夫不當祔或
于家廟而只祔姑姊妹不祭其夫亦未安當如何世俗
有姑姊妹無後者則夫妻之主各以親屬分去亦如何
答曰姑姊妹之已嫁而無後者祔于本宗家廟於理不合至於
夫妻神主兩邊親屬各自分去尤不近理（寒岡集）
又問凡人無後而班祔云者并無子女然後祔入旁親之
廟如或有女無子則女夫及外孫以奉其神主于私室亦
爲未安今雖有女及外孫依無後班祔之例請入祔本宗
家廟如何
答曰既不能立後則權安於女孫之家已爲未安祔于本宗家
廟亦甚不便此等處誠難爲說如不得已則不得不依亡人處
置（寒岡集）

承重孽子所生親祭

朴廷老問庶孫之爲祖後者於其厥父所生之母不服其
喪禮也而其父所生之母不知無服之禮既以其身奉祀
給其孫而爲孫者亦不知如此等禮又已受其奉祀之命
後來覺得欲以其奉祀給他次叔則大違於其父所生之
母命欲仍以奉祀則又非其禮當何以處之耶如朱子答
或別廟之言而立別廟耶爲庶叔者謂其非禮而奪去神
主則其孫何以處之耶（今本處下答無之字）
答曰既受祖母之命則不得不仍奉祀事別廟何妨庶叔如欲
奪去自當就庭（非講禮之人所知）（寒岡集）
宋浚吉問庶子祭其母當何稱祭之當何所丘氏曰若嫡
母無子而庶母之子主祭恐亦當祔其母於嫡母之側此
可遵行否
答曰程朱之說可考妾母豈有與嫡母同祔之理乎丘說大違
於禮不可從也（沙溪集）
程子曰庶母不可入廟子當祀於私室○問妾母之稱朱子
曰恐也只得稱母他無可稱在經只得云妾母不然無以別
於他母也又曰吊人妾母之死合稱云何曰恐也只得隨其
子平日所稱而稱之或曰五峯稱妾母爲小母南軒亦然據

爾雅亦有小姑之文五峯想亦本此○問子之所生毋死題主何稱祭於何所曰今法五服年月篇中毋字下註云謂生己者則但謂之毋矣若避嫡毋則止稱亡毋而不稱妣以別之可也伊川云祭於私室○問妾毋若世祭其孫宜何稱自稱云何曰世祭與否未可知若祭則稱爲祖毋而自稱孫無疑矣

外家奉祀

答鄭寒岡問曰今人無子而有女牽掣情私鮮能斷以大義而立後至以外孫奉祀一廟而二姓同祭夫天之生物使之一本而此則爲二本焉甚不可也今人或不幸其外家祖先無後而未有所處者不忍其主之無歸則權宜奉置別所而往來奠省未爲不可若公然與其本親同享一廟則悖理莫甚所謂神不歆非禮者此類之謂也故今於外孫奉祀之問不敢苟循而以爲可行也(退溪集)

李道長(養吾)問道長祖外家父外家俱無後二外祖神主道長皆奉祀矣若時祀祭禮之時同祭於正寢似甚未安未知何以則可乎

答曰外家神主奉祀本非禮經今者不得已奉祀則當時祀祭禮時先祭祖外祖次祭父外祖然後當祭祖與考矣雖一曉三祭未免差晩而晩祭之妨猶勝於合祭之未安矣(寒岡集)

李以直問父爲外三寸之後父亡之後其神主入祠堂耶別設祭所而安之耶

答曰當設別祠兩姓一祠未安(寒岡集)

金行遠志遠問季父嫡無子女唯有自己婢妾女子而孽外孫之名稱之以朴金後者欲爲後事之託而朴卽金後之父姓也季父病重之時成文許贖故欲爲三年之喪服其斬衰此於禮何如也

答曰亡人自爲之處置非外人所容議(寒岡續集 本集無)

答金烋問曰所謂奉祀云者本非同姓繼後之比一廟而二姓同入則是二本矣其可乎哉(軒集)

外黨祭

鄭寒岡問己所不當祭如外高曾妻祖無人與祭己爲初獻則祝文當何書書之有礙則祝文闕之何如

答曰闕(退溪集)

金坽問外家祭時姓孫皆孽而已獨嫡也則祝文當書何名耶

答曰雖在庶孽而旣奉祀事則恐不得不從庶孽之稱號也無庶孽而後當從外孫之稱號且降神初獻必須庶孽行之(寒岡集)

李以直問外祖父母忌祭時主人哭之而外孫或有不哭者哭與不哭孰是孰非耶

答曰外祖忌祭我獨奉行或與諸表兄同祭而諸表兄不哭則我亦不哭若陪諸舅以祭而諸舅哭之則我亦哭而助祭何妨然家法各不同吾家則我哭先諱在位諸子孫無不哭盡哀(寒岡集)

妻親祭

答金惇叙書曰妻親之祭古亦無據今循俗既已當行則於妻父當曰外舅妻毋當曰外姑若妻祖父母以上則禮無名稱今不可苟加非禮之稱從權不書稱號或可耳(退溪)

答李平叔書曰世人遇妻親無主祀者不免爲循情權行之祭然度其勢難於祝文之辭其不用祝者或有之矣今若用祝則恐如所諭似亦可矣(退溪)

金士純問長子固不可祭妻父母衆子而爲人婿可立祀祭否

答曰人之長子、爲人獨女之婿則事大有妨礙而難處者蓋彼無後又無繼後之子則我當祭之而與承大宗祀不可二之也今人或同一祠而祭之其二本甚矣固不足道也雖別立廟亦未免二本之失矣其處不亦難乎但不幸而遇之則當擇其妻

族之親分蔵獲使主祀可也 退溪集

俗節遇忌日

任卓爾問忌日若在於名日則晚行忌祭於神位晚行名日之祭於墳墓乎家內若無他設祭之人而墓所在遠一日之內勢難祭此祭彼則何以爲之且有故而不得上冢則行墓祭於神主者若如此則連續設祭似爲煩瀆未知何如

答曰若從俗墓事行於名日如端午秋夕之節而先諱偶然相值則世人墓祭不必行於正日或有先於數日者此亦依彼而稍先期行墓事似不妨若晚行忌事晚行墓事不惟事涉窘速亦頗未安世俗之行墓事於神主者亦似未安是神主祭也非墳墓祭也 寒岡集

寓中行祭 旅中付

答金彥遇書曰示諭行祭累時連廢果爲未安但在禮文可據者宗子越在他國或因他故不得行祭則介子代行有望墓爲壇之禮又今宦游者行於京師或遠邑似皆奉神主以行者之事如今避寓中設行之禮未有考焉蓋時享之禮至重至嚴非如俗節忌日薦新等禮可以隨宜行過因已有故舉家出避時暫闕行似亦無妨如何如何又有一焉在他決難爲行今所寓則乃是墓所祭用百具無闕若可無苟舉未安之慮量處所宜亦何如 退溪集

金士純問或行忌祭于齋宮禮乎

答曰祭於廟禮也宗家或有故且族屬疏遠則行祭其家多有妨碍齋宮乃墓所非佛寺之比也子孫會祭于此亦無妨 退溪集

答洪方伯 惇 書曰今詢奉命在外值先諱行祭與否未見有先賢言及處但鄙人曾忝關東先忌之日略備餕需哭於所館直徇私情耳可否則未敢知今亦不敢爲今契有所云云也但今日今所處則稍異於彼遠城留營猶未全罷亦有營衙豈不愈於棠旆偶到處而借奠資於邑宰者哉感下問之厚謾并及此率爾慚悚惟冀令恕 寒岡集

行於齋舍 見金玲絃問牘

朴慶新問來二十五日乃亡妻小祥欲設奠除服顧以官舍設奠爲未安蓋方伯與守令有異此亦逆旅未知如何也且闊月旬後連有大忌亦未知設祭當否也二者俱不得設奠則只設位而哭如何并下教

答曰前方伯亦以巡營行忌事可否來問曾聞營有衙室故答曰既有營衙則與守令衙何異行忌事於衙廳恐無妨云云矣今於盛問鄙見亦如前不知令意如何況既設位而哭則設奠何至大異如何如何 寒岡集

李叔發問先諱已迫而痘疾大熾非但俗忌又似不潔世俗之人或有行忌祭於山寺者與其廢祭也權行蕭寺潔處何如

答曰吾家今日亦忌日而不潔且拘俗忌頃俾于玄風令行祭於堂姪家矣不潔與俗忌果不可不計行祭似未安如墓下有齋宮則善矣無則無乃不得不如君言乎然夫人諱事則尤未安曾禀於知禮之人則亦如是云矣 寒岡集

臨祭有喪

李以直問大忌正齋日聞功親或相功之友訃音則爲位而哭似甚未安罷祭後爲位而哭耶既已過之仍爲不哭耶

答曰功親有服則當廢祭而奔哭無服而情功則祭畢別爲位以哭情不甚厚而聞訃累日則亦不必追哭不可以一例論 寒岡集

姜碩期問將行時祭而遭有服之喪則未成服前似不可行祭固當改卜日矣若忌日乃人子終身之喪遭功緦之輕服而廢之未安未知如何

答曰按擊蒙要訣所論合於情禮當以此行之 沙溪集

曾子問大夫之祭鼎俎既陳籩豆既設不得成禮（見下宋時烈問）○擊蒙要訣期大功葬後當祭如平時但不受胙未葬前時祭可廢忌祭墓祭畧行如上儀緦小功則成服前廢祭（五服未成服前雖忌祭亦不可行也）成服後則當祭如平時（但不受胙）服中時祀當以玄冠素服黑帶行之

宋時烈問將祭而遇喪則如之何

答曰古禮有節目當酌古參今倣而行之耳（沙溪集）

曾子問曰大夫之祭鼎俎既陳籩豆既設不得成禮廢者幾孔子曰九天子崩后之喪君薨夫人之喪君之大廟火日食三年之喪齊衰大功皆廢外喪自齊衰以下行也其齊衰之祭也尸入三飯不侑醋不酢而已矣大功酢而已矣小功緦室中之事而已矣士之所以異者緦不祭所祭於死者無服則祭註外喪在大門之外也士卑於大夫雖緦服亦不祭所祭於死者無服謂如妻之父母母之兄弟姊妹已雖有服而已所祭者與之無服則可祭也○雜記大夫士將與祭於公既視濯而父母死則猶是與祭也次於異宮既祭釋服出公門外哭而歸其他如奔喪之禮如未視濯則使人告告者反而後哭註視濯監視器用之滌濯也次於異宮以吉凶不可同處也如未視濯而父母死則使人告於君告者反而後哭父母也○如諸父昆弟姑姊妹之喪則既宿則與祭卒事出公門釋服而後歸其他如奔喪之禮如同宮則次于異宮註既宿謂祭前三日將致祭之時既受宿戒必與公家之祭以期以下之喪服輕故也如同宮則次於異宮者謂此死者是已同宮之人○父母之喪將祭而昆弟死既殯而祭如同宮則雖臣妾葬而後祭註將祭將行小祥或大祥之祭也○五禮儀凡散齊所聞大功以上致齊聞期以上喪及疾病者並聽兇若死於齊所同房不得行事

宋浚吉問祀事臨行家內或有婢僕之喪則何以處之

答曰禮如同宮則雖臣妾葬而後祭以此觀之則廢之似當（遇伏）

臨祭拘忌

安應昌問祭祀之日家間如遇生産汚染之事則行廢當何如

答曰已不親與其汚染之事則或兄弟家或親屬家設行而已若親與則使子弟代行如無代行之人雖闕之可也（猿軒集）

宋浚吉問祀事臨行家內或有産婦則凶穢之甚何以處之齋戒時喪家往來人亦忌不見否

答曰家內有鮮産者則不潔不可祭也初喪斂殯往來執事者則忌之亦不為過（遇伏集）

又問將祭而家內有婢僕之喪或有産婦則祭何遇伏答曰禮父母之喪將祭而有兄弟之喪則殯而後祭此謂練祥二祭也如同宮則云云（見上）于有産婦則云云（亦見上）又問齋戒時往來喪家之人或有拘忌不見者此則似過答曰初喪云云（亦見上）

答曰鄭說是（沙溪集）

過時不祭

與琴聞遠書曰禮過仲月則不舉時祭但窮家多不及仲月而每因以廢之又為未安故寓兒有如此之時亦不禁而遂行之矣於君何可異云耶（退溪集）

過時不祭禮經之文（見卜日鄭寀問答）

宋浚吉問時祭及禰祭或有事故不得行之於仲月及季秋則可以退行於次月否遇伏曰禮過時不祭據此則月後退行似為非禮而詳陳註則又似謂春祭過春則不祭夏祭過夏則不祭然則雖季月亦可行之也然禰祭則恐難退行於十月季秋成物之文何取於十月歟此說如何

答曰退溪嘗言過仲月不祭與禮意不合常以為疑鄭說正合鄙見禰祭行於十月則真所謂過時也（沙溪集）

祭饌傾覆

任卓爾問方祭時飯羹若有覆墜之患則必俟更作而陳之耶先陳如蔬果之物待之耶徹而更設耶他饌則不至如飯羹之重雖不更作闕而祭之亦無欠失耶

答曰雖蔬果之輕未祭徑徹甚未安不如因陳以待更備如魚肉之類雖闕而不如即祭之為安 寒岡續集

生辰祭

鄭寒岡問中原人作家禮集說其中有所謂生忌蓋於先考妣生日設飲食以祭家平生也其祭文曰存既有慶歿寧敢忘云云此意何如

答曰孟子所謂非禮之禮此類之謂也 退溪集

禹景善問祖先生日設奠舉俗鮮有不行者而性傳之家亦未免有此事但並設祠堂又更瀆亂故出祭于寢非祫非忌而出主行事亦極無據從此欲廢而行之已久遽然緡葦在所難處與其未安於瀆亂寧失於遽改耶如何

答曰生忌之說出於近世寒門所未舉行今承垂問悚然愴然未敢妄有所對 退溪集

盧亨運問生辰不見於禮文先賢或多行之者何義也一廟之中高曾祖生辰殘孫或不能記憶而值父母生辰思慕之平昔不忍恝然而過欲設奠獻則力不可合行曲龕只出父母神主而行之乎

答曰曾將此意禀于李先生答曰云云 見上鄭寒岡問 寒岡集

黃宗海問朱子既以生日祭稱凡人子亦當取則而於已之生日祭其禰乎

答曰已之生日既切悲痛之感則家生時略伸酒果之奠何妨 寒岡別集

又問伊川先生曰無父母者生日當倍悲痛又安忍置酒為樂然則朱子以生日祭禰而猶存餕禮不幾於為樂乎

答曰祭畢暫要近隣以嘗神餘豈張樂為樂之比 寒岡續集今本無

姜碩期問家禮集說有生忌之說行之合禮否恐涉於煩瀆未知如何

答曰生忌之祭馮善創開退溪非之是矣 見上退溪答 沙溪集

祝　喪葬祝

李淳問無子而有兄弟姪婿則喪葬祝文宜書何名夙興夜處小心畏忌等語當何云云

答曰其中必有主其喪者當書其名祝辭則當量宜改之 退溪集

任卓爾問妻喪祝文稱乃耶稱夫耶或曰只稱官爵姓名云何如

答曰與家曾於妻喪時祝文稱夫稱亡室耳 寒岡今本續集無

申晉甫問亡兒葬時題主及虞祭不可無告辭告者以何人書之耶

答曰凡一家之喪家長主之當以父告子之辭為之不舉父名如延陵季子埋子之辭其例也 旅軒集

安應昌問家禮柩自他所行但設朝奠哭而行云則只行發引前一日因朝奠遷柩告祝之禮而姑不行祖奠等到山所盡行此禮乎

答曰依此禮行之而行日別製文以告可也祝曰今以吉辰謹奉靈柩發向故山 某地 某處 敢告 旅軒集

宋浚吉問喪人則祝文不稱其官否

答曰考諸禮書喪人雖有官不稱也 沙溪集

李君顯問遣奠祝文有永訣終天之語此語亦可用之於妻喪乎

答曰此是泛然告訣之辭非獨子之於親則雖妻喪用恐不妨 寒岡集

申晉甫問曰遣奠告辭末終天二字不合用於妻喪只當曰茲焉永訣如何 旅軒集

李叔發問兄嫂之喪以綸兒爲主則葬時遣奠虞卒哭祝文皆不變文用之乎

答曰遣奠云靈輀既駕載陳遣禮虞卒哭止云奄及初虞哀慕不寧餘依例（葵軒集）

宋浚吉問申氏備要遣奠祝下註旁親則不用永訣終天一句云朱子於李通祭文亦用此語旁親用之恐不妨如何如何

答曰來示然（沙溪集）

合附葬祝

李士亨問今欲祔葬亡妣於先考墓東畔舊墓當有告辭先世墳墓皆在同岡亦當有告儀告文並望下示

答曰年月日子云云敢昭告于顯考某官府君之墓今以先妣某封某氏奉祔塋封東畔即事之始敢伸虔告謹告（舊墓）云云今以先妣某封某氏合葬于先考某官府君之墓即事之始敢伸虔告謹告（先世墓。寒岡集）

答或人問曰祠后土之日先告舊墓文維年月日某官姓名敢昭告于某封某氏之墓某官府君將合葬于塋中西畔今行祠后土之禮謹以酒果用伸虔告謹告（寒岡集）

啓舊墓日告由文云云某官府君將奉合葬今開封塋西畔謹以酒果用伸虔告謹告（寒岡集）

合葬日先告舊墓文云云某官府君今日合葬于塋中西畔謹以酒果上同（寒岡集）

答寒岡先生葬時儒生問曰今日開塋域非別建新兆止用舊墓塋域內則不須用五標但就前日所祭之壇告之曰維年月日某官姓某敢告于后土氏之神今爲某官姓名營建宅兆於某封某氏封內之右神其保佑永無後艱云云（葵軒集）

又答曰若必用所擇之日須開土矣則先告舊墓曰維年月日孤哀孫某敢昭告于顯祖妣某封某氏之墓伏以將奉顯祖考某官府君合安于幽宅即日謹開封內之右不勝哀慕敢告告畢稍開塋域然後乃告后土或以葬日稍遠穿壙在臨時則只先告后土如上然後始役若喪主不能往則告墓代告亦似宜矣（葵軒集）

宋浚吉問喪禮備要若祔葬先塋則別以酒果告于先祖云云告之之禮家禮不著而備要亦不詳當於后土祠後主人自告之否其告辭何以措語而亦有參降之禮否備要后土祠主人若自告則云爲父某官某甫云云所謂某甫何語耶告先祖亦當云某甫歟

答曰祔葬先塋則使服輕者用酒果告之云今爲孫某官某營建宅兆謹以酒果用伸虔告云云似得參降之節亦當有之所謂某甫云者指亡者之字也先祖前則稱名可也古者雖稱字今不可用后土祭亦然（沙溪集）

題主祝

金而精問題主祝文讀畢懷之之意當哭泣哀遑不即焚之故姑以懷藏俟奠畢櫝主後焚之耳

答曰愚恐此處禮意精微不可如此淺看了蓋當此時死者神魂飄忽無依泊祝一人身任招來懷附於木主之責神依木主則便有與人相際接之理故讀畢而懷之以見招來懷附與人相際接之意聖人制禮求神之道孝子愛親思誠之義其盡於是矣（退溪集）

答李時馪問曰喪家頃遭妻喪粉面書亡室不書旁題祝文書以夫姓某敢昭告于亡室云云祝詞亦損益本文而書之今偶於兒孫處有之故紙末書上其中可否不敢知耳題主祝文伏惟尊靈改惟靈虞祭祝文日月不居奄及初虞夙夜疚懷悲念不寧云（寒岡別集）

妻子祝（見虞祭祝朴孝叔問答）

答申晉甫問曰妻喪凡事夫皆主之則告事之文稱夫姓名自

當然矣但不須言其官職無乃可乎蓋具官職稱之者須稱於
尊前故也題主告文中昭告之昭字不須書尊靈之尊易以明
字如何（旅軒集）

姜碩期問題主後祝文讀畢懷之之義未知何據
答曰告畢即返魂未暇焚之耳退溪與金而精問答語意微與
人或誤見有懷神主者可笑（沙溪集）

虞祭祝

或問人死而有一歲兒虞祭祝辭顯考及夙興夜處小心
畏忌等語兒若不得書名則決不可依此書之而神主若
以兒名書之則當依此書否
答曰顯考及夙興夜處等語既以兒子名書則當用家禮本文
無所改（寒岡集）

李叔發問家兄不幸無嗣皆弟主之則虞祭祝辭何以為
之
答曰稍變其辭夙[illegible]夜悲哀不能自寧（寒岡集）

李汝懋問享慶遭安壻之喪不幸無子其父主喪虞祭時
夙興夜處哀慕不寧八字改而何書耶
答曰悲念相續心焉如燬（寒岡集）

又問哀薦之薦尚饗之饗字其不改耶否
答曰不知當改但敢用之敢字改以茲字（寒岡集）

朴孝叔（明齋）問疊遭妻子喪今當永窆虞祭告辭題主告
辭並下教
答曰日月不居奄及初虞夙夜疚懷悲念不寧謹以清酌庶羞
哀薦虞事（右妻喪）
日月不居奄及初虞悲念相續五內如燬合用清酌庶羞薦其
虞事尚其饗之（右子喪）
形歸窀穸神返室堂神主既成伏惟明靈云云子靈其云云（寒岡集）

李君顯問題主初虞再虞三虞卒哭祔祭等祭祝文家禮
只有子為父母致祭之祝文而家禮亦無夫為妻致祭之
祝文此六祭之祝文亦何以書之耶
答曰弊家曾於虞卒哭祥禫等祭改祝辭曰日月不居奄及初
虞夙夜疚懷悲念不寧他祭亦倣此（寒岡集）

答申晉甫問曰初虞告文夙興夜處哀慕不寧二句於妻喪則
去之若祫事虞事成事等文不可變只當改薦字用奉字如何（旅軒集）

孫瀣問虞祭時奉出舊主告文下教
答曰敢請顯妣神主同薦祫事（旅軒集）

又問虞祭告文下教
答曰并依家禮祝文用之（旅軒集）

黃宗海問人死而子幼者以子名題奉祀而攝主告之之
禮已詳於朱子答李繼善之書矣但以兒名書祝文曰夙
興夜處哀慕不寧等語無乃不近於嬰兒之所稱耶
答曰當以兒名主之告以攝主之意夙興夜處哀慕不寧等語
則改用不妨（沙溪集）

祔祭祝

鄭汝仁問嵬壽出繼從伯父之後今遭卒生母喪又遭所
後父喪卒母當祔於卒母之祖妣則祖妣之主又在所繼
之宗於隮祔之祭嵬壽當以宗子主之而又以重喪在身
則祝板當何如書乎當書曰孝曾孫孫子某使再從弟孫
哀子某適于顯曾祖妣某封某氏祔以孫婦某封某氏云
云又於卒母前曰從姪孫子某使再從弟孫哀子某薦祔
事于從叔母某封某氏適于曾祖妣某封某氏云云否與
舍弟并告于卒母而曰從姪某使再從弟某云云於情意
極為未安不知何如
答曰祔祭四稱謂雖極未安然舍此無他道理無他故實可依
稱謂只得如是（退溪集）

或問祔祭初獻祝文曰孝子某云云所謂孝子者當書宗子之名而其宗子世代已遠或至於孫若曾孫則何以為之書耶

答曰當書宗子之名或至於孫及曾孫則當隨世代而稱號（問解）

祔祭後祝文稱孝哀（見孤哀稱號答宋浚吉問）

祥禫祝

禹景善問家禮大祥祝文子某下當添入謹遣子某等字不寧下當添入適嬰疾病遠離几筵未獲躬奠深增號慟等字祝辭添此數語似可而深增號慟與敢用語意不無不相屬之意耶

答曰當依此行之但號慟之慟改作痛尤切以此推得未有不可（退溪集）

申晉甫問妻喪練祭告文當如何書之耶

答曰家長告辭曰日月不居奄及練期悲悼之懷自不堪任敢以清酌庶羞奉陳祥事此乃鄙家亡室練時所用故寫送（旅軒集）

又問期祥家長告辭當依練時所用但奄及下當曰期祥而常事改曰祥事耶

答曰日月不居奄及周歲期制有限悲悼不堪敢以清酌時羞奉陳祥事此賤家妻祥所用告辭謄上可用則用之（旅軒集）

答申晉甫妻喪禫祭告辭問曰日月及十五奄是禫辰期制當終悲悼不已敢以清酌時羞茲奉禫事（旅軒集）

答崔山輝問曰妻喪為主者或在遠地未及還於練祭則似當使守喪之子代祭而祝文則自當以喪主主之但祝辭當變曰月不居奄及練制不勝其與悲悼不寧（旅軒集）

答金孝徵問曰古禮則行大小祥事者例擇日行之也而後世小祥行於初期大祥行於再期為例式也今以變禮改擇日行之則似當措辭先陳退行之意然後仍用家禮所載之文如何（旅軒集）

改葬告廟祝

孫灄問當改墓告祠堂之日祝文有變辭改改葬為合葬耶其時祝文並敎何如

答曰易改為合似宜（旅軒集）

又問奉舊主出廟時告辭喪主為之耶

答曰喪主當告（旅軒集）

改葬祝

答金伯榮書曰今遷墓若非專為宅兆之故告辭固不可全用儀節之文合葬是古禮而又有遺命則以此為文為當如無遺命只以新卜吉地用古祔葬之禮為文似亦當矣（退溪集）

祭禮祝

金肅夫問祝文云潔牲無牲云庶羞今或買肉則從無牲例否如或殺牛則曰一元大武鷄則曰翰音可否家禮祭圖牲無設處如用之不知設於何所

答曰牲不特殺則不可用潔牲等語士大夫廟祭不聞以一元大武為祝詞假使一時因事殺牛（非平日每祭輒殺牛）則一用此辭而後不用尤恐不可也（退溪集）

答金伯榮書曰稱某朔似當以月建然嘗考之古文實皆指朔日之支干蓋古人重朔朔差則日皆差故必表出而言之耳（退溪集）

答李平叔書曰時祭祝文若用亡氏禮併一祝文則當不用昊天罔極之語（退溪集）

又答書曰忌日祝末亡氏恭伸奠獻之文用之為善張叢善無祝人則設祝文而不讀在苟簡不備禮中自盡其心之事其意善矣但此等權行事只為一時自處之事難乎以此為訓於世耳（退溪集）

鄭寒岡問主人有故使其子行祭則祝文當何書

答曰恐當曰孝子某使子某敢告于云云（退溪集）

又問先代有勳勞於 國家為不遷之主祝文當書幾代

孫某官某敢昭告于幾代祖某官府君否

答曰當如此(沙溪集)

任卓爾問奉遷曾祖之後則祭時祝文何以爲之未奉遷時例稱攝祀事子云云攝祀二字似不可用於曾祖神位前然其奉祀曾祖者只以最長之序而本非宗長應奉之禮則攝祀之稱亦可通行於前後耶

答曰曾祖神位前恐難稱攝祀二字當曰曾孫某官某云云初祭時祝文畧叙宗孫代盡以長房奉來之意其後則自依常例(寒岡集)

又問此之仲兄無後而亡已爲班祔時祭祝文末段曰祗薦歲事敢以仲氏祔食云云耶或曰以仲氏府君祔食又曰敢以仲兄秀才祔食未知何以則得禮乎

答曰家禮以某親某官府君祔食云云則以仲兄屬士府君祔食云者恐是(寒岡集)

又問或曰祝文若無讀者則書置祝版於左傍又曰以子讀之或已自讀之亦無不可云未知孰得

答曰人家祭祀既無親賓之助禮多闕畧何止此一事今子或已自讀之恐皆在所不免(寒岡集)

盧營問稱廟祭祀時爲亡妻各爲祝文乎祝詞何以爲之

答曰不得各爲祝文似當於稱位祝文之下畧入祔食之意(寒岡集)

李以直問父之舅於子爲四寸大父也祝文當稱某考耶

答曰顯外從祖考(寒岡集)

崔季昇問題主書顯考顯祖考而祭儀祝辭不書顯字何

答曰神主既書顯字則祝文之不書不知何也既非家禮圖中有顯字故世俗仍遵用之家禮本文祝辭則朱子緣一時不用而不令書之也然此亦臆說未有定据耳(寒岡集)

姜碩期問夫祭妻而無他執事則其子讀祝耶呼父名而祭母無乃不可

答曰以子而名父祭母固爲未安祭祖先則歷尊故猶可(沙溪集)

又問凡祭無執事則祝文自讀之耶

答曰不妨(沙溪集)

宋浚吉問並祭考妣則告辭與祝辭似當添一兩語

答曰固然告辭遠諱之辰敢請下當添顯考顯妣(祖以上并同)神主出就云云祝辭歲序遷易下當添某親(考妣隨所稱祖以上并同)諱日復臨云云(沙溪集)、

李以恂問家禮忌祭祝文末端餘并同云云清酌庶羞下依時祭用祗薦歲事字否小祥云常事常字何義未可用於忌祭否

答曰立氏祝云恭伸奠獻鄙家常用之退溪亦用之云常事出於士虞禮曾子問用於忌祭未知其如何也(沙溪集)

士虞禮薦此常事註古文常爲祥疏天氣變易孝子思之而祭是其常事○曾子問薦其常事註薦其歲之常事也

李理勝(文主)問文主之外祖與忠胤以宗子無後而死先世神主其從孫宬當代奉其高祖則當祧出其曾祖則當移奉於有服之孫文翼告詞何以爲之耶

答曰當依儀節爲之云年月日孫宬敢昭告于某官府君某封某氏云云伏以宗孫忠胤身歿無子大祥已屆宬以次孫今當代奉先祀某官府君某封某氏神主當祧某官府君某封某氏神主當遷奉于有服之孫文翼某官府君某封某氏神主改題爲高祖某官府君某封某氏神主改題爲曾祖世既迭遷宗又移易不勝感愴謹以云云(愚伏集)

墓祭祝

盧營問時祭忌祭考妣祝文皆云昊天罔極墓祭獨云不勝感慕此何義也

答曰省掃塋域似與家間常事不同只云不勝感慕恐自有深意(寒岡集)

姜碩期問擊蒙要訣墓祭祝辭正朝云青陽載回端午云草木既長喪禮備要正朝則歲律既更端午則時物暢茂未知當從何說

答曰兩說不甚相遠 沙溪集

后土祝

鄭汝仁問祀后土祝文改葬則曰宅兆不利將改葬于此云云新葬則今爲某封某氏營建宅兆云云今新舊合葬其祝當如何書乎欲書曰宅兆不利將改葬于此以某封某氏祔云云何如

答曰當如此而祔字上加新字 退溪集

今曰開塋域 見合祔葬祝答寒岡先生葬時儀生問

宋浚吉問開塋域祝辭云今爲某官姓名葬曰祝辭云今爲某官封諡而不稱姓名願聞其所以異

答曰開塋域與葬時祠后土祝辭或稱姓名或稱封諡前後不同必有其義而未可知也 或云檀弓請諡於君曰日月有時將葬矣請所以易其名者易名以諱故不稱姓名歟未知是否 沙溪集

祝版

鄭寒岡問家禮祝版長一尺高五寸當用周尺否不言其廣廣用幾寸

答曰若周尺恐太小或疑高是廣字之誤未詳是否 退溪集

黃宗海問祝版之制或據家禮或據五禮儀未知何從而可也二者之中必居其一其所以取舍之義可得聞乎版制當用何尺

答曰家禮祝版之制高五寸長一尺或以爲所謂高者其長也所謂長者其廣也如是則書四代告辭或多不足之患五禮儀亦未見士庶人祝規常以爲疑尺當是造禮器尺 寒岡集

禮疑答問分類卷之十七

禮疑答問分類卷之十八

雜禮

先世畫像姓名遺墨

金烋問高祖畫像藏在家廟而小生至今未見無時出省不近褻慢否祭祀時出視如何

答曰因祭祀省視似宜 旅軒集

又問若出視則當拜之乎但致敬而已乎按先生集中李淳問曰驛館寺壁有先人遺墨或姓名拜之如何先生答曰但致敬爲可拜之過當以此觀之似不當拜但遺像與遺墨姓名不同拜之如何

答曰祭祀時見之者自當有祭祀之拜若或非祭祀而有不得已展省之事則見祖先儀像安得無拜真像非但遺墨姓名之可敬而已也 旅軒集

諱

鄭寒岡問凡諱當諱幾代叔父叔祖外祖妻父皆可諱耶世人亦諱生在之親何也

答曰諱法雜記下篇詳之試詳考之可見也其言毋之諱宫中諱之妻之諱不舉諸其側則外祖妻父有當諱處有不必諱處可知但卒哭而諱則生前不諱固也然生前豈敢舉親名而稱之耶此尋常所疑 退溪集

拜禮

答鄭子中書曰卑幼於尊長四拜六拜未有所考但嘗見程氏遺書一卷有云家祭皆當以兩拜爲禮今人事生以四拜爲再拜之禮者蓋中間有問安之事故也事死如事生誠意則當如此至如死而問安却是瀆神若祭祀有祝有告謝神等事則自當有四拜六拜之禮據此而推之則四拜六拜之義可知矣但今家禮不論祭之有祝有告等而皆爲再拜至丘瓊山則又皆爲四拜此又未知其何意耳 退溪集

鄭寒岡問少時一字之師皆可拜否

答曰古人為師無服以其輕重難齊不可預立法也拜亦然退溪

又問夫婦久別而相見或有相拜者何如

答曰婚禮婚婦交拜古無而後賢循俗者之祭妻夫亦當拜云以此觀之拜似得之但未有考據不敢質言耳雖拜恐當如今人相見只單拜為得退溪

鄉黨序齒

答趙起伯問曰鄉黨序齒以年之長少為坐次也若分貴賤則是序爵也豈序齒之謂乎王制王太子王子羣后之子太子卿大夫元士之適子國之俊選皆造焉凡入學以齒註云惟次長幼之序不分貴賤之等周禮黨正國索鬼神而祭祀則以禮屬民而飮酒于序以正齒位一命齒于鄉里再命齒于父族三命不齒註齒于鄉里與衆賓以年相次也齒于父族者父族有為賓者年與之相次異姓雖有老者居於其上不齒者席于尊東所謂遵也鄉飮酒義六十者坐五十者立侍以聽政役所以明尊長也六十者三豆七十者四豆八十者五豆九十者六豆所以明養老也民知尊長養老而后乃能入孝悌民入孝悌出尊長養老而后成教成教而后國可安也君子之所謂孝者非家至而日見之也合諸鄉射教之鄉飮酒之禮而孝悌之行立矣夫先王所以立鄉法鄉禮必以序齒其本義之深遠事體之重大如此豈可以一時一鄉一二人微賤恥居其下之故而輕變古今不易之典禮舍父兄宗族所坐之常例而自作一行以壞亂鄉儀蔑棄聖教乎天下達尊三德爵齒也學中以德義為重故天子諸侯之子猶與凡民之俊選叙齒況鄉黨本以長老為尊五十以下至立侍以聽政役於六十以上者其謹嚴如此雖有爵者止一命則隱爵而叙齒再命仍列他人讓爵而居下父族則猶叙齒至於三命而后乃別設位於尊東而不齒耳黨正註一命天子之下士公侯伯之上士子男之大夫再命天子之中士公侯伯之大夫子男之卿三命天子之上士公侯伯之卿如来論所謂公私賤者古所無而今亦自不當入學與鄉在所不論此外如有稍微賤善與同列者不幸而在學與鄉力能攻而逐去之則可不可逐則以他事善處使不得恒隨行次也二者皆不可得則只得縱叙齒之說以謹守先王立教之本意別無他道理可善處也蓋我自以禮法盡居鄉之道使之微賤焉能況我於公能於平日克去欲上人之心而見得道理平實純熟則此等處自當洒然無疑矣退溪集

趙起伯問年長於我者以父兄事之乃長幼之序也今有人非隣長父執而齒長於我者當以何道事之若以父兄事之無乃僻於畏敬乎

答曰年長於我者有父事兄事之差等是大槩言之其間復有賢愚貴賤分義隆殺之不可無分別者各隨所遇有萬不同難以硬作一說斷定也退溪

酒禮

答趙起伯問曰酒禮今之酬酢與古禮不同不暇詳論長者行酒火者諸尊所恐無不可雖大人在座亦無壓尊之嫌但所謂長者於大人是為子弟之列有不敢當長事之禮而止之則當止耳且非宴會偶設酌則亦不必諸尊所只略起迎接而進之可也退溪

飲食

宋浚吉問家禮一食九飯何義退溪曰一食而九舉匙然否愚伏謂嘗見中原人飲食以小兕盛飯既食又進之又食又進之據此則一食即統言九飯即小數之節云云此說如何

答曰儀禮記註疏可攷鄭說近之沙溪集小牢饋食禮註食大名小數曰飯疏天子十五飯諸侯十三飯九飯士禮也三飯又三飯又三飯○○特牲饋食禮註三飯三禮一成也又三飯又三飯禮三成也○○曲禮三飯疏三飯謂三飯而告飽勸乃更食故三飯竟主人乃導客食胾也

深衣
金而精問或疑方領無其制魏氏曰衣必有領而後緣可施信如其說則是有緣而無領矣王藻所謂袷二寸者果何物耶況家禮本文旣有方領又有黑緣其為二物明矣家禮領緣用二寸袂口裳邊用一寸半今不依者考禮記王藻袷二寸緣廣一寸半不分領與裳袂則皆寸半矣今擬領亦寸半與裳袂同俾少露領也否則是袷為虛說矣云云奇明彦於深衣領緣專以魏說而製之又裳下際裏面不為緣此得其本義乎家禮本文黑緣領衣表裏各二寸袂口裳邊表裏各一寸半云者衣裳上下緣用分別之制似乎明白而魏氏謂領亦用寸半與裳袂同此恐非朱子制法服之本意而少露領之文禮書不出故今制深衣專用家禮而裳下際裏面幷為緣耳未知合規與否

答曰魏氏引禮文領亦用寸半俾少露今詳王藻果不分領與裳袂則雖用魏說未為不可然今所製乃家禮本文雖不露領固亦無妨矣魏氏所作或人衣領裁入三寸以為領之說實為無稽別用布一條作領斯為得之裳下際裏面幷緣如家禮亦然但家禮大帶下復以五采條約其相結之處長與紳齊今欲為此不知條制當何如奇明彦不言其制耶 退溪集

又答曰今考向留時山正深衣別集用丘氏儀節衣六幅裳六幅故左右有襟其綴裳之法全與家禮不同矣滉嘗疑家禮及大全書深衣圖裳前後各六幅前則以左揜右疊六為三以當後仍六幅之廣其形制相幷不相應故丘氏之法宜若可用今所裁製不用丘說只依家禮衣身四幅裳十二幅之制其前後廣狹亦不相幷便於著用所以然者其前六幅自分左右在兩旁不以相揜故也然則衣四裳十二非誤乃作圖者誤為相揜以應曲袷之說耳 退溪集

又答曰用丘制則宜於曲袷而似嫌於太鑿為新制今依家禮自為得體但於曲袷微有未恰耳 退溪集

又問依下送畫寸紙樣而造指尺以製之若裳不及踝即衣裳合縫改綴令裳稍長何如幅廣不準尺故袂加一幅以為袪而反屈及肘為準

答曰試著數日其長恰然及踝不待改綴而稱身可知指尺為不虛也 退溪集

禹景善問金而精制深衣用綿布世傳疑其當用白麻布金云凡禮言麻布者是麻布只言布者皆是綿布也故大小斂之紋皆用綿布為是此說如何五服之布亦不言麻布而只云生熟此其為麻布則深衣白細布之獨為綿布何義耶

答曰亦未知的是何布然綿布韌無乃好乎 退溪集

宋浚吉問鄭寒岡書曰曾蒙韓鳴吉寄示深衣之制與臆造賤製頗不合今承下示三製之中出於尊製者似符於鄙生所見且鄙生一衣上下全規恐有不合於高明之製蓋賤製頗用儀節家禮白雲朱氏之說必如是而後衣方得深邃之義而便於服着註疏諸說則皆不能用之至於退溪先生集中金而精所製者亦不能無疑焉白細布恐練麻織之者為是而綿布柔韌可合不必獨以織麻為布也蓋出於機杼而可以為衣者除細綾之外皆不妨為布名也織絲成布者則未知可否也

答曰愚按鄭道可所論深衣之制出於白雲朱氏之言其制未必是也以家禮本文裁之不悖於王藻及深衣篇亦不失深邃之義何必創意新製與家禮有異也 沙溪集

李惟泰問補註深衣裁裳之制曰布六幅廣一丈三尺二寸交解為十二幅則狹頭在上每幅七寸三分有奇十二幅共八尺八寸廣頭在下每幅一尺四寸六分有奇十二幅廣一丈七尺六寸又除裳十二幅合縫及前襟叉屈各

寸腰得七尺五寸下得一丈六尺三寸則上多三寸下多
一尺九寸即截去之此說如何且家禮曲裾裁制若以家
禮本條註所謂狹頭當廣頭之半之說觀之此三分之一
爲狹頭二爲廣頭之謂也然則當曰狹頭七寸三分有奇
廣頭一尺四寸六分有奇如補註裁裳之制而此圖註則
曰廣頭之濶一尺四寸狹頭之濶八寸者何歟

答曰裳六幅每幅布一本廣二尺二寸初裁廣頭各一尺四寸狹
頭各八寸兩邊各除一寸以爲縫削之用則廣頭恰成一尺二
寸狹頭恰成六寸恰是三分之一將六寸者十二幅上屬於腰
則恰成七尺二寸將一尺二寸者十二幅下歸於齊則恰成十
四尺四寸適足無餘欠玉藻所謂深衣三袪縫齊倍要深衣所
謂要縫半下皆交見而互備之文也補註穿鑿何足說也曲裾
裁制圖下註詳備深衣裁裳之制正亦如此 集沙溪

幅巾

全而精問幅巾從朱子大全本傳而製出當額幅子奇明
彦使又向東而今考本文幅子向外

答曰制度吾所未解今未敢有議於其間且其制殊似駭俗不
可戴且以所云程子冠代之但未知程冠合制否耳 疑溪

李惟泰問幅巾之制多有異同未知何以則不失古制作
之意歟

答曰以朱子大全及性理大全補註之說觀之既有巾額又有
幅子明矣 國俗泥於家禮卷首圖直以巾額爲幅子而又摺
一邊刺之如衣裾之制而已至於當中作幅之制棄而不爲是
何等制也觀儀節圖可攷詳見喪禮備要 集沙溪

朱子大全幅巾制一邊作巾額當中摺幅云云○性理大全
補註用包絹六尺許當中屈摺爲兩葉就右邊屈處摺作小
橫幅子云云

襴衫

宋浚吉問襴衫

答曰昔年隨先君赴京見國子監儒生著儒服以藍絹者爲衣
以青黑絹廣四五寸飾領緣及袖端與裔末領則圓也是襴衫
云 集沙溪

事物記原唐志曰馬周以三代布深衣著襴及裾名襴衫以
爲上士之服今擧子所衣者○天中記曰唐太尉長孫無忌
議服袍者下加襴緋紫綠皆視其品庶人以白○明道曰即
堯夫初學於李挺之師禮甚嚴雖在一野店飯必襴坐必拜
○朱子君臣服議曰直領者古禮也上有衣而下有裳者是
也上領有襴者今禮也今之公服上衣下襴相屬而不殊者
是也○大明集禮曰宋公服曲領大袖下施橫襴洪武二十
四年定生員巾服之制襴衫用玉色絹布爲之寬袖

帽子

宋浚吉問帽子

答曰諸家說可考 集沙溪

天中記釋名曰帽冒也○丘瓊山曰今世帽子有二等所謂
大帽者乃是笠子用蔽雨日所謂小帽者或紗或羅或段爲
之二帽之外別無他帽

婦人冠服

鄭寀囧問中原婦人尚有冠服之制而獨吾東方未免披
髮之習中原之制雖未可遵欲使婦人著長衣帶大帶何
如

答曰恐非一介士人所當創立其制 疑溪

髻

宋浚吉問假髻 特髻

答曰假髻者編髮爲之古詩曰東家婦人髮委地假髻美人還
承寵云云假髻無首飾曰特髻 集沙溪

二儀實録曰燧人氏婦人束髮爲髻髻繼也言女子必有繼

于人也○周禮副編次註副覆首爲飾若今步搖服之從王
祭編編髮爲之若今假紒(與紒通)服之以桑次次第髮長短爲
之若今髲鬄(與髢通)服之以見王(皆王后首服)

帔

答曰諸家說與詩註不同更詳之(沙溪集)
宋時烈問帔
韻會弘農謂帬爲帔或作被○會通納幣章曰一品以下霞
帔庶民藍青素霞帔○淳于棼傳云冠翠鳳冠衣金露帔○
詩被之僮僮註首飾也○韓愈曰著冠帔

妻親稱號

鄭寀問問妻族稱兄弟叔姪妻母有以母稱之又有以妻
蓋爲坐者何如
答曰妻族稱呼妻蓋爲坐皆非是妻母稱母俗亦有之終不可
爲訓耳(退溪集)
黃宗海問世俗於妻父泛言則曰丈人至書於簡書則曰
聘君或聘父夫聘君徵君也錯認朱子謂婦翁爲聘君雖
識者亦多冒用固可笑也若聘父則尤無據今依禮經以
外舅字書于簡面無乃可乎或曰舅字下書主字亦可云
此說如何旣稱外舅則婿之自稱當用甥字耶舅姑甥等
字所用處非一似爲混幷然各當其所用而用之可無嫌
子
答曰聘君之稱世俗承誤久矣依來示稱號似無不可(沙溪集)

庶母

鄭子中問庶母於己妻貴賤雖不同猶是姑婦之行其行
坐位次飮食先後當如何處之(嫡女同)
答曰此亦未有明據然父在而母死父不得已使一妾代幹內
事一家之人豈可不稍以攝母之義事之乎故古有攝女君之
稱雜記曰攝女君則不爲先女君之黨服註妾攝女君則稍尊
也又曰主妾之喪云云殯祭不於正室註攝女君之妾死則君
主其喪猶降於正嫡故殯祭不得在正室也以此觀之攝女君
稍尊於衆妾可知如是而子妻與諸女諸孫女直以貴賤之分
毋事輒先於役則非但於庶母不知有攝母稍尊之義其於事
父之禮亦有所未盡故謂宜坐位則當避食則當讓(讓食之御在家內當然也若庶衆辭會或但有歷尊庶或不得讓矣)惟同出於一路乘馬者先於乘轎者事
體殊異故不得不轎先而馬後矣(若可相避則避之未可避則如上云○退溪集)
庶子祭其母當如何稱(見承重孽子所生視祭宋浚吉問)

妾子稱號

答鄭子中書曰妾子之於嫡母稱於人則曰嫡母可也但以方
言稱於母前及家內則別無可當之稱恐只得如今人家婢御
稱主母之辭而已蓋於父旣不得稱曰父主於母安得而直稱
曰母主耶(退溪集)

贈職

盧寯悔問先書贈職東俗也且從俗書無大害否
答曰東俗先書贈職先國恩之意也然官之高下事之先後
皆倒置每欲變從古文未果也承問之及爲之怵然(退溪集)
姜碩期問神主或先題贈職而後實職或先題實職而後
贈職何者爲是
答曰宋朝先書實職後書贈職我國則先贈後實吾家先世
亦然不可卒改也(沙溪集)

職品

黃宗海問大夫士之辨
答曰通典諸說可攷我國之制雖未知一如古制而大槪嘉
善以上以大夫論(或云通政亦古之下大夫○沙溪集)
通典賀循曰古者六卿天子上大夫也今之九卿光祿大夫
諸秩中二千石者當之古之大夫亞於六卿今之五營校尉
郡守諸二千石者當之上士亞於大夫今之尚書丞郎御使

及秩千石縣令在官六品者當之古之下士亞於中士今之諸縣令長丞尉在官八品九品者當之○李氏覯曰一命者天子之下士公侯伯之上士子男之上大夫也再命者天子之中士公侯伯之大夫子男之卿也三命者天子之上士公侯伯之卿也○丘氏曰按一命若今八九品官再命若今六七品官三命若今京官五品以上者

禮疑答問分類卷之十八

禮疑答問分類跋

右禮疑答問迺我　王考耻耻堂所纂輯也大凡禮者人之日用未嘗不由於斯而經禮已有先聖賢之所定論至於變禮則其緒多端臨變聚訟未免舛錯是以　王考有憂於斯因先師寒岡先生所輯李先生問答及再從大父添入寒岡旅軒兩先生所答而又以沙溪愚伏兩先生所答問分類立目禮之有疑有惑者可以此援據而質且破矣此吾家世傳之寶而不幸爲人所借入於灰燼其爲錯愕痛惜可勝言哉幸而倉山道東院曽有謄置一本者請此而取来以爲傳寫之計而第道院所謄不能致精或有落字落行又或有間目人字疊出而名字誤書處一人所問或有重出此則當初本帙謄書之際未及詳校故也茲聚退溪寒岡旅軒沙溪愚伏本文集一一校讐精寫一帙今則庶可以就正矣且夫寒岡續集別集則抄出於未刊之前而其後入梓之日此書中所抄問答或有刪去而不錄者或、有刪其文字者矣一從刊行本取校而其所刪去問答有可取考則因存焉文字之刪者有合於問答之意則亦爲置之而并以今本無懸註世之有寒岡集者元續別三集十卷不得并置者多矣只見元集者則續別集所記必有不知者故元集則以寒岡集懸之續集則以寒岡續集懸之別集則以寒岡別集懸之俾無致疑於其間覽者詳焉崇禎後二周壬子春二月十日不肖孫石經掩涕謹識

鄉黨序齒
酒禮
飲食
深衣
幅巾
襴衫
帽子
婦人盛服
髻
帔
妻親稱號

職品
贈職
妾子稱號
庶母

禮疑類輯

提要

《禮疑類輯》二十八卷，朝鮮朴聖源撰，韓國成均館大學藏朝鮮正祖七年（一七八三）金屬活字本，此本為後印，多補板，共十五冊。其中目錄二卷二冊、本集二十四卷十二冊、附錄二卷一冊。書高三十一點六釐米，寬十九釐米，四周雙邊，每半葉框高二十一點七釐米，寬十三點九釐米。每半葉有界欄十行二十字，注文小字雙行，白口，上白魚尾。是編乃朴聖源受命盡取諸家之書，薈萃分彙而成。其以冠、婚、喪、祭為目，并附以宗法、雜禮。卷首附徐鼎修書御製序，鈐印「奎章之寶」。朴聖源（一六九七—一七五七），號謙齋，師承三淵學派代表人物之一陶庵李縡，另輯有《敦孝錄》五十七卷。

禮疑類輯序

禮[illegible]乎本乎情情惡乎
發發乎性性惡乎受受乎
天天之理賦於人而為性
性之欲應乎物而為情情

之發節而見諸事者節其
中得其所安則禮也子思
子曰喜怒哀樂之未發謂
之中發而皆中節謂之和
和也者天下之達道也是

故即是道而文之曰禮由
是禮而行之曰道道即禮
禮即道其實一也道也者
不可須臾離可離非道也
自夫日用飲食起居之節

以至事君父序上下尊天
地賓鬼神是道是禮夫豈
有一物之遺一息之間哉
人能順遂其性而悉適乎
情之所安則庶幾無待於

外而自合乎禮也惟其情
肆性鑿迷亂而不識其宜
故先王制禮以詔天下後
世斯即俻道之為教也禮
儀三百威儀三千其為教

也俻矣而天下之事變無
窮故所以應之者亦無窮
自曾子設問於夫子其後
賢儒隨其所遇之變而各
有論說雖未必盡合於聖

人而要之補經傳之闕遺
以助時王之教者也逮史
稱朝鮮有箕子遺俗緣情
制宜隱然有尚質之風夫
能緣情制宜則其於禮固

幾矣曁我朝　列聖作興
儒教彬蔚三百年来士之
以知禮名者無慮四五十
家允於古訓之疑晦難明
時變之錯互不齊者皆有

所反覆質問援引闡發而
苐患其言散見舛雜搜攷
故諭善朴聖源乃盡取諸
家之書會稡分彙以冠婚
喪祭為目附以宗法雜禮

凡若干卷名曰禮疑類輯
予覽而嘉之亟命芸館刊
布雖窮僻孤陋之士得是
書而有之則當其遇事起
疑庶可開卷瞭然有所據

依而行之其有補於禮教
豈云少哉雖然儒先論禮
之說非有他也即揆其情
之所安而為之節於以合
乎本然之性而已學者能

因其說而究其理有得乎
性情之微則其言之所不
及亦可以推類而義起苟
無所自得而祗以考据而
已則事變之無窮其畫於

是書乎易曰精義入神以致用也利用安身以崇德也合内外之道也徒博而不能約則禮云乎哉乎哉溯其本而論之使學者知所務云爾予即祚之七年癸卯孟冬初九日

奎章閣原任直閣通政大夫守原春道觀察使兼兵馬水軍節度使巡察使原州牧使知製教

臣徐鼎脩奉

教謹書

禮疑類輯序

有家日用之禮莫重於冠昏喪祭而常變不一則曾子問一篇辨析詳矣古今異宜則朱先生家禮參酌盡矣然天下之事變愈無窮前人之議論或不到者亦不能無待於後也我東賢儒輩出禮學大明疑而有問問而有解又或有自爲著說雖其詳略同異之不齊而要皆爲參互援據之資盖曾子之所未問家禮之所未載者亦多所發明其有裨於禮經大矣顧其爲說各成一書而或散出於諸家文集而窮鄉之士旣無以盡蓄卒遽之際又難乎遍考是以人遇無

於古之變禮者雖有先輩所已論而輒自瞭然或於一書得其說而不知諸書又有他說卒無以參證而折中焉所以書雖多而用則闕學者常病之潛溪李公惟哲氏承家學淵源而尤致意於禮旣編前古禮論爲四禮集說又取我東沙溪問解尤庵禮疑南溪禮說而合錄之別爲一部其意盖不止此將以博採衆說次第收入而二書俱未了公遽卽世矣其胤希正甫以公遺命屬聖源訖工聖源惟不克承當是懼嘗以是禀于我陶庵先生先生教以集說固爲家禮羽翼然猶不如東賢禮論之最切於應變又近而可易徵也遂謹就其合編三書者刪其繁複定其次第又博考諸集攟摭要語凡二十九家三十七書逐條補入一如原例而若其分條定目實與同門友俞彦鏶士精共之盖費十數年精力而書始脫藁原書二十四編附錄二編總名之曰禮疑類輯於是乎上下數百載間許多疑變之禮同異之說一開卷瞭然若幾人之有疑莫證臨卒難考者有以證之詳而考之便嗚呼此實潛溪公所以始手用力者而亦賴我先師指導卒底于成覽者尚可以知厥功之所自也顧此衰病已甚神精都耗更無餘力可及於集說無以

盡副李公遺托是爲可愧也已

崇禎紀元後三戊寅仲夏下浣凝川朴聖源書

禮疑類輯引用書目

禮疑類輯凡例

一取我東諸賢禮疑答問及著說論禮者略加抄節以類編輯而專以冠昏喪祭四禮爲主

一今此類輯只爲便於觀覽故分門立條不能盡從家禮之序或隨事而添入別目（如昏禮中不娶同姓之類）或以類而移此合彼（如祠堂章合于祭禮）

一各目中如喪禮復條浴後去復衣復衣不用襲斂等諸節宜皆屬於復條而初終急遽之時臨浴當襲或未知上款復條有此說而忽略焉故言復衣之說則列於浴條復衣不用之說則列於襲條而於復條則只書原目註以詳見其條他皆倣此

一五服之制當以斬齊三年杖朞不杖朞大小功緦爲目而斬齊三年者非一杖期不杖朞亦不一其類至於功緦以下尤爲浩繁或難於臨猝尋見故勿論服之輕重凡屬於本宗者統以爲本宗服爲目而又以父在爲母祖在爲母之類各爲小目以屬之餘皆倣此以便考閱

一喪葬諸具所當預備故先以治喪具治葬具爲目如襲具斂諸具諸說列於治喪具條而至襲條斂條則只書原目註以見治喪具條葬亦倣此

一祭禮自虞以下至忌墓祭大同小異而時祭爲祭之備故其大同處則只於時祭備書而其小異處又各於各祭條書之

一此書旣以四禮爲主如傳重立後之法與夫居家雜儀堂室衣服之制雖亦不出於常禮之外而名義稍異又以許多諸說混録則亦甚繁雜故此則別爲附錄而傳重立後名以宗法居家以下則名以襍禮以置四禮之後

一每卷首第二行低一字書大目（如冠禮昏禮）第三行低二字書小目（如冠禮爲大目則告祠堂迎賓之類爲小目）第四行低三字書次小目（如昏禮中親迎爲小目則設位醮子之類爲次小目）而其中又有小目者低四字書之（如喪禮五服爲小目而本宗服爲次小目則父在爲母之類又爲本宗服之小目）又或於一目之中諸說浩多不可無細分者則略以小註標之（如深衣布總論右裁衣身法右裁裳法之類）以便考覽

一諸賢之論固不無同異得失之不一而不敢以意去取俱爲載錄其中有無甚關緊或一人說中語意重疊者或諸賢已有定論其他說別無新意見者則略加刪減又或截去頭尾間例用之辭以就省約

一諸條中有彼此互看者各註其下以備叅考雖一問答之語而有頭項不同則亦分屬各條

一不見問目而可知答語者刪其問目不得已可存者節畧採入

一勿論答問與平說其主說之人一併書以別號

一一章之内列書諸賢說而不拘年代各隨其事序而或先或後其無大關緊處只從年次書之

一問者之書名書字當一依本文而一人之各見於諸書者或名或字或號其例不一此編則輯爲一書規例有別不可無一定之法而人之易知字不

如名故幷以姓名雙書（名未考者書字）而或有加別號於段首者所以尊異之也

一不書問目而直書某曰云云則其下註以答某問者不見於本文則亦闕之其自爲著說如栗谷擊蒙要訣沙溪家禮輯覽則亦註其書名

一我東諸儒論禮之說固不止此而或有見聞未接處亦有未及刊行者姑不盡錄

禮疑類輯目錄上

迎賓
三加行禮之節
醮禮
字冠者
冠者見父母
禮賓
冠變禮
將冠遇喪
服中冠禮行否 有服人爲賓弁論
國恤中冠禮 見喪禮國恤條

禍家行冠昏之節
附 笄禮
總論
笄禮諸節
背子
卷之二
昏禮
總論
嫁娶年歲先後
不娶同姓

異姓破族昏
主昏
冠禮父母昏禮主昏者異同
不用問名納吉
昏書式
告祠堂
納幣
納幣納徵同異 幣物厚薄弁論
納幣親迎異日
使者 使者服色弁論

親迎
設位
牢床
婿服飾
婦服飾
總論
假髻特髻大衣長裙
背子 見笄禮
袡衣 見附錄襐禮冠服之制條
帨

絞帶
喪中出入時服色（見居喪雜儀條）
杖
屨
婦人喪服之制
蓋頭之制
童子喪服之制

卷之四

喪禮

沐浴

沐浴水（見治喪具條中沐浴之具條）
浴後去復衣

襲

襲衣冠帶履握手冒（見治喪具條中襲具條）
復衣不用襲斂
襲不用緇冠小帽
右衽結紐
襲奠（見始死奠幷論）
借喪襲斂先後（見喪變禮幷有喪條）
喪中死者襲斂衣服（見喪變禮喪中身死條）

爲位

死者襲後生者有位
位次隨時而變
人家狹隘位次變通
喪人位在諸父上

飯含

飯含諸具（見治喪具條）
飯含諸節
承重孫幷有祖喪母喪飯含（見喪變禮幷有喪條）
飯含代行

子婦喪飯含
追後不可解斂飯含（見喪變禮道有喪條）

靈座

設靈座之所
椸制（見治喪具條中靈座之具條）
魂帛椅上置樽衣當否
復衣置靈座（葬後不埋幷論）
爐盒酒果同設

魂帛

魂帛之制（見治喪具條）

魂帛出納開閉之節

埋魂帛 見虞條

銘旌

銘旌尺度 見治喪具條中銘旌之具條

大夫士之辨

有資級無實職 妻從夫實職并論

贈職實職先後書 婦人書眞諱及書兩行并論○見題主條

不書致仕 同上

書處士徵士別號 同上

削官者及其妻稱號 見喪變禮被罪家喪禮中書官名并論○

禮諸節條中銘旌題主條

無官者及其妻稱號 見題主條

婦人書封氏

書姓貫當否 見題主條

庶孽稱號

庶孽婦人銘旌稱號

殤喪稱號 見殤喪諸節條

銘旌書柩字

立銘旌

親厚入哭

服色哭拜諸節 弔慰并論

小斂

小斂布 見治喪具條中小斂之具條

舒絹疊衣

左衽不紐

小斂未結絞

舉尸憑尸之節

小大斂入棺不敢之戒

小斂變服

環絰白布巾括髮免髽之制 見治喪具條中小斂之具

條

還遷尸床

拜賓之節

小斂奠

代哭

代哭之義

大斂入棺

大斂布大斂衾 見治喪具條中大斂之具條

棺槨之制 見治喪具條中入棺之具條

棺中所鋪之物 同上

大斂變服
舉棺置堂中
大斂有牀上棺中之異
實棺
大小斂入棺不敬之戒 見小斂條
婦人棺内不入其夫遺衣落髮
入棺後解絞布之非
大斂後拜賓 見小斂條中拜賓之節條
漆棺 結棺及見攢并論
成殯

沙殯塗殯
靈床
靈床奉魂帛 見魂帛條中魂帛出納開閉之節條
靈床三年不撤之非 見葬後諸節條
素帳 見治喪具條中成殯之具條
殯宫長燈非禮
婦人守殯
殯後男女位次 見爲位條中位次隨時而變條
居廬
廬次

撤倚廬 見祥後諸節條
卷之五
喪禮
五服
爲本宗服
齊斬之義
父在爲母 承重孫祖在爲祖母曾高祖母并論
承重孫祖在爲母
父喪中母亡服母 見喪變禮并有喪條
母喪中父亡仍服母服 同上

父有廢疾子承重 見喪變禮代喪條
父死喪中子代服 同上
父在母喪而子歿者其子代服當否 同上
父喪中遭祖父母喪代服當否 同上
嫡孫歿喪中無後庶孫代之 同上
爲高曾祖父母
五代祖喪
爲人後者爲所後曾高祖
夫爲妻
父爲長子

祖爲承重孫

祖爲孫

爲長子婦

爲嫡婦不爲舅後者

爲宗子

爲孽屬

爲出母嫁母服

爲出母 所後母祖母被出并論

爲嫁母 嫡母繼母祖母嫁并論

爲父後者爲出母嫁母

嫁母出母爲其子

爲養父母服

爲收養父母 妾養子爲嫡母及母之養父母并論

族屬不以收養恩加服

爲慈母庶母服

爲慈母 慈母黨并論

爲庶母 爲夫庶母服有無并論

爲殤服

三殤

無服之殤

嫡子不成殤者

爲母黨服

母黨

本生母黨

出母繼母嫁母嫡母黨

爲外先服窮者弔服加麻之非

爲妻黨服

妻黨

卷之六

喪禮

五服

爲人後者爲本生親服

爲本生父母祖父母曾祖父母

爲本生姊妹姑

爲本生母黨 見爲母黨條

爲人後者之子爲其父本生諸親 出繼人之子還繼本生祖條參看 與祭變禮

私親爲爲人後者

妻爲夫黨服

母爲長子

母爲嫡婦不爲舅後
爲夫曾高祖
承重者妻從服及母與祖母服本服當否
孽子承重則嫡孫婦不爲承重服
爲夫黨諸親
爲本生舅姑祖舅姑
爲夫繼母嫡母養父母慈母（爲夫嫡母父母并論）
爲夫嫁母出母及庶子爲父後者之妻
爲夫所生母

爲夫庶母（見爲庶母條）
出嫁女爲本生親服
出嫁女爲父母祖父母
爲兄弟爲父後者
姊妹旣嫁相服期之辨
出嫁女爲諸親只降一等
爲兄弟姪之妻
爲從父兄弟之妻
無夫與子與私親相服
附　妾爲私親服

妾爲君黨服
妾爲君之父母
妾爲君之黨
妾爲女君之黨（女君於妾無服并論）
兩妾相服
妾子爲本生親服
妾子嫡母在爲所生母
承重妾子爲所生母
妾孫爲其父所生母
兼親服

童子服（年歲當冠而遭重服者因喪冠見變禮將冠遇喪條）
爲師友服（見師友喪諸節條）
諸服有無同異辨
緦不降之誤
式暇服制之異
成服
衰服冠巾絰帶杖屨（見治喪具條中成服之具條）
成服時雜儀
五服相弔之儀
大斂成服不可同日（見喪變禮過期之禮條）

在途喪到家成服 見喪變禮道有喪條
喪出癘疫不成服之非 見喪變禮染患中喪禮諸節條
偕喪成服先後 見喪變禮并有喪諸條
國恤中私喪成服 見國恤條中并有君父喪并論條
主人奔喪與在家兄弟先後成服之節 見喪變禮奔喪條
所後喪中遭本生親喪奔哭成服之節 見喪變禮并有喪條
聞訃後訃入棺日成服 見喪變禮聞喪條
成服有故追行 見喪變禮追行之禮條
入棺前草殯成服 見喪變禮草殯條

卷之七

喪禮

朝夕哭

朝夕哭諸節

奠

朝夕行奠之節
朔望行奠之節
俗節別設合設之辨
發引日行朔望奠之節 見發引條
發引前諸子女別奠當否 同上
葬後朔望奠 見葬後諸節條
祥後行奠之節 見祥後諸節條
父在母喪祥後饋奠當否 見父在母喪諸節條
在外行奠之節 見離喪次諸節條

上食

成服前上食當否
在途成服前饋奠 見喪變禮途有喪節
上食處所否 見葬後諸節條中葬後上食當否條所引檀弓朱子諸說參考
上食時陳設行事諸節

上食時不用拘忌
夏日三上食
値先忌綱禮上食用素當否
發引日朝上食 見發引條
葬日値先忌上食用素當否 見上値先忌用素當否條
中南溪說
虞祭日夕上食 見虞條
葬後上食當否 見葬後諸節條
練後上食哭泣有無 見練後諸節條
父在母喪祥後饋奠當否 見父在母喪諸節條

墓地不可倒用
治葬具
穿壙之具
外槨用否
隔灰諸具 見穿壙條中諸條
發引之具
翣
功布
輓辭 非時不請輓弁論○國恤中私喪輓辭見國恤條中私喪葬禮諸節條

方相
窆葬之具
豐碑轆轤
玄纁
下帳
明器
筲
誌
題主之具
神主總論

主材用栗
櫝
韜藉
成墳之具
石碑 碣銘弁論
石物 墓前立石及樹柏之義見方相條
祠后土 告先塋見合葬條
祠后土諸節
祝文
國恤時祠后土 見國恤條中私喪葬禮諸節條

穿壙
灰隔之制
和灰法 油灰用否弁論
用地灰
炭末松脂用否
外槨用否 見治葬具條中穿壙之具條
啓殯
遷柩啓殯時奠告服色諸節
啓殯後復成殯散垂復絞
發引後再啓殯時告辭

啓草殯至葬時諸祝辭見喪變禮草殯條

朝祖

總論

朝祖時諸節

異居難行朝祖過宗家朝祖并論

庶母出繼子出嫁女無朝祖之義

遷于廳事

導柩右旋之義

停柩處移動之節

祖奠

祖奠之祖字

祖奠時位次

祖奠夕上食不可兼行

自外返柩時祖遣奠并朝祖論

祖遣奠不可再行

遣奠

遣奠諸節祝辭并論

自外返柩時遣奠見祖奠祝

遣奠不可再行同上

發引

發引之具見治葬具條

陳翣

發引日朝上食行朔望奠之節

發引前諸子女別奠當否

發引時男女位次見爲位條中位次隨時而變條

發引諸節

并有父母及祖父母喪發引先後見喪變禮并有喪條

及墓

設靈幄主人男女位次并論

設奠

引後窆前諸節

引後窆前仍用靈寢

葬日値先忌上食用素當否

下棺題主前弔奠

卷之九

喪禮

窆

隧道

下棺

豐碑輀轝見治葬具條中

用柩衣柩衣見治喪具條中成殯之具條

銘旌銘旌之具見治喪具條

贈玄纁玄纁見治葬具條中窆葬之具條○拜禮并論

奠玄纁

置翣挽翣挽見治葬具條中發引之具條

明器不用見治葬具窆葬之具條中明器條

祠后土見上

下誌石誌石見治葬具條中窆葬之具條

承重孫并有父母及祖父母喪先後葬見喪

祖孫及母子偕葬同上

變禮并有喪條

題主

主櫝韜藉見治葬具條中題主之具條

題主不待實土

題主人服色內喪外客題主并論

題主時雜儀

行第

書諱

皇顯字義

有資級無實職論妻從夫實職并論○見銘旌條

贈職實職先後書婦人書眞誥及書兩行并論

不書致仕

書處士徵士別號

削官者及其妻稱號陷中書官名并論○見喪變禮被罪家喪

無官者及其妻稱號

銘旌題主諸節禮條中

婦人書封氏見銘旌條

書姓貫當否

庶孼稱號見銘旌條

庶孼婦人稱號同上

旁題左右之別

幼兒旁題

題主奠

題主祝

父母偕喪題主先後見喪變禮并有喪條

攝祀旁題見祭變禮攝主奉祀條中諸條

無男主者婦人奉祀題主見喪變禮無後喪條

本生親題主凡爲人後者本生親喪諸節條

妾子所生母題主見妾子本生親喪諸節條

茅沙上同○又見祭禮忌祭條叅看

設盥盆西階

匙楪居中居西之辨見祭禮時祭條

出主見祭禮祭條

入哭位次

倚杖室外

無叅神

降神時止哭

進饌時炙肝并進

左設與上食不同

飯羹左右之義見祭禮時祭條

酌獻之節

祭酒之義見祭禮時祭條

啓飯蓋同上

告祝之節

祝文

攝主祝見喪變禮嗣子未執喪條中子姑攝主條

妻祭夫祝

諸親喪虞卒以下祝

祝立主人右之義

讀祝見祭禮忌祭及時祭條

亞獻

終獻

侑食下當有扱匙正筯之文無拜禮并論

扱匙正筯之節見祭禮時祭條

闔門啓門撤羹進茶伏立之節同上

告利成之義同上

虞卒告利成之異無拜禮并論

諸親祭告利成當否

下匙筯合飯蓋見祭禮時祭條

辭神先斂主并論

渴葬行虞卒哭之節

新舊喪合窆行虞之節見喪變禮改葬條

父母及祖父母偕喪虞卒見喪變禮并有喪條

重喪中遭輕喪者重喪虞卒祔同上

國恤中私喪虞卒見喪禮國恤條

埋魂帛復衣不可并埋見靈座條

虞祭日夕上食

卒哭

饌品諸條并見祭禮時祭條

附

總論

論祔禰之非
無祖則祔高祖 祖主孫祔幷論
祔不論宗支有嗣無嗣
虞祔沐浴櫛髮之異 見虞條
就祖廟所奉處行祔祭
告廟設虛位 紙榜參降之節見祭禮變禮與居行祭條
考妣單設幷設 祖妣二人中當祔之位幷論
饌品 諸條見祭禮時祭條
茅沙正祔位各設 與祭禮時祭茅沙條參看
玄酒 見祭禮時祭條

設盥盆西階 見虞條
祭時服色 布網巾見卒哭條
行祭早晚 見祭禮時祭條
匙楪居中居西之辨 同上
叙立 見虞祭條中入哭位次條
新舊兩主奉出還迎之節
出主 見祭禮參條
祖位參降之節 見祭禮時祭條
亡者位無參神 見虞條
新舊兩位進饌之節

亡者位左設與上食不同 見虞條
飯羹左右之義 見祭禮時祭條
酌獻之節 與虞祭參看
祭酒之義 見祭禮時祭條
啓飯盖 同上
祝文
讀祝 見祭禮時祭條
祔祭不哭之義
亞獻終獻 幷見虞條
侑食下當有扱匙正筯之文 無拜禮幷論○同上

扱匙正筯之節 見祭禮時祭條
闔門啓門撤羹進茶伏立之節 同上
告利成之義 同上
下匙筯合飯盖 同上
辭神在斂主前
幷有父母喪祔祭 見喪禮變禮幷有喪條
重喪中遭輕喪者重喪虞卒祔 同上
祖喪中孫死祔祖 同上
本生親祔祭 所後喪中本生親喪祔祭幷論○見爲人後者本生親喪諸節條

重喪中諸親喪祔祭 見喪變禮并有喪條

妾祔

宗子有故攝行

宗婦使人攝行

先忌與卒祔相值行祀之節 見祭變禮(同)祭相值條

祔祭有故追行 并廬墓者喪畢返魂後祔禮論○見喪變禮追行之禮條

葬後諸節

靈牀三年不撤之非

葬後上食當否 值先忌緬禮上食用素當否見上食條

朔望日祠堂參禮後行事几筵

葬後朔望奠 與奠條中朔望行奠之節條參看

葬後椅卓仍用素

三年內新山墓祭 見喪中行祭條

三年內几筵時祭行否

三年內几筵禰祭 見生辰條中沙溪說

喪中禰祭 見喪中行祭總論條中南溪說

喪中有事告几筵

葬後上墓之節 上墓服色及拜先墓與居喪雜儀條中出入服色條參看

慰疏答式 見書疏式條中疏狀雜式條

小祥

練祥用死日

變服之節

衰服練改當否 冠孝巾中衣直領并論

去負版衰辟領

葛絰

絞帶用布用麻

練屨

婦人練服

男女絰帶變除不同

饌品 諸條并見祭禮時祭條

茅沙玄酒 同上

設盥盆西階 見虞條

行祭早晚 見祭禮時祭條

匙楪居中居西之辨 同上

出主 見祭禮參條

入哭位次 見虞條

無尸神降神時止哭 并見虞條

進饌時炙肝并進 同上

左設與上食不同 同上
飯羹左右之義 見祭禮時祭條
酌獻之節 見虞條
祭酒之義 見祭禮時祭條
啓飯蓋 同上
告祝之節
祝文 與虞祝參看
攝主祝 見喪變禮嗣子未孰喪條中子幼攝主條
妻祭夫祝 見虞條
諸親喪虞卒以下祝 同上

讀祝 見祭禮時祭條
亞獻終獻 并見虞條
侑食下當有扱匙正筯之文 無拜禮并論○上同
扱匙正筯之節 見祭禮時祭條
論加供之非 見祭禮支子之祭條
闔門啓門撤羹進茶伏立之節 并見祭禮時祭條
告利成之義 同上
諸親祭告利成當否 見虞條
下匙筯合飯蓋 見祭禮時祭條
辭神○先歛主并論 見虞條

練祥日哭
父在母喪練 見父在母喪諸節條
本生親喪練禫 見爲人後者本生親喪諸節條
妻喪練 見妻喪諸節條
并有父母及祖父母喪練祥 見喪變禮并有喪條
重喪中遭輕喪者重喪練祥禫行廢 同上
本生親喪中行所後家練祥禫吉 同上
重喪中輕喪練祥備禮 同上
國恤中私喪練祥 見國恤條
國恤中并有私喪練祥 同上

染患中成服未備者不可退行練祥 見喪變禮染患中喪禮諸節條
以染患重病追行練祥禫 同上
病中遭親喪者練祥之節 見喪變禮追喪條
聞訃追服行練祥之節 見喪變禮追喪條
出繼追服行練祥之節 見喪變禮追喪條中立後追服之節條
追服追祥者本祥日行事前期告由之節 見喪變禮追喪條
過期不葬者練祥禫變除之節 見喪變禮過期之禮

條

并有喪卒哭小祥相值 見喪變禮并有喪條

改葬與練祥相值 見喪變禮改葬條

先忌與祥禫相值行祀之節 見祭變禮兩祭相值條

適嗣歿喪中練祥權王 見喪變禮無適嗣喪條

練後諸節

練後上食哭泣有無

練後晨昏展拜

練後上塚哭

練後哀至則哭

練後未除服者朔望會哭 朔望哭奠哭各異并論

朞功變除後服色 見五服變除條

禮疑類輯目錄下

禮疑類輯卷十一

禮

大祥

練祥用死日 見小祥條

變服之節

冠服

網巾

婦人祥服

饌品 見祭禮諸條并時祭條

茅沙玄酒 并同上

設盥盆西階 見虞條

行祭早晚 見祭禮時祭條

匙楪居中居西之辨 同上

出主 見祭禮參條

入哭位次 見虞條

無參神降神時止哭 并同上

進饌時炙肝并進 同上

左設與上食不同 同上

飯羹左右之義 見祭禮時祭條

染患中成服未備者不可退行練祥 見喪變禮染患中喪禮諸節條

以染患重病追行練祥禫 同上

病中遭親喪者練喪之節 見喪變禮追喪條

聞訃追服行練祥之節 見喪變禮追喪諸條

出繼追服行練祥之節 見喪變禮追喪條中立後追服之節條

追服退祥者本祥日行事前期告由之節 見喪變禮追喪條

過期不葬者練祥禫變除之節 見喪變禮過期之禮條

改葬與練祥相值 見喪變禮改葬條

先忌與練祥禫相值行祀之節 見祭禮兩祭相值條

適嗣死喪中練祥權主 見喪變禮無適嗣喪條

失禮追行大祥 見喪變禮追行之禮條

服盡後主祥禫 與立喪主條中父在父爲主條參看

祥後諸節

撤倚廬

祥後食肉之非

祥後行奠之節

父在母喪祥後饋奠當否 見父在母喪諸節條

祥後省墓哭 與練後諸節條中練後上塚哭條當參看

禫前晨謁

除喪後受弔

父在母喪除服後受弔 見心喪雜儀條中心喪中受弔條

祥禫後廬墓之非

禫前書疏式 見書疏條

禫

總論

中月而禫

計閏不計閏之辨

卜日

總論

丁亥之義 見祭禮時祭條

环珓之制 同上

卜日雜儀 同上

退祥者用本月行禫

禫日變服之節

設位靈座

饌品 見祭禮時祭條諸條

茅沙玄酒 并同上

設盥盆西階 見虞條

行祭早晚 見祭禮時祭條

匙楪居中居西之辨 同上

出主告辭

出主 見祭禮參條

入哭位次 見虞條

參神有無之辨

降神時止哭 見虞條

進饌時炙肝并進 同上

左設與上食不同 同上

飯羹左右之義 見祭禮時祭條

酌獻之節 見虞條

祭酒之義 見祭禮時祭條

啓飯蓋 同上

告祝之節

祝文 見出主告辭條

攝主祝 見喪變禮嗣子未執喪條中子姉攝主祝條

妻祭夫祝 見虞條

禮疑類輯 八 目錄下 六二

諸親喪虞卒以下祝 同上

讀祝 見祭禮忌祭及時祭條

亞獻終獻 并見虞條

侑食下當有扱匙正筯之文 并無禮論○上同

扱匙正筯之節 見祭禮時祭條

論加供之非 見祭禮支子之祭條

闔門啓門撤羹進茶伏立之節 并見祭禮時祭條

告利成之義 同上

諸祭告利成當否 見虞條

下匙筯合飯蓋 見祭禮時祭條

辭神在斂主前 見祔條

并有重喪中前喪禫祭行廢 見喪變禮并有喪條

重喪中遭輕喪者重喪練祥禫行廢

本生親喪練禫 見爲人後者爲本生親喪諸節條

本生親喪中行所後家練祥禫吉 見喪變禮并有喪條

所後喪中爲本生親喪持服行禫之節 同上

心喪中行重喪禫吉 見心喪人與祭并論○上同

國恤中私喪禫吉 見國恤條

妻喪禫 見妻喪諸節條

禮疑類輯 八 目錄下 七一

祝文同板異板之辨
讀祝 見祭禮時祭條
獻祔位之節 同上
亞獻終獻三獻各進炙 并同上
扱匙正箸闔門啓門撤羹進茶伏立之節
受胙 同上
告利成之義 同上
下匙筯合飯蓋 同上
遞遷 見祭禮
祔高祖者祖亡後吉祭時遷祔祖龕
埋祧主之節
埋主之所
埋主時告辭
埋主卧安立安之辨 并擴埋論
埋主時舉哀
支子官次所奉先代神主奉還祠堂行吉
祭
禮月行吉祭者吉畢無拘
父在母喪吉祭及復吉之節 見父在母喪諸節條

并有喪吉祭 見喪變禮并有喪條
承重孫父喪中未行祖喪吉祭者諸叔父
復寢之節 同上
期功服葬前重喪吉祭行否 同上
本生親喪中行所後家練祥禫吉 同上
心喪中行重喪禫吉 心喪人與祭并論○上同
國恤中私喪禫吉 見國恤條
緦服中行吉祭
主人追服者徑行祥禫退月服吉 見喪變禮追喪條
攝祀人不可行祧遷 見祭禮遞遷條中攝祀家祧遷條諸說
孟月行吉祭者仲月行時祭當否
立後後行吉祭之節 見祭變禮立後奉祀條

卷之十二
喪禮
居喪雜儀
內外艱之辨
喪中避染癘當否 見喪變禮染患中喪禮諸節條
遭喪後哭先墓之節
居喪飲食之節

喪杖拄輯之節 與虞祭條中倚杖室外條參看
喪中出入服色 上墓服色見葬後諸節條中葬後上墓之節條
居喪接人之節
喪次設酒食之非
居喪出入謝答可否 與書疏式條參看
居喪出入時告拜靈筵之節
喪中就學授徒
居喪誦讀之節 吟詠并論
喪中諸父昆弟喪送葬行奠參祭
喪中弔哭致奠并論

重喪中遭輕喪不能具服者會哭受弔之節
居憂中遭師喪
國恤中居私喪雜儀 見恤國條
喪中避染疫當否 見喪變禮染患中喪禮諸節條
喪中遇變亂奔問當否 見喪變禮喪中遇喪亂諸節條
喪中慰疏
服中雜儀
期以下服中飲食常服之節
期功以下復寢之節

服中赴舉 改葬時當服朞者不赴舉見喪變禮葬條中弔服加麻之類條
服中不聽樂
服中赴宴會
服中授徒講業之節 吟詠并論
服中弔人
大小祥練後葬後歸家之節
心喪雜儀
心喪服色
心喪中有服者服本服帶
心喪中受弔

心喪中弔人
離喪次諸節
在外行奠之節
在外望哭之節
在外弔哭
服人不在喪次者受弔
書疏式
書疏雜式
父喪中繼母在前後子孤哀之稱
庶子所生母喪自稱

卷之十三

喪禮

祖父母喪中葬後祭祀

父母喪中子女忌墓祭

期以下服中大小常祀服色并論○與祭變禮臨祭遇喪條參看

攷者有服無服行祭廢祭之說

喪中祭祀用肉當否與喪變禮并有喪條中新喪葬前前喪上食用素當否條參看

五服變除

親喪追服變除用聞訃成服兩日之辨計日計月計閏當否并論○見喪變禮追喪條

親喪追服與在家兄弟先後變除之節嫡子未除服前諸子已受吉者常居之服并論○上同

立後追服之節變除并論○上同

并有喪前喪祥日變除之節見喪變禮并有喪條

過期不葬者練祥禫變除之節初期再期日單獻并論○見喪變禮過期之禮條

成服有故遲退者變除

期功諸服變除月數

重喪中期服變除之節

親喪中期服追除當否

朔日殄禮與除服先後

服期者十一月練祭無變除

期功變除後服色服盡後祭哭并論

寡居婦人脫服後服色

卷之十四

喪禮

父在母喪諸節

父在爲母服見五服條中爲本宗服條

父在母喪杖卽位當否

父在母喪練出祥追服練祥并論

父在母喪祥服與大祥冠服條參看

父在母喪祥後饋奠當否

父在母喪禫

祖喪中父在母喪禫見喪變禮并有喪條中父喪中妻喪祥禫條

父在母喪除服後服色見心喪雜儀條中心喪服色條

父在母喪除服後受吊見心喪雜儀條中心喪中受吊條

父在母喪禫後書疏再期後禫月前自稱并論

父在母喪禫後拜墓之節

父在母喪再期行事之節

父在母喪喪畢當禫之月行事之節
父在母喪吉祭及復吉之節
出母嫁母喪諸節
爲出母嫁母服 見五服條
出母嫁母改葬服有無 見喪變禮改葬條中改葬當服緦之條類
養父母喪諸節
爲養父母服 見五服條○爲夫養父母服見五服條中妻爲夫黨服條
養父母喪中服色 見五服條中爲收養父母條
養父母題主

收養母喪書疏式
養妣服中改葬養考之服 見喪變禮改葬服條
妻喪諸節
妻喪去冠當否 見易服條中重服人去冠當否條
爲妻服 見五服條中爲本宗服條中夫爲妻條
妻喪遣奠祝
妻喪題主 妹主幷論
妻喪虞卒哭主祭 見立喪主條中父在父爲主條
妻喪虞卒哭祥禫諸祝
妻喪練 未祭練祭設位變除幷論

妻喪禫
父喪中妻喪練祥禫 見喪變禮幷有喪條
妻母喪葬前妻喪練祭
妻主別處之說 見祭禮班祔條
妻主入廟
妻忌祝辭 見祭禮忌祭告祝之節條中諸親忌祝有無之辨條
長子喪諸節
爲長子服 見五服條中爲本宗服條中父在爲子條
長子喪居處服食諸節
長子喪中祭祀 見喪中行祭條

殤喪諸節
爲殤服 見五服條
殤絰不絞 見治喪具成服之具條中首絰腰絰條
殤喪雜儀 自始死至埋主○計月不滿下殤者不立主幷論
爲人後者本生親喪諸節
生父母喪去冠脫網巾 見易服條中重服人去冠當否條
聞生父母喪儀節
爲本生父母服 見五服條中爲人後者爲本生親服條
爲本生舅姑服 見五服條中妻爲夫黨服條
本生親喪位次哭泣之節

卷之十五

喪禮

國恤

服制總論

臣民居　國恤節 童子服弁論

國恤奔哭 繦禮弁論

國恤在外成服除服之節

罪廢中及宥叙後居　國恤之節 未署經前弁論

弁有君父喪總論

王妃喪私親喪輕重

私喪中　國恤成服

國恤中居私喪雜儀 服人常持服弁論

私喪中遭　國恤饋奠行廢用素當否

國恤中私喪葬期

國恤中私喪葬禮諸節

國恤中私喪返魂儀節

國恤中私喪虞卒哭 與國恤中私喪練祥條參看

國恤中私喪練祥 與虞卒哭條參看

國恤中弁有私喪練祥

國恤中練祥退行者本祥日行事之節 與喪變禮追服條中追服退行者本祥日行事條參看

國恤中私喪禫吉 除私喪時服色及國忌日行禫弁論

國恤中私家改葬服行虞之節

國恤中私家大小常祀 東宮喪中私家祭祀弁論

國恤中私家冠禮

國恤中私家昏禮

卷之十六

喪變禮

聞喪

聞親喪未見訃書

在外交傳處變

聞親喪易服 易服見喪禮本條

聞親喪未奔哭 婦人未奔哭弁論

出使聞親喪

聞諸親及無服喪

親喪中聞外喪

發靷及臨葬時聞喪

在官次聞諸親喪舉哀之節 路次不哭弁論

聞訃後計入程日成服

冠昏遇喪 見冠昏變禮條

臨祭遇喪 見祭變禮臨祭有故條

奔喪

奔喪被髮之非
奔喪所着（出繼子所着幷論）
到家後諸節
主人奔喪與在家兄弟先後成服之節
所後喪中遭本生親喪奔哭成服之節（見幷有喪條）
新婦未及見舅姑而赴舅喪
出嫁女奔哭
服人奔喪成服之節
追喪

親喪追服變除用聞訃成服兩日之辨（訃日訃月計閏當否幷論）
親喪追服與在家兄弟先後變除之節（與追喪禫祭條參看○嫡子未除服前諸子已受吉者幷論）
母子聞喪各有先後變除之節
出嫁女本生親喪訃聞訃日除服當否
病中遭親喪者練祥之節
追服退祥者本祥日行事前期告由之節
追喪除服前上食當否
喪期後滿者朝夕哭儀

追喪禫祭（兄弟先滿者幷論○設位哭除與幷有喪條中前喪禫祭行際條參看）
主人追服者徑行祥禫退月服吉
立後追服之節（變除幷論）
立後後告廟之節
立後後改題之節
立後追服者喪出再期後撤几筵當否（與追喪除服前上食條參看）
立後追服兩喪者成服先後
親喪中出繼改服之節（服中出繼本服仍遂幷論）

期功以下稅服當否
出繼後所後家諸親追服當否
出嫁後夫黨諸親追服當否
親喪久後追服之非
代喪
父有癈疾子承重
父歿喪中子代服
父在母喪而子歿者其子代服當否
父喪中遭祖父母喪代服當否
嫡孫死喪中無後庶孫代之

代喪後告兩殯之節
代喪後改題之節

卷之十七

喪變禮

幷有喪 幷有重喪輕喪幷論
父母及祖父母偕喪襲歛入棺先後
承重孫幷有祖喪母喪飯含
父母及祖父母偕喪成服先後
立後追服兩喪者成服先後 見追喪條
輕喪中遭重喪成服先後

所後喪中遭本生親喪奔哭成服之節
父死喪中子代服 見代服條
父喪中遭祖父母喪代服當否 同上
父喪中母亡服母
母喪中父亡仍服母朞 題主及練祥告辭幷論
父母偕喪設几筵持服
承重孫幷有父母及祖父母喪持服 書疏自稱幷論
父喪未殯妻亡服妻
重喪中主輕喪

新喪成服前前喪上食當否 廢朝夕哭幷論
新喪葬前前喪上食用素當否
喪中死者祭奠用素當否 見喪中身死條
幷有父母及諸親喪饋奠行事之節 與改葬條中兩喪几筵行饋奠條參看
新喪葬前前喪墓祭當否
幷有父母喪朝祖時朝几筵
幷有父母及祖父母喪發引先後
承重孫幷有父母及祖父母喪先後葬
祖孫及母子偕葬

父母偕葬題主先後
父母偕葬返魂
臨葬遇喪
父母及祖父母偕喪虞卒 與改葬條中新舊喪合窆行虞條參看
重喪中遭輕喪者重喪虞卒祔
幷有喪卒哭小祥相値
幷有父母喪祔祭
祖喪中孫死祔祖
所後喪中本生親喪祔祭

重喪中諸親喪祔祭

幷有父母及祖父母喪練祥 練祥退行者本祥日行事之節幷論○當與追服退祥及國恤中練祥退行者本祥日行事條參看

幷有喪前喪祥日變除之節

國恤中幷有私喪練祥 見國恤條

親喪中期服追除當否 見喪禮五服變除條

幷有重喪中前喪禫祭行廢 與追喪條中兄弟先後變除條參看

重喪中遭輕喪者重喪練祥禫行廢

重喪中輕喪練祥備禮

幷有喪吉祭

期功服葬前重喪吉祭行否

本生親喪中行所後家練祥禫吉

心喪中行重喪禫吉 與心喪人祭幷論

母喪心制中遭父喪者祭母服色

所後喪中爲本生親喪持服行禫之節

父喪中妻喪練祥禫

幷有君父喪 見喪禮國恤條

居憂中遭師喪 見喪禮居喪雜儀條

卷之十八

喪變禮

途有喪

追後喪不可解斂飯含

大斂時追用幎握 見追行之禮條

在途喪到家成服

在途成服前饋奠 本家設虛位行奠幷論

喪中身死

喪中死者襲斂衣服 喪服區處幷論

喪中死者祭奠用素當否

喪中死者不行致奠

嗣子未執喪

子幼攝主

長子病廢次子攝主 病見生子其弟遂宗事幷論

嫡子廢疾次子傳重當否

父有廢疾子承重 見代喪條

無嫡嗣喪

爲長子立後次子不當主喪奉祀

長婦次子中主喪當否 嫡孫婦次子之子幷論

長子無嗣次子攝主 在腹兒未生前攝主幷論○見祭變禮攝主奉祀條

無衆子而長孫之弟攝主 同上
適嗣死喪中練祥權主
妾子奉祀 見祭變禮
因變故攝主 見祭變禮攝主奉祀條

無後喪
有男主者婦人不可奉祀題主
無男主者婦人奉祀題主
有本親則外孫不敢主喪
婦人喪夫黨爲主
妻黨不可主喪

養父母題主 見喪禮養父母喪諸節條
外祖考妣題主 見祭變禮外孫奉祀條中外孫奉祀稱號代數條
無後諸親喪題主 諸父兄弟姪姊妹弟婦庶母
無後宗子祔廟
無後諸親喪祝辭
無後諸親喪撤几筵遲速
長子無後班祔
繼祖禰之家兄亡弟及則兄主別奉
無後諸親神主奉別室
無嗣祖妾神主

過期之禮
大斂成服不可同日 見幼喪成服并論
過期不葬者練祥禫並除之節 初喪再朞日單獻并論
過期不葬者朞功諸服變除之節 與上條參看
過期不葬者祭先之限 見喪禮喪中行祭條

追行之禮
大斂時追用幎握
七星板追用當否
成服有故追行

追後立主 改題追行及陷中諸字追塡并論
祔祭有故追行 兆虛墓者喪畢後祔禮并論
以染患重病追行練祥 見染患中喪禮諸節條
失禮追行大祥
祔廟追行 亂後祔廟并論
兵火中權厝未備葬禮者追行諸節 見喪中遇變亂諸節條

追改之禮
改棺

誤成服追改之節

衰服補改可否
追改神主（主櫝改造并論）
神主誤題改正（蠹缺改題并論）
染患中喪禮諸節
喪中避染疫當否
喪出癘疫不成服之非
饋奠不忌痘患
染患中成服未備者不可退行練祥
以染患重病追行練祥
避寓中行禫

以癘疫祔廟追行
山殯年久處變之節
喪中遇變亂諸節
喪中遇變亂奔問當否
兵火中權厝不備葬禮者追行諸節
亂後祔廟（見追行之禮條）
被罪家喪禮諸節
銘旌題主請輓

卷之十九
喪變禮

草殯
入棺前草殯成服
啓草殯至葬時諸祝辭
山殯年久者處變之節

權葬
總論
兵火中權厝未備葬禮者追行諸節（見喪中遇變亂諸節條）
改葬權厝除緦服之節（見改葬條中除服之節條）

改葬

總論
告廟之節（告几筵并論）
告墓之節

改葬服
改葬當服緦之類
父喪中改葬母之服（諸孫服并論）
母喪中改葬父之服
繼母葬前改葬母之服
生母葬前改葬生父之服
養妣服中改葬養考之服

承重孫父喪中改葬祖之服
承重喪中改葬父母祖父母之服
三年內改葬之服
姑喪中改葬夫之服
期服中改葬父母之服。
改葬時在家成服
改葬時攝主之服
弔服加麻之類 不赴擧幷論
喪中祖父母以下諸親改葬時服色 重服人服色幷論

改葬服緦之節
國恤中私家改葬服 見喪禮國恤條
破墳出柩異日凡節
兩喪出柩改殮先後
改斂改棺之節
離先塋時朝祖墓當否
發引時設奠
兩喪發引相會之節 與幷有喪條中發引先後條參看
停柩設靈座靈寢
兩喪異殯 與幷有喪條中父母偕喪設几筵條參看

弔
上食奠
三年內改葬兩設饋奠
兩喪几筵行饋奠之節 承重孫祖母改葬前奠父殯幷論
改葬與忌日生辰練祥相値，
發引以後諸節
因喪改葬先輕後重
改葬虞
行虞當否 行虞諸節幷論○與幷畢告廟條參看
新舊喪合窆行虞之節 與幷有喪條中父母及祖父母

祖喪卒哭前行改葬母虞祭 偕喪虞卒條參看
國恤中私家改葬行虞之節 見喪禮國恤條
葬畢告廟 與行虞當否條參看
告廟諸節
新舊喪改葬葬畢告廟
改葬後除服前諸節
改葬除服
除服之節 除加麻幷論
改葬權厝除緦服之節

晨謁

晨謁焚香

晨謁不計未潔

值忌祭行拜先後

衆子獨行晨謁當否

喪中先廟晨謁 見喪禮喪中行祭條中喪中行參禮諸節條

出入告 唱喏 婦人拜幷論

參

每龕一大盤

饌品

設盥盆不分內外 設東西之義幷論

茅沙 見時祭條

參禮服色

總論

幞頭襴衫皂衫帽子靴 幷見冠禮三加冠服條

幅巾深衣大帶黑履 同上

凉衫

假髻特髻大衣長裙 見昏禮親迎條中婦服飾條

背子 見幷禮

序立

出主

參降先後之異

獻拜之節 辭神幷論

望日用酒與否

閏月朔望參當行

朔望莫俾僕代行之非

朔望只行焚香當否

忌祭與參禮相值行祀之節 時祭日不行參禮幷論○

朔日參禮與祭服先後 見喪禮五服變除條

見祭變禮祭相值條

喪中行參禮諸節 見喪禮喪中行祭條

國恤中參禮 見喪禮國恤條中私家大小常祀條

俗節

俗節名義

俗節增删

俗節墓廟并行

饌品

國恤葬前俗節 見喪禮國恤條中私家大小常祀條

支子異居遇俗節 見支子諸禮條中支子自主之祭條及支子祭先廟條

饌品
總論
果蔬
脯醢
佐飯切肉食醢
生魚肉用否
湯炙品數
鹽醋醬
米食麵食
桃鯉燒酒油蜜果犬肉用否

生時所嗜不嗜之物當用與否
茅沙
玄酒
時祭服色與叅條中叅禮服色條叅看
設盥盆不分內外設東南之義幷論○見參條
行祭早晚
匙楪居中居西之辨
祭時男女位內外執事幷論○與參條中序立條叅看
詣祠堂奉主就位之節無主婦奉、主幷論
出主見參條

叅降諸節與參條中叅降先後條叅看
飯羹左右之義
酌獻之節見喪禮虞條
祭酒之義
啓飯蓋
告祝之節
祝文
讀祝
獻祔位之節
亞獻終獻

三獻皆進炙
扱匙正筯之節
闔門啓門幷論
徹羹進茶伏立之節
受胙
告利成之義
告利成
下匙筯合飯蓋
祖先生日行時祭
減墓祭行時祭之說

貧家行時祭之說

時祭替行當否 攝行諸節見祭變禮祭祀攝行條中主人不與祭使人攝行條

三年内几筵時祭行否 見喪禮葬後諸節條

國恤中時祭 見喪禮國恤條中私家大小常祀條

附土神祭

初祖先祖祭

禰祭

總論

卜日齋戒設位饌品以下行祀諸節 幷見時祭條

禰祭過時不行

禰祭替行當否

喪中禰祭 見喪禮喪中行祭條中總論條南溪答金克成說

三年内几筵禰祭 見喪禮生辰條

卷之二十二

祭禮

忌祭

總論

閏月小月晦日歿者忌日

兩日間歿者忌日 與喪禮初終條中夜半死者從來日條參看

行忌祭之所

考妣幷祭單設

齋戒服色食素之節 詳見時祭條

饌品 諸條見時祭條

茅沙用一器二器之辨 與時祭茅沙條參看

玄酒 見時祭條

設盥盆不分內外 設東南之義幷論○見參條

祭時服色

行祭早晚 見時祭條

匙楪居中居西之辨 同上

祭時男女位 與參條中序立條參看○上同

詣祠堂奉主就位之節 同上

出主 見參條

參降之節 見時祭條

飯羹左右之義 同上

祭酒之義 同上

啓飯蓋 同上

告祝之節

祝文

諸親忌祝有無之辨
父祭妻子讀祝當否
讀祝 見時祭條
舉哀之節
亞獻終獻三獻各進炙 并見時祭條
論加供之非 見支子諸禮條
扱匙正筯闔門啓門撤羹進茶仗立之節 并見時祭條
告利成之義 同上
告利成

諸親祭告利成當否 見喪禮虞條
下匙筯合飯盖 見時祭條
祭畢位拜坐立當否
兩忌同日行祀先後 見祭變禮兩祭相値條
忌祭與墓祭相値行祀之節 同上
先忌與卒祔祥禫相値行祀之節 同上
子孫忌日値先忌用肉 同上
忌墓祭輪行 見支子諸禮條
齋舍或他所行忌祭 見祭變禮異居行祭條
旅次及異居遇先忌 同上

喪中行忌祭諸節 見喪禮喪中行祭條
國恤中私忌 見喪禮國恤條中私家大小常祀條
忌日私居服色
忌日接人供客之節

墓祭

總論
四名日行祭本義 與俗節條中俗節名義條參看
墓祭增減同異 墓祭變通時祠堂告辭并論
齋戒 見時祭條
饌品 諸條并上同

祭時服色
總論
深衣 見冠禮三加冠服條
布席陳饌 設共卓各并論
進饌諸節
匙楪居中居西之辨 見時祭條
飯羹左右之義 同上
叅降之節
祭酒之義 見時祭條
啓飯盖 同上

扱匙正筯之節 同上
告祀之節
祝文
讀祝 見時祭條
三獻各進炙 同上
侑食當否 見饋諸節條

進茶
下匙筯合飯盖 見時祭條
齋舍合祭或前期次日行祀
忌祭與墓祭相值行祀之節 見祭變禮兩祭相值條

上下墓及考妣位易位行祀之節
先祖墓同岡一獻之禮 外祖墓同岡幷論
墓祭行於家廟 見祭變禮異居行祭條
俗節墓廟幷行 見俗節條
支子祭先墓 薦新幷論○見支子諸禮條
墓祭奴子代行 見祭變禮祭祀攝行條
三年內新山墓祭 見喪禮喪中行祭條
葬同先塋三年內墓祭 同上
合葬三年內墓祭 同上
新喪葬前前喪墓祭當否 見喪變禮幷有喪條

國恤中墓祭 見喪禮國恤條中私家大小常祀條
墓祭輪行 見支子諸禮條
附后土祭 與喪禮祠后土諸節條參看
后土先墓行祭先後
饌品祝文
喪中祭土神 見喪禮喪中行祭條
告墓省墓
有事告墓
省墓 榮墳幷論
始謁遠祖墓時哭拜當否

祠墓遇變 見祭變禮
卷之二十三
祭禮
遞遷
遞代只計奉祠孫世代不論母在否
最長房之義
長房遞奉之節
宗子歿無子祧主移奉之節
庶孼奉祧主
出後子孫不用最長房之制

祧主還奉祠堂
最長房有故次長房奉祀當否
祧主不遷於長房則奉別室或別廟當否
攝祀家祧遷
祭三代者高祖神主奉別室見別室藏主條
祧主改題之節
祧廟奉安時告本祠堂之節
長房祭祧主時親盡宗子位次
遞遷時遺衣服隨遷見祠堂中遺衣條
正位遞遷後祔主埋安

祧廟展謁時薦獻
不遷之位
親盡祖有勲不遷高祖別奉
始封勲不遷次勲當遷
不遷位墓所或宗家立廟高祖不遷不遷位不可別立廟并論
不遷位墓下有書院則當立別廟於宗家
不遷位別廟不可同奉親廟當否
王后考妣與功臣不遷不同見別室藏主條中王后考妣代盡奉別室條

從享之人不遷當否有學行節義不祧之非并論
遠代不遷位稱號
別室藏主
王后考妣代盡奉別室
祭三代者高祖神主奉別室
祧主不遷於長房則奉別室見遞遷條
親盡祖有勲不遷高祖別奉見不遷之位條
不遷位墓下有書院則當立別廟於宗家同上
無後本生親奉別室

繼祖禰之家兄亡弟及則兄主別奉見喪變禮無後條
無後諸親神主奉別室同上
妻主別處之說見班祔條
班祔難容龕內者奉別室見班祔條中諸位同入本龕
承重妾子祭其母見妾子諸禮條內
出嫁女神主奉別室
墓所藏主
始祖神主藏于墓所諸位同墓及廟制祭式并論

不遷位墓所立廟 見不遷之位條

祧位歲祭 祔位歲祭并論

支子諸禮

支子立祠

姪爻自立祠堂遷徙之義

支子自主之祭

支子權行廟祭 見祭變禮支子祭先條

論加供之非

支子祭先墓 薦新并論與忌墓祭輪行條參看

忌墓祭輪行

異居遇先忌 見祭變禮異居行祭條

支子官爻不敢奉先廟

妾子諸禮

妾子奉祀 見祭變禮

妾母祭代數 與下條參看

承重妾子祭其母 祭祖母及代數稱號及庶孽奉祧廟者祭其母并論

承重妾孫爲其所生祖母主喪祭當否 見祭變禮承重妾子祭本生母條

庶孽奉祧主 見遞遷條

外庶孫奉祀者所生外祖母稱號 見祭變禮外孫奉祀條

卷之二十四

祭變禮

臨祭有故

臨祭遇喪 與喪禮喪中行祭條中期以下服中大小常祀條參看

死者有服無服行祭廢祭之說 見喪禮喪中行祭條

有喪產廢祭當否 往來喪家者拘忌并論

染疫廢祀當否

喪中行祭 見喪禮

兩祭相值

兩忌同日行祀先後

忌祭與忝禮墓祭相值行祀之節 時祭日不行參禮并論

先忌與卒祔祥禫相值行祀之節

子孫忌日值先忌用肉

俗節墓廟并行 見祭禮俗節條

異居行祭

告廟設虛位 見喪禮祔條

避寓中行時祀當否

禮疑類輯 六 目錄下　五十四

禮疑類輯 六 目錄下　五十五

祭祀攝行見上

攝祀家祧遷見祭禮遞遷條

侍養奉祀

侍養奉祀當否

出繼人之子還繼本生祖見出繼子祭本生親條

外孫奉祀

總論外孫奉祀之非

外孫奉祀稱號代數

外祖前後室并奉

奉祖禰及祖禰外祖者行祀先後

外庶孫奉祀者所生外祖母稱號

出繼子祭本生親

祭本生親祝辭屬稱見喪禮爲人後者本生親喪諸節條中題主條

無後本生親班祔見祭禮班祔條

無後本生親奉別室見祭禮別室藏主條

出繼人之子還繼本生祖

承重妾子祭本生母

承重妾子祭本生母諸節見祭禮妾子諸禮條中諸條

承重妾孫爲其所生祖母主喪祭當否

家廟移奉

移居出次奉廟

謫中奉廟

亂時奉廟

祠墓遇變

祠堂火

廟主見失

失廟主還得處變之節

廟主有蟲變

墳墓遭水火

墳墓遇賊

失墳墓處變

附録上

宗法

大宗小宗之別

傳重傳重後改題遞遷之節有尤菴南溪說見喪變禮代喪條

黜嫡

得罪倫常不得奉祀

嫁母子爲後

支子祭先見祭禮變

次嫡奉祀同上

妾子奉祀同上

立後奉祀同上

攝主奉祀同上

立後諸節

總論

爲長子立後次子不當主喪奉祀見喪變禮無適嗣喪條

獨子爲大宗後

立後不用遺命

立後不待爲後者之許

立後不可捨近取遠

立後必聞官

上言立後呈勳府并論

前後妻没後立後爲前妻子爲後妻子并論

長婦立後次子還宗事見祭變禮立後奉祀條中兄亡弟及兄妻立後條

立後追服之節見喪變禮除喪論○見喪變禮追喪條

立後後告廟之節同上

立後後改題之節同上

立後追服者喪出再期後撤几筵當否同上

立後追服兩喪者成服先後同上

親喪中出繼改服之節同上

未聞官立後變禮

立後昭穆失序姊妹爲婦姑及老少易置并論

立後後生己子

罷繼歸宗

身死後罷繼者還爲立後承祀

禮斜後有改正之議處義

出繼人之子還繼本生祖見祭變禮出繼子祭本生親條

附錄下

禖禮

居家雜儀

定省之禮

朔望拜禮

上壽侍食教之自名

上壽

侍食

教之自名

夫婦相拜

内外親黨稱號行次
兼親稱號 與喪禮五服條中兼親服條參看
嫡庶間稱號位次 號及嫡庶間稱號并論
諱法
署押面簽
附處倫常之變
得罪倫常不得奉祀 見宗法黜嫡條
子婦放出之說
以妾爲妻之變
附被罪家處義

被罪家喪禮諸節 見喪禮變節
被罪家子弟赴舉當否
堂室之制
正寢廳事
廟制 見祭禮
祠堂之制 同上
冠服之制
緇冠幅巾帽子幞頭 并見冠禮三加冠服條
深衣大帶 條帶革帶并論○上同
黑履 鞋靴并論○上同
襴衫皂衫 并上同
涼衫 見祭禮參禮服色條中
四揆衫勒帛 并見冠禮將冠者服條
野服
假髻特髻 并見昏禮條中婦服飾條
大衣長裙 同上
帔 同上
背子 見笄禮
袡衣

禮疑類輯目錄下

禮疑類輯卷之一

冠禮 總論

問冠禮只舉士而名之曰士冠禮至於昏喪亦然 李惟泰
沙溪曰禮經及朱子說可考
士冠禮疏曰周禮六官六十敘官之法事急者爲先不問官之大小儀禮見其行事之法賤者爲先故以士冠爲先無大夫冠禮諸侯冠次之天子冠又次之其昬禮亦士爲先大夫次之諸侯次之天子爲後又按曲禮曰禮不下庶人註曰庶人卑賤

貧富不同故經不言庶人之禮古之制禮者皆自士而始也先儒云有其事則假士禮而行之盖家禮所以只據士禮而作恐亦是此意歟○大全問庶人吉凶皆得同行士禮以禮窮則同之可也故不別制禮焉不審然否朱子曰恐當如此

問二十而冠十五而笄二段陽數奇陰數偶故嫁娶之時皆以此爲節而冠笄則男用偶數女用奇數者何耶 沈世熙 南溪曰冠義註陳氏曰男者陽類二十而冠以陰而成乎陽女者陰類十五而笄以陽而成乎陰陰陽之相成性命之相通也

冠禮父母昏禮主婚者異同 見昏禮

告祠堂

尤庵曰命其次宗子云云者雖自冠其子而必告於大宗之祠故其祝板亦以宗子爲主 答郭始徵

又曰古禮冠位皆在廟中而家禮祠堂章祝文式有非宗子不言告之文據此宗子有故支子必於廟行事可知也不然繼高祖之宗子有故何不設高祖位於私室而必命次宗子乎廟雖相遠必就而行之恐爲得禮也 答權認

又曰繼高祖之宗有故則命其次宗子若其父自主

之次宗子謂繼曾祖或繼祖之宗子也其父謂繼禰之宗子也據此則行之禰廟家禮已言之矣復何疑乎若是繼禰者之弟則亦當告於禰廟而自冠其子矣 答沈世熙

問告祠堂註只云某親 李遇輝 尤庵曰某親之下當書其名盖父前子名禮也

問若冠者是宗子之三從弟則只告於高祖乎冠者之曾祖祖父又若異廟則亦各其宗子告之耶 柳三貴
南溪曰似當只告於冠者所自出之主而異廟者不必并告行禮後因其宗子而謁之而已告時冠者亦

不忝

又曰雖繼曾祖以下之宗前期三日告祠堂時當用告高祖祠堂之禮雖高祖祠堂若不行冠禮於其祠則冠後見祠堂當如見曾祖祠堂之禮其告辭云云則同盖所謂父母無期以上喪者實指宗子而言必如此然後方可行禮故或行於高祖廟或行於曾祖廟無定所也 答金相殷

又曰命其次宗子者繼高之宗有故使繼曾之宗行禮於曾祖廟也若其父自主者繼高之宗有故使冠者之父代告於高祖廟而行禮也二項各不同繼曾

之宗自告其祖廟安有介子某之稱耶 答鄭尚樸

問主人告于祠堂祝文曰某之某親之子以冠者見于祠堂告辭則曰某親某之子此下戒賓之辭及昏禮壻家告祠堂則與主人告于祠堂同稱宿賓之辭及昏禮女家告祠堂則與冠者見于祠堂同稱規例不一何耶 鄭尚樸 南溪曰宿賓事已追以冠者見見其身女家告祠不稱女名此三者義當名其父餘則可以親屬行第通稱而無所妨故恐諸祝辭皆由於此矣至於稱宗子名爲始告之例稱又何疑耶

將冠者服

四䙆衫

南溪曰四䙆衫儀節云䙆衣裾分也即今四䙆衫 答羅斗甲

勒帛

沙溪曰勒帛丘氏曰褁足也宋嘉祐中歐陽公爲考官以朱筆横抹舉子文自首至尾謂之紅勒帛向年見漢人以布三四尺褁足至膝縛繞袴管恐此即是勒帛也似與歐公語合

三加冠服

總論

栗谷曰三加欲初加笠子再加頭巾三加紗帽角帶 與牛溪

沙溪曰無幅巾則以程冠爲初加笠子爲再加儒巾爲三加 答李惟泰

尤庵曰老先生程冠之說是出於不得已也盖以爲與其以無幅巾而廢禮毋寧用此而成禮之猶爲愈也盖本先賢所歎拘於小不備而歸於大不備之說也皀衫如今黑團領凡上衣之染黑者皆可用也初加若無深衣則用朝服亦可盖古禮初加服玄端玄端是朝服也禮曰朝玄端夕深衣是玄端與深衣相

對而今世朝服又近於玄端矣答沈世熙
又曰據古禮則初加只加緇布冠若無幅巾則只用
緇冠恐無妨古禮初加用玄端玄端尤不易然只用
玄色服則略有據矣沙溪先生嘗答此問曰無幅巾
則以程冠爲初加三加之服據家禮則用公服當用
今世學校所服之服矣皂衫則家禮用於再加今用
於三加未知如何答俞命賚
同春曰若無深衣諸具則用直領道袍某冠等似宜
再加用笠與紅團領三加用頭巾黑團領如何答閔泰重
又曰冠禮初加既用五綵條再加用某帶三加用學

子所着革帶無乃爲穩耶答尹觀齋
南溪曰緇冠皮弁爵弁以爲三加之制者蓋皆先輕
而後重也答高益謙
又曰冠禮三加凡禮以三爲度者恐或天地人三才
之道也答沈世熙
又曰冠禮依家禮用幞頭非不井然有據第丘儀問
解皆言今制非有官者不可用公服乃以儒巾代之
則恐難違此而直從儀禮家禮也答崔錫鼎
陶庵曰冠禮冠服無可借如不得已則進士青衫可
借用曾聞同春先生鄉居借用及第新紅袍云答羅烱奎

緇冠
尤庵曰緇冠頭圓故着於頭者無不圓矣武既圓則
梁亦隨其圓而接着矣未見其不便也答沈世熙
又曰緇冠只用家禮寸數則髻大者高濶頗不着不
得已當稍寬其寸數以相着爲度矣如深衣袖雖以
一幅爲準而一幅不能反屈及肘則不拘於一幅亦
此類也答閔泰重
問大全深衣制度曰武前後三寸左右四寸其下文
曰上爲五梁廣四寸云云梁是跨頂前後者則以四
寸之梁着於三寸袤不相合矣大全恐傳寫之誤也

鄭尚濂南溪曰恐當以家禮爲正
幅巾
問幅巾幅字之義吳遂昌南溪曰用黑繒一幅故以此
爲名歟
問幅巾之制李惟泰沙溪曰以朱子大全及性理大全
補註之說觀之既有巾額又有𢄼子明矣國俗泥於
家禮卷首圖直以巾額爲𢄼子而又摺一邊刺之如
衣裾之制而已至於當中作𢄼之制棄而不爲是何
等制也
朱子大全幅巾刺一邊作巾額當中摺𢄼云云○

性理大全補註用皂絹六尺許當中屈摺爲兩葉就右邊屈處摺作小横幗子云云

九庵曰幅巾無巾額之文家禮與大全互有詳略兼看相足可也答沈世熙

問自幗左四五寸間之左字文義似甚未瑩吳遂南昌溪曰必以幗左言之方有依據

深衣

問金而精制深衣用綿布性傳疑其當用白麻布禹性傳退溪曰亦未知的是何布然綿布韌無乃好乎

又曰今考向留時山正深衣別集用丘氏儀節衣六

幅裳六幅故左右有襟其綴裳之法全與家禮不同矣滉常疑家禮及大全書深衣圖裳前後各六幅前則以左掩右疊六爲三以當後仍六幅之廣其形制相外不相應故丘氏之法宜若可用今所裁制不用丘說只依家禮衣身四幅裳十二幅之制其前後廣狹亦不相外便於著用所以然者其前六幅自分左右在兩旁不以相掩故也然則衣四裳十二非誤乃作圖者誤爲相掩以應曲袷之說耳○用丘制則宜於曲袷而似嫌於太鑿爲新制今依家禮自爲得體但於曲袷微有未恰耳答金就礪

南溪曰深衣制度既以指尺爲之恐无不稱之理劉氏說亦有不通處瘦者猶可略削其幅而肥者難以別添他幅答羅斗甲

問深衣不得廣布則非古制也以道袍爲襲之上服何如金光五遂庵曰深衣禮服也不得廣布則雖連幅猶愈道袍右總論

沙溪曰按衣全四幅如今之直領衫但不裁破腋下俗所謂對襟是也丘儀從白雲朱氏之說欲於身上加內外兩襟左掩其右今人又裁破腋下而縫合之綴小帶於右邊如世常服之衣非古制也家禮輯覽

陶庵曰深衣裁法稍加分寸之說已詳於家禮輯覽盖前留四寸而後留一寸也或曰留寸非朱子本意莫若作方領時兩肩上裁入三寸反摺剪去之際毋直而斜摺之則衣下齊自爲全幅而兩襟之會不期方而自方雖不留分寸而裳下齊自整布勢平直而無横斜之患如此則朱子領縁廣二寸之說自明云此言如何韓父菴之說恐誤矣答李載亨○按父菴以小帶綴於左右襟之旁而相向而結

○右裁衣身法

沙溪曰裳六幅每幅布本廣二尺二寸初裁廣頭各一尺四寸狹頭各八寸兩邊各除一寸以爲縫削之

用則廣頭恰成一尺二寸狹頭恰成六寸恰是三分之一將六寸者十二幅上屬於腰則恰成七尺二寸將一尺二寸者十二幅下歸於齊則恰成十四尺四寸適足無餘欠玉藻所謂深衣三袪縫齊倍要深衣所謂腰縫半下皆交見而互備之文也補註穿鑿何足論也 答李惟泰

尤庵曰狹頭通長八尺八寸廣頭通長一丈七尺六寸云云竊恐猶未仔細也若以筭法度之則狹頭當爲八尺七寸九分六釐有奇廣頭當爲一丈七尺五寸九分二釐有奇矣然家禮不用此法只以狹頭九

尺六寸除兩邊縫一寸而爲七尺二寸以廣頭一丈六尺八寸除兩邊縫一寸而爲一丈四尺四寸矣若考裳之本註則可見 答沈世熙○同○右裁裳法

又曰裳十二幅連綴爲一則其裳有圓圍之形矣故家禮補註於身長二尺二寸之外又加一寸而亦使之圓殺使合於裳之圓圍按圖可見矣

又曰裳之狹頭七尺二寸也衣全四幅除六邊之各一寸又於當前兩邊裁入三寸而還綴領二寸則通四幅爲八尺矣以此八尺合於裳之七尺二寸則衣有餘而裳不足故裳之綴衣處縮於衣身按圖可見矣 右衣裳連綴之法

又曰曲裾條鄭註所謂續衽鉤邊盖謂連續裳旁之衽不使分開者是續衽也又覆縫其餘不使辟戾者是鉤邊也先生初年誤以鉤邊爲後世之曲裾遂以一幅布裁爲兩幅之制矣其後追覺其誤而去之矣 答宋晦錫○右續衽鉤邊

沙溪曰或問曲裾裁制若以本註所謂狹頭當廣頭之半之說考之此是三分之一爲狹頭二爲廣頭也狹頭七寸三分有奇廣頭一尺四寸六分有奇而圖註則曰廣頭之濶一尺四寸狹頭之濶八寸者何也

愚答曰此乃裁之之法也若各除兩旁爲削幅則狹頭之濶爲六寸廣頭之濶爲十二寸而正合本註狹頭當廣頭半之說也然裁之之際當以廣頭之六分有奇合之於狹頭之三分有奇然後狹頭乃爲八寸也○右曲裾 家禮輯覽

退溪曰魏氏引禮文領亦用寸半俾少露領今詳玉藻果不分領與裳袂則雖用魏說未爲不可然今所製乃家禮本文雖不露領固亦無妨矣魏氏所斥或人衣領裁入三寸以爲領之說實爲無稽別用布一條作領斯爲得之 答金就礪

愚伏曰禮曰曲袷如矩以應方詳味其文則乃是其制本方似非旣交自方之謂也且今之喪服卽是古制而其辟領與袷皆方安知古者衣領本皆如此耶其領旣方又無左右衿則其勢必不得兩衿相掩必牽引之然後方及腋下非徒領勢微斜不能如矩衣裳亦皆後廣而前狹寬急不均竊意當兩衽相對直下令前後方正無牽引拘急之患禮所謂衽當旁者謂衽之兩旁相當非謂衽在身旁也答權盼

尤庵曰深衣領家禮不言幾何而只言緣二寸若依古禮領二寸則所謂緣二寸盡掩其領而無餘矣然

禮疑類輯 卷一 冠禮 十一

則無設領之意故家禮補註依古禮領二寸緣寸半爲正故今人依此爲之然有違於家禮之制未知如何也領之長當與衣身齊而所謂加緣於其上者指領而言也然寸半之緣當并加於裳旁及下際也答李碩堅

同春曰袂口別緣豈以袂短爲慮故耶答郭始徵○右方領黑緣

問深衣小帶家禮及備要不言何耶洪益采 遂庵曰衣之有紐古今何異家禮是草本備要從家禮故偶然遺漏耶

陶庵曰云云韓久庵之說恐誤詳見上裁衣身法條○右小帶

大帶條帶革帶并論

同春問深衣大帶嘗謂必用已夾縫者四寸不曾致疑若以四寸夾縫則當爲二寸其狹已甚昔見先叔主所服之帶甚廣必用已夾縫者四寸曾讀玉藻陳註云士以練爲帶單用之而緶緝其兩邊故謂之綼補註單用之說必出於此不爲無據然朱夫子旣酌古今之宜以爲之制今何可捨家禮而他求耶○家禮本文則廣四寸夾縫之云恐不可謂必以四寸夾縫作二寸也弟之所制用已縫者四寸而不甚廣指紋雖大於此豈至太廣耶況兄主身長曾見與弟恰

禮疑類輯 卷一 冠禮 十二

同若用二寸則其狹甚矣豈合於深邃寬大之服耶更考玉藻大夫大帶四寸士二寸再繚四寸陳註四寸廣之度也士惟廣二寸而再繚腰一匝則亦是四寸矣云云據此則帶廣本以四寸爲度惟士從降殺之義而亦必再繚準四寸之數家禮從簡則不用再繚之節則其用四寸無疑亦與古用綼今用夾縫一般義也如何如何愼獨齋曰家禮本文廣四寸夾縫之此數句語勢似可東西看而詳觀家禮及禮記則有可以一言卞者而顧左右不之察耳記曰士練帶陳註釋之曰練繒也家禮亦曰帶用白繒然則繒乃

士帶之物也豈有士帶而爲夾四寸之理蓋士之帶單二寸必再繚然後準四寸之數家禮除再繚而夾縫之是將再繚腰單四寸之數夾作二寸以應士帶元單二寸之制其實是再繚之單四寸也只除再繚之節而不没單四寸之數此朱子之本意也何必以士之緇而攝大夫之盛棄二寸之規而創夾四寸之制乎若然實倍於再繚矣以練言之則非大夫之制也以夾四寸言之則非士之制也既非大夫也又非士也朱子豈爲是無據之制乎然家禮所言只論士之帶而已若據此而曰通大夫皆用云則未可知也

來意似欲以非士非大夫之制通上下用之無乃不經乎先人造衣帶時實士職也以士而應用二寸之制無疑况先人指紋頗潤分明用二寸若用四寸則其廣潤必異於常云云○大全曰緣紳之兩旁各半寸補註曰緶緝其兩邊各寸即二寸也緣紳之制當從大全而二寸之帶黑白適均四寸之帶黑白不均而多白若從補註則二寸之帶全黑四寸之帶黑白適均記得先人之帶黑白適均必二寸而緣兩邊各半寸無疑

又問大帶説頃見英甫爲言再繚二字本出玉藻而明是再繚腰之義則家禮再繚決不可異看其下作兩耳之文自是別一件事再繚字不可牽附於此云其論良是果爾則當依盛教作二寸再繚爲四寸果爾則合於古矣唯是夾縫之制與古禮不相應此却可疑愼獨齋曰再繚之文雖出於玉藻而家禮之意實爲兩耳而借用耳豈有圍腰而結於前既結而復繚之理乎再繚腰云者初繚腰一匝再繚腰一匝然後結之既結而再繚是玉藻之制乎若以夾縫二寸而再繚則是實單八寸矣士之帶非夾也大夫之帶非再繚也既違玉藻且違家禮何所據而云然耶愚

未見其合於古也

同春曰大帶以四寸夾縫爲二寸文勢似然答郭始徵問大帶繚結先生平日以再圍於腰而結爲兩耳爲是考備要圖則分明一圍而結之李箕洪尤庵曰大帶再繚禮記本文分明可考恨未及先師在時而奉質也

又曰玉藻論大帶處大夫四寸士以二寸再圍於腰而亦爲四寸家禮再繚之文似出於此答沈世熙

又曰家禮大帶本註終有所難解者先言結於前而後言再繚似是文勢倒置矣若以再繚之繚字爲結

字意看則繚字本意終有所不然者於祠堂章繚以周垣之繚可見矣用四寸夾縫則明是二寸若不再繚則禮記四寸之制終始不成矣無乃與古制相泥耶 答朴重繪

靜觀齋曰大帶之制家禮註說從玉藻篇士之制以達於上而畧有增損也官卑者一從家禮爲再繚之制而又從儀節單用爲是官尊大夫以上則直爲四寸之制不必再繚似合禮家本意 答李端夏

農巖曰大帶再繚玉藻與家禮文同義異然玉藻用單絳之制故帶廣二寸而再繚腰則爲四寸家禮用

禮疑類輯 卷一 冠禮 十五

夾縫之制故繒廣四寸而旣成帶則爲二寸其實亦未嘗不同也若如或說用四寸一條而夾縫之則却成八寸恐非家禮之意也 答柳應壽

尤庵曰備要陳襲條大帶此註所云蓋謂若無大帶則用常時所帶者云爾其上襲具條無則用平日所帶所謂無亦指大帶而言非謂條帶也條帶是屬大帶者何可自爲一件事耶 答或人

問大帶用白繒何義 吳遂昌 南溪曰或順衣之色

高峰曰條制未詳然亦可以意定也用青紅黃白黑相次織成廣五六分似可也但相次云者用五色各寸許也若小小相間而相次者再則似成斑布之於也 答退溪

又問革帶標題云卽唐九環帶云云 吳遂昌 南溪曰三初以革爲之九環帶如今品帶所謂環者似亦犀金圜物 卽俗稱帶錢之類

黑履 鞋靴并論

尤庵曰黑履深衣章所謂白絇繶純綦者是也先師嘗言今之唐鞋相近竊恐然也 答權諰

問絇者止屈修恐是條字之誤也 鄭尚樸 南溪曰恐然

又問綦屬於跟要解朱子曰綦鞋口帶與此屬於跟

禮疑類輯 卷一 冠禮 十六

之說有異其故何也無乃履與鞋異制而然耶南溪曰跟足踝也爲綴兩帶於其處謂之綦但士喪禮繫法甚密至朱子時從簡易如今繫草鞋者故云然

尤庵曰革履謂之鞋又履之無絇者謂之鞋 答閔泰重

又曰履古今註履卽舄之制鞋丘儀有布鞋皮鞋之文蓋以布皮爲之者而其制未詳然其形淺而以組繫之故於鞋言繫履與靴其形深故言納也 答李選輝

帽子

同春問帽子沙溪曰諸家說可考

天中記釋名曰帽冒也○丘瓊山曰今世帽子有

二等所謂大帽者乃是笠子用蔽雨日所謂小帽者或紗或羅或段爲之二帽之外別無他帽

幞頭

松江問家禮黲幞頭布褁角帶之制無官者通用如冠禮三加之用否龜峰曰我　國法有官者時散通用紗帽則無官者不得用紗帽家禮祠堂章下有官用幞頭無官用帽子而朱子語類不應擧者祭服亦用幞頭帽子亦可云幞頭則乃是當時上下通用也又問用今笠代幞頭未安云云龜峰曰云云詳見祭禮忌祭條中祭時服色條

尤庵曰幞頭事物記原古以皂布三尺云云見家禮參本註幞頭丁小註

又按朱子曰幞頭本是偃脚垂下要束得緊今却做長脚問橫渠說唐莊宗因取伶官幞頭帶之後遂成例曰不是徒地莊宗在位亦未能便變化風俗槩是伶人所帶士大夫亦未必肎帶之見畫本唐明皇已帶長脚幞頭或云藩鎭僭禮爲之遂皆爲此様或云乃是唐宦官要得常似新幞頭故以鐵線揷帶中又恐壞其中以桐木爲一幞頭骨子常令幞頭高起如新謂之軍容頭後來士大夫學之令匠人爲我斫箇軍容頭來盖以木爲之故謂之斫及唐末宦者之禍人皆以此語爲讖王彥輔塵史說如此說得有來歷恐是如此後人覺得不安到本朝太宗時又以藤做骨子以紗糊於上後又覺見不安到仁宗時方以漆紗爲之嘗見南劒沙縣人家尚有藤骨子可見此事未久盖此非一朝一夕之故其變必有漸答李遇輝

襴衫皀衫并論

沙溪曰昔年隨先君赴京見國子監儒生著儒服者以藍絹爲衣以青黑絹廣四五寸飾領緣及袖端與裔末領則圓也是襴衫云

事物記原唐志曰馬周以三代布深衣著襴及裾名襴衫以爲上士之服今擧子所衣者○天中記曰唐太尉長孫無忌議服袍者下加襴緋紫綠皆視其品庶人以白○明道曰邵堯夫初學於李挺之師禮甚嚴雖在一野店飯必襴坐必拜○朱子君臣服議曰直領者古禮也上有衣而下有裳者是也上領有襴者今禮也今之公服上衣下襴相屬而不殊者是也○大明集禮曰宋公服曲領大袖下施橫襴洪武二十四年定生員巾服之制襴衫用玉色絹布爲之寬袖

尤庵曰襴衫之制頃年閔尚書昻重貿一件於燕市
而見贈其制如　本朝團領而但傍耳只一葉卽質
靑而緣黑云是　皇祖所制館學士所服也未知宋
朝所謂襴衫者亦如此否第觀朱子嘗言衣有橫襴
故謂之襴此則別以橫布著衣前如屋之有闌干矣
據此則燕市所貿與朱子所言恐不同也以黑爲之
者謂之皂衫以白爲之者謂之凉衫其制則皆當如
襴衫也答鄭纘輝
南溪曰皂衫考證云猶言黑衫宋時士大夫之常服
也答羅斗甲

禮疑類輯　卷一　冠禮　十九

陳設序立

尤庵曰堂從南端至北壁其深三丈則設洗亦自堂
之南端南至于庭者亦三丈也答沈世熙○下同
又曰凡堂室之制北爲房室而南爲堂矣今無廳事
無房室故以帟幕權設爲房倣古制也
河西曰席右右卽席之北也卽席西向跪衆子則南
向
問衆子冠位少西南向沈世熙　尤庵曰長子西向故次
子避而南向也
南溪曰上言布席阼階上者云云統言長子衆子之
異下筵于東序者正布長子之席元非疊文阼階上
東序亦無異位也答鄭尚樸
問祭禮則主人以下皆北面支子而卑者在右少退
宜矣冠禮接賓時必東西相向而居其右何歟或人　尤
庵曰尊者在外卑者在內故也

迎賓

尤庵曰冠禮宗子迎賓而拜之禮也若其父與祖亦
拜則是二主也答李選
問似聞同春先生行子冠以宋監役光栻氏爲主人
而先生亦隨而拜揖云不能無疑李選　尤庵曰曾子

禮疑類輯　卷一　冠禮　二十

問曰季桓子之喪衛君請弔哀公爲主客升自西階
公拜與哭康子拜稽顙於位有司不辨也今之二孤
自季康子之過也吉禮若與喪禮無異則冠禮其父
亦拜恐有二主之嫌然今之受弔者兄弟皆拜以此
例之則亦無兩主之嫌耶未可知也

三加行禮之節

南溪問賓揖將冠者立于席右右乃席之北則冠者
將南向立於房外而向席否尤庵曰來示恐得之但
冠者立於房外是一節賓揖將冠者立於席右又是
一節而今來示合而爲一恐失照勘也

南溪曰如其向者贊在冠者之背後（答李行泰）
尤庵曰據儀禮則再加三加賓盥如初而主人皆亦
降矣家禮則省之耳（答李遇輝）
寒岡曰降二等沒階者恐漸益加敬之意（答任屹）
問三加曰兄弟俱在若無兄弟之人此句在所當略
云云（任元者）　南溪曰兄弟自親昆弟至族昆弟緦服之
內皆可言兄弟也三加祝辭明有由淺入深底意
沙溪曰按簡易家禮三加祝辭無兄弟俱在一句（家禮輯覽）
問再加三加皆言帶而初加則不言帶三加言徹帽

而再加則不言徹冠巾何也（閔重泰）　尤庵曰可互看
問櫛是初加所用至三加始徹者何耶（鄭尚樸）　南溪曰
豈以畢事後并徹故耶

醮禮

問醮小註醴則一獻酒則三獻未曉其義（李惟泰）　沙溪
曰禮註可考
曾子問註醴重而醮輕者醴是古之酒故爲重醴
則三加之後總一醴之醮則每一加而行一醮也
○郊特牲註夏殷之禮醮用酒每一加而一醮周
則用醴三加畢乃總一醴也

南溪曰周禮五齊一曰泛齊二曰醴齊三曰盎齊四
曰醍齊五曰沉齊所謂醴齊者乃醴也意者後世公
家吉凶之禮多用古制故獨存其物私家多用今制
故只用酒耳輕重之別似亦以古今而異矣（答李行泰）
問嘉薦令芳家禮無設脯醢之文而祝辭云云恐不
得不設（沈世熙）　尤庵曰祝既有嘉薦之文則何可不設
耶
問壽考不忘註不忘長有令名此是名揚于世
使人不忘之意耶（鄭尚樸）　南溪曰似然

字冠者

寒岡曰冠而字之成人之道所以敬其名也宜其不
得不降階而重其禮也（答任屹）
問冠而字之何義曰伯某甫仲叔季惟所當者何義
（李惟泰）　沙溪曰禮經及先儒說可考
曲禮註王氏曰冠成人之服也夫成人則人以字
稱我矣則人名非我所當名也士冠禮曰伯仲叔
季長幼之稱甫丈夫之美稱孔子爲尼甫周大夫
有家甫宋大夫有孔甫是其類也檀弓曰幼名冠
字五十以伯仲死謚周道也朱子曰儀禮疏云少
時稱伯某至五十乃去某甫而專稱伯仲此說爲

是如今人於尊者不敢字之而曰幾丈之類○葉氏曰子生三月而父名之非特父名之人亦名之也至冠則成人矣非特人不得名之父亦不名焉故加之字而不名所以尊名也五十爲大夫則益尊矣有位於朝非特人不字父與君亦不字焉故但曰伯仲而不字所以尊字也或曰士冠禮既冠而字曰伯某甫仲叔季惟所當則固已稱伯仲何待於五十疑檀弓之誤此不然始冠而字者伯仲皆在上此但以其序次之所以爲字者在下某甫也如伯牛仲弓叔肸季友之類是已至於五十爲

大夫尊其爲某甫者則去之故但言伯仲而冠之以氏伯仲皆在下如召伯南仲榮叔南季之類是也檀弓言伯仲者非加之伯仲也去其爲某甫者而言伯仲爾

問賓字冠者曰伯某父者謂告其祝辭訖又舉其字以告之耶 柳貴三 南溪曰來說得之

冠者見父母

尤庵曰附註單言母起此承冠義母拜之文而言故不言父矣父母爲之起今世皆行有何駭俗之理耶葉氏謂母及兄弟比於父有所屈故拜之而父則不可屈也今附註之不言父或出於此耶 答李遇輝

南溪曰冠禮應答拜者此未知指何人曹芝山考證以嫂當之尤齋云同堂兄弟豈無相敵者愚以爲不然冠者之弟則本不在東序之列兄雖在座附註溫公說母爲之起立下諸父及兄倣此然則恐無答拜之義 答尹扱

禮賓

遂庵曰家禮只云以一獻之禮而不著其儀節愚嘗略倣鄉飲禮獻酢酬之儀行之於冠禮 答洪益采

問幣帛貧不能辦 李行泰 南溪曰幣不必帛今俗用紙

墨之屬似亦可矣

問賓贊有差贊字兼賓主之贊而并言之耶 鄭尚樸 南溪曰恐然

冠變禮

將冠遇喪

尤庵問將冠遇喪則如之何沙溪曰古禮有箇節目當酌古參今倣而行之耳

曾子問曰將冠子冠者至揖讓而入聞齊衰大功之喪如之何孔子曰內喪則廢外喪則冠而不醴徹饌而掃卽位而哭如冠者未至則廢註冠者賓

與贊禮之人也若是大門内之喪則廢而不行喪在他處可以加冠止三加而止不醴之也醴及饌具悉撤去又掃除冠之舊位乃卽位而哭○如將冠子而未及期日而有齊衰大功之喪則因喪服而冠註未及期日在期日之前也因喪服而冠斬衰不可○雜記以喪冠者雖三年之喪可也旣冠於次入哭踊三者三乃出○開元禮以其冠月因喪服則冠也非因冠月待變除卒哭而冠也○孔子曰武王崩成王年十三而嗣立明年夏六月旣葬冠而朝於祖 按此言因變除而冠也以此觀之斬衰而冠亦有據也

市南曰因喪冠條添入小功一節雖似可疑然細玩經文本意非謂凡未冠者遭小功之服皆可因喪而冠也爲筮戒有吉日者而發也盖古者筮日於廟其禮甚重與後世告廟略同日月旣卜不可進退而遭喪成服適値其時則雖未行吉禮而猶必因喪以冠者重其失時也若未筮戒而遭喪者則亦何必因喪乎 答尹宣擧 ○下同

又曰若年歲當冠而遭期以上喪則雖未卜日者似只當因喪而冠盖壯年重喪不可着童子之服亦日月頗久似與功緦不同

服中冠禮行廢 有服入爲賓弁論

市南曰冠昏無輕重若必不得已而爲之說則無寧曰昏重於冠盖冠有因喪而昏不可以凶服將事吉凶之分尤斬截也 答尹宣擧 ○下同

又曰雜記大功之末小功旣卒哭云云此章疑有脫簡古人已言之但旣謂之末又有旣卒哭之說無乃大功月數多故纔經葬虞未可便謂之末而與小功旣卒哭者又有一段層級耶

又曰下殤小功不可冠昏云者雖似過重但殤服減其月筭而無變除戚之也自期而降小功則服内不

可行吉禮亦情理固然五月旣除之後則凡吉禮無不可行者由此觀之則長殤大功之末服雖未除與降小功旣除者略等似無不可行冠之理且家禮只言大功未葬而不言降大功降小功者此實參酌古今爲之中禮也何必更着一層說話也

尤庵曰本生叔母旣降大功又以殤而降七月則其未葬前似無嫌於行冠禮而但儀禮降七月者猶係大功則於其未葬行此吉禮實非家禮之意又成人之降殤家禮有明文而殤之降成人只見於通典亦難據此以爲不易之定論又人家或有經年不葬者

若待其葬則冠昏有失時者故先師常謂過三月則雖未葬當以已葬處之亦恐合於人情禮意也答俞命賚

又曰無母者外祖父母服中冠昏之疑鄙意終有所滯碍也小功葬前不許冠娶雖見於雜記然朱子既斟酌古今定爲中制而只限大功未葬則今何敢遽捨朱子之訓而從雜記之文乎況古禮之不可行於今者何限而獨於此堅守乎呂與叔墓誌一款今人亦固行之矣大抵今人於本宗小功雖新死不復拘於吉禮而獨於外服加察故前日有東人重外家之說矣今人若於本宗一切受用如雜記則雖非朱子

之訓豈非甚善乎盖本宗雖百世婚姻不通而古人爲舅婿者甚多其輕重之倫豈不懸絕而吾東則一切反之矣答或人

又曰緦麻成服後即許飮酒食肉則冠禮之行於是日亦似無妨然若以一日之內吉凶相襲爲未安則稍退亦可答申曼

問舍弟冠禮定行之翌日即祖父賤妾之葬日也云云李德祥 陶庵曰禮曰大功之末可以冠子大功之末猶然況緦而盡者乎苟是同宮則雖臣妾之喪亦爲之廢祭吉禮尤非可論而此則亦既各居矣行之恐無不可矣

尤庵曰冠禮固有父母因爲主人者亦或有不然者矣子冠而有母拜之文安得謂母都無事也答沈世熙

又曰禮大功之末可以冠禮則冠禮不是繁華設樂之儀有服者未見其不得臨敎飭目也且雖重服既葬則便許飮酒食肉此與葬前有間矣武王既葬周公冠成王使祝雍作頌其辭甚文古人於禮事雖喪中不以爲嫌也惟家禮冠禮有期服人不得爲主人之文既不得爲主則爲賓亦似未安須參酌古今禮而取中處之如何若行禮後不與所酬酒饌以示變

則似宜矣答芝村

國恤中冠禮見喪禮國恤條

禍家行冠昏之節

陶庵曰古者冠則三加昏必親迎禍家子孫既無廢冠昏之義則古禮烏可廢而又豈有冠昏輕重之別耶雖非備禮唯行於京城者爲大未安耳答閔昌洙

附 笄禮

總論

問二十而冠十五而笄云云沈世熙 南溪曰云云見冠禮總論條

問許嫁沙溪曰鄭註以昏禮納徵以後爲許嫁納徵即今納幣也

問笄禮廢久今雖未能猝然復古若於同牢翌日追行則於俗見不甚怪異於禮意亦不甚相遠權燮遂庵曰未笄成昏甚無謂也兩家相議爲之甚善翌日追行猶勝於全然廢却矣

笄禮諸節

南溪曰婦人之笄緣於許嫁雖未許嫁禮殺於冠子無告祠堂一節故不用宗婦爲主答成文憲

尤庵曰笄條以其黨爲稱者如金生員家李進士家之類答宋疇錫

又曰笄禮但言不用贊則其用儐自當如例矣答李遇輝

南溪曰禮婦人無冠今之有冠自秦漢始答朴尚淳

又曰中國之俗婦人爲髻與男子同其飾恐不必異答沈世熙

問笄禮金光五遂庵曰尤庵先生宅曾行此禮可以取則矣所謂笄者安髮之笄以縰韜髮作髻訖橫施此笄于髻中以固髻縰者緇纚長六尺所以裹髻承冠以全幅疊而爲之

尤庵曰其無見尊長之禮按王氏曰幼女多羞家禮

省此禮者豈亦爲此也耶答李遇輝

背子

靜觀齋曰背子是宋朝之制非出於古經者也女子笄即男子之冠而男子所加之服是深衣然則此是對深衣者而儀禮士昏禮親迎條曰女純衣纁袡立於中房註曰袡亦緣也袡之言任也以纁緣其衣象陰氣上任也又曰士妻嫁服褖衣云此是女子攝盛之服也今此笄禮雖無攝盛之文而背子之制亦恐類此答金壽恒

禮疑類輯卷之一

禮疑類輯卷之二

昏禮

總論

問冠禮只舉士而名之曰士冠禮昏喪亦然 李惟泰 沙溪曰云云 詳見冠禮總論條

嫁娶年歲先後

尤庵問男子三十而有室女子二十而嫁不幾於過時歟沙溪曰家語及內則可考

家語哀公問曰曲禮男子三十而有室女子二十而有夫豈不晚哉孔子曰夫禮言其極不是過也

男子二十而冠有爲人父之端女子十五而許嫁有適人之道○內則註方氏曰嫁必止於二十娶必止於三十陰以少爲美陽以壯爲强故也

尤庵曰男子三十而有室女子二十而嫁是禮也女子雖少而嫁先於男者理勢然也寧有越次之嫌乎故禮曰男女異序 答李選輝

不娶同姓

尤庵曰貫異而姓同者東俗不嫌通昏得罪禮法深矣今 朝家新行禁條故如西伯與李副學敏迪議定已累年而不敢生意矣大抵禁令新行而士大夫廢閣不憚非徒於理未安必有罪罰矣况 朝家以禮法導民而民乃不從可乎 答金得洙

南溪曰同姓不娶之義其見於禮記家語者可謂詳矣舜娶於堯殷人五世而通昏淳古聖賢之事不敢深究周公制禮始有同姓不娶之法而孔子答季桓子之問又不翅日星矣斯所謂禮樂至周大備郁郁乎文哉吾從周者也繼此以往雖百世不能易則後學所當恪守而不敢變者也姓爲正姓如周之姬是也氏爲庶姓如魯之三家各自爲氏是也庶姓已別矣親屬已盡矣至於百世猶不可申以昏姻者其義

顧不重耶中國士大夫莫不本於古昔侯王之後故其譜牒所從來班班甚明猶不敢爲此而况我國薦紳雖稱巨閥自高麗以上靡得以詳則夫諸李之鄉貫雖或異籍而安知其不如魯之庶姓自別而俱出於一源乎此附遠厚別別嫌明微之道所關非細恐不可諉於俗例而直從之也嘗聞之古老李漢陰德馨於壬辰倭難時以接伴使隨天將往來幕中儒士多有慕其風義者及聞娶於李山海之門曰此夷虜之風中國絕無此事又曰李爺若非此事豈不爲完人至於 國家議昏率斥姓李者不在揀選中 宣

廟朝有所屬望必欲破此格而諸名臣引義爭之甚力遂從之獨士大夫家至今承訛襲舛不以爲非盖任便從俗不稽古經之過也可歎（答李瀗之）

陶庵曰國俗初以姓同而貫異爲無嫌矣自尤翁釐正其弊矣既明知其爲同姓則何可因仍襲謬而不之改乎慶州之金亦不可（答權震應）

異姓破族昏

退溪曰異姓七寸非有族義古之道也族義已盡故通昏但據禮律猶計其尊卑之行若非同行則不許爲昏同行謂如六寸八寸兄弟姊妹同行然者也尊

卑不同如七寸九寸叔姪然者也失此則以爲亂倫有禁今俗都不計耳（答李淳）

愼獨齋曰禮律計尊卑議昏之說僕亦致疑禮律未知指何書也漢惠帝娶甥女古人有言之者大明律亦言倫序之當辨無乃指近親通昏而無倫序者耶我國地狹大姓之家遠近間多是族人若計族行則免於亂倫者鮮矣若七寸則族義似盡而一家生八寸何可通昏乎倫序亦不當論耳退溪先生說恐不可從也（答同春）

尤庵曰親戚既疎而昏媾復合朱子以爲散聚之理自然如此夫豈非禮而朱子言之（答李東稷）

又曰異姓議親以華制言之則當無問遠近而東俗則雖八九寸之外猶且驚怪惟巨室大家之好古者謹於同姓而不必拘於異姓之親漸成風俗則雖稍近而亦不爲嫌矣（答金壽增）

南溪曰外從兄弟姊妹爲婚者自秦漢始事見事文類聚後遂成俗不但呂榮公爲然黃勉齋子輅又娶朱子女孫盖大傳言同姓百世不通昏姻而不及外姓故中國不以爲嫌也然通典袁准謂之非禮至大明太祖定式令天下勿昏云（答申漢立）

又曰愚自少時意謂本宗既以十寸謂之親同姓只許袒免則我國雖重外族當以八寸爲限使有内外輕重之別可也及後考據諸書禮有稱母從兄弟爲從舅之文程子稱横渠以表叔（横渠爲程子父表弟）朱子於汪尚書自稱以表姪（汪爲朱子外祖妹子）又稱程允夫以内弟（程朱子父韋齋内弟復亨之子盖再從親也）然後始知中國猶以五寸六寸爲外族而所謂七寸八寸則終無見處矣至於通昏則漢之鍾瑾宋之呂希哲黃軨皆娶内外姊妹而毋之從姊妹以下通典外屬無服然尊卑不通昏議及退溪答李淳書詳言之今以禮律言則固非所疑於

尊卑之科矣以中國之道言則本無異姓七寸八寸之親矣以我國之俗言則亦當限以七寸八寸之親矣然則安有十寸而不可通昏者乎第念世人或於異姓八寸情誼深厚無異近族之故其子皆多講以戚分仍稱叔姪者謂之厚風則容亦有之求之禮義未見其可據之文孟子所謂非禮之禮非義之義大人不爲者恐指此類而發也或乃因此又疑一邊稱兄弟叔姪一邊結以昏姻爲未安者夫如鍾呂黃之徒皆有姊妹之稱又有緦麻之服矣尚無所妨於昏姻況於此乎不信禮義儒賢而信世人君子所不取

也當見儀禮通解親屬篇有宗族有母黨有妻黨有昏姻與其遠從無據之戚分曷若近取有名之妻黨昏姻爲更親厚而尤近於朱子所謂聚散之理矣答李羽成

陶庵曰外屬無服然尊卑不通昏議云云古人謂昏姻爲兄弟以疎族重與結親而不失其序如是而後方可順理退翁之論極嚴正然尤庵已不能行其言其出於語類一條錄止幸於此參量以決之如何○先生將以外孫尹周教爲再從孫女之女婿盖異姓九寸叔姪爲夫婦也答俞彦欽

主昏

尤庵曰宗子雖未娶旣當家主祭則族人昏娶亦當爲主矣若幼稚未省人事則以此爲主恐涉於僞矣當以族人之長爲主矣且旣爲宗子則雖族屬之尊者亦當以此爲主此則有家禮明文矣答或人

問裴幼華問舍弟幼章爲伯父後是爲宗孫幼華娶時幼章以宗孫主昏可乎幼章娶時幼華以堂兄主昏可乎旅軒答賢史之昏賢弟主之賢弟之昏賢史主之云旣以宗孫爲重則兄弟之昏宗孫皆當主之若以兄弟爲重則弟昏兄當主之而弟主兄昏兄主

弟昏無乃錯雜乎或人尤庵曰一以宗子主其兄之昏一以門長主其弟之昏皆有所據何以謂之錯雜乎

市南曰冠昏時宗子遠居則可謂有故矣其父主之似無可疑旣自主其禮書辭假宗子之稱謂亦不近情與宗家主祭之義差有不同答尹宣擧

問宗子次宗子皆有故則當以宗子之長子主之否抑以門長主之否李世璘南溪曰似當用門長

遂庵曰宗子有故則當昏家家長主之矣答李松晚

問娶婦時彼家旣無主昏之人又無同姓強近之親昏書外面何以書之新婦外祖主之耶抑其母親主

之耶李天封寒岡曰遠族中亦無姓同者耶世俗無姓
親則不免母親主之

冠禮父母昏禮主昏者異同

同春問家禮冠禮條云必父母無期以上喪昏禮條
云身及主婚者無期以上喪兩條不相應何以也據
朱夫子答李繼善之問則母有服似可行昏然則昏
輕而冠重耶愼獨齋曰所示冠昏禮條異辭之疑凡
文字政宜活看何可泥也冠禮亦宗子主之豈獨昏
禮然哉雖宗子主之父母亦忝於其禮豈以期以上
喪而可忝乎朱夫子答李繼善之說未可知也況以

輕重言則昏禮尤不當行者耶
南溪問冠禮云父母無期以上喪昏禮云身及主昏
者無期以上喪此未知爲互文之義否抑有以也尤
庵曰恐是互文也蓋昏重於冠豈有父母有重喪而
可以行之者乎
又問云云一則曰父母一則曰身及主昏已非可通
看之義又見大全李繼善問答亦有叔父主昏卽可
取婦無嫌禮律皆可考之文忝以通典何氏天父有
伯母條祖爲昏主女身又小功不嫌於昏之義似當
一以主昏爲主然則其父母爲宗子宗婦無故而并

行醮子醮女受饋之禮者上也其父母爲支子有故
而祖或世父爲主昏父母姑不得與而行昏禮其次
也而皆不害爲通行之禮又有合乎身及主昏異文
之義然則父母之在斬衰期後者尚可無碍況於心
喪者乎此義頗甚直截誠以婚嫁失時爲人倫莫大
之事故禮稱大功之末可以冠子嫁子又解者以有
故謂父母之喪者其義然也今若必以通看之義行
之其或喪慘相仍至有六七年不得成昏者此亦不
可不慮未知崇意復以爲如何但先生於繼善未端
受盥饋處有本領未正百事俱碍之說此似與前日

通看之義相符所以不敢質言以有今日申稟於門
下者也又按婦人喪父母旣練而歸註謂歸夫家也
及葉味道有其妻喪母旣葬而歸誤歸之月尚可補
塡之問而先生答謂補塡如今追服意亦近厚或有
不便歸而不變其居處飮食之節可也以此推之所
謂補塡居處明是止於旣練之前而已惟其哀情猶
在而斷以服制或如門下所謂已嫁者旣許其歸于
夫家則未嫁者之嫁恐無異同之旨無不可矣審其
然則疏意解二十三年以父卒三年後在母心喪而
嫁云者亦皆無碍未知其理本自如此而今人泥見

反以爲滋惑也耶第歸家一節亦有未明者如大夫士父母之喪既練而歸者正同婦人而其居處飲食在大祥前決無自異於宗子之理然則朱先生所謂補塡者或亦仍適心喪之內而言耶以此尤不敢自決耳高門所行與儀禮疏已在心喪而行昏家禮在期喪而主昏有異者采固知之但未知醮子受饋等節皆能不疑而准禮自行否尤庵曰來諭以冠禮父母爲自爲繼高祖之宗子此於鄙意有所未安父母固有繼高祖之宗子者亦有不得爲宗子之父母者鄙意以爲父母有三年或期年之喪則雖自有宗子

而亦不可行故特言父母以明之也未知果然否至於昏禮則視冠禮事體又別其醮女醮子見婦受饋禮婦等縟儀又不但如冠禮之子拜而起立而已其於冠禮既以重服不可行則況於昏禮可知矣故愚每以爲冠昏通看者以此而已今來示引諭商證極其詳密可破古今拘攣之弊矣又朱先生論吉喪三年而一月之後許軍民云則其微意可知矣但李繼善本領不正之文又相妨碍如此愚於此亦難決定其從違矣大抵家禮冠昏異同之文以道理言之則愚見似長以文勢觀之則高見似順若得朱先生論昏禮以失時爲重之訓則來說方得無疑未知如何大夫士既練而歸正同婦人云云鄙意則以爲此大不同也士大夫支子雖歸而其喪服自若也至於婦人則有所屈而服已除矣服既除而歸夫家者寧有復得自伸之理乎雖以其夫言之豈可爲伸其妻之情而三年不御於內同於父母之理乎斷恐不如是也

又曰昏禮只言主昏者而不言父母故世俗使宗子主昏則父母雖斬衰猶行之是大不可也答宋基學

市南曰冠言父母婚言主昏者例當互看昏禮言身

而冠禮不言身作互例看亦似無妨答尹宣舉

遂庵曰家禮冠昏兩禮以父母及主昏者別而言之似有深意當依此行之答鄭必東

陶庵曰來示雖多端而所引重不過家禮冠昏異文及朱子答李繼善二條耳冠昏之可以通看曾亦面諭而繼善事固可爲主昏者無服之證矣至於母有服而行昏禮則以母在未安本領未正之語觀之可知其不許矣朱子既言其未安未正矣則家禮亦朱子自著又何故故着主昏者三字而沒却父母以啓後人苟且用禮之弊耶父母之包在主昏中者可知

矣至如見婦一節夫禮者理也天理流行無所拮礙有些不通卽是非禮非禮則苟而已矣尤翁之言固可信而至於同春先生初喪行昏之憂其爲後世慮患益深玄石之論則盖以人情事勢言之耳方今世道日敗喪紀大壞以識者而處此之世其將從彼乎從此乎 答閔遇洙

不用問名納吉

尤庵曰問名納吉古禮然矣然朱子於家禮刋去此等只存納采納幣親迎以從簡便後學行之無所闕礙而丘儀有之然其祝辭及書式皆欲去卜之叶吉

加之卜占等語何也問名將以加之卜也納吉所以告其卜也將不卜則問名不亦虛乎旣不卜則所謂納吉者何事也如果卜焉則祝辭書式幷欲去之者又何意是皆不可知也大抵古人重卜筮必就於廟其禮甚嚴今人旣不知其法而所謂卜之者不過詢於索穉之盲人而曰卜云則近於誣矣故鄙家則依家禮不用問名納吉之儀而惟日期則不可不相知故與女家相議擇定矣然來示眞愛禮存羊之意矣不勝欽仰當令家弟如敎爲之耳 答李端夏

昏書式

問書式用丘氏儀節乎 具鳳齡 退溪曰用之甚宜

尤庵問昏書式不著於家禮今當何從沙溪曰當以丘儀忝酌用之

儀節昏書式忝親某郡姓某啓某郡某官執事 號隨宜稱 伏承尊慈不鄙寒微許以令愛貺室僕之男某 若某親之子某 茲有先人之禮敬遣使者行納幣禮伏惟尊慈俯賜鑒念不宣年月日忝親某郡姓某再拜

封皮上狀某官尊親執事

靜觀齋曰丘儀則云謹專人納采而問解則改爲敬遣使者因家禮本篇有使子弟爲使者之語今者羅

公亦欲親領來到弟家則毋寧還用丘儀曰謹專人納采式謹專人行納幣之禮如何 答金壽恒

問昏書式今人多有不用古或省文書式 金光五 尤庵曰今人所用出於致美撮要唯在行禮者取舍耳

問主人具書註用牋紙如世俗之禮 李遇輝 尤庵曰當時所用禮式不可考然想與丘儀所載不相遠也

又曰先人猶言昔賢也以爲祖先者亦有一說矣 答閔泰重

問遠地醮子者昏書月日當書以發行日耶書以納幣日耶 李志爽 尤庵曰以告之以直信之義觀之則從

遣書之日而書之似當

南溪曰納采復書之式家禮不著蓋古人昏禮往復皆用儷啓舊見程朱文集亦有此其無定例可知今丘瓊山儀節爲著其文後人自當依此准用（答朴泰和）

問以宗子主昏而卑且幼昏者尊而長則其昏書措語可無所嫌耶（李晴春）　南溪曰宗子有收族之義古所謂有君道者此也似不可以尊卑長幼論當隨其屬而稱之但如春愚之語在所斟量耳

問宗子既主昏則其父具書何耶女家復書則宗子之爲主人者爲之云云（鄭尚樸）　南溪曰如祠堂班祔父

母在則具饌而祭于宗家其父具書亦其例也雖女家若是族人之女則安知其父之不爲具書蓋當蒙上文故耳

尤庵曰昏書家禮有之而古禮只使使者致命後世如有事故不能作書者依古禮行之不爲無據矣（答李選）

告祠堂

問與繼高祖之宗子及次宗子皆異居而其家有祖禰之廟則告辭只當行於祖禰廟耶抑將遍告耶若宗家遼遠則何以爲之（李世璘）　南溪曰行禮時只當告祖禰之廟既行之拜謁告祝略如冠禮恐或得之

問冠昏告辭規例不一云云（鄭尚樸）　南溪曰云云（詳見冠禮告祠堂條）

又曰納采昏書儀節置香案上開展則未聞（答柳貴三）

尤庵曰路遠而不得於是日復命則一日再設酒果非所慮也設或再設恐亦無害（答南溪）

問若從俗禮而送幣後告之則世俗送幣例於夜半後行之夜開廟門太涉褻慢先於前一日晨謁時告之似好（權褒）　遂庵曰可矣

問婿家從俗只行納幣一節則女家納采告廟已不

可得而行然不可拘此而全廢告廟之禮云云（李世璘）　南溪曰如此俗禮隨時裁處而已恐不必相問但五禮儀有納采納幣同日同使之文女家告廟只得行之於此時也如何

納幣

納幣納徵同義（幣物厚薄并論）

尤庵問納幣與納徵有異否多不踰十者何歟　沙溪曰禮家諸說可考

禮輯曰納幣卽古納徵禮○儀禮士昏禮納徵玄纁（周禮六入爲玄三入爲纁○爾雅玄纁爲天地之正色）束帛儷皮註束帛

十端也儷皮兩鹿皮也○雜記納幣一束束五兩兩五尋註兩者合其卷玄三纁二爲五兩陽奇陰偶也兩者配合之義每卷二丈合之則四十尺即五尋又一束十卷也八尺爲尋每五尋爲匹從兩端卷至中則五匹爲五箇兩卷故曰束五兩鄭氏曰四十尺謂之匹猶匹偶之匹古人每匹作兩箇卷子○記皮帛必可制疏可制爲衣物此亦教婦以誠信之義

尤庵曰納幣用紙未聞然尚愈於全廢耶 答尹家

納幣親迎異日

尤庵曰納幣與親迎據禮旣不可同日而 聖考朝因沈承旨光洙 榻前啓辭 上特令前期一月行之永爲定式此不可違矣 答李端夏

使者 使者服 邑宰論

問納幣時今用賤隸 禹性傳 退溪曰以子弟固善然他禮不能盡用古禮則循俗亦或可乎與婚家議處

南溪問使者盛服將用何服尤庵曰當用當時所尚爾然以古禮畢袗玄之義觀之似當尚玄耳

南溪曰婿婦之服已多變通使者恐不當更用盛服 答沈世熙

親迎

設位

尤庵曰鋪房俗語如今言書房也豈以鋪陳床席而得名耶 答沈世熙

問凡大禮皆行於堂而此設位獨於室何歟 柳貴三 南溪曰初昏親迎之禮自當行於室中恐非冠祭之比矣禮曰人君左右房大夫士東西室而已

又曰椅者婿婦之位也或陳而不用 答鄭尙樸

牢床

問同牢之時各用饌床可也而或有中設一床 具鳳齡

退溪曰中設而對坐似非禮意當婿東婦西各用饌床

同春問同牢之牢字以牲看否以器看否所以同牢者何義沙溪曰牢字有兩意而經傳多謂牲爲牢郊特牲共牢而食註牢俎也○王制註方氏曰牢圈也以能有所畜故所畜之牲皆曰牢○昏義共牢而食合巹而酳所以合體同尊卑以親之註共牢而食同食一牲不異牲也合巹有合體之義共牢有同尊卑之義○小學畜犬百餘共一牢而食

南溪問牢床家禮只用蔬果似當益以魚肉脯鮓之

類以從時宜然亦苦無品節若依五禮儀七果五果之說誠有所據第今日亦莫知其何謂則不得已俯從俗制否尤庵曰七果五果之說似有可據矣然雖未滿此數不嫌於因奢示儉之義也

又曰儀禮圖特豚是一豚也兎腊是兎之全體而乾者也答朴是會

南溪曰昏禮圖所謂湇者卽大羹之稱會者敦之蓋敦則今盛飯之器也腊是田獸之乾肉脯腵脩之類似皆在其中矣又鳥腊曰腒卽乾雉也亦可通用豚牲代以雞中原人於祭禮固有此說恐亦太苟簡也答李端夏

又曰昏禮饌床儀禮則固有其文矣家禮所言止此不詳其品數數計鄙嘗依家禮五禮儀諸說略有所定行之家間者稍簡省亦未知如何答申漢立

同	生果	鮓	胾	麵食
牢	正果	醋菜	肉湯	薏苡
饌	油蜜果	卵	殽	盞盤
床	乾果	熟菜	魚湯	匕箸
圖	生果	脯	膾	米食

一分饌

壻服飾

寒岡曰冠服從俗用黑團領紗帽不妨答盧懼仲

尤庵曰壻服既曰攝盛則當用大夫服而若胸背則存之亦可去之亦可答李端夏

婦服飾

總論

南溪問婦服家禮只云盛飾殊未分曉按通禮冠服之制莫盛於假髻大衣長裙以此推之今之時服雖未能盡合古制然其大致不至甚悖否尤庵曰婦人盛飾未考其制家禮所謂假髻大袖長裙果如今俗所用乎𤍠女註有整冠斂帔之文然則當用冠而不

必用假髻矣但未知冠制亦如今人所用者耶○弊宗及尼山尹氏皆有冠子耳

南溪曰女飾當以時服爲主所謂時服者似是出於宋時大衣長裙之制其首飾亦古副編次之遺意但俗姆誤爲詭狀不可猝變是可歎也向來前輩以花冠純衣纁袡行之雖有所據亦未必合於家禮斟酌古今之意未知孰勝也答沈世熙

又曰婦若從壻攝盛似當用假髻大衣長裙然儀家二禮幷無其文則恐用冠子背子或冠子大衣長裙爲當背子既日本國蒙頭衣大袖既日本國長衫則

其制不難知矣[所謂冠子大衣長裙固非家禮上下通之服然亦有說語類或問婦人不着背子則何服曰大衣問大衣非命婦亦可服否曰可]今罷此制而用華冠衲衣恐甚不然何者婦人冠子起於後代而綃衣纁袡乃周制也既非儀禮又非家禮一今一古湊合而成之亦不及於牢床之用特豚黍稷筵并於今猶全於古也此事恐當更詳而歸正[答尹拯]

陶庵曰古者昏用袡衣玄衣而纁緣義有所取而今俗用紅長衫甚無謂好禮之家當製用袡衣以爲變俗復古之漸矣[便覽四禮]

假髻特髻大衣長裙

同春問假髻沙溪曰假髻者編髮爲之古詩曰東家婦人髮委地假髻美人還承寵云云假髻無首飾曰特髻

二儀實錄曰燧人氏婦人束髮爲髻髻繼也言女子必有繼于人也○周禮副編次註副覆首爲飾若今步搖服之從王祭編編髮爲之若今假紒[與髻通]服之以桑次次第髮長短爲之若今髲鬄[與髢通]服之以見王[皆王后首飾]

尤庵曰大衣長裙各自一件不相連續也成服條大袖卽恭禮之大衣也然一書之中一衣而兩名似可疑故或疑大衣之衣字是袖字之誤背子之制未詳或謂如我國之長衣也[答宋晦錫]

背子[見笄禮]

袡衣[見附錄襍禮冠服之制條]

帔

問帔沙溪曰諸家說與詩註不同更詳之[答尤庵]

韻會弘農謂帬爲帔或作被○會通納幣章曰一品以下霞帔庶民藍靑素霞帔○淳于棼傳云冠翠鳳冠衣金露帔○詩被之僮僮註首飾也○韓愈氏曰着冠帔

親迎告辭

朽淺曰親迎二字果不稱名實或可以存羊之義而書之耶必欲去之則代以成昏二字如何[答李成俊]

遂庵曰某氏猶言某姓之家[答李東]

醮子[費用婦人見下]

問昏禮文醮子命之日先妣之嗣曲禮曰生曰父母死日考妣小學註曰先妣蓋古稱也今者以先妣稱之者是何義耶母不忝於醮子者抑何歟[崔愼[illegible]齋]

曰士昏禮註曰勉率婦道以敬其爲先妣之嗣疏婦人入室代姑祭也詳此註疏之文則只謂婦人入室

代姑承祀事也直是指父母亡後代姑祭而言故曰先妣之嗣也非有他意也凡事家長主之父醮子毋不忝何疑之有乎

杇淺曰醮支子而用承我宗事之語亦似未恰當或以助字易承字如何（答李咸俊）

問祖父醮孫父母序立之次（李咸俊） 杇淺曰嘗見中原人禮書婦見于舅姑也祖父母並南向舅姑立於東西云疑亦據此而父母立於東西耶舍是而更無可倣處

奠鴈

沙溪曰朱子於此既曰順陰陽往來之義又云鴈亦攝盛之意蓋既許攝盛則雖庶人不得用匹又昏禮贄不用死故不得不越雉而用鴈也據此則攝盛之義似長（家禮輯覽）

問家禮奠鴈註以生色繒交絡云云（金光五） 遂庵曰生字疑五字之誤

女家主人告辭

問親迎時女家主人告辭曰歸于某官某郡姓名云某官是壻之父也歸字用於壻父可耶（或人） 尤庵曰據以上告辭凡例則姓名下恐脫之子二字

遂庵曰古有承襲之規未娶而有官者多婦家用其官字以此耶（答李東）

南溪曰凡禮女子殺於男子笄不告祠堂昏而始告以其笄輕而昏重也至於親見祠堂男子猶不爲況女子乎儀節有男子見祠堂之儀未知果是也（答柳貴三）

迎婿

問朱子大全昏禮迎婿有女尊長出迎之文意不必女父也栗谷曰非女父而有主昏者則可以爲之既無主昏者而女父兼尊長則女父爲之可也其所謂女尊長者似必有爲而言

寒岡曰禮主人迎壻于門外時主人再拜壻答再拜而家禮略之勉齋以爲昏禮大節不可以不嚴其禮再拜之禮不可以廢之云鄙人亦嘗以爲不可不用再拜之禮（答盧懽仲）

醮女

尤庵曰壻之無父者既廢醮禮則女亦當廢也父起而命之重其禮也又女子外成則亦所以敬之也（答李遇輝）

南溪曰醮女家禮不用脯醢必有其意冠禮則因嘉薦令芳之文及丘氏之說用之或可今此添入恐無

所據（答尹拯）

壻婦交拜

退溪曰今示婦再壻一復如之此一條似當行之（答具鳳齡○下同）

又曰婦先四拜壻再拜依丘氏禮爲善

同春問壻婦交拜之儀沙溪曰朱子已有定論可考而行之

語類問昏禮温公儀婦先拜夫程儀夫先拜婦或以爲妻者齊也當齊拜何者爲是朱子曰古者婦人與男子爲禮皆俠拜每拜以二爲禮昏禮婦先

二拜夫答一拜婦又二拜夫答又一拜冠禮雖見母母亦俠拜

沙溪曰語類朱子曰云云（見上）退溪不考語類而以己意答人之問殊爲未安（答金巘）

就坐飲食之節

問同牢之時初進酒又合巹只兩飲而必備三杯何義云云（具鳳齡）退溪曰三杯必循俗意然只用二爵何害

又曰紅絲循俗恐亦無甚害理（答具鳳齡）

尤庵曰初言祭酒舉殽壻婦一時行之之禮也再言壻揖婦舉飲壻自飲而導婦使飲也祭酒舉殽者古人飲食必除少許以祭先代始爲飲食之人故祭酒於地舉殽少許置豆間空處也再斟三斟皆不祭者以初斟已祭故也祭禮則三獻皆祭與此不同未詳再斟三斟無殽古人飲食之禮然也（答俞命賚）

又曰再斟後亦有酒從味數乃俗禮也不用爲當（答南溪）

問今俗巹杯以紅絲繫之（李世璞）南溪曰於禮無之不敢爲說

贊用婦人

尤庵曰昏禮贊用婦人温公說也然未知家禮之意亦如此也然温公說似亦謂壻婦行禮時所用之贊耳其父醮子之時則未見其必用婦人之義恐附註者誤附於此也（答李選）

南溪曰兩家各擇親戚婦人之知禮云者爲其室中之事非衆賓男子所可與而又非夫婦所得自爲者故必使兩家親戚婦人爲贊使得交導其志而成其禮也（答李德彬）

男女賓

南溪曰此所謂男賓女賓卽壻之從者非醮禮時親

感婦人也醮禮則兩家父母命之故用親感婦人交拜時只壻婦行禮故用從者其義各自不同答金相殷

不用樂

問昏禮註昏禮不用樂幽陰之義也嚴肅之事莫過於宗廟祭祀而尚用樂則昏禮以嚴肅之故不用樂云者未知其義李遇輝尤庵曰祭祀用樂所以悞神也與昏禮自不同

假館行禮

尤庵曰昏禮假館地遠則不得不爾也如冠禮以惡爲階亦此意也答朴是曾

問親迎註一則令妻家設一處云云俞命賚尤庵曰所謂一處指壻所館而言也其下所謂就彼之假歸館之館皆指此一處而言也來諭以彼字爲女家者非是

又曰世人或以女氏本家爲壻館而女氏父母借人家送女于其處若以其日送女于壻家爲難則如是行之如何答金光先

同春曰設館親迎是程朱所已行而載之家禮奠贄之禮舅獨受之誠似歉欠然禮當統於尊姑固待於舅而舅不必待姑俟他日于歸奠贄而見於姑亦自不妨答羅斗

見舅姑

服色贄幣

尤庵曰衣服家禮只言盛服而已無當着某服之文當用世俗所用之盛服耳答或人

同春問昏禮婦奠贄幣贄幣何物耶沙溪曰禮經諸說可考

曲禮婦人之摯椇榛栗脯脩棗椇音矩一名枳李註摯執物以爲相見禮也○周禮註摯之爲言至也所執以自致也亦作贄○士昏禮婦執笲音煩竹器而衣者棗栗

拜奠舅坐撫之腶脩拜奠姑舉以授人註棗栗取其早自謹敬腶脩取其斷斷自脩也○白虎通云凡肉脩陰也棗取其朝早起栗戰慄自正也○禮輯曰家禮改用幣者近世以幣帛爲敬故舉其所貴者爲禮○會通曰幣絹帛也量婦家貧富或絹或布隨宜用之不拘多少

尤庵曰古禮見舅姑時只用贄家禮兼用贄幣然世俗單用之從俗恐無妨禮曰婦人之贄棗栗腶脩所謂腶者搥脯施薑也古禮及家禮贄之器數無文而世俗并盛棗栗脯脩于一器從俗恐無妨若從家禮

而并用贄幣則不得不各盛一器矣雖或用幣非必布帛也紙束亦可昔年尼山尹參判家行昏禮時亦用紙爲幣矣○據古禮則棗栗奠于舅腶脩奠于姑 答或人

南溪曰升奠贄幣采當據問解所引禮輯之說以爲贄是虛字幣卽代古棗栗腶脩者也及考家禮諺解覽之尤齋皆云兩用古贄今幣然則禮輯所謂改用幣者何以看破耶○下文或言無贄或言不用幣似是只用贄只用幣以見殺於舅姑之義而尤齋云言贄者幣亦舉之恐不然 答尹拯

舅姑坐向 婦席并論

問冠禮時主人主婦皆南向坐而此則舅姑東西相向何義 李選 尤庵曰夫婦相對坐當禮也冠禮受子拜之時則諸父在東諸母在西若夫婦相對而坐則背東背西故不得不南面也丘儀則於此亦當南面也

又曰舅雖不在其姑似不可據南面之位耳 答南溪

南溪問庶婦改席尤庵曰只言改席而不言向背略如庚子冠禮或不至無據耶

見尊長

南溪問尊於舅姑者如見舅姑之禮云者似指兩階下四拜而已或謂并與其贄幣前後四拜而皆同云然則尊於舅姑者雖多皆行此禮歟然家禮間有參用時俗處恐不至如此之無所限節尤庵曰旣曰如見舅姑則其禮似不可降殺矣所謂尊於舅姑者舅姑之父與祖伯叔父以上也

又曰尊於舅姑者旣曰如見舅姑之禮云則其有贄可知其曰無贄者單指諸尊長而言之古者宗子有君之道焉故宗子雖疎且卑屬皆有齊衰三月之服其見之之禮與舅姑同何疑乎 答或人

南溪曰今俗新婦見祖父母亦用贄幣一段尤春諸丈之意亦然蓋一家有祖父母父母家事任長當以祖父母爲主而家禮昏禮却以父母當之如醮見饋饗等禮何嘗上關於祖父母耶其義旣然則所謂如見舅姑者恐只是前後四拜之節而已況其所謂尊於舅姑者祖父母外實有許多人物豈宜各行贄幣之禮一如見舅姑者耶鄙見如此 答李行泰

靜觀齋曰家禮旣云如見舅姑之禮況婦人之以腶脩爲贄者乃是斷斷自修之義則其見於大夫人前恐無甚異於見舅姑也用贄亦可 答李廷夔

問尊長不同居則廟見而後往若廟在尊長家則如何儀琴鳳尤庵曰先見尊長而後見廟似宜

饋舅姑

南溪問冢婦饋于舅姑斟酒置舅卓子降俟舅飲畢拜與下文獻姑飲畢降拜不同豈有禮意於其間耶尤庵曰或云此拜字是升字之誤竊恐饋于舅姑與初見時有差故皆獻舅姑訖摠拜之也其下薦饌又殺於進酒故不復拜也未知如是否

問舅姑之尊一也降俟一節舅姑不同何也李德明南溪曰舅嚴姑慈之分也

問舅姑降自西階婦降自阼階何義俞命賚尤庵曰阼階主人之階示以家事授婦使爲主人之義也昏義曰以著代也

又問註合升尤庵曰舉牲全體納之於鼎也

問長孫妻亦可以冢婦論耶云云李成後朽淺曰長孫之妻亦是著代之冢婦饋饗等禮恐難廢之而降自阼階一節在其中矣

壻見婦親

先拜宗子

尤庵曰婦之於夫家由親而及疎故與夫成婦然後見舅姑見舅姑然後見尊長及諸親壻於婦黨但從其尊卑之序故先宗子後父母也答李遇輝

南溪曰以婦人主恩男子主義而然也答鄭尚樑

見婦父母

同春問壻見婦之父母亦皆有幣此禮可行否沙溪曰家禮有之雖非古禮行之無妨古禮並附叅考可也

士昏禮壻入門東面奠摯再拜註贄雉也疏凡執摯相見皆親授受此獨奠之象父子之道質故不親授也○士相見禮贄冬用雉雉用死夏用腒腒乾雉也

問居家雜儀受女婿拜立而扶之此曰跪而扶之者無乃壻初見故有所致隆於平日而然耶鄭尚樑南溪曰似然

問婦見舅姑然後婿見婦之父母禮也今既不能親迎則合卺翌日壻行見婦父母之禮如何具鳳齡退溪曰壻在婦家安得待後而不見婦父母乎翌日三日看事如何而處之如何

同春曰婦未見舅姑而壻先見婦父母本非禮意而今日事勢似不得不爾但婦之見舅既從俗無幣以贄他日而壻反執幣以見妻父母無乃有所謂不稱

情之嫌耶 答權諰

見婦祠堂

南溪曰禮無壻見婦家先廟之文若婦之父母已沒入廟則似不可不拜也告辭未詳 答李世璞

回昏禮

尤庵曰回昏禮云者近出於士夫家云云第念三代之盛世登壽域者得百年者甚多故有人君問百年之禮雖曰三十而有室至九十則正是回昏之歲也今俗之所行者若果宜於天道合於人理則聖人必制爲節文以教於民矣且以婦人言之再行醮禮與

一與之醮云者其名義不甚正當竊恐不可使此名習於人之耳目也然人子之情至於是日不能脉然經過則不過設酌以賀略如生朝之義者其或無妨耶大抵此事必須先定其當行與否然後有服無服從可問也苟曰可行而不可已則當看家禮身及主昏者無期以上條而處之也 答遂庵

南溪曰所論回昏之禮遍考禮書終無此文想古無此禮而然也今不免從俗行之則似當略做昏禮設同牢床東西對坐傳杯之儀而已若拜跪諸節恐不必一一遵行以損安老之大致也舉樂一般既非初昏之比又何必全然廢却耶 答朴泰恒

陶庵曰回昏禮禮無出處世俗所行不過襲謬有識之家則都不設昏儀只子姓親黨會集上壽而已此猶可做從俗則不可 答李彦愈

昏變禮

將昏遇喪

尤庵問將昏遇喪則如之何沙溪曰古禮有箇節目當酌古叅今做而行之耳

曾子問昏禮既納幣有吉日女之父母死則如之何孔子曰壻使人弔如壻之父母死則女之家亦

使人弔父喪稱父母喪稱母父母不在則稱伯父世母壻已葬壻之伯父致命女氏曰某之子有父母之喪不得嗣爲兄弟使某致命女氏許諾而不敢嫁禮也壻免喪女之父母使人請壻不娶而後嫁之禮也女之父母死壻亦如之註有吉日期日已定也彼是父喪則此稱父之命彼是母喪則此稱母之命弔之○親迎女在塗而壻之父母死如之何曰女改服布深衣縞總以趨喪女在塗而女之父母死則女反註女子在室爲父三年已嫁則期今既在塗非在室矣用奔喪之禮而服期○壻

親迎女未至而有齊衰大功之喪則如之何曰男不入改服於外次女入改服於内次然後卽位而哭曰除喪則不復昏禮乎曰祭過時不祭禮也又何反於初註此特問齊衰大功之喪者以小功及緦輕不廢昏禮禮畢乃哭耳若女家有齊衰大功之喪女亦不反歸也

寒岡問定昏未納采而壻之父母歿則奈何退溪曰未納采不可以定昏論

又問納采而壻之父母歿則世之人或送衰服於婦家是何如退溪曰當依曾子問納幣有吉日而壻之

父母歿處之送衰服不可也

又問納采而婿之父母歿則當待服除爲昏若壻歿則奈何退溪曰曾子問吉日而女歿條夫歿亦如之註若夫歿女以斬衰往弔旣葬而除也未論許嫁與否然先儒云聖人不能設法以禁再嫁此女必無禁嫁之理况吾東方婦女不許再嫁則此女成服往弔亦恐難行也

問婚娶只隔兩三日彼此忽有遭服則奈何李尚賢同春曰新郎新婦有服則當退行若無服只主人有服則使門長主之以過似宜

問曾子問壻親迎女未至有齊衰喪註小功及緦輕不廢昏禮禮畢乃哭云而亡者若是同居之親則似難准此尹家尤庵曰緦小功不廢昏禮云者似通門内門外喪而言也然叔父之下殤及外祖父母雖曰小功而亦有難行者未知如何

市南曰曾子問親迎在塗不言小功緦者亦謂盛禮輕服不可相奪蓋出於權制也若未及親迎而遭小功之服者又安知不如雜記之所云耶冠有吉日而遭服則不必改日者雖未備禮而因喪亦可冠也至於昏則不可以吉日旣卜之故遽行其禮唯視所遭

之喪輕重如何而或行或退此冠昏之所以不同也答尹宣擧

服中昏禮行廢與冠變禮服中冠禮行廢條參看

同春曰令曾孫已服旣輕而其父母亦非期喪且禮必大宗子主昏大宗有故則次宗子主之若爾則台監不必主昏如何然旣是一家重喪遲待葬後尤善否答或人

同春問外祖喪未葬而行昏禮似甚未安愼獨齋曰外祖喪未葬而行昏不當論也先王制禮雖列於小功我國與中國情勢大異禮緣人情何可抑情泥古

以毀本國常行之節也

國恤中昏禮（見喪禮國恤條）

冒哀嫁娶之非

問古人有嫁不失時之戒若過二十三年則後雖有故或葬或練從俗嫁之如何且伯叔父母喪葬後父母必欲從俗嫁娶則爲子者亦當如之何（或人）尤庵曰三十而不娶誠違禮經之訓然亦可謂冒哀而行之乎女子亦如此矣朱子於孟子親迎娶妻章註說分明今冒哀嫁娶與不親迎似不同矣父兄如欲犯禮行之則亦當從容婉轉開導以禮法所謂諭父母於道者如此矣

禫月廢昏

南溪曰禫月行昏禮雖似無妨彼家持難之意實合情禮其欲計較親年於數月之內以爲進退者於義亦不安矣莫如待行他日之爲順耳（答李泰壽）

改葬時廢昏

南溪曰曾祖破墓後至永葬前常在喪次執饋奠行哭泣雖或因事往來他所豈可還家行昏禮如平常乎此在情理甚不安非如服內行昏以主昏爲主也（答成至善）

同春曰改葬服未除之前昏娶恐未安（答李尚賢）

禍家行冠昏之節（見冠變禮）

失君父行昏之說（見喪變禮失君父處變條）

見舅姑

舅往婦家見婦

問世俗婚姻婿父有率其子往婦家成禮因見新婦云云（姜碩期）沙溪曰因舅之來執贄而見有違禮意俟後日行之或可也然大本既失一切皆非

問父率子往婦家成禮後拘於情理必欲相見則婦當執贄而四拜耶（李志夷）尤庵曰既執贄而見則行四拜禮何疑

同春曰云云（答羅星斗○見昏禮親迎條中假館行禮條）

成昏久後見舅姑

尤庵曰親迎翌日當見舅姑而今既過兩月咫尺不得見則已是變禮也且既不親迎故有此相妨節目正朱子所謂本領未正百事俱碍者夫既不親迎而欲致詳於見舅一節是不能三年而緦功是察者也要之隨便宜以行似當矣（答李端夏）

舅沒姑存見姑見廟先後

南溪曰儀禮疏曰舅沒姑存則當時見姑三月亦廟

見若以此文準乎今禮親迎之明日婦先見姑又明日婦見于祠堂爲宜蓋先姑而後舅者生死人神之別也答梁處濟

未及見舅姑而赴舅喪見喪變禮奔喪條

姑服喪中婦初見

南溪曰見姑之禮吉凶相雜亦無可據之文誠未易裁處第以母子大體言之其婦雖未見姑平日書物候訊皆用姑婦之節矣今當姑服喪之日乃以初見之故不行弔哭未知於義何如也義之所在禮有時而變云者恐指此類矣答李惟材

舅沒姑存饋禮行廢服中饋禮并論

尤庵曰姑雖獨在饋禮似不可廢答南溪

南溪曰舅亡之家恐當倣有事則告例以參禮行之惟其母在者受贄而已答朴泰尚

尤庵曰朱子答李繼善婦盥饋之問以爲母若有服則亦難行此禮據此則當廢盥饋之節矣然繼善之母服則是爲子三年也與今姑服大功有間矣答李晦夏

未見舅姑而失夫者歸夫家之節

陶庵曰俯詢禮疑實是變故之大者其婦新娶未及行見舅姑禮而出走無去處已八年云多日沉思且考禮書與一二士友相議錄出一紙以示於尊姻家未告廟之前令女子歸之行恐不可不亟爲之此在天理人情必然而無可疑者矣答李命胤○按一紙即答金鍊壽書在喪變禮失子處變條當參考

廟見

成昏久後廟見

寒岡問娶妻經年而歸拜舅姑訖即拜祠堂何如尚待三月無乃執泥不過乎存羊之義亦不可不取退溪曰此處存羊之義恐用不得

寒岡曰述昔以此事稟于李先生答曰云云見然今以淺見思之初歸入門即謁祠堂亦似太遽入門而

拜舅姑宿齋而廟見恐爲穩當答蔡夢硯

問新婦三月而廟見蓋爲親迎者也若經年或逾時而後來則見舅姑即拜祠堂後行見尊長饋舅姑之禮如何姜碩期沙溪曰來示得之退溪說亦然

舅姑已沒廟見之禮

同春問舅姑已沒則新婦廟見其禮似自別未知如何沙溪曰儀禮詳之并與朱子說參考

士昏禮若舅姑既沒則婦入三月乃奠菜註奠菜者以篚祭菜也蓋用菫疏此言舅姑俱沒者若舅沒姑存則當時見姑三月亦廟見舅若舅存姑沒則婦人無廟可見或更有繼姑自然如常禮也按曾子問云三月而廟見擇日而祭於禰此言奠菜即彼祭

於禰一也用菫者取謹敬席于廟奧東面右几席于北方南面註廟考妣之廟疏若生時見舅姑舅姑別席異面不與常祭同也祝盥婦盥于門外疏生見舅姑在外沐浴婦執笲菜祝帥婦以入祝告稱婦之姓曰某氏來婦敢奠嘉菜于皇舅某子疏若張子李子婦拜扱地註手至地也猶男子稽首坐奠菜于几東席上還又拜如初婦降堂取笲菜入祝曰某氏來婦敢告于皇姑某氏奠菜于席如初禮婦出祝闔牖戶老醴婦于房中南面如舅姑醴婦之禮疏舅姑生時使贊醴婦於寢之戶牖之間今舅姑沒者使老醴婦於廟之房中其禮則同使老及處所則別也婿饗婦送者丈夫婦人如舅姑饗禮疏舅姑存自饗送者今舅姑沒故壻兼饗丈夫

婦人並有贈錦之等○語類朱子曰昏禮廟見舅姑之亡者而不及祖蓋古者宗子法行非宗子之家不可別立祖廟故但有禰廟今只共廟如何只見禰而不見祖此當以義起亦見祖可也

問舅姑已沒而與祖先共廟則新婦之廟見也當何先後李時春南溪曰舅姑既沒則婦入三月乃奠菜即士昏禮文也家禮無此節目恐當依本文用告事之儀而已其與祖先共廟者只行還共拜謁之禮而已有何先後之別

陶庵曰按朱子義起之論是見祖廟之謂也非奠菜之謂也如早孤者取婦入門不可不追伸饋奠之禮欲行此禮者若并奠於高祖以下則事涉拖長同見祖廟而只於禰龕奠以別饌雖似未安義各有主恐無嫌也四禮便覽

改娶

妻喪三年內改娶當否

沙溪曰按　國制士大夫妻亡者三年後改娶若因父母之命或年過四十無子者許期年後改娶家禮輯覽

尤庵曰去歲殷孫再娶在其前妻三年內心有不安呈禮曹得其批然後乃敢行禮今此人亦禀於禮曹而行之則庶幾甚不惑矣答俞命賚

禮疑類輯卷之二

禮疑類輯卷之三

喪禮

總論

問喪禮固當從家禮而或有疎略未備處欲從儀禮則又有古今異宜難行處云云沙溪曰當以朱子易簀時遺命爲準然記者不一具列于左

朱子行狀先生病革門人問溫公喪禮曰疎略問儀禮領之門人治喪者一以儀禮從事○言行錄諸生入問疾因請曰萬一不諱當用書儀乎先生搖首然則當用儀禮乎亦搖首然則以儀禮書儀參用之乎乃頷之良久恬然而逝

問沙溪謂喪禮當遵朱子遺命而行狀云云言行錄云云并見上何所取信李尚賢同春曰言行錄似詳備當從無疑

問小斂時主人兄弟白巾環絰括髮時絞帶還尸後首絰腰絰散垂齊衰以下着巾加免婦人首絰腰絰之文家禮并略之備要援引古禮如是煩擾當以家禮爲正而古今之間亦似太簡家禮飯含時云主人袒又云襲所袒衣小斂後則齊斬以下至同五世祖者皆袒不言襲所袒衣至大斂并皆闕之與備要詳略不同云云崔瑞吉南溪曰家禮酌古今從簡便備要依遺命復古制意各有主今人固當以家禮爲主如其節目中不可不追正處已多具載於楊氏之說恐當以此參商準行也至如備要諸條曲折雜繁若是不悖於家禮大節者亦可添補而無妨矣

又曰文公以前當用儀禮以後當用家禮禮家之大體也但家禮乃初年本未及再修故丘氏儀節金氏備要亦不得已作數十年前士大夫多用儀節今則全用備要蓋兩書大體亦皆本於家禮大同小異無甚不可故耳然備要因文公遺命多用士喪禮之文

却與家禮酌古通今之意煞有出入如此處恐當參商行之也答權鎭

初終

遷正寢

問疾病遷居正寢似是通言父母也然以喪大記世婦卒於適寢士之妻皆死於私寢之文觀之則唯貴者宜遷而家禮不言崔徽厚遂庵曰似當以家禮爲正也註既言男子婦女云云則通言無疑

問疾病遷居正寢禮也鄭鈺云若値祁寒則臨絕之人遽遷于寒廳殊非人子之所恐此說恐近之深齋

南溪曰此出於正終之義當以病者之舍進退之

問將絕之人雖安穩之寢室而遷疎曠之前堂亦非靜俟之道無乃此正寢非前堂也特以寢室中非偏褻者而言耶(鄭樸)南溪曰所論恐誤

男女不相褻

問男子不絕於婦人之手婦人不絕於男子之手(蔡)辨逝者之母或父欲見之則奈何(廣文)南溪曰恐非父母之謂

問男子不絕於婦人之手云云此婦人男子若揔稱云而以朱子指婦人出諸門外之意觀之則父母之

於子女皆不可見耶第喪大記註曰君子謂終其相褻且春秋傳公薨於小寢譏其近女室且會成亦言君子于其死也欲終始而不褻則男女之分明矣婦之化興詳此文勢則所謂男子婦人似非揔稱(徽之)

厚遂庵曰本意則雖出於不褻男女之義而以其文勢觀之則不但夫婦間而已

夜半死者從來日

問夜半爲朔兩雞鳴爲朔陰陽家皆以子時爲明日然則雞鳴前子時死者當從何日(玄以魏)先庵曰日分於終於亥而始於子初二日之子自不干於初一日也

復

復衣(侍者弁論)

問春問復衣當用平日常服之上衣耶沙溪曰當用死者之祭服禮經可考

士喪禮復者以爵弁服簪裳于衣註爵弁服純衣(純與緇通)纁裳也禮以冠名服簪連也疏士服爵弁助祭於君士復用助祭之服則諸侯以下皆用助祭之服可知凡常時衣服衣裳各別今此招魂取其便故連裳於衣○記云復者朝服以其事死如事

生冀精神識之而來反○大記復大夫以玄赬(玄衣纁裳)世婦(大夫妻)以禮(服)衣(丹穀衣色赤鄭玄云色白)士以爵弁士妻以稅(彖)衣(色黑而緣以纁)○婦人復不以袡註以絳緣衣之下曰袡蓋嫁時盛服非事鬼神之衣故不用以復也方氏曰復各以死者之祭服以其求於神故也

愚伏曰禮天子諸侯復用小臣小臣近臣也朝服平生所服以事君者冀精神識之而來反故服之其用意可謂精切矣儀禮士喪有司復疏有司府史之等尊卑皆朝服也今士人家無府史之屬故家禮直云

侍者今當以鈴下親近蒼頭服上衣以復內喪則又疑當令女僕爲之此雖禮家之所不言以事死如生之意推之則婦人平生無故不出中門出則擁蔽其面男僕非有繕修及大故不入中門入則婦人必避之乃於神魂飄散之際冀其歸復而使平生所必避之男僕執其衣以招之是猶欲其入而閉之門不惟事理不當而已也抑朱子所謂侍者安知非通指女侍者而言耶又按周禮大喪御僕持翣后之喪女御持翣從柩且然況於招魂乎儀禮所謂小臣者必是閹人故得以通用而不別言耳

浴後去復衣 見沐浴條

復衣不用襲斂 見襲條

復衣置靈座 見靈座條

呼復

栗谷曰復時俗例必呼小字非禮也少者則猶可呼名長者則不必呼名隨生時所稱可也婦女尤不宜呼名 擊蒙要訣

問呼字禮有明文而要訣不稱 尹宷 尤庵曰恐是俗禮

問復人家皆呼曰某持衣去與來復之本義大相反鄙家則呼之曰某甫回來 李泰壽 南溪曰所處得之

遂庵曰復時以歸來呼之來說得之 答李志逵

問劉註復聲必三者禮成於三也大記三呼冀魂天地四方之中而來也二說何如 成文憲 南溪曰聲三之義大記註所謂天地四方之說似長

愚伏曰今人有死而復生者多言魂氣始升猶眷戀形體欲還入宅之而怕人環哭叫聒不得便入云以理求之神道尚靜似當如此復時宜令孝子暫時輟哭以專望反之誠乃得盡愛之道未爲薄於親也觀疏家哭訖乃復之文則古人亦必輟哭而復矣

立喪主

主字有二義

問立喪主小註若無親族則里尹主之喪大記曰喪有無後無無主此主字似有二義一是長子長孫主奉饋奠者一是與賓客爲禮親且尊者主之也果有此二義否有服之親各有位次不宜與賓客爲禮矣如何 李行泰 南溪曰字有二義是也與賓爲禮乃喪之大節故必家長主之以家禮註中宗子云云觀之可推知也

問昆季之喪云云 柳貴三 南溪曰當以宗子爲主若伯叔父在則其亦爲與賓客爲禮之主歟

退溪曰一家主人外無同居之親且尊者則不得已主人兼拜賓耳答李德弘

栗谷曰母喪父在則父爲喪主凡祝辭皆當用夫告妻之例也擊蒙要訣

父在父爲主與大祥條中服主後主祥禫條參看

問父在子無主喪之禮故朔虞卒哭凡殷奠皆父主之而楊氏謂長子主喪以奉饋奠云云一黃有西崖曰虞卒哭殷奠父既與其祭焚香奠酒似當親行至如朝夕奠子所獨行者則執事代之楊子所云恐饋奠者疑亦只云奉饋奠之事耳非欲其使哀子自執其

禮也

寒岡曰父在父爲主者禮記奔喪篇取統於尊之義而言之非饋奠諸事皆屬於其子而父獨與賓客爲禮也答崔季昇

尤庵曰凡喪父在父爲主則無論父之在遠與老病亦當以父爲主而攝行之矣惟七十老而傳重然後子將爲主矣答玄以規○右夫主妻喪

南溪曰凡喪父在父爲主然則只當以亡子題主也雖以此題主而下者有妻子則自當行三年之祭其何未安之有答李莛英

問父主子喪練已除服則祥禫誰可主之耶韓士尤

庵曰云云詳見大祥條中服盡後主祥禫條○右父主子喪

問婦之喪虞卒哭之祭夫雖主之祝辭則當云男使子某告婦歟權碩儒　愼獨齋曰當如此

南溪問舅主婦喪依服問及喪服疏則不主庶婦依奔喪則亦主庶婦之同宮者但禮記集說奔喪父在父爲主下統言父主之義而不錄本疏只主同宮之文而朱子答陳明仲及語類一條亦不分適婦庶婦而并言之然則將依集說及朱子說不論同宮異宮而統主婦喪耶抑此兩疏係是泛論故自不分適庶

而旣主其喪則當用本疏同宮異宮之義耶若是舅所當主之喪雖舅方在斬衰中亦無所礙耶尤庵曰此同出於古經而彼此逕庭有難適從然無論適庶與異宮同宮一主於父在父爲主之說然後無有妨礙抵捂之弊矣舅在斬衰中則雖主婦喪而亦當有事之輕重有可權攝者則不必自主之也

又曰凡喪父在父爲主其舅只主虞祭云者自是一說豈大夫不主諸子喪之意耶然從此說則多有窒礙處不若從前說之爲無弊也答或人

問喪服小記婦之喪虞卒哭其夫若子主之通解續

註曰婦謂凡適婦庶婦也虞卒哭祭婦非舅事也疏曰婦之喪虞卒哭其夫若子主之者虞與卒哭俱在於寢故其夫若子主之也按尤齋所謂一主於父在父主之說若主此說則虞卒大小祥亦舅皆主之然則喪服記續解註皆將棄而不用淺見則喪與祭本來自別俱存兩說各從其義葬前則一依存喪父在父主之說父皆主之葬後則一依喪服記續解註之說其夫若子主之如何 李世弼 南溪曰家禮立主註專以父在父爲主爲主而備要仍之盖其葬時以亡婦題主而至虞卒哭乃以其夫若子主之自祔以後終

喪入廟舅又當主之祝辭儀節不無出入矛盾者故意尤丈之說雖非古禮猶得家禮註意而無甚妨礙矣示意以本疏在寢之說爲重然則當限虞卒哭祥禫夫自主祭而姑變亡婦字稱亡室爲得禮宜耶抑用攝行例稱舅使子某云云耶不敢質言

又曰語類曰妻喪未主要作妻名不可作母名若是婦須作婦名翁主之此尤爲主喪之明證也 答白以受

又曰十五月禫時舅雖無服自當主祭云云 答金九鴞○見大祥條中服盡後主祥禫條

陶庵曰主喪之節家國體異異宮之義古今制殊只當以父在父爲主爲經也 答楊應秀

又曰凡喪父在父爲主禮之經也然子之婦於屬爲卑若其夫若子則夫婦有齊體之義子之於母恩重服重不害爲容其自伸是以虞卒哭則其夫若子主之惟於祔而舅主之豈不以尊卑有等而然耶大抵主喪與主祭雖若抵捂而實則幷行而不悖矣 答柳秉○下同

又曰兩祥之於虞卒宜無異同小記本文註虞卒哭祭婦非舅事也今指兩祥而問曰是舅之事耶夫若子之事耶其爲非舅之事明矣以此推之夫若子之

主兩祥亦無可疑 右舅主婦喪

問孫之喪其父主之而祖不得主則祔廟時以誰爲主而祔於何處耶 李箕洪 尤庵曰云云 詳見祔祭條中無祖則祔高祖條

遂庵曰祖在祖爲主先生家行之故某家亦行矣 答金光五○右祖主孫喪

嗣子未執喪之家主喪 見喪變禮嗣子未執喪諸條

無適嗣喪主喪 見喪變禮無適嗣喪諸條

無後喪主喪 見喪變禮無後喪諸條

五代祖喪主喪 見五服本宗服條中爲五代祖條

重喪中主輕喪 見喪變禮、并有喪條

承重妾孫爲其所生祖母主喪祭當否 見祭變禮

承重妾子祭本生母條

出繼子爲其本生親主喪 見喪禮爲人後者本生親喪諸節條

中題主條及祭變禮出繼子祭本生親諸條

主婦

問家禮立主婦註謂亡者之妻易服註有妻子之妻字成服註有妻妾之妻字各歸喪次註非時見乎母此則皆指主喪者之母也爲位註主婦衆婦坐于床西小斂大斂註主人主婦憑哭朝祖註皆次主人主

婦之後及墓註主婦諸婦女立於壙西幄内虞祭亞獻主婦爲之卒哭主婦進饌祔祭主婦終獻小祥註主婦率衆婦女此則皆指主喪者之妻也而爲位以下諸條則亡者之妻一不擧論殊甚可疑若以亡者之妻主喪者之妻渾稱主婦則尤爲未安 期 姜碩 沙溪曰初喪則亡者之妻當爲主婦時未傳家於冢婦故也虞祔以後則主喪者之妻當爲主婦祭祀之禮必夫婦親之故也 張子曰宗廟之祭東酌犧象西酌罍尊須夫婦共事豈可母子共事也 此等處觀其所指如何耳

南溪曰所謂宗子雖七十無無主婦及張子東酌犧象西酌罍尊必夫婦親之者乃經禮也今此奉主一節固爲男女之異任既無主婦可以行之則是實其變者恐當姑安於男攝女事而不當遂安於舅婦共事 上尤庵

易服

易服之節

沙溪曰丘儀易服一條移於未立主喪護喪之前者盖以爲親殁一刻未可以華飾故也然禮廢不講久矣豈人家皆有知禮者而必知去華飾服素之義乎況親殁一家號痛擗踊急遽奔遑之際何暇及此節

目乎此家禮所以必先立其護喪之知禮者而後次及易服之節也 家禮輯覽

問易服着深衣扱前襟於帶當喪着多飾之服如何曾子問女易服布深衣註言布不言麻深衣之麤者也深衣本註曰純以采曰深衣純以布曰麻衣雜記卜宅葬日有司麻衣布帶麻衣卽白布深衣布帶以布爲帶云則易服深衣似指麻衣而言扱襟之帶似指布帶而言 崔碩儒 愼獨齋曰似是

被髮

沙溪曰被髮出於西原蠻俗唐初胡越一家蠻俗漸

參於中國因有此禮及至開元采入典禮而溫公取之家禮因而不刪家禮會成據丘氏之論去之行禮之家固當從之但行之已久一朝去之恐未免譏罵耳答黃宗海

西原蠻子親始死被髮持餅瓮慟哭於水濵擲銅錢紙錢於水汲歸浴尸謂之買水否則鄰里以爲不孝○左傳辛有適伊川見被髮於野而祭者曰不及百年此其戎乎竟爲陸渾氏○又晉大夫反首拔舍註反首散頭髮下垂拔跋舍拔草舍止並壞形毁服以示憂慼○丘氏曰問喪親始死雞斯

徒跣扱上衽註雞斯讀爲笄纚笄謂以骨爲笄也纚卽內則所謂縰者韜髮之繒也蓋謂親始死孝子去其冠露出其笄纚而未及去至括髮乃去之非謂以之爲喪服也歷考古禮幷無有所謂被髮者惟唐開元禮有之溫公謂笄纚今人平日所不服被髮尤哀毁無容故從開元按今世人雖無韜髮之纚然貫用笄以貫髮今包網巾與纚頗相似今擬初喪卽去冠帽露出網巾骨笄至括髮時始去之似亦同古意然不敢自是姑記于此

重服人去冠當否網巾并論

沙溪曰爲所生父母及祖父母與妻喪豈有不去吉冠之禮乎答黃宗海

問司馬公所謂齊衰以下去帽着頭巾加免於其上者今不可遵行耶黃宗海沙溪曰去帽云者去平時所着吉帽也着頭巾云者如丘氏所謂用白巾如俗製小帽之類方言白匲頭而加免於其上也未知是否

尤庵曰初終期以下無免冠之文而但重服着冠自如則莫或駭俗耶答或人

又曰期服於初終崔氏旣有白巾之文則或布或綿或紙何所不可雖倉卒亦無難辦之獘矣若拘於此而期之重服終着吉冠則尤似駭俗無寧從俗去冠

也且白巾用於免前免時則當去白巾矣若仍着白巾則勢當於巾上加免而繞免於巾尖何所不可答朴重繪

南溪曰今人去冠東俗也沙溪謂祖父母妻喪則當去冠以此推之期大功重服循俗去冠或不至大悖耶帶亦似以華盛而去之答柳貴三

問嘗聞先生以初終期服以下去冠爲非禮云云沈潮遂庵曰吉冠云者指華盛之物以我國言之如紫鬃笠濃丹絲笠等物麤巾黑笠不在吉服之中也然所生父母雖曰期服布笠亦當去之

又曰為長子斬衰不解官與祖父喪同何必去冠耶答成爾鴻

陶庵曰去冠於禮惟妻子婦妾為之而期大功則不論故後世議者多歧沙溪以為祖父母與妻喪豈有不去冠之禮尤庵亦以為期而吉冠似駭俗毋寧從俗去冠先正所論雖如此而於禮既無明文雖是哀遑之中頭上不冠亦甚無儀且被髮之制始自開元禮則開元以前遭父母喪者但去冠而已今之期大功者若去冠則是與古之服三年者無異矣不其過乎四禮便覽

問所生父母及祖父母與妻喪皆去冠然則網巾亦從而脫耶伯叔父母之喪不當去冠耶崔瑞吉

南溪曰網巾則古所謂纚也儀禮父母之喪猶不去笄纚則安有以重服而獨去網巾耶伯叔父母乃是旁期前輩不言者恐或有意

又曰網巾在父母喪則亦似脫之耳答權鎮

告喪

沙溪曰家有喪亦當告也蓋禮君薨祝取羣廟之主藏諸祖廟註象為凶事而聚也以此推之可知其必告也喪禮備要

朽淺曰主人以衰絰入廟告事甚涉非便代以子弟亦難創立答趙惟顔

問告喪尹案

尤庵曰似當告於初終矣酒果則恐不可設也

南溪曰家禮冠昏及祭無不為告廟者獨於喪禮闕之而發引之日遽為朝祖又闕告辭殊未達其義備要雖因聚羣主之意有當告之文今人亦未聞有行之者也大抵此事既無明文則廢之固當耶上九庵

又曰喪者人家之大變豈難不告而自可無憾於幽明故儀禮家禮皆不言其節歟答李悅

遂庵曰家有喪告廟使無服者告之則何待成服後答安太奭

陶庵曰按備要有事則告條云家有喪止必告也但無告廟之文故世俗行之者甚少然子生既告則其死也安得無告家禮亦無所見不敢擅為補入然事莫大於死生如欲行之則似當在訃告之前四禮便覽

問宗子生有告祠之節不幸夭逝則亦當告之耶蔡徽休

遂庵曰其生既告則其死亦似當告

治喪具

總論喪具預備

同春問有親老臨期者預備喪具而恐未免左氏預凶事之譏沙溪曰當以禮經爲準左氏此論似有爲而發且朱子曰左氏說禮皆周末衰亂不經之禮無足取者

王制六十歲制七十時制八十月制九十日修唯絞紟衾冒死而後制註漸老則漸近死期當預爲送終之備也歲制謂棺也不易可成故云歲制衣物之難得者須三月可辦故云時制衣物之易得者則一月可就故云月制至九十則棺衣皆具無事於制作但每日修理之恐或有不完整也絞所以收束衣服紟單被也絞與紟皆用十五升布爲之冒衾皆五幅士小斂緇衾赬裏大斂則二衾冒所以韜尸此四物須死乃制以其易成故也○檀弓喪具君子耻具一日二日而可爲也者君子不爲也註喪具棺衣之屬君子耻於早爲之而畢具者嫌不以久生期其親也然六十歲制七十時制八十月制九十日修盖慮夫倉卒之變也一日二日可辦之物則君子不預爲之所謂絞紟衾冒死而後制者也○丘氏曰謂之耻具者耻成其制非不畜其質也

問舉世爲親備不虞者必制於閏月此有可據耶李行秦　南溪曰閏月之說乃俗談不足論也

沐浴之具

沐浴水

沙溪曰浴用香水五禮儀君喪有之借不敢用也沐水從禮經用潘汁可也答黃宗海

大記君沐粱大夫沐稷士沐粱註淅粱或稷之潘汁以沐髮也君與士同用粱者士卑不嫌於借上也

襲具

總論

沙溪曰按雜記不襲婦服女喪亦當不襲男服喪禮備要

南溪曰三稱之服自士以上皆可用也但雜記註云諸侯七稱天子十二稱此似愈貴則愈多答梁處濟

深衣　公服　紗帽　品帶　不用并論

南溪曰家禮不舉他服必用深衣者盖本書儀意非偶然則其在後學有難廢而不用抑何拘於平日服着與否乎答李之老

問襲用幅巾深衣禮也然有官者兼用黑團領䄂襪於深衣之下未知如何姜碩期　沙溪曰禮輯所論得之

古禮襲三稱爵弁服（緇衣纁裳）皮弁服（白布衣素裳）椽衣（黑衣赤緣）裳弁用之今朝服與深衣弁用恐不妨紗帽及品帶磊嵬難用

禮輯曰恐碍于斂故雖有官者亦用幅巾深衣

問備要小註深衣與公服弁用無妨弁用則公服似爲襲時上衣孔子之喪襲衣十一稱加朝服一云云（韓大震）遂庵曰家禮蔡氏註曰士以上深衣爲之次庶人吉服深衣而已據此則大夫以朝服爲上衣士以深衣爲上衣襲時有官者當用公服無疑然或下人遺命用深衣則從命可也

禮疑類輯八　卷三　喪禮　十九

又曰有官襲用深衣則小歛用紅團領大歛用黑團領襲用黑團領則小歛用紅團領大歛用色道袍直領屬如此者不必用深衣矣幅巾則襲時所用大小歛則不用置諸棺內禮無其文矣（答韓大震）

深衣大帶幅巾黑履靭（音）之制（弁見冠禮三加冠服條）

裹肚之制

顧庵曰裹肚卽俗之小帖褁也

沙溪曰愚嘗問于景任曰家禮裹肚之用寂在內乃屍身親近之物必是如今包裹腰腹之物景任答曰來示無疑（家禮輯覽）

又曰裹肚者恐非裹肚天益也（答黃宗海）

網巾行縢之制

退溪曰網巾之制出於　大明初則固家禮所不言今旣生時所常用又儀註許代以皀紵制用今依儀註用之可也行縢不言固可疑或云家禮所謂勒帛卽行縢未知是否（答金就礪）

問大明集禮襲用網巾五禮儀代用皀羅今亦依此用之何如且着袴之後無兩脛結束之制或用行縢或用如唐制朝服靴之類亦何如（姜碩期）沙溪曰古人

禮疑類輯八　卷三　喪禮　二十

生時亦有施掠頭之制襲不歛髮未安向年權教官克中之喪吾令以冒段爲網巾以帛造行縢用之

遂庵曰網巾非古也然則金玉之圈亦是俗制也但金玉至硬不合親膚則從俗之家畫以金銀亦何妨也（答李志達）

婦人冠制

退溪曰婦人襲冠禮所不言難以義起然儀註襲有幅巾註云皀紬制如㡇頭其於婦人亦依此象平時所服而制用無乃宜乎（答金就礪）

寒岡曰斂時婦人之冠略倣煖帽之制主於掩頭設

使婦人有冠冠非襲斂之所合用 答沙溪
問女喪髽首之制未有定論願聞之 姜碩期 沙溪曰古者男女之喪幷用掩髽首後世始以冠代掩冠又爲嵬峩安故代以幅巾而皆是男子之飾則女喪猶還古禮用掩可知也
尤庵曰首則用掩無疑 與朴世振
問禮掩練帛長五尺析其末註云爲將結於項中又還結於頤下然則析其末爲四脚前二脚抹額而結於項後復收後二脚以結於頤下也註所謂項中似是項後中未知然否 李檡 尤庵曰以還結於頤下之文

見之則似是析其一頭之意而儀禮疏又有後二脚之文此則似是兩頭皆析之意二說各是一意耶未敢質言
問掩以女帽之制代用如何 崔碩儒 愼獨齋曰俗皆用之從俗可也雖用女帽女帽則只着於首而掩之制以爲裹首掩面也着以女帽而復用掩亦可
南溪曰婦人冠家禮用掩俗禮用女帽安有其問可以酌古宜今者耶 答權鑽

婦人衣帶屨

尤庵曰婦人襲當用深衣可考於曾子問矣既用深衣則其制當如男子而帶亦當用深衣所用之帶矣小大斂上服則不得已當用東俗所尚之服矣 答李選擇 又曰上衣以紅綃製之則是紅長衫也紅長衫是東俗嫁時之服禮嫁時服不以襲則今製此用之未知如何聞京中內喪以青黑色製衫爲襲云此無乃爲宜耶以亞禮則依通解續所載婦人喪服之制如男子深衣而用之似可矣 與朴世振
又曰婦人昏當用袡衣喪當用深衣袡亦是深衣而但緣用紅色爲異帶亦如深衣之帶而亦以紅緣其紳之旁及下也 答朴世義

同春曰斂時布紟不入大記之說誠然且以人事言之布紟甚不宜於斂事矣嫁時服何可不用古人多言貧甚以嫁時衣爲斂之意耳唯袡衣大記既云婦人復不以袡則似不當用耳 答閔元重
遂庵曰男女通服深衣雖有古文然家禮常時男女各有盛服送終之節似不可通服而無別也先師於女喪一番用深衣似亦從古之意耶 答崔徵厚
陶庵曰按備要謂婦人襲衣用圓衫而圓衫之制無出處又曰帶當考以是婦人服未有定制最爲可疑尤庵答人問以爲據古禮則婦人亦當用深衣帶亦

用深衣之帶今俗以深衣謂非婦人之服絕無行之者以古禮廢而俗制勝故也深衣者於古爲貴賤文武男女吉凶通用之服俗制無稽古禮有據去彼取此有何可疑此制雖似駭俗而若自一二家而始則或可以變俗矣○玉藻有士妻祿衣之說亦可採用 四禮便覽○按祿衣之制見附錄禒禮冠服之制條中禒衣條

問備要襲具曰婦人帶當考而無用不用之決辭何歟 權鏶 南溪曰婦人帶當考終無歸宿果可疑似以婦人之服儀禮士昏禮有純衣纁衻周禮內司服有王后六服皆不言帶家禮吉凶通用大袖長裙亦不言

禮記類輯八　卷三　喪禮　二十三

帶獨士喪禮男子婦人幷具經帶故婦人平日所用之帶有難考據故爲此說也自漢以後始有婦人帶制至唐宋轉具大帶革帶見文獻通考終非經禮賢訓則亦似難用耳

問女喪履用新件綵鞋云云其地皮糊紙飾用如何 梁處濟 南溪曰似然

握手之制

退溪曰握手說云云兩端有繫皆在下邊其先掩一端之繫仍自下邊繞擘一匝固順便其後掩一端則自下邊斜而向上鉤中指勢不順便如何○答高峰 下同

又曰握手下角之繫繞手一匝之際反繚之然後向上鉤之恐其不順便依然只在也且疏所謂反而上繞取繫者以先有一匝向上之繫在手表故可依此而上繞今方當繞手一匝之際而欲繚之則無物可依以繚之恐其說又難施也如何

高峰曰按儀禮本條握手二右手則只一繫左手兩端皆有繫今從左手者家禮既不用決故從無決者耳

尤庵問握手之說紛然異同莫適所從願聞的確之論沙溪曰禮經諸說鑿鑿可據僕嘗有所論詳著于

禮記類輯八　卷三　喪禮　二十四

左

士喪禮握手用玄纁裏長尺二寸廣五寸牢中旁寸著組繫註牢讀爲樓樓謂削約握之中央以安手也疏名此衣爲握以其在手故言握手不謂以手握之云廣五寸牢中旁寸者則中央廣三寸廣三寸中央又容四指而已四指指一寸則四寸四寸之外仍有八寸皆廣五寸也讀從樓者義取樓斂狹少之意云削約者謂削之使約少也○設決麗于擘自飯指之設握乃連擘註設握者以綦繫鉤中指由手表與決帶之餘連結之此謂右手也

古文麗亦爲連掔作腕疏按上文握手長尺二寸褁手一端繞於手表必重宜於上掩者屬一繫於下角乃以繫繞手一匝當手結之以其右手有決今言與決同結明是右手也下記所云設握者此謂左手鄭云手無決者也○記設握裹親膚繫鉤中指結于掔註掔掌後節中也手無決者以握繫一端繞掔還從上自貫反與其一端結之疏曰經已云設握麗于掔與決連結據右手有決者不言左手無決者故記之按上文握手用玄纁裏長尺二寸今裹親膚據從手內置之長尺二寸中掩之

手纔相對也兩端各有繫先以一端繞掔一匝還從上自貫又以一端嚮上鉤中指反與繞掔者結於掌後節也○奇高峰答人曰按儀禮本條云云見上○按此疏家之說則左右手各用一握手分明可考近世講禮者或云用一握手兩端上下角皆有繫其設之分置兩手於兩端四寸中各以其繫結之使之不散云未知何所據而云然姑以防其見言之疏家所謂廣三寸中央又容四指而已者握手適長一尺二寸三分其長則各四寸乃就其中央四寸處摟斂狹少使其間適足以容四指曰寸而釋名所謂握以物置尸手中使握之也卽儀節所謂用帛一幅於死者手中握之也又留其兩端各四寸不動以待裏手之際可掩其手表四寸之廣也又所謂長尺二寸裏手一端繞於手表必重宜於上掩者屬一繫於下角者以其握手中央四寸置之手內又以其兩端各四寸掩其手表則必重疊相掩云耳又所謂據從手內置之長尺二寸中掩之手纔相對也者以其長尺二寸中央置於手內而以兩端各四寸重掩其手表則兩端之廣裹繞與之相對而裹之無遺不及之差云爾若用一握而分置兩手則經所謂牢中旁寸何爲而設耶註疏所謂重疊相掩云者何爲而發耶經所謂設決設握乃右手也下記所云設握者乃左手而鄭云無決者也是果一握手兩分置兩手手或云纔相對云者謂其分置兩手於一握手之兩端而繫之則其兩手相對而不散云若如是說則其重在於繫手而不在於裹手家禮所謂握手者裹手之義安在儀禮經曰握手長尺二寸記曰裹親膚質疏曰今裹親膚今謂子夏記也世人以板本誤書今裹作令裹故展轉致疑可歎

問家禮握手之制兩端各有繫儀節則四角皆有繫退溪曰瓊山四角有繫結束便易其說如何期（姜碩期）沙溪曰握手兩繫禮經分明瓊山與退溪雖有說似難從也

問喪禮備要設握手註手表向上止向下乃士喪禮疏也由手表之上落繞手一匝四字云云（李世龜）南溪曰所謂落繞手一匝四字者每以其制不免於拘掣爲恨若果如此則可謂平正無礙其有補於喪禮大矣

冒

退溪曰質殺之用不用當依丘氏說處之（答金就礪）

尤庵問冒今俗鮮用之雖用者或失其制沙溪曰詳載禮記其制甚好不可不用

喪大記君錦冒黼殺綴旁七大夫玄冒黼殺綴旁五士緇冒赬殺綴旁三凡冒質長與手齊殺三尺註冒者韜尸之二囊上曰質下曰殺先以殺韜足而上後以質韜首而下（王制註象生時玄衣纁裳）其制縫合一頭又縫連一邊餘一邊不縫兩囊皆然不縫之邊上下安七帶綴以結之○雜記冒者所以掩形也自襲以至小斂不設冒則形是以襲而設冒也註雖已著衣若不設冒則尸象形見爲人所惡○士喪禮註上玄下纁象天地也疏冒爲總目下別云質與殺自相對喪大記皆以冒對殺不云質則冒

既總名亦得對殺爲在上之稱（按禮器天子之堂九尺註方氏曰陽數窮於九天子則體陽道之極堂階之高其尺以九爲節自是以下降殺以兩故或以七或以五或以三爲以此觀之綴旁七或五或三恐亦是此義而天子之冒其亦綴九歟）

尤庵曰質殺製法喪大記與士喪禮疏分明各是一說大記疏則縫合一頭及縱者一邊而綴帶於不縫之一邊士喪疏則縫合一頭與縱者兩邊而仍於質之下口殺之上口相接處綴帶也大記士喪皆鄭註而太簡難曉又孔賈兩疏不同以致疑惑耳（答朱奎煜）

遂庵曰冒屈之則頭不縫不屈而以兩葉合之則縫其頭矣七帶云者左右邊各綴七帶非謂合左右爲七也（答成爾鴻）

又曰以襲時右衽推之則不縫之邊似在右邊矣

問黼王侯之制而今大夫冒用黼殺恐未合禮意（成文憲）

南溪曰大記曰大夫玄冒黼殺蓋古者天子諸侯之大夫品秩不甚相遠今若酌而用之似宜

問襲用冒小斂之時設藉首之疊衣補肩之空處夾脛之卷衣於冒上者恐未知便宜矣既襲而冒則其曰未掩面欲時見面者亦何謂也（金相殷）南溪曰襲用冒爲古禮藉首補肩夾脛未掩面等節皆今禮初不相同故無掣肘之患也惟殺之逆韜若果直囊則難

矣然殺制一邊猶未縫可以手探而整之至於用冒之後不便於藉首補肩夾脛未掩面四者亦或備要之病非家禮所知也

問冒質自襲後始設而至小斂後撤去或埋之於屏處或納之於棺中問于丈巖答曰禮記註冒者韜尸之二囊上曰質下曰殺先以殺韜足而上後以質韜首而下而已元無撤去之說似是仍用於小斂之時也此說如何（李光國）遂庵曰丈巖說是

飯含之具

珠錢米

問飯含一段古人所論多有異同未知的從願聞折衷之論家禮用錢而今則通用珠亦何所據歟姜顧期

沙溪曰禮經諸說可考

禮運飯腥註飯腥者用上古未有火化之法以生稻米爲含也檀弓註方氏曰飯卽含也以用米故謂之飯含也檀弓飯用米貝不忍虛也不以食道用美焉爾註實米與貝于死者口中不忍其口之虛也此不是用飲食之道但用此美潔之物以實之焉爾汪氏克寬曰含者何口實也實者何實以玉食之美也玉食者何天子飯以玉諸侯以珠大

禮疑類輯　卷三　喪禮　二十九

夫以璧士以貝庶人以錢是也然則何以實之孝子事死如生不忍虛其親口之意也雜記天子飯九貝諸侯七大夫五士三周禮天子飯含用玉此盖異代之制不同如此本註謂飯含也是卽以飯爲含矣泰之禮運曰飯腥穀梁氏謂貝玉曰含則二者雖皆爲口實而用則不同謂之飯含則可謂之飯含也則不可按古者諸侯用珠而國俗士庶人通用珠玉禮儀亦許用之此亦異代之制不同故也

又曰古人之含天子以玉諸侯以珠大夫以璧士以貝庶人以錢家禮之用錢從庶人之禮所以從簡也答黃宗海

南溪曰五禮儀通用珠之義今不可考蓋亦以物貴而用便也答崔瑞吉

又曰飯含士喪禮用稻米其用糯米未知所始也答吳遂昌

又曰士喪禮稻米四升可當今之一升家禮二升似減於古而其實倍之未詳答梁處濟

尤庵曰飯含抄米多少隨宜禮書亦未有定式耳此孝子不忍虛之意而終歸於腐爛竊恐從少爲宜答李檣

禮疑類輯　卷三　喪禮　三十一

幎巾見飯含條中飯含諸節條

靈座之具

椸

尤庵曰椸而覆以帕則略似屛摚故置魂帛於其前家禮之義不過如此答愼後尹

魂帛之具

魂帛重并論

南溪曰古者束帛依神家禮改用結絹之制當以此爲正第未詳其制則束之何妨答梁處濟

尤庵曰重鑿木爲之其形如鬲盖鬲飲食之具而鬼

神憑依飲食故用之答韓如琦

銘旌之具

銘旌尺度

沙溪曰依五禮儀用造禮器尺無妨銘旌若用周尺太短有駭俗見答黃宗海

問家禮立銘旌三品以上九尺五品以下八尺四品尺數更不舉論未知何意姜碩期 沙溪曰五品以下之下字當作上字無疑

小斂之具

大小斂布

退溪曰大斂無橫縱布此家禮依書儀以從簡也後來先生以高氏喪禮爲盡善則當以書儀爲未盡也楊氏已詳言之故家禮大斂註引高氏之說丘氏禮及今儀註並從之則大斂用絞何疑布廣雖有彼此之殊只依丘禮中吳草廬說用之未見其有礙何可增用耶蓋絞束相去之間雖未連接無害也答金就礪

問小斂布以吳草廬及退溪說觀之本國布幅雖狹而不可增用明矣至於大斂布亦如是否世或以今布三幅裂爲六片而用五如此則不至甚狹而庶與古布二幅爲六者相近云此說如何黃宗海 沙溪曰我國布甚狹若不連幅則大小斂絞布尺寸之數皆不合古制連幅之未安不猶愈於狹布之不中度乎大斂橫布如來示爲之則庶不戾於古意矣

又曰大斂橫絞若依中朝布裂爲三片則狹不可用矣須取三幅每幅裂爲二片而用五可也家禮輯覽

遂菴曰小斂布連幅大斂布不連幅答趙鴻猷

環絰

問若用環絰之制則斬衰齊衰並用之歟李惟泰 沙溪曰禮經及丘儀可考

雜記小斂環絰公大夫士一也疏親始死孝子去

冠至小斂不可無飾士素委貌大夫以上素弁而貴賤悉同加環絰故公大夫士一也○大記君將大斂子弁絰即位于序端註弁絰素弁上加環絰未成服故也疏成服則着喪冠也此雖以大斂爲文小斂時亦弁絰○丘氏曰按此二條及諸家之說則首絰之下必有巾帽以承之可知矣三代委貌爵弁之類今也不存宜用白巾如俗製孝巾小帽之類似亦得禮之意又曰小斂之後倚堂之前凡有服者不徒具腰絰又當具絞帶但服斬者用環絰齊衰以下首不用絰皆免耳按儀禮禮記皆無齊衰不用環

經之語而丘儀但服斬者用之可疑

白布巾

問儀節小斂條所謂白布巾何樣布耶期姜碩沙溪曰此必練布也時未成服故不得遽用生布也

遂庵曰古者無孝巾故以白布巾爲飾今則從備要旣着孝巾何可幷戴白巾答姜莘望

括髮免布頭巾幷論

牛溪問免布家禮只用一寸絹裹頭而丘氏用白布巾以代之何歟家禮言露首而丘氏用頭巾未知古禮如何龜峯曰宜從家禮

同春問家禮男子斬衰者袒括髮齊衰以下皆袒免云云未知斬衰者只括髮而無免齊衰者只免而無括髮耶所謂括髮其制如何沙溪曰家禮此條果不詳備當以小記及語類爲準

喪服小記斬衰括髮以麻爲母括髮以麻免而以布註親始死子服布深衣去吉冠而猶有笄纚徒跣扱深衣前衽於帶將小斂乃去笄纚着素冠斂訖去素冠而以麻自項而前交於額上郤而繞於紒如着幓頭然幓頭今人名掠髮此謂括髮以麻也母死亦然故云爲母括髮以麻言此禮與喪父同也免而以布專言爲母也盖父喪小斂後拜賓竟子卽堂下之位猶括髮而踊母喪則此時不復括髮而着布免以踊故云免而以布也○語類括髮是束髮爲髻鄭氏儀禮註及疏以男子括髮與免及婦人髽皆云如着幓頭然所謂幓頭卽如今之掠頭編子自項而前交於額上却繞髻也

尤庵曰括髮古者無被髮之制故但以麻繩圍繞於髻而謂之括髮齊衰以下之免亦然矣但有麻與布之異耳家禮所謂撮髻者亦是繞髻之義耶至於語類所謂束髮爲髻云者似是束其所被之髮而爲髻之意然則與古之所謂括髮者其制不同耶先師於

家禮輯覽亦無定說今不敢質言答韓如琦

問括髮條大註曰括髮謂麻繩撮髻又按輯覽所引朱子說則只云括髮束髮爲髻而無麻繩二字皆與小記自項而前交於額上之說不同云云李德明南溪曰括髮一節家禮與古禮異者要解已以因書儀爲言盖以喪服圖式爲證非空言也抑嘗思之古人笄纚而不被髮故只以麻繩括髮如免之制而已今人旣已被髮無髻則勢須以撮髻爲重恐其不用自項交額之制者因此而然也

同春問家禮括髮條括髮用麻繩撮髻云者指斬衰而言也又以布爲頭𦃇云者指齊衰而言也髽亦用麻繩撮髻云者又指斬衰而言也布頭𦃇則蒙上文故不再云耶近考家禮斬衰章婦人服有布頭𦃇則斬衰亦用布矣男子婦人似無異同括髮條布頭𦃇亦通斬衰看如何愼獨齋曰斬衰章婦人服有布頭𦃇則括髮條似當如之但此論婦人之制莫是從殺而言不分別齊斬耶男子而何可用布於斬衰乎

問頭𦃇則一而男子則用於括髮婦人用於成服者何耶 鄭尚樸 南溪曰豈亦所謂婦人陰少變故耶

尤菴曰小斂後免非爲斂髮也免冠故免以代之耳 答梁以本

問免者不冠者服盖以免代冠而今人巾上亦加免何也 李彥純 南溪曰古者不巾至家禮因書儀有巾故加免於其上矣

陶庵曰按斬衰括髮之制與齊衰之免相等盖古禮親始死露笄縰將小斂乃去笄縰着素冠斂訖又去素冠於是時也頭無所着故以麻免代之而今則始死被髮斂後束髮而例着頭巾既着頭巾則麻免之制似無所施固當從古禮去頭巾而只用麻免習俗之久有難猝變嘗見溫公之說有曰齊衰以下着頭巾加免於其上此則只言齊衰而不及於斬衰然免既加於其巾則括髮之麻亦無不可施之義愚意以爲無論斬衰齊衰皆當着頭巾而加之以麻免此所謂頭巾即丘氏所謂白布之巾也或者謂免之爲名出於免冠則既巾而免殊無意義是則有不然者盖孝巾所以承冠者非冠也龜峰嘗論要訣中用孝巾行祭之失曰免冠而拜先祖可乎栗谷亦不能難以此觀之巾之不可爲冠明矣然則白巾上加麻免有何不可乎 四禮便覽

婦人髽簪

沙溪曰婦人撮髻以麻指斬衰而言齊衰則以布也小記說可考 答黃宗海

喪服小記註髽有二斬衰則麻髽齊衰則布髽皆名露紒

同春問家禮婦人喪服竹木爲簪喪禮備要竹簪或用木爲之云云未知斬齊衰通用或竹或木耶沙溪曰家禮與儀禮不同附錄于下

儀禮喪服圖式斬衰箭笄箭篠竹也箭笄長尺凡惡笄皆長尺歟○始死將斬衰婦人去笄至男子

括髮着麻髽之時猶不笄成服始用箭笄惟妾爲君之長子雖服斬衰不着箭笄○齊衰惡笄有首惡者木理麤惡非木名也或曰榛笄也以榛木爲之有首者若漢之刻鏤摘頭○女子子適人者爲其父母及妾爲女君君之長子惡笄有首餘無明文則期之笄未詳○婦人惡笄終喪惟女子子旣卒哭而歸夫家則折吉笄之首吉笄象骨爲之有首爲其大飾故折之

南溪曰髽云者謂婦人之髻也吾東方平日無婦人作髽之事雖當喪只依俗斂髮而已 答李行泰

問男子同五世祖者皆袒免云而婦人則只曰髽于別室無某親所限 李德明 南溪曰婦人之禮視男子加略況有出嫁降服之節則恐當只以有服者限之耳

大斂之具

大斂布 見小斂之具條

大斂衾

同春問初死所覆之衾不用於襲斂耶沙溪曰温公說可攷

温公曰按士喪禮疏云大斂之時兩衾俱用一衾承薦於下一衾以覆尸則始死所用之衾至大斂卽以承薦非停而不用也

入棺之具

棺槨之制

尤庵曰周制棺槨七寸以周尺度之今則以木尺度之周尺七寸視木尺三寸不至大懸絶矣家禮則無寸數而温公之論棺不欲厚其厚之稍減者意者始於趙宋乎 答李選

沙溪曰按左二年宋文公卒始厚葬槨有四阿註四阿四注槨也以此觀之棺之有虛簷亦由此四注而成歟 家禮輯覽

南溪曰虛簷似謂天板四方有剩分高足似謂地板設四足云耳灰漆謂以骨灰漆之取其有光云第未知果否也 答李行泰

尤庵曰漆布不見於家禮而備要言之恐只可用於棺縫耳 答閔泰重

問木匡 梁處齊 南溪曰匡卽以木片四合之制如晏之四旁是也然後乃施木板於其上備要初本正用此制今以簡便從下一說

問穿七星之義退溪曰南斗司生北斗司死

沙溪曰按或云嘗因遷葬者見其棺中則瀝青已化

爲糞土無復有其性盖松脂之所以千年化爲茯苓者以其有生氣也至瀝靑則雜以蚌粉黃蠟淸油又煎火爲用則又失其生氣也安有爲茯苓之理乎此言頗有理用者詳之又按朱子曰木棺瀝靑似亦無益然則莫若只用於縫合處而已○家禮輯覽 下同

又曰俗方松脂作末以麤布篩下八斤黃蠟以刀割碎法油少蚌粉各五兩二錢合煎乃用則棺內上下四方可足塗也或松脂一斤黃蠟法油少蚌粉各七錢弱合煎八次於事爲便法油先秤鍾子知其兩數次盛法油於其中秤之可知錢數

漆棺 見入棺條

棺中所鋪之物

沙溪曰俗禮先以白紙立鋪於棺內四墻數重次以乾燥正灰三四斗隨宜鋪底二三寸許加七星板于灰上前立鋪紙次疊蔽之無使灰出外布褥席于其上 家禮輯覽

問今俗棺中鋪褥及席者何所據耶 李惟泰 沙溪曰開元禮有之五禮儀大喪條亦有之此無僭逼之嫌用之似佳

開元禮大夫士庶人喪大斂條云棺中之具灰炭枕席之類皆先設於棺內

遂庵曰天衾之制未知自何代始也衾制雖五幅至於天衾則一幅宜矣 答金光五

成殯之具

素帳

問初喪用帳必素者何義 李顯稷 尤庵曰劉氏以爲靈座之間盡用素器以主人有哀素之心故也帳之用素或出於此耶

柩衣

同春問柩衣上玄下纁之制沙溪曰柩衣乃夷衾也

禮經可考

喪大記自小斂以往用夷衾夷衾質殺之裁猶冒也註夷衾亦上齊手下三尺繒色及長短制度如冒之質殺○士喪禮牀笫夷衾疏冒緇質長與手齊頳殺掩足夷衾亦如此上以緇下以頳連之乃用也此色與形制大同而連與不連則異也鄭云小斂以往用夷衾本爲覆尸覆柩不用入棺矣○幠用夷衾註夷衾本擬覆柩故斂時不用今得覆棺於後朝廟及入壙雖不言用夷衾又無徵文當隨柩入壙矣

又曰通典及開元禮幷稱夷衾柩衣之名不知始於何時然古禮既有明據遵用無疑春 答同

問夷衾 李樺 尤庵曰古禮直謂之衾而但無識而已今俗制如柩形自上罩下未知出於何書耶鄙家衆依古制甚便於用矣俗制則罩下之際甚覺艱澁不便

又曰柩衣之制以古禮則上玄下纁而連縫之其形如常用之衾且上玄下纁皆當居半不必如質殺之下三尺上齊手也 答俞命賚

成服之具

衰服之制

禮疑類輯八　卷三　喪禮　四十一

退溪曰五服之布麤細之等尤是禮經所謹今人父母喪亦用細布其失非輕而謬云中朝之布如是其可乎 答金就礪

朽淺曰古之織布之法齊衰以上生麻所織也大功以下熟麻所織也家禮大功條所謂大功粗熟布乃熟麻所織而非既織之後用灰鍛治者也 右五服布

退溪曰體豐者衰服加用別幅亦恐不可若豫有廣幅布別採者以備急用則可蓋豫凶備人家所不免也 答金就礪

問古者布廣二尺二寸今之布幅甚狹必連幅而用之耶 姜碩期 沙溪曰古者布之廣狹升數皆有定法其廣必二尺二寸故衰衣與袂縱橫皆二尺二寸取正方也吾東之布則其廣至狹有一尺五六寸者有一尺二三寸者若不連幅而其人肥大則不得穿着衣袖亦短不成貌樣必須連幅用之然後衣可以容身袂可以苑手而合縱橫正方之制或言連幅非古制不可爲也不通之論也 右衰布連幅當否

沙溪曰衰外削幅裳內削幅初不言三年與期功之異衰皆外削幅可知也 答姜碩期

問裳縫內向衣縫外向不同何也 成文濬 南溪曰凡服

禮疑類輯八　卷三　喪禮　四十二

衣重而裳輕縫向外者示變於吉也 右內外削幅之異

問辟領之制家禮本文已詳且其義則特著於大全答周叔謹書其曰是有辟積之義者正猶衰負版之寓悲哀心甚有情理而楊氏謂辟猶闢也從一角反摺肩上似甚苟簡無謂而備要必取此說恐當以家禮爲正 李柬 遂庵曰此一段來示似是

南溪曰衿乃古交領之制非楊氏所創也今識禮家只用於孝子喪服蓋亦鮮矣其裁制法有巧思者皆能之。答柳貴三 右衿

又曰喪服制度註曰衣帶下尺者要也猶今言要帶

故其說以要爲準答鄭尙樸右帶下尺○
同春問喪服綴袵之制齊斬皆同否沙溪曰喪服疏可考
喪服疏斬衰袵前掩其後齊衰袵後掩其前右綴袵
退溪曰負版與袵連幅用之恐不可答金就礪
問負版之義閔泰重尤庵曰負其悲哀之心之義右負版
問裳制前三後四之義梁處濟南溪曰喪服疏曰前爲陽後爲陰前三後四各象陰陽也右裳
同春問喪服衰負版辟領或有不用於傍親者是果有說歟沙溪曰楊氏謂旁親不用衰負版辟領以爲

朱子後來議論之定者愚按儀禮衰裳之制五服皆同只以升數多少爲重輕父母重故升數少上殺下殺旁殺輕故升數多云云儀禮雖輕服并無去衰負版辟領之文家禮至大功始去之後賢損益之意也其曰衰負版辟領惟子事父母用之此外皆不用云者乃楊氏之說也今之行禮者牽於楊說雖於祖父母及妻喪亦不用殊失古禮之意矣鄭註曰前有衰後有負版左右有辟領孝子哀戚無所不在丘氏曰孝子哀戚無所不在云者特舉最重者而言之耳又曰齊衰三年以下至不杖期皆名齊衰而不異其制當從家禮本註爲是云丘說恐得之
又問家禮卷首圖云衰負版適惟子爲父母用之其餘不用者不裁濶中當從之否沙溪曰按功緦以下之衰雖去負版辟領衰而濶中則與齊衰無異故楊氏曰衣服吉凶異制衰服領與吉服領不同也圖說外誤不可從也右期功以下衰制同異

中衣直領之制

同春問衰服之下承以布深衣禮也但深衣之制當緝邊此不宜於斬服如何沙溪曰中衣在衰服內雖緝邊可也禮經何可違也

愼獨齋曰直領雖俗制然斬衰當斬下齊耳答崔碩儒
問中衣當初循俗用中單之制今欲依古禮用深衣抑仍舊無妨否李選同春曰皆不妨
尤庵曰直領中單之制不見於家禮不敢質言只是斬衰不緝齊衰緝之云則以衰服之制推而言之耳答金得洙
南溪曰雖喪服若用古深衣之制則緝邊無疑至於中單衣乃是俗制本無所據恐不用緝邊答梁處濟
又曰古者喪人衰服內着布深衣而別以布緣邊盖此最在身裏如今袍襖之類不係於喪服故自緣其

邊雖着此服當出入時不得不更着生布直領此則
固非出於禮經而猶是表而出之在外似不當緣邊
耳 答權鎮
陶庵曰備要旣云中衣各如其服則朞以下亦當以
次減殺以稱本服今所謂道袍卽當以中衣看矣 答金時鋒

孝巾 素委貌 弁論

問家禮無布頭巾以承屈冠而人人用之者何所據
耶 黃宗海 沙溪曰按禮免者纏巾加絰而國俗例於喪
冠下施孝巾出自丘儀雖非古禮恐亦不妨

南溪曰漢輿服云委貌與皮弁同制長七寸高四寸
形如覆杯前高廣後卑銳然後世所不存丘氏已言
之安有鄉名之可言耶但其圖今見輯覽○答梁處濟 下同
又曰委貌見上素弁圖式註爵弁之形以木爲體廣
八寸長尺六寸以三十升布染爲爵頭色赤多黑少
今爲弁絰之弁其體亦然但用素爲之

屈冠之制

問冠梁作幓沙溪曰用紙糊爲材廣五寸二分半裹
以布乃就其上摺作三幓爲廣三寸而用線縱縫之
世俗不曉此制先作材廣三寸然後用布幓裹其上
者非也按緇冠亦以紙糊爲材廣八寸然後乃就其
上襞積爲五梁而爲廣四寸此亦可見矣又據家禮
本文不謂以布爲幓而裹之乃言裹以布爲三幓則
是先裹以布而後乃作幓可知矣
南溪曰冠襞積向右雜記註曰吉冠攝縫向左左爲
陽吉也凶冠攝縫向右右爲陰凶也其小功以下向
左者服輕者殺可以同於吉冠故耳 答羅斗甲
問冠圖外畢謂冠末向外而止耶 柳貴三 南溪曰來示
得之家禮所謂向外反屈者是也

首絰腰絰

退溪曰首絰家禮無兩股之文故儀節及補註皆云
當單股但周禮弁師王之弁絰弁而加環絰鄭康成
曰環絰大如緦之麻絰纏而不糾賈氏曰緦之絰兩
股環絰則以一股禮檀弓子柳妻衣衰而繆絰云云
請緦衰而環絰註繆絞也謂兩股相絞五服之絰皆
然惟弔服之環絰一股此等處非一則當從禮註說
爲正 答金就礪
又曰首絰單股周禮謂之弁絰古人用此絰以弔喪
乃絰之至輕者也五服之絰皆兩股況於親喪用單
股絰乎儀節之文吾所未知也今勿疑用兩股今俗

用三股亦無稽之事不可從也答李德弘

沙溪曰據禮經及朱子說小歛之經當用單股成服之經當用兩股而丘儀及補註小歛成服通用單股恐不可從也

雜記小歛環經註環經一股與親始死去冠至小歛不可無飾加此環絰也○檀弓衣咨衰而繆經註繆絞也謂兩股相交五服之經皆然唯弔服之環經一股○問三禮圖苴經之制頗與環經相似近得廖丈所畫紐而爲繩屈爲一圈相交處以紐繩繫定本垂於左末屈於內似覺與左本在下之

制相合朱子曰未詳曉所說恐廖說近之右首經用兩股

同春問家禮斬衰首經九寸腰經七寸何義沙溪曰此與儀禮文雖異實則同當參考

喪服傳苴經大搹去五分一以爲帶齊衰之經齊衰之帶也去五分一以爲帶大功之經齊衰之帶也去五分一以爲帶小功之經大功之帶也去五分一以爲帶緦麻之經小功之帶也去五分一以爲帶疏苴麻之有蕡者以色言之謂之苴以實言之謂之蕡斬衰貌若苴齊衰貌若枲○經實也明孝子有忠實之心麻在首在腰皆曰經分言之則首曰經腰曰帶首經象緇布冠之頍項腰經象大帶○鄭云盈手曰搹搹搤也中人之搤圍九寸據大拇指與大巨指搤之以五分一爲數者象五服之數也疏圍九寸者首是陽取陽數極於九自齊衰以下取降殺之義無所法象右斬衰首腰經寸數等差

又問家禮斬衰首經麻本在左末加本上齊衰首經本在右末繫本下何義沙溪曰儀禮註疏詳論之可攷也

士喪禮苴經下本在左牡麻經右本在上註苴經斬衰之經也下本在左重服統於內而本陽也牡

麻經齊衰以下之經也右本在上輕服本於陰而統於外疏按雜記云親喪外除鄭云日月已竟而哀未忘兄弟之喪內除註云日月未竟而哀已殺此言統內統外者亦據哀在內外而言本陽本陰者亦據父者子之天爲陽母者子之地爲陰而言也○喪服疏下本在左以父是陽左亦陽下是內言痛從心內發故也此對爲母右本在上也右斬衰首經左右本之辨

又問今俗首經之纓或不結而垂之沙溪曰不結非也禮意分曉

喪服傳長殤九月纓絰中殤七月不纓絰註絰有纓者爲其重也大功以上絰有纓小功以下絰無纓疏絰之有纓所以固絰猶冠之有纓以固冠亦結於頤下〇家禮冠纓結於頤下首絰纓如冠之制（布首絰結纓）

問首絰腰絰及絞帶左絞耶右絞耶（吳遂）南溪曰右絞如帶法（布腰首絰絞法）

問腰絰散垂不言其絞云云退溪曰無三年散垂之理如此處恐或未備（言行錄）

龜峯曰腰絰散垂古禮至成服乃絞家禮則成服時

散垂古禮又散於啓殯又絞於卒哭而家禮皆削似是闕文又朱子曰腰絰散垂象大帶以是看之似終喪散垂而此說孤單今若從家禮散垂則卒哭後從古禮絞之爲可〇腰絰從古禮成服時絞又散啓殯時又絞卒哭日亦合古禮（答牛溪）

同春問腰絰古者小歛後散垂三尺至成服乃絞家禮成服始言散垂三尺不言絞之之時何歟沙溪曰曾以此問鄭道可答云云其言似是（寒岡說見下）

寒岡曰家禮無乃因言絰制而追記散垂之說乎非必散於方絞之日無乃覽者當詳之乎好禮之家一從古禮而爲之恐未爲不可何必追散於將絞之時以違家禮本意乎（答沙溪）

沙溪曰按士喪記三日絞垂註成服日絞腰絰之散垂者疏以絰小歛日腰絰大功以上散垂不言成服之時絞之故記又言之小功緦麻皆初而絞之不待三日也既夕禮丈夫散帶垂註爲將啓變也疏散帶垂者小歛節大功以上男子皆然若小功以下及婦人無問輕重皆初而絞之玉藻五十不散送疏始死三日之前腰絰散垂三日之後乃絞之至啓殯亦散垂既葬乃絞五十既衰不能備禮故不散垂以此觀

之小歛日散垂而成服日乃絞明矣而又曰家禮散垂之文見於成服條而不言其絞之之時與禮經不同恐或闕文又按大全答胡伯量書曰絞帶一頭作環以一頭穿之而又揷於腰間以象革帶絰帶則兩頭皆散垂之以象大帶觀此文勢似謂成服後仍亦散垂然豈初年議論未定時之說歟恐當以禮經爲正（家禮輯覽）

問殤之絰不絞云云（梁處濟）南溪曰喪服疏曰殤大功亦於小歛服麻散垂至成服後亦散不絞與成人異也其義亦可推見（布腰絰散垂）

絞帶

退溪曰旣有絰帶絞帶之大恐當有斟酌也（答金就礪）

尤庵曰絞正帶也絰加帶也絞蓋象吉服之革帶絰象大帶也其在吉服先以革帶束衣而加大帶於其上故大帶有紳之名紳者申也蓋申束革帶之義也此乃朱子說也然則絞旣正帶則與絰同其大何足疑也首絰之小於腰絰禮之末失也（答或人）

問絞帶之制（李惟泰）沙溪曰此詳在家禮與儀禮其制以長繩中屈之作彄子然後乃合其餘繩是通全帶以繩爲之故曰繩帶卽三重四股也鄭道可謂只彄

子以繩爲之非是

喪服斬衰章傳曰絞帶者繩帶也疏曰以絞麻爲繩作帶故云絞帶也又家禮云絞帶用麻繩一條大半腰絰中屈之爲兩股各一尺餘乃合之其大如絰○丘氏曰按文公語錄絞帶較小於腰絰家禮大如腰絰今擬較小爲是

問三重四股之制（金得洙）尤庵曰最初單一股爲一重以此一股疊以爲綱爲二重又以此繩再疊爲三重如此則自成四股矣

問三重四股何義歟（金光五）遂庵曰古制之義未可考無乃取其堅緻歟

問腰絰象大帶絞帶象革帶則平時無大帶革帶弁着之文而只於喪日弁着腰絰絞帶於一時何歟（吳遂昌）南溪曰如深衣大帶又以五綵條結之是象革帶也

喪中出入時服色（見居喪雜儀條）

杖

同春問苴杖家禮圖六節五禮儀亦六節何義耶今可從否沙溪曰據禮只齊心而已無六節之文

喪服傳杖各齊其心皆下本疏按喪小記杖大如

絰註云如腰絰者以杖從心以下與腰絰同處故也杖所以扶病病從心起故杖之高下以心爲斷下本順其性也

問今世杖期之杖小於齊衰之杖不知有所據耶（李行泰）南溪曰無明文然以又用次等生布之說推之或有其理耶不敢質言

問父爲長子三年者及夫爲妻杖期者旣曰有杖則杖不可虛設可杖於出入之時而世俗絕無行者（梁處濟）南溪曰豈以妻子之杖或厭尊或拘俗而然耶

屨

愼獨齋曰古之菅屨疏屨皆是草也朱子所謂草鞋未見其必藁也繩屨之制雖不可詳而豈有屨鞋皆有繩之理乎家禮斬衰用粗麻屨與古經不同今人齊衰亦用藁鞋不失古者疏屨之義何不可之有答鄭基磅

婦人喪服之制

問婦人服制朱子家禮似無明文瓊山儀節有大袖長裙蓋頭腰絰等服一全誠 退溪曰今按家禮楊復註婦人用大袖長裙蓋頭而無絰帶之文云云然今亦家禮本文亦未見三物之文只依丘氏禮爲宜

禮疑類輯 卷三 喪禮 五十三

又曰婦人冠絰之制違古禮則好然亦當自視其家行喪禮如何若他事不能盡如禮獨行此一節無益也又駭俗也答金就礪

問婦人服制若從禮經則衰如男子衰下如深衣無帶下尺無衽而絰帶之大小一如男子而抑從家禮大袖長裙之制乎朱子所謂婦人服不可如男子衰者何意姜碩期 沙溪曰婦人服制儀禮經傳喪服圖式連裳具絰杖之制甚備必朱子晚年定論與家禮不同也好禮之家遵行甚佳曾問之鄭道可其意亦然喪禮備要具載之以爲用者之擇取耳

又曰按朱子曰喪服斬衰章疏婦人亦有絞帶布帶以備喪禮呂氏云無絞帶布帶當考家禮輯覽

問婦人服制儀禮與家禮不同而備要兩存之當何從李尚賢 同春曰從儀禮恐好

尤庵曰婦人大袖長裙無杖自是家禮之文雖違於儀禮似無害矣既用大袖長裙而用杖則兩違於家禮儀禮未知如何答李箕洪

又曰婦人服制家禮無杖而據儀禮則似不可闕故家禮附註丁寧言之舅夫是斬衰則用竹何疑齊衰桐亦甚明白矣答李遇禪

禮疑類輯 卷三 喪禮 五十四

問大袖長裙與祭禮時大袖長裙不同耶朴光一 尤庵曰其制當無吉凶之殊矣

又曰婦人服有絰無冠無疑矣答李禪

蓋頭之制

南溪問喪服婦人蓋頭之制備要云以布三幅聯之其長與身齊更無他制竊意與今椺子稍長者一樣以此製用無妨否宋時婦人似是吉凶皆用蓋頭如居家雜儀喪禮朝祖之類可考第此服必以兩手執之以擁蔽其面其出外則固可在堂叅祭時亦當用之否尤庵曰蓋頭之用於祭時未之前聞且家禮不

言其制尋常以爲與我國婦人所着不大相遠也其吉凶皆用則無疑矣○儀節旣曰全身障蔽又曰以一幅布爲之中國布其幅雖濶恐不可以一幅全身障蔽尤不知其如何也
南溪曰盛教所謂我國婦人所着未知指俗制羅兀而言耶然則用家禮婦人服制成服之家以布羅兀代蓋頭其或可否 答尤庵

童子喪服之制

沙溪曰童子不冠則豈有孝巾及冠乎 答同春○下同
又曰首絰象緇布之頍項也童子未冠何缺項之有

乎申生義慶以爲婦人雖不冠有絰童子亦當有之婦人之絰固有明文童子則不現諸書申說可疑鄭景任云童子首絰禮無所考來諭所謂童子未冠何缺項之有者簡易明白恐攻破不得

禮疑類輯卷之三

禮疑類輯卷之四

喪禮

沐浴

沐浴水 見治喪具條中沐浴之具條

浴後去復衣

沙溪曰悉去病時衣易以新衣當在於疾甚之日而去復衣一節宜入於設床遷尸覆以衾之時 家禮輯覽
尤庵曰復衣浴後去之云者謂去之於身上其後置之靈座葬後以爲遺衣服自是常行之禮也 答或人

襲

襲衣冠帶履握手冒 見治喪具條中襲具條

復衣不用襲斂

同春問復衣用於襲斂不妨否沙溪曰禮經可考喪大記復衣不以衣尸不以斂鄭註不以衣尸謂不以襲也復者庶其生也若以其衣襲斂是用生施死於義相反士喪禮浴而去之

襲不用緇冠小帽

問加幅巾而無用緇冠之文何耶 吳昌遂 南溪曰吉凶詳略禮固不同
遂庵曰古者人死不冠之說文元公引之必有所考

據矣 答李志達
南溪曰小帽子始於唐時今則人無不用然非禮經所載也況其制不如幅巾之當於冠網巾之當於緇終不可闕者則恐難用也 答權鑌

右袵結紐

問家禮襲章無右袵之文備要遷尸其上下註曰衣皆右袵小帶似可結而無結之訓 權鑌 南溪曰家禮至小斂始曰左袵不紐襲之右袵因此可知故備要云然襲時雖無結紐之文俗禮亦多行之者矣

襲奠 始死奠并論

問始死必用脯醢之奠者何義歟 期 姜碩 沙溪曰檀弓及劉氏說可考
檀弓始死之奠其餘閣也歟註閣所以庋置飲食蓋以生時庋閣上所餘脯醢爲奠也疏鬼神所以依於飲食故必有祭酹但始死未容改異故以生時庋上所餘脯醢以爲奠也○劉氏璋曰凡奠用脯醢者蓋古人家常有之如無別具饌數品
又曰儀禮襲及小斂奠皆設於尸東當肩家禮小斂奠則設於尸南家禮與儀禮不可合一意看也 答黃宗海
又曰儀禮疏云奠設于尸東者以其始死未忍異於生其義可知也 答同春

問備要襲奠圖左醢右脯靈幄奠圖則左脯右醢彼此不同何歟凡祭果用偶數而獨於靈幄奠圖果用奇數何歟 俞 申 南溪曰脯醢左右果不同大抵左脯右醢乃象生時之意恐此爲是其右脯左醢者似是寫誤致然至於果品東俗例用陽數出於五禮儀準禮此亦當從虞時兩大祭減用二器而獨用三器者有未盡正故也
陶庵曰古禮有始死奠而家禮則有襲奠備要仍之蓋以襲在當日故也今或襲斂過期甚或至於多日

其間全無使神憑依之節豈非未安之甚者乎茲依古禮移置於易服之下如無閣餘酒脯之屬雖別具亦可且一日一奠誠不忍廢若累日未襲者每日一易爲當 四禮便覽

偕喪襲斂先後 見變禮并有喪條

喪中死者襲斂衣服 見變禮喪中身死條

爲位

死者襲後生者有位

陶庵曰襲在於死之當日未襲之前男女哭擗無數奚暇爲位而哭雖或延至二三日之後必死者襲而

後生者方可有位也（答李命元）

位次隨時而變

栗谷曰尸在床而未殯男女位于尸傍則其位南上以尸頭所在爲上也旣殯之後女子則依前位于堂上南上男子則位于階下其位當北上以殯所在爲上也發引時男女之位復南上以靈柩所在爲上也隨時變位而各有禮意（擊蒙要訣）

牛溪問家禮服位只有襲後爲位而成服位則無儀節旣殯之後則似當與襲後爲位不同而丘氏儀節亦無明文今不知何據龜峯曰襲後位次南上者以在尸傍以尸首爲上也殯後旣位于堂下則位次當北上亦以襲時尊尸之義爲也今人多膠守襲時位次而不改於殯前位之東下居近尸首尊者反在於下甚不可仍

同春問家禮爲位註主人坐於床東奠北衆男坐其下期功以下皆南上而殯後不言位次今人或仍奠北之位而以南爲上或就東階下而以北爲上何者爲得沙溪曰成殯後當以尸柩所在爲上主人之位以北爲上衆主人自北而南古禮然也家禮不分㡉可疑

士喪禮朝夕哭婦人卽位于堂南上丈夫卽位于門外西面北上外兄弟在其南南上○擊蒙要訣云云（見上）

問發引時男女之位一依殯後之儀而無變歟（閔維重）同春曰當然

朽淺曰云云今雖從俗設哭位於幄內而其禮當如壙東西之位（答李成俊○見及墓條中設靈幄條○下同）

問下棺前孝子云云（吳益升）尤庵曰云云

問喪禮備要虞祭主人以下入哭條註云皆入哭於靈座前其位皆北面丈夫處東西上婦人處西東上然則虞祭時男女之位皆在堂上歟虞後朝夕上食時位次亦如虞祭之儀乎（閔維重）同春曰當然

沙溪曰家禮虞祭主人以下云云（答同春○見虞條中入哭位次條）

南溪曰家禮主人位次床東奠北者初喪在家之禮也奔喪卽堂下東之位者殯後自外至之禮也義自不同（答李有泰）

又曰爲位之儀則葬前婦人位乎堂上東面丈夫位乎堂下西面至虞祭時主人兄弟及與祭者皆入哭於靈座其位皆北向丈夫處東西上婦人處西東上一如祠堂奈禮序立以此觀之几筵朔望之祭亦當

依此爲之不必追用葬前朝夕哭奠之儀 答李鼎新

人家狹隘位次變通

南溪曰家禮殯于正堂內外東西之位自無所妨今則人家形勢難得如此只依備要說行之恐當 答文後開

又曰朝哭註主人以下皆服其服入就位所謂位者蓋指爲位而哭條牀東西向位也竊詳家禮葬前則皆用此位如弔時哭出西向及朝祖時男子由右葬時壙東西向之文俱可爲證故儀節曰男位於柩東西向女位於柩西東向今備要直用儀禮門外西向之位恐非家禮本意但今人家廳堂狹隘勢不得不

作階下位次然則依開元禮或升或降似宜 上尤庵

喪人位在諸父上

問家禮時祀設位圖世各異行雖宗子立於諸父之後而至喪禮則其位反在叔父上何也 韓濩 牛溪曰家禮初喪立喪主所以重宗統絶窺僭也家廟作阼階惟主人當之雖諸父位於前而皆不敢當阼階之前矣然則孝孫承重必以主喪受弔而當主人之位無可疑矣

沙溪曰祠堂序立常禮也襄後及祥禫祭皆以服之輕重爲次雖諸父在喪人之後何未安之有乎 答黃宗海

飯含

飯含諸具 見治喪具條

飯含諸節

問飯含主人被髮而行之似非愼終之意古禮有可據變易之節耶 姜碩期 沙溪曰斂髮當在小斂之後飯含時無變易之節矣

尤庵曰瞑巾襲後覆面之巾也子孫含則褰此巾賓客含則當口處有孔使之不擧而含焉卒襲時去之與下幎目各是一物也 答或人

問爲飯含由足而西東面而擧巾其所以東面者何

義無乃東是生養之方故人子不忍外其親而然耶 鄭尚樸 南溪曰似或然也

問扱米之必用左手者袒左故耶云云 梁處齊 南溪曰用左手便也其必左袒者覲禮疏云禮事無問吉凶皆袒左主人兄弟雖不預擧扶之列恐不可廢

退溪曰不獨飯含如斂絞擧尸撫尸之類皆喪者所當自爲古人於此非不知有所不忍所以必如是者以愛親之至痛迫之情當此終天之事不自爲而付之人尤所不忍故古禮如此今人不忍於小不忍而反忽於大不忍切恐不可 答鄭惟一

遂庵曰飯含餘米埋之似無妨（答崔徵厚）

承重孫并有祖喪母喪飯含（見喪變禮并有喪條）

飯含代行

問長子病則飯含等事當代以次子乎長子之子乎（尹案）尤庵曰古禮有使客爲之之文引用此文或爲有據矣

子婦喪飯含

問子婦喪飯含顯玄纁當使夫若子主之耶云云（尹案）尤庵曰飯含亦有賓客爲之之文恐無一定之主也贈是重禮舅似主之而既無明文不敢質言

追後不可解斂飯含（見喪變禮道有喪條）

靈座

設靈座之所

問春問大斂後設靈座於故處所謂故處指何所耶沙溪曰將大斂先遷靈座於旁側大斂畢復設靈座於故處所謂故處指堂中而言也非謂柩前也置柩于堂中少西設靈座于堂中乃禮也家禮會成復靈座註云設于柩前儀節置於柩前皆失古禮之意既置柩於堂之西而設靈座於柩前則是易靈座之故處乎

椸制（見治喪具條中靈座之具條）

魂帛椅上置褥衣當否

問設魂帛註云椅上置坐褥褥上置遺衣云云（梁處濟）南溪曰椅上以下卽儀節文恐不必準用

復衣置靈座（葬後不埋并論）

問復衣令人納之魂帛箱中何所據耶（黃宗海）沙溪曰禮遺衣裳必置於靈座今以復衣置於靈座恐亦無妨若并魂帛埋之則不可

愼獨齋曰復衣古無埋之之語而今皆埋之若從古則似當與遺衣服藏于廟中矣（答崔碩儒）

南溪曰詳禮意所謂遺衣裳設於靈床者似只頓置於靈床而仍加魂帛其上非如今人所謂納箱也（答李洪載）

爐盒酒果同設

問置靈座註設香爐盒盞注酒果於卓上或曰初喪荒迷之際祭儀未備故不設香案此言如何至虞祭始曰設香案虞祭以前同是初喪故如此耶（金榦）南溪曰或者之說恐得之輯覽圖爐盒亦與酒果同設矣又曰設盞注酒果於卓上者蓋將進之也然此非當進之節故必俟小斂時撤襲奠而行此奠也（答柳貴三）

遂庵曰家禮襲奠小斂奠之間更無他奠意者設香爐盒盞注酒果於卓上云者預備此物於別卓欲用於小斂奠備要圖以香爐等物置於倚卓之前似失家禮本意答金秀五

魂帛

魂帛之制見治喪具條

魂帛出納開閉之節

尤庵曰家禮魂帛無用箱之文至返魂註始有魂帛箱之文然用蓋開閉則未有考豈置帛於箱而以帕或覆或開耶答韓如琦

問栗谷云朝奠後魂帛不可入于箱夕奠後始納箱而入于帳內魂帛無故終日出置未知如何李橝尤庵曰開閉出納甚覺煩瀆只依祭時神主之儀以帕代櫝而開斂如何大槩家禮無明文只得隨事之便耳

問東帛箱世俗夜則闔而臥置之晝則開而立置之金得沫尤庵曰臥置似是禮意

遂庵曰奠及上食時倚立魂帛雖無可據之文而備要圖有之何可已也答或人

南溪問奉魂帛入就靈床俗以魂帛安於衾枕之間恐涉煩猥似當依儀節奉置床上而已未知如何尤庵曰靈床之制世俗夕時展衾正枕一如平時然後奉魂帛置于衾枕之間雖似猥屑然以朝夕設奉養之具如平生及設盥櫛之文觀之則如此恐亦無妨

南溪曰魂帛出入時本不用箱盖以巾覆之而已至於設奠時則必奉竪魂帛於箱上所謂不開者非是答李綖

遂庵曰帛箱以西為上似宜答安太爽

埋魂帛見虞條

銘旌

銘旌尺度見治喪具條中銘旌之具條

大夫士之辨

問大夫士之辨沙溪曰通典諸說可攷我國之制雖不知一如古制而大槩嘉善以上以大夫論或云通政亦古之下大夫

通典賀循曰古者六卿天子上大夫也今之九卿光祿大夫諸秩中二千石者當之古之大夫亞於六卿今之五營校尉郡守諸二千石者當之上士亞於大夫今之尚書丞郎御史及秩千石縣令在官六品者當之古之下士亞於中士今之諸縣令長丞尉在官八品九品者當之○李氏覯曰一命

者天子之下士公侯伯之上士子男之上大夫也
再命者天子之中士公侯伯之大夫子男之卿也
三命者天子之上士公侯伯之卿也〇丘氏曰按
一命若今八九品官再命若今六七品官三命若
今京官五品以上者

有資級無實職 妻從夫實職并論

南溪曰受嘉善之命而無實職則恐不得已只當以
新資而合舊銜癸卯初延平以資憲爲吏泰項者李
相降拜知中樞老職雖非常官之比其以崇品而合
畢銜恐無所殊 答李冉新

寒岡曰　國法雖通政而非經實職則妻不許封嘗
見一京朝官升堂十年而後喪室神主不敢書淑夫
人其後除判決事始改題其夫人神主問者曰是禮
也 答旅軒

同春問無實職而只有資級者其妻稱號可從資級
而書之乎沙溪曰當從實職不可但以資而稱某封
也書鄉貫某氏爲可

南溪曰近例外官不得封及婦人則是不得出夫人
帖也既不受命帖而徑自書旌恐於義不可 答金洪福

贈職實職先後書 婦人書眞誥及書两行并論〇見題主條

不書致仕 同上

書處士徵士別號 同上

削官者及其妻稱號 見喪變禮被罪家喪禮諸節條中銘旌題主條

無官者及其妻稱號 見題主條

婦人書封氏

問銘旌只言書某官某公而不言書某封某氏何耶 金榦
南溪曰本文既以三品五品六品爲說是以男子
主之也其不別擧某封某氏盖出從簡之意亦非有
闕耳

書姓貫當否 見題主條

庶孼稱號

問無官而非學生者既稱以學生則非文非武之庶
孼亦可以稱校生耶 閔泰重 尤庵曰從生時所稱可也
於家禮復條可見矣

又曰武藝庶孼銘旌以武學或以業武書之如何 答洪友敗

又曰許通庶孼於榜目書以許通則歿後題主亦當
依此耳其未許通者隨生時所稱而書之耳 答沈橉

遂庵曰學生業儒當從在時所稱 答閔鎭綱

庶孼婦人銘旌稱號

沙溪曰氏所以別其姓也庶孼雖賤稱之何嫌且召
史之稱不典或曰書以某姓之柩無妨云答同春
尤庵曰妾用氏字未見其僭娘字亦未有娼女之嫌
朱韋齋稱朱子母夫人爲娘矣召史之稱果不典雅
矣答吳益升
問嫡庶婦人幷稱某氏則無別李稷顯尤庵曰幷稱恐
無不可古禮皇后稱氏諸侯夫人亦稱氏士大夫妻
亦稱氏矣
靜觀齋曰稱以召史雖似不典自有　國法可據必
欲稱氏則不無犯分之嫌蓋無禮文可據故也與其

從無可據而有犯分之嫌曷若從　國典之爲穩耶
沙溪所謂稱某姓者則終未知其可也答李知白
芝村曰卽今常漢女人皆稱召史生爲士大夫妾與
常漢有別而死乃與常漢同稱亦涉未安鄙意若以
庶孼而爲人妾則稱氏其本賤人則依問解中或說
稱姓似稍合宜答閔鎭厚
遂庵曰庶孼孺人之稱未知其穩當答金光五
殤喪稱號見殤喪諸節條
銘旌書柩字
問尸未在柩則之柩二字無乃虛耶鄭尚樸南溪曰恐
是要其終而稱之
立銘旌
問銘旌初立於右終立於左何也鄭惟一退溪曰按尸
南首而靈座在其東則疑其初所謂立於靈座之右
與其後立於柩東者同是爲右蓋自尸南首而言則
東爲右非左也
沙溪曰按士喪禮置于宇西階上疏此始造銘旌訖
且置於宇下西階上待爲重訖以此銘置於重又下
文卒塗始置於肂以二反埋棺之坎也若然此時未用權置於
此也以此觀之今倚於靈座之右者疑亦權置家禮輯覽

又曰家禮銘旌倚於靈座之右亦古禮權置西階之
義大斂後設跗于柩東隨處而雖異其所蓋靈座在
東殯在西以靈座言之則在右以殯言之則在東在
於靈座與殯之兩間矣儀節圖與家禮似不大異但
尸柩在堂中間與靈座正相値殊失少西之義耳來
喩云用素帳特時俗之爲者此亦不然士喪禮帷堂
註曰必帷之者鬼神尚幽闇也家禮亦曰以帷障卧
內又曰主人以下出帷外又曰設襲床於帷外帷之
見於禮者如此想銘旌本屬於柩故家禮圖亦在幃
內更詳之答申湜

北

殯 銘旌 靈床

幃 椸 幃

靈座

親厚入哭

服色哭拜諸節 弔慰并論

問始死而弔將何服主人出見賓否 李惟泰 沙溪曰檀弓及諸儒說可考

檀弓曾子襲裘而弔子游裼裘而弔主人旣小斂袒括髮子游趨而出襲裘帶絰而入曾子曰我過矣夫夫是也疏凡弔喪之禮主人未成服之前弔者吉服吉服者羔裘玄冠緇衣素裳又袒去上服以露裼衣此裼裘而弔是也主人旣變服之後弔者雖着朝服而加武以絰武吉冠之卷也又掩其上服若是朋友又加帶此襲裘帶絰而入是也○魏氏堂曰主人未成服來弔者宜淺淡素衣今人必以白衣往弔者非也○丘氏曰按高氏曰古人謂弔死不及尸非禮也今多待成服而弔非矣又曰親始死雖不敢出見賓然有所尊者不可不出

尤庵曰靈座魂帛銘旌之具一時皆備則待其設而

哭拜可也如或曠日未設則親厚之人何可等待不入哭乎哭尸而當拜與否則未有明文不敢質言 答尹案

問臨尸哭盡哀則出拜靈座時不哭耶 閔泰重 尤庵曰當看情義之輕重也

問子游之弔也小斂前裼裘而弔今小斂前帶黑帶可乎 李東耆 南溪曰禮意如此故子游行之今亦恐無不可行之理

陶庵曰未小斂時裼裘而弔曾子旣許子游以知禮無服則無論姓之同異以吉衣帶入哭恐無妨 答安鳳胤

問備要引丘儀節文煩碎此處從家禮似甚簡當 李東

遂庵曰丘儀盖出於君使人弔襚禮故備要引之欲使用於所尊也若敵以下則從家禮爲宜

小斂

小斂布 見治喪具條中 小斂之具條

舒絹疊衣

沙溪曰按五禮儀大夫士庶人喪引此節文削去絹字只有舒疊衣三字未知如何恐是別用絹一條舒之而次疊一衣藉其首仍卷兩端補其首之兩旁與肩相齊然後以絹結之使不解散 家禮輯覽

愼獨齋曰凡束絹者兩端各卷之以兩卷合而束之今者解其束而舒之置於尸首之下要以兩端之卷知補其空缺也 答金之自

尤庵曰此四字以文勢觀之則云云 答或人與沙溪說同

左衽不紐

問不紐世皆以爲去紐如何 金就礪 退溪曰紐按喪大記左衽結絞不紐註衽衣襟也生向右左手解抽帶便也死則襟向左示不復解也結絞不紐者生時帶並爲屈紐使易抽解死時無復解義故絞束畢結之不爲紐也詳此註意此所謂紐非指衣襟之係亦非

指帶當指絞布之結而言也若家禮及儀註所謂不紐者與喪大記不同襲帶已結於前而小斂不用帶則非指帶也其下乃有未結以絞之文則又非指絞布也正指襟係而言也然凡結無耳則難解有耳則易解紐者結之有耳者也篇首深衣帶圖下註釋紐爲兩耳是也故家禮儀註皆曰不紐未嘗言去紐可知是存其係而結之不爲紐耳世俗截去衣係則誠誤矣

沙溪曰按士喪禮註遷尸於襲上而衣之凡衣死者左衽不紐開元禮亦如此而家禮至於小斂始有之是亦未忍遽死其親移之於小斂耶 家禮輯覽

尤庵問家禮襲則右衽而或有自襲至大小斂皆左衽者何所據而然歟家禮小斂條以餘衣掩尸左衽不紐者若指襟係而言則凡衣襟之係皆在於右若左衽則自無可係之紐而旣曰左衽又曰不紐何也沙溪曰家禮與喪大記士喪禮似不同未知果何如也

喪大記小斂大斂皆左衽結絞不紐註衽衣襟也生向右左手解抽帶便也死則襟向左示不復解也結絞不紐者生時帶並爲屈紐使易抽解死時

無復解義故絞束畢結之不爲紐也 按士喪禮乃襲三稱註遷尸於襲上而衣之凡衣死者左衽不紐又按開元禮亦如此而家禮至於小斂始爲左衽是不恐遽死其親而移之於小斂也家禮所謂不紐與喪大記結絞不紐之文意各有異家禮既曰左衽不紐其下又曰裹之以衾而未結以絞則家禮之意仍則既爲左衽不得結小帶是不結衣襟之小帶也世俗不知者割去小帶亦可笑也士喪禮襲三稱鄭註雖有左衽之說考諸經文初無此意鄭氏因喪大記小斂大斂皆左衽之文而有此說喪大記實無襲亦左衽之意而至大小斂始爲左衽則當從喪大記及家禮之說不可從鄭氏誤見也奇高峰及退溪門人力主鄭說恐不可也

問左衽者夷狄之風而喪大記死者小斂左衽者殊甚可疑 成晚徵 遂庵曰左衽註云云 見上 蓋欲與生時有變也此制肇於周公儀禮之撰而夷狄左衽之說始

見於春秋之後後世禮家遵承古經則夷風之嫌何必區區

小斂未結絞

問家禮小斂未結絞未掩面者孝子之至情而今人多以尸體浮動爲慮而即爲結絞誠所未安 黃宗海 沙溪曰來示然矣當以家禮爲正然丘氏所論亦似有理

丘氏曰儀禮無未結絞未掩面猶俟其生之說家禮此說蓋本溫公書儀也今擬天氣暄熱之時死者氣已絕肉已冷決無可生之理宜依儀禮卒斂爲是

南溪曰云云然丘氏又有當暄熱時依儀禮卒襲之說恐當酌處也 答李德明

舉尸憑尸之節

問舉扶之際侍者與婦女在位滚同似未安 梁處齊 南溪曰喪大記奉尸俠于堂註於遷尸主人主婦已下從而奉之孝敬之心此男女之謚也侍者不必皆賤隷容有近臣室老且其位次各異喪事嚴急所不得而避焉者若其母之喪内御者浴鬠詳見士喪禮

問庶子有子不憑尸之義 李彥純 南溪曰有子則或不主其喪故也更詳之

小大斂入棺不敬之戒

顧庵曰小斂大斂者只要掩蓋尸體仍爲固護之道耳今俗惟以縛束牢緊爲能事擇壯者極力結絞誤矣禮於小斂猶未結絞者豈獨孝子欲時見其面乎蓋人死一二日或有復生者矣而緊絞若此是重絕生道也豈禮以明日小斂又明日大斂之本意哉況於入棺之後多塡衣服高若堆阜及加蓋板乃用長木大索左右挽引若有不合又使健僕並登而蹴踏其爲不敬未暇論矣胸陷腹折必至之勢也而可恐

爲乎護喪者結絞當一如禮棺中只令平滿其長木大索等物切勿備之可也

小斂變服

問禮記小斂環絰散帶可行之否 退溪曰節文太繁恐不可從只得依家禮小斂括髮成服腰絰只不散垂爲當 言行錄

牛溪問小斂變服斬衰用環絰白布巾腰絰帶散垂三尺具絞帶此禮見於丘儀未知一出於儀禮而以補家禮之闕者歟 龜峰曰環絰等變服一節雖載於丘儀而家禮之所刪也自初終至成服其間變服節

次甚有等級不可棄朱子所定而又尋古禮
沙溪曰按古禮環絰小斂時所着而至襲絰去之儀
節在於憑尸之後當以禮經爲正喪禮備要
又曰家禮從簡略去小斂變服之節若從古禮則小
斂時環絰白巾括髮時絞帶遷尸後首絰腰絰散垂至成服乃絞腰絰又散垂卒哭又絞年五十者及婦人及小功以下腰
絰直結本不散垂家禮散垂與儀禮不同答姜碩期
又曰愚問于愚伏曰儀禮初喪成服前用環絰齊衰
三年亦有之丘儀但服斬者用之其餘皆免可疑答
曰環絰儀禮及禮記幷無齊衰不用之語毋疑丘說

以何書爲據家禮輯覽
問司馬公所謂齊衰以下去帽著頭巾加免於其上
者今不可遵行耶黃宗海沙溪曰云云詳見易服條中重服人去冠當否條
又曰檀弓註括髮當在小斂之後尸出堂之前今俗
或至成服始括髮非矣答黃宗海
問袒括髮條大註男子齊衰以下至同五世祖者皆
袒免于別室而婦人則只曰髽于別室無某親所限
亦似欠詳李德明南溪曰婦人之禮視男子加略其義
然乎況有出嫁降服之節則恐當只以有服者限之
耳
又曰髽云者婦人之髺也吾東方平日無婦人作髺
之事雖當喪只依俗斂髮而已
問將飯含主人左袒飯含訖襲所袒衣而至小斂後
則袒括髮而不言襲所袒衣者何歟儀禮襲絰之節
當行於何時歟李惟泰沙溪曰襲絰之節在於小斂之
後士喪禮詳之家禮從簡而略之
士喪禮小斂主人及衆主人袒男女奉尸俠于堂
主人出于足降自西階衆主人東卽位婦人阼階
上西面主人拜賓大夫特拜士旅之卽位踊襲絰

于序東復位註拜賓鄕賓位拜之也卽位踊東方
位襲絰于序東東夾前疏衆主人雖無降階之文
當從主人降自西階主人就拜賓之時衆主人遂
東卽位於阼階以主人位南西面也經云主人降
自西階卽云主人拜賓明不卽位而先拜賓是主
人鄕賓位拜賓可知復位者復阼階下西面位○
儀節主人降下階凡與斂之人皆拜之拜訖卽於
階下且哭且踊訖掩向所袒之上衣首戴白布巾
上加以單股之絰禮所謂環絰也成服日去之具腰絰散垂其
末三尺及具絞帶復位按丘儀用環絰與儀禮不同當從古爲正見喪禮備

要

沙溪曰按禮動尸舉柩皆袒於事便也事訖還襲家禮從簡故皆略之只一袒於將遷尸之際今雖難一一從古如大小斂等大節目恐當依禮經爲正喪禮備要

南溪曰凡禮袒者爲將事也事訖還襲家禮一袒於遷尸之際又無還襲之文以至成服殊似闕略則備要大小斂等節目一依古經者恐無不可曾見答具時經書欲反從家禮爲是然則襲斂之時左袒行事之義闕矣未知何如答尤庵

又問備要初喪有環絰白巾之制先生家不用此制

云是否尤庵曰環絰雖是古禮而朱子不載於家禮者以其繁文難行也朱子嘗言曰而今禮文覺繁多使人難行後聖有作必是裁減了方始得行乃於家禮裁減古禮處甚多此實朱子折衷裁減之禮也朱子非後聖乎吾以爲古制之不載於家禮者今不必行而一從家禮爲宜也華陽語錄

又曰小斂後免非爲斂髮也免冠故免以代之耳答梁以杞

問經帶家禮在成服條而備要從古禮移於小斂條豈朱子之意以成服前則襲斂等事重在於送死而至於生人則其繁文縟節有難一一暇及故凡此經帶故移於成服耶李柬遂庵曰雖未知夫子之意果如何而蓋當此時古禮之不行久矣書儀簡約易行故家禮用之據而行之不亦宜乎若一一欲遵古禮則從備要亦可此在行禮者之所自擇耳

陶庵曰按備要有將小斂白巾環絰既遷尸拜賓襲經之文蓋據古禮也然孝子哀遑罔極之中似未暇於此等儀節家禮之闕而不書無亦以是耶四禮便覽

遂庵曰小斂後不言襲似是文不備答金光五

環絰白布巾括髮免髽之制見治喪具條中小斂之具條

還遷尸床

問還遷尸床于堂中之還字爲句之說不是以文勢言之沐浴時徙尸床置堂中間而小斂於西階之西憑尸哭擗袒括髮免髽于別室然後遷尸床于堂中間乃一串文字非有他意而尊兄必欲以自別室還爲訓然則袒括髮之上何無出字耶況免髽則齊衰以下親之所同爲者何可連上文主人主婦看乎俗傳退溪釋云者未必的然更爲見教幸甚申湜沙溪曰嘗有如今公說者問於退溪答云還自主人以下自別室還於其位或云上文小斂床置于尸南斂畢還

遷尸床于堂中以祔祭條還奉新主之文觀之則上說是云云俗傳退溪釋果有可疑處固不可盡信此條則其所答問丁寧如此何可謂不可信也且令公以袒括髮之上無出字爲疑旣云于別室則雖無出字而出字之義在其中何可疑乎來喩又謂免髽不連主人主婦此亦誤矣免雖齊衰以下之事髽則實是主婦之事何可謂不連況還字統言主人以下尤無所疑

拜賓之節

同春問曲禮曰居喪之禮升降不由阼階今家禮受

弔主人哭出西向再拜所謂西向位其不在阼階下乎似與曲禮相違可疑沙溪曰按禮始死拜賓在西階下東面而小斂後始就阼階下西面也

士喪禮君使人襚主人拜如初升降自西階有大夫則特拜之卽位于西階下東面不踊註云卽位西階下未忍在主人位也疏曰小斂後始就東階下西南面主人位也又男女奉尸俠于堂衆主人東卽位主人拜賓卽位踊註云卽位踊東方位疏卽位踊東方位者謂主人拜賓訖卽向東方阼階下卽西面位又雜記曰弔者卽位于門西東面主孤西面弔者入主人升堂西面弔者升自西階註云門西大門之西也主孤西面立於阼階之下也主人升堂由阼階而升也曲禮升降不由阼階謂平常無弔賓時耳

又問古禮小大斂啓殯皆有拜賓之節荒迷哀遽之際一何繁文縟節之多耶家禮略之丘儀補之從家禮恐當沙溪曰應氏丘氏說似切至從古恐當

雜記小斂大斂啓皆辯 徧 拜註禮當小斂大斂及啓殯之時君來弔則輟事而出拜之若他賓客至則不輟事待事畢乃卽堂下之位而偏拜之應氏

曰小斂大斂啓殯皆喪事之變節而切於死者之身也生者之痛莫此爲甚亦於是拜死者弔生者故主人皆徧拜以謝之而致其哀也○丘氏曰禮有拜賓之文家禮無之今補入者蓋以禮廢之後能知禮者少賓友來助斂者不可不謝之也

小斂奠

河西曰小斂設奠下文具字當在奠字下觀大斂章可見

南溪曰小斂奠恐當設於卓上 答李東耆

同春問家禮小斂奠畢幼者再拜主人亦拜耶不言

尊丈何也沙溪曰言卑幼則孝子似在其中歟丘儀
云孝子不拜當考尊丈於卑幼喪不拜也
士喪禮葬前無拜禮

代哭

代哭之義

問春問代哭之義沙溪曰士喪禮可攷也
士喪禮註代更也孝子始有親喪悲哀憔悴禮防
其以死傷生使之更哭不絕聲而已

大斂入棺

大斂布大斂衾 見治喪具條中大斂之具條

棺槨之制 見治喪具條中入棺之具條

棺中所鋪之物 同上

大斂變服

問春問大斂變服家禮所無而奔喪條云又變服如
大小斂者何歟或疑大字衍沙溪曰據士喪禮大小
斂皆有變服之節而家禮本條脫漏奔喪條非衍也
士喪禮小斂主人袒奉尸俠于堂拜賓即位襲將
大斂主人及親者袒 鄭註大斂變也 卒塗主人復位襲

舉棺置堂中

問舉棺少西抑有義意耶 成文 南溪曰其東將設靈
座故也

大斂有牀上棺中之異

問或於牀上大斂而納于棺中可謂得正乎 全就礪 退
溪曰家禮大斂無絞故就棺而斂今依高氏楊氏丘
氏說大斂用絞則牀上大斂而納于棺當矣但恐或
與棺中不相稱穩須十分商度令無此患可也或曰
雖用絞就棺而斂亦無大害於理也
尤庵問世人皆於棺中大斂是果禮意否沙溪曰禮
經及丘氏說可考棺中大斂非但非古禮而已棺中
逼窄結絞之際多有不敬之事決不可爲也但人家

堂室常患狹少既置棺於堂西又設斂床于東則或
未免狹窄難容如此者不獲已就斂於棺中耳
喪大記君將大斂小臣鋪席商祝鋪絞紟衾衣士盥
于盤上士舉遷尸于斂上疏小臣鋪席者謂下莞
上簟敷於阼階上供大斂也鋪絞紟衾衣等致于小
臣所鋪席上以待尸也士商祝之屬也將舉尸故
先盥于盤上也斂上即斂處也○丘氏曰按此則
大斂不於棺中可知矣世俗不知家禮卷首圖非
朱子本意往往據其說就棺中大斂殊非古意竊
意家禮本書儀蓋合兩斂以爲一小斂布絞將入

棺乃結之温公非不知古人大小斂之制盖欲從簡以便無力者耳然君子不以天下儉其親有力者自當如禮

實棺

南溪曰喪大記曰凡陳衣不詘非列采不入絺綌紵不入謂間色及絺綌紵布不用於小斂大斂也今之治喪者泥於此說亦不用於實棺則過矣

大小斂入棺不敬之戒 見小斂條

婦人棺内不入其夫遺衣落髮

問云云 閔泰重 尤庵曰云云 詳見喪變禮虛葬條

入棺後解絞布之非

問家禮大斂無絞布世或有專用此家禮者尸體下棺便解絞布使堅者而不固卷者而反舒此禮如何 安弘重 愼獨齋曰或者之說何必論之也

大斂後拜賓 見小斂條中拜賓之節條

漆棺 結棺及見攢弁論

沙溪曰國俗棺外四面隙處以漆布塗之或以苽末油紙塗之裏以油芚書上字于上頭以索結之以麤布或麻條從棺底近上五六處緊結之以爲舉棺之資未結裹前棺之長短廣狹高下書諸壁上以憑外

槨之造 家禮輯覽

成殯

沙殯塗殯

同春問人家殯宮火患甚可畏或有沙殯或塗殯者未知如何沙溪曰禮君大夫士殯皆用塗所以備火也温公以漆棺未乾又南方土多螻蟻廢此不用以從其便今若以火爲慮則或塗或沙隨宜爲之

喪大記君殯用輴攢至於上畢塗屋大夫殯以幬攢至于西序塗不暨于棺士殯見衽塗上帷之註輴盛柩之車也殯時以柩置輴上攢猶叢也叢木

于輴之四面至于棺上以泥盡塗之此攢木似屋形故曰畢塗屋也大夫之殯不用輴其棺一面貼西序之壁而攢其三面上不爲屋形但以棺衣覆之塗不暨于棺者天子諸侯之攢木廣而去棺遠大夫攢狹而去棺近所塗者僅僅不及于棺而已士殯掘肂以容棺肂卽坎也棺在坎中不沒其蓋縫用衽處猶在外而可見其衽以上亦用木覆而塗之貴賤皆有帷帷朝夕哭乃褰鬼神尚幽闇也

○語類先生殯其長子就寒泉庵西向掘地深二尺濶三四尺内以火磚鋪砌用石灰重重徧塗之

棺木及外用土磚夾砌○伯量問殯禮可行否曰此不用問人當自觀其宜今以不漆不灰之棺而欲以甎石圍之必不可矣

靈床

問靈床儀節三才圖會皆東首 申湜 沙溪曰靈床東首恐非是病時東首以受生氣也死後則自襲皆南首獨於靈床東首無據

南溪曰靈床寢具依奉柩南首無疑 答文後開

靈床奉魂帛出納 見魂帛條中魂帛閉之節條

靈床三年不撤之非 見葬後諸節條

素帳 見治喪具條中成殯之具條

殯宮長燈非禮

問今俗自初喪至葬前皆懸燈於殯宮以徹宵 申湜 沙溪曰據禮自襲至大斂自啓至發引只於行事處爲燎以照厥明滅之殯宮長燈恐非禮

士喪禮記既襲宵爲燎于中庭厥明滅燎士喪禮小斂宵爲燎于中庭厥明滅燎註燎火燋疏古者以荊燋爲燭對手執者爲大也大斂燭俟于饌東註燭燋也饌有燭者堂雖明室猶闇火在地曰燎執之曰燭既夕禮朝禮宵爲燎于門内之右疏鬼神尚幽闇不須明柩車東有主人間有婦人故於門右照之爲明而哭也

南溪曰長燈之規似出於釋教 答柳貴三

婦人守殯

南溪曰留婦人守之者蓋男子既歸於中門外廬次婦人亦居別室則殯廳將無人留侍所以爲此制蓋似今人輪回直宿之規而婦人之位本在堂上故耳 答權鑽

愼獨齋曰兩婦人之守守靈座也備要圖書於帷中恐其誤也各歸喪次則兩婦人亦當然也所謂喪次

亦不遠也 答崔愼

問外喪亦以婦人守之耶 崔厚徵 遂庵曰此婦人適指女子婢妾而言男僕不敢入門則捨婦人而使誰守殯乎

殯後男女位次 見爲位條中位次隨時而變條

居廬

廬次

沙溪曰按喪大記父母之喪居倚廬疏於中門外東墻下倚木爲廬以草夾障不以泥塗飾之既練始居堊室與家禮不同量而行之可也 喪禮備要

問中門外擇樸陋室爲喪次云几筵設正寢而居於中門非常侍几筵之意朴鐔南溪曰孝子晝則長在廬中夜則退于中門之室晨則入哭與平日侍奉一體是乃所謂常侍几筵者豈可以所居稍遠貳之耶

問非適子以隱爲廬云云李彥純南溪曰喪服註倚廬在中門外東方北戶非適子者廬於東南角以其適子當應接弔賓故不於隱者其辨如此

又問疏衰不廬廬嚴也然則疏衰之爲廬非禮耶南溪曰齊斬之分其嚴如此今則居憂者雖斬衰堊室而無倚廬況齊衰耶

同春問倚廬今俗例於發引日即毀以古人諒闇三年之事觀之不撤似可沙溪曰古者喪人三年居于倚廬何可毀也但發引時如或有礙則姑撤無妨否

撤倚廬見祥後諸節條

禮疑類輯卷之四

禮疑類輯卷之五

喪禮

五服

爲本宗服

齊斬之義

問斬衰三年之義沙溪曰禮經可考

喪服疏斬三升布以爲衰不言裁割而言斬者取痛甚之意○記疏衰是當心廣四寸者取其哀摧在於遍體故衣亦名爲衰○檀弓註衰明孝子有哀摧之意○三年問二十五月而畢若駟之過隙

然而遂之則是無窮也故先王爲之立中制節○又曰何以至期也至親以期斷天地則已易矣四時則已變矣其在天地之中者莫不更始焉以是象之也○又曰何以三年也曰加隆焉爾也疏聖人初欲爲父母期加隆焉故三年○又曰上取象於天下取法於地中取則於人註三年象閏期象一歲九月象物之三時而成五月象五行三月象一時也取則於人者始生三月而剪髮三年而免父母之懷也

尤庵曰父母之喪雖有齊斬之異名而其致哀之道

一耳家禮寢苫枕塊雖只據斬衰而言然以其下文時見乎母者觀之則但據父喪而言故只言斬衰也其下所謂齊衰則指五月三月杖期不杖期而言非謂母喪也大抵齊衰有單指母而言者有并指五月三月而言者或有并指杖期不杖期而言者當隨文勢看理看也（答或人）

父在爲母（承重孫祖在爲祖母曾高祖母並論）

退溪曰禮曰父在爲母何以期也至尊在不敢伸其私尊也由是言之爲母申心喪三年恐後王之制家禮著之而垂世教耳儀禮父必三年而娶達子之志

也唐賈公彥疏有心喪三年之說則恐周時已有其禮但禮經無文故又疑其出於後王之制耳今人既遵家禮之教而爲心喪當用家禮之禫服以循世俗之成例就義裁之中而申仁愛之情用意宛轉無有不盡之憾矣必若以是爲不足期除之後衣冠反用純白服家禮所損之禫服（損白而用黲）跨古禮無服之一期其於至尊在不敢伸私尊之義何如哉（答金就礪）

問父在爲母期乃儀禮經文而家禮闕之云云（姜碩期）

沙溪曰唐上元中武后表請父在爲母終三年至宋朝亦然故家禮仍之非闕文也

問家禮不言父在爲母期大明律陞母服爲斬衰三年此亦時王之制也今之士大夫獨於此而援據古禮斷然服期者何歟（申湜）沙溪曰儀禮父在爲母期子夏傳疏心喪猶三年爲千古不易之典朱子曰父在爲母期非是薄於母只爲尊在其父不可復尊在母其義可謂嚴矣唐武曌請於高宗令天下父在爲母亦服三年輕壞聖典實偏於此宋朝爲之不改至大明遂有同父喪斬衰三年之制　國朝從古禮最得無二尊不貳斬之義遵聖賢之教從時王之制更何疑耶

又問尊兄既謂宋仍唐制父雖在不降其母云而楊氏獨於所後母降服杖期楊亦宋人也何其前後說之違戾也沙溪曰楊註與家禮不可一例看家禮時王之制所當行者楊註則異乎此楊氏所著有祭禮圖十四卷儀禮圖十七卷家禮雜說附著二卷頗以古禮爲主其後周復以楊氏所撰入家禮各條之下雖與家禮不同而各有所主又何疑也朱子大全問儀禮父在爲母朱子曰盧履冰議是但今條制如此不敢違耳以此觀之朱子從時王之制而楊氏所著不拘今制頗採古禮故有異也

尤庵曰謹按儀禮之文雖南北朝尚能遵行至武曌始爲爲母終三年此悖經違禮之大者也惜乎宋朝因之而朱子於家禮不敢違不得一洗其陋然其平日議論則不翅明白矣況家禮於杖期條嫡孫祖在爲祖母也則朱子之意尤可見矣我　國制一從禮經以正千載之謬甚盛美也然世人尚且狗襲於武曌之制是武曌之孝於其親反勝於周公朱子矣寧有是理若曰禮經不敢違服可屈而祭可伸則是半上落下直情徑行之道也孔子謂子路曰先王制禮行道之人皆不忍也閔子騫曰哀未忘也先王制禮

不敢過也賢孝好禮之君子要知俯而就之之道矣答閔耆重

南溪曰周制以公大夫士爲壓降服制之節至於家禮不用此義盖自開元禮而然也禮大夫之庶子爲其母大功士之庶子爲其母杖期父沒皆三年今只存士而删去大夫者欲同之故也答李德明

沙溪曰按所後父在爲所後母及所後承重祖在爲祖母曾高祖母同心喪三年喪禮備要

承重孫祖在爲母

問嫡孫父卒祖在爲其母當何服父在爲母降則承重之孫似不當異視而禮無明文何歟姜顧期　同春曰或者曰喪禮備要父卒祖在嫡孫爲其母杖期一條有甚駭之者盖夫妻父子一體之親同室之内父爲妻期故其子爲父屈而不敢伸乃與父同杖期而不敢過其父也舅與婦異室祖與父異世安得引以爲例古人所謂祖不壓孫恐指此理而言也云云又按嫡孫雖爲祖承重而於其母亦長子若爲其母十一月而練十三月而祥其他兄弟當依三年則几筵設撤祝辭稱謂皆有可疑者此是大節目博考禮書未見明證可攻破或說者更詳之

又曰承重孫祖在母喪先師之意似謂一如父在母沒而議者多以爲無明文不可如此其言亦似有理疑不敢決勢須姑服本服以竢後之君子答閔維重

尤庵曰嫡孫既與祖爲體而又當爲祖母降服則似當於母一體降服然既無明文且有祖不壓孫之文有截然不可易者則遽從降服之例有所不敢者故先師亦嘗疑之而比見士夫家遭此者皆行三年竊恐於禮疑從厚之文爲得也答李命益

問杖期條嫡孫父卒祖在爲祖母下註沙溪云父卒祖在爲母云云梁處濟　南溪曰禮經無明文沙溪說恐

未安

父喪中母亡服母（見喪變禮并有喪條）

母喪中父亡仍服母服（同上）

父有癈疾子承重代喪（見喪變禮代喪條）

父歿喪中子代服（同上）

父在母喪而子歿者其子代服當否（同上）

父喪中遭祖父母喪代服當否（同上）

嫡孫死喪中無後庶孫代之（同上）

爲高曾祖父母

問高曾之服與緦麻小功無異而名以齊衰者何也

（成文憲）南溪曰喪服傳曰小功者兄弟之服不敢以兄弟之服服至尊也註曰重於衰麻尊尊也減其日月恩殺也

問楊氏所謂當增之條當見於曾祖父母服五月之下而見於高祖父母服三月之下何也（或人）尤庵曰此條據儀禮則但言曾祖父母齊衰三月不別言高祖者蓋合高祖於曾祖而同爲三月也故楊氏據儀禮總言於高祖之下使一體觀之也○曾祖五月高祖三月家禮及大明律也

五代祖喪

遂庵曰五代祖喪宗孫似當承重云云（詳見喪變禮改葬條中改葬當服緦之類條）

陶庵曰五代祖禮當毁廟廟既毁則雖嫡嫡相承之宗子無復據而可宗之義與衆子無異恐不可遽承其重而服喪三年吾意則人家祖先之壽考如是者甚鮮而其內外俱存爲尤難或考或妣若先沒則其神主當遞奉於最長房伊時其生存祖先亦同移養於親屬差近之子孫於情理似無所礙及其天年終養之後宗子衆子皆服齊衰三月而（語類云四世以上若逮事亦當齊衰三月）其喪則最長房仍主之以終三年而其服則只

當服本服而已設或無他長房而只有宗子則亦當齊衰三月主喪三年而後奉以埋安未知如何（答崔祏）

爲人後者爲所後曾高祖

問家禮斬衰條只出爲人後者爲所後父也爲所後祖承重也不及曾高祖是何歟抑有推不去之義耶（申湜）沙溪曰斬衰條爲人後者爲所後父也爲所後祖承重也既爲其子則雖不言曾高祖以此推而上之何疑之有乎非徒曾高祖五服之親並當有服豈有推不去之理乎

夫爲妻

沙溪曰按喪服註父在則不杖以父爲之主也疏天子以下至士庶人父皆不爲庶子之妻爲喪主故夫皆爲妻杖得伸也據此父主喪則夫不杖父不主喪則夫杖不惟大夫爲然士庶人亦同但奔喪曰凡喪父在父爲主與此疏異姑存之以備叅考。（喪禮備要○下同）

又曰按雜記爲妻父母在不杖不稽顙註此謂適子妻歿而父母俱存故其禮如此然大夫主適婦之喪故其夫不杖若父沒母存母不主喪則子可以杖但不稽顙耳此弃言之不以辭害意云云家禮附註父母在爲妻不杖之說疑出於此而據註說父沒母在

似當杖更詳之

尤庵曰妻喪實具三年之體段故練杖禫祥只是一串事小記註說恐不得爲定論（小記註爲妻不杖則不禫）

南溪曰據立喪主條疏說父在所主庶婦同宮者也然則大夫之庶子爲妻杖期似無疑若父主其喪則惟祔祭自主餘皆使其夫行之（答梁處齊）

陶庵曰雜記有父在爲妻不杖之文而家禮不論父在父亡通爲杖期當以家禮爲正（四禮便覽）

父爲長子

問禮承重子體而不正則父不服三年云若長子殤而死次子承重者亦以非正論不服三年乎（玄以規）尤庵曰看儀禮爲長子疏不曰長子死而必曰第一子死云云之說則可知矣

又曰左右服制當以伊川先生所撰太中公家傳爲據家傳曰男六人長曰應吕次曰天錫皆幼亡次曰顥先公五年卒次頤也次韓奴次蠻奴皆幼亡其下又曰年八十喪長子指明道也明道之兄雖有應吕天錫而皆幼亡明道得爲長子也據此則左右雖有幼亡之兄而左右之爲長子無疑矣旣爲長子而繼祖之統則豈可曰體而不正而何可不爲長子服斬

乎盖凡所謂長子云者皆以成人而言也若在殤年則不得爲長子故家禮無斬殤之文（答朱南老）

同春問語類庶子之長子死亦服三年云云沙溪曰以禮經及諸儒所論與朱子他說參觀之語類此條分明是記錄者之誤無乃亦字是不字之誤耶未可知也父在則爲長子不服三年及不服三年有四種疏家說詳之

喪服傳曰庶子不得爲長子三年不繼祖也註爲父後者然後爲長子三年疏經云繼祖卽是爲祖後鄭云爲父後者然後爲長子三年不同者周之

道有嫡子無嫡孫嫡孫猶同庶孫之例是爲父後然後爲長子三年也此鄭據初而言其實繼祖父身三世長子四世乃得三年也馬融等解爲五世鄭以義推之唯四世不待五世也雖承重不得三年有四種一則正體不得傳重謂適子有廢疾不堪主宗廟也二則傳重非正體庶孫爲後是也三則體而不正庶子爲後是也四則正而不體適孫爲後是也又疏養他子爲後者亦不服三年○喪服小記庶子不爲長子斬不繼祖與禰故也○大傳庶子不得爲長子三年不繼祖也○庾蔚之云

用恩則父重用義則祖重父之與祖各有一重之義故聖人制禮服祖以至親之服而傳同謂之至尊也已承二重之後而長子正體於上將傳宗廟之重然後可報之以斬故傳記皆據祖而言也若繼禰便得爲長子斬則不應云不繼祖喪服傳及大傳皆言不繼祖以明庶子雖繼禰而不繼祖則不服長子斬也○朱子曰凡正體在乎上者謂下正猶爲庶也正體謂祖之適也下正謂禰之適也雖爲禰適而於祖猶爲庶故禰適謂之爲庶也○問周禮有大宗之禮立適以爲後故父爲長子三年今大宗之禮廢無立適之法而子各得以爲後則長子少子不異庶子不得爲長子三年不必然也父爲長子三年亦不可以適庶論也曰宗法雖未能立然服制自當從古是亦愛禮存羊之意不可妄有改易也

尤庵曰庶子之長子死亦服三年果在語類中矣然不服三年者此實禮經之大節目朱先生若爲此說則必有許多論議以明其曲折不宜但爲寂寥十字文以與聖經爭衡也審矣故文元老先生以爲此亦字是不字之誤然考諸鄉本唐本則皆作亦字此未

可知耳然問解所援禮經及朱子說不啻分明後學似當從之耳答朴光後

又曰禮庶子不得爲長子三年不繼祖與父也據此則必是繼曾祖之長子然後其父乃得斬也其意蓋以所繼遠故其責重其責重故其服亦重也若以士大夫祭三代之故以曾祖爲斷云爾則有不然答朴重繪

又曰出後於人者禮既同於衆子則其不得爲其長子斬明矣大抵爲子斬者據禮則必適適相承者然後乃可行之適適相承云者謂祖父以上皆以長子相承其間如有支子傳重養他子爲後者則雖累代

之後亦不可爲長子服斬矣然朱先生高祖振實其父惟甫之支子則是非適適相承者而先生猶爲其長子塾服斬衰則雖非適適相承而若繼祖與父則當爲長子三年矣答朴光一

南溪曰家禮父爲嫡子當爲後者無有曲折喪服傳有正體於上將所傳重之文疏又申以適適相承之說開元禮此條下亦引正體傳重之語獨備要只曰繼祖父已三世者當服斬衰愚嘗謂人必因此而誤服長子三年矣厥後尹童土爲舉服長子皆三年權右尹說服長子恒三年蓋童土乃出後於從叔燧者

右尹之父又出後於從祖榦者其於正體於上之義可謂刺謬也嘗考朱子世系其服長子塾三年者正是四世長適脗合經義然後益知世人之不爲深考而輕服耳答金榦○下同

又曰以程子濮王典禮疏及胡文定以所後子奉祀之義觀之則所後子雖謂之正可也但喪服大功章適婦不爲舅後者姑爲之小功註凡父母於子舅姑於婦將不傳重於適及將所傳者非適服之皆如庶子庶婦也疏及將所傳非適者爲無適子以庶子傳重及養他子爲後者也然則所後子將與立庶子爲後者一體蓋禮經父爲長子斬衰及四種不得三年之義至重至精與程子胡文定泛論父子之大體者各是一義何可但以泛論父子之大體者斷而行斬衰耶

遂庵曰儀禮喪服篇斬衰章父爲長子傳曰何以三年也正體於上又乃將所傳重也註此言爲其當先祖之正體又以將代已爲宗廟主也按正者適適相承之謂也以此觀之則必有此三義皆備然後乃可服斬養他子爲後者只有傳重一義故疏說如彼耶答金龜瑞

又曰禮曰爲人後者爲之子既曰爲之子則與所生子何別且以所後爲養古今禮文無之其於取養他人子謂之養云云愚意竊以爲四種疏說取他子爲後者指他姓也如此則適適相承之家中間一代雖繼後以此降服似無其義況程子上宋帝疏曰陛下先皇帝之嫡子朱子於胡五峰行狀曰先生文定公之嫡子是皆所後而二夫子皆以嫡子歸之此嫡字與疏說所謂適適相承之適同耶異耶管見如此而不敢自信答李頤材

問不得爲長子三年有四種今弟之子三歲中風癈

疾終其身或者謂不堪主宗廟不當服三年此說如何 答劉後 慎獨齋曰四種說是儀禮疏也而未知如兄家長子雖廢疾無他代嫡之人而亦用疏家說否也栯淺曰父爲長子三年者重其立嫡之法也豈緣祖在祖母在而不服繼體之服乎 答李成俊

陶庵曰禮有嫡子無嫡孫今其死者雖爲繼宗之子而祖父生存則只可稱以長孫而已謂之嫡孫則未也既未得爲嫡孫則其父亦不當以嫡子之服服之耳 答崔祏

祖爲承重孫

同春問喪服圖式服制輕重之義條下小註云祖服孫大功若傳重亦三年似與註疏諸說不合沙溪曰以上文所引疏說及喪服不杖期疏及家禮之意推之楊說之誤無疑

喪服不杖期條爲適孫疏曰適子死其適孫承重者祖爲之期又曰長子爲父斬父亦爲斬適孫承重爲祖斬祖爲之期不報之斬者父子一體祖孫本非一體故也 按據此則祖爲孫本服大功而爲傳重故加服期朱子家禮亦爲楊氏所謂亦三年者必是字誤

祖爲孫

同春問嫡子及嫡孫皆死次孫當爲承重而又死則祖父當以嫡孫例服期否抑只服大功否沙溪曰楊氏圖式已論之喪服圖式范宣曰庶孫之異於嫡者但父不爲之三年祖不爲之周而孫服父祖不得殊也

尤庵曰執事服制大功正是盖下正猶爲庶實禮經之大節目也賤子於今長孫婦亦服衆孫婦之服盖一律也 答閔維重

爲長子婦

問舅姑爲長子婦服不杖期禮也或以爲已爲承重

子而遭長婦喪則服期可也已爲次子則雖長婦不可服期 或人 尤庵曰此是今日大禁令不可容喙若泛論時制則既以長子次子同爲期年則於其婦似當同爲大功而乃以長婦服爲期年是子與婦無有差等 皇祖制禮之意必有所在而不敢知耳

又曰支子不得爲長子三年則爲此子之婦亦不得期似然矣盖此服是從重而重者則不得爲其子三年者豈有反重於其婦之理乎 答尹拯

陶庵曰不杖期舅爲適婦此則盖指繼祖以上爲長子服斬者而言也何以明之衆子期年衆子之婦大

功婦之服必下子一等爲其子不服斬則豈有爲婦服期之理以此觀之適婦爲當服斬之婦無疑答柳秉

爲嫡婦不爲舅後者

尤庵問家禮小功條下楊氏曰當增姑爲嫡婦不爲舅後者云云舅姑之於嫡婦本服期何以云小功耶沙溪曰按古禮衆子婦小功嫡婦大功兄弟子之婦亦大功朱子曰兄弟子之婦正經無文而舊制爲大功小記註夫有廢疾或他故或死而無子不受重者舅姑以庶婦之服服之楊氏所增嫡婦不爲舅後者小功即以此爲據也但唐太宗朝魏徵升衆子婦大功同於兄弟子之婦又

升嫡婦期則今嫡婦雖不得主祀當與衆子婦同爲大功似可也

爲宗子

問有大宗有小宗所謂爲宗子三月服指何宗耶沙溪曰大傳可考

大傳註凡大宗族人與之爲絶族者五世外皆爲之齊衰三月母妻亦然爲小宗者則以本親之服服之

問宗子之母在則不爲宗子妻服何也梁處齊南溪曰喪服疏宗子主祭母在年未七十母自與祭母死宗人爲之服宗子母七十以上則宗子妻得與祭宗人乃爲宗子妻服也

爲孽屬

退溪曰古人雖嚴嫡庶之間至於骨肉之恩則嫡庶無異故不分差等古既如此故吾東 國典亦不敢分差等答金圻

問内外有服之親或於己婢有子而其子乃有服之人則如何竊意己婢未放良前似無服朴世義尤庵曰婢爲乳母則當服况其親屬乎古有君爲臣服之禮矣

爲出母嫁母服

爲出母所後母祖母被出幷論

問出母之服父在與父没無異否李惟泰沙溪曰通典已論之

晉賀循云父在爲母壓尊故屈而從周出母服不減者以本既降義無再壓故也今在杖條杖者必居廬居廬者必禫○檀弓註出母無禫與賀說不同更詳之

又問所後母及祖母被出則當何服沙溪曰通典論之明矣推此則出祖母無服或云妻出母亦服則出外祖母有服似未安

通典晉步熊問曰爲人後而所後之母出得與繼

母出同不復與親母同耶父亡已爲祖後祖母見出服之云何祖父亡與在服之有異否許猛答曰禮爲人後者爲所後者若子則不能復服親母出以廢所後者之祭也爲人後者若子繼母如母夫言若言如者明其制如親其情則異也繼母如母則異親母爲人後者若子母出亦當異於親子矣爲父後者不得服出母則足明祖後母子至親無絶道則非母子者出則絶矣是以經文不見出祖母之服若苟無服則無繫祖存亡

同春曰嫁母出母之服自有定制恐不敢參以他論第雖不敢爲三年喪而齊衰杖期之制如父在母喪之例又何可不許也方笠或平凉恐皆不妨 答李永輝

遂庵曰父既聲罪告祠而黜其妻則子何敢以母事之若夫 國法之許不許不見於禮 朝家不許則爲夫者不敢再娶勢固然也父既絶之則其子何敢棄父命而服三年乎大抵萬古綱常與一時 國制似有輕重愚意父命之重不下於 國法不知所以爲對也 答尹冀東

爲嫁母 嫡母繼母祖母嫁并論

問父卒母嫁子無貶母之義何以降服耶 李惟泰 沙溪

曰通典已論之

漢石渠議問父卒母嫁爲之何服蕭太傅云當服周爲父後則不服韋玄成以爲父没則母無出義若服周是子貶母也宣帝詔曰子無出母之義玄成議是也又問夫死妻稚子幼與之適人子後何服玄成對與出妻子同服周或以爲子無絶母應服三年蜀譙周據繼母嫁猶服周以親母可知故無經也又曰父卒母嫁非父所絶爲之服周可也○宋庾蔚之曰母子至親本無絶道母得罪於父猶追服周若父卒母嫁而反不服則是子自絶其母豈天理耶宜與出母同制按晉制寧假二十五月是終其心喪耳

沙溪曰按大全范灌妻前已更嫁至是卒人以其服爲疑王氏曰禮無嫁母服而律有心喪三年之文是嘗爲洪雅配不得爲仲芸母乎即命服喪如律朱子既述其事而曰處變事而不失其常嗚呼賢哉 家禮輯覽

問出母與嫁母無輕重之差歟 李惟泰 沙溪曰朱子說可攷

朱子曰禮不著嫁母之服而律令有之或者疑其不同以予考之禮於嫁母雖不言親而獨言繼又

著出母之服焉皆舉輕以明重而見親母之嫁者尤不可以無服又於爲父後者但言出母之無服而不及嫁是亦舉輕以別重而見嫁母之猶應有服也 按據此朱子說輕重之義可見又按家禮爲父後則爲嫁母無服與此不同 ○喪服傳曰爲父後者爲出母無服吳商曰此由尊父之命嫁母父不命出何得同出母乎又出母之黨無服嫁母之黨自應服之豈可復同乎

又問嫡母繼母嫁服之當如生母歟爲父後亦服之否沙溪曰通典及圖式論之甚詳可考也

周制父卒繼母嫁從爲之服報貴終也馬融曰繼

母爲己父三年喪畢嫁後夫重成母道故隨爲之服繼母亦報子周也若繼母不終己父三年則不服也王肅云從乎繼而寄育則服不從則不服○皇密云經稱繼母如母者蓋謂配父之義恩與母同故孝子之心不敢殊也傳云繼母何以如母明其不同是以出母服周而繼母無制不同之驗也○唐王博義一作乂奏喪服惟出母特言出妻之子明非生己則皆無服嫡繼慈養皆非所生嫁雖比出稍輕於父終爲義絶繼母之嫁旣殊親母慈嫡義絶豈合心喪今請凡非所生父卒而嫁爲人後者無服非承重者服周并不心喪詔從之○開元禮父卒繼母嫁從爲之服報不從則不服○宋服制令繼母嫁從齊衰杖期不從則不服○宋崔凱云父卒繼母嫁從爲之服報鄭玄云嘗爲母子貴終其恩也王肅云若不隨則不服凱以爲出妻之子爲母及父卒繼母嫁從爲之服報此皆爲庶子耳爲父後者皆不服也傳云與尊者爲體不敢服其私親此不獨爲出母言爲繼母發己從則爲之服是私也爲父後則不服鄭玄云貴終其恩不別嫡庶王肅云隨嫁乃爲之服此二議時人惑焉凱

以爲繼母如母則當終始與母同不得隨嫁乃服不隨則不服如此者不成如母爲父後者則不服庶子皆服也 按王博義崔凱之說則以爲不從猶著於通解已爲斷案況儀禮特言嫁從而不言不從者可知其不服矣

又曰不杖期條繼母嫁母之下母字分明是而字之誤 答申湜

同春曰嫁母出母服云云 答李承衡○見爲出母條

問妾孫爲其父所生母當服期而其祖母適他則當服其服乎 韓如琦 尤庵曰祖母嫁而其孫之服無所考不敢質言

南溪曰嫁祖母服禮無所考恐只當依嫁母之服爲之節度子於嫁母猶以爲父後不服況孫於嫁祖母乎子於出母更還依己者猶不當爲之制服又況於嫁祖母乎愚意此服准禮爲父後者只依本服同心喪之制而已沙溪先生曰妾母不世祭元無承重之義此恐尤爲不得三年之證也答高益謙

爲父後者爲出母嫁母

問爲父後者爲嫁母出母禮經雖無服情理似未安且子不爲母服而母爲其子服何義李惟泰 沙溪曰通典及儀禮喪服圖式論之甚詳

宋仁宗景祐三年太常博士宋祁言集賢校理郭稹生始數歲遭父喪母邊氏更適王氏今邊不幸而聞稹乃解官行服臣愚深用爲疑伏見五服制度勑齊衰杖期降服之條曰父卒母嫁及出妻之子爲母其左方註曰謂不爲父後者若爲父後者則爲嫁母無服侍御史劉夔奏曰父卒爲出母杖期及爲父後者無服周孔定禮初無是說今博士宋祁謂郭稹不當解官行服臣謹按天聖六年勑開元五服制度開寶通禮并載齊衰降服條例與祁所言不異又假寧令母出及嫁爲父後者雖不服亦申心喪註云皆爲生己者今龍圖閣學士王博文御史中丞杜衍頃年并爲出嫁母解官行喪若使生爲母子殁同路人則必虧損名教玷孝治臣又聞劉智釋義云雖爲父後猶爲嫁母齊衰譙周云父卒母嫁非父所絕爲之服周可也昔孔鯉之妻爲子思之母而嫁於衛故檀弓曰子思之母死柳若謂子思曰子聖人之後也四方於子乎觀禮子盍愼諸子思曰吾何愼哉石苞問淳于睿曰爲父後者不爲出母服嫁母猶出母也睿曰子思之義爲答且言聖人之後服嫁母明矣詳觀古

賢精密之論則稹之行服不爲過矣詔太常禮院御史臺同共詳定翰林學士馮元奏謹按儀禮禮記正義開寶通禮五服年月勑言爲父後者爲出母無服惟通禮義纂引唐天寶六年制出母嫁母并終服三年又引劉智釋義雖爲父後者猶爲出母嫁母齊衰卒哭乃除二者并存其事相違何也竊詳天寶六年之制言諸子爲出母嫁母故云并終服三年劉智釋義言爲父後者爲出母嫁母故云猶爲齊衰卒哭乃除二理昭然各有所謂固無疑也況天聖中五服年月勑父卒母嫁及出母之

子爲降杖期則天寶六年出母嫁母幷服三年之
制不可行用又五服年月勑但言母出及嫁爲父
後者雖不服亦申心喪卽不言解官臣以爲若專
用禮經則是全無服施之今世理有未安若俯同
諸子杖期又於條制更相違戾乞自今後子爲父
後無人可奉祭祀者依通禮義纂劉智釋義服齊
衰之服卒哭乃除踰月乃祭仍申心喪不得作樂
卽與儀禮禮記正義通典通禮爲父後爲出母嫁
母無服之言不相遠也如諸子非爲父後者爲出
母嫁母依五服年月勑降服齊衰杖期亦解官申

其心喪則與通禮五服制度言雖周除仍心喪三
年及刑統言出妻之子合降其服皆二十五月內
爲心喪其義一也以此論之則國朝見行典制與
古之正禮合則餘書有偏見之說不合禮經者皆
不可引用也乞依前所陳施行詔今後似此幷聽
解官以申心喪 喪服圖式 ○晉東晳 東一作束 問嫡子爲出
母無服母爲子何服步熊答母爲之服周
問孔子旣使鯉喪出母則子思之獨不使白也喪之
何耶 李彥純 南溪曰子於父母其恩義雖一其尊卑從
違之義本註所謂禮爲出母齊衰杖期而爲父後者

無服心喪而已者已自十分明白以此爲疑則何事
不疑耶盖此條朱子有兩說大全答何叔京林擇之
書以檀弓所記爲誤語類諸說與此註合恐爲定論
但所謂汚隆之說語類以隨時之義釋之是亦不可
不知也
問庶姪子惠章有嫁母云云 柳星徵 遂庵曰禮嫁母之
服云云但曾聞柳僉使之生母中年雖歸家然制令
監晩年來在一家之內云如此則似不可以嫁母論
生當奉養於郡邑沒後當服齊衰三年未知如何○
統制令監喪時僉使之母若服喪則不可以嫁母論

不服喪則他日僉使當服嫁母之服○愚意以爲其
母賤人雖不能守節其子成長之後棄彼來此亦不
害爲三從之道况伯令公知而不禁則到今在其子
之道安敢曰母行不純而不以母事之乎旣不禁來
在門墻之下則年久之後追覈其侍寢與否無乃太
深乎
問爲父後者爲出母之更還依已者當何服耶 李惟泰
沙溪曰通典已論之可考也
通典魏嘉平元年魏郡太守鍾毓爲父後以出母
無主迎還輒自制服宋庾蔚之謂爲父後不服出

母爲廢祭也母出而迎還是子之私情至於嫡子不可廢祭鍾毓率情制服非禮意也

嫁母出母爲其子

問杖期條子爲父後爲出母嫁母無服而不杖期條嫁母出母爲其子子雖爲父後猶服也前後說不同何也且母不嫁不出則爲長子當服三年而爲衆子則當服期也今泛稱降服亦未詳〈或人〉尤庵曰此段之意以爲子爲父後則不爲出母嫁母服而出母嫁母則爲其子之爲父後者猶服也蓋服有往來相報之義故於此差其義曰子雖以父後之故絕母而不服

也其母則無絕道故猶服也母不出不嫁則爲其長子當三年而今降與衆子同服期故曰降蓋承上文爲父後者言之故其立文如是也

爲養父母服

爲收養父母〈妾養子爲嫡母及母之養父母并論〉

寒岡曰收養則　國法許同已子若侍養則情有淺有深義有重有輕然收養子其父母在則只期而心喪三年雖父沒而長子則期而除况侍養則尤當斟酌〈答韓應南〉

沙溪曰所謂收養即三歲前收而養之者也若已長成則不可謂收養三歲前養育者雖路人當服三年通典亦言之中原閣老申時行爲他人所養爲三年喪〈答黃宗海〉

同春問有人取甥之子爲養而亦非三歲前收育也云云或云當服期年或云平日旣爲所養而又將奉祀則依　國制養子之例當服齊衰三年或云期年而服除心喪三年爲當何以則爲得耶沙溪曰此人非三歲前養育則不可爲三年服明矣服期之說似近而何可折衷於其間

又問云云所謂三歲前云者通指三歲以前之稱豈

但指一二歲者乎後賢起此三年之制以爲報恩之地呈官立案奉祀與否似不當論但此人有己之父母在似當期而服除心喪三年而未知未除服之間平居出入之服只用白衣白帶草笠如期服人乎抑如出後子爲本生父母服乎抑一如喪人乎沙溪曰來示皆得之但三年服衰則似爲過重期年後脫衰以白衣白帶黑草笠行心喪恐宜

陶庵曰幼時收養三歲以下與以上難易懸絕此服制之及於以下而不及於以上者也旣無先王定制則五六或七八歲被養者只當斟量其恩義自伸心

制而恐亦不敢爲三年也答楊應秀

尤庵曰所詢和叔說以從孫被養於從祖則雖在三歲之前猶不可捨本屬而爲父子之服也此則誠然此正韓文公不可以叔而名其嫂爲母也禮以治名名以制麻而聖人於名言行三者致謹甚嚴亦以此知和叔之不可還從本屬矣盖和叔平時旣定其母子之名而無所悖者以本有母道也子道也非從孫比也旣以名之故又以言之而獨於行其終事乃欲變其名言以爲 國制不足據而反求於半上落下之地則吾恐其反不如姑從 國制之無甚害理而

猶爲有據也答尹宣擧

南溪問曾定服制雖以齊衰三年爲敎世系實承先人之後又繼母在堂似當從大典分註降服期云云

尤庵曰養父母服制古所未有只當依從周之義一用 國典而旣不得三年則亦當從不杖期之文似無疑矣中衣囘古制而直領平凉子出於俗例如此無害者從之恐無妨

又問主杖期者其說曰盖觀禮意以名父母服三年而降者惟所生父母直用伯叔父母例及女適人者爲其父母不杖期其餘皆在杖期之條如嫁母出母猶爲天屬之親而至於父卒繼母嫁從者亦得與焉今養父母本非如所生父母之嫌礙繼統而乃不得比倫於繼母嫁從之類直用伯叔之制名實乖剌恐爲未安此言如何第繼母嫁從則禮經及歷代沿革並杖期而無心喪養父母則 國典降服而猶伸心喪似稍交互未的其輕重之義又大典本註兩條若只曰已之父母在及父沒長子則降服期又甚簡明而今曰已之父母在則降服期解官心喪三年又曰若父沒長子則期而除若於其間別有異義者然尤庵曰主杖期者之說雖如此然旣無可據明文則何

可義起也大典本註已之父母在則降服期解官心喪三年又曰若父沒長子則期而除看此則期而除四字與上條立文自別是不解官不心喪而直除之意否備要則合爲一條如來示之文而其下不杖期條則曰已之父母在則爲養父母而解官心喪父母雖沒長子則期而除其立文亦別於上條是亦不解官心喪而直除之之意否事體重大不敢爲說也

南溪曰所謂侍養之親絕無古今經傳之可據第以所示者揆之其服似當倣通典曹述初之說以從同爨之制而已心喪則家禮只言爲師父在則爲母爲

所生父母而近世沙溪所論稍推而廣之然每曰量其情義之淺深云云恐非外人所可得而酌處者但既長侍養必用三年之限則其自幼被養者雖欲加隆而無其地此恐尤當商量矣至於題主益難爲說盖禮所謂族祖母者本指曾祖父之婦也今既曰夫之八寸孫則親屬稱謂幷無可據之文未知何以處之較爲近理耶既是其夫同姓之親而禮有禮窮則同之說或可照例推用之否皆不敢知況旁題耶其爲本族者如以愚見雖非古者反在父室之例而又不可直以侍養爲祭正主而不服其重服以違禮經之意也答崔寬

又曰左右當初育之之時未知以姑名而養無母之兒耶抑以已無子故以母名而養姪爲子左右亦以子道自處耶由前則自可應大功以上不加服之文由後則只當用養母降服期之制也夫以服制言之無夫與子之姑亦有量恩義而心喪之義與已父母在降服之養母心喪者無所異但稱姑而心喪則爲服人如土亭爲其兄心喪之類稱母而心喪則爲喪人如父在爲母爲尊者屈而心喪之類設古經今制輕重取舍之分恐無舍此而他求之理答金載海

問嫡妾俱無子者與妾同居之時收養三歲前兒而及其長成後嫡母便歿雖無同養之恩與養父之喪一樣服三年耶妾母之喪則必服三年耶朴廷老　寒岡曰既與妾同養遺棄兒爲己子則是亦妾子也當以妾子服其母與嫡母服之義爲準

問爲母之養父母亦依外祖父母例服小功乎鄭性傳

退溪曰母既以爲父母子安得不以外祖父母服之耶

族屬不以收養恩加服

問收養於繼祖母者欲伸心喪三年如何趙翼龍　陶庵

曰收養之恩可論於他人非可論於祖母本服之外恐不當別伸心喪盖幼養之恩比天屬爲輕今若別伸於本服之外則意欲厚之而反歸於薄也

同春問族屬有恩義或加服以報之如何沙溪曰理窟論之詳矣量恩義之輕重心喪可也

張子曰韓退之以少孤養於嫂故爲嫂服加等大抵族屬之喪不可有加若爲嫂養便以有恩而加服則是待兄之恩至薄無母不養於嫂更何處可養若爲族屬之親有恩加等則待已無恩者可不服乎昔有士人少養於嫂生事之如母歿自處以

齊衰或告之非先王之禮聞而遂除之惟持心喪
遂不復應舉人以爲得禮
又問爲外祖父母三歲前收養者亦依他齊衰三年耶愼獨齋曰服外祖父母本服持心喪可也
南溪曰栗谷之於李氏其拊育之恩主祀之義可謂至矣其祭文有先王定制不敢踰越之語豈非今日所當法者而若乃伸心喪之意卽所以致隆至情之地亦恐無不可得（答趙重）
問人有無後其姪以養育之恩服喪三年耶云云（全瑜）
尤庵曰三歲前收養 國法雖有卽同己子之文然

有本服之親則當只服本服矣然亦不可全然無別故本服盡後有心喪之禮近日朴進善世采氏是也所養如無子孫則被養者當主祀服盡後祔於宗家可也盖卽同己子則有 國法而不許奉祀矣
又曰外曾祖收養亦自是道理我自是其子孫而今乃比之他人服而報之則其所以厚之者還爲似薄矣或私伸情義如心喪者之爲則不至大戾否（答李湛）
愼獨齋曰禮舅妻無服大典緦麻依大全服緦脫服後情義猶以爲未盡則斟酌心制若干月似或可也（答李悅）

爲慈母庶母服

爲慈母（慈母黨幷論）

問爲慈母三年父在杖朞當爲心喪耶祭之當如何慈母之黨當不服否（李惟泰）沙溪曰小記及通典已論之而庾說可疑更在斟酌
小記曰慈母不世祭通典庾蔚之曰慈母無天屬之愛寧有心喪之文（按此二說慈母只是養育之恩耳其黨當無服也）
問服圖云庶子無母而父命他妾之無子者慈己則爲其慈母齊衰三年父不命則小功云若有生母而無父命則養育慈己之恩雖重只當服小功耶（吳達文）

愼獨齋曰無父命則不必服三年但大典三歲前收養者齊衰三年以此而言則酌量恩義之輕重處之似當然有父母則降大典亦言之
尤庵曰慈己之恩顧同而有母無母輕重懸殊父命與祖母之命截然不同只當服小功而於其間斟爲期年則盛德者之外疇敢妄有此義起耶（答金鎭大）

爲庶母（爲夫庶母服有無幷論）

退溪曰禮庶母服緦指父有子之妾言也然又謂父妾代主母幹家事者加厚云今尊公侍人雖無子乃代幹之人宜服緦而稍加日數爲可也古禮所以辨

有子無子而服者古之卿大夫妾御頗多凡婢皆妾之類也不可泛稱父妾而皆服緦故以有子服緦爲文其實當觀情義輕重而處之故又有稟父命行服之言須以此等事理量處之爲當（答琴蘭秀）

栗谷曰父之婢妾則有子者有服無子者無服矣若主家之妾則乃貴妾也不論有子無子而其家長尚有服則況子爲父之貴妾豈可以爲無子而無服乎況同爨緦者著之禮文恐不可目之以無服也（答龜峰○見附錄雜禮居家雜儀條中嫡庶間稱號位次條）

龜峰曰同爨之緦禮文所謂指等輩而言兒欲引以

父妾似未穩貴妾之稱在諸侯大夫而自其下則不可論也禮有降殺何得混稱貴妾古禮未曾見士有貴妾也凡人於父妾之主中饋者應有別禮而未得其據制禮作樂亦非人人之所敢爲也（答栗谷）

問云云退溪所謂稍加日數者何耶（姜期顧）沙溪曰庶母雖無子若同居則以同爨服緦若有養育之恩則服以小功亦無妨

問在大夫雖有子而猶且無服況無子則雖以代主母幹家事者而似無服矣（鄭基磅）愼獨齋曰大夫降服貴貴之義也今之大夫異於古之大夫故無期以下降服之規豈於庶母必從古大夫之禮乎

問庶子爲父之他妾爲庶母之服耶（黃宗海）沙溪曰此在通典可考也

通典晉徐邈云兩妾之子宜相爲庶母服緦也

遂庵曰庶母曾攝小君則嫡子有服小功者若爾則妾子何可異同　皇朝國朝之禮皆有杖期之文今於小功之文雖義起何妨（答成晩徵）

尤庵曰妾子於他妾之無子者云云（答李遇輝○見喪變禮無後喪條中無後諸親喪題主條）

同春曰禮爲父妾之有子者緦麻庶母慈己者小功

其妻則未聞有服洪武加庶母服杖期則其妻似亦當服而亦未聞耳今日士大夫未聞爲洪武之制者其妻自當無服若同居情重者或可爲同爨服耳其夫雖朞恐無異（答或人）

爲殤服

三殤

問喪禮備要凡殤數其年以月不以歲者何義生未三月則不哭之亦非人情如何應服斬衰三年之長子以殤死則比他殤亦當加一等否且小記丈夫冠而不爲殤婦人笄而不爲殤家禮男子已娶女子許

嫁皆不爲殤云兩說不同當何從李惟泰 沙溪曰禮經及通典可考小記家禮雖似不同冠笄嫁娶恐皆勿殤耳

通典徐整問射慈曰八歲以上爲殤者服未滿八歲爲無服假令子以元年正月生七年十二月死此爲七歲則無服也或以元年十二月生以八年正月死以但踐八年計其日月適六歲耳然號爲八歲日月甚少全七歲者日月爲多若人有二子名死如此其七歲者獨無服則父母之恩有偏頗答曰凡制數自以生月計之不以歲也○喪服傳

無服之殤以日易月子生三月則父名之死則哭之未名則不哭也疏家語云男子八月生齒八歲齔齒女子七月生齒七歲齔齒今傳據男子而言故八歲以上爲有服之殤也必以三月造名始哭之者以其三月一時天氣變有所識眄人所加憐故據名爲限也未名則不哭者不以日易月哭初死亦當有哭又曰以日易月謂生一月者哭之一日也若至七歲歲有十二月則八十四日哭之此惟據父母於子不關餘親子中通長嫡若成人爲之斬衰三年今殤死與衆子同者以其殤不成人如穀物未熟故同入殤大功也王肅馬融以爲日易月者以哭之日易服之月殤之期親則以旬有三日哭緦麻以三日爲制

問家弟死於辛酉十二月二十六日而二十五日立春已壬戌正月節也且陰陽家以數推人命者必以立春節過未過定新舊歲以爲所生之年也則家弟之死是壬戌春也是爲年二十成人而無後者也其喪葬制服當以成人無後者處之趙克善 浦渚曰古人制禮以年數定五殤則似當依此而爲之制若術家以立春前後爲新舊歲者只可用之於推命恐不可

移用於喪禮計年之制也

尤庵曰家禮男子已娶女子許嫁不爲殤男子必主已娶而不言已冠者當時生子飲乳而有已冠者不可以此爲成人也故男子則必以已娶爲斷女子則以許嫁爲斷禮許嫁而笄則笄與冠古禮則同而後世則異矣既笄則雖未二十而不爲殤男子則必已娶然後可謂成人矣答閔泰重

市南曰若男女年二十有故未冠笄而死者則彼雖有未及冠笄而年限已周彼之服我也必不敢以童子降其制我亦不可殤之也明甚家禮以嫁娶斷殤

限則雖二十三十而有故未昏者幷在殤降之列豈非未安乎朱子本意果在於矯一時之弊則後來安可無變通也由此言之年未滿二十者雖旣冠幷殤之可也年旣二十則雖未冠幷成人服之可也唯男子旣娶女子許嫁幷者不在此律如是立論則未知如何 答尹宣舉

陶庵曰古禮男子冠而不爲殤婦人笄而不爲殤家禮男子已娶女子許嫁皆不爲殤宋俗十歲總角者無之故朱子有此斟酌而今則與宋不同男子當依古禮以冠爲度女子則今無笄禮當以嫁爲準 答柳深

旅軒曰當服三年而死於長殤其服似當降服期年與庶子長子之殤有異矣 答權赫

問庶服斬衰長子旣冠而死年爲上殤則當降服期耶 羅斗甲 南溪曰此段不係於冠娶與否係於得爲正體傳重三者耳

沙溪曰中殤大功之服當服七月也從叔應服小功者於長殤降服緦中殤降而無服明矣 答洪霧

又曰按從祖祖父長殤禮雖不言亦當服緦 喪禮備要

同春問出嫁姑爲姪之長殤似當爲七月之服而儀禮圖及沿革圖皆以小功載之其故何歟愼獨齋曰竊意大功服比期稍輕故略七月一節而合之於小功耶未可知也

遂庵曰年過長殤則雖未嫁娶親戚之服之也皆如成人也 答姜再烈

尤庵曰殤喪之服雖同宗皆降况外親乎世有外親不降之說未知此說見於何書耶 答玄以規

無服之殤

問生未三月則不哭沙溪曰云云 詳見三殤條

尤庵曰註說以爲生一月者哭之以一日然則生七歲者當哭八十四日矣然禮有生未三月則不哭之

文與疏所謂生一月者不同矣 答閔泰重

問哭之以日易月註鄭玄云生一月則哭之一日疏云若至七歲七歲中必有八十四月當以八十四日哭之王肅馬融以爲以哭之日易服之月如殤之期親則一期有十三月當以旬有三日哭之殤之緦親則以三日哭之二說何所適從 梁處濟 南溪曰父則從鄭說餘親則從王馬說其可自成一例否

嫡子不成殤者

退溪曰家禮不成殤者只云哭之以日易月而別無論適子當爲後不成殤者之如何但如今爲長子斬

衰三年之服行之者亦未有聞獨於此如是處之恐又有問無齒决之譏吾意於中亦當斟酌以處爲當所謂素帶亦不當用布絰帶亦可耳 答趙穆

爲母黨服

母黨

尤庵問爲人後者所後父有前後妻則以前妻之父書外祖而服則兩服之耶前妻歿後已爲後則以後妻之父書外祖耶愼獨齋曰前後妻必有養己者當以養己者之父爲外祖也兩服則未可知也

退溪曰外繼祖母繼外姑不可不服來說甚當昔有

人爲人後者欲不服本生繼母之服呂子約移書責之曰子思曰爲伋也妻者爲白也母不爲伋也妻者不爲白也母今某氏不爲公所生父之妻乎其人愧服而服之子思此言明白之不當服出母子約引之明其被出雖繼無不服之理以此推之凡繼者恐皆然 答金就礪

高峯曰前年冬有一文官爲司諫遭繼外祖母服呈服制狀于本院未幾 啓請出仕其後以爲法制所無之服不當呈服制狀至於 啓請出仕云云以此辭避此事可駭可歎按禮繼母如母則繼外祖母當如外祖母何以曰法典無服乎今按大典五服條祖父母曾祖父母高祖父母條下皆有繼祖母同之文餘不言繼母故泥其文者以爲繼外祖母無服不亦膠柱之甚乎大典以本宗外親分作橫間故或有蒙上文不別擧者若以泥文言之則祖父母爲子孫之妻之服亦不言繼妻若然子孫之再娶者其繼妻皆不服乎大典亦不言妻繼母然則妻繼母亦無服矣吾之妻繼母乃吾子之繼外祖母也泥文者皆必以爲無服矣然按家禮緦麻章曰爲妻之父母妻亡而別娶亦同卽妻之親母雖嫁出猶服云云旣曰妻親

母嫁出猶服則妻繼母亦有服也且繼母如母云者爲父而言也然則爲外祖父服而又有不服其繼室之理乎又大典夫族條亦不擧繼祖母然則夫之繼祖母皆無服乎至於繼母條下只曰齊衰三年而夫族橫看則無其文然則妻爲夫之繼母亦無服乎此皆不待多言而明者而世之論曾不之察乃以繼外祖母無服之說上罔 天聽下亂禮文至以爲成法而未聞有一人辨其非云云 答退溪

問外孫爲嫁出外祖母有服歟 吳益升 尤庵曰禮不言本孫爲嫁出祖母服況外孫乎未有明據不敢質言

同春問舅之妻無服　國典總當何從沙溪曰舅之妻謂之舅母古禮推不去開元禮及　國制皆總從厚恐不妨

又問外親適人者亦當降耶沙溪曰不降喪服疏可考惟爲人後者爲本生母黨當降

喪服疏外親雖適人不降○又曰外親無出入降○通典虞喜云大夫爲其外親爲士者尊雖不同亦不降

尤庵曰妾子爲君母之黨服只見從服也寧有因此而遂不服其外親之理乎惟承重者則不敢服答李樺

問服制緦麻條及圖式於舅之子姑之子但曰內兄弟外兄弟而不言姊妹然則內外姊妹無服耶玄以規

尤庵曰家禮既於從母兄弟姊妹之下以從母之子也五字釋之則其下所謂舅之子姑之子字當幷舉兄弟姊妹而言也於舅姑之子只言兄弟而不言姊妹者省文也

南溪曰儀禮喪服只曰從母昆弟曰姑之子舅之子一無姊妹字而註疏外親雖適人不降云者實包姊妹在其中無可疑惑答金採

市南曰庶子升嫡與繼後不同似無改其外祖之理求之禮經亦無明文我國之人慣見嫡庶貴賤之別故有是疑也嫡母既是君母雖不改外祖庸非母耶庶子承重與繼室之子奉祀者似無大段差異答尹宣舉

本生母黨

沙溪曰爲人後者所生母黨降一等爲是答同春

通典鄭氏曰雖外親無二統既爲所後母黨服又爲生母黨服則是二統也

南溪曰鄭云無二統者猶言不敢幷尊也然則備要所定實從家禮男爲人後者皆降一等之例其非二統也明矣答李之老

芝村曰鄭氏所謂不可又爲本生母黨服者非謂全不服也以其不服本服而言答李顧命

陶庵曰沙溪曰爲人後者爲所生母黨降一等爲是以故今俗多用之然通典雖外親無二統之文此於禮律極嚴正恐當以此爲準四禮便覽

出母繼母嫁母嫡母黨

同春問母出則母黨無服否沙溪曰據儀禮喪服記出母黨應無服

喪服傳曰出妻之子爲母期則爲外祖父母無服通典步熊曰子雖不服外祖外祖猶爲服緦麻○通典吳氏曰出母之黨

無服

又問嫁母黨服沙溪曰嫁母黨經無不服之文通典亦言之但家禮嫁母出母服無異獨於其黨不同未知如何

吳氏曰嫁母父不命出嫁母之黨自應服之

又曰或問杖期章爲嫁母出母同而小功章爲其黨不服只言出母若然爲嫁母之黨可以服之耶按通典成洽難喪服傳曰出妻之子爲父後者爲出母無服與尊者爲體不敢服其私親也經爲繼父服者亦父後者也爲父後服繼父則自服其母可知也出母

之與嫁母俱絶族今爲嫁母服不爲出母服其不然乎經證若斯其謬耳吳商答曰出母無服此由尊父之命嫁母父不命出何得同出母乎爲繼父服者爲其父沒年幼隨母與由繼父所以爲報耳今欲以出母同於嫁母違廢父命豈人子所行又出母之黨無服嫁母之黨自應服之觀此則不服出母黨之義可知家禮輯覽

陶庵曰按通典云出母之黨無服嫁母父不命出何得同出母乎嫁母之黨自應服之愚意則嫁母雖無父命出之節既與父絶則同於出母矣沙溪亦於嫁出母黨之或服或不服爲未可知通典說恐不必從也四禮便覽

沙溪曰母出則以繼母之父母兄弟爲外家故不論繼母之存亡皆有服若母不出則繼母雖生存不爲繼母之黨服也若妾子則爲嫡母黨服嫡母死則不服也答同春

服問曰母出則爲繼母之黨服母死則爲其母之黨服爲其母之黨服則不爲繼母之黨服吳氏曰母出謂己母被出母死謂己母死而父再娶○鄭氏曰雖外親無二統○虞氏曰縱有十繼母則當服次其母者之黨

問禮爲繼母黨有服適人之女出後之人亦皆爲之服耶李時彦南溪曰既以母出故爲繼母黨服則安有所異耶

問母未出之前雖已服其本生外親又當服繼母之親而外親無二統之說亦不可復論耶李德昉南溪曰母未出之前爲母黨服者恐不宜復論於母出之後爲貳統也

問小功條庶子爲嫡母之父母兄弟姊妹母出者爲繼母之父母兄弟姊妹而皆不言其兄弟姊妹子之服何也或曰母出者既絶於其母之黨而以繼母家

爲外黨則其兄弟姊妹之子亦當服之而不言者闕文也庶子非絶其母黨而只爲嫡母服其黨則兄弟姊妹之子似不服也或曰旣服其父母兄弟則其子亦當皆服也未知如何 李東輔 遂菴曰上說似是

爲外先服窮者弔服加麻之非

問祖母大耋尊臨子孫衆多而其中外孫已多有服窮者或以爲古人於弔喪用弔服加麻今於祖先之喪則不當如親舊情厚者而只用玄冠素帶太無情意凡在外孫之列而禮窮服盡者用練布冠雙垂帶略如緬禮時有服之親加麻之制而旣葬而除之似

好云又有難者曰如此則子孫爲祖先便用加麻制是欲重而反輕欲親而反疎爲未安云兩說何者爲得 閔遇洙 陶庵曰此事終恐情勝於禮盖此弔服加麻本是朋友之服非可施於祖先其用於緬禮者出於王丘之論亦非古也今欲牽引則近於役文苟曰創行則嫌於義起俱未見其可也

爲妻黨服

妻黨

退溪曰繼外姑不可不服云云 詳見爲母黨服條中母黨條

冶谷曰家禮緦麻下註爲妻之父母妻亡而別娶亦同卽妻之親母雖嫁出猶服也卽妻之親母五字乃釋上文爲妻之父母之文詳看卽字則恐朱子不以妻之繼母爲可服也

同春問妻嫡母服不著於禮何也沙溪曰繼母嫡母於禮幷無盖蒙生母故不言也其妻服喪則其夫無服似爲未安

尤庵曰家禮曰妻之親母雖嫁出猶服據此則嫡母繼母之不嫁出者同於親母可知矣 答閔泰重

禮疑類輯卷之五

禮疑類輯卷之六

喪禮

五服

爲人後者爲本生親服

爲本生父母祖父母曾祖父母

尤庵曰杖期以上皆正統及妻也爲人後者謂所生父母爲伯叔父母故不爲杖朞而只得爲不杖期也 答兪命賚

陶庵曰按喪服曰爲人後者爲其父母報疏曰報是兩相爲報旣言報則爲人後者爲其父母期其父母

亦當爲之期家禮圖式本生父母亦爲不杖期之說蓋本於此以此推之則本生祖父母當報以大功曾祖父母亦當報以緦 四禮便覽

爲本生姊妹姑

同春問出繼者爲本宗親適人者再降否沙溪曰再降見儀禮若降一等與他兄弟無異

儀禮喪服小功章爲人後者爲其姊妹適人者

尤庵曰兩男各出繼兩女各出嫁皆不再降出繼人子孫復出繼亦不再降惟出繼而出嫁然後再降矣 答宋元錫

南溪曰出爲人後者於出嫁之姊妹爲再降以其爲人後及出嫁者名義各異不如或但弁爲人後或但弁爲出嫁者可以降而無甚嫌碍故不得不再降 答崔翁是

沙溪曰按喪服小功章爲人後者爲其姊妹適人者註云不言姑者舉其親者而恩輕者降可知以此觀之其降二等明矣 家禮輯覽

爲本生母黨 見爲母黨條

爲人後者之子爲其父本生諸親 與祭禮出繼人之子還繼本生祖條參看

問爲人後者私親之服皆降一等則祖服當爲大功而或曰子則從父而已父旣以伯叔父視其父則子當以四寸大父之服服小功也此說何如 任屹 寒岡曰孰爲立此薄祖之說曾所未聞於禮文且以伯叔父視父則父之父當爲小功服乎

尤庵曰來諭從祖云云恐亦有窒碍處今此子則其父之所後父與所生父爲同產兄弟故此子謂其所生祖爲從祖也若使其父爲無服人之後則此子當爲所生祖無服乎以故出繼之人不問其族屬遠近而恐當從本服降一等也蓋必與所後祖爲同產兄

弟然後於其孫始爲從祖也若所生祖與所後祖爲無服之親則將不得爲從祖而服小功也寧有是理此愚之尋常有疑而以爲從其父降一等猶爲有據也（答閔維重）

又曰出後子旣降其私親一等則其子從而降一等何疑（答朴重繪）

南溪曰爲人後者之子爲本生諸親名服相違曾有疑問者殊無可據第答以當從其父爲降一等之服矣近見寒岡禮說以此推之其他諸服皆可推見（答金榦）

問爲人後者之子爲其父本宗服則無所論甲者曰父出後與己出後同何必別論此則當用爲人後者爲本宗降服之例之說也乙者曰父之出後與己之出後異父旣爲人後不問所後遠近以伯叔父服父父之伯叔父己之從祖也當依此降服尤庵答驪陽書卽乙說也云云（人或）陶庵曰愚之所主則謂當從本服降一等而已此則與甲說同尤翁書中謂其所生祖爲從祖一段雖似乙說究其歸宿則卽甲說也

私親爲爲人後者

同春問男爲人後者爲其私親皆降一等私親之爲之也亦然據此則爲出繼子當爲大功而卷首服制圖則降服不杖期何也沙溪曰喪服不杖期章可攷家禮圖本此而言

喪服不杖期章爲人後者爲其父母報疏云報者旣深抑之使同本疏往來相報之法故也（按旣曰往來相報則本生父母之爲之也亦當如兄弟之子服不杖期矣）

尤庵曰云云出繼而出嫁然後再降（答宋元錫○見爲本生姊妹姑條）

妻爲夫黨服

母爲長子

問母爲長子齊衰三年報也子爲母父在則期而母爲長子夫在猶三年莫亦過重否（姜碩期）沙溪曰儀禮疏可考

喪服疏曰母爲長子不問夫之在否皆三年者子爲母有降屈之義父母爲長子本爲先祖之正體無壓降之義故不得以父在屈

母爲適婦不爲舅後

沙溪曰按禮衆子婦小功故適婦不爲舅後者同爲小功矣魏徵旣加衆子婦服與從子婦同爲大功則此婦亦當爲大功也（家禮輯覽）

爲夫曾高祖

問春問妻爲夫之曾高祖家禮緦古禮不著何歟沙溪曰横渠已論之

問爲夫之高曾宜無服而緦者何張子曰此亦古無明文至唐開元禮始爲緦宋朝猶然

承重者妻從服及母與祖母服本服當否

退溪曰禮曾孫爲曾祖承重而祖母或母在則其祖母或母服重服妻不得承重 答寒岡

問孫之於曾高祖代喪者其妻例服也其間孫妻曾孫妻皆以冢婦並服其喪乎 金就礪 退溪曰喪者之妻

既服其母與祖母似不當服來諭引家禮小功條爲嫡孫若曾玄孫之當爲後者之妻其姑在則否之說謂此必其姑當服故不爲其婦服云云來諭近是疑其夫雖服重服姑或祖姑以冢婦服之則婦可以不服故禮意如此也且孫妻曾孫妻並服之疑又恐未然竊意孫妻曾孫妻俱在則似孫妻服二妻一在則在者服矣然此等事甚重大難以率意而輕言之

又曰婦人之於夫之祖父母夫承重則從而服之今曾玄孫之服曾高祖也其妻則當從服矣若其母恐所謂舅沒則姑老已付主婦事於婦矣疑若不當服矣然小記屬從者所從雖沒也服疏謂屬從三妻從夫服夫之黨其一也據此則其夫雖已死其妻亦當服矣蓋傳重而至曾玄之服其已上者不服者與服同也更詳之 答寒岡

愚伏曰夫承重則從服而有姑在則不服蓋亦喪不二孤之義也然則只當服其本服耳 答吳允諧

問承重孫遭祖父母喪則其妻從服三年乎或曰其母爲主婦服三年其妻當服本服未知如何且曾玄孫承重曾高祖之喪則其母若祖母當何服歟或曰承重者之妻從服三年則母與祖母當各服本服此

說亦何如 姜碩期 沙溪曰先儒所論頗多詳著于左

通典晉賀循云其夫爲祖曾祖高祖後者妻從服如舅姑本註齊衰周也 按儀禮喪服婦爲舅姑不杖期至宋朝始加服故賀云齊衰周 ○孔瑚問虞喜曰假使玄孫爲後玄孫之婦從服周曾孫之婦尙存纔緦麻近輕遠重情實有疑答曰有嫡子者無嫡孫又若爲宗子母服則不服宗子婦 按宗子之母在則不爲宗子之妻服本喪服傳文張子曰宗子之母在不爲宗子之妻服非也宗子之妻與宗子共事宗廟之祭者豈可夫婦異服故宗子雖母在亦當爲宗子之妻服也東酌犧象西酌罍尊須夫婦共事豈可母子共享也云云與此不同更詳之 以此推之玄孫爲後若其母尙存玄孫之婦猶爲庶不得

傳重傳重之服理當在姑矣○庾蔚之謂舅沒則姑老是授祭祀於子婦至於祖服自以姑爲嫡所謂有嫡婦無嫡孫婦也祖以嫡統惟一故子婦尚存其孫婦以下未得爲嫡猶以庶服之孫婦及曾玄孫婦自隨夫服祖降一等故宜周也○儀禮喪服圖式本朝乾德三年左僕射魏仁浦等奏議曰謹按内則婦事舅姑如事父母卽舅姑與父母一也古禮有期年之說雖於義可稽後唐劉岳書儀著三年之文實在禮爲當蓋五服制度前代損益已多況三年之内几筵尚存豈可夫衣麤衰婦襲

紈綺夫婦齊體哀樂不同求之人情實傷至治況婦人爲夫有三年之服於舅姑而止服周是尊夫而卑舅姑也丁酉始令婦人爲舅姑三年齊斬一從其夫○張子曰古者爲舅姑齊衰期正服也今斬衰三年從夫也○又曰婦爲姑齊衰三年嫡孫爲祖曾高祖後者其妻從服亦如之○家禮婦爲舅斬衰三年爲姑齊衰三年夫承重則從服大明律　本朝大典同○退溪先生答鄭道可云云○又答金而精云云○又答鄭道可云云并見上○按古禮婦爲夫族皆降一等故爲其舅姑亦期年至宋魏仁浦等奏始令婦爲舅姑三年齊斬一從其夫承重者并同通典諸儒皆在宋以前故謂婦服舅姑期據古禮也承重孫妻姑在則不從服恐未然橫渠理窟及朱子家禮與時王之制皆云夫承重則妻從服三年更無其姑在則否之說禮律甚明今何可捨朱張已定之論而從諸家牽補之說耶況魏仁浦等所論實有至理恐不可旁引曲證以亂大義頃年鄭時晦曄以其女羅萬甲之妻遭夫之祖母喪其姑在欲不服三年吾反覆論之終乃服之朴說之東說遭母喪其兄東尹之子之妻亦不服三年吾以宋朝加服及禮律之意言之說之欲追服云至如玄孫承重則其間孫妻曾孫妻服識亦可疑退溪前後三說各異莫可適從當質知禮者○或曰玄孫承重則孫妻曾孫妻亦皆服三年恐是蓋其夫生時旣爲祖父若曾祖父承重其妻亦從服三年矣其夫死後其祖母若曾祖母死則其妻以其夫已死委重於子若孫婦渠只服本服而已則是一人之身齊斬之喪前則重而後則輕非徒人情有所不忍其夫雖亡傳重之義猶在恐不當如是設令雖非前日從服之婦若無繼世傳重之義則中間代序斷而不續其曾玄孫何自而陡

爲承重耶其孫若曾孫雖已死未服猶服也必承婦若曾孫婦皆服正統服然後代序始繼而傳重有本耳退溪所引屬從者所從雖沒也服一段實是的確明證恐不容有他議未知如何更詳之

同春曰云云答姜碩期○與上沙溪按說或曰條同

問退沙兩先生之說不同何所適從金相玉　尤庵曰當以小記所從雖沒也服爲正

南溪曰云云只是主不服者之說殊無如屬從者雖沒也服之諮親切的當則雖無退溪所論義當主服者爲是答梁處濟

孽子承重則嫡孫婦不爲承重服

同春問有人祖在而嫡子婦嫡孫俱亡只有嫡孫婦

在而亦無子又無立後者其祖傳後事於孽子矣其祖歿其嫡孫婦當服承重服否愼獨齋曰所謂孫者曾未承重先歿於父歿之前而祖父傳重於孽子則孫婦雖是嫡屬曾無承重之義又已移宗於庶今於祖父之喪恐不可以所從亡也服之禮一槩論斷未知如何

爲夫黨諸親

問妻爲夫黨服於夫之卑行則不降於夫之尊行則降之何耶 李命元 陶庵曰妻爲夫黨降夫一等而服皆報服故卑行之爲伯叔母或從祖母皆不降則伯叔

母或從祖母亦不降而爲之報服矣

問爲夫兄弟之孫女適人者合有緦麻而備要圖云無服何歟 李檸 尤庵曰恐備要傳寫之誤當以降一等條私親之爲之也亦然之文照斷矣

沙溪曰按甥爲舅妻旣有服則舅妻當爲之報而不著恐是闕文 家禮輯覽

遂庵曰女子嫁而夫黨已有喪者婦之從服云云 詳見喪變禮追喪條中出嫁後夫黨諸親追服當否條

爲本生舅姑祖舅姑

退溪曰夫爲人後其妻爲本生舅姑服期前已濫陳鄙意雖違禮服大功之文然其止服大功太不近情可如此從厚故也夫申心喪而妻不許申固有如來示之未安者然自禮之大功而引之於期已汰矣復自期而引之於三年其爲徑情直行不已甚乎所以不敢輒許其申也然爲其妻者亦不必二喦而烹餁對案而飲啖自有隨時之宜但必欲立爲申心喪三年之法則不敢耳 答鄭崑壽

同春問妻從夫服皆降夫一等禮也爲人後者之妻於夫本親當又降一等乎沙溪曰降二等似無疑

又曰按爲人後者妻爲本生舅姑當從禮爲大功不

可加服期也若居處飲食則不必以大功爲斷

愼獨齋曰古禮爲舅姑服期則爲人後者之妻爲本生舅姑當降服大功而自宋朝婦從其夫服齊斬則降三年當服期矣 答崔碩儒

問爲本生舅姑大功則其服制除負版適衰而常時則服玉色衣裙耶 韓如琦 尤庵曰欲從儀禮則當具衰負版辟領欲從家禮則當去之矣玉色服來示恐得

南溪曰爲本生舅姑服大功禮律同然退溪曰太不近情又曰從厚而已誠由是道也其不近情而可以從厚者皆當義起也恐不可爲法 答李之老

陶庵曰本生舅姑服大功於禮得之當從沙老愼齋說不當用續疑禮問解元來多有可疑（答趙儼）

南溪曰孫婦爲夫本生祖舅姑古今禮無見處所謂爲本生舅姑再降之義未詳抑以從夫降一等是爲夫諸親之常例若爲本生舅姑則當初於本服既降一等以示嚴截之義故并謂之再降耶然則重者如此況輕者乎（答金榦）

爲夫繼母嫡母養父母慈母（爲夫嫡母父母并論）

問妻爲夫之繼母嫡母養母慈母等服禮無明文可疑（妻期）沙溪曰繼母嫡母與生母無異故不別言也

養母慈母亦從夫服無疑也昔年洪議政暹夫人之喪沈相守慶以爲庶子妻爲嫡母無服而不令服之豈有嫡母歿而庶子妻不服之理乎其意極固滯也

同春曰庶子爲嫡母父母小功其妻服則無別著處然似可以爲夫之外祖父母者旁照也（答李相吉）

愼獨齋曰　國制收養父母服服齊衰三年云云其妻則無三歲前收養之恩從服似過而齊體之人似不宜異同亦無明據未知如何泰之以爲君師服三年而妻無服亦何異也此說如何（答同春）

尤庵曰養子之妻服無有明文先師所謂從夫服者豈亦不得已而惟此猶爲有據故云然耶然古禮夫斬而妻期者謂之從服未見其必同於斬與三年而謂之從服也至宋魏仁浦獻議以夫服齊斬婦襲紈綺爲未安使之同服齊斬三年然此則獨指舅姑服爲言而其餘服則因舊各降其夫一等矣鄙意夫既不行齊斬三年則恐當從夫降一等之舊例猶爲有據若夫爲異姓之收養則其妻終無所服此爲未安然以同爨服緦亦豈至全然無事乎然禮宜從厚則先師之說爲可行耶（答南溪）

同春曰禮爲父妾之有子者緦麻庶母慈已者小功

其妻則未聞有服若同居情重者或可爲同爨服耳（答或人）

南溪曰爲慈母者之妻禮無其服或當素服從喪否耶不敢質言（答李德明）

爲夫嫁母出母及庶子爲父後者之妻爲夫所生母

陶庵曰婦爲夫之本生父母及嫁母出母及庶子爲父後者之妻爲夫所生母見於備要而此於古禮無所見蓋子於本生父母及嫁母出母服雖盡而心伸其私者未忘生育之恩故也若婦之於姑則無生育

之恩故其爲服本是義服而今旣無可服之義則又安有心喪之可言且凡婦之服皆從夫降一等而於心喪則必令比同於其夫不亦過乎備要之添入恐不可從也退溪嘗以爲夫之本生父母心喪謂之不可而曰亦不必二喦而烹飪對案而飮啖自有隨時之宜沙溪又論此無許伸心喪之語而但曰當從禮爲大功不可加服若居處飮食則不必以大功爲斷據此兩說則於夫之嫁母出母及庶子爲父後者之妻爲夫所生母恐亦當推此而處之（四禮便覽）

爲夫庶母（見爲庶母條）

出嫁女爲本生親服

出嫁女爲父母祖父母

尤庵曰出嫁女不降祖父母儀禮疏曰祖父母正期也正期故不敢降也或曰然則何以降父母耶禮曰至親以期斷期所以爲三年者加隆也今女子出嫁故於父母只除其加隆之一期而於祖父母之正統則仍其以期斷也（答宋奎濂）

又曰女子出嫁者於正統則不降而降其父母者旣爲其夫服斬故統不可貳故也（答崔有華）

遂庵曰爲人後者有所後祖以上私親自當壓降出嫁女祖以上無所壓故不降（答金光五）

爲兄弟爲父後者

同春問家禮不杖期條女適人者爲兄弟之爲父後者云父雖在亦服期耶不降是何義沙溪曰儀禮可考也

儀禮喪服大功章女子適人者爲衆昆弟鄭註父在則同父沒乃爲父後者服期也○記疏云容有歸宗之義歸於此家故不降也

南溪曰在禮姊妹雖爲兄弟爲父後者服期其兄弟之爲之則必從降服大功無疑（答李東耈）

姊妹旣嫁相服期之辨

尤庵問家禮期服條楊氏所添姊妹旣嫁相服期可疑沙溪曰不但楊說朱子說亦然與儀禮不同極可疑曾問之鄭景任答云但聞姊妹皆嫁不再降亦未見其出處只是理當如此云

儀禮喪服大功章女子子嫁者未嫁者（註未嫁者謂已笄許嫁者）爲世父母叔父母姑姊妹又大夫之妻爲姑姊妹女子子嫁於大夫者又疏云兩女各出不再降若兩男爲人後亦如之○語類朱子曰姊妹於兄弟旣嫁則降服而於姊妹則未嘗降又曰姊妹於

兄弟未嫁期既嫁則降爲大功姊妹之身却不降
也
又曰愚謂儀禮大功章出降者兩女各出不再降若
兩男爲人後亦如之以不再降之文觀之其一降可
知楊儀說恐不可從 家禮輯覽
南溪曰云云當從儀禮無疑 答梁處濟

出嫁女爲諸親只降一等

沙溪曰凡出嫁者只降一等而已家禮圖爲姑降二
等乃誤也非但此一條爲祖姑小功嫁則降緦麻而
圖則嫁無爲從姊妹大功嫁則降小功而圖則緦麻

此數三條當從本文降一等爲是 答吳允諧

爲兄弟姪之妻

同春問出嫁姑爲姪之長殤云云愼獨齋曰云云 詳見爲殤服條中三殤條
問小功註曰女爲兄弟姪之妻已適人而亦不降爲
兄弟之妻則在室爲小功適人亦爲小功固爲不降
而姪之妻則在室時固當爲大功適人之後若服小
功則是使降也惡在其不降也 或人 陶庵曰女爲兄弟
姪之妻在室則爲大功一段考之家禮本不見於大
功條故備要五服圖亦屬之小功矣來示似欲以大
功條兄弟子之婦也通看男女若然則小功條又何
故而別爲拈出一女字耶此爲可疑幸更思之

爲從父兄弟之妻

沙溪曰按女適人者爲其從父兄弟之妻當爲報服
而家禮無之恐是闕漏也 喪禮備要

無夫與子與私親相服

問女適人而無夫與子之子字通謂男女耶云云 黃宗海
沙溪曰若有女子則不可謂之無子也
尤庵問女之無夫與子者似當爲其父母服其本服
而其舅姑在則如何沙溪曰以儀禮疏觀之女子適

人無主者雖反而不絶於夫氏故爲父母猶服期舅
姑有無不當言也
儀禮喪服不杖期章姑姊妹女子子適人無主者
姑姊妹報疏曰此等親出適已降在大功雖矜之
服期不絶於夫氏故夫義服之下女子子不言報
者女子子出適大功反爲父母自然猶期不須言
報故不言也姑姊妹出適爲姪與兄弟大功姪與
兄弟爲之降至大功今還相爲期故須言報也
問姑姊妹無夫與子者當服期而姑姊妹之夫有庶
子服其喪者則如何 崔碩儒 愼獨齋曰夫之前室子庶

子非已出當服期而繼後子卽同已出降服也儀禮圖無主祭則服期

問愼齋答人曰云云見[註]妾意前室子庚子雖非已出其主祭則與繼後子一也旣有主祭者而爲之服期則與儀禮之說不同 李光國 遂庵曰愼齋之訓未能曉來示似然

尤庵曰家禮旣云無夫與子則雖有從子何可不服本服乎家禮之意婦人之喪必使夫家主之豈可以夫家主喪與祭而本家哀之之情有所降殺乎哀不降而服自不殺禮意較然 答李命益

南溪曰降父母者猶以有出嫁之義也其反兄弟姊妹本服者以無夫與子各有其意 答柳貴三

又曰喪服疏曰除姪與兄弟及父母之外餘人爲之服者仍依出嫁之服恩疏故也 答鄭尙樸

陶庵曰適人而無夫與子者本親還服本服以其無受我而厚之者故服重者不降此所以只稱姑姊妹女也愚意以爲不必推看於輕服也 答或人

附　妾爲私親服

同春曰家禮所謂妾爲私親則如衆人云云見之所疑正在於則字以此爲不降之大證此則字如屬上句則果似危䠒古文則字多屬下句讀如將此則字屬之下句則坦然無可疑況喪服不杖期章公妾以及士妾爲其父母鄭註禮妾從女君而服其黨服是嫌不自服其父母故明之家禮不杖期條亦云妾爲其父母此言何謂也兄謂雖降其父母不降其餘親耶降餘親而不降其父母則有之降父母而不降其餘親是甚義理 答權諰

妾爲君黨服

妾爲君之父母

沙溪曰按儀禮婦爲舅姑期而妾爲君之黨服與女

君同至宋朝陞舅姑服至三年家禮因之而不言妾之服然儀禮旣有與女君同之文則妾爲君之父母亦當爲三年 家禮輯覽

同春問妾爲君之父母服云云愚伏曰儀禮婦服舅姑期年妾爲君之黨服得與女君同則亦期年矣至後唐劉岳書儀稱婦爲舅姑服三年宋乾德中左僕射魏仁浦等奏以爲書儀之文在禮爲當詔從之今之爲舅姑斬齊實自此始以此推之則妾當得與女君同而儀節妾爲夫黨服圖爲舅姑期年是仍以儀禮舊文爲據今亦難以臆見服三年惟在好禮君子

叅商情禮而處之雖服三年猶爲從儀禮與女君同之文而不爲義起也

又問云云愚伏答云云上見沙溪曰愚伏答是

妾爲君之黨

尤庵曰儀禮旣曰妾爲君之黨其服得與女君同則不須別著君之長子衆子之服而備要云云者豈以旣有其子之服故恐其混同無別而然耶旁期以下雖無相報之義然其女君旣從夫而服則妾又何敢殺於女君乎恐當以儀禮爲主同春所引愚伏說似好答閔冉重○愚伏說見上妾爲君之父母條

問庶母於他妾之子當服緦否閔泰重　尤庵曰當以君之衆子服服之矣

朽淺曰妾與女君尊卑不同則服其夫黨何敢同於女君哉其服之所以止於君及女君君之長子衆子而不及長子之妻者非有闕於禮文也答李成俊

妾爲女君之黨女君於妾無服幷論

沙溪問喪服小記從服者所從亡則已疏惟女君雖沒妾猶服女君之黨云云愚伏曰儀禮喪服篇及圖幷無妾服女君黨之文只疑疏說或誤耳若如所疑妾下脫子字則下文當言君母之黨不當直云女君之黨

南溪曰一從古禮屬從徒從之制則妾爲女君黨之服揆之人情雖似隔遠宜無不服如通典荀訥之議可也今家禮服制無他輕重之義其於妾服只著爲君爲女君及爲君之長子衆子及己子而已輯覽及喪禮備要妾服圖亦仍之只以儀禮添君之父母以楊儀添大夫爲貴妾士爲妾之有子三條而此外更無爲女君黨之服之語如欲於此從儀禮之制而爲女君黨之服則不惟人情爲不安未知於從今禮從時制之義無所背否也討今世不擧此禮者亦必有

所由然第未知畢竟果何如耳答尹拯

同春問云云喪服小記從服者所從亡則已疏惟女君雖沒妾猶服女君之黨云云此禮可行否沙溪曰女君於妾無服見喪服註妾服女君之黨通典論之女君沒猶服其黨者疏說雖如此於禮無見可疑喪服註女君於妾報之則重降之則嫌○通典荀訥答劉係之問曰禮妾從服女君之黨如女君此則同於近臣君服斯服不與服君母黨同也

兩妾相服

問兩妾相爲服否其服幾何沙溪曰通典可考

徐邈曰禮無兩妾相爲服之文然妾有從服之制士妾有子則爲之服緦妾可得從服又有同室之恩則有緦服義也

妾子爲本生親服

妾子嫡母在爲所生母

寒岡曰宋朝服制令有無嫡母則爲生母服之說今嫡母在堂則恐當以心制終喪 答朴明胤

問妾子爲其母古禮則朞而家禮則三年開元禮則無嫡母得申今有一庶人遭母喪而嫡母生存疑其服 或人 陶庵曰雖有古禮及開元禮而朱子於家禮旣

係之齊衰三年條其下仍言爲父後則降而不言嫡母在則降愚意以爲當以家禮爲正

承重妾子爲所生母

問喪服圖式承重妾子若無嫡母及嫡母卒則爲所生母服本服此說如何 李惟泰 沙溪曰承後之義旣重儀禮爲其母緦更無無嫡母則爲其母申之文楊氏所引宋朝制令雖本於開元禮恐不可從也

南溪曰沙溪之意謂不可申三年服耳非謂亦不申心喪也 答梁處濟

愼獨齋曰某以爲長庶子爲父後則不可主母之喪雖賤人不可無主祀則次庶子以三年服主其喪而奉其祭未爲不可宋明甫之意亦然而英甫之意不然未知如何也 答崔碩儒

問人有盲廢未娶私其家婢生一子云云龜川丈曰天下無無母之父又無無母之子似當題父之主以顯考題母之主以顯妣立兩廟各奉以別嫌又當追服三年云云 權㷜 遂庵曰凡爲父之妻者爲子之母何敢以父之婢妾稱顯妣乎極不可極不可禮庶子爲父後者爲其母緦此爲壓於父而不敢也非以其壓於嫡母而然也其人之行心喪殊得禮意追服三年

似無謂矣若別室祭其母云者可矣而亦不可具備廟制矣雖賤卑者父若備禮娶之生時與之齊體則子不敢論其貴賤如此者稱顯妣可也不然何敢稱也此人之不得服母三年以其承重也若有其弟雖不稱顯妣可以得伸三年矣

妾孫爲其父所生母

同春問妾孫爲祖後則爲其父所生母雖無服然亦應服承重三年者也似當依妾子爲母緦而心喪之例爲心喪三年如何沙溪曰妾母不世祭則元無承重之義應服三年云者不然矣然雖無服豈可遽同

於乎常之人乎依諸孫期服之制而若心喪者可也
又問妾子承重者爲其母當服緦矣妾子之長子當何服據有嫡子無嫡孫之文似當服本服如何妾子之第二子卽是承重其祖母之人而爲其父尚存不得服三年耶愼獨齋曰來示得之但喪雖微賤不可無主其父雖存旣非主人第二子似當服承重之服矣

市南曰庶子之子爲祖後則爲父之母無服云只此一欵爲庶孫服其祖母之明證也旣未及爲祖後則安敢爲其父承重而不服祖母也哉 答尹宣擧

尤庵曰庶孫承重者爲其父之母伸心喪未有明文難可臆斷盖妾孫於其父之母無承重之義恐不可行三年旣不行三年則何可伸心喪耶 答李選輝

問庶子之子爲其父之母父雖已歿亦當服期而或有服三年者如何 閔泰重 尤庵曰若是承重庶子之子則無論父在與否而皆當無服非承重者之子則只服本服矣三年則甚無謂矣若謂其父當服三年故代父三年云爾則有大不然者凡孫之爲祖父母三年者是承重故也今其祖母是其祖之妾而已則其孫豈可亦謂之承重而服三年乎

又曰承重妾子之長子則於其所生祖母無服審矣其餘諸子當如何 宣祖大王入承大統於私親諸父諸兄弟旣皆絕服而今聞靈豐諸宗於河原諸子孫相爲服云此與父之所不服不敢服之意相違 答尹文擧

南溪妾祖母承重服當否議曰所謂妾子妾孫有二種一則是其父承重者一則是其父不承重者其父承重而父亡子代則當如通典 通典爲庶子後爲庶祖母服議宋庾蔚之謂所後服祈承祖後則己不得服庶祖母也又天子爲庶祖母持重服議蔚之謂庶子爲後不得服其母以廢祭故也則己卒己子亦不得服庶祖母可知矣又諸王持重爲所生母服議蔚之謂庶子爲後爲所

生母服緦此禮之正文近遂爲三年失之甚也 家禮 家禮不杖期章庶子之子爲父之母而爲祖之後則不服也 及問解 沙溪答宋浚吉云云見上 之說無服而心喪期可也其父初無承重之事而父亡子代則通典 通典庾蔚之謂 父不承重己得爲祖母一周庶無傳祭故不三年也 家禮 家禮不杖期章庶子之子爲父之母以爲當服期通解續 儀禮經傳圖式本朝薛紳言祖母萬春縣太君王氏卒是先臣所生母服紀之制罔知所適云云詔太常禮院與御史臺詳定聞奏衆官參詳耀卿王氏子紳王氏孫尤親於慈母庶母庶祖母也耀卿既止受生當從之也又薛紳頃因耤田覃恩乞將[illegible]封母氏受恩澤回受與故父所生母王氏其薛紳官爵未合[illegible]封祖母盖朝廷以耀卿己亡紳是長孫敦以孝道特許封邑豈可王氏生則輒邀國恩沒則不受重服況紳被王氏鞠育之恩體尊義重合令解官特齊衰三年之服詔從之以爲當服三年但庾蔚之之論亦以爲爲庶祖則三

年爲庶祖所生母則不三年通典孫爲庶祖持重議蔚之謂祖庶父嫡已承父統而不謂之繼祖則祖誰當祭之所謂繼足承其後爲之祭故云傳重而服之斬若杜琬所言祖父俱嫡乃是繼曾祖耳祖雖非嫡而是己之所承執祭傳統豈得不以重服服之乎未詳孰是蓋其要似係於世祭之行不行耳所謂於子祭於孫否之說原於穀梁傳而鄭氏引之以爲妾母不世祭之訓其義正矣然至朱子乃答竇萬兩問言義明切竇文卿問云云答曰世祭與否未可知若祭則祔之爲祖母而自稱孫無疑矣又萬正淳問云云答曰妾母不世世祭則永無妾祖姑矣恐非義之說或不可從也爲壇之說恐亦未安祔嫡而祔妾并坐尤爲未合理於禮或容有別廟但未有考耳誠以小記既有妾祔於妾祖姑及中一以上所祔之文不啻鄭重則意者孔疏爲壇之語

禮疑類輯八　卷六　喪禮　二十五

或未可從又當容有別廟之義云爾然其下更着但未有考之說以結之要是未定之論又薛緯事通解雖有合令持三年詔從之之制而其所主意在於受重代養特許封邑被王氏鞠育三事代養鞠育固然矣至於受重只是緯受重於耀卿非耀卿受重於其所生母則恐亦不通雖其封邑既以其母所得者而替授之正如范文正之推恩朱氏此特一時之恩例其尤何足爲服喪之證哉事理如此而勉齋顧乃爲之收錄無所論正殊不可曉豈以圖式本是草具甫就者故其勢自不得不然耶然則此皆難可據而爲禮以至於使人服行而無疑雖於人情或似不安之甚者恐當姑從禮經通典家禮問解不世祭之義爲少乖謬不然豈以朱子繼開制作之學既發其端而終不爲之正論乎

遂庵曰周之法有嫡子無嫡孫今庶子承重者存則庶子之子不可以長庶論爲其父之母似當服期而但念庶子承重則便成適子爲其母緦者以庶母服服之也其父既爲嫡子則其子便是嫡子之子爲庶祖母服期似無其義然既無可據之文不敢臆斷答李根顯

禮疑類輯八　卷六　喪禮　二十六

又曰所謂承重者承祖之重也寧有不承祖重而只承妾祖母之重之理乎愚意則以尤庵先生所論爲不可易故年前庶從弟之遭此禮依尤師說而不服承重之制矣答李畬

陶庵曰云云大抵先王之禮其所以明於適子支庶之分至於此極者蓋以益隆其尊祖嚴父之禮非有所私與奪而然也爲彼之論者先以此爲崇禮敬親之本然後考於禮家文字之間則其於解其惑也無難焉不必以抑至情薄仁恩自悼也答閔翼洙辨金潤疏書

又曰其父既承重則於其子爲庶祖母矣庶祖母無

服恐非可疑且禮有嫡子無嫡孫則有服無服豈有長子衆子之別耶答或人

又曰庚子之子父歿後祖母死不敢代服三年已於肅廟癸巳年問議于大臣有定制矣答崔彥恒

問妾孫其祖母適他則當降其服乎尤庵曰云云見爲嫁母條

兼親服

問一人之身內外兼親稱謂與服制李惟泰　沙溪曰通典已論之

庾蔚之曰一人之身而內外兩親論尊卑之殺當

以已族爲正昭穆不可亂也論服當以親者爲先親親之情不可沒也或族叔而是姨弟若此之類皆是也禮云夫屬父道妻皆母道夫屬子道妻皆婦道此言本無親也若本有外屬之親則當推其尊親之宜外親不關毋婦之例無嫌其昭穆之亂故可得隨其所親而服之若外甥女爲已子婦則不用外甥之服是從親者服也外姊妹而爲兄弟之妻亦宜用無服之制兄弟妻之無服乃親於外親之有服也至若從母而爲從父昆弟之子婦則不可婦禮待之由外親之屬近而尊也其餘皆可推而知矣

南溪曰變叔姪爲娣姒一款誠難辨説但朱子解親屬記娣姒曰以夫之長幼爲先後所謂從夫之爵坐以夫齒者是也既以夫之長幼爲先後則本族叔姪之親有不暇論不得已姑依庾蔚之之言名從娣姒服從叔姪爲稍有據者否答李時春

又曰一婿一甥既非本宗昭穆之嚴則從其親者而爲小功自是常禮答李泰壽

問異姓姊妹爲外三寸妻則稱號與其喪服當何從閔泰重　尤庵曰是禮所謂兼親當從其服之重者耳

童子服年歲當冠而遭重服者因喪冠見冠變禮將冠遇喪條

退溪曰禮童子不免不杖不緦當室則免矣杖矣緦矣但言童子而不言年齒然古有子幼則人以衰抱而拜賓之禮況過十歲童子寧不服耶但其服或未必盡如成人而緦則不服耳答金就礪

沙溪曰凡服必相報長者於童子喪已遞減其服則童子於長者亦遞減以報之明矣據喪服記註疏當室童子雖服本宗而不服外親之緦是亦遞減之義也不當室者雖本宗亦無緦則小功以上獨不遞減乎惟祖父母曾祖父母則依女雖適人不降之義童

子似亦不降也更詳之答同春
喪服記註童子未冠之稱也當室者爲家主與族
人爲禮於有親者雖恩不至不可以無服也疏曰
與宗室往來故爲族人爲緦服若然不在緦章者
若在緦章則外內俱報此當室童子直與族人爲
禮有此服不及外親故不在緦章在此記也○玉
藻童子無緦服聽事不麻註無緦服謂父在時已
雖有緦喪不服但往聽主人使令之事不麻謂免
而深衣不加絰也童子未能習禮且緦服輕故父
在不緦父沒則本服不可違矣○喪服傳童子何

以不杖不能病也疏此庶童子以其未冠首加免
而已○雜記童子哭不偯委曲之聲不踊不杖不菲草屨
不廬疏未成人者不能備禮直有衰裳絰帶而已
○問喪童子當室則免而杖矣疏謂適子也○喪
大記子幼則以衰抱之○開元禮若適子雖童子
亦杖幼不能自杖人代執之○劉智曰嬰兒無知
然於其父母之喪則以衰抱之其餘親八歲則制
服○譙周曰童子小功親以上皆服不免不麻當
室者免麻十四以下不堪麻則否○射慈曰六七
歲雖未爲童其姊歿宜着布深衣○崔凱曰童子

始有親喪去首飾服白布深衣以至成服○庾蔚
之曰禮稱童子參差不一愚謂當室與族人爲禮
者是八歲以上及禮之人以其當室故令與成人
同射慈以爲未八歲者服其近屬布深衣或合禮
意
愚伏曰非當室則無服云者本謂緦服不拘本宗與
外親若祖父母兄弟諸父之喪自是重服不當論也
遞減月數如報服之示恐不當然有知則有哀有哀
則有服何可以已年之少而減其月數耶答同春
尤庵曰長者於殤以長中下各降一等故少者亦於

長者以三等各降一等也如八歲童子則於叔父之喪當服五月童子
八歲則當爲長者服矣答李遇輝
南溪曰童子服遞減之說始於沙溪未知其果然盖
禮有上下尊卑之體尊者雖以童子減其服而卑者
恐不當以童子而減長者之服也且以譙周說考之
十五以上自行常服不必加冠而後方成正服耳所
謂十四已下不堪麻則否者亦未詳其所指但可堪
則服之之意已在其中矣答權鐨
又曰禮有童子當室則免而杖之文楊氏引用於家
禮註中杖則無可疑若首絰則必冠者而後乃可爲

此制也答元夢翼

遂庵曰童子年已十二則衰裳腰絰不可省也答宋相允

陶庵曰備要言服必相報長者於童子有三殤遞減之制則童子於長者亦當遞減其服云而考之古禮未有明據且禮之不爲未成人制服以其用心不能一也其能勝者不禁劉智云童子八歲則制服射慈曰六七歲雖未爲童其姊亦宜服布深衣今童子八歲以上者哀慽親黨之喪如成人者有之又況年十八九者於五服之喪豈可以已爲童子而遞減其服乎備要說恐難遽從四禮便覽

諸服有無同異辨

爲師友服見師友喪諸節條

退溪曰三寸姪婦四寸孫婦有服者婦人內夫家故爲夫黨服三寸伯叔大功四寸大父母緦麻故已亦以大功緦麻報服也至如姑母夫姪女夫等彼於我以妻親不爲服故我亦無可服之義也答李德弘

沙溪曰從父姊妹爲從父兄弟之妻當爲報緦而家禮令　制國制幷無明文乃遺漏也○家禮輯覽下同

又曰妻爲夫之從祖姑本註及儀禮無服此圖恐誤

又曰甥爲舅妻既有服則舅妻當爲之報而不著恐是闕文

尤庵問外祖之服下同於從母從母與舅親同而服殊嫂叔以嫌不服而娣姒從夫相報舅之於甥婦有服而甥婦之於舅則不報沙溪曰經傳及先儒說可考

經曰爲外祖父母傳曰何以小功也以尊加也疏曰外親之服不過緦今乃小功故發問云以尊加者以祖是尊名故加至小功○從母小功舅緦麻傳曰何以小功也以名加也何以緦從服也唐太宗謂侍臣曰舅之與姨親疎相似而服紀有殊理

未爲得魏徵等議曰謹按舅緦麻請與從母同小功制可朱子曰外祖父母只服小功則姨與舅合同爲緦麻魏徵反加舅之服以同於姨則爲失耳○又曰母之姊妹服反重於母之兄弟緣於兄弟旣嫁則降服而於姊妹之服則未嘗降故爲子者於舅服緦於姨母服小功也朱子說與儀禮經文有異更詳之見姊妹旣嫁服條○又答余正夫曰姨舅親同而服異殊不可曉禮傳但言從母以名加也然則舅亦有父之名胡爲而獨輕也來諭以爲從母乃母之姑姊妹而爲媵者恐亦未然凡此皆不可曉若曰姑守先王

之制而不敢改易固爲審重然後王有作因時制宜變而通之恐亦未爲過也○喪服傳夫之昆弟何以無服也其夫屬乎父道者妻皆母道也其夫屬乎子道者妻皆婦道也謂弟之妻婦者是嫂亦可謂之母乎故名者人治之大者也可無愼乎註道猶行也謂弟之妻爲婦者卑遠之故謂婦嫂尊嚴之稱嫂猶叟也叟老人稱也是爲序男女之别爾若已以母婦之服服兄弟之妻兄弟之妻以舅子之服服已則亂昭穆之序也治猶理也父母兄弟夫婦之理人倫之大者可不愼乎通典貞觀十

四年太宗謂侍臣曰同爨尚有緦麻之恩而嫂叔無服宜集學士詳議侍中魏徵等議曰謹按嫂叔舊無服今請小功五月報制可至開元二十年中書令蕭嵩奏依貞觀禮爲定○問嫂叔舊無服今有之何也程子曰禮記曰推而遠之也此說不是嫂與叔且遠嫌姑與嫂何嫌之有古之所以無服只爲無屬今上有父母下有子有婦叔父伯父父之屬也故叔母伯母之服與叔父伯父同兄弟之子子之屬也故兄弟之子之婦服與兄弟之子同若兄弟則已之屬也難以妻道屬其妻此古者所

以無服今之有服亦是豈有同居之親無服者又問既是同居之親古却無服豈有兄弟之妻死而已恝然無事乎曰古者雖無服若哀戚之心自在且如隣里之喪尚舂不相不巷歌匍匐救之況至親乎遺書○朱子曰嫂叔先儒固謂制服亦可則徵議未爲失也○經爲夫娣姒婦服傳曰娣姒婦者弟長也何以小功也以爲相與居室中則生小功之親焉○朱子曰舅於甥之妻有服甥之妻於夫之舅却無服可疑恐是舅則從父身上推將來故廣甥之妻則從夫身上推將來故狹語類○以上逐條說○

大傳服術有六一曰親親二曰尊尊三曰名四曰出入五曰長幼六曰從服疏親親者父母爲首次妻子伯叔尊尊者君爲首次公卿大夫名者若伯叔母及子婦弟婦兄嫂之屬出入者女在室爲入適人爲出及爲人後者長幼者長謂成人幼謂諸殤從服者下文六等是也○從服有六有屬從有徒從有從有服而無服有從無服而有服有從重而輕有從輕而重註屬親屬也子從母而服母黨妻從夫而服夫黨夫從妻而服妻黨是屬從也徒空也非親屬而空從之服其黨如臣從君而服君

之黨妻從夫而服夫之君妾服女君之黨庶子服君母之父母子服母之君母是徒從也如公子之妻爲父母期而公子爲君所壓不得服外舅外姑是妻有服而公子無服如兄有服而嫂無服是從有服而無服也公子爲君所壓不得爲外兄弟服而公子之妻則服之妻爲夫之昆弟無服而服娣姒是從無服而有服也妻爲其父母期重也夫從妻而服之三月則爲輕母爲其兄弟之子大功重也子從母而服之三月則爲輕此從重而輕也公子爲君所壓自爲其母練冠輕矣而公子之妻爲

之服期此從輕而重也小記親親以三爲五以五爲九上殺下殺旁殺而親畢矣註由己身言之上有父下有子宜言以一爲三而不言者父子一體無可分之義故惟言以三爲五謂因此三者而由父以親祖由子以親孫是以三爲五也又不言五爲七者蓋由祖以親曾高二祖由孫以親曾孫玄孫其恩皆已疎略故惟言以五爲九也由父而上殺之至高祖由子而下殺之至玄孫是上殺下殺也同父則期同祖則大功同曾祖則小功同高祖則緦麻是傍殺也高祖外無服故曰畢矣 以上通論

尤庵曰從兄弟之妻家禮不立服而　國典有之此等服服之亦可不服亦可也然當從情義之如何耳 答閔泰重

問夫則不服從兄弟之妻妻是從夫者而服者何 鄭尚樸

南溪曰圖式夫以遠之而不服婦從無服而服之自以其倫服義當然也

緦不降之誤

問緦服不降云而家禮服制圖緦服出嫁無如此者雖緦猶降而無耶 吳允諧

沙溪曰緦不降之文禮經無之疑是俗人因喪服疏外親不降之說而傳訛也以

儀禮家禮觀之當降無疑

儀禮殤服大功七月註云不忍從父昆弟之降而絕也蓋不立七月之制則從父昆弟長殤爲小功中殤爲緦麻下殤則絕故也○奔喪婦人降而無服者麻註婦人降而無服謂姑姊妹在室者緦麻嫁則無服也 據此兩條緦服之當降可知 ○家禮緦麻條云爲夫之從父姊妹適人者不降也 按家禮只此一條不降則其餘皆降可知

尤庵曰家禮成服條明言爲人後者爲其私親皆降一等據此則不但私親異姓之緦雖同宗之緦亦當

降而無服也（答玄以規）

式暇服制之異

牛溪問旁親服給暇式昉自何代豈漢文之詔耶國家之法豈令給暇而已耶抑短喪如漢文之意耶以爲給暇而已則不應居官之式又少於凡民而凡民又何用給暇耶今俗制旁親服略成風俗固當從之然時制以爲短喪也則豈非未安乎渾今遭重服乃義服也前日季父喪所見如今不定而又諸兄在上有所拘礙未能制服今則欲制服而義服情有所未盡而又疑於法也但欲服布帶一月厥後白衣素

帶終其月數如何龜峯曰家禮五服月數明載無可致疑楊氏補入式暇一條本意非欲使棄家禮本文而從此式也况無短喪之據乎此式昉於何代不須議爲朱子以其時人既知斯式而於五服月數及服制生熟麤細甚爲詳密今宜從朱子家禮而楊氏補入式暇一條何可混論於五服月數中乎且我國大典亦不曰短期喪爲三十日而於五服皆從古禮月數只於式暇云三十日以下日數則使人人家行五服如禮而 國家給暇日數之如是明可知矣如或一從 國典給暇日數則妻父喪亦用期制乎在職少於非在職是必 國法以在職爲任重而少私喪也所云非在職亦非如所示小民也疑或解官也或士人也

成服

衰服冠巾絰帶杖屨（見治喪具條中成服之具條）

成服時雜儀

南溪曰成服盛祭於禮無據盖以事死之初故情勝至此勿用可也（答梁處濟）

問成服條雖無哭再拜之文而從俗因朝奠設饌則五服之人各服其服入就位哭再拜行禮何如（柳億）尤

庵曰既曰朝奠則何可不拜

五服相吊之儀

問五服人相弔之儀（黃宗海）沙溪曰依丘儀行之可也

丘氏儀節（是日夙興）具服（五服之人各服其服執杖者腰絰者絞其麻本之散垂者）各就位（男位於柩東西向女位於柩西東向各以服爲次序）舉哀相弔（諸子孫就祖父前諸父前跪哭皆盡哀又就祖母及諸母前哭亦如之女子就祖母及諸母前哭遂就祖父諸父前如男子之儀主婦以下就伯叔母哭亦如之訖）復位（出大門 集禮）

又曰儀節及正衡所論相弔之儀甚好（答同春）

愼獨齋曰相弔無再拜之文如儀云者如常儀之謂也（答崔愼）

尤庵曰家禮既曰相弔如儀朱子時必有其儀而今不可考耳世俗男女相向跪哭依此行之亦無所妨耶答柳憶

南溪曰五服相弔之儀雖原於開元禮而成於儀節然係儀禮所無家禮所删則不行恐宜權晩悔嘗曰五服之人各服其服入就位則成服也朝哭卽下章之朝哭也弔卽下章之弔也其儀幷在下故曰如儀此說甚分曉似得禮意也不然如儀二字亦解不得上尤庵

又曰朝哭相弔及朝夕哭奠雖是別文若乃成服之

時則當服其服就位朝哭仍行朝奠然後行相弔禮爲是盖言朝哭則奠在其中儀禮雖異其節而家禮相次行之不容相弔後始行奠禮也其後更立朝夕哭奠之文者乃統言節目似難以此而過泥矣答金樑

大斂成服不可同日見喪變禮過期之禮條

在途喪到家成服見喪變禮道有喪條

喪出癘疫不成服之非見喪變禮染患中喪禮諸節條

偕喪成服先後見喪變禮幷有喪諸條

國恤中私喪成服見國恤條中並有君父喪總論條

主人奔喪與在家兄弟先後成服之節見喪變禮奔喪條

所後喪中遭本生親喪奔哭成服之節見喪變禮幷有喪條

聞訃後計入棺日成服見喪變禮聞喪條

成服有故追行見喪變禮追行之禮條

入棺前草殯成服見喪變禮草殯條

禮疑類輯卷之六

禮疑類輯卷之七

喪禮

朝夕哭

朝夕哭諸節

河西曰朝夕哭奠即禮之昏定晨省也

陶庵曰按代哭既止夕哭當自此日始○四禮便覽下同

又曰古之成服必於朝哭云云詳見成服條中成服時雜儀條

同春問朝夕哭時當有拜禮而喪禮闕之何歟愚伏曰家禮朝夕哭奠有再拜之文何以云闕之耶又曰哭奠是一時事非兩項事

又問愚伏曰云云見上此說如何沙溪曰喪人常侍几筵故無朝夕拜謁之禮也家禮朝夕奠再拜非爲朝夕哭也爲設奠也今人皆以朝夕哭及奠爲一項事常以爲非曾考士喪禮果爲二項事愚伏說非是

語類問孝子於尸柩之前在喪禮都不拜如何朱子曰父母生時子弟欲拜亦須俟父母起而衣服今恐未忍以神事之故亦不拜之○通解士喪禮朝夕哭不辟子卯婦人即位于堂南上哭疏云直云婦人哭則丈夫亦哭矣但文不備也丈夫即位于門外西面北上外兄弟在其南南上賓繼之北上主人即位辟門主人拜賓右還入門哭云云右朝夕哭 徹者盥于門外升自阼階祝先出酒豆籩俎序從降自西階云云右徹大斂奠 乃奠醴酒脯醢升丈夫踊入如初設賓出主人拜送云云右朝奠

問朝哭俟日明夕哭俟日暗吳益升 尤庵曰禮記夕奠逮日家禮夕奠畢奉魂帛入靈床哭盡哀合二禮觀之則似不至暗矣

又曰朝夕哭不拜若以爲常侍几筵之故則朝夕奠朝夕上食何以有拜也此不可曉朱子嘗晨夕謁廟以一日暮醉歸爲未安而仍廢夕謁據此則夜歸几

筵而廢哭拜者或彷彿於此耶不敢質言答宋奎濂

又曰虞後朝夕哭時不須啓門燃燭雖葬前燃燭非禮也答閔元重

奠

朝夕行奠之節

退溪曰朝夕奠有別床上食時勿撤可也有前後床則朝夕奠奠於前床似可言行錄

南溪曰朝夕奠與饋食于下室乃兩節而方氏合而論之恐未安答李彥純

問朝奠及題主條云再拜哭盡哀遷柩條哭盡哀再

拜虞祭則哭再拜文勢不同丘儀於此數者皆以且
哭且拜爲之儀節黃宗海　沙溪曰丘儀亦可從也
退溪曰執奠子弟之職或子弟有故親執可也答金就礪
寒岡曰喪主洗手親祭決不可也無族人執事則令
行者可以代奠内喪則令婢子可以代之答盧亨遇
問葬前奠上食主人自行則似當盥手尹宷　尤庵曰當
用略自澡潔之文或無妨矣
問朝奠條不言主婦閔采萬　南溪曰殯後男子位于堂
下婦人猶在堂上饋奠之時恐無不參之理旣參則
又恐無不拜之理

朔望行奠之節

同春問三年内殷奠無參降何歟沙溪曰孝子常侍
几筵故不爲參降也
南溪曰朔奠雖用肉魚麵米食而稍減於大祭鮓不
必用如醬亦當依上食設於食床中羹當置於匙楪
之内皆象生時之義也答成文憲
退溪曰朔望奠在禮亦無三獻混依祭行之今思未
爲得也答鄭惟一
又曰士惟朔奠者先王制禮有降殺等級然今人非
至於窮不能辦則幷擧望奠亦未爲僭也答權好文

沙溪曰按家禮無論士與大夫皆無月半之奠蓋朱
子斟酌時宜從簡之道也東俗雖寒士家亦設於月
半非家禮之意然其來已久似難猝變家禮輯覽
同春問士喪禮月半不殷奠月半奠固是大夫禮然
平日家廟常行望日參禮今於几筵豈可全廢惟饌
品與朔奠有差如何沙溪曰望奠差減而行之爲可
遂庵曰朱夫子朔望歸奠與家禮有異誠不可知無
乃韋齋贈爵至大夫祝夫人從贈三年祭奠用大夫
之禮故如此耶若然則不必爲士望奠之證耶答李東
問士喪禮有殷朔奠之文云云成爾鴻　遂庵曰奠則必

留酒果者以其依神也朔奠雖輟糆餅之屬酒果則
仍存可也何必幷輟酒果然後方謂之輟耶

俗節別設合設之辨

沙溪曰俗節因朝奠兼上食行之似過盛朝上食後
別設無妨答同春
同春曰上食後別設恐當答閔維重
尤庵曰俗節重於朔望審矣問解所答恐別是一義
也以兼設於上食爲過盛而欲別設焉若以常情言
之則別設爲重而合設爲輕今反以合設爲盛恨不
得禀質也答李寧

問問解答同春俗節之問云上食後別設酒果數品俗節但言流頭七夕重九等節歟抑並言正朝秋夕寒食端陽四節歟升吳益尤庵曰當如老先生說矣然兼行於上食恐亦無妨也旣云俗節則似是晉同言之耳

南溪曰沙溪以爲過盛者恐其同設與朔奠無別也依其說別行於上食後恐當答金栽

遂庵曰俗節因朝奠兼上食是今世通行之例上食後設未嘗聞也答金秀五

發引日行朔望奠之節見發引條

發引前諸子女別奠當否同上

葬後朔望奠見葬後諸節條

祥後行奠之節見祥後諸節條

父在母喪祥後饋奠當否見父在母喪諸節條

在外行奠之節見離喪次諸節條

上食

成服前上食當否

退溪曰上食所以象平時也死喪大變之初死者魂氣飄越不定生者被括哭擗無數此時只設奠以依神則可矣上食以象平時非所以處大變也當是時生者三日不食亦爲是也而今之儀註於小斂前已有上食之文恐失禮意答金就礪

沙溪曰五禮儀襲下有始設朝夕奠及上食之文而禮經及家禮則成服之日始設當從禮經家禮輯覽

陶庵曰成服前上食終恐非時襲奠前用庋閣之義已極精細只當依此而已奉養之具四字未敢知上食之必在其中也答徐宗華

在途成服前饋奠見喪變禮道有喪條

上食處所與葬後諸節條中葬後上食當否條所引檀弓朱子諸說參考

退溪曰今俗殯前設几筵朝夕奠及上食皆行於此矣儀禮有饋食下室之文下室猶今中堂然則古人設几筵處只行朝夕奠而上食則象平時行於中堂矣此與今制不同未知其上食處以何依神而上食也答趙振

同春曰據禮大斂始有席而無几至虞始設几筵相配下室之禮在於未葬生事之時則其不配設几筵無疑況葬前奠時經與紀明言設席於室奧東面不言設於下室則其以殯室爲主也明矣寧有歸重於下室反設虛位於殯室之理耶答姜碩期

尤庵曰下室燕寢卽今內堂也答李碩堅

南溪曰下室卽內寢生時飮食有事處也然後世難備此制故乃於靈座前行之亦自有義答文後開

上食時陳設行事諸節

同春問三年內朝夕上食禮無燃燭之節而奠賻儀有燃燭之文退溪先生亦曰上食時廢燭未安而貧家蠟燭實難常繼代以油燈無妨云當依此遵行耶

沙溪曰申生義慶及礪城說錄上

申生義慶曰云云從禮經之說早晴則燃燭旣明則滅之可也○礪城尉宋公寅曰家禮大小祭祀幷無用燭之節而儀禮有質明滅燭之文禮記有

日不足繼之以燭之語以此觀之燭之爲用只以破暗無預於事神之道也

退溪曰上食時只奠一酌可也但朔望則依五禮儀註奠三酌恐或爲宜答金就礪

南溪曰上食用酒雖無明文世人行之已久有不得而廢矣三年內上食乃以象生時爲主當右設無疑答梁得中

沙溪曰代神祭乃盛祭時禮也朝夕上食則不當爲之答同春

尤庵曰進茶後抄飯一節恐是東俗家禮則無之恐當以家禮爲正答或人

陶庵曰抄飯一節鄙家以三年內象生隨俗行之三年後則不行之矣答李灌

南溪曰上食終始立哭者是也答朴尚淳

又曰奠及上食無論輕重皆當用一再拜之禮答李紘

問使婢僕上食不謹不如不行金就礪退溪曰此甚未安但亡者或慮其若是而有廢其上食之遺言則只朔望可矣無是而卻廢几筵之奉未可輕議也

上食不用拘忌

南溪曰新舊喪雖不同上食非時忌祭當齋之比則

往返喪家後忝上食恐無大妨答洪重楷

又曰瘟患不可廢饋奠哭泣云云詳見喪變禮染患中喪禮諸節條中饋奠不忌瘟患條

夏日三上食

同春問人或有夏日三上食者如何沙溪曰儀禮註疏有所論

士喪記燕養饋羞湯沐之饌如他日註饋朝夕食也疏鄭註鄉黨云不時非朝夕日中時一日之中三時食今註云朝夕不言日中者或鄭略言亦有日中也或以夕後略去日中直有朝夕食也

南溪曰禮無三上食之文獨我國　文昭殿之制如此豈聽松孝思無窮姑遵此制耶栗谷之載于行狀亦非以爲後世法只明其當時自致之實耳 答沈倪

値先忌緬禮上食用素當否

愼獨齋曰神道固與生人異但葬前則雖不祭祖先而其日用素似合情禮 答崔愼

尤庵曰父母葬前一用事生之禮則其行素之日用素饌於饋奠亦或人情之所宜然不敢質言 答或人

又曰先賢之說以爲父歿於祖喪中則葬前用素饌自虞祭以後則用肉饌盖虞以後則神之之故也喪

中尚然況忌日乎 答金溥

問葬日即親忌云云 洪重楷 南溪曰下棺時刻若在平朝以前則自朝上食用肉若在辰巳以後則朝上食用素自題主奠始用肉如何

同春曰喪中歿者祖先忌日恐不必用素 答閔泰重

南溪曰若葬前則雖每忌素饌亦可卒哭後似當用肉饌 答洪重楷

又曰泛言三年內上食之禮則旣在虞卒哭神之之後故可以不用素饌矣今此先墓遷改之時則又與常時上食之時有間孝子若有不安之心則當以此推而上之體先府君孝心而略變其禮恐亦或有其義矣然未見有明文故不敢質言 答閔鎭厚

問將行曾祖緬禮而於亡親几筵朝上食當用素饌云云 李命栽 陶庵曰以生人而體亡者之心雖若不安而葬後則以神事之禮也只當用常饌殷奠亦無可廢之義

發引日朝上食 見發引條

葬日値先忌上食用素當否 見上値先忌用素當否條中南溪說

虞祭日夕上食 見虞祭條

葬後上食當否 見葬後諸節條

練後上食哭泣有無 見練後諸節條

父在母喪祥後饋奠當否 見父在母喪諸節條

新喪成服前前喪上食當否 ○廢朝夕哭幷論 見喪變禮幷有喪條

新喪葬前前喪上食用素當否 同上

幷有父母及諸親喪饋奠行事之節 同上

私喪中遭　國恤饋奠行廢用素當否 見國恤條

追喪除服前上食當否 見喪變禮追喪條

無後諸親喪撤几筵遲速（見喪變禮無後喪條）

生辰

同春問先考生日適在季秋欲於三年後因其日行禰祭而第未知三年内設享亦難免非禮之譏否沙溪曰几筵異於祠堂以酒果餅麪如朔奠禮設之如何此非祭禮恐無不可

問三年内遇亡人生辰上食後別設數饌行之何如（具益升）尤庵曰恐當如此鄙家喪中象平日饌品稍備而行之耳

南溪曰生辰祭雖曰非禮之禮三年内則又不可不行其儀倣俗節別設（答沈壽亮）

陶庵曰生朝之祭一日再祭恐近於瀆兼設於殷奠似爲允當（答閔百善）

弔慰

弔時服色（始死弔服見親厚入哭條）

退溪曰古人至以首腰經往弔今人雜服以弔俗之弊也素冠雖不可爲白衣白帶甚可也（答趙振）

弔時諸節

尤庵問受弔之時迎送之節沙溪曰禮經所論可考喪大記婦人迎客送客不下堂下堂不哭男子出

寢門外見人不哭註堂以内至房婦人之事堂以外至内男子之事非其所而哭非禮也婦人於適者固不下堂若君夫人來弔則主婦下堂至庭稽顙而不哭也男子於適者之弔亦不出門若有君命而出迎亦不哭也

沙溪曰問曲禮居喪之禮升降不由阼階則拜賓之時亦由西階而升降乎今家禮主人哭出西向再拜賓亦東向答拜所謂西向之位其不在阼階下乎愚曰按士喪禮君使人禭主人拜如初有大夫則特拜之即位于西階下東面不踊註即位西階下未忍在主人位也疏小斂後始就東階下西南面主人位也又男女奉尸侇于堂主人出于足降自西階衆主人拜賓即位踊註即位踊東方位疏即位踊東方位者謂主人拜賓訖即向東方阼階下即西面位又按雜記曰弔者即位于門西東面主孤西面相者入告出曰孤某須矣弔者入主人升堂西面弔者升自西階註門西大門之西也主孤西面立於阼階之下也須待也凶禮不出迎故云須矣主人升堂由阼階而升也曲禮升降不由阼階謂平常無弔賓時耳以此觀之始死拜賓在西階下東面而小斂始就阼階下西

面家禮輯覽
南溪曰以家禮位次觀之客之始至主人當在柩東之位以哭及客哭靈座訖乃哭而出西向受弔然今禮皆不能從從備要位次行之恐不得不然答鄭尚樸
尤庵曰弔喪時上香自有明文何可闕之弔人時主家炷火則上香不然則亦闕之矣答尹家
問今人弔喪或立哭或伏哭黃宗海 沙溪曰當立哭也然從俗伏哭亦無妨
尤庵曰朱子祭延平文有伏哭柩前之語余以此爲據而弔喪伏哭也答崔慎

栗谷曰今人多不解禮每弔客致慰全不起動只俯伏而已此非禮也弔客拜靈座而出則喪者當出自喪次向弔客再拜而哭可也弔客當答拜擊蒙要訣
尤庵曰主人只一再拜自是今人之失今世亦有再度再拜者矣答尹案
遂庵曰拜禮宜從古禮而弔者不應則從俗亦何大妨答安太輿
問弔喪時主人拜賓則賓或有立而受拜者或有伏而受拜者金天賚 陶庵曰立而受之爲勝
南溪曰曲禮云凡非弔喪非見國君無不答拜者蓋古弔禮賓不答拜故也今家禮本書儀有答拜之文楊氏所謂交拜非禮者只以古禮爲主耳答李德明
問甲云凡弔禮尊卑雖不齊孝子必先再拜乙云主人一拜未畢客隨主人互答一拜後一拜亦如之梁處濟 南溪曰凡賓主相拜立定主人先再拜訖立定賓又再拜以答之今俗不知此義賓主皆一時相拜非但弔禮然也是故禮意則甲說固是而行禮則乙說自成必賓主皆知此意相約變俗然後禮可行也
問半答跪還俞命賚 尤庵曰凡拜雙下兩膝而今只落一膝故曰半答跪還每欲以跪字屬上句還字屬下

句看
問跪還成文憲 南溪曰半答其禮故不爲之與拜但跪而回還也
問鄭註云非親戚來弔則帷中之哭不可云云梁處齊
南溪曰禮無內外皆哭之文鄭說似是惟設奠時必用女僕則或可從哭以助主人之哀也

弔有哭不哭

問交深者在喪則雖不知亡者弔而且哭可乎栗谷曰子夏喪明而曾子哭之若哀其在喪而欲哭之情發則雖哭無妨

問知生者弔知死者傷禮也但生者情厚則雖不知死似不可不哭 姜頊期 沙溪曰死者無分則豈可強意哭之

冶谷曰若與生者情厚如兄弟雖不知死者其父母猶我之父母也與死者如兄弟則雖不知生者而視其子當如己子也其與之哭盡哀以同其戚爲可已

尤庵曰弔生哭死禮經之文甚明其間抑或有稱情變通之義耶第朱受之詣東萊時朱子令致語曰某於門下自先祖父以來事契深厚云而只令展拜廟下郎中公几筵亦以命焚香再拜而已未嘗令哭則其情文之間必有量度處中之道矣 答南溪

禮疑類輯　卷七　喪禮　十五

問曾子曰朋友之墓宿草不哭今或在遠地練後往弔則猶且不哭乎 黃允諧 沙溪曰曾子之說雖如此若情厚者則哭之何害亦人情之所不能已也

問死者無分拘於生者情厚而哭死者旣不可只弔生者而不拜死者亦似迫切 蔡休徵 遂庵曰斗日與死者不相知則不須入拜只弔喪人何妨

主人與弔者有知不知

問人之弔問也兄弟有知有不知則知者獨可受弔耶抑不知者並可出受耶 李泰壽 南溪曰來客無請弔知者之意則主家恐難以不知之故先自引入

沙溪曰於死於生者皆所不知之人非爲喪事亦不爲弔慰而來則不必哭也 答同春

弔內喪 內外同殯合葬處哭拜并論

退溪曰禮當升堂拜母之外不許入今人皆入弔未安 答寒岡

問平日若不升堂則似不可爲外喪而便入哭於內喪同殯之處如何 姜碩期 沙溪曰內外喪不可同殯入哭與否不須問也

又曰婦人之喪未及升堂者不哭可也鄉人多有哭之者非是 答黃宗海

禮疑類輯　卷七　喪禮　十六

問婦人喪未升堂者同姓親非同五世祖者異姓親七八寸入哭與否 吳益升 尤庵曰同姓則無問親疏異姓當視情分之如何耳

又曰尹子仁於亡室未嘗相見而亦入哭云此恐參酌情禮而處之也 答宋奎濂

遂庵曰內喪入哭者雖同姓不可太無限節袒免之外則似未安異姓戚誼若切近則平日雖偶未及升堂入哭有何不可 答宋相琦

又曰婦人之喪雖未升堂情若親戚則弔喪人時哭

之亦何不可答蔡徵休

農巖曰一家婦女雖平日所不面其喪似須入哭從前於同姓親雖八九寸皆入哭異姓視此有間而五六寸則亦宜入哭答魚有鳳

問內外同殯處云云先賢墓未必獨葬而多省謁處梁濟

南溪曰同殯則猶同室恐難直行入哭墓則不然比之生人之家家中雖夫妻同處從家外哭拜何害曾見尤庵必便向男位所安處而行拜其亦有義耶

畏壓溺不弔

沙溪曰畏壓溺不弔檀弓有之而不服之言則未之

見若死於兵若赴京溺於海則豈有不弔之理乎答黃宗海

弔日不飮酒

尤庵曰弔人而不飮酒食肉禮則然矣然情不親厚者則只一不肉亦可耶答尹宷

問親知之喪雖已弔哭有時往臨則不飮酒食肉尹宷

尤庵曰程子葬父周恭叔主客客欲酒恭叔以告先生曰勿陷人於惡

陶庵曰弔後不飮酒食肉在喪家則固宜如此而若或多日則亦恐未易然勿於有喪者之側可也答安鳳胤

下棺題主前弔奠見前引後窆諸節條

返哭時行弔見返哭條

練祥日弔哭見小祥條

除喪後受弔見祥後諸節條

喪中弔哭致奠弁論○見居喪雜儀條

重喪中遭輕喪不能具服者會哭受弔之節

同上

在外弔哭見雜喪次諸節條

服人不在喪次者受弔同上

慰疏式見書疏式諸條

奠酹

奠酹諸節

顧庵曰今俗致奠爭相侈靡以爲不若是不足以行禮或有謀諸婦而未易辦則遂不行之惑矣何不烹一隻雞釃一壺酒一哭而酹之靈魂必爲歆享矣

又曰奠禮必用香燭何耶意者一家之人精神相接固無所待矣若其自外來者須憑光氣薰灼之功可通幽明有無之際玆所以用之者歟

問家禮致奠在於祖奠前而世俗皆以祖奠後李綖

南溪曰當依家禮其因事致晚者不在此例

問士喪禮質明滅燭弔者必不於昏夜來哭而炷火燃燭何耶無乃弔者既已持來故不欲虛其意雖晝亦燃之耶 鄭尚樸 南溪曰輯覽之意亦然

問入酹跪酹酹作奠字則不祭於茅而直獻神之謂耶 柳貴三 南溪曰入置神位之前當少傾於茅上

問奠用香茶燭酒果註曰有狀或用食物即別爲文爲文即別作祭文之謂也只用酒果亦可爲文何必待用食物而後乃爲文耶 或人 尤庵曰只用酒果是分不甚厚而循例致奠者惟分厚者然後用食物故亦別爲文也此段之意恐是如此

問入哭奠訖條主人哭出西向云云蓋主人本位於靈床之東至是哭出幃外故輯覽圖亦然而至於備要則主人位圖於靈座之東而哭出西向圖於階下恐失照勘 崔徵厚 遂庵曰輯覽圖似是矣

南溪曰焚祭文雖在儀節若必如此喪家有不見其文者不焚恐無妨蓋與祝文有間矣 答李行泰

問喪中不可徃哭朋友以文侢奠 李時春 南溪曰云云 見居喪雜儀條中喪中弔哭條

退溪曰既葬後奠几筵三年已過就墓行之云云 詳見師友喪諸節條中朋友條

下棺題主前弔奠 見引後窆前諸節條

太學奠禮

南溪曰奠禮節目中素巾一款蓋儀禮所謂無官云云正指儒士而言第今者學生平日專守　國家格令黑布巾之外無他法服則其不可爲弔服加麻者乃獨可爲素儒巾乎以禮意觀之素巾固當於弔服而以惟　國恤用布裹幞頭之義推之太學生恐與有官者無別况於奠物人員皆必自本館辦送其勢尤碍禹秋淵性傳記太學致奠栗谷時事只有着白團領之說其不素巾亦可知矣 與李萬謙

奠賻狀式

尤庵曰禮有讀賵之文家禮弔時讀奠賻狀蓋出於此其式略如家禮所載而刪去送上歆納等字則或不甚遠否 答朴光一

問狀內不書甲子乎慰人答人亦只言月日而無年 柳貴三 南溪曰平交降等則禮當減殺故不用年也慰答之只書月日恐蒙此年月之文耳

喪中死者不行致奠 見喪變禮喪中身死條

禮疑類輯卷之七

禮疑類輯卷之八

喪禮

葬期

論渴慢葬

退溪曰及期甚當不幸而窮不及期則不得已而至於擇葬若兄弟各拘吉凶久而不葬者甚不可也答權好文

朽淺曰葬月禮文但言自天子至士之月數而違此則非禮也山運之説出於後世術家之熒惑至有緣此而經年者甚無謂也答趙惟顔

尤庵曰未及三月而葬則誠有無故渴葬之嫌而葬踰三月則有明據盖朱子於癸亥三月丁韋齋憂翌年甲子葬于白塔山月則未考雖在其年正月猶十一月矣其葬祝夫人亦在五月之後今日踰期而葬恐當以此援例而無僭逼之慮答靜觀齋

又曰家禮不問尊卑皆令三月而葬然孔子嘗許貧者還葬所謂還葬入棺後卽葬之謂也今以貧殘不得已而葬之於三月之內恐與無故渴葬有異也答洪友周

又曰拘於時日而渴葬者自是違經悖禮之甚者此何足言答尹家

南溪曰渴慢兩葬其失均矣然其過期者恒多者爲有近於先遠之義而雖古君子亦時不免焉此所以愈於不及者也答金萬增

遂庵曰王公以下皆三月而葬宋時國制也故家禮之文如彼而我國之制則不然踰月而葬何妨答宋相允

問大心殀四十日而葬恐爲報葬云云或人陶庵曰云云詳見卒哭條中踰月葬卒哭不待三月條

葬不拘閏月

問人家葬期不可用閏月耶崔有華　尤庵曰吉凶大事

不可用於閏月云者非是

問三月而葬王制註除死月爲三月而今人皆數死月何歟且云大夫除死月士數死月柳貴三　南溪曰除死月數死月之別以位有尊卑故也然今人不除死月者恐以後世大夫士之辨不得一用成周之制故此不得獨異而然也

擇地

總論

沙溪曰按風水之説其希覬富貴之説雖不可信若夫乘生氣以安祖考之遺體盖有合於伊川本根枝

葬之論先儒往往取之文公先生與蔡季通預卜葬穴及歿門人裹襆行紼六日始至蓋亦慎擇也吾朱子論擇地謂必先論其土勢之強弱風氣之聚散水土之淺深穴道之偏正力量之全否然後可以較其地之美惡從之擇葬地者誠本朱子是說而參以伊川光潤茂盛之驗及五患之防庶幾得之矣 家禮輯覽

尤庵曰朱子說可考陰陽家說前輩所言固爲正論然恐幽明之故有所未盡故不敢從然今亦不須深考其書但道路所經耳目所接有數里無人煙處有欲往者亦往不得其成聚落有合宅處便須山水環

合略成氣象然則欲擁蔽其父祖安處其子孫者亦豈可都不揀擇以爲久遠安寧之慮而必盡委之乎但不當極意過求必爲富貴利達之計耳此等事自有酌中恰好處便是正理世俗固爲不及而必爲高論者似亦過之也 答尹宗

墓地不可倒用

尤庵曰墓地既曰倒用則可見其違理矣況有程子定論復何疑乎 答尹宗

問考位先葬妣位後葬而歷在先葬則尤極未安 崔屬

應陶庵曰歷臨先葬龍尾勿論考妣皆極未安義理所不安處則一等不葬亦可行也

治葬具

穿壙之具

外槨用否

旅軒曰世俗用溫公之論者固多矣然用槨古禮不可廢 答或人

愚伏曰槨是聖人之制家禮雖用溫公書儀不用槨其意豈所謂灰隔乃今之外槨也今人難得許大好木與其多費而白邊者決不如不用之爲得也其木不堅良從容歸腐朽與骸骨相雜且令壙中寬廣不能牢固

然則雖有良材不如不用矣況今兩棺於一槨之內則其占地尤爲寬大使壙中虛曠易於摧陷豈非可慮之大者耶隔板用灰之制雖出於近代而石灰之堅完精緻比石槨片片相合者不啻過之以此附棺有何小欠於孝子必誠必信之心乎 答鄭宗後

尤庵曰朱先生既主不用槨之說而有灰隔之制家禮用之矣 答尹宗

南溪曰外槨鄙家亦有先戒近方斷用薄板 答朴鐔

又曰人有葬父母或不用外槨者其子不敢變命不用槨此則情禮固當至孫曾以下欲世世守之恐大

泥或用標而稍殺其度爲合宜否與尹拯

隔灰諸具見穿壙諸條中

翣引之具

翣

問翣制云云是申沙溪曰既曰如扇而方則高廣皆二尺欲使縱橫正方而只兩角高四寸而已今若圓曲而下自其斜鋭而謂之角則果可謂方乎

同春問翣扇似當用造禮器尺而其高出於椁上似不穩勢當用周尺沙溪曰用周尺似可

問亞翣雲翣云云圖式各異家禮五禮儀有二角丘

氏儀節兩角尖喪禮備要兩角方云云蔡徵休遂庵曰兩已相背取其方也此乃黻翣俗傳爲亞翣畫以雲者飾也家禮圖出於元人之手不可從從備要兩角爲得

愼獨齋曰用數多寡貴賤不同而今之大夫皆得用四未知合於禮否也位至宰列可謂大夫雖得大夫告身豈可用大夫禮也答崔碩儒

南溪曰士者乃上中下士之稱本非無官職者所可得之然禮窮則通只當據用雲翣而俗人不知其不敢畢用黻翣甚無謂也答申仲

尤庵曰翣扇士之用四恐是僭也答柳僖

陶庵曰士用雲翣二自是不易之分世俗之用四僭也何可效尤也答李命元

功布

問功布之功字俞命賚尤庵曰謂大功之布也

又曰功布不見於家禮正文而附註有之是出於古禮也蓋行柩時執此以爲抑揚左右之節未見用二之文未知丘儀據何書而一人各持也答閔元重

問功布或埋或焚一有西厓曰功布焚之稍穩

挽辭辭非時不見國恤中諭祭條○挽私喪禮中諸節條

退溪曰廣求虛誇則非不然用之何害況今用者多而不用者罕乎答鄭崑壽

尤庵曰挽詞朱先生亦有爲人作者此未知先生自製以誄人耶或自喪家請之耶未有所考答李箕洪

南溪曰挽詞出於後世非禮經所存若非朋友敘哀則不必用答崔瑞吉

遂庵曰送紙請挽禮文所無不爲之可也答金瑞

問云云成德朝陶庵曰云云詳見喪禮諸節變禮中被罪家請挽條

方相

同春問方相魌頭狂夫爲之何義沙溪曰諸家說可

考

集說軒轅本記云帝周遊時元妃嫘祖死于道因置方相亦曰防喪蓋始于此○周禮方相氏掌蒙熊皮黃金四目玄衣朱裳執戈揚盾大喪先柩註鄭氏曰熊之爲物猛而有威百獸畏之蒙熊皮所以爲威金陽剛而有制用爲四目以見剛明能視四方癘疫所在無不見也玄者北方之色天事之武也朱者南方之色地事之文也以玄爲衣所上者武以朱爲裳輔之以文執戈擊刺揚盾自衛凶事多邪慝乘之○及墓入壙以戈擊四隅驅方良

註鄭玄曰方相放想也可畏怖之貌方良罔良也國語曰木石之怪夔罔兩葬則用木石木石久而變怪生故始葬則歐之亦壓勝之術○風俗通曰周禮方相氏入壙驅魍像魍像好食死者肝腦人家不能當令方相立於墓側以禁禦之魍像畏虎與栢故墓上樹栢路頭立石虎○魌頭會通鬼首也亦方相今逐儺有魌頭○狂夫爲之方氏曰狂疾以陽有餘足以勝陰慝故也

尤庵曰方相周禮曰四人又曰大喪先柩大喪君喪也君喪四人則臣下二人可知 答尹案

遂庵曰方相氏掌魌頭之屬似是官名直以鬼服之人爲方相氏果誤 答蔡徵休

窆葬之具

豐碑轆轤

南溪曰豐碑固爲天子之制司馬公乃有有勲德者豐碑下棺之說其來已久 答朴鐔

問備要窆條曰用兩柱轆轤極便好而檀弓康子之母死般請以機窆公肩假曰不可其不可之說是避諸侯借天子大夫借諸侯也若是則備要轆轤之訓何歟 權鑦 南溪曰檀弓之說雖如此豈以後世或多通

用者故備要之說云然耶

玄纁

愚伏曰贈幣當用玄六纁四但禮有貧不能具則二者各一亦可之文尋常以太薄爲歉思欲就其中用三二之數讀禮記得一明證有曰魯人之贈也三玄二纁長尺廣終幅註云譏其不用制幣也所謂制卽指丈八尺而言也但譏其短狹而不譏三二之非禮心竊喜之故葬子時用此數而制用各丈八尺盖出於貧不能具禮非有他意也尺非周尺乃造禮器尺 答盧峻命

南溪曰後世尺本甚多然玄纁之本出於儀禮儀禮時豈有所謂三司布帛尺造禮器尺等制耶以此推之恐當用周尺但周尺家禮與備要不同而備要實出於五禮儀似當從此也亦以家禮尺太短難用故耳 答金南烈

下帳

尤庵問下帳之義沙溪曰下帳者恐是對上服而言也如公服靴笏幞頭襴衫在身上之物故曰上服牀帳裀席倚卓在人身之下者也故曰下帳看下劉璋所引温公喪禮陳器篇說則可知矣退溪之意則以爲當下之帳恐未然鄭道可問下帳置之不敢知愚答之云云道可曰來教得之

綱目周王贇造五后下帳註山陵中便房所用自居上帳五后居下帳之說當考 上帳下帳之說當考

明器

退溪曰明器古人亦有不用之說恐致壙中空闊且無益故也然制禮之意云不欲致死之故用平時之物不當致生之故具而不可用其義亦甚切至而猶徵略用而別作便房以掩之恐無不可也 答李楨

尤庵曰朱子曰禮文之意大備則防患之意不足明

器卽其一也夫車馬等三十事腐朽之後空虛成坎虫蛇居之且妨牢固之勢朱子之不用似出於此也 答朴銑

問明器下帳禮家雖有不必用之說而全然不用亦欠存羊之意故前喪只略用明器下帳矣然朱子以爲某家不曾用今欲依此不用如何 李選 同春曰明器用亦可不用亦可然依前喪所爲而爲之如何

筲

問家禮筲註竹器五以盛五穀云而旣夕禮筲三盛黍稷麥云云 姜碩期 沙溪曰家禮與儀禮果不同可疑五穀之名見孟子註以此用之如何

孟子註五穀稻黍稷麥菽

誌石

陶庵曰婦人誌石之蓋夫在則書夫之姓名夫亡則云某公而不書名者夫在夫爲之主自書其名於妻之誌蓋無不安之義故書姓名夫亡則子爲之主爲母誌而書父名有所未安故只書某公而不書名卽不敢援尊之義也然誌者所以志其爲某墳而傳示於永久之計也所重有在雖書父之姓諱恐亦無妨執兩而擇定如何 答崔鳳應

題主之具

神主總論

問古者大夫無主或曰有主否 李惟泰 沙溪曰諸家說附見于左可參考也

通典後漢許慎五經異義或曰卿大夫士有主否答曰按公羊說卿大夫非有土之君不得祫享昭穆故無主大夫束帛依神士結茅爲菆○徐邈曰左傳稱孔悝反祏 祏主也言大夫以祏爲主 又公羊大夫聞君喪攝主而往 攝斂神主而已不暇待祭 皆大夫有主之文自天子及士并有其禮但制度降殺爲殊何至於主惟侯王而已禮言重主道也埋重則立主今大夫士有重亦宜有主以記別座位有尸無主何以爲別○士虞疏大夫士無木主以幣主其神天子諸侯有木主○開元禮四品以下無主 按經傳未見大夫士無主之文有者爲長歟 ○程子曰某家主式是殺諸侯之制也白屋之家不可用

又曰大全不當作下自註有官人自作主不妨云蓋朱子之意乃爲主式元非國制本無官品之限雖子孫無官不必遽易祖先已作之神主但繼此以往當作牌子而不作神主有官者自當作神主云歟 家禮輯覽

同春曰有官人自作主云云 上慎獨齋與沙溪說同

沙溪曰三代主木之不同亦以其土之所宜歟 家禮輯覽

退溪曰取其堅實別無其義

主材用栗

櫝

旅軒曰櫝式家禮作主註說下朱子不明言其制而止云櫝用黑漆且容一主則無所謂盖坐之式矣卷首圖乃出他人之手而其說曰今以見於司馬家廟者圖之云則恐不是古來正式不可易之制也而朱子旣謂櫝且容一主則不宜其內又有容二主之坐也 答或人

沙溪曰愚按坐式與兩牕櫝卷首有圖故後人有俱用之者有用坐式者有用兩牕櫝者不能適從余嘗以爲疑頃年偶得南雝家禮始知坐式司馬公家廟所用兩牕櫝韓魏公所用今於諺解圖分明書之如何僕之意非欲必去之也朱子之意以爲坐式且容一主夫婦俱入祠堂乃知司馬公之制也近世礪城尉宋公寅不知其義廢坐式專用兩牕櫝只於出入時用坐式此非家禮本意也 答申湜

尤庵曰櫝坐式之制老先生所答申知事者心常疑

之家禮圖所謂坐式者對盖式而言也坐者其底之坐主者也盖者自上韜坐者也所謂式者猶云制也本非名也猶曰坐之制盖之制云爾合坐與盖則是櫝也非坐與櫝爲兩物也故坐盖圖右題以櫝字此可知也其下兩窻圖上又別以櫝字爲題是坐盖者櫝也兩窻者亦櫝也何以有上下之別也其制異故也家禮治葬章所謂夫婦俱入祠堂乃如司馬氏之制云者指其上條所載司馬公府君夫人共爲一櫝之說也其所謂制者非謂櫝制而言也盖坐盖之式豈不容二位三位兩窻之制亦何妨於止容一位也

今問解所答申公問謂朱子之意以爲坐式且容一主夫婦俱入祠堂乃如司馬公之制云其上旣云坐式司馬公家廟所用云而其下所云則似以坐式爲非司馬公之制上下自相逕庭且所謂朱子之意云者似不如是竊恐當時偶失照勘也盖坐式之式字必非其名非以爲名者也且所謂坐式者非可以單言者特以對盖而言者也而南氏誤以坐式名之而後世因襲如此非但失司馬之本意亦非卷首圖之本意矣但卷首圖旣以坐盖爲櫝於兩窻亦只下櫝字無有主客之辨故見者於盖式只見有盖式字而不察其上以櫝字大書以爲題目而於兩窻之上乃察其櫝字之題遂獨以此爲櫝若使作圖者於其兩窻之上題曰兩窻櫝云爾則其上所謂坐盖者正是櫝而此亦爲別制之櫝矣如是則主客分曉而上下相足矣若如鄙見而坐盖果是櫝則兩用馬韓之制者是入於櫝而又入於櫝也似非司馬及朱子之意也如何 答李選

又曰要訣之云恐非謂旣安神主於盖坐而又以安於櫝中也似以爲只以主身安於櫝中及至忌祭出主之時始以盖坐奉安主身而出云耳又見先師記

礪城尉用兩窻櫝至於出入時用坐式云云無乃當時俗禮如此故要訣亦因之耶然要訣立文必明白通暢使人易知而今此奉神主盖坐云者似甚硬澁故每疑神主下脫一于字未知然否第又記申知事說則以爲旣置之坐式復安之櫝中藏之謹密愈見其貴重云云要訣之意亦或如申說而所謂奉神主盖坐云者謂是奉出安主之盖坐於櫝中之意耶是未可知也除是俱非家禮本意其純用家禮者恐無如備要之制也 答朴尚玄

南溪曰家禮有櫝韜藉式及櫝式前所謂櫝卽坐式

盖式而出於司馬温公家後所謂櫝卽兩窻櫝而出於韓魏公家家禮所謂櫝果指何制然書儀之說朱子引之則共爲一櫝潘氏引之則曰共爲一匣皆爲家禮所本以此推之家禮雖不言櫝制如何其非兩窻櫝而自爲坐式盖式較然甚明

韜藉

旅軒曰韜式本圖下說謂式如斗帳頂用薄板則似是四隅有細柱着于其頂之薄板然後以色帛周繞合縫於其後則其濶必弁容其趺者也而今俗不用頂板但造帛帽或有只容其趺上之身者或有上狹

下廣一依神主之像而用者此在取用之如何耳答或人

沙溪曰圖式圖註合縫居後之中稍留其末不縫者欲令弁韜其趺也今人或有只距趺面而不弁韜者恐非也家禮輯覽

同春問韜藉之制不見於家禮本文云云沙溪曰朱子大全李堯卿書云考用紫囊妣用緋囊此非韜制而何其制本出温公書儀云

又問韜藉世人所用其制不一或與主身齊或與趺方齊何者爲得沙溪曰本註旣曰式如斗帳頂用薄板云則其制可想弁韜趺方爲是本註所謂與主身齊者當通趺方所植看藉方濶與櫝内同疊布加厚褁之以帛考紫妣緋

又問考紫妣緋何義沙溪曰集說中有所論可考也馮氏集說曰古人重紫輕緋故有此分今 國朝玄黃紫色不可僭用韜用紅羅當遵從之又云宋常朝公服一品至三品服紫玉帶四品五品服緋金帶云云○小學註三品應服紫五品應服緋云云尙紫緋古乃朝服也而先儒用之者姑從時俗耳

尤庵曰韜藉本出温公書儀李堯卿以問於朱先生

而先生無答語亦不著家禮雖不用可也答韓如琦○下同

又曰韜藉緋紫雖是門人所問而朱子旣無是非之語適用恐無妨也

問聖人不以紅紫爲褻服而神主韜藉或用紅羅或用紫緋金光五遂庵曰韜藉元非古制凡俗習異於聖訓者奚但此一事而已聖人復起必有所釐正

成墳之具

石碑碣銘幷論

陶庵曰按家禮墓無他石物只有小碑後人尚文必欲侈大而後已故貧不能備者只設床石等物而碑

則闕焉甚失輕重之義今之竪碑者只當依家禮立小碑其他石物徐圖亦不妨四禮便覽

問立碑註石須闊尺以上其厚居三之二何義俞命賚

尤庵曰石面之闊一尺二寸則其厚當爲八寸也

南溪曰兩位表石右書府君左書夫人當如神主之制而世人或多用順書之制未知孰是夫人位之墓二字不必書只書祔以別正位似可答柳貴三

退溪曰雙墓表石今人率用一件恐不違禮答權好文

尤庵曰夫與元妃合葬于上繼妃祔于下則表石當立于夫而書曰前妃某氏祔左繼妃某氏祔下云答南溪

南溪曰未復官之人題主稱及第乃我國通例也墓表恐無所異至於稱號或是非常調者不得已爲之事似難爲法答朴泰崇

問有人爲親屈意赴擧專用力於學問上及其歿也士友嗟惜稱以處士則於其表石書以處士無害於禮意申光彥

陶庵曰亡者有實行當書以處士而或不厭於鄉黨公議則所以尊之者適所以誣之此不可不審慎

尤庵曰內喪表面之題竊瞷朱子立言之意有官者姓名下某封卽無官者妻字之換稱也以俗見則書以某人妻某封某氏似可而朱子之意則是疊稱也如何○嘗見成東洲自寫其內表則云嗚呼有明朝鮮昌寧成悌元妻恩津宋氏之墓東洲是有官人而如此書之未可知也答閔維重

又曰婦人墓表不書鄉貫自有家禮之文而我東末變胡風娶於同姓故必書鄉貫略似有別而遂以成俗故雖非同姓而亦書之者多矣答尹宷

石物墓前立石及樹栢之義見方相條

沙溪曰按術家禳鎭法凡人家中有喪服不絶者以石九十斤埋於艮上大吉所謂鎭石疑亦此類歟家禮輯覽

尤庵曰床石非禮文所設也其所謂席者則設饌之席也答鄭纘輝

問石人望柱家禮無大明律始有分等定制若此之嚴而備要不言士庶與否又添床石階砌石及夫魂遊石香石今俗亦頗用之何也竊恐其中所謂床石香石只是床卓之類則豈千秋萬代長對不毁之理乎尤可疑也崔瑞吉

南溪曰墓前石物漢唐以下公私通用然愚意此等處當以家禮爲正

尤庵曰術家禳灾法家中喪服不絶以石九十斤者埋於艮上大吉此所謂鎭石也退溪曰如今動土防災墓石用之以禦鬼答兪命賚

問時祭忌祭二卓各設而合墓或雙墳則床石無各立之事云云趙觀彦遂庵曰墓前各設床石深得禮意但人家事力難行惟在自量

又曰尤庵先生欲設二床石於先世山所而同春先生不許故終用共一卓制答李光圖

祠后土合葬條告先塋見

祠后土諸節

同春問祠后土設位云云沙溪曰只設虛位而已禮不言設倚卓也同春追後所錄曰有司以几筵釋奠於墓左云據此祠后土設倚子似可

又問開塋域及葬時后土祠或豐或簡何以則得禮之中歟沙溪曰某家用盛饌未知果何如也更詳之

問平土後祠后土禮酒果脯醢而已題主奠則仍舊饌斟酒而已俗人專力於玆二者云云今欲一從禮文則衆必駭之開後南溪曰祠后土題主奠歸家一從禮文今於來說不敢云云

遂庵曰備要從家禮云告者吉服圖所謂吉冠素服恐失照勘答崔徽厚

問祠后土時執事以東爲上何意黃宗海沙溪曰以曲禮朱子說及諸儒所論推之似當西上東上未詳其意或云儀禮筮家命筮者在主人右註命尊者宜由右出今東上本於此耶

曲禮席南向北向以西方爲上東向西向以南方爲上朱子曰東向南向之席皆尚右西向北向之席皆尚左○陳安卿云地道以右爲尊○溫公曰神道尚右

同春問家禮后土祀無焚香一節后土地神故只求之於陰而不求之於陽義似如此而喪禮備要祠后

土具有香爐香盒何歟沙溪曰考家禮不言上香只酹酒無乃有意耶丘氏儀節及家禮正衡皆有上香之禮故備要因之未知是否

問后土祭家禮無酹酒而儀節有鄭崐壽退溪曰從朱子

南溪曰家禮雖無香案儀節添註載於備要用之亦無妨答權鍈

祝文

問祠后土祝文朱子家禮稱后土氏而瓊山儀節據大全集稱土地氏鄭崐壽退溪曰當從朱子家禮

問瓊山曰后土之稱封皇天也士庶之家似僭云云姜碩期沙溪曰丘氏似僭之説似然吾嘗據大全改稱土地之神退溪尊家禮亦有意

南溪曰后土之稱必改作土地乃儀節之失而備要踵之盖大全山神則仍稱后土冢神改稱土地丘氏誤見遂以后土爲土地此則依家禮爲宜答權鑌

沙溪曰開塋域與葬時祠后土祝辭或稱姓名或稱封謚前後不同必有其義而未可知也或云檀弓請謚於君曰日月有時將葬矣請所以易其名者易名以諱故不稱姓名歟未知是否○答同春

尤庵曰恐是偶然闕文初告時只稱某官姓名再告時稱某官封謚此封謚字恐於初告時亦爲闕文也若以爲神道已於初告領會故後不言姓名則此封謚初不欲領會而必欲於再告時領會何也此等詳略古今經傳多有之或以互見或以相證皆不可知恐不可容易斷定也答洪聖休

國恤時祠后土見國恤條中私喪葬禮諸節條

穿壙

灰隔之制

問作灰隔權好文退溪曰此當與下又加灰隔内外盖處通看方得其詳盖此所謂灰隔非今人所用之灰隔也家禮不用外槨而顧多用瀝青故別用薄板權爲外槨之形姑去其盖板而塗瀝青於其地板與四周以此代槨而安於壙底炭灰之上乃下棺於其中正如下棺於槨中也然後始用今所用灰隔而下灰隔依今下灰隔之法轉轉築上及隔之平而止則其狀亦如槨外用灰炭也於是方加此隔内外盖其内外蓋之制及所用先後節次家禮詳之可考而知也盖無槨則瀝青無所用於塗故爲此制專爲用瀝青設也故此灰隔者所以隔灰與瀝青也今所用灰隔者所以隔灰與炭也今人未有無槨而葬者其用瀝

青又不如家禮之多而只用於外槨之外則無所用於此灰隔爲也不知者乃以今之灰隔之制解此灰隔之文牽强乖謬由不致詳於上下之文故耳

西厓曰今人用槨又不用炭屑則薄板誠無所施今於下外棺之前先用薄板如槨之狀四面實以三物而堅築既畢抽去其板始下外棺當中四隅有空分或一寸二寸其間以蚌粉松脂灌之凝結如槨然後又下棺於槨内加外盖又以蚌粉松脂灌於四面及上相合爲一無有罅縫始以薄板一葉加其上以隔松脂然後實以三物而漸築之庶幾不戾於古人之

法而有益於永久之圖矣

和灰法（油灰用否并論）

西厓曰灰三分沙土各一分使灰得土而粘得沙而堅此家禮所定也朱子後論此則以爲當但用細沙和灰黃土引木根不可用云然灰沙皆是燥物無液終難粘結恐當以家禮爲定若疑其引木則黃土比細沙略減分數用之無妨且將三物篩去雜物後又斗量相雜重篩如醫人劑藥篩末之法則灰與沙土多少均適無偏多偏少之處矣

又曰淡酒用以灑灰堅實者也然近人有遷葬舊墓

者多言開壙之後尚有酒臭灰不凝硬虛軟無力以此知用酒灑灰有害無利惟用榆皮汁和灰堅築者實皆凝結如石云淡酒雖在禮文今攬不敢用只從俗用榆汁代之

愚伏曰聞人葬時灰三斗和細沙三斗黃土二斗而用之改葬時堅硬難劚盖沙本石類與灰土相乳入多用之則尤堅實理固然也

退溪曰此間士人曾有欲純用油灰者混意朱子既有瀝青無益之說而只用沙灰云今若用純油灰漸以成俗則貧者力不辦恐有緣此而葬不以時是自我開獘也（答李楨）

又曰棺槨之間用石灰見家禮註然妄意少用則無益多用則又須槨大槨大又須壙大皆家禮所忌恐不用爲宜也（答金就礪）

松江問欲用油灰如何油待陽而乾冒陰而濕十丈黃泉豈有陽曝而油乾之理乎家禮亦用油灰其意如何龜峰曰油灰既非古禮又典賣家產以成之亦非古禮也莫如不用

沙溪曰昔年先墓多用油灰於外槨與三物灰之間又慮外槨天盖上三物不得堅築復多用油灰使人

踏之也（答同春）

用地灰

愚伏曰今人於壙底多不用灰而其說有二一則曰隔斷土脉吉地無應此則術家無理之說不足置疑其一則曰濕氣壅鬱令槨易朽此則理或有之故孝子之心不能不以爲疑今按周禮掌蜃掌斂互物蜃物以供闉壙之蜃註互物蚌蛤之屬闉猶塞也將井槨先塞下以蜃禦濕也疏未施槨前已施蜃灰於槨以擬禦濕也據此則古人於壙底固已用灰矣夫濕氣在土由下蒸上築灰於底使不親土乃所以禦濕

也今不慮此而乃憂在內之氣蒸鬱而成濕不亦顛乎

尤庵曰棺底築灰乃家禮之文朱子豈不明知其利害而以誤人耶木根深入而遇石則從下逆穿者多見之矣大抵爲死者爲久遠計者不厭其固密也（答申啓徵）

南溪曰葬禮不用地灰之說固以近世風水家法不免如此只當斟酌用故制而已（答柳貴三）

炭末松脂用否

西厓曰炭雖能引濕亦能含濕未見爲利然古人用

炭以爲炭乃死物能禦木根避水蟻以此觀之則其用炭之意深矣更詳之

又曰松脂之用我國人亦多異議人言見遷葬者松脂灌在棺槨間者悉皆融爛僅如豆粥少間見風日還凝別無利益云豈隨處土品有燥濕之異而然耶假令不至堅結如石終是辟水有功似不可不用

尤庵曰炭末死物無情故木根不入古人用之者以此也然人家遷葬時多見木根貫穿無異土肉備要不用之說或以此意耳（答成晩徵）

又曰茯苓琥珀程子說也南方蟻房朱門語也然其利害隨地而異矣愚意以爲入藏爲土自是道理果若骨肉與松脂溶化爲茯苓琥珀千萬歲後爲人取爲藥料則大不便矣愚所目覩則先師文元公之葬用松脂矣棺與松脂之間一二寸許而其間容翣扇矣及遷改時見之則松脂濃化含翣扇而著於棺櫓文敬公不復用矣（答朴銑）

外槨用否（見治葬具條中穿壙之具條）

啓殯

遷柩啓殯時奠告服色諸節

問因朝奠以遷柩告凡奠皆言再拜盡哀此獨言盡

哀再拜（柳貴三）南溪曰豈以將遷柩而葬哀戚益甚故立文異於常奠先哭而後拜耶

沙溪曰按今人有塗殯者則當用古禮奠如小斂（喪禮備要）

南溪曰士喪禮啓殯丈夫髽散帶垂疏曰凡男子免與括髮散帶垂婦人髽皆當小斂之節今於啓殯時亦見尸柩故變同小斂之時也（答柳貴三）

問遷柩時已除服者將何服色而臨之（姜碩期）沙溪曰云云（詳見喪變禮過期之禮條中過期不葬者期功諸服變除條）

問小斂條同五世祖者皆袒免自啓至葬以何服飾

而臨之耶期 姜碩 沙溪曰無服之親禮不言服飾則只着弔服而已

啓殯後復成殯散垂復絞

愼獨齋曰啓殯時散垂葬後乃絞是禮也今此發引到山所葬期尚遠勢復成殯以待葬期則似當殯後復絞此雖無古禮勢不得不如此爾 答申杲

發引後再啓殯時告辭

問破殯之日遣祖奠旣不可行則別無告祭節次耶 裵尙龍 寒岡曰儀節家禮有返葬節次可參考也然今則禮變事異似當別撰告文具由以告也

啓草殯至葬時諸祝辭 見喪禮草殯條

朝祖

總論

南溪曰祖者本是祖考之祖通於祖先之祖所謂朝祖本士喪禮文古者官師一廟適士二廟皆止祭祖而已故曰朝祖今雖上朝高曾不必歷數而稱之此家禮無變辭之義也 答李時春

問朝祖時旣是同宮則宗家家廟不行之否 元夢賢 南溪曰朝祖士喪禮曰祖王父也疏曰其二廟則先朝祖後朝禰今旣以同宮行禮則依此處之似有所據

尤庵曰祖廟若在一村而生時出入拜謁則今何可不朝也 答朴光一

又曰古人謂廟曰祖雖繼禰之廟亦可謂之祖矣婦將襄葬而何可不辭於舅姑乎 答李碩堅

寒岡曰如別有禰廟雖有祖廟恐當朝于禰廟 答盧亨運

朽淺曰母柩之朝于考廟雖異於朝祖二字恐不違辭尊之意 答或人

尤庵問朝於夫之几筵云云愼獨齋曰來示得 詳見喪變禮幷有喪條中幷有父母喪朝祖時朝几筵條

朝祖時諸節

退溪曰朝祖丘氏謂人家狹隘者奉魂帛以代柩屋宇寬大者宜如禮此論得之 答金就礪

朽淺曰銘旌魂帛之先後朝祖發引之不同以意推之在途則表其某人之柩者爲重故先銘朝祖則無此意而魂之向廟者爲重故先帛耶 答趙惟顔

沙溪曰按旣夕禮遷于祖用軸升自西階正柩于兩楹間用夷牀註柩也猶用子道不由阼也兩楹間象鄕戶牖也疏鄕戶牖則在兩楹間近西矣 家禮輯覽

退溪曰儀禮將啓殯設奠具於廟門外及朝祖又云重先奠從燭從柩從及正柩于兩楹間奠設如初質

明徹乃奠古禮如此故文公家禮有設奠之禮而瓊山則務簡旣以魂帛代柩并此禮去之凡朝祖所以象平時出告之禮前奠之隨柩來奠者奠所以依神無時可去故耳非爲朝祖設也故文公存之其別爲設奠則平時出告未必皆有酒食之事故文公去之右瓊山并去二奠則無乃太簡乎儀禮雖別設奠猶不奠於祖禰者死而辭去無取於奠獻之義也亦無焚香再拜之文蓋靈柩辭廟喪者不可代行也 答金富仁

沙溪曰儀禮疏云設奠如初東面也者謂如殯宮朝夕奠設于室中者從柩而來此還是彼朝夕奠脯醢

醴酒據中東面設之於席前也觀此可知其如初之義而所謂東面者亦據特牲少牢設席于奧東面而言也 答李惟泰

問不統於柩神不西面也不設柩東東非神位也柩旣北面而朝故謂之神不西面耶神旣北面則東西宜若不異而乃謂東非神位而必設於西何義 李惟泰

沙溪曰儀禮本疏細考之可知其義

儀禮本疏不統於柩神不西面也者謂不近柩設奠若近柩則統於柩爲神下西面故不近東統於柩前神不西面者特牲少牢皆設席于奧東面則不西面可知不設柩東東非神位也者此亦據神位在奧不在東而言也小斂奠設于尸東者以其始死未忍異於生大斂以後奠皆設于室中亦不統於柩此奠不設于室者室中神所在非奠死者之處故也

南溪曰朝祖代用魂帛云云然則魂帛在柩位奠亦從柩西東向之制 答崔補

沙溪曰燃燭爲日暗取其明也朝祖卽於朝奠後行之日暗則燭以明之日明則滅之可考於儀禮耳 答同春○下同

旣夕禮朝于禰廟燭先入者升堂東楹之南西面後入者西階東北面在下又曰質明滅燭疏自啓殯至此時在殯宮在道及祖廟皆有二燭爲明以尚早故也今至正明故滅燭也

又曰生時出入經月而歸則并開中門以此推之朝祖時似當開門但禮無告辭當闕之

陶庵曰家有喪已告廟矣朝祖時不必別有告辭 答金性汝

退溪曰儀禮朝祖正柩于兩楹間主人陞自西階柩東西面此非變服而入也蓋凶服不可入廟指他祭

及他禮而言也若朝祖之時柩尚入廟何凶服之不可入耶 答金富仁

南溪曰士虞禮虞杖不入於室祔杖不升於堂註虞於寢祔於祖廟然則杖猶入廟可見但不升於堂而已圖式輯杖之說甚詳而不及朝廟又家禮所不言似當循用常例也 答李季

異居葬行朝祖 過宗家朝祖并論

尤庵曰宗家遠則朝祖不得已似當闕之矣若以最長房奉曾高神主則此禮何可不行乎 答東用錫

又曰異居者朝祖竊恐難行具由并告於廟與柩意甚宛轉周詳矣然若有義起之嫌不敢質言 答南溪

南溪曰朝祖一節實不可已雖難奉喪以行臨時祝告無疑第古人亦無言之者似在更詳 答趙得重

遂庵曰老先生殯于典農發引前夕奉柩朝于蘇堤可以遵行耶 答安太爽

問支子喪宗家稍左其葬也在於宗家至近處則行喪後或始可朝于祖耶 尹滋 陶庵曰葬地雖近於宗家行喪後追行朝祖之儀有違古禮本意不可以私見創行之

問朝祖一節衆子別居者恐行不得但前頭發引當

過宗家洞口近處或暫爲回柩向宗家以當朝祖之意則如何 李選 同春曰所示實有哀痛惻怛之意雖無於禮亦何所妨若所經稍遠則恐不必然

朽淺曰云云若在同里則雖難奉柩依丘禮以魂帛直至廟前而朝之可也過門駐柩無爲苟且耶 答或人

庶母出繼子出嫁女無朝祖之義

問庶母朝於夫廟恐無妨 慎克泰 陶庵曰朝祖恐涉僭不敢爲也

又曰出繼之人於本生祖廟已是族孫似無朝祖之義 答李命元

又曰適人者欲於歸寧之時則於本家似無朝祖之義 答李師範

遷于廳事

導柩右旋之義

同春問導柩右旋者何義 沙溪曰此可考既夕禮也既夕禮御者執策立於馬後哭成踊右旋出疏曰右者亦取便也

停柩處移動之節

南溪曰初喪殯于中堂今自廟當遷于外廳以示卽遠之義而人家未必有中外兩所若是初殯於廳事

則其勢只得還于舊停之處略加移動云爾此乃儀節之意而備要引之也 答鄭齊斗

祖奠

祖奠之祖字

同春問祖奠之祖字沙溪曰禮經與諸家說不同當叅考

儀禮既夕禮有司請祖期註將行飮酒曰祖祖始也疏死者將行亦曰祖○檀弓祖者且也註且遷柩爲將行之始○漢書臨江王傳黃帝之子纍祖好遊而死於道故後人祭以爲行神祖祭因饗飮

也○白虎通共工之子曰脩好遠遊舟車所至足跡所達靡不窮覽故祀以爲祖神註祖者徂也即行之義也

祖奠時位次

沙溪曰或問祖奠時主人以下位次及車所向愚答曰按既夕禮乃祖註還柩向外爲行始疏踊襲少南當前東註主人也柩還則當前東南 東東棺於柩車 疏經云少南鄭云則當前東南者以其車未還之時當前東近北今還車亦當前東少南以此推之可見 家禮輯覽

祖奠夕上食不可兼行

沙溪曰夕上食後設祖奠而兼行夕奠爲是以厥明徹祖奠之文觀之可見 答同春

尤庵曰日晡是常時夕食時故今人多兼行夕上食然既曰饌如朝奠則非上食之比而厥明又曰徹祖奠云則豈可以上食而經宿乎至於遣奠之時又不必與上食相値故其下發引註別有食時上食之文恐當各設也 答南溪

自外返柩時祖遣奠 朝祖并論

愼獨齋曰亡人雖是京洛之人既以扶餘爲家自京發引來于扶餘則似不當設祖遣之奠至家徃幽宅

之時乃可設也 答申畟

同春曰自外返柩之禮行日但設朝奠至葬乃設祖遣奠司馬所論與丘氏儀節皆然但此謂喪發於逆旅歸殯於本家者也今日令宅形勢異於此官次非逆旅山所非本家而况今幽明南北之行相分於此則祖遣奠皆行之於此以送之奚日只告辭而行之無乃爲穩耶若然則似當於祖奠時具由告之 答李晸

遂庵曰婦人以夫家爲家返柩於家行朝祖及祖奠遣奠禮當然矣若事勢窒礙自清州直徃山次而路出去家不遠地則暫時停柩奉䰟帛至家行此三節

而後上山亦可矣○今聞將直到山下村舍而與本家亦近若爾則成殯後奉魂帛朝祖祖遣之奠行於山所殯次似宜矣 答朴振河

陶庵曰適人者歿於歸寧之時若遷柩殯於夫家則遣奠當於夫家啓殯時爲之或直詣葬處則雖於本家設行遣奠何疑之有 答李師範

祖遣奠不可再行

問自家發引又成殯于他所葬時又發引祖奠初雖已行又不可廢乎 崔碩儒 愼獨齋曰初已行之則似不必再行也

牛溪曰遣奠行於發引之日以離乎家而人道盡矣雖到稍久而葬不可復行也 答韓瑩中

陶庵曰遣奠終無再行之義停櫬雖是故廬旣於考終之本第行得祖遣無論父住與乍住均是逆旅只當用告辭而已 答李命德

遣奠

遣奠諸節 祝辭幷論

南溪曰所謂內遣奠者曾所未聞其爲非禮明矣 答李徵

又曰特言有脯者申明此奠必不可無脯之意盖將徹納苞中故耳今旣不用苞則只設之而已 答申佾

尤庵曰小斂乃奠條云祝焚香洗盞斟酒其上設奠條云此一節至遣幷同據此則其有焚香之節明矣於奉魂帛升車則與設奠異故特言焚香返魂時不焚香豈以已葬之後故其禮漸殺耶 答韓如琦

沙溪曰遣奠雖無哭拜之文豈有設奠而無哭拜乎蒙上文故不言從儀節行之可也 答黃宗海

問申氏備要遣奠祝下註旁親則不用永訣終天一句云朱子於蔡季通祭文亦用此語旁親用之不妨

沙溪曰來示然

問永訣終天之語亦可用於妻喪乎 李君顯 寒岡曰此是泛然告訣之辭用恐不妨

南溪曰終天之語雖非父母喪無所妨 答李啓晩

陶庵曰神道依於飮食孝子之心雖須臾之頃何忍使神無憑依之所乎或問於曾子曰旣奠而包其餘猶旣食而裹其餘君子旣食則裹其餘乎曾子曰吾子不見大饗乎夫大饗旣饗卷三牲之俎歸于賓館父母而賓客之所以爲哀也子不見大饗乎以此觀之其意甚微恐不可全廢世之好禮者或有裹遣奠餘脯納于靈車而行者此雖涉於義起而盖原於徹

脯納苞中之禮從之恐亦無妨耶 四禮便覽
遂庵曰遣脯到山次設奠時去之旣不用苞則使同他奠之退物區處何難 答宋相琦
問奉魂帛升車焚香 閔元重 尤庵曰此恐於初升車時焚香而已未見道上連續行之之義也
自外返柩時遣奠 見祖奠條
遣奠不可再行 同上

發引

發引之具 見治葬具條

陳翣

尤庵曰古人設翣之意欲使人勿惡喪柩也輯覽及備要圖使人執之於轝傍丘儀之行於功布靈車之間者似無義意矣其揷於大轝者似出於乏人而亦不失本意矣 答閔元重
南溪曰翣當徹在前云在下 答俞得一

發引日朝上食行朔望奠之節

南溪曰家禮發引時不言上食似以食時喪雖在塗自當停柩設行故也今俗欲便於行喪當曉必上食而後遣奠甚失奠食之序也 答李丝
又曰或拘於事勢則行上食於遣奠之後或兼遣奠設之猶不失其先後之序 上尤庵
尤庵曰家禮發引條有朝夕奠食時上食之文據此則處此無難矣 答吳益升
陶庵曰云云路中停柩處上食爲當朔日啓引者殷奠亦然所示午時引行則又是變禮祖奠之撤雖甚未安朔朝奠亦不可闕似當權宜行之 答閔昌洙

發引前諸子女別奠當否

問世人於親喪發引前諸子諸女各具盛饌朝夕奠外別設一奠但嫡子旣奉饋奠則又不可別有奠庶子不敢自祭則似不得各自設奠如何 閔維重 同春曰

誠然誠然如祖遣奠虞卒哭等祭諸子輪設而嫡子主之恐穩今士大夫家亦多如此行之
又問如諸女則夫壻主之似不妨也 同春曰似然

發引時男女位次 見爲位條中位次隨時變條

發引諸節

沙溪曰或問柩行尸首所向按開元禮宿止條靈車到帷門外廻南向柩車到入凶帷停於西廂南輴到墓亦然入墓始北首以此觀之是時尸當南首而轅以南向首在前可知 ○家禮輯覽 下同
又曰或問家禮旣曰主人以下哭步從而後不言乘

車馬之時若墓遠及病不堪步者如之何愚曰凡禮孝子從柩者不許乘車馬故家禮只言其常不及其變且按開元禮出郭若親賓還者權停柩車內外尊行者皆下馬云云親賓旣還內外乘車馬註墓遠及病不堪步者雖無親賓還主人及諸子亦乘惡車去塋三百步皆下

又曰或問廣記道次設祭甚無謂之說何如愚曰按旣夕禮唯君命止柩于𡈼其餘則否註不敢留神也又按開元禮出郭若親朋還者權停柩車以次就哭盡哀卑者再拜而退無所謂駐柩而奠之說未知此

禮出於何書也疑亦當時俗禮而溫公書儀採入而家禮因之

問發引時只言親賓而無男女并從之文 鄭尙樸 南溪曰豈或雖有親賓婦人而重在親賓男子故耶

尤庵曰啓殯發引已告遷柩則在途停柩何可每每煩告也 答崔有華

并有父母及祖父母喪發引先後 見喪變禮并有喪條

及墓

設靈幄 主人男女位次并論

朽淺曰尸柩與靈幄非所分異故在家靈座設於尸南及墓則柩在壙南故設靈幄於墓道西南向蓋尸柩靈床本爲相屬故也主人男女之坐不離於壙之東西則於靈幄內雖不設哭位而靈座近在壙西豈曰遠離乎哉今雖從俗設哭位於幄內而其禮當如壙東西之位 答李成俊

問親賓條註男東女西會通云此婦人是親朋婦女 成文憲 南溪曰應是親賓之男女據禮喪家婦人尤當赴葬矣

設奠

問下棺前孝子位 具升 尤庵曰似在壙東矣

遂庵曰及墓就幄無別設新奠而仍以發引時靈車所在之奠設之故無再拜之禮矣 答韓德全

陶庵曰墓遠處則靈車至設奠云云似是新設而如墓所咫尺之地則雖用舊奠以行亦可也 答李思輝

引後窆前諸節

引後窆前仍用靈寢

問葬前設盥櫛之具而發引後不言靈寢一節世人或以家禮爲證而不設者有之 朴尙淳 南溪曰引後窆前當仍用靈寢蓋尸柩尙在故也

葬日値先忌上食用素當否

問葬日卽親忌云云南溪曰云云詳見上食條中值先忌上食用素當否條

下棺題主前弔奠

問下棺前弔奠升天益尤庵曰禮當事雖國君弔之亦當辭焉此時豈可致奠耶

問葬時主人位於壙東未題主前人若有來弔則於所在位拜賓乎崔碩儒愼獨齋曰人若具奠物來弔主人似當就靈座之前而拜賓也

禮疑類輯卷之八

禮疑類輯卷之九

喪禮

窆

隧道

退溪曰隧道後世上下通行然其間棺槨尺量等事或有差誤則有至難處者不如直下之爲穩也答權好文

沙溪曰隧道諸侯猶不敢用況其下者乎溫公非許以用之也泛言葬法之有二也退溪不以犯禮禁之似爲未安答黃宗海

下棺

問兠柩底兩頭放下之說以索之兩頭看則其可以一條索兠柩底當中而放下耶集說曰今人兩頭齊用活套索放下更詳之中湜沙溪曰來諭得之

豐碑轆轤見治葬具條中

用柩衣柩衣見治喪具條中成殯之具條

問柩衣乃夷衾也今人未能備用於殯斂之際至葬時則雖貧家强備柩衣似爲未安金光五遂庵曰初喪雖不用夷衾葬時再整柩衣見於家禮似不可闕

鋪銘旌銘旌之具見治喪具條

冶谷曰柩短而銘旌長則例垂納下端於棺槨之隙

令反屈下端而上之又反屈而下之使其公之柩四
字正疊在上面亦好

贈玄纁（玄纁見治葬具條中窆葬之具條○拜禮并論）

沙溪曰主人贈者重君之賜而設也後世雖無君贈之禮而家禮存之疑亦是愛禮存羊之義歟（答同春）

旣夕禮至于邦門公使宰夫贈用玄纁束註公國君也贈送也疏贈用玄纁束帛者卽是至壙窆訖主人贈死者用玄纁束帛也以其君物所重故用之送終也

問見不得至葬所云云（答權終允）寒岡曰贈玄纁攝主當

攝行

問子婦喪贈玄纁（尹寀）尤庵曰云云（詳見飯含條中子婦喪飯含條）

問祝奉玄纁立俟主人再拜訖方可奠耶（梁處濟）南溪曰恐一時並行

又曰以人情言之父母入地之際似當拜辭而準禮只主人以贈玄纁再拜而已餘皆無之蓋禮是天理之節文以各當其宜爲主未嘗歸重於人情故耳（答權鎮）

奠玄纁

退溪曰玄纁如韓永叔說卷束而置棺左右比世人鋪在棺上此爲得之（答李咸亨）

同春問玄纁置柩旁左右否沙溪曰按開元禮奠於柩東未知有義意耶

開元禮主人受以授祝主人稽顙再拜祝奉以入奠於柩東

朽淺曰玄象天纁象地天左旋地右旋故奉置柩旁玄左纁右云不記出於何書然似不違理（答李成俊）

尤庵曰玄纁若置柩上則何謂柩傍柩上之說甚無據當從朱子禮置于柩傍玄右纁左（答宋三錫）

又曰玄纁家禮置柩傍故賤家置柩槨之間矣開元

禮奠柩東云者從古禮耳（答李樺）

問玄纁美村家則奠于柩上東邊上玄下纁春尤則奠于柩東槨內如蔽翣扇然（李世龜）南溪曰鄙則曾用柩東之制矣

遂庵曰玄纁置柩上東邊其從五禮儀也當依家禮置于柩東爲宜（答趙尚遂）

陶庵曰玄纁近世諸先生皆以柩傍爲當說者雖致疑於奠字然奠是置之之意無論處地濶狹皆可用之況置於柩上終無意義不若從傍之爲安也故鄙家從前則用世俗通行之例而近始遵諸先生定論

矣答李敏坤

置翣挽翣挽見治葬具條中發引之具條

沙溪曰家禮乫條無翣入壙之文或是闕文抑故略之歟家禮輯覽

問壙廂之義如何韓 尤庵曰廂在屋之兩傍者故謂傍爲廂

退溪曰挽章納于壙中禮雖無據從俗恐無害蓋不納則置之無所宜故也答鄭惟一

問挽詞退溪以爲納于壙中然累數十張厚紙納之壙中似有所妨亦欲於墓傍淨地埋置如何或有藏

之冢中者此則如何李選 同春曰恐不必埋

南溪曰挽章葬後或焚之或收之要以不褻用爲宜答朴尚淳

明器不用見治葬具條中明器條窆葬之

祠后土見上

下誌石誌石見治葬具條中窆葬之具條

沙溪曰墓在山側峻處則恐易崩壞而誌石露出故必於壙南掘地深四五尺而埋之若是壙內則不可深掘故也家禮輯覽

退溪曰葬既久而下誌石雖欲於壙內下之其勢爲難不得不做壙南之說而處之然堦砌下太遠於堦上依數尺之說量宜用之答李咸亨

并有喪條

承重孫并有父母及祖父母喪先後葬見喪變禮

祖孫及母子偕葬同上

題主

主櫝韜藉見治葬具條中題主之具條

題主不待實土

問庵曰題主在實土之後文勢使然非謂必待實土而後題之形歸窀穸則神魂飄忽無所湊泊固當即

速題主俾有憑依觀於下文留子弟監視實土者可知矣四禮便覽

題主人服色內喪外客題主并論

寒岡曰家禮無題主人吉服之文會葬之人題主則似仍素服然而曹先生題主時議論不一題主者以黑團領爲之矣答任屹

沙溪曰或問題主者當着何服愚答曰恐當以其時所着之服服之而只令鍋潔可也家禮輯覽

問內喪題主使外客題之得無未安耶尹家 尤庵曰一家有善書者則使之書之不亦穩便乎如無則亦可

不用外客也如內喪動柩下窆時皆用常漢此恐死生殊異故然也

題主時雜儀

問題主條對卓置盆巾云者只以盆巾對筆硯卓而置之於地云爾備要所謂二卓似誤 尹拯 尤庵曰筆墨下當有于於字而無之竊謂盥帨之設見於小斂條而曰此一節至遷幷同自至墓以後則所設之處變而其所行事亦異故特言其所設之處其曰如前者還引小斂條其東有臺其西無臺之文也蓋止設一卓而置硯筆墨因於其卓置主而書之似順便何必

爲硯筆墨別設一卓乎且所謂對卓者指卓子東而言也此卓子之東恰靈座之東南也正小斂條所謂設盆帨于饌東者也如是者恐於文勢及事宜亦順

沙溪曰題主時主人立於其前北面則衆主人在其下豈坐於壙東之位乎 答黃宗海

同春問儀節主人再拜謝題主者此禮可行否沙溪曰行亦可不行亦可

南溪曰儀節拜謝之禮恐孝子哀遑有不暇行矣 答李時春

行第

退溪曰行第稱呼按家禮云彼一等之親有幾人稱幾丈云云以此觀之通同姓有服之兄弟而分其先後生次第而爲稱呼明矣其或堂兄弟或再從兄弟或三從兄弟則各從其一時見在之親而爲定似不拘恒規也若以爲同生兄弟其數不應如許之多也題主所謂第幾者亦指此而言或以爲上自始祖者以世代次第言之此說非○嘗見治平要覽光武上繼元帝後處註云云其意亦以世代之次爲第幾此註乃 本朝鄭麟趾等所爲則吾東人自前輩已有此說然滉意終以爲未然者一般第幾字生死異用

恐無是理又朱子答郭子從論王式處云士大夫家而云幾郎幾公或是上世無官者也若爲世代之稱豈宜曰幾郎幾公耶惟兄弟之次乃生以爲號故死亦仍稱之耳故滉謂今人生時旣無第幾之稱神主不用此稱恐無不可者也 答李楨

顯庵曰東俗旣不用行第之稱號則其於陷中亦勿書可也

問婦人神主陷中亦稱第幾 黃宗海 沙溪曰古者婦人亦稱行第如吊狀幾家姊妹是也我國男子婦人幷不用之

尤庵曰家禮冠禮云伯某仲叔季惟所當與論語八
士之稱同矣禮經之只言伯叔盖錯舉以見其餘父
之兄弟衆多則其最長者稱伯第二稱仲第三以下
皆稱叔最末者稱季似當然亦未見經據至於堂從
以下亦當如是稱之耶古人行第有劉九十者只言
同父則不能如是之多者云通以下而言則未知止
於三從耶抑通一姓而弁第之耶云云（答南溪）

南溪曰行第之稱嘗見退溪答李剛而問亦以爲然
今承台諭云云若以小學所謂某姓第幾姑夫及他
司馬十二蘇三黃九之列觀之恐終爲是第家禮慰

人狀註云若彼一等之親云云所謂一等之親乃伯
叔父母姑兄姊妹也觀其所慰不出於期功至重之
處而有此云云則抑亦只數一父之子爲行第耶若
謂彼此各是一義又不宜一人之身而兩存其稱實
難臆斷（答尤庵）

書諱

寒岡曰今人或書諱或不書諱但婦人之諱明知亦
難不書何至甚妨（答旅軒）

問今俗於陷中不書婦人之諱（申楫）愚伏曰書姓太泛
不足以依神依禮書諱甚得

尤庵曰婦人神主陷中不書諱字甚無謂（答尹宷）

南溪曰陷中書諱不分男女此家禮之意也但我國
婦人不如中朝之俗有諱有字舜以乳名當之殊似
未穩然與其全闕此爲稍勝（答白以受）

問陷中諱字無乃不稱於卑幼耶（黄宗海）沙溪曰死曰
諱無尊卑矣

皇顯字義

同春問主式舊用皇字今用顯字皇與顯何義沙溪
曰通典及丘說可考

通典曰周制諸侯五廟考廟王考廟皇考廟顯考

廟祖考廟註鄭玄曰王皇皆君也顯明也祖始也
以君明始者所以尊本也○丘瓊山曰皇與顯皆
明也其義相通

尤庵曰家禮舊本稱皇考皇妣別本則只稱考妣胡
元禁皇字僭俾稱顯字故家禮卷首圖稱以顯字矣
好禮之家嫌於胡元之制從家禮別本只稱考妣矣
然朱子大全告先祖祝文有惟我顯祖之文胡元之
制亦出於此則仍稱顯字亦無所嫌耶家禮祝辭加
以故字果與神主之題有異未知所以（答鄭纘輝）

又曰神主以字數之多未免雙行者此出於不得已

也且神主顯字出於胡元之制而家禮無之若去此一字則爲減省之一助而亦用夏變夷之道也答李端夏

南溪曰鄙家亦從俗禮用顯答金楺

又曰顯考之稱始於禮法其必通用於祖考見於周元陽祭録韓魏公亦嘗用之至於儀節遵行無疑則家禮圖雖有大德年間之說詳其語意當時只禁皇字而其謂用顯者卽撰圖之人所爲恐非可拘而尤庵必欲不用何也盖題主條有粉面曰考某官某氏之說而恐承上文陷中兩故字而言似非直稱考妣之意也何以明之儀節祝辭旣以皇祖某子爲稱

家禮有事則告條又有故考云云之文祝辭所擧卽是粉面所題則安有全無皇故諸字而直曰考妣之理答尹拯

有資級無實職 妻從夫實職并論○見銘旌條

贈職實職先後書 書婦人書眞誥及書兩行并論

蘇齋問先書贈職東俗也無害否退溪曰東俗先書贈職先　國恩之意也然官之高下事之先後皆倒置欲變而從古未果也

問神主或先題贈職而後實職或先題實職而後贈職何者爲是權頎 沙溪曰宋朝先書實職後書贈職我國則先　贈後實吾家先世亦然不可卒改也

尤庵曰據朱子大全則先書實職後書贈職爲是故鄙家遵用此例矣景賢錄中寒暄年譜退溪亦有此論可檢看也答尹以健

按景賢錄云今人先書　贈職乃及任職似已成例然考之古人文集碑銘等題率先書任職然後及　贈職今不從今而從古以見先生信古之志

又曰俱是　君恩而實職居先以此先書無乃宜乎與春同

又曰今必欲遵依先規先書　贈職恐亦無妨婦人

不書眞誥只書其　贈此則俗例然矣如欲幷書眞誥則依朱子大全封戶例書實封二字於貞夫人之上如何答李端夏

遂庵曰題主字數甚多書兩行何妨世多有如此者矣答蔡徵休

不書致仕

尤庵曰翼成公題主仍令致仕四字全去之似可朱先生致仕於己未翌年易簀而其官銜只書實職及追贈耳答李選

書處士徵士別號

問讀書之士不出於世職名到身者身旣不出則名雖官人而心則處士也爲人子者宜順其志體其心故題主銘旌有不書職名而欲書處士云云 趙宗溥 陶庵曰孝子之心只當體親志之所安而已世俗是非何足道也題主若此則陷中如之銘旌無可問

問龍西叔父平日不受官一節與先人無異遵用遺意遂書旌以徵士未知題主無變於此耶或云銘旌當從本意題主則當從後人之稱其意有不同題主當書官未知如何妄意則無官者以處士題主今以徵士題主恐無不可 尹拯 尤庵曰龍西之旌旣書以徵

士則於神主又何同異

又曰神主之題旣以別號則銘旌尤無可問矣神主稱號載於二程全書有曰屬謂高曾祖考稱謂官或號行號是別號行如元二劉九之類伊川之子端中稱伊川爲先生亦載二程全書矣 答宋炳文○時同春先生官爵爲鑄

削官者及其妻稱號 陷中書官名弁諸○見喪變禮被罪家喪禮諸積輩追削而適遷窆矣節條中銘旌題主條

無官者及其妻稱號

沙溪曰無官而歿者不稱學生則無他稱號勢不得已當書學生處士秀才各隨其宜可也婦人孺人之稱書亦可不書亦可丘氏謂無官婦人宜如俗稱孺人蓋禮窮則從下之義也 答同春

尤庵曰孺人是九品官之妻稱而士妻同稱之者是禮窮則同之義也 答沈榟

南溪曰生進妻準格當以禮窮從下之義書以孺人而其或忝用宜人之號者如 國典論墓道步數生進與六品幷稱及退溪於朴嘯皐承任先妣碣文寔爲生進妻而以蔭堦書淑人皆其類也然問解中有婦人銘旌當從其夫實職不當從資級之文恐此方

是定論耳 答洪錫龜

婦人書封氏 見銘旌條

書姓貫當否

尤庵曰妣位只書某氏而不書鄉貫自銘旌神主誌石石碑而皆然 本朝則李姓娶李姓金姓娶金姓故不得已書鄉貫以別之矣中朝人見李漢陰夫人李氏旌門大駭曰爾國雖云禮義之邦而猶未免胡俗云矣中朝則惟王莽妻是王氏然莽旣簒凡劉氏皆改爲王氏而其子婦劉氏則不改爲王是則莽猶知同姓爲嫌也 顯考嘗爲絜令以禁之矣今聞時

輩以賤臣之所建白而不用云然則鄉貫之書將不得免矣（答沈世熙）

又曰家禮第幾之規我國不能行既不書第幾則書貫或不至甚悖乎（答李逕）

南溪曰題主家禮本文無書姓鄉之文俗論雖非之恐不可從（答李行泰）

庶孽稱號（見銘旌條）

庶孽婦人稱號（同上）

旁題左右之別

退溪曰題奉祀左旁以神主左方爲是者何氏小學圖等古書亦或有之故金慕齋亦從之許魏兩使所云如此無足怪也然滉所以不敢遽信彼而直欲從家禮者亦有說試言今人展紙寫字一行既寫了次寫第二行者其先寫第一行必在人之右次寫第二行必在人之左以此分上下故例稱在右者爲上在左者爲下矣朱子於題幾主後既明言其下左方題云云此必以先所寫一行爲上故以次行爲其下以在上者爲右故以在下者爲左耳然則其分左右正與大學序次如左之說同皆以人對書而稱其方位恒言莫不爲然豈於此獨舍恒言而遽易其方位向

背以先寫在人右爲上者變爲在神右爲上又以當在人左爲下者遷就在神左而爲下耶此必無之理也况於書標右處謂刻自左方轉及後右而周焉豈可謂自標右左始而乃及後右耶此亦爲證無疑也家禮圖雖或有誤豈容皆誤大明會典既從家禮圖我國禮圖又從會典今必欲舍先賢時王之制而從何氏易恒言方位而强立無據之方位豈爲當乎然今人主彼說者皆以神道尚右爲說滉又以爲今人啓單子書狀之類初面先具銜書姓名神座自西而東題奉祀於神主右邊安知其不與此同意耶（答鄭惟一）

○下同

又曰又見濂洛風雅南軒諸葛忠武侯贊示註南軒作此贊文公跋其左方云云亦謂人左爲左方是亦明證

龜峰曰旁題宜題於書者之左僕少時問于聽松先生答云已卯諸儒皆用小學何氏圖以主身之左爲定又看退溪先生所論亦云用主身之左皆似未盡家禮則用書者之左無疑且主式始於伊川而伊川文集之圖亦如家禮恐無所疑

沙溪曰何氏小學圖奉祀之名題於神主之左何氏

之意蓋以神道以右爲尊而奉祀不當書主銜之右創自改之考禮者不深究本義而反以爲家禮本文文勢然也乃以其下左旁之左爲神主之左不從卷首圖而從何氏所圖者恐非朱子本意何以知其然也按家禮立小碑章曰略述其世系名字行實而刻於其左轉及後右以周焉此左字正與其下左旁之左文勢同然則碑文亦將逆書而周焉乎决不然也且主式自古有之至於程子其制始備而兩程全書所圖亦與家禮本圖同程門諸子所纂豈無所見而然乎馮氏善所謂凡言右皆是上文言左皆是下文

詳觀大學右傳十章及別爲序次如左則左爲下文不待辨說而自明云者近之 答黃宗海

南溪曰主式旁題古果有嫌右之說第今當以寫者之左爲正蓋已有退溪定論尤不須更作異見 答朴世陛

幼兒旁題

沙溪曰婦人無奉祀之義若有乳下兒則定其名卽書旁題何必待長 答李以恂

尤庵曰禮子幼則以衰抱之人爲之拜今主人雖稚幼題主祝辭皆當以爲主也 答閔周鏡

問幼時喪父者旁註多以小字是不忍棄父之所命也然其所命或多賤俚之義則恐不可以此題父之主 答梁處濟 南溪曰問解云若有乳下兒則定其名卽書旁題所謂定其名者卽正名也如世俗之末失何足深論

題主奠

顧庵曰題主後登時返虞築土成墳顧使子弟監之何也蓋引接靈魂依付木主其事甚急讀祝才畢舉以升車其意可知也世俗不能深究乃置主靈座仍設別奠以爲大禮却於虞祭視猶尋常豈非失其輕重哉

同春問家禮題主只言炷香斟酒而今俗別設盛奠無害否沙溪曰從俗不妨五禮儀亦有題主奠也 尤庵曰先師之意以爲事之無害於義者從俗可也非不知家禮之有此明訓也○遂庵曰先生常以題主奠爲非禮

問祠后土題主奠云云 文後 南溪曰云云 詳見祠后土諸節條

遂庵曰妻喪及子弟喪題主後炷香斟酒家長爲之何妨 答成爾鴻

題主祝

問題主條有母喪稱哀子之文蓋父喪稱孤母喪稱哀者本溫公別其父母不欲混幷者則雖父已沒似

當稱哀於母喪而但疏狀中有俱亡則稱孤哀之文祝與簡辭有異乎黃宗海 沙溪曰孤子哀子皆各稱之不混似合於溫公朱子之意依疏狀所稱俱亡稱孤哀亦似不妨退溪之敎亦然按孤哀之稱又見疏狀雜式條當參考

問承重喪祝文當曰孤哀曾孫耶只當曰哀曾孫耶雖有母而稱哀無未安否閔遇洙 陶菴曰承重祝文則似當稱以孤哀曾孫矣

問題主祝文讀畢懷之之意金就礪 退溪曰愚恐此處禮意精微不可如此淺看了蓋當此時死者神魂飄忽無依泊祝一人身任招來懷附於木主之責神依

木主則便有與人相際接之理故讀畢而懷之以見招來懷附與人相際接之理聖人制禮求神之道孝子愛親思成之義其盡於是矣

陶庵曰靈魂乍依新主不能安定而遽以火焚祝或致驚散故姑不焚而懷之

同春問云云前承下敎凡祝文祭畢焚之此則祭畢卽返魂未暇焚之似不過如是云云然則當懷祝文至家而後焚之耶 沙溪曰退溪所論恐不然鄭璘城說亦未穩當至家行虞祭後焚之可也然亦不敢必以爲是也

又曰告畢卽返魂未暇焚之耳退溪與金而精問答語意微與人或誤見有懷神主者可笑答姜碩期

又曰愚意則急於返魂且原野之禮常略故祝未暇焚恐無他意也家禮輯覽

尤庵曰退溪說雖不敢爲非而抑有可疑者此時神主既成以祝其神魂是憑是依而不欲其飄散也今又欲使祝招來懷附於其身正欲其飄散也或者求其說而不得而因以牽强退溪說使祝懷神主於懷間其無識甚矣先師心竊病之於備要讀畢懷之之下節入儀節不焚二字然後昧者曉然此不可不知也答或人

又曰題主祝文終不可不焚也答李檣

父母偕喪題主先後見喪變禮幷有喪條

攝祀旁題見祭變禮攝主奉祀條中諸條

無男主者婦人奉祀題主見喪變禮無後喪條

本生親題主見爲人後者本生親喪諸節條

妾子所生母題主見妾子本生親喪諸節條

養父母題主見養父母喪諸節條

外祖考妣題主見祭變禮外孫奉祀條中外孫奉祀稱號代數條

妻喪題主妹妾題主幷論○見妻喪諸節條

子喪題主 姪及子姪婦題主并論

尤庵曰愚伏於子神主稱官而不稱名同春於子喪亦然未知有所考耶 答柳億○遂庵答洪益采曰老先生嘗曰同春於其子神主不當書名據禮則固當書名云矣

又曰昔年伯兄亡先親問於沙溪先生書以亡子某神主 答李箕洪

又曰父主子喪而神主稱官未有明文然世俗皆稱之於理恐無妨也書名一欵據備要則無所疑 答閔鼎重

問備要題主註云妻子及傍親稱號見上祝文云而祝文但曰子某弟某而不言稱號某之一字弁包稱

號及名耶 朴聖源 陶庵曰某字實包號與名

問父主子喪神主陷中公字宜代以君字 李箕洪 尤庵曰陷中雖易世之後無復變改者故父雖在而只依例書之矣

又曰凡喪父在父爲主故子姪與子姪婦皆以尊者爲主而以其班祔於祠堂一切順整矣若以其子爲主而以考妣題其神主則當祔於何處耶無論事理知何而節節妨碍 答李端夏

南溪曰人家欲以亡子婦題主鄙意則不然盖因禮經有嫡子婦衆子婦等處而誤也 答李軒佐

遂庵曰子婦題主鄙家稱以子婦某氏亡長子亡家婦云云禮無其文只曰亡子某子婦某氏則似無相混之患矣 答成爾鴻

無後諸親喪題主 見喪變禮無後喪條

殤喪題主 見殤喪諸節雜儀條

招魂題主 見喪變禮虛葬條

成墳

墳制 成墳奠并論

同春問圓墳與馬鬣不知何制爲得檀弓子夏曰昔者夫子言之曰吾見封之若堂者矣見若坊者矣見

若覆夏屋者矣見若斧者矣從若斧者焉馬鬣封之謂也云云據此則當以馬鬣爲準而今俗罕爲此制何歟沙溪曰馬鬣比圓墳覆土頗廣稍去稜隅則似或堅完吾家累代墓皆從此制

問易墓非古也又曰墓而不墳此非追遠不匱之義耶 李彦純 南溪曰古人尚質其封四尺者自孔子始猶曰東西南北之人難以追咎也

又曰士喪禮疏天子之墓一丈諸侯八尺其次降殺以兩高四尺盖周之士制以此推之出於爵秩等差非爲陰數而然尺亦似用周尺然今日匠者取其高

或用布帛尺云未可詳也（答權鎭）

同春問五禮儀有成墳奠而退溪亦有雖非禮而從俗之教如何沙溪曰成墳奠於禮無據不敢爲說

立石碑石物（石碑石物見治葬具條中成墳之具條）

南溪曰表石立於墓前禮也不然則當立於左旁蓋右是神道之尊位也（答李世龜）

同春問父墳在後母墳在前石物則立於父墳云云沙溪曰云云（詳見祭禮墓祭條中上下墓行祀條）

尤菴曰夫與元妣合葬于上繼妣祔于下則表石當主于夫而書曰前妣某氏祔左繼妣某氏祔下云而

石人石床則似當設於下墓之下若上下墓太遠則似當各設（答南溪）

又曰石物隨成先立可也立時若值節祀則因其祭添入于祝詞中以告爲可尚饗下添以某來承祀事百年于玆而家貧力薄墓前石物無計卽成今始拮据僅成石人石床今將排設而惟是表石垂成鐫鈌不可苟用勢須遲待來秋謹將事由幷此虔告云云以此修潤用之如何若祭前已設則改將字爲已字可也（答金光老）

又曰有事於一墓而幷告諸墓未之前聞家禮祠堂章告追贈條云只告所贈之龕恐此爲可據之證告於祠堂恐難杜撰據家禮則追贈改題何等大禮而只設酒果今於告墓何獨爲太忽略耶（答金相玉）

合葬（與喪變禮改葬諸條參看）

同槨異槨方位掩壙先後之說（置翣幷論）

同春問合葬是同槨耶只是同壙耶妻當祔於何方沙溪曰禮記及朱子說可考

檀弓孔子曰衛人之祔也離之魯人之祔也合之善夫註生旣同室死當同穴故善魯祔合葬也離之謂以一物隔二棺之間於一槨中也魯人則

合幷兩棺置槨中無別物隔之○朱子曰古者槨合衆材爲之故大小隨人所爲今用全木則無許大木可以爲槨故合葬者只同穴而各用槨也○陳淳問合葬夫婦之位曰某初葬亡室時只存東畔一位亦不曾考禮是如何淳問地道以右爲尊恐男當居右曰祭時以西爲上則葬時亦如此方是

又問考妣兼用一槨如何沙溪曰古人有兼用一槨者而鄙見則壙中太濶易爲崩陷莫如用兩槨而兩槨之間塡以石灰如何

退溪曰兩親墓東西定位想中國俗葬皆男左女右故朱先生葬劉夫人時只循俗爲之其後丘文莊亦不欲異俗而云云也然朱子答陳安卿之問分明謂祭而以西爲上葬時亦當如此是則此乃爲晩年定論而後世之所當法也（答李楨）

又曰葬地前後之宜似以考前妣後爲當然前旣無地可占合葬雙墳勢俱爲難則似不得不隨地勢以處（答鄭惟一）

沙溪曰丘儀按葬位固當如祭位但世俗循冒已久葬皆男左女右一家忽然如此行之數世之後安知

子孫不誤以考爲妣乎不如且姑從朱子葬劉夫人之例也按語類云云祭以西爲上則葬時亦當如此方是（詳見上）今丘說如此未可知也（家禮輯覽）

南溪曰世之葬法有以男左女右爲次者有以考前妣後爲次者傳曰神道尚右又曰地道尚右而朱子答陳安卿之問已有定論若考前妣後之說亦似不安以神道論之都宮昭穆之制太祖居北二昭二穆以次而南以地道論之山勢後高而前低北上而南下今必反易其常何哉程子葬說云云此說皆王墓居中子孫左昭右穆其後或東或西以次而南之證而亦無尊前卑後之義今之族葬者恐當以此爲率而夫婦之不能合葬者亦當推此則是將不失古道而庶正俗失矣

陶庵曰朱子之論退溪先生之說俱有初晩之異後學只當以晩年定論爲主況近世士大夫皆用尚右之制恐難變改（答金汝性）

問考妣二柩同槨而葬者不無長短之差則當齊其上乎齊其下乎（黃宗海）　沙溪曰當齊其上

同春問同壙而葬者若行後葬而掩壙則其間日子稍遲似爲未安沙溪曰張子旣有數恐不可違然爲

日若久似不可膠守耳

張子曰古者并有喪則先葬者必不復土以待後葬之入相去日近故也

問今人合葬築灰於兩棺之間而隔之此非古人祔葬之禮也古亦有或離或合而孔子善其合者則決不可從俗未知何如（宋尹）　尤庵曰祔葬當從聖人之說今人合墓同槨者外盖用橫板並無擢隔之憂矣

旅軒曰用同槨一盖則其盖板須加厚可也（答孫鏊）

前後室合祔當否（元妣別墓平論）

同春問人有繼室或三室其葬祭似皆合祔云云沙

溪曰程張朱子論之已詳可考也
程子答富鄭公曰合葬用元妣配享用宗子之所出○張子曰祔葬祔祭極至理而論只合祔一人夫婦之道當其初昏未嘗約再配是夫只合一娶婦只合一嫁今婦人夫死而不可再嫁如天地之大義夫豈得以再娶然以重者計之養親承家祭祀繼續不可無也故有再娶之理然其葬其祔雖爲同穴同筵几譬之人情一室中豈容二妻以義斷之須祔以首娶繼室別爲一所可也○朱子曰程先生說恐誤唐會要中有論凡是嫡母無先後

皆當幷祔合祭與古者諸侯之禮不同又曰夫婦之義如乾大坤至自有等差故方其生存夫得有妻有妾而妻之所天不容有二況於死而配祔又非生存之比橫渠之說似亦推之有大過也只合從唐人所議爲允況又有前妻無子後妻有子之碍其勢將有甚扤捏而未安者惟葬則今人夫婦未必皆合葬繼室別營兆域宜亦可耳○黃勉齋曰今按喪服小記云婦祔於祖姑祖姑有三人則祔於親者再娶之妻自可祔廟程子張子考之不詳朱先生所辨正合禮經也

尤庵曰程張朱諸先生之論不嘗明白而張子之論尤嚴截矣今世此意廢壞若前夫人無子而後夫人有子則不但以後夫人合葬至有不知前夫人葬在何處者極可寒心以尊家事言之則今年雖不可以前夫人還祔於伯氏如遇吉歲必如諸先生之說是正當道理也前後皆祔之制雖愈於捨前取後之偏尚不如別葬其後之正也又記朱子別葬其父母於百里之遠如不得已則前後夫人皆可別葬也程朱論禮法處必曰世族之家先行之方可使以下士大夫行之今日尊家如復違禮則世人無所取則而或

反曰某家尚如此云爾則非小事也天下之實幸須爲天下惜之也 答靜觀齋
又曰世或以考與前後妣之墓象品字之形盖考位居上前妣居前右後妣居前左其曰前曰左右者皆據考位而言也前妣居右者神道以右爲尊故也旣以右爲尊故只考妣兩位相祔則考居于右而妣居于左此與前妣右而後妣左其義同也若於品字之制前妣居左後妣居右則反失前後之序矣前右前左四字出易啓蒙 答沈樑
問葬前後母者世多用品字制而其法不齊或一壙

中並安三喪而父居中稍後前母右後母左而各稍前或三墓一行幷峙而父居右二母循序次之或同兆異穴列樹三墓考墓居後前妣右後妣左而各稍前以爲品字狀梁處濟南溪曰前後葬法已有文公定論難容異議矣姑以所示品字之制言之恐最後者爲勝

又曰有前後妻者同葬一岡之禮其規不一有夫塚北而妻祔南者有夫塚南而兩妻祔北者近考葬法昭穆之說程制主穴在北子孫以次而南周禮王穴在中子孫貴者在南賤者在北已頗逕庭而又皆子

孫之位也然前後妻祔葬者亦不可舍此別求他法則夫塚北而祔南者終當爲是與尹拯

又曰若開壙而棺木朽敗勢當改斂改斂則無不得行喪之理第若終不至遷動者決不可獨與後妣合葬或雙墳或上下墳以示不敢準禮合葬之意猶有限節也答金楺

退溪曰據禮言之兩妣皆當祔於考塋未則遷先而祔可也滉先妣葬在別處而先考葬於族葬乃家後山也滉兄弟六七人遭後母喪取便近而祔葬於先塋先妣墓已經七十餘年難於遷動又亡兄嫂及姪隨葬亦多已成一族葬因遂未遷其於事理極爲未安尚賴所云別處亦去家僅五六里而近每祭兄弟子姪祭於先壠次日祭於先妣墓未嘗設位先壠而遥祭之也兩處皆有齋舍或於其一處有故不可行祭則就無事處設位合祭之耳此乃從前處事未盡善暨乎今日雖欲改之勢有甚難之故也答柳希范

夫在時前後室合葬之非

陶庵曰祔者所以從葬也其夫生存而前後妻合葬則未知何所從也陽能統陰夫既葬則雖兩室三室皆可統於夫矣夫既生存而兩妻同穴則將使後妻

統於前妻耶天下豈有陰統陰之理答禹昌洛

妻妾放出者還葬夫家先塋可否

南溪曰今　國典無出妻法其夫生前情義甚疎或居家内而不相接或送本家而久不推還皆近於出也然法既無文且既所生子主祀似當合葬然父若遺命勿爲合葬則亦當異葬至於此妾則位賤行悖父又遺書放絕則主宗之家不使葬於先壠乃正論也其子亦當從遺命別葬而已答李東耆

合葬時告先葬未合葬亦告并論

南溪曰所謂合葬告先葬之位者不必深泥雖用雙

墓豈有不告之理（答朴世陛）
問父喪啓母墓告辭（梁處濟）南溪曰無服輕者則喪人親行之不可用異姓之親
問母喪啓父墓告辭（閔采萬）南溪曰依問解喪中祭先之服告祭其父恐無所妨
同春曰祠后土主人亦有自告之禮今告先妣自告恐不妨告辭當據備要所載略改如何主人自告則情理自當哭（答李選）
南溪曰告先葬祝恐當曰云云某親某封某氏已於某月某日捐世將於某月某日行合葬之禮不勝感

痛云云（答申份）
遂庵曰合葬告辭開塋域日當別爲措辭曰年月日云云將於某月某日合窆先妣某封某氏今日開墓伏惟尊靈不震不驚（答或人）
陶庵曰親喪合祔之時使人告于舊墓似或有未恔於心者故鄙人則嘗自告矣告辭禮書旣無可考只當以己意爲辭耳若欲依此行之則告辭用孤哀名而奠酌則使人爲之可也（答李惠輔○下同）
問新卜之所在祖墓傍當告于祖墓而旣非合窆則不必復告於父墳耶（安備）陶庵曰告先塋之禮固當用於祖墓而於父墳亦當以新喪某日窆於某所合祔則姑待吉年之意告之爲得

附　祔葬先塋告辭

沙溪曰祔葬先塋則使服輕者用酒果告之云今爲孫某官某營建宅兆謹以酒果用申虔告云云似得參降之節亦當有之所謂某甫云者指亡者之字也先祖前則稱名可也古者雖稱字今不可用后土祭亦然（答同春）
南溪曰告先塋葬地遠近同則當告最尊者遠近不同則當告同穴之尊者先葬母後葬父則恐可使服

輕者代告其辭亦當從子稱考不當從母稱夫（答李時春）
又曰酒果告先之禮旣祔葬先山之內則雖不相望恐不可闕旁親兄弟雖近不必行也（答朴世瑗）
又曰告先塋云云祝辭當以宗子名使服輕者代行雖於已祧而諸位迭掌之墓猶以當初直派大宗名爲主也（答李潐）

合葬祠后土

問新舊合葬其祝欲書曰宅兆不利將改葬于此以某封某氏祔云云（鄭崐壽）退溪曰當如此而祔字上加新字

問祔葬者恐當不用營建宅兆之句妄意改此一句今以某親祔葬其親云云申佾南溪曰來示得之

問兩葬同壙而破土安葬同日時幷用斬破時及實土後祠土地各設其祭耶若合設則祝辭當何書之李時春南溪曰同祝爲當

問合葬時祠后土祝辭中今爲字下新喪則依古訓書之而舊葬則以改葬之意書之乎蓋不可欺者神則直以某親某封某氏合葬之意書之乎權鎭南溪曰若各葬則各告所葬之位若合葬則只告所葬之夫位似可蓋婦統於夫也至於遷葬曲折不宜備列非

欺之也乃所以尊之故也

又曰新山祠后土祝似當只以正位爲主然幷告祔葬之位亦無大妨否耶答李時亨

合葬時通穴

陶庵曰合葬時通穴大抵後世多動於吉凶之說而然宜禮書之不見也雖通得一邊三邊事有不可知終恐無益答李惠輔○下同

又曰破墓時旣有告辭不必以通穴一事更告也哭泣之節哀情所發何能已耶

合葬後行祭可否

退溪曰葬後合祭於古禮無考今旣不能免俗而行之則當取其稍穩便者爲之位板今難曆而後難處不若紙榜今附櫝內而後日焚之爲便答金富仁

愼獨齋曰來示先考位全然無事似爲未安云云考之古禮曾無幷祭之儀蓋虞者孝子爲親之魂氣彷徨設祭以安之也先妣設位固當而先考位則安厝已久無事於虞矣況始役之日旣以酒果告以破墓雖於葬先妣之日無事於先考亦非全然無事也恐不可創設新規也若封墓旣畢設酒果幷告以役畢則情禮無妨耳答李敬輿

問合窆後舊墓雖不動灰隔似當有慰安之祭李世龜

南溪曰慰安之祭亦所未聞蓋旣不見其尸柩只得始事時一告而已

返哭

返魂他所

問世或有葬而返魂於他所者恐非神返室堂之義而又失於返諸其所作返諸其所養之禮崔徵厚遂庵曰婦人以夫家爲家而歿則夫黨主之生時雖寄養於己之親黨便非其所葬後返哭於夫家事理當然矣葬後若暫返所居之室行虞卒哭徐還夫家則似

爲曲盡情文而又未知葬所果在他地而能無掣碍之端否

返哭時辭墓當否

沙溪曰返魂時不哭拜於墓者專意於神主故也世人哭拜於墓恐非禮意（答同春）

問返魂時若成墳則今俗必拜辭親賓同主人拜辭亦可耶（柳貴三）南溪曰禮雖未言人情之所不得不然且似無害於義矣

陶庵曰返魂時不哭辭於墓沙翁之論深得禮意只當遵行何可從俗爲之（答李濟厚）

返哭諸節

同春問奉神主入就位櫝之云云沙溪曰常時祭祀奉主櫝置西階卓上啓櫝奉主出就位此則非若有事時故奉主直入就位仍櫝之謂歟豈有自墓來不櫝而今始櫝之哉活看可也

問沙溪曰云云盖家禮之意以爲新主纔成不知魂之依否不忍遽櫝也故其反如疑爲親在彼至家櫝之其義甚精微恐不可活看（李東）遂庵曰至家櫝之似有微意

尤庵曰既有靈車其外鞍馬不亦虛乎（答尹案）

南溪曰轎子鞍馬皆出於俗規似倣　國家返魂儀物而然士夫家依禮勿行恐當（答崔補）

問哭于廳事（柳貴三）南溪曰廳事者丈夫常處之所主人先哭於廳豈緣此而然耶婦人勢不得至廳事則只哭于堂也

父母偕葬返魂（見喪變禮并有喪條）

國恤中私喪返魂儀節（見國恤條）

返哭時行弔

南溪曰返哭之弔哀之至也恐當依本文行之於其日（答李時春）

又曰雖或出郊而迎至家行弔恐得之也（答李行春）

陶庵曰今俗於返哭之時賓客多出郭外迎慰於路傍紛擾之處拜未成儀哭不終聲此何禮也孔子之惡野哭者以郊野道路非可哭之地也昔齊莊公襲莒杞梁死焉其妻迎其柩於路哭之哀莊公使人弔之辭曰猶有先人之敝廬在下妾不得與郊弔齊侯弔諸其室今之讀書知義理者反爲女子之所不爲寧不愧乎雖或迎於郭外切勿行弔禮於路側只當隨後還喪次待返哭而後弔可也（四禮便覽）

祥後返哭行奠

松江問祥日祭之後反哭又設盛祭於舊堂倣虞儀行事此雖於禮無文恐不得不然龜峰曰孝子之情不得不爾但祭則家禮三年內所行已有其數不可疊行倣祠堂章告事之儀告以返哭之意行奠禮如何

盧墓

總論盧墓返魂得失

退溪曰設殯於正寢者使其神安在於生存之處也歸葬于山野平土纔畢題主畢使子弟看封墓即速返魂者恐神魂飄散無依泊欲趁依歸即安於平昔居息之處此孝子之心也今只以居廬爲善未知返魂之意至畢三年後乃返魂于家魂散久矣其能返乎胡伯量問曰某結屋數間於壠所葬後與諸弟常居其間敬子以爲主喪者既葬當居家蓋神已歸家則家爲重卻令弟輩宿墓可也舜弼亦云廬墓非禮纔自此常在中門外別室更令一二弟居宿壙廬某時一展省未知可否朱子曰墳土未乾時一展省何害於事但不立廬墓之名耳 蓋漢唐以下未有居廬之名其中或有廬墓者表旌其閭由是廬墓成俗而返魂之禮遂廢甚可歎也但末世禮法壞亂返魂于

家者多有不謹之事反不若廬墓之免於混雜也然其不謹如此者名雖廬墓恐亦不能致謹於廬墓也 答趙振

顧菴曰檀弓返哭升堂反諸其所作也主婦入于室返諸其所養也註所作者平生祭祀冠昏所行禮之處也所養者所饋食供奉之處也朱子於返哭之事謂之曰須知得這意思則所謂踐其位行其禮等事行之自安方見得繼志述事之事然則返主乃喪禮中之最大者故三虞以下須至家乃行而國俗以廬墓遂不返主而仍就廬行祭以終三年此徒知取便

而不知其大失禮經之旨也朱子居喪廬墓而朔望則歸拜于几筵蓋廬墓乃吾私事而若朔望時候之變也禮不可以不親也大抵喪者自欲廬墓則固不禁矣若朔望几筵之禮不可廢也能如朱子所爲則情禮兩全矣吾東自圃隱居廬之後始知慕效漸以成俗今非敢以廬墓爲非只辨其不返主之非耳

牛溪曰廬墓雖近於情然非禮之正也孝子以禮自守而情文皆備則何必以在家喪禮不專爲懼耶先儒言墓藏體魄而致生之不智廟奉宗祏而致死之不仁蓋魂魄既分則當以魂之所在爲致誠敬之地

答宋大立
栗谷曰今之識禮之家多於葬後返魂固正禮但時人效顰遂廢廬墓返魂之後各還其家與妻子同處禮防大壞甚可寒心凡喪親者自度一一從禮無毫分虧欠則當依例返魂如或未然則當依舊俗廬墓可也擊蒙要訣

龜峯曰鄭孝有病偏母年高云云從禮返哭而結廬墓下時往省拜以便孝理如何答沈松

同春問禮言返哭而或以廬墓爲善將何適從沙溪曰栗谷所論可考也○栗谷說見上

尤庵曰返魂於家而守几筵自是正禮兄弟中或守此正禮有何不可朱子於母喪返魂而常在墓所朔望歸奠几筵則是廬墓之禮亦爲後學之大典矣不待栗谷說然後爲可行也答尹家

南溪曰返哭重在神主經禮也况今有上食之禮於几筵乎朱子服喪時若行上食而常在寒泉則固可爲今日之證矣若其時從古禮不行上食則恐難以朱子所行而長違几筵莫如從返哭之禮而兄弟輪回時省墳墓之爲得宜也答沈元浚

陶庵曰以禮意言之廟重於墓故識禮之家葬後返魂而不爲廬墓苟有兄弟則長子侍几筵次子居墓廬亦可而哀是獨子旣不可兩行義當長侍几筵而墓則一月一省或再省爲得答李恒春

廬墓拜哭祭奠之節

問廬墓者朝夕哭省有拜禮否家尤庵曰以小學王裒事見之則可知其有拜矣

問墓所朝夕哭省則似異於靈筵宜有拜禮同春附泰重春曰然

南溪曰居喪非饋奠致敬之節不拜禮也墓所雖與几筵有間逐日再次行拜殊未安只申哭盡哀循守

常禮爲是答沈壽亮

又曰往來省墓者朝夕行拜亦當盖以身在外不參几筵上食則情禮不得不然答俞晦一

遂庵曰上墓時中原人立哭東俗伏哭皆無所妨答鄭彥煥

退溪曰居廬者朔望節日當行於几筵其有並行於墓所者非也答金就礪

問春几筵居廬墓下則四時節祀只行於几筵歟吳升尤庵曰似當行於几筵盖以家禮始祖親盡後墓祭例之則恐當如是矣

祥禫後廬墓之非 見禫後諸節條

禮疑類輯卷之九

禮疑類輯卷之十

喪禮

虞

虞日早晚剛柔

問若一日同葬而冬日極短事多未及虞祭何以行之既非經宿館行之所則雖行之於夜亦不至於大失耶 任屹 寒岡曰何至大失

同春問初虞用日中再虞三虞則皆質明云云沙溪曰禮經可攷

士虞禮日中而行事註朝葬日中而虞君子舉事

必用辰正也再虞三虞皆質明疏辰正者謂朝夕日中也以朝有葬事故云日中而行虞事也再虞三虞皆質明者以朝無葬事故皆質明而行虞事是用朝之辰正也

南溪曰質明即大昕指日未出時也朱子亦未免侵晨已行事畢則此亦古今不同處勢不得用大昕耳 答柳三

又曰士虞記註曰柔日陰也取其靜剛日陽也取其動疏曰三虞改用剛日以其將祔於祖取其動義也 答成文憲

尤庵曰日之剛柔相接初虞若是剛日則三個虞日然日日接續矣惟再虞是陰數而必用柔日故初虞若是柔日則不得不越剛用柔而或有間日者矣 答李徵明

又曰再虞若於道中遇柔日則當於所館行之至家之後隨值剛日而行三虞不可以至家日爲斷也世俗以神返室堂之日全然無事爲嫌然題主祝已告此意不可謂無事也 答閔維重

問家在數百里之遠必三宿而後得返則三虞之久不祭勢也等其久也曷若於山下留奉几筵待數日

墓事畢後返魂而行三虞乎 申楫 愚伏曰葬於原野之後魂無所依聖人恐其飄蕩彷徨故必於是日虞又必於所居之室堂其惓怛懇惻之意蓋不忍一日離也依禮文留子弟敦事速返而行三虞於室堂甚善甚善

虞祔沐浴櫛髮之異

沙溪曰虞祭雖有沐浴之文略自澡潔不爲櫛髮至祔祭始沐浴櫛髮剪爪盖沐浴則只以水洗之而已櫛髮則以水洗之而又以櫛梳之不無輕重之差矣 答同春

同春問虞祭條所謂齊衰櫛髮者似指三年喪盖期服豈至三月不梳耶沙溪曰此非三年喪乃期喪也期喪發引前不櫛於人情爲近何可疑也三年喪期喪之櫛髮以虞祭祔祭分而別之可也

不用網巾

退溪曰虞祭漸用吉禮文稍備著網巾似當而禮文無據又喪服小記云緦小功虞卒哭則免喪事主哀故雖漸吉而反用哀飾也以此言之虞不用網巾似無妨也 答金富仁

具饌

河西曰虞祭具饌如朝奠或朝上有朔日字或朔乃朔字之誤

龜峰曰虞無上食之文具饌進饌皆無羹飯至卒哭始有飯羹則虞無上食明矣 答松江

沙溪曰按具饌如朝奠則只有蔬果脯醢而無所謂魚肉炙肝麵米食飯羹矣然則於陳器條既有設匙筯文而無飯羹可乎此河西所以欲改以朔字讀也宜從丘氏儀節具饌設饌并如吉祭式 家禮輯覽

又曰按家禮具饌雖不言飯羹然陳器既有匙筯又祝曰粢盛又卒哭進饌主人奉羹主婦奉飯如虞祭

之設則有飯羹無疑矣（喪禮備要）
南溪曰虞祭既是祭禮所載饌物亦頗詳備且祝有潔牲粢盛之文而終無魚肉炙肝麪米食飯羹之類儀節備要次第添用則不但所闕爲炙肝然也此恐家禮不免疏略處安有深意於其間耶（答金榦）

饌品（諸條見祭禮時祭條）

茅沙（上同又與祭禮忌祭條參看）

設盥盆西階

南溪曰曲禮曰居喪之禮升降不由阼階註主人升降不由阼階則盥帨之設於西階其義明矣（答羅斗甲）

匙楪居中居西之辨（見祭禮時祭條）

出主（見祭禮參條）

入哭位次

沙溪曰家禮虞祭主人以下在堂上之位卒哭同虞祭練祥禫皆如上儀而惟祔祭宗子主婦及喪主婦分立兩階之下云云矣（答同春）

倚杖室外

同春問倚杖於室外者何義當倚於室外之東乎西乎沙溪曰小記虞杖不入於室祔杖不升於堂註虞祭在寢祭後不以杖入室殺哀之節也士虞禮主人倚杖入註主人北旋倚杖西序乃入所以倚於西序古禮虞祭男女序立反於初喪必男西女東而其升降男子亦由西階而其入室也近於西序故仍以倚之所以取其便也今家禮位次變於古而丈夫處東西上則其倚杖亦於東壁下可也（或云主人兄弟升降必由西階則倚杖之所不必變古未知是否）

尤庵曰虞杖既倚於室外則此後朝夕饋食恐當如是矣然自此不復杖則恐更無用杖終喪之意惟當祭時不敢杖而已（答李景華）

南溪曰婦人成服本在堂上虞卒哭倚杖與否恐非

所論也（答李滓）

遂庵曰室字從古禮文而不改也祭於堂則倚杖於堂外無疑（答崔徵厚）

無參神

退溪曰虞祭無參神非闕漏也當是時如事生如事存之兩際故去參神以見生前常侍之意行降神以見求神於恍惚之間此甚精微曲盡處瓊山犁意添入當從朱子（答寒岡）

沙溪曰家禮虞卒哭大小祥及禫祭並無參神之文而只於祔祭有之又其下註特言參祖考妣則其於

新主無參神之禮明矣退溪說可考丘儀補入恐非家禮本意意者所謂參神者參謁也吉祭則旣奉主於其位而不可虛視其主故必先拜而謁之然後降神禮也至於新主則三年之內奉置靈座而孝子常居其側未練之前又有朝夕哭以象平日昏定晨省未嘗一日離也雖遇行祭之日無可參謁之義故不設此禮而只入哭盡哀而已歟答同春○退溪說見上

同春曰無參神而有辭神雖似可疑然兩先生退沙所教自甚明白恐不可他求答蔡之鴻

尤庵曰祝出主後主人以下入哭者恐是參神之義

也答閔元重

問虞祥無參神者以有常侍之義而然也至若主妻喪旁親喪之類似有差別李時春　南溪曰恐當只遵常例行之入哭視參拜尤切故也

問期功異居者虞祥來參則非常侍之比全無參拜似未安閔以升　南溪曰期功異居者容其初到時別申哭拜未爲欠禮也

降神時止哭

南溪曰降神時止哭爲將行虞練祥祭禮故也凡孝子喪親雖是巨創至痛哭泣之節隨時不同虞練祥時自初至終哭而不止者似近於初喪恐爲過禮如朔奠雖曰殷奠節目不多與上食無甚異恐無止哭之義答朴鐔

進饌時炙肝幷進

南溪曰備要虞祭進饌註有炙肝而無設式惟儀節與魚肉同設於進饌時蓋以諸饌一時並設與時祭不同也似是喪祭從簡之義

陶庵曰炙肝之設饌時幷進三獻後各進虞卒祥禫與時祭果不同矣虞卒祥禫雖漸殺而向吉猶有哀遽之義不可一如純吉之祭而然耶答安備

左設與上食不同

牛溪曰祭禮設飯於西非獨丘儀如此家禮時祭進饌之儀已如此然初喪象生故凡設奠皆如平時至於虞而後用祭禮然則自虞而西飯恐亦無悖乎禮也答李濟臣

問祔祭進饌以祖考爲主則當依禮飯右羹左而乃云幷同虞祭虞祭之設如朝奠云虞與朝奠若象生時飯左羹右則祖考之前亦用新死者之禮耶黃宗海

沙溪曰自虞以後之祭則左設三年朝夕上食則象生時右設未知如何

飯羹左右之義 見祭禮時祭條

酌獻之節

問虞祭獻酌與時祭忌祭不同 朴廷老 寒岡曰豈不以虞祭哀遽其禮當簡時祭嚴敬其禮不得不備也耶

問虞祭則祭而後獻時祭則獻而後祭祭後復獻 閔泰重 尤庵曰虞祭猶是喪祭故與時祭略有異同

祭酒之義 見祭禮時祭條

啓飯蓋 同上

告祝之節

祝文

寒岡問禫祭祝文尚稱孤哀子則禫祭之前仍用孤哀之稱無乃可乎退溪曰當如此

同春問寒岡云云退溪答云云 見上 愚伏云非徒祝文謝人慰疏亦仍用矣未知如何沙溪曰儀禮家禮皆於祔祭稱孝又雜記曰祭稱孝子孝孫喪稱哀子哀孫註祭吉祭也卒哭以後爲吉祭故祝辭稱孝子孝孫自虞以前爲凶祭故稱哀儀節則自虞至禫於先祖稱孝於亡者稱哀當以禮經爲正愚伏謂禫前書疏仍用孤哀此說則是

又問云云愚伏曰從丘氏儀節不妨雖從雜記書尺則不可不稱孤哀不然則所謂喪稱哀子哀孫當用於何處耶

又問喪人則祝文不稱其官否沙溪曰考諸禮書喪人雖有官不稱也

南溪曰三虞禮成近於卒哭並稱成事恐無不可 答鄭尚樸

攝主祝 見喪變禮嗣子未執喪條中子孫攝主條

妻祭夫祝

南溪曰妻之祭夫旣用顯辟之禮則祝辭所謂夙興夜處哀慕不寧之語恐無妨碍 答權益文

諸親喪虞卒以下祝

問夫爲妻虞卒哭等祭祝文 李君顯 寒岡曰云云 詳見妻喪諸節條中虞卒祥禫諸祔條

問虞卒哭之祭夫雖主之祝辭則當云舅使子某告婦歟 崔碩儒 愼獨齋曰當如此

問孫婦虞祭祝 朴振河 遂庵曰祖父於孫婦稱以大舅或祖舅祝辭以悲念酸苦不自堪勝改之如何

問弟主兄喪虞祭祝辭 李天封 寒岡曰稍變其辭夙夜悲哀不能自寧

祝立主人右之義

問虞祭祝立主人右尹宗尤庵曰吉祭尚左其尚右以其喪禮也歟

讀祝 見祭禮忌祭及時祭條

亞獻

同春問喪禮子爲主人母爲主婦行禮之際似多相閡至於虞祔之祭子爲初獻母爲亞獻尤似未安云云愚伏曰云云卑者爲初獻則尊者不可爲亞獻寒岡當有此見以質之退溪退溪以爲不然今當從退溪之說

又問愚伏曰云云見上沙溪曰退溪說恐未安頃年姜

復而問之略有所論取考爲佳 答姜說○見立喪主條中主婦條

問姪爲喪主而初獻則叔父亦可爲亞獻否 金抹 南溪曰無可疑

又曰虞祭及大小祥只入哭初獻辭神三節行哭而已亞獻則無其文恐主婦亦不哭者爲是哉 答金

問虞祭亞獻下只云拜與云云 蔡徵休 遂庵曰儀禮雖如此備要則亞獻終獻如初獻云則似當哭拜矣

終獻

問同春喪虞祭李𢾅義翔爲終獻尤庵曰云云 見祭禮時祭條中亞終獻條

南溪曰親謂無服之親賓謂賓客意見家禮發引條虞祭今人家婦女鮮往葬所雖親賓與祭可也 答梁處濟

侑食下當有扱匙正筯之文 并論無拜禮

寒岡問喪禮侑食下無扱匙正筯之文竊恐此時主人悲迷禮文曲折不遑盡備故扱匙正筯直在進饌之初退溪曰是

沙溪曰按凡吉祭條俱有插匙飯中及正筯之文而此虞祭及下祔卒哭大小祥祭幷無丘儀亦無意者喪祭哀遽故從簡省之歟 家禮輯覽

同春問虞祭侑食下無扱匙之文寒岡問云云 見上 沙

溪曰退溪雖以鄭說爲然未知其是也鄙意家禮具饌條偶不言飯羹侑食條又無扱匙之文故有此疑也然陳器既有匙箸又祝曰粢盛又卒哭進饌條主人奉羹主婦奉飯如虞祭之設云則有飯羹無疑而既有飯羹則扱匙之節似當在侑食之時矣而主人荒迷不能成禮故執事行之而亦無拜也

問侑食一節虞祔練祥皆無再拜 柳貴三 南溪曰虞祔練祥皆凶禮不能盡同於時祭其義然也

扱匙正筯之節 見祭禮時祭條

闔門啓門撤羹進茶伏立之節 同上

告利成之義同上

虞卒告利成之異 并論無拜禮

沙溪曰按虞祭喪祭故西面告利成卒哭吉祭故東面告也 家禮輯覽

問時祭告利成後祝以下再拜虞卒哭則無 柳貴三 南溪曰恐亦喪祭異於吉祭也

諸親祭告利成當否

朽淺曰利成之告上喪之禮今於子不行何害 答李成已

問告利成夫祭妻及旁親與卑幼之祭似不可混用 李時春 南溪曰告利成之利訓非養親之養乃養神之

養幷用恐不妨

下匙筯合飯盖 見祭禮時祭條

辭神 先斂主并論

沙溪曰喪中雖有常侍之義祭畢辭神不可不爲也 答春同

問辭神之禮虞與時祭不同 姜碩期 沙溪曰未詳 或曰虞祭主無遷動故先斂後拜時祭將奉就西階卓斂櫝故未出先拜未知是否 答蔡之沔 ○

同春曰無飡神而有辭神云云 見無飡神條

尤庵曰辭神在斂主後者恐是喪祭異於吉祭也 答閔元重

南溪曰問解小註中或說似是 答梁處濟 或說見上 ○

又曰無飡有辭者豈以辭神不得不見祭終之意故耶 答鄭尚樸

陶庵曰虞是祭之大者既有許多節目則臨畢不可無此一節雖名曰辭神只是告以撤饌之意也 答金時鐸

渴葬行虞卒哭之節

同春問不及期而葬者虞卒哭沙溪曰禮經可攷喪服小記報葬者報虞三月而後卒哭註報讀爲赴急疾之義謂家貧或有他故不得待三月死而即葬者既疾葬亦疾虞虞以安神不可後也惟卒

哭則必俟三月

新舊喪合窆行虞之節 見喪變禮改葬條

父母及祖父母偕喪虞卒 見喪變禮并有喪條

重喪中遭輕喪者重喪虞卒祔 同上

國恤中私喪虞卒 見喪禮國恤條

埋魂帛 復衣不可并埋見靈座條

沙溪曰丘儀若路遠於所館行禮必須三虞後至家埋之會成俟實土將平擴鋪魂帛於內而埋之云云按二說不同然奉魂帛升車條別以箱盛主置帛後奉神主升車條魂帛箱在其後又祝曰伏惟尊靈舍

舊從新是憑是依以此觀之主與帛不使遠離者恐
有意思丘說似長（家禮輯覽）
尤庵曰家禮發引時主箱在帛後返魂時帛箱在主
後其微意可知矣恐不可埋於葬地如魏說也其所
居雖是寓處然神主旣返于此則仍亦埋帛于此恐
宜也（答南溪）
南溪曰屛處潔地未必爲兩階之間時俗埋魂帛於
墓所者盖倣祧主之例也若非大段難行則準禮爲
是（答朴尚淳）
遂庵曰家中有屛處潔地則魂帛到家埋置固好而

人家鮮有可埋潔地而墓且不遠則埋於墓傍亦無
所害（答朴振河）

虞祭日夕上食

尤庵曰虞祭與上食自是二事而今人例於夕時行
虞故不復上食矣若於日中行虞則夕時自當上食（答尹宋）
遂庵曰虞祭若行於午前事當別設夕上食若行於
晩後不須別設（答姜宰望）

卒哭

饌品（諸條并見祭禮時祭條）

茅沙（上同又與祭禮忌祭條參看）
玄酒（同上）
設盥盆西階（見虞條）
行祭早晩（見祭禮時祭條）
匙楪居中居西之辨（同上）
出主（見祭禮條）
入哭位次（見虞條）
無尸神降神時止哭（并同上）
進饌時炙肝并進（同上）
左設與上食不同（同上）

飯羹左右之義（見祭禮時祭條）
酌獻之節（見虞條）
祭酒之義（見祭禮時祭條）
啓飯盖（同上）
告祝之節
祝文（見虞條）
攝主祝（見喪變禮嗣子未執喪條中子如攝主條）
妻祭夫祝（見虞條）
諸親喪虞卒以下祝（同上）
讀祝（見祭禮忌祭時祭條）

亞獻終獻 幷見虞條

侑食下當有扱匙正筯之文 無拜禮幷論○見虞條

扱匙正筯之節 見祭禮時祭條

闔門啓門撤羹進茶伏立之節 同上

告利成之義 同上

虞卒告利成之異 無拜禮幷論○見虞條

諸親祭告利成當否 同上

下匙筯合飯蓋 見祭禮時祭條

辭神 先斂主幷論○見虞條

腰絰還絞

沙溪曰按儀禮卒哭絰帶變麻受葛而家禮略之今雖不能從古啓殯散垂者至是當還絞 喪禮備要

渴葬行虞卒之節 見虞條

踰月葬卒哭不待三月

問大心死四十日葬恐爲報葬卒哭可遲待三月否 或人陶庵曰近俗無貴賤皆三月而葬而古禮唯大夫三月士則踰月大心士也踰月未爲失禮豈可以報葬論也假令人死於晦間而葬於來旬前則謂之踰月者苟也若此者三月而後當行卒哭大抵所謂踰月者必過三十日可也

父母及祖父母偕喪虞卒 見喪變禮幷有喪條

重喪中遭輕喪者重喪虞卒祔 同上

幷有喪卒哭小祥相值 同上

先忌與卒祔相値行祀之節 見祭變禮兩祭相値條

國恤中私喪虞卒 見國恤條

卒哭後布網巾當否

牛溪曰以布子爲掠頭恐未害義 答韓瑩中

同春問退溪曰虞不用網巾云云虞祭用網巾雖似未安而卒哭後則用之似若不妨今人或有卒哭後着布網巾者如何沙溪曰古禮親喪小斂去笄纚開

元禮小斂變云男子斂髮袞巾帕頭杜氏佑曰古者無幘以六尺縚韜髮其狀如乙尾以笄橫貫之加冠其上後漢時遭喪者袞巾帕頭卽笄纚之存象也丘氏曰今網巾與纚頗相似但古禮只言其去纚之節而不言其還施之時至祔祭主人以下沐浴櫛髮則此時似當用纚而無明文開元禮及杜氏說雖與古禮不同喪人當斂髮之義則似有據未知如何

尤庵曰網巾只出於 大明之制世俗於喪中有用之者有不用者恐無甚得失也鄙家則許孫兒用之耳 答梁以杞

同春曰布網巾喪人或有着之者或有不着者雖着之亦似無可嫌答蔡沔

南溪曰今之網巾既非華盛之服則用亦無妨答俞檝○又答李之老曰今仍丘儀以孝巾承藉冠絰實有近於斂髮之義雖不用布網巾裹頭恐無妨

遂庵曰祔後布網巾昔年文谷老峰皆着之師門亦以爲可答宋相琦

祔

總論

退溪曰祔祭事陸象山以謂祔祭畢新主入于廟可也朱子曰祔祭所以先告祖以當遷他廟而告新主

以當入此廟之漸耳祭畢祖還于故龕主返于几筵以畢三年而後遷且入也答趙振

遂庵曰朱先生之意每以祔與遷爲兩事祥後明日祔廟雖亦先生所許此則陸氏以祔與遷爲一事必欲固守己見故不得已而從高氏之說此是第二義非先生之本意也答韓弘祚

論祔禰之非

問祠堂只有禰龕則其禮如何不得已祔於禰則其祝文亦當改曰躋祔于某乎退溪曰如此等禮古所未有未敢以己意創說

沙溪曰魏氏堂云告禰爲是云按大全陸子壽以爲今同室則不當專祔於一人一人謂祖也朱子以爲不若且依舊說亦存羊愛禮之意也魏說恐不可從也家禮輯覽

無祖則祔高祖祖主孫祔并論

尤庵曰無祖云者或祖考生存故祔於高祖此乃禮所謂中一而祔者也或最長房奉祀高祖則其高祖之玄孫亦當祔食矣如鄙家所處是也答崔有華

問孫之喪其父主之而祖不得主云云三年後祔廟時以誰爲主而祔於何處耶李箕洪尤庵曰據禮則其

祖當爲主而祔於其祖所謂中一而祔者也周時貴貴大夫不主庶子故庶子各主其子後世不然故無長庶皆其父主之

祔不論宗支有嗣無嗣

愚伏曰家禮祠堂章子姪祔于父又云其姪之父自立祠堂則遷而從之祔祭條喪主非宗子而與宗子異居則宗子告于廟而別設位於喪家以行之詳此兩條則雖不應入祖廟者猶以昭穆合於其祔也答允諧

尤庵曰凡喪父在父爲主則不得別爲子立廟而姑

祔於亡人之祖龕矣此則無間於亡人之有後無後也且人死則其魂氣與祖考合故葬後必設祔祭以漸爲之兆此則雖支子之當別立廟者亦復如是矣答金益廉

又曰雖非當祔於祖廟者其魂氣則當與祖合故虞祭祝不分宗子支子而皆曰哀薦祫事祫合也欲其合於先祖也據此則祔祭亦何間於宗子支子乎答閔元重

南溪曰祔祭與班祔俱是孫祔於祖以順其昭穆之義而班祔則必殤與無後者然後祔於祖廟祔祭則

雖非殤與無後當入廟者凡人身死卒哭之後無論嫡庶男女莫非應行祔祭者自是兩項事也答金洪福

虞祔沐浴櫛髮之異見虞條

就祖廟所奉處行祔祭

問亡姪返魂當於蘇堤而先人几筵方在烝同祔祭便自難處宋茂錫　遂庵曰曾見李監司宏喪其祠堂在泰仁李弦任所自扶餘卒哭後爲奉靈輿行祔祭于泰衙即爲奉安于扶餘人以爲善今若倣此自蘇堤奉靈輿入鶴村行祔祭後即還堤上則似可矣事勢若難則以紙榜行於蘇堤亦無妨

告廟設虛位紙榜祭降之節見祭變禮異居行祭條

同春問祔祭宗子告祠堂當前期一日以酒果只告所祔之龕耶沙溪曰是

愼獨齋曰祖廟既遠祭亦不可違時設虛位以祭既見於禮何可俟三年之久而必行於廟乎廬墓設行不便云者未可知也答尹宣擧

尤庵曰返魂不於其家非正禮也然不得已而返於他所則祔祭亦不得已而紙榜行之答或人

南溪曰凡祔者乃喪禮昭穆孫祔於祖之大義非可以同異遠近而不行者也若繼祖之宗在遠則卜定

行祭之日使宗子告廟而設紙榜虛位於喪家以行祔祭此外無他道理也答尹明相

陶庵曰家廟奉還後擇日追行雖若完備而卒哭翌日必祔者禮意有在恐不可緩也家禮亦有設虛位以祭祭訖除之之文云云答徐永後

考妣單設幷設祖妣二人中當祔之龕幷論

沙溪曰祔母於祖妣則只祭舅所生之祖妣宜矣若祔父于祖考則幷祭前後祖妣爲可答同春

朽淺曰禮經曰祖姑有三人則祔於親者程張二先生皆曰可從而朱子據會要以爲先後祖妣皆當合

祭而以程張二說爲過然則其與家禮所云實相牴
牾謬見以爲朱子之著於家禮者據禮經也而後來
所見與會要相符又不咈於情理況朱門議禮者或
不一遵家禮而以後來議論爲正今茲一節亦依此
行之恐不爲徑情直行之歸也 答李咸俊
南溪曰獨出妣主乃今世見行之禮也畢不敢援尊
家禮亦已言之 答梁處濟
饌品 諸條見祭禮時祭條
茅沙正祔位各設 與祭禮時祭茅沙條參看
陶庵曰備要雖無茅沙各設之文而於圖式則正祔

位皆各有之可檢看也 答許增
玄酒 見祭禮時祭條
設盥盆西階 見虞條
祭時服色 布網巾見卒哭條
尤庵曰祔祭時五服之人各服其服無疑矣蓋家禮
質明主人以下註言倚杖于階下而其下仍有詣祠
堂奉神主之文此可見仍服其喪服矣 答李榟
南溪曰祔祭服色家禮不爲別言以衰服行之恐無
可疑 答羅良佐
行祭早晚 見祭禮時祭條

匙楪居中居西之辨 同上
叙立 見虞祭條中入哭位次條
新舊兩主奉出還迎之節
寒岡問家禮喪主非宗子則惟喪主主婦以下還迎
今祔祭仲兄以宗子爲主人則還奉先妣神主時仲
兄當從還迎之列抑以宗子壓尊於祖妣而不敢往
迎否退溪曰不敢往迎爲是
出主 見祭禮參條
祖位參降之節 見祭禮時祭條
亡者位無參神 見虞條

新舊兩位進饌之節
問虞是喪祭故祝進饌卒哭吉祭故主人主婦進饌
矣士虞註曰卒哭對虞爲吉祭比祔爲喪祭然則祔
祝卒哭尤吉而祝進饌何耶 鄭尚樸 南溪曰祔祭無哭
泣之節可謂尤吉於卒哭矣然宗子猶爲喪家主祭
故此則自用喪禮耶
問祔祭進饌以祖考爲主則當依禮飯右羹左云云 黄宗海
沙溪曰自虞以後之祭則左設三年朝夕上食
則象生時右設 詳見虞條中左設與上食不同條
亡者位左設與上食不同 見虞條

飯羹左右之義 見祭禮時祭條

酌獻之節 與虞條參看

同春問虞祭與時祭獻酌之節微有不同處祔祭時何從沙溪曰一依虞禮行之爲可

問祔祭自斟酒先祭後奠及執事侑食等節非喪主主祭則似不必然然以并同卒哭之文觀之則雖非喪主禮當無異 安鳳胤 陶庵曰是

祭酒之義 見祭禮時祭條

啓飯盖 同上

祝文

寒岡問家禮只云孝子某適于某妣儀節云孝孫某適于顯曾祖妣鄙意大宗廟高曾祖禰神主未及改題今用曾孫曾祖等稱謂恐亦未安退溪曰家禮豈不以此祭主於升祔先考先妣而設故只稱孝子耶雖未改題恐不可以曾祖妣爲祖妣也

沙溪曰儀禮家禮皆於祔祭稱孝云云 答同春○見虞條中祝文條

問退溪曰豈不以此祭主於升祔考妣而設故只稱孝子耶然則宗子爲其族人而行祔祭不可稱孝子當以所祔之龜屬號稱之耶 鄭尙樸 南溪曰儀禮祔稱孝子及退溪說皆以經禮而言若宗子爲族人則當如來說

同春問先考祔祭雖并設曾祖考妣兩位而妣位則不擧於祝辭耶宗子告亦不書亡者名否沙溪曰妣位則不擧於祝文亡者名亦不書皆當依家禮

問祔祭祝云躋祔孫某官而不書亡者之名若卑幼則書名亦不妨否 朴聖源 陶庵曰書名似無不可

同春問祔祭告亡者祝文隨宗子所稱則哀子當不用之府君字則因用之否沙溪曰哀字不用似是府君乃尊之之辭古人於兄亦稱府君卑幼則否

問適于某考之適字 閔泰重 尤庵曰適猶詣也就也 南溪曰適備主也

問告亡者祝云哀薦祔事于先考適于某考某官府君其曰某考蓋從主人所稱之意也故備要直作適于顯曾祖考其不從亡者而從主人稱曾祖者大與卒哭章隮祔于祖考之文上文隮祔孫之義相違 鄭齊斗 南溪曰祔祭告舊主祝已曰適于某考某官府君與儀禮所謂適爾皇祖某甫者不同蓋士虞疏爾女也指死者而言蓋至朱子之世風氣制度與三代時不同難以直用純古之禮故改爾皇祖曰某考於是

儀節又從而爲辭曰適于顯曾祖考云云此實由於
朱子變稱字爲某考而然非備要之失也
尤庵曰宗子云者是主大宗之主人也以大宗主人
而祔祭其旁親故當不用哀字矣哀薦二字改作薦
此似得矣 答申永植
問宗子行支子家祔祭則告亡者祝不用哀字只曰
薦祔事者語勢太短若以他字代換則當用何字 閔遇
洙 陶庵曰代以虞字或好耶
讀祝 見祭禮時祭條
祔祭不哭之義

禮疑類輯 卷十　喪禮　二十六

問祔祭主人以下凶服入廟不有壓尊之嫌而獨於
新主壓尊不哭於心未安且朝祖時主人以下立哭
盡哀旣不壓尊而祔祭則不哭何也 盧以亨 陶庵曰祔
祭時比朝祖略有哀殺之意不妨用壓尊之義
亞獻終獻 幷見虞條
侑食下當有扱匙正筯之文 無拜禮幷論○上同
扱匙正筯之節 見祭禮時祭條
闔門啓門撤羹進茶伏立之節 同上
告利成之義 同上
下匙筯合飯盖 同上

辭神在歛主前
陶庵曰虞卒哭及小祥無遷主之事故先歛主而後
辭神祔祭則有奉遷之節故先辭神而後歛主大祥
旣當奉入祠堂則亦如祔祭而先辭後歛爲是 四禮便覽
幷有父母喪祔祭 見喪變禮幷有喪條
重喪中遭輕喪者重喪虞卒祔 同上
祖喪中孫死祔祖 同上
本生親祔祭 所後喪中本生親祔祭幷論○見爲人後者本生親喪諸節條
重喪中諸親喪祔祭 見喪變禮幷有喪條
妾祔

禮疑類輯 卷十　喪禮　二十七

問妾之攝女君者其喪似異於衆妾亦有等別之差
歟 沙溪曰雜記可考
雜記主妾之喪則自祔練祥皆使其子主之其殯
祭不於正寢註此女君死而妾攝女君此妾死則
君主其喪其祔祭自主之若練祥則其子主之不
攝女君之妾則不主其喪
問妾母死無祖妾又無高祖妾則當祔於何位 沙溪
曰小記可考更以朱子說參觀爲佳
喪服小記妾無妾祖姑者易牲而祔於女君可也
註妾當祔於妾祖姑無則中一以上而祔是祔高

祖之妾今又無高祖妾則當易妾之牲而祔於嫡祖姑女君謂嫡祖姑也○賓文卿問禮記曰妾母不世祭於子祭於孫止又曰妾祔于妾祖姑旣不世祭又安有妾祖姑之可祔耶不知合祭幾世而止朱子曰此條未詳舊讀禮亦每疑之俟詢攷也○又曰妾母不世祭則永無妾祖姑矣恐疏說或未可從

又曰丘儀若嫡母無子而庶母之子主宗祀恐亦當祔嫡母之側愚按丘氏說誤矣恐不可從也 家禮輯覽

尤庵曰易牲之義禮記小註妾祔之嫌於隆故易牲

而祭以示其殺焉 答韓如琦

宗子有故攝行

尤庵曰支子祔祭宗子有故則當用攝主行之矣若宗家相遠未及告於宗祠則勢當闕此一款矣然不可仍此無事追後具由告之似爲周詳矣 答宋炳文

南溪曰有故則宗子命兄弟中一人以己名爲祝代行其事爲近世諸賢之例 答金洪福

遂庵曰宗子在妻喪葬前不可主支孫家祔祭又不當移奉神主無寧使次宗子行禮於紙榜耶如無次宗子則不得不待宗家葬後擇日追行矣 答李潮海

宗婦使人攝行

問宗家無嗣只有宗婦今此祔祭宗婦主祭則祝辭稱號當何以書 李時泰 南溪曰禮無宗婦祝告夫之祖以上親者然今此家事理似不得不以宗婦爲主祝曰曾孫婦某氏屬夫某親某敢昭告于顯曾祖舅姑云云其或得宜耶

問祔者宗子之事廟中宗事與喪事有間元無主人行之不便今主喪者於亡者旣非祭主於祖廟又屬旁親則祔祭祝辭文字俱非其宜不知無主而行祔禮者其禮如何 鄭斗齋 南溪曰祔重祭也童子賤妾所

不得廢且以朋友而猶爲之祭況於諸親乎蓋其爲亡友而行入廟中事者以有幼子爲之主故也朱子答李繼善曰兒名攝主告今雖諸親爲之主喪所主者乃不過拜跪之節耳其祝辭則當用皇辟云云旁親之嫌恐非所論也雖或攝行若先告攝行之意則餘倣家禮遺宗子所稱之說斟酌以處之無妨魯西丈每論人家祔祭必以使介子某之例擇其子孫代行宗子之禮如此然後無不祔之家矣

又問以諸親攝婦人已非其宜又況以夫家從叔父而稱使攝之尤不便此與幼主可攝者大不同云云

將於廟中先祖欲用攝祀之例而唯於祔祭新舊躋適之辭俱係旁親實爲大泛而無當所以爲難南溪曰若曰當稱顯辟則無不可攝婦人行事之義如禮經所謂無女主則男子拜賓者足以爲據也昔者愼齋常言尊行不當用使字故鄙則嘗答人問以爲當用屬字耳又若以攝行言之恐無廟中祔祭之異此段竊可領悟矣

先忌與卒祔相値行祀之節 見祭變禮兩祭相値條

祔祭有故追行論 廬墓者喪畢返魂後祔禮幷○見喪變禮追行之禮條

葬後諸節

靈牀三年不撤之非

南溪問嘗聞朴潛冶權晩晦以家禮葬後無撤靈牀之文終三年行之說者又謂三年內朝夕上食亦非事神之道靈床終喪恐無不可未知如何靈座本註旣曰設奉養之具至大祥始撤靈座則二家說似亦據此第朝奠下註又曰設盥頮之具於靈床側以此觀之靈座本註無乃只是未設靈床以前事耶然則葬後屢擧靈座而靈床則終無見處此可謂不設之證第如上食亦無再見處而今人仍行之又似參差尤庵曰三年內不撤靈床之諭未敢深信也蓋靈床本爲出入魂帛而設者魂帛旣埋則雖無撤之之文而似當於此時幷撤之也大抵家禮如此等處間或有之如腰絰散垂終無結之之文豈可因此而終三年不結之理乎翣扇亦無入壙之文亦未知終如何處之也聞朴門諸人三年散絰不結亦不以翣入壙其尊信家禮則可謂至矣然安知此非闕文耶若如朴門之論則大祥之日亦當飮酒食肉而復寢耶靈座靈床兩設盥櫛之具似無是理靈座註說云云恐是未設靈床時事也

葬後上食當否 値先忌編禮上食用素當否見上食條

退溪曰朱子答友人書論葬後几筵不可撤但據儀禮則當不復饋食於下室云云所謂几筵不可撤者尙有朔望祭故也若不復饋食於下室則祔祭後似不復上食矣但今人皆終三年上食禮宜從厚從俗而行之可也 答趙振

松江問虞後朝夕上食及儀龜峰曰以家禮看之雖不言罷而當罷於罷朝夕奠之日以違古禮而但張先生曰祭温公朝夕饋朱子有不害其爲厚且當從之之語則行亦可也儀則旣用初喪禮宜用初喪儀今似不可創作別儀也

沙溪曰葬後朝夕上食罷與不罷尋常有疑嘗考諸書以横渠温公說及朱子答葉味道書觀之當不罷然以檀弓卒哭而諱生事畢而鬼事始下鄭註及疏及朱子答陸子壽書胡伯量李繼善等問目觀之古禮分明罷之家禮雖無罷之之語而以朱子常居寒泉朔望來奠几筵之文觀之似於罷朝夕奠之日并罷上食只行殷奠於朔望誠難爲準惟當以朱子所謂不害其爲厚又無嫌於僭且當從之之教爲定論耳

張子曰禮卒哭猶存朝夕哭若無祭於殯宮則哭

於何處國語言日祭月享禮中豈有日祭之禮此正謂三年之中不撤几筵故有日祭朝夕之饋猶定省之禮也如其親之存也○朱子答葉味道書曰國語有日祭之文則是主復寢後猶日上食矣○檀弓曰卒哭而諱生事畢而鬼事始已鄭註謂不復饋食於下室而鬼神祭之疏下室謂內寢生時飲食有事處也未葬猶生事當以脯醢奠殯又於下室饋設黍稷至朔月月半而殷奠殷奠有黍稷而下室不設也既虞祭遂用祭禮下室遂無事也然不復饋食於下室文承卒哭之下卒哭之時乃不復饋食於下室皇氏以爲虞則不復饋食於下室於理有疑○朱子答陸子壽書曰據禮小斂有席至虞而後有几筵但卒哭後不復饋食於下室按子壽欲於祔後撤几筵朱子痛闢之累百言大意似謂祔後主復于寢几筵終三年而上食則卒哭後當罷也更詳之○胡伯量問按儀禮始虞之下猶朝夕哭不奠書儀亦謂葬後饋食爲俗禮如此則几筵雖在但以朝夕哭爲猶有事生之意爾朱子所答不以爲非○李繼善問檀弓既祔之後惟朝夕哭拜朔奠按檀弓無此文可疑耶乃指上條所引鄭註及疏說耶更詳之而張先生以爲三年之中不撤几筵故有日祭温公亦謂朝夕當

饋食則是朝夕之饋當終喪行之不變與禮經不合不知如何朱子曰此等處今世見行之禮不害其爲厚而又無嫌於僭且當從之詳此語意似謂朝夕饋食古禮當罷而從俗從厚爲不害也○家禮虞後罷朝夕奠無罷朝夕上食之文宋龜峯曰云云見上○退溪答人曰云云見上

尤菴曰來示上食無再見處而今人仍行云者世人多如此看而因謂當於小祥後撤上食云云此則大不然家禮初喪有朝夕哭無時哭朝夕奠朝夕上食而葬後止朝夕奠卒哭止無時哭小祥止朝夕哭而不言幷止上食則其仍行上食無疑矣家禮此四款

井井分明恐不可以此而擬之於靈床撤不撤之無明文也（答南溪）

同春曰朝夕饋奠罷與不罷尋常有疑唯當以禮疑從厚處之耳（答妻碩期）

葬後朔望奠儀（與奠條中朔望行奠之節條參看）

松江問虞後朔望奠儀成李（牛溪栗谷）二侍以先祭爲得云龜峯曰二說皆似未穩三年內奉几筵自虞卒哭至祥禫有入哭而無祭神拜深有其義安敢違家禮而行祭拜朱子曰柩前無拜亦此意也子事父母從走乃拜几筵無拜尚生之禮也

又問朔望奠儀亦欲從初喪儀如何龜峯曰虞後朔望奠儀家禮雖無明文用初喪禮太略未穩用祠堂章朔望儀而惟參神之有哭無拜辭神之哭奠之一哭用三年中禮如何

又問成浩原以三哭似同虞祭未安云如何龜峯曰如曰朔望不可行參辭則祠堂章有之如曰几筵無參辭則虞亦有之几筵參辭皆有哭而奠之一哭又實用本禮則勢不得不三哭也成示似未穩

尤庵曰據家禮則虞後朔望奠當一依初喪矣但古禮士但有朔奠而無望奠家禮不分貴賤而皆無望奠東俗則朔望皆奠雖云禮宜從厚終無降殺之義矣（答李相夏）

問葬後朔奠幷饋食設則奠饋皆當右設耶（成爾鴻）[illegible]庵曰饋則右設奠則左設宜矣

朔望日祠堂參禮後行事几筵

同春問三年內所重在几筵如朔望俗節等禮皆先几筵而後家廟爲宜耶沙溪曰然

尤庵曰朔望參禮先祠後殯此無可疑祠中雖有卑於新亡者然既統於尊者則似無所嫌矣（答金昱）

南溪曰家禮冬至祭始祖後行祠堂祭禮今雖喪祭

之禮有別當先行祠堂參（答朴泰昌）

葬後椅卓仍用素

問祭床倚子等物葬後則欲用黑漆者如何備要中別無用素床之文矣（李選）同春曰家禮不用金銀鍍器以主人有哀素心故也恐當通三年看

三年內新山墓祭（見喪中行祭條）

三年內几筵時祭行否

問遇四時祭日几筵設享祭子已行今遵否（金就鵬）退溪曰恐無妨

愼獨齋曰三年朝夕祭象生時也時祭不當行也（答[illegible]）

慎

同春曰喪中行盛祭畢竟可疑并行於几筵尤屬可
疑云云 答姜文星 ○見喪中行祭總論條
南溪曰朱子答范伯崇書雖有倣左傳杜註還四時
祭以衰服特祀几筵之說其答曾光祖書曰頃年居
喪於四時正祭則不敢舉盖正祭三獻受胙非居喪
所可行也其於家廟正祭既如此則於几筵不行可
推而知似是時祭爲吉禮不可行於凶服之時故耳
答沈元浚

三年内几筵禰祭 見生辰條中沙溪說

喪中禰祭 見喪中行祭總論中南溪說

喪中有事告几筵

問從弟新資亦當告几筵則當衣緋懸玉拜於香案
前盛服而哭似不可然情理不可不哭告文措語所
謂奉承先訓餘慶所及不勝感愴等句亦似當改下
前頭子姪輩或有參科者且如從妹昏告與不告欲
禀講耳 閔翼洙 陶庵曰新資之告於几筵不必一如祠
堂告辭渠出直參祭時只告以某以某月日擢某資
而已雖不具章服亦何妨至如子姪輩參科者則恐
不可不以新恩服色見也妹昏亦當有告是皆象生
之意也
又曰几筵與家廟有異既不別設酒果則不必作告
辭如告廟之爲子孫科宦昏喪只當單舉其事而告
之以存象生之義矣 答閔翼洙

葬後上墓之節 上墓服色并論○與居喪雜儀條中出入服色條參看

朽淺曰葬後朝夕省墓僕亦行之然非禮也依禮行
朝夕哭於几筵而省墓則朔望爲之無乃可乎 答趙惟顔
農巖曰上墓之哭似不可已而但既密邇几筵則兩
處并行朝夕哭恐無貳節只一日一上墓如何拜則
當爲而出告反面之儀若遠行經宿以上則亦須爲

之而當先於几筵矣 答宋逢源
南溪曰反哭後或朝往哭墓或朝夕往哭世之篤禮
者多行之且其出入時服色異於他行雖著衰絰往
返恐無所妨 答崔補
陶庵曰喪人往來墓所者著直領方笠爲通行之例
前輩惟閔公桓好古之士用衰絰而行舉世非笑而
終不顧矣此在哀審擇而行之也 答金時準
問拜墓雖路遠持衰往哭何如 盧以亨 陶庵曰持衰往
哭恐無可疑

慰疏答式 見書疏式條中疏狀雜式條

小祥

練祥用故日

南溪曰練祥之祭禮經雖有筮日之說其計日月實數云者乃朱子正論今何可棄此不用而從禮經筮日之義耶答李世璞

變服之節

衰絰練改當否冠孝巾中衣直領幷論

退溪曰瓊山別有冠別有衰之說爲合古禮蓋古人自初喪以至虞卒哭練祥禫皆有受服漸加升數漸殺以至于關小祥一期之周爲一大變殺之節故於首去絰而別以加一升練布爲冠於身去負版辟領衰而別以加一升布爲衰又別以加一升練布爲中衣以承衰以其練冠練中衣故謂之練耳非謂幷練衰也惟其衰不練故檀弓註云正服不可變耳非謂仍舊衰不別製也此周極文時喪制如此古今文質因時損益有難以盡從古制者故溫公書儀無受服因書儀雖亦無別制衰服其益之以練服爲冠之文與練服但以去首絰等爲之節斯爲太儉朱子家禮正是顧名反古因時酌中之制今五禮儀謂練布爲冠所以從文公之制也而　成廟之喪以澣衰爲非

禮只改練冠亦得文公之意後之處此禮一以文公爲法則庶乎其得宜耳答金就礪

又曰既以練爲冠武纓自當以漚麻爲之頭巾亦當用練不可獨仍生布也答禹性傳

栗谷曰練服之說珥則守初見而不改家禮此段不備何必以此爲拘乎答松江

又曰練後深衣帶亦當略有降殺不可仍存舊件

牛溪曰練之得名以冠不以衰通解續圖以稍細生布製新衰今人或改製練服非禮也答韓瑩中

龜峯曰禮曰既練服功衰又曰卒哭後冠受其衰卒哭冠卽功衰也功衰果生耶古禮近古諸儒亦或難知今生數千載之後難可以已見爲是只以有宋先儒之說及朱子家禮爲定也家禮既以熟布定功衰而小祥用練布已質於墨衰之問見成服章下問墨衰條既葬援葛衫小祥援練布云與橫渠用練之意相合焉因古禮用布之意採橫渠已定之議參以質問朱子之語依家禮功布用熟之節小祥用熟無可疑矣答沙溪

西厓曰司馬溫公曰古者既葬練祥禫皆有受服變而從輕今世俗無受服自成服至大祥其衰無變故於既葬別爲家居之服是亦受服之意也今按家禮

從俗不易衰裳儀禮服圖以大功布受其衰無練之之語且引張子煅練功衰之言似有取意而亦不折中歸一今不知何所適從只如圖說練冠與中衣裳衰以大功七升之布改製而不練則恐無違於古禮而沕合於正服不練之語也至如丘氏之說雖與橫渠合而無經文可據然橫渠丘氏之言旣如此儀禮圖引之而不以爲非則雖幷練衰裳亦有所據依而可行耶答趙穆

又曰檀弓所謂不可變者意指仍舊用生而云然也答權春蘭

元庵問小祥練服或曰只練冠及中衣或曰衰裳幷練何者爲是沙溪曰先儒所論開列于左以備參考

通解喪服圖式曰按練再受服經傳雖無明文謂旣練而服功衰則記禮者累言之服問曰三年之喪旣練矣期之喪旣葬矣則服其功衰雜記曰三年之喪雖功衰不弔又曰有父母之喪尚功衰而祔兄弟之殤則練冠是也按大功之布有三等七升八升九升而降服七升爲最重斬衰旣練而服功衰是受以大功七升布爲衰裳也故喪服斬衰章賈氏疏云斬衰初服麤以葬後練後大祥漸細加飾斬衰裳三升冠六升旣葬後以其冠爲受衰裳六升冠七升小祥又以其冠爲受衰裳七升冠八升女子子嫁反在父之室疏云至小祥受衰七升總八升又按間傳小祥練冠孔氏疏云至小祥以卒哭後冠受其衰而以練易其冠故今據此例開具在前而橫渠張子之說又曰練衣必鍛練大功之布以爲衣故言功衰功衰上之衣也以其著衰於上故通謂之功衰必著受服之上稱受者以此得名受蓋以受始喪斬衰之衰而著之變服其意以喪久變輕不欲摧割之心亟忘於內也據橫

渠此說謂受以大功之衰則與傳記註疏之說同謂鍛練大功之布以爲上之衣則非特練中衣亦練功衰也又取成服之初衰長六寸博四寸綴於當心者着之於功衰之上是功衰雖漸輕而長六寸博四寸之衰猶在不欲哀心之遽忘也此說則與先儒異今幷存之當攷○儀節曰韻書練漚熟絲也雜記三年之練冠註謂小祥之冠也小祥別有冠明矣服問云三年之喪旣練矣服其功衰小祥別有衰明矣又檀弓云練練衣黃裏縓緣葛腰絰繩屨註練衣中衣之承衰者也今擬冠用稍麤

熟麻布爲之不用負版適衰腰絰用葛爲之麻屨
用麻繩爲之小祥除首絰唯餘腰葛絰之昔年愚問先師龜峰曰云云見上○更按喪服圖式練除受服圖中衣及冠以練爲之衰裳以卒哭後冠受之卒哭後冠即大功七升布也大功布儀禮則元無用練之文以此推之練時衰裳似不用練也今依圖式練冠與中衣而衰裳以大功七升之布改制而不練則恐無違於古禮而與疏家正服不變之文相合矣若横渠用練之說圖式引之而不以爲非家禮亦謂大功用熟布小祥揆練布則辟并練衰裳亦不爲無據矣

又曰云云與上小註按說同○喪禮備要○下同

又曰家禮無受服所以從簡若不能改備者仍舊亦
可

同春問家禮不曰以練布爲冠而以練服爲冠殊未
曉其義沙溪曰所謂以練服爲冠者疑以練布爲冠
也

朽淺曰古之織布之法齊衰以上生麻所織也大功
以下熟麻所織也大功粗熟亦乃熟麻所織而非既
織之後用灰鍛治者也大功之布非練布明矣聖人
制禮本意則以大功布爲衰裳而只練冠與中衣而
已答趙惟顔

愚伏曰卒哭亦有受服則練祭大節必不當獨仍舊
服西厓亦有別製練衰裳之說答吳溥

尤庵曰衰服據儀禮則用生布改制明矣家禮前一
日陳練服者是新製者也然則雖不斃破其當改製
無疑矣答李箕洪

又曰練時服制備要所載儀禮通解之說可考當以
稍細生布改製正服而只練中衣者甚得古意耳答呂有經

又曰家禮小祥既云練布爲冠則武與纓似當并在
其中矣頭巾則出於丘儀未詳其當練與否也答朴世義

又曰父母喪練時衣裳制如大功衰服者見於備要
圖式而家禮儀禮皆無斬衰緝邊之文豈因儀禮練

用大功布之文而然耶若於小祥緝邊則更無斬衰
終三年之意未知如何○所謂制如大功者豈以小
祥去負版辟領如大功之制故云耶若以緝邊爲言
則當曰制如齊衰何必越齊衰而言大功也答李男華

同春曰無論禮文之如何只以事勢言之初喪之衰
着過一年已盡穿破不成貌樣以是而承衰饋奠無
亦不敬之甚耶答權認

問練服一節備要有二說云云閔維重

同春曰喪服圖式即朱門嫡傳之書鄙意從圖式恐宜

南溪曰小祥練服自沙溪時亦爲兩下之說喪服大

功章註曰大功布者其鍛治之功麤沽之疏曰欲鍛治可以加灰矣但麤沽而已又斬衰章傳曰冠六升鍛而勿灰註曰鍛而勿灰者以冠爲首飾布倍衰裳而用六升又加以水濯勿用灰而已冠六升勿灰則七升以上故灰矣以此推之夫加灰而鍛治之者非練之類而何哉此家禮所以以稍麤熟布爲大功之服之義本無可疑而問解後說所謂儀禮則大功布亢無用練之語有未可曉者也但大功則鄭氏既以麤沽爲飾而練則丘氏直以漚熟爲文不無所異然當於正服及冠中衣之間各用本義而處之俾有精

粗美惡之別則亦與疏家正服不變之文合矣盖所謂設次陳練服乃朱子用儀禮以變書儀舊制處甚明然其註中只曰以練服爲冠者恐先言其重者以擧之意耳 答金榦

又曰退溪以前依家禮以不改服爲正至沙溪而後依儀禮以改服爲正備要橫渠用練以下亦可爲叢禮之助而下段雖有依舊亦可之說似難準用然則今當只用備要前一說而已 答金栽

又曰練時衰裳雖曰用七升布古今升數亦難一同故家禮不用只曰極麤生布次等粗生布稍熟布以爲之今當以大功布爲準 答崔奎瑞

問獨直領無并練之文 趙楷 南溪曰其不練者似亦以本出於俗制不復比列於正服冠絰之類耳

遂庵曰正服不變既是儀禮之文則雖改製衰裳而不練只練冠及中衣似合古禮家禮則從司馬公書儀書儀則多從俗禮沙溪博考禮經備著於喪禮備要只在喪家欲行古禮則從備要欲行俗禮則從家禮而已 答俞廣基 ○下同

又曰家禮既曰設次陳練服其註又曰置練服其中云則無受服云云何自而出耶無乃申義慶說見而

著於備要沙溪偶不照管而不爲刪去耶

又曰孝巾禮無明文然用練布加冠無妨 答鄭桑

陶庵曰按家禮只云陳練服而無某服不練之文正服不變雖是疏說既練冠及中衣不練衰裳則上下表裏甚不相稱并練衰裳恐得宜 四禮便覽 ○下同

又曰斬衰練冠之武纓先儒說不同而既變繩絞爲布絞則繩武之仍存甚不相稱且衣裳之布與制皆同大功則冠亦當如大功矣當以尤庵說爲正矣

去負版衰辟領

尤庵問練而去負版衰辟領不見於儀禮禮記通解

通典未知家禮何所據而變除若是耶沙溪曰朱子因温公書儀斟酌叅定是後賢因時損益之制也若從古禮不去衰負版辟領未爲不可矣但已經温公朱子之諡定遵行亦可也

問云云闕　尤庵曰雖與儀禮不同朱先生叅酌古今而定制恐不可不從

問衰負版辟領家禮始因温公說去之亦何取焉李選

同春曰既有家禮以來雖與古經有不同者必不得已後或可變通如此等處何敢違異於家禮乎

南溪曰負版辟領衰問解雖有兩説而備要以書儀爲王當從答李時春

葛經

牛溪曰葛是古人所定今不可改易葛者俗稱靑忽致是也答韓瑩中

寒岡曰葛經古人虞變服時爲之則練時之用蓋亦晚矣答朴汝昇

沙溪曰卒哭受服後世不行丘氏仍以葛爲練服之經近今古禮也禮經初不言熟則疑用麤皮耳答同春

喪服斬衰疏既虞卒哭去麻服葛帶三重

愼獨齋曰先人曰用麤葛云今若練後換葛似當治而用之換葛疑較麻爲輕耳答崔碩儒

尤庵曰練時受葛從家禮不用亦得然世俗循用丘儀已久從之恐亦無害答李擇

又曰練帶若不用麤葛而用其去外皮者則其潔白光鮮不宜於喪服其用麤之說恐不可易矣然麤葛之輕重與麻甚相懸葛輕麻重儀禮用葛之義或出於此耶答李濬

同春曰葛之去皮無文今用葛者皆去麤皮未知如何答李選

南溪曰葛皮精粗之辨其本質既輕於麻則雖略帶

麤不妨但以加漚練者爲得答金栽

遂庵曰練經當以葛爲之而葛自難辨故人家多以熟麻代之似未爲不可答兪廣基

陶庵曰葛經之葛沙溪以爲疑用麤皮尤庵以用麤爲不可易至以全者爲言而以無葛之鄕用熲之義推之顯即俗所謂於作外牛溪靑忽致之說似是而尤翁以不宜於喪服駁之既無明證則不可遽用潔白者以皮葛略加漚治爲之似得宜四禮便覽

同春問葛帶三重四股之制沙溪曰問傳詳之

問傳曰既虞卒哭去麻服葛帶三重註葬後以葛

經易腰之麻經差小於前四股糾之積而相重則三重盖單糾爲一重兩股合爲一繩是二重又合爲一繩是三重也

愼獨齋問喪禮備要小祥條腰經依間傳作三重四股成服腰經無三重四股之文小祥後始有之未知其義儀禮喪服不言小祥之腰經三重四股何歟云云同春曰按喪服圖式襲經帶圖云腰經苴麻爲之圍七寸二分卒哭受服圖云腰經用葛圍五寸七分有奇間傳云葛帶三重練圖除首經惟餘腰葛云云似是仍卒哭之葛也詳此三圖文意所以至卒哭腰

經始用三重者分明是漸殺向吉之意也練之腰經既仍卒哭之葛則圖式之不別言恐無可疑今既無卒哭受服之節則備要之至小祥始用三重之制者勢固然也

又曰來教云三重之制雖是漢儒所錄必本先聖制作而何不見於儀禮耶愚意恐不必太着儀禮經也禮記傳也經之所不言待傳而後備者甚多何獨於此而苦疑之耶來教云三重若爲降殺則成服時絞帶乃爲三重之制何也愚意絞帶比腰經輕重自別故成服時卽用三重四股之制又有五分去一之文明是視經稍殺之義以卒哭時葛帶三重絞帶用布之意推之尤曉然 答愼獨齋

南溪曰葛經大小之制禮經無明文當以間傳所謂差小者爲度而已 答崔奎瑞

又曰其法則雖用三重四股而彄子則恐當用初喪腰經各緻細繩之制以其小祥所用布絞帶依傳用合爲彄子之制有難疊設故也 答金栽

遂庵曰經帶小祥爲三重四股之制者雖出間傳而今世行之者絕無當依儀禮制如大功之經可也 答鄭柔

又曰葛帶三重四股自是一說老先生不用此說而用兩股之制矣 答郭守爀

絞帶用布用麻

栗谷曰既曰功衰則何用斬制亦以布爲之可也 答松江

牛溪問男子練受服絞帶古禮則卒哭時已用布爲之家禮別無儀節通解續却言未詳今欲據卒哭用布例以布爲之如何龜峯曰以布似合

西崖曰儀禮經傳卒哭受服圖云云觀此則絞帶可變明甚至下練受服圖所云絞帶未詳者是論其受

布之後至練時更有何節云爾今旣虞後無變至練乃行則絞帶亦依此用布似合禮意答趙穆

沙溪曰按圖式斬衰絞帶虞後變麻服布七升布爲之今從家禮雖無虞變而練時若用古禮腰絰用葛則絞帶亦當用布婦人同喪禮備要

尤庵曰絞帶之或用布或用麻俱無不可好禮家亦無一定之規矣答柳億

又曰練時絞帶用布是禮經明文曾見愼齋小祥其諸子用之盖從尹兄吉甫之說矣答李箕洪

南溪曰初喪之絞帶三重四股小祥之要絰亦三重

四股俗人習見初喪絞帶之制而不知小祥移此制於腰絰之義遂疑小祥絞帶亦不以布可謂誤矣況婦人小祥除腰絰者耶答趙楷

又曰腰絰雖代以熟麻絞帶則用布無疑答閔采萬

又曰絞帶亦用七升布則其練法亦或與衰裳同答金幹

遂庵曰備要則引儀禮衰裳用大功七升布改製而不練則大功之絞帶似是布也家禮則從簡小祥斬衰絞帶無用布之文鄙家則從備要用布答鄭梁

陶庵曰斬衰練後絞帶之用布盖古禮也備要亦云經用葛則絞用布者原於通解而然也然布與熟麻雖有古今之異而俱無害於義理惟在人取舍如何爾答徐宗華

練屨

退溪曰屨依楊說受以繩屨合於漸殺之意也答禹性傳

牛溪曰麻鞋當用僧人所製熟麻芒鞋庶幾近之答韓瑩中

尤庵曰繩屨只用僧人所製者何至於光鮮也據儀禮則所謂簡屨外納者雖以草織之而實如今時所謂唐鞋者矣今之僧鞋視此則麤惡矣答李箕洪

又曰喪屨初喪用菅練時用繩麻所謂繩麻自是兩色儀禮有繩屨麻屨之文據此則用繩爲之者謂之繩屨用麻爲之者謂之麻屨非一物也又按禮不杖期麻屨齊衰三月與大功繩屨據此則麻重於繩也又按練時惟冠與中衣練之而其餘皆仍舊屨亦不應獨熟也然横渠則衰裳冠帶皆用熟今屨雖用熟亦不爲無據矣五禮儀所謂白綿布爲之云者盖出於丘氏大功用布小功用白布之文今不須仍以爲據也練屨仍用初喪所用則無變除之義雖　上命不可從也答金昌基

同春曰用繩麻古也今用藁亦何妨答李選

南溪曰俗制雖仍三年着藁鞋家禮備要旣有明證何可一向從俗但曾見喪人着麻屨者其制類藁鞋不似僧人所做麻屨之通用者此則恐當致詳也答全栽

婦人練服

問衰服今準男子服以生布改製而以非長裙之制故無截之之事負版辟領亦同男子去之首經用葛絞帶用布屨用麻屨則禮無變改之文而備要初喪已用麻而今男子變以麻屨則婦人猶着藁屨故改之婦人中衣禮書亦無可據而初喪時製爲中衣如

俗長衣制以爲承衰之服閔東萊鼎重家亦如此爲之練時取倣男子中衣例練之云此亦將依此行之如何宋誠甫云先大夫人練時婦人服仍舊衰只截下云果然否雖長裙之制若仍舊則亦截之耶李同選春曰所示槩得之用長裙之制則依家禮截之固矣古衰之制則恐無截之之禮矣絞帶亦當如示布長衣似當依男子生布直領之制練而仍存矣男子衰服旣依圖式改製而不練則婦人服亦當同之恐不宜異也圖式已有明文受衰七升總八升云云尤無可疑備要婦人練服條有稍麤熟麻布之語其上方論男子正服不練之意而此云爾似無曲折恐偶失照勘

遂庵曰婦人服用衰制則小祥當變熟布用長裙制則截之而無變此在喪家擇而行之答鄭桒

男女經帶變除不同

問除服者先重者何也李彥純南溪曰期而小祥衰情漸殺故先重後輕

又曰男子重首婦人重腰乃間傳文所以然者男女當異用故也或亦上下陰陽之義答成文憲

饌品諸條並見祭禮時祭條

茅沙玄酒並同上

設盥盆西階見虞條

行祭早晚見祭禮時祭條

匙楪居中居西之辨同上

出主見祭禮參條

入哭位次見虞條

無尸祔神降神時止哭並見虞條

進饌時炙肝并進同上

左設與上食不同同上

飯羹左右之義見祭禮時祭條

酌獻之節 見虞條
祭酒之義 見祭禮時祭條
啓飯蓋 同上
告祝之節
祝文 與虞祝參看
問備要虞祭祝式小祥則夜處下有小心畏忌不惰其身八字畏忌是何意耶 李灌 陶菴曰畏忌之說只是小心之謂而備要雖載此文士大夫家不用者居多鄙人曾亦未敢用矣
問自虞至祥一歲已周其間暫或惰身則不可謂哀慕如初故又以八字添入者以明其哀慕之愈益切至耶 蔡徽休 遂菴曰來示然矣

攝主祝 見喪變禮嗣子未執喪條中子幼攝主條
妻祭夫祝 見虞條
諸親喪虞卒以下祝 同上
讀祝 見祭禮時祭條
亞獻終獻 并見虞條
侑食下當有扱匙正筯之文 無祝禮并論○上同
扱匙正筯之節 見祭禮時祭條
論加供之非 見祭禮支子之禮條

闔門啓門撤羹進茶伏立之節 并見祭禮時祭條
告利成之義 同上
諸親祭告利成當否 見虞條
下匙筯合飯蓋 見祭禮時祭條
辭神○先飲主并論 見虞條
練祥日弔哭
問春間大小祥日親賓之來見者似當哭拜 沙溪曰客來則主人先哭待之可也
尤菴曰練日弔哭在祥之前闇然客既弔哭則主人何可昧然而已 答尹拯

父在母喪練 見喪變禮父在母喪諸節條
本生親喪練禫 見爲人後者本生親喪諸節條
妻喪練 見妻喪諸節條
并有父母及祖父母喪練祥 見喪變禮并有喪條
重喪中遭輕喪者重喪練祥禫行廢 同上
本生親喪中行所後家練祥禫吉 同上
重喪中輕喪練祥 備禮同上
國恤中私喪練祥 見國恤條
國恤中并有私喪練祥 同上
染患中成服未備者不可退行練祥 見喪變禮染患

中喪禮諸節條

以染患重病追行練祥禫同上

病中遭親喪者練祥之節見喪變禮追喪條

聞訃追服行練祥之節見喪變禮追喪諸條

出繼追服行練祥之節見喪變禮追喪條中立後追服之節條

追服退祥者本祥日行事前期告由之節見喪變禮追喪條

過期不葬者練祥禫變除之節見喪變禮過期之禮條

幷有喪卒哭小祥相值見喪變禮幷有喪條

改葬與練祥相值見喪變禮改葬條

先忌與祥禫相值行祀之節見祭變禮祀祭相值條

適嗣死喪中練祥權主見喪變禮無適嗣喪條

練後諸節

練後上食哭泣有無

退溪曰卒哭漸用吉禮朝夕之間哀至不哭猶存朝夕哭練而止朝夕哭惟朔望會哭哀漸殺服漸殺哭亦漸殺也若猶朝夕上食哭不應曰惟朔望哭而已今欲以己意行之亦恐未安答禹性傳

松江問練後止朝夕哭初忌一日之內自不忍無哭朝夕上食之哭欲於練後翌日止之如何龜峰曰朝夕哭與上食哭非一件事以古禮看之罷朝夕奠之日已罷上食及上食哭而練後又罷朝夕哭耳今用朱子行且不害爲厚之意而旣不罷上食於三年內則是因行初喪禮也擅去其哭未安且三年內無不哭之奠與祭

松江曰練後上食哭宋雲長兄弟以爲若無上食則已矣若旣從俗上食則恐亦當有哭也成牛溪李栗谷二友皆以爲然

沙溪曰小祥後雖止朝夕哭至於上食則當有哭泣之節退溪以不哭爲教恐不可從也近世諸先生皆

謂旣爲祭奠則不可不哭此言恐爲得之答姜碩期

問家禮於小祥言止朝夕哭故潛冶家小祥後上食亦不哭金集南溪曰此非但潛冶行之備要以前士夫家皆從退溪行之如此至備要引巳卯諸儒說然後近世士夫皆從三年上食哭恐是

練後晨昏展拜

問練後雖廢朝夕之哭而只於晨昏展拜几筵似合情禮或謂家禮有晨謁祠堂之文依此只得晨謁爲當愚以爲几筵三年不廢生事之禮耳嘗見朱門人問於先生曰趙子直晨昏必謁影堂而先生只行晨

謁如何先生答云昏則或在宴集之後此似未安故只用晨謁云云以此觀之先生不以晨昏之謁爲未當而只以宴集等有礙不可行故只存晨謁之禮也憂人旣無此等事而況几筵與祠堂不同晨昏之謁未有所妨（禹性傳）退溪曰來諭欲行朝夕至當至當

龜峰曰止朝夕哭後几筵晨夕禮家禮無文欲行祠堂章晨叅之拜則三年內几筵無叅神拜朱子云柩前無拜以子事父母必俟起衣後拜則几筵無叅拜亦象生之禮也今欲晨夕入伏几筵前行定省之義旣不可專然無事又不可行事神之禮故也（答沙溪）

同春問練後晨昏展拜退溪亦許之遽行如何沙溪曰似然然以朱子說觀之三年內有常侍之義朝夕叅拜亦未知其如何也更詳之

又問云云（同上）愚伏曰甚好

尤庵曰禮子於平日晨昏之禮男子唱喏婦人道安置據此則平日常侍不爲眛然無節矣況練後無叅拜之儀則是都無事故鄙意每以退溪說爲合於情禮也（答金壽恒）

南溪曰朱子嘗言孝子常侍几筵故不拜則至小祥後始行朝夕展拜於几筵恐非禮意（答金栽）

農巖曰尤齋之意如此鄙則終以問解說爲難違只每朝瞻禮而不拜（答宋相琦）

遂庵曰小祥後朝夕止哭而無拜則是朝夕都無事也拜之似宜（答李光國）

陶庵曰按子事父母有定省之節自喪至練有朝夕之哭喪畢入廟則有晨謁之禮豈獨於小祥後全無晨昏之禮退溪之說深得禮意但三年內有常侍之義祥前不拜而拜於祥後似未安晨昏入几筵侍立移時而退恐當以禮言之則所謂瞻禮者是也（四禮便覽）

練後上塚哭

問小祥止朝夕哭則廬墓者或於祥後晨昏上塚哭臨此亦止乎（金就礪）退溪曰晨昏哭塚本爲非禮況較乎此而猶爲彼乎此等事君子不貴也

愚伏曰上塚時則情理自當哭不當問禮之有無也家禮墓祭有環繞哀省之文況三年內乎（答同春）

問小祥後雖止朝夕哭於靈筵省墓之時則自不得不哭（閔泰重）同春曰然

尤庵曰南軒雖常時上墓則哭我　朝松江亦然況於三年內乎（答尹宷）

練後哀至則哭

問禮記曰父母之喪哭無時釋之曰小祥後哀至則哭此說有違於卒哭後哀至不哭之節沈偲南溪曰禮於虞後已曰朝一哭夕一哭而已乃反於練後復用初喪之制者何也盖卒哭以後小祥以前猶有朔夕哭故節去無時之哭使少降殺於未葬而今既無此則又使孝子或一日或二日以至五日十日哀至便哭不爲忘親也其所節文極有精義

練後未除服者朔望會哭朔望哭奠哭冬異并論

同春問家禮所謂朔望未除服者會哭未曉其義所謂未除服者似指喪人而三年内几筵尚存喪人必

當在喪次何以曰會哭愚伏曰喪大記有曰大夫士父母之喪既練而歸朔日忌日則歸哭于宗室註宗子之家謂殯宮也觀此則家禮此條無所疑矣盖古禮如此也

又問愚伏曰云云見上沙溪曰愚伏說有證但稅服者似亦在其中矣

又曰按喪大記大夫士父母之喪既練而歸朔望忌日哭于宗室盖古者命士以上父子異宮故庶子爲大夫士者至小祥各歸其宮今朝夕上食三年不廢則庶子當如適子終喪在殯宮也喪禮備要

尤庵曰朔望未除服者云云先師以爲聞訃有先後故練後亦有未除服者耳若以古禮言之則練後主人兄弟亦有歸家之說此或指兄弟而言之然後世則似不可行矣答閔行重

南溪曰問解所謂稅服者亦在其中必指朞功以下而言答趙得重

朞功變除後服色見五服變除條

禮疑類輯卷之十

禮疑類輯卷之十一

大祥 喪禮

練祥用殺日 見小祥條

變服之節

冠服

退溪曰禫服黑笠於古無據但黲冠巾之制湜所未及行不敢云如何 答寒岡

高峰曰王黲則有家禮王白則有五禮儀皆非無所據擇而從之在哀侍酌量如何耳白笠古之無喪服者斬衰三升冠六升則冠固輕於服矣至於禫時則用黑經白緯之冠而服素衣則冠之與服自有輕重今用白笠未知合於古禮乎此愚所未安也且笠子乃俗制欲作黑經白緯之色可謂詭異不經決不可行也非淡黑色亦不可也 答退溪

牛溪曰祥冠之制儀禮用黑經白緯而家禮以黲代之蓋從俗而不失古意也儀禮大祥承祭之服縞冠緇衣則以黲色近縞而當時用之故也今蔣 王制旣以白笠爲禮雖非縞黲而豈可違之耶儀禮承祭服如此者以奪情變除示用私近吉之服也旣祭而

私居則用素縞麻衣者示孝子哀素之節也今制徑用白笠以承祭似非禮意而定法不可易也 答李齊臣

松江問祥服曰祥服禫服曰禫服今於家禮大祥章陳禫服云者未知何義至禫又無定服亦何義耶且朱子大全云忌日服制用黲紗幞頭黲布衫脂皮帶如今人禫服之制云某竊妄以爲陳禫服一句當入於禫章而錯在祥下云云 龜峰曰看來家禮禫前一月卜日云主人禫服則家禮之自大祥後禫前所服皆稱禫服無疑禮於喪受服多節今皆刪之朱子用司馬氏黲制而從俗亦豈苟然若如所示黲色宜在禫後甚無謂用黲於祥宜無他論

又問祥服未有定見黑笠則無義而國俗已久白笠則中朝與我國之制黲則家禮而宋儒以非素冠爲論不必盡用家禮亦定之書今欲略倣黃圖之說以縞冠緇衣素裳承祭祭訖深衣白笠反哭云云 龜峰曰家禮之黲制難考欲倣黃圖似爲未然家禮之與儀禮經傳固不同也經傳歷集古禮無一段付已意有所損益以爲有國者制禮之用家禮酌古參今推以家居已所自用者爲一時當行之禮朱子於家禮非不知直用古禮之爲可而必取司馬氏程氏高氏

等論者隨時之義不得不爾也禮自初喪至虞卒哭受服非一而家禮皆刪是不泥古而從簡也且喪服之從古制朱子亦有論焉吉服雖已從今制而喪服尚存古制則不必又變而從今之意也今家禮祥服已從時制安敢又越而從古乎黲天色也淺青黑色近今玉色今宜用黲色冠與黲團領承祭以從家禮黲幞頭與衫之意而旣祭之變服則雖家禮所無而換却白衣白笠以從　王制而用白反哭如何

寒岡曰禫服五禮儀許用白笠世人或嫌於　國喪之服鄙生則倣家禮以黲色爲笠子衣亦用黲巾帶

用白布網巾用黲布皆稟於李先生而爲之 答權泰一

西厓曰祥服二家曾行者笠用白色衣用白色團領帶用木綿條兒網巾近日姪子等所着乃黑色以古禮言之則間傳云素縞麻衣雜記祥而縞又曰朝服註云緇衣素裳縞冠以此觀之則衣用緇色裳用素冠用縞其制則雖不言而似當因喪服之制特變其色耳今祥以前冠衰裳皆用古制祥後禫前獨不用古似無意思但世俗遵行已久復古則駭俗而不可行○祥冠用白申宰相點於　經席建言下禮曹遂爲遵行之制當時識禮如奇明彦諸公皆以申說爲未合禮然而未聞改定非穌齋創始爲之也以理言之用白用黑同爲非禮古人祥祭卜日爲之家禮用忌日旣忌日則在平時猶當黲巾素服況於喪未終而用黑可乎以此言之寧用　國家所定庶不悖於從時之宜也○縞之爲黑經白緯終不可知古書凡言縞者皆白色如漢人縞素三軍何有於黑經白緯雜記又云葬時史練冠註云縞冠此亦似指白色而言儀禮圖禫後綅冠註綅黑經白緯禫後冠色如此則禫前必彌凶以此觀之往日申君建白立法者亦或有考而言也 答權春蘭

沙溪曰按雜記疏據卿大夫言之從祥至吉凡服有六祥祭朝服縞冠一也祥訖素縞麻衣二也禫祭玄冠黃裳三也禫訖朝服綅冠四也吉祭玄冠朝服五也旣祭玄端而居六也今倣此禮祥祭着微吉之服祭訖反着微凶之服禫祭着吉服祭訖着微吉之服以至吉祭後復常似合禮意 喪禮備要

又曰按或曰縞旣曰黑經白緯織又曰黑經白緯綅又曰黑經白緯三字皆同一色此甚可疑考韻會綅白經黑緯通作纖云云曾聞鄭松江求得於中原所謂黲如今所謂芉水色所謂縞即白經黑緯云亦可

疑也且古書凡言縞者皆白色詩傳素冠註雖以黑經白縞訓縞而出其東門註則云縞白色孔氏曰縞是薄繒不染故色白禮記曾子問布深衣縞總註縞生白絹雜記葬時史練冠註云縞冠韻會爾雅縞皓也文選雪賦萬項同縞漢高紀兵皆縞素且儀禮圖禫後綅冠禫後冠色如此則禫前必彌凶以此觀之國制與丘儀祥服用純白無乃有所據耶更詳之答姜碩期

同春問家禮大祥之服黲布幞頭之制寔是詩人所謂縞冠之色而丘氏及五禮儀必易之以純白何也

純白似非漸吉之意而既是時王之制則某不可違耶沙溪曰大祥之服禮云縞冠而家禮云黲布幞頭黲布衫與古禮無異至丘氏及五禮儀又易以純白尤與古不同而　先王朝申明依五禮儀用白笠之制今不敢違也

冶谷曰蓋聞三年之祥也國俗舊戴草玄笠隆慶己巳年間盧蘇齋始依五禮儀戴白布笠轉相慕效而當時猶或從違南彥經兄弟三人各執所見其服禫也一草玄笠一黲布笠一白笠云云詩素冠之傳曰縞冠素紕既祥之冠也黑經白緯曰縞緣邊曰紕小註三山李氏曰其冠用縞以素爲紕故謂之素冠然則古之素冠亦非純白也朱子家禮禫服不用素而用黲者黲乃淺青黑色也安知不以古之縞冠亦非純白而黑經白緯之布後世無有故爲之用黲也耶其所謂黑笠雖非黲亦其類也者我國之淡黑布笠固黲之類也草玄笠亦非玄也實微黃色也所謂類也者豈不爲是歟

尤庵曰雜記所謂微凶微吉者按通解續祥禫變服條註祥祭服朝服縞冠既祭服素縞麻衣禫祭服玄冠朝服既祭服纖冠素端黃裳然此難準以我國服

制若以國俗服色言之則祥祭用玉色祥後改着白衣禫祭服黑色衣禫後改着玉色衣則似合於雜記之說然家禮只用黲色而無改易之文只當從之所謂黲色恐是我國玉色灰色之類也䵣黃是兒䵣色蓋白而微黃者也青碧朱子以青爲東方正色以金之白克木之青合青而成碧據此則二者之色隱然可見矣大抵祥禫之服一從家禮爲當而國俗之用素猝難變革故鄙家亦用純素色矣答李選

同春曰從祥至吉六變服之節古禮則然而今既不能盡從無寧從俗白笠爲宜否答李之濂

南溪曰禫服之定爲白布笠衣之制已久黲色雖曰古禮恐難遽用 答金栽

陶庵曰按家禮此條 按此條卽大祥條 云陳禫服而不無古今之異且在萬曆年間鄭松江赴京問於禮部則郞中胡僖答曰禫而陳禫服序也今當薦此常事之日而先陳禫服人無不微疑其間我朝議禮考文祥禫服參酌時宜大祥日用細熟麻布爲冠服及至禫祭卽服禫服承祭云而今文獻無徵故但以陳祥服三字爲大文註以 皇朝制以丘儀與 國制開錄于下而禫服一段移置禫條 四禮便覽

網巾

松江問時制祥而白笠烏網巾其無妨耶龜峯曰僕曾自行則用白布網巾

西厓曰網巾用黑色固所未安但練時中衣承衰而已用黃裏縓緣爲飾以此推之網巾在冠內雖黑與此相類否 答權春蘭

同春問祥後黑網巾甚不稱於縞素之色以白布作網巾不至駭俗否抑練時用黃衣縓緣爲中衣之飾中衣承衰而已無可嫌以此推之網巾在冠內雖黑與此相類否沙溪曰以白黑麤鬉雜造用之如何白布則駭俗且非古禮

冶谷曰趙浦渚居外艱祥日不冐着黲網巾用白苧布爲之以裹頭人或疑之然黲網巾乃 皇明之制也古人以縉帛韜髮而詩人歎素冠之不得見也則素冠之下不合用黑縉韜髮不用黲網巾而用白布爲巾雖違衆自合古制

尤庵曰網巾家禮之所不言然老先生之欲用白黑駿雜織者欲依家禮之黲色也然此亦異常鄙家曾從寒岡說用淡皂布盖此亦黲類也 答李選

又曰頭上所用自初喪略異於衰裳故冠用稍細布

今禫時笠與服雖依五禮儀用白至於網巾婦人首飾則依古禮及家禮用黲色青碧鵝黃似不甚悖矣 答金得洙

又曰網巾之制無經據今笠既白則巾亦白無妨然以古黲色之義推之則用淡白黑亦可既以淡白黑爲正則布亦可駿亦可恐不必拘於一說也 答尹拯

問昔年母喪祥服以白布作網巾用之云云 閔重維 同春曰用布似亦不妨但祥服純素既非古制麤駿之造視縞所爭幾何恐不必太拘拘也

又問從俗用網巾無甚不可而但前喪既用布巾到

今有異似有輕重之嫌云云同春曰以此以彼恐皆無大段者唯在酌行之也

南溪曰黑白髮雜造之説愚嘗疑之亦難猝然造得恐亦依笠衣白細布爲之不然則用時俗髮造者而飾以白布亦無大害也（答金栽）

婦人祥服

松江問祥後婦人服家禮用鵝黄青碧儀節用白衣履未知何從龜峯曰婦人祥服家禮亦有皂白等語參用儀節如何今所用則青碧似吉不可用也

問大祥婦人服家禮用吉丘儀與五禮儀皆用素（尹家）

尤庵曰禮制隨時損益行禮者擇而行之可也然當以家禮爲正而　國制亦有不可不從處也

又曰婦人祥後服當從男子男子用黲色則亦用鵝黄青碧男子用素則亦當用素矣（答李逕）

又曰首飾云云（答金得洙　見細巾條）

饌品（諸條並見祭禮時祭條）

茅沙玄酒（並上同）

設盥盆西階（見虞條）

行祭早晩（見祭禮時祭條）

匙楪居中居西之辨（同上）

出主（見祭禮條）

入哭位次（見虞條）

無參神降神時止哭（並上同）

進饌時炙肝并進（同上）

左設與上食不同（同上）

飯羹左右之義（見祭禮時祭條）

酌獻之節（見虞條）

祭酒之義（見祭禮時祭條）

啓飯蓋（同上）

告祝之節

祝文

南溪曰小心畏忌等八字只用於小祥不可通用於祥禫諸節蓋所謂如小祥之祝者指此八字外他語也（答金南烈）

問小心畏忌不惰其身家禮則自小祥至禫皆有之而備要只曰小祥者可疑（李東）遂庵曰祝文所謂小祥云者謂自小祥如此之意也則字下恐有脫字耶

攝主祝（見喪變禮嗣子未執喪條中子婦攝主祝條）

妻祭夫祝（見虞條）

諸親喪虞卒以下祝（上同）

讀祝見祭禮忌祭及時祭條
亞獻終獻并見虞條
侑食下當有扱匙正筯之文無拜禮并論○上同
扱匙正筯之節見祭禮時祭條
論加供之非見祭禮支子之禮條
闔門啓門撤羹進茶伏立之節并見祭禮時祭條
告利成之義上同
諸親祭告利成當否見虞條
下匙筯合飯盖見祭禮時祭條
辭神在斂主前見祔條

祔廟

告辭并服色論

松江問祥前一日告明日入廟辭當如何几筵則不告否龜峯曰几筵之告祠堂之告皆倣有事則告之禮如何告辭用古意自述如何

沙溪曰按有事則告今神主祔廟不可不先告祠堂喪禮備要○下同

又曰按丘氏未改題只書官封稱號而不書高曾祖考妣然愚意以子孫而不稱屬號恐未安祔祭祝辭尚云適于某考某官府君何可以未改題而不稱屬號也今改之云云

同春問新主祔廟祠堂告辭之節沙溪曰當在大祥祭畢撤几筵未祔廟之前耳

又問母死祔父不行遞遷而并告先祖似不可已沙溪曰并告祖先亦無妨

問大祥前一日告遷于祠堂家禮及儀節皆不言服色權泰一寒岡曰鄙人嘗稟居喪入廟之服當用黑草笠白布衣白帶何如云而李先生不以爲不可

尤庵曰大祥祭畢後行之固無害云云曲折似煩不若前期告廟而翌日祥祭畢後即入祔之爲順矣前

一日以衰服入廟既有初喪祔祭之例則又何必爲嫌乎答或人

問祥後神主即當奉入與先妣同卓祝辭祔字似不用李選尤庵曰大祥已屆下云禮當入廟將以顯妣祔焉云云則如何

同春曰新主前亦略告今日大祥已屆即當祔廟敢告云云答鄭道應

問備要大祥條祔廟告辭末端兹以先考某官大祥已屆禮當祔於曾祖考云云而曾祖廟奉在宗家此中只有祖考廟云云成爾鴻遂庵曰曾祖廟雖奉在宗

家而宗家不遠則大祥後姑爲祔於宗家待吉祭還奉自家祠堂爲宜祠堂只奉祖考位則入廟告辭當改之曰今日入廟云云

考位祔廟

沙溪曰世數若已滿而又陞新主則是五世果似未安似當以新主姑位於東壁下祭畢遷祧後始入正位恐當然則未滿四世者直爲正位無妨耶家禮輯覽

同春問先考實繼禰之宗而以冣長房奉高祖神主先妣神主則從東序西向之坐矣今於先考祥後姑同安於先妣西向之位禫後猶還故處至祫祭設位

則變爲南向之位祧主與新主皆坐於一行如時祭之儀否抑祫祭時則猶爲西向之位祫祭後祧出易世之主然後還祠堂始爲南向之位而以次迭遷否丘儀曰家禮時祭之外未嘗祫祭又不知設新主於何所云云而遞遷之節直在大祥之下今當何從愚伏曰前喪則契長以宗子祔亡妻於祖廟安于東壁西向之坐固當今此祥祭則前一日告遷諸位虛其東一龕以待新主翌日大祥祭畢奉安新主於本龕南向之坐次以先妣從入於禮爲順若欲依朱子晚年所論待祫祭後入廟則亦當權安新主於別所或仍留几筵不撤以奉之至以祔之於先妣西向之坐乃爲以尊從卑似無是理如何祧主與新主一行自不妨矣

又問云云問于愚伏答云云上見沙溪曰朱子晚年與學者書祔與遷是兩項事旣祥而撤几筵祔于祖廟俟祫祭而遷用意婉轉後人不可違也丘氏云云未曉其意以哀家言之雖未能就祔於宗家祖廟姑安於哀家祠堂之東序以俟祫祭似不失朱子之意旣安於東序則不得不與先妣同安非爲以尊從卑也事勢然也愚伏欲從朱子初年之論殊未妥當至於

仍留几筵權安別所尤乖禮意恐不可從也吉祭時神主姑就祔位入廟後奉安正龕恐當

註　朱子答李繼善書云云○楊氏曰云云并見家禮大祥條附

問先考乃支子而今於祥後不得祔於祖廟勢將同安於先妣神主權奉之處則旣非祔廟之義且違儀禮猶未配之文亦當仍安新主於故處或移奉於別所以待吉祭耶李惠輯陶庵曰仍安新主於故處則是祥後亦不撤靈座也禮以別嫌爲重斷不可爲至於移奉別所甚無意義只當同安於妣位權奉之處而

用各卓祭畢奉入之際不可不措辭以告盖以爲古禮則當祔於祖廟而支子異宮之家勢不可行此禮不得已奉安於先妣神主櫂奉之處云云妣位前一日告辭就吉祭條各祭新主祝措語略爲㸃化以用似宜

妣位祔廟

栗谷曰家禮祔廟楊註固爲宛轉得禮之意但此爲昭穆迭遷而發也今者尊先考已正位次新主直祔而已無迭遷之事有何所據而權安於東壁乎答松江

松江問祥祭後奉新主權安于祠堂東壁下西向禫

後行祫奉安于府君櫝内如何龜峰曰於曾祖妣龕上略用祔禮行古禮之遺意如何

又問示於祖妣龕内略行祔禮云云但廟只有亡親舅姑神主恐難强行此禮龜峰曰果如所示祠堂東壁下前示西向之位亦似可矣

沙溪曰父先亡母喪祥訖依丘禮祔于考龕而俟祫時合櫝爲宜盖儀禮禫月吉祭猶未配以此推之母喪纔畢不可卽與父合櫝明矣喪禮備要○下同

又曰或曰父雖先入廟母喪畢且祔於曾祖妣俟祫時配于父爲近古意更詳之

尤菴曰以儀禮猶未配之義推之恐當於吉祭時改題同櫝矣盖此禮只從家禮大祥之儀則無吉祭之儀若用禮記吉祭之儀則恐亦不當於大祥之日遽爲幷坐矣若只欲祔於祠堂之内則豈依祔考而未吉祭之間曾祖猶稱祖之例姑稱亡室有何嫌乎答尹拯

南溪曰母先亡者過三年後祔於祖妣者爲是盖朱子旣於内子之喪以此行之而後來未聞有異論則此不可爲法耶然則今世大家所行似出於一時形勢非有正義可準也祔廟告辭云云亦謂大祥後祫祭前姑祔祖龕豈有父先亡過三年而猶爲祔位也

答李啓晩

舊廟奉來祔新主

南溪曰龍岡兄旣出後伯父今爲繼曾之宗則所生親神主或同奉祠堂或姑安别室皆一時權行之事非正禮也但爲新主入廟卒然奉來已似以尊援卑之嫌且新主仍在其所而以舊主來入是猶舊主反爲祔也情理俱不安家又無他室可以變通則誠甚難處然有一於此大祥之日奉新主出就正寢行事訖姑勿遷動而以屛障遮之卽往上家廟所告以禮

當移奉而在前未及今始追還之意仍爲先奉於前日几筵所設處且行移安之祭禮訖還正廳始告新主以請入祠堂之意復爲奉入則先後主祔之義已自分明而此後無難處之事矣若所謂因新主入廟奉來之嫌不過以在前因循之失而致此不必深拘況於早晚皆將不得免則尤宜及時移安也（答[illegible]）

尤庵曰池哀家處禮當初只奉几筵而出不奉家廟恐爲未安今日追奉於寓所則不惟祥日無礙而前頭朔望節日及吉祭亦皆應節都無横決之弊矣（谷中）

啓（澄）

新主自遠奉來祔廟之節

問廬墓三年後返魂之日奉神主入祠堂云云（韓瑩中）

牛溪曰家禮大祥前一日以酒果告遷于祠堂且改題意而此則無遷改之事似當於大祥後一日以酒果具由告于祠堂畢奉神主升祔禰龕而已

問牛溪曰云云（見上○尹宣舉）愼獨齋曰禫月而祭猶曰未配祥而即祔恐非禮意

尤庵曰新主自遠歸祔祠堂只於舊主設酒果而告祔耶若然則新主未免彷徨於外矣當先入祔而并設酒果然後告舊主耶此是變禮無可據者故曰者

與諸友相議依後說行之（答尹宣舉）

吉祭前不可合櫝

問祖廟中既無當遷之位承重孫又在母服不可行吉祭祥後入廟時即爲合櫝無妨耶（朴挺陽）陶庵曰備要吉祭條註又疏曰以下措語試更考看則新位之不即合不但爲祧遷一節而已吉祭後合櫝之外豈有他道理

班祔神主改題入廟

問弟遭妻喪題主當以亡室而祥後當祔於宗家其時以宗子改題其神主耶（宋淵源）遂庵曰依家禮班祔

於宗家則豈不正當而禫祭其夫主之其前似難改題祔禮差退於禫後臨時改題似不妨

祔高祖者祖亡後吉祭時遷祔祖龕（見吉祭條）

無後宗子祔廟（見喪變禮無後喪條）

奉主入廟後拜禮

問奉主入于祠堂而其儀有安神主拜禮之文（金光五）

遂庵曰從丘說無妨

祔廟追行（亂後祔廟并論○見喪變禮追行之禮條）

喪服既除後處之之節

退溪曰曲禮祭服弊則焚之今人喪冠服并杖付火

恐或得宜答金就礪

同春問喪服旣除之後當如何處之沙溪曰張子說可考

張橫渠曰祭器祭服以其常用於鬼神不可褻用故有焚埋之禮至於衰絰冠屨不見所以毁之文惟杖言棄諸隱者棄諸隱者不免有時而褻何不即焚埋之常謂喪服非爲死者已所以致哀也不須道敬喪服也禮云齊衰不以邊坐大功不以服勤皆言主在哀也非是爲敬喪服毁喪服者必於除日毁以散諸貧者或守墓者皆可也盖古人不

惡凶事今人以爲嫌留之家人情不悅不若散之焚埋之又似惡喪服

練祥日弔哭見小祥條

幷有父母及祖父母喪練祥見喪變禮幷有喪變

幷有喪前喪祥日變除之節同上

重喪中遭輕喪者重喪練祥禫行廢同上

本生親喪中行所後家練祥禫吉同上

重喪中輕喪練祥備禮同上

國恤中私喪練祥見國恤條

國恤中幷有私喪練祥同上

染患中成服未備者不可退行練祥見喪變禮染患中喪禮諸節條

以染患重病追行練祥禫同上

病中遭親喪者練祥之節見喪變禮追喪條

聞訃追服行練祥之節見喪變禮追喪諸條

出繼追服行練祥之節見喪變禮追喪條中立後追服之節條

追服退祥者本祥日行事前期告由之節見喪變禮追喪條

過期不葬者練祥禫變除之節見喪變禮過期之禮條

改葬與練祥相值見喪變禮改葬條

先忌與練祥禫相值行祀之節見祭變禮兩祭相值條

適嗣死喪中練祥權主見喪變禮無適嗣條

失禮追行大祥見喪變禮追行之禮條

服盡後主祥禫與立喪主條中父在父爲主條參看

問父主子喪練已除服則祥禫誰可主之韓士郞英尤庵曰凡喪父在父爲主父雖除服祥禫諸祭父仍主之禮也

又曰凡喪父在父爲主則十五月禫時舅雖無服自當主祭其子安得主之乎鄙家子婦之喪此每主祭矣答金九甥

問妾孫不得爲其祖母三年服盡後當撤几筵耶若其母或諸父服三年者在當如何行祥禫則祝辭以何人爲之耶 或人 尤庵曰禮大功者主人之喪有三年者必再祭所謂再祭大小祥也據此則其几筵不撤三年可知也其孫服雖除而祭則猶自主之矣時父在爲母亦服三年故其父服盡於期而其大祥則父爲主此則明有朱子之訓朱子曰父當自爲之不必爲子祭也據此則服盡而猶主其祭又何疑乎

祥後諸節

撤倚廬

陶庵曰倚廬未見何時撤毀之文然將軍文子既除喪而後越人來弔深衣練冠待于廟垂涕洟此或爲祥後撤廬之證耶 答李惠輔

祥後食肉之非

沙溪曰喪大記祥而食肉愚按祥後食肉之文與間傳所謂禫後始飲酒先飲醴始食肉先食乾肉之說不同家禮所謂大祥始飲酒食肉是因喪大記而有此說非闕文也然不可從也 家禮輯覽○下同

又曰按古禮祥月便禫故雖有分言祥禫之祭而例以祥包禫而言者故禮曰孔子既祥五日彈琴十日成笙歌魯人有朝祥而莫歌者子路笑之孔子以爲責人已甚然又曰踰月則善也今家禮大祥後飲酒食肉復寢之文正因喪大記之文而大記之文亦包禫而言之者也此等處當活看可也若以爲朱子之意必於祥日飲酒食肉復寢云則恐滯泥而不通也

問胡伯量云云 姜碩期 沙溪曰云云 詳見禫後諸節條中禫後服色飲食之節條

祥後行奠之節

退溪曰依家禮本文祥畢主入于廟則素行朔望者合行於廟素不行者則請出當奠之主於正寢而行之可也其或既祥且祔祖廟者亦只得依右禮行之

答金就礪

松江問祥後禫前朔望參禮如何且未祫而新舊主同享一堂如何奉新主正寢伸情事如何龜峰曰參宜一如平日祠堂禮既行祔禮似無不祫祠堂之嫌正寢別祭未安似豐于昵

松江曰未祫前朔望遍奠叔獻云若以未祫爲未安則不如皆廢若始擧朔祭於祥後則雖曰未祫遍奠似無妨別祭於他所未穩

問廟中在前朔望奠不行於舊神主而今忽幷行何

如朴亂 寒岡曰旣奉祔廟朔望奠似難請出別行依家禮幷行於廟中不妨或因此遂不廢祭禮亦何甚妨

愼獨齋曰祔廟後朔望不宜別設且不可廟中而哭也若支子而奉安於別所者當哭而行事矣 答尹宣擧

尤庵曰奉出新主於正寢哭而行祭旣非正禮又不可哭於廟中今以支子奉主於別所之故而哭而行事以存內哭之義則古所謂內外哭者是只指支子而言而宗子不與焉恐無其理且支子而父後亡則猶可如此或母後亡則壓於父而有所不敢是支子而亦有先後之異也其可乎竊謂喪大記所謂內無哭者禫祭之日猶有哭自是以後則更無哭之意也 答尹拯

南溪曰退溪所謂朔望請出新主之義旣於家禮及儀節及備要皆無見處恐不可用也惟繼禰之家無舊廟可祔則或留奉前所值朔望則哭而行祭其或可耶 答金栽

陶庵曰入廟後新主殷奠若一如祥前則烏在其撤遷祔廟之意也新舊位只當用一大盤之制 答李惠輔

父在母喪祥後饋奠當否 見父在母喪諸節條

祥後省墓哭 與練後諸節條中練後上塚哭條當叅看

南溪曰祥後省墓時哭拜恐無所妨蓋禫猶哭而行事故也 答金栽

禫前晨謁

寒岡曰禫前主人晨謁於大門之外用禫服白衣恐無妨 答朴汝昇

除喪後受弔

問除喪之後親舊不知已沒喪而來弔則待之當如何 李惟泰

沙溪曰禮經所論可考也檀弓將軍文子之喪旣除喪而後越人來弔主人深衣練冠待于廟垂涕洟子游觀之曰將軍文氏之子其庶幾乎亡於禮者之禮也其動也中註主人文子之子也深衣吉凶可以通用小祥練服之冠不純吉亦不純凶廟者神主之所在待而不迎受弔之禮也不哭而垂涕哭之時已過而哀之情未忘也庶幾近辭也子游善其處禮之變故曰其近於禮乎雖無此禮而爲之禮其擧動皆中節矣

愼獨齋曰禫前有弔者親舊始見哀至而哭與祥前何異禫前書疏亦猶以喪人自處 答尹宣擧

尤庵曰祥後禫前受弔以家禮弔狀式觀之則未禫

前猶以喪人自處也人之吊之與已之受之也又何疑乎然其時几筵既撤則無可受之處只當以將軍文子之無於禮之禮處之也耶（答或人）

南溪曰禫前受弔與將軍文子之事不同恐當自依常例也（答李時春）

父在母喪除服後受弔（見心喪雜儀條中心喪中受弔條）

祥禫後廬墓之非

退溪曰聞欲於祥禫後仍不毀廬室以作居室恒處其中朝夕上食就墓前行之此禮何據若使先王制禮可不顧而直情行之曾參孝已無除喪罷上食之

日矣以閔子騫之孝除喪而鼓琴切切而哀曰先王制禮不敢過也今君欲行曾閔所不行之行以為驚世駭俗之事不足以為孝適取譏於識理之君子豈不可惜之甚者後漢趙宣以親墓隧道為室而居其中行喪二十年仇香按得其服中多生子怒而治其罪今君廬室雖非隧道之比以事言之亦趙宣之類也世或有如仇香之賢安知不以為罪乎（與李文奎）

禫

禫前書疏式（見書疏式條）

總論

問喪有有禫者有無禫者當禫者有幾（李惟孝）沙溪曰禮記及朱子説可攷

喪服小記為父母妻長子禫註當禫之喪有此四者然妻為夫亦禫慈母之喪無父亦禫○宗子母在為妻禫註父在則適子為妻不杖不杖則不禫父沒母存則杖且禫矣非宗子而母在者不禫矣○庶子在父之室則為其母不禫註此言不命之士父子同宮者○賀循云出母杖期禫○檀弓註出母無禫○問女子已嫁為父母禫否朱子曰據禮云父在為母禫止是主男子而言

問父母在者為妻不禫則其子亦因此而不禫乎（以文規）尤庵曰云云（詳見妻喪諸節條中妻喪禫條○下同）

陶庵曰云云（答李載亨）

又曰為長子禫之長子即繼三世適子父為斬衰者既是三年則練之有無固不當論（答柳深）

問亡子禫事其妻雖亡亦可行否（俞拯基）陶庵曰子喪禫事終未見其可行之證矣

尤庵曰過時不禫則寧復有脫禫之日也過大祥之後即當復常矣（答或人）

又曰曾子問註只論二祥而不及禫者二祥是終不

可闕者禫是澹澹乎平安義覗二祥差別故不及耳答沈之漢

中月而禫

南溪曰士虞禮中月而禫乃周公禮經雜記是後出傳義朱子初意盖欲主禮經也答鄭尙樸

又曰中字如詩之中林中逵皆謂林之中逵之中此亦猶言其月之中也今從鄭註間字之義答成文憲

計閏不計閏之辨

沙溪曰據先儒說大小祥以年數則不計閏宜矣禫則本當在祥月之中雖從鄭氏間一月之說猶是以

月數則禫之不計閏無據家禮所謂不計閏者統言自喪至此非必謂祥後也張子說似分曉答同春

鄭玄曰以月數者數閏以年數者雖有閏不數之

○張子曰三年之喪禫閏月亦筭之

尤庵曰祥禫之間據橫渠說則計閏無疑而家禮則明言不計閏今人多說家禮是泛指祥以前言之然家禮旣於小大祥條各說不計閏十三月二十五月而於禫必更說不計閏二十七月則似只指祥禫之間言之矣第家禮雖說鄭註二十七月之文而朱子以王肅二十五月祥後便禫爲是今於二十七月之外以閏月之故又引而伸之爲二十八月則恐非朱子本意矣然則當從橫渠說尤無可疑而若必以家禮不計閏諉之於祥前而强以同之於橫渠說則未見其必然矣答金壽增

問閏月非正月則卜日行祥禫得無未安耶或人

尤庵曰閏月行事自古有之矣

同春曰中月而禫王肅之論實是禮之正者從鄭從厚雖不可已若至於又不計閏拖過兩月則無乃已厚而或與禮之本意尤遠耶答鄭道應

卜日

總論

退溪曰如上丁　國忌之避不避無所考據不敢輕說禫古卜日以祭其無恒定之日可知退行亥日其或可乎答金宇顒

尤庵曰所謂下旬者前一月下旬也須近當祭之月而卜之也答或人

農巖曰今玆丁日雖在初吉亦當如禮行之近來或以初吉行禫爲不安而無端退行者此不識禮意而然也答朴道基

陶庵曰𤣥玟古制雖未易行告日之禮安可闕也答李

惪輔

丁亥之義 見祭禮時祭條

环玟之制 同上

卜日雜儀 同上

退祥者用本月行禫

南溪曰祥雖退行於後月禫則自當本月行之以其退祥是變禮不宜以此而更退禫也 答梁得中 遂庵曰正月再期而有故雖退行祥祭於二月家禮註既曰自喪至此二十七月云則三月行禫不宜進退 答郭守焜

問喪人爲獄囚至于禫月始行大祥祥日着麤布衣淡黑笠鄉人以不着白笠爲誤禮之罪案 成晩 遂庵曰祥月中行禫王肅之說也朱夫子善之今大祥行於喪後二十七月是月必有餘日自可行禫而從吉不可謂過時也若行祥祭於二十八月則無禫無疑然二十七月本是禫月節目間雖或小差何至爲誤禮之罪案

禫日變服之節

退溪曰禫日變服之節變服禮之大節目若果祭而後始變吉服家禮當明言以曉人豈宜泛然云皆如大祥之儀其無陳服之文豈不以喪服之漸變者當陳吉服之卽常者不當陳也耶且既祭之後改服之節又當何如而可納主而後變則是不告神以喪畢之故抑未納主而吉則吉後都無所爲於告神喪畢之節恐皆未安也嘗觀禮經自禫卽吉其間服變之節殆有五六周禮文繁乃如此後世固未可一一而從之故家禮只如此今若以尚有哭泣之文純吉未安只得依丘氏素服而祭何如 答金字顒 寒岡問禫祭之服儀節只云主人以下俱素服詣祠堂而更無易服之儀今俗則例以吉服如大小祥陳

服易服之節此何如退溪曰不依大小祥陳服易服之節不知禫服除在何節吉服著在何日

問禫儀或云行事如大祥則固有出易服之節或云祥有陳服而禫無陳吉服之文則宜無易服一節恐練祥之事則漸殺而非全變必因祭而改服故有出易服之節禫則卽吉之事必終事而後變所以無此一節歟 金字顒 蘇齋曰從祥至吉之服有六其三禫祭玄冠黃裳其四禫訖朝服綅冠若以此義推之禫服非純吉非純凶可知夔山以來禮無陳吉服文直書素服爲儀節今未敢違

松江問家禮大祥章陳禫服云者何義龜峰曰云云詳見大祥條變服之節條中冠服條問禫祭吉服未安於哭泣宜從丘氏素服行之後卽吉盧亨運寒岡曰丘氏之義未詳儀禮禫祭所服許以玄衣黃裳則古人亦不用素服矣

又曰禫而纖儀禮文也儀禮變服各有節次而家禮從簡不盡言其節次今則勢須一從家禮但未吉祭之前不用華盛之服而已答李善立

沙溪曰今有或者之言禫祭有哭泣之節不可遽着純吉之服世或有用其言以素服爲是者而以雜記

問傳見之則祥祭着微吉之服祭訖反服微凶之服禫祭着純吉之服祭訖着微吉之服以至吉祭無所不佩也或者禫祭不可遽着純吉之說不可從也退溪所答前後不同未知當以何服爲定也禫日雖有哭泣之節吉服恐不可不着答姜碩期

雜記註曰禫祭玄冠黃裳禫訖朝服綅冠踰月吉祭玄冠朝服既祭玄端而居○間傳陳氏曰禫祭之時玄冠朝服祭訖首着纖冠身着素端黃裳以至吉祭平常所服之物無所不佩○退溪答金肅夫字顒之問今若以尚有哭泣之文純吉未安只得依丘氏素服而祭如何申知事叔正曰丘氏所謂素服恐非白服中朝人以無紋衣爲素服凡於國忌及凶禮皆着青素服去附于俗禮皆然弔喪亦依此行之儀節所謂素服或慮指此而言也又答鄭道可逑之問不依大小祥陳服易服之節不知禫服除在何節吉服着在何日按或曰云云見大祥祭條中冠服條

又曰禫乃吉祭不可不服吉三年喪畢孝子有悲哀之心則雖着吉哭泣似不悖於情禮矣喪禮備要○見

又曰禫祭着吉服祭訖着微吉云云大祥條中冠服條

又曰禫後着麤黑笠至吉祭着吉衣冠無妨答黃宗海

同春問禮禫祭玄冠朝服祭訖首着纖冠身着素端黃裳踰月吉祭玄冠朝服既祭玄端而居據此則於禫似不可謂喪畢而必吉祭而後如常人而備要全沒此曲折禫祭直云陳吉服無乃與古禮有異耶且儀節云主人以下俱素服所謂素服不變大祥時服耶果爾則與玄冠朝服之禮全不相應亦可疑也今依古禮之意而參酌行之未知如何且家禮禫祭條無陳服一節何歟沙溪曰禫後服色或用白或用吉人之所見各異云云與上答姜碩期語同家禮補註曰禫祭不言設次陳服者盖小祥易練服大祥易禫服禫祭宜

亦吉服問傳所謂禫而纖無所不佩是也此說恐得
之
又問禫祭時禮有玄冠黃裳祭訖纖冠素端之文今
依陳服易服之節以黑笠細布直領黑帶行祭祭訖
着纖色笠纖色帶至吉祭時始用純吉之服似當否
沙溪曰考儀禮經傳通解則黃勉齋所着禫服玄
衣黃裳乃吉服非素服明矣夫所謂禫者澹澹然平
安之意不於此時即吉更待何時若必如疏家所謂
從祥至吉變服有六之說則卒難復古朱子既不采
入於家禮今不可更論也今者欲用黑笠黑帶白衣

之制既非古禮又非家禮且與丘氏儀節有異創立
新制甚可乎
尤庵曰退溪雖有兩說當以家禮爲正故鄙家只如
大小祥之節耳 答李選
同春曰禫時服色論說多門終無一定之議良由家
禮禫祭條無陳服一節故致有云云而但禫祭玄冠
朝服祭訖首着纖冠身着素端黃裳以至吉祭平常
所服之物無所不佩云者既是問傳之文而先儒所
謂禫祭尚有哭泣之節則似不敢純用吉服云者亦
合於情禮愚意妄謂禫時依陳服易服之節以黑笠
黑帶細布直領承祭祭訖及着纖色笠纖色帶以俟
吉祭而用純吉之服如是則酌古準今似無所悖而
沙溪先生所教則必欲於禫祭時及禫後吉前并用
純吉之服果如是則古禮禫後用微吉以俟吉祭一
節終無所施而君子喪期雖盡不忍遽爾即吉之意
似不當如是如何 答姜碩期
陶庵曰備要禫祭條吉服別無見載者黲布笠黑帶
之外難容臆說網巾之黑緣者似當并置帶笠之間
而雖或從後換着亦恐無妨 答閔昌洙

設位靈座

陶庵曰禫時設位必於靈座故處者禮意精微只當
即故處行事而已正寢非正寢不須論也 答或人

饌品 諸條見祭禮時祭條

茅沙玄酒 同上

設盥盆西階 見虞條

行祭早晚 見祭禮時祭條

匙楪居中居西之辨 同上

出主告辭

問禫祭祝辭瓊山曰孤子某敢昭告于某官府君神
主禫制有期追遠無及謹以清酌庶羞祗薦禫事出

主時告辭曰孝子某將祗薦禫事敢請先考神主出
就正寢云云鄭基磅　慎獨齋曰自稱孝子去神主二字
爲當告辭依儀節用之無妨
尤庵曰禫祭出主時告辭家禮無之而見於丘儀如
欲一從家禮則主人以下詣祠堂祝奉主櫝以出可
矣如以踈然爲嫌則用丘儀所載之辭亦可矣答李濟
出主見祭禮條
入哭位次見虞條
參神有無之辨
寒岡問虞祭無參神以有常侍之義至於禫祭亦無

參神退溪曰豈以禫亦喪之餘故耶
遂庵曰禫祭之當有參神似無可疑而禮文不著必
是文不備而然也答成爾鴻
降神時止哭見虞條
進饌時炙肝并進同上
左設與上食不同同上
飯羹左右之義見祭禮時祭條
酌獻之節見虞條
祭酒之義見祭禮時祭條
啓飯盖同上

告祝之節
祝文見出主告辭條
攝主祝見喪變禮嗣子未執喪條中子幼攝主祝條
妻祭夫祝見虞條
諸親喪虞卒以下祝同上
讀祝見祭禮忌祭及時祭條
亞獻終獻并見虞條
侑食下當有扱匙正筯之文無拜禮并論○同上
扱匙正筯之節見祭禮時祭條
論加供之非見祭禮支子條

闔門啓門撤羹進茶伏立之節并見祭禮時祭條
告利成之義同上
諸親祭告利成當否見虞條
下匙箸合飯盖見祭禮時祭條
辭神在斂主前見祔條
并有重喪中前喪禫祭行廢見喪變禮并有喪條
重喪中遭輕喪者重喪練祥禫行廢同上
本生親喪練禫見爲人後者爲本生親喪諸節條
本生親喪中行所後家練祥禫吉見喪變禮并有喪條
所後喪中爲本生親喪持服行禫之節同上

心喪中行重喪禫吉（心喪人與祭并論○上同）

國恤中私喪禫吉（見國恤條）

妻喪禫（見妻喪諸節條）

父喪中妻喪練祥禫（見喪變禮并有喪條）

父在母喪禫（見父在母喪諸節條）

追喪禫祭（見弟先滿者并論○見喪變禮追喪條）

主人追服者徑行祥禫退月服吉（上同）

過期不葬者練祥禫變除之節（見喪變禮過期之禮條）

先忌與祥禫相值行祀之節（見祭禮兩相值條）

避寓中行禫（見喪變禮染患中喪禮諸節條）

服盡後主祥禫（見大祥條）

禫後諸節

禫後服色飲食之節（祭禮出入吊問并論）

沙溪曰禫後着麤黑笠至吉祭着吉衣冠無妨（答黃宗海）

又曰禫後食肉飲酒於禮爲合復寢比酒肉爲重故在吉祭之後也雖着素端白帶則似過矣（答同春○答愚伏同春日沙溪答是）

尤庵曰禫後吉祭前還着微凶之服以至吉祭然後始爲純吉之服矣（答尹案）

問司馬公論喪章首云禫而飲酒食肉是則因今俗通行之禮而言其下則曰大祥之前皆未可以飲酒食肉是則據王肅之說服二十五月而除也二說似有前後之不同而載乎小學書何也（許穆）退溪曰此事禮家已有兩說然中月而禫本謂大祥月中自鄭玄訓中爲間之後遂爲二十七月而禫朱子以王肅說爲得禮本意故家禮大祥後飲酒食肉禫從鄭說禮宜從厚故也其後丘氏禮移飲酒食肉於禫後故今人以是通行皆是從厚之意耳禮之本則只以孔門彈琴一事觀之可知王肅非誤也

問胡伯量問曰此者祥祭只用再忌雖衣服不得不易惟食肉一節欲以踰月爲節朱子曰踰月爲是退溪曰朱子以王肅說得禮本意故家禮大祥後飲酒食肉退溪之說似有乖於朱子踰月之意（姜碩期）沙溪曰按朱子雖以王肅之說（以中月爲祥月之中）爲是而家禮則用鄭說（以中月爲間一月）家禮雖曰大祥飲酒食肉而答胡伯量則又以踰月爲是意各有在家禮大祥飲酒食肉之文本出喪大記（大記云祥而食肉）與間傳之說（間傳云禫而飲醴酒始飲酒者先飲醴酒始食肉者先食乾肉）不同蓋別爲一說也然古人祥祭必卜日而行故猶可於是日食肉今皆用再忌則此一節決不可行此家禮不及再修處也世人或

於祥日食肉謂遵家禮云實傷風教當以間傳及溫公丘氏說爲準愚嘗答人禮五月三月之喪比葬食肉飲酒期九月之喪既葬食肉飲酒三年之喪祥而食肉飲酒詳見喪大記 不待服盡而食肉飲酒五服皆然蓋古禮然也家禮大祥條食肉飲酒之文實出於此亦非謂必於再忌之日食肉飲酒也觀踰月爲是之教可見且小學乃朱子之成書其所引司馬公之言曰凡居父母之喪者大祥之前皆未可食肉飲酒此則以喪大記爲據 以此參看可知朱子之意也然其上文引司馬公之言曰古者父母之喪禫而飲醴酒始飲酒者

先飲醴酒始食肉者先食乾肉此則以間傳爲據 云云今國俗以此行之已久亦從厚之道也今當從之但司馬公之言曰五十以上血氣既衰必資酒肉扶養者則不必然如此之人祥後飲酒食肉亦不至悖禮也如何如何

朱子曰二十五月祥後便禫當如王肅之說而今從鄭氏說雖是禮疑從厚然未爲當○司馬公曰所謂中月而禫者蓋禫祭在祥月之中也歷代多從鄭說今律勑三年之喪皆二十七月而除不可違也又曰禫而飲醴酒始飲酒者先飲醴酒始食肉者先食乾肉○丘氏曰按禮禫而飲醴酒食乾肉禫猶未可以食肉飲酒惟飲醴食脯而已況大祥乎今擬禫後始飲淡酒食乾肉庶幾得禮之意

栗谷曰吉祭之後乃復平日之所爲者是古禮朱子家禮已不能遵用矣蓋二十七月之禫已過聖人之中制則安可延喪制更俟禫後逾月吉祭乎魯人有朝祥而暮歌者子路非之夫子曰逾月其善也夫逾月而可歌則況吉服乎琪意禫後之參及他禮自當如平日不必更俟吉祭也古之禫祭在二十五月故可俟逾月吉祭今之禫祭在二十七月違古制故不

可俟吉祭商量何如答江松

同春問云云禫後食肉則亦可以出謁門長而非宴樂則雖杯酒亦不必辭耶沙溪曰吉祭後食肉先賢無有行之者恐未免徑情也謁門長飲杯酒皆無妨

遂庵曰禫服內出入弔問非一家切親家則不可答成爾鴻

又曰支子之喪雖無合祭遞遷之禮禫後行時祭則喪人復常之節在此時矣答李光國

禫後從仕赴舉之節

尤庵曰禫月未盡則似難從仕朱子辭免文字可見

矣答或人

遂庵曰少時見洛中士夫於禫後付職雖不出仕而有　命招則出謝士子於科場亦多出入者近聞洛中人必踰月後出仕或赴科便成俗禮此在自當者量而爲之答李顧村

芝村曰吉祭則赴舉當否揆以淺見禫月既過則容或可赴而然猶未及純吉無乃有所未安耶禫月後仕近世不然禫之翌月雖或未行吉祭亦可從仕矣赴舉一欵與仕者有間雖在月初已行吉祭則赴未行吉祭則不赴似宜答李顧命

祥禫後廬墓之非見大祥條

父在母喪禫後書疏式見父在母喪諸節條

吉祭

總論

退溪曰竊詳朱子之意初述家禮惟以酒果告遷者豈不以喪三年不祭禮也而合祭羣室乃祭之大者非喪中可行故也歟後來又以爲世次迭遷昭穆繼序其事至重但以酒果遽行迭遷爲不合情禮故引張子語及鄭氏註以爲禮當如此此古人所謂禮雖先王未之有可以義起者也其用意婉轉得禮之懿令如右行之則於祔既不失孫祔于祖之文於遷又以見迭遷繼序之重亦無古今異宜難行之事在人所擇也答金亨彥

栗谷曰祫祭事先賢之意廢祭三年且有祧遷安得不一舉盛祭乎雖無祧遷之事行之亦可但若行于禫祭後翌日則所重在於新主非慎重乎尊祖考之意也別用禫後丁日爲宜人君之祫悉合廢廟主而祭之而此則只祭廟中之主其實不同寧有僭上之嫌乎答松江

松江問祫是四時祭也否復寢宜在何時龜峰曰祫

祭之與四時祭同不同在朱子亦未定也然觀答胡伯量文意則非必欲行喪大記疏說也答李繼善書引橫渠說三年後祫祭於太廟而周禮亦有此意云三年喪畢朱子之意亦欲有祭則是乃吉祭也朱子於答伯量云以義起者是欲於祫祭後復寢也朱子家禮祥禫等禮皆用倣司馬公書儀而飲酒食肉復寢在大祥下者此是錯簡無疑小學是晚年書引書儀禫而飲酒食肉亦無復寢事則酒肉是禫後事復寢是吉祭後事明矣丘瓊山儀節移復寢於禫後亦非朱子之意也且必欲待四時吉祭之月祭而復寢

如疏說則又似未穩今宜禫後祫祭而復寢也
沙溪曰禫後吉祭朱子答李繼善書及楊氏說具有明據在家禮大祥下小註來書所謂孔子五日彈琴而不成聲必在禫及吉祭之後者得之盖吉禮祥後便禫大祥後擇日行禫又禫後即擇日行吉祭無疑矣禫與吉祭在五日之內故孔子彈琴也儀禮曰吉祭而後復寢又禫訖朝服縞冠吉祭玄冠朝服云云此有吉祭之明證也 答金鏶
又曰踰月而祭是爲常制而禫祭若當四時正祭之月則即於是月而行之盖三年廢祭之餘正祭爲急

故也祭時考妣異位祝用異板祭後合櫝若踰月則祭時合位如時祭儀似合禮意 ○喪禮備要 下同
又曰父先亡已入於廟則母喪畢後固無吉祭遞遷之節矣然其正祭似當倣此而行之
同春問喪大記吉祭而復寢註陳氏曰吉祭四時之常祭也禫祭後値吉祭同月則吉祭畢而復寢若禫不値當吉祭之月則踰月而吉祭乃復寢云云此說不能無疑盖二十七月喪盡之後踰月而行吉祭吉祭而行祧祔然後始復常則吉祭實終喪之別祭本非四時之常祭也似不拘於仲月與否而陳氏乃以四時之常祭必欲行之於仲月者未曉其意也且禫祭在孟月而踰月則固是四時常祭之月矣禫祭若在季月則雖踰月亦非四時常祭之月又惡在其用仲月之意耶愚伏曰士虞記云中月而禫是月也吉祭猶未配鄭註是月禫月也當四時之祭月則祭亦不待踰月熊氏曰不當祭月則待踰月也陳註踰月吉祭之說盖本於此竊謂禫雖澹澹然平安之意而孝子之心猶未忍遽然復寢故又必踰月而行吉祭外除踰月而又踰一月悲慕之心無已而復常之節愈遲也來諭所謂終喪之別祭者得之矣士虞記所

謂是月而吉祭者非以復常爲急乃以正祭爲重也蓋三年廢祭孝子追遠之心有所未安而喪未終故不得行擧耳今旣喪盡而禫矣禫又在上旬之内矣値正祭之月而不忍不祭故行禫於寢即於同旬之内行正祭於廟觀鄭註亦不待踰月之文則知踰月爲常制而値正祭之月則不待踰月而即行廟祭也然則陳註所謂四時之常祭者特以釋吉祭之名耳非謂必待仲月也
又問云云愚伏答云云 見上 此說如何沙溪曰愚伏說是

又問父先歿已入祠堂則母喪畢後吉祭亦必待踰月乎沙溪曰似然

愼獨齋曰家禮初不言吉祭是闕文而祔註略擧祫祭亦爲告遷而非主猶未配而言也（答尹宣擧）

市南曰朱子看大記吉祭固似以吉祭爲常祭而其上旣疑爲禘祫之屬而謂之義起可也云云旣曰義起則謂之喪畢之祭似無疑矣旣云別祭則踰月而行於孟月亦安有僭嫌乎（答尹宣擧）

南溪曰吉祭當以仲月爲主若三月禫祭當行於五月矣（答柳貴三）

遂菴曰吉祭不可行於閏月（答金光五）

陶菴曰若是祔位而無吉祭者則當於禫之後月朔參而服吉矣（四禮便覽）

又曰旣以冢長房奉祧廟則母喪畢後其神主當同祔於一廟吉祭之合行於新舊主於禮爲得（答黃應溟）

卜日

總論

同春曰以古禮吉事從近日同旬行吉祭之意論之初丁行禫初亥行吉恰當無可疑者以家禮卜日之規言之初中不吉則退行下旬亦無不可鄙意禫事初丁若退則無寧又退於下丁吉祭用下亥似宜（答閔維重）

丁亥之義（見祭禮時祭條）

环珓之制（同上）

卜日儀節（同上）

齋戒（同上）

改題之節

設酒果

尤庵曰凡改題主據禮則先設酒果改題畢奉置故處再拜辭神云觀此辭神二字則改題時其酒果似

當仍設不徹以葬時題主節目觀之則可見矣（答或人）

問改題時新主則無改題之事不可並設酒果云云（李選）尤庵曰家禮於追贈條云只告所贈之龕據此則諸位之並設酒果似無所據

告辭

沙溪曰丘儀不書諸位屬稱似未安故備要欲改之而未及耳（答李惟泰○備要重刻時用先人遺意改之耳）

問告五代祖曰玄孫玄孫即古于高祖之稱也（黃宗海）

沙溪曰禮云曾祖以上皆稱曾祖以此推之稱玄孫亦可然稱五代孫亦何妨來孫之稱古雖有之先賢

所未用不敢爲說

問備要有母先亡則父喪畢後亦改題之文而無告辭何也 李遇輝 尤庵曰既當改題則何可不告也

問吉祭無遞遷之節只有改題合櫝之禮改題告辭中遷主出主告辭中遞遷改以何語耶 李惠輔 陶庵曰遷主之遷恐非可嫌於遞遷之遷遞遷二字改以合享如何

問母先亡父喪畢合祭新主祝辭配享云云 李昌 陶庵曰配字終是妣配考之稱以合字代之似好

又曰母先亡而父喪畢後改題祝備要中果無之矣

尤庵禮疑有人 即李選也 作祝辭以質之曰敢昭告于顯妣某封某氏茲以先考某官府君喪期已盡禮當遷主入廟今將改題不勝悲愴 改題告辭 又曰孝子某今有事于顯考某官府君顯妣某封某氏以某親某氏祔食敢請神主出就正寢 出主告辭 尤庵答云當如來示此已先賢之所印可者依此用之爲好 答全汝性

問所後考妣神主祖考在世時以亡子亡子婦稱主書之矣祖考三年後將爲改題而改題時祝文何以措語乎 李秀衡 尤庵曰當於尊祖考三年吉祭後行時祭於尊考妣位矣前一日改題神主時當告辭云當初題主時祖考某官府君爲主故以其屬書之矣今某官府君喪期已畢子某將以考妣改題謹告事由

問外祖具忠胤以宗子無後而歿先世神主其從孫岌當代奉云云 李文奎 愚伏曰當依儀節爲之云年月日孫岌敢昭告于云云伏以宗孫忠胤身歿無子大祥已屆岌以次孫今當代奉先祀某官府君某封某氏神主當祧某官府君某封某氏神主當遷奉于有服之孫文翼某官府君某封某氏神主改題爲高祖某官府君某封某氏神主改題爲曾祖世既迭遷宗又移易不勝感愴謹以云云

考妣各卓祔位設位 并見祭禮時祭條

饌品上 諸條并 同

茅沙玄酒 并上同

設盥盆不分內外 ○設東南之義并論見祭禮參條

祭時服色

同春曰吉祭之服雖曰玄冠朝服而古人朝服又多其色則當用何色今之所用盛服只有紅黑兩色而鄭寒岡問時祭服色於退溪先生曰盛服無如黑團領若紅團領豈是盛服古人不以爲褻服退溪答語恐然而沙溪先生則以爲黑衣乃齊服當着紅衣云

又未知何所從也今　國家祭祀之服皆尚用黑色如釋奠禮儒生亦皆着黑團領則於私家盛祭無官者亦可着黑團領黑笠耶抑當着紅團領耶吉祭之服恐宜以此而推之也答姜碩期

行祭早晚 見祭禮時祭條

匙楪居中居西之辨 同上

祭時男女位 同上

詣祠堂奉主就位之節 同上

出主 見祭禮參條

參降諸節 見祭禮時祭條

飯羹左右之義 同上

祭酒之義 同上

啓飯盖 同上

告祝之節

祝文同板異板之辨

沙溪曰祭時考妣異位祝用異板云云 詳見上總論條

尤庵曰備要所謂祝文異板同板云者盖以士虞記曰中月而禫是月也吉祭則猶未配其意盖謂踰月而吉祭者是正禮也今此禫月適值四仲當祭之月則孝子之心又不忍於虛過遂行吉祭而第非當祭之月而徑行之故又不以考妣配爲一位而祭也其意盖曰是行於不當祭之月則亦不當配云夫既不配則當別爲兩位既爲兩位則祝辭亦當異板矣若是踰月而行之則考妣當配爲一位而祭之故祝辭亦當同板也 答李選

讀祝 見祭禮時祭條

獻祔位之節 同上

亞獻終獻三獻各進炙 并同上

扱匙正筯闔門啓門撤羹進茶伏立之節 并同上

受胙 同上

告利成之義 同上

下匙筯合飯盖 同上

遞遷 見祭禮

祔高祖者祖亡後吉祭時遷祔祖龕

朽淺曰二郎之遷祔于先考在禮當然而其儀節與告辭似當有之然謬見以爲爲兒孫遷祔一事設酒果行事於曾祖與先考似涉於援尊且二郎神主既在曾祖龕而只告於二郎無乃有壓尊未安之意乎當告而不告雖或失禮恐亦不至失禮於所尊之爲

未安耳遷祔節次當行於吉祭合享時以令子遷從先考之意及於前祔之主之祝尾又於先府君祝末告以遷祔之意待其祭畢藏主之時遷令子主納于先府君龕內恐不害理但改題一節吉祭畢令子神主即奉出他所略以酒果告以改題似無援舊瀆亂之獘必欲以吉祭後爲之者以其吉祭時已告遷祔之意則奉出而改題似不至全無節次故耳 答李成俊

埋祧主之節

埋主之所

同春問祧主埋於何處沙溪曰朱子說可考

朱子曰只得如伊川說埋於兩階之間而已某家廟中亦如此兩階之間人跡不到取其潔耳今人家廟亦安有所謂兩階但擇精處埋之可也愚之不若埋于始祖墓邊緣無箇始祖廟所以難處只得如此〇又曰禮記藏於兩階間今不得已只埋於墓所

尤庵曰祧主埋於兩階漢唐禮也朱子於家禮亦云而其後又曰古者始祖之廟皆有夾室今士庶之家不敢立始祖廟故祧主無安頓處只得如伊川說埋於兩階間既已又曰今人家廟亦安有所謂兩階不若埋于始祖墓邊然只云墓邊而不言左右鄙意或左或右恐皆無妨也埋地節目未有所考以鄙家常行者言之則埋於本墓之右邊既掘坎以木匣先安于坎中然後以主櫝安于木匣中子孫皆再拜而辭畢閉匣門而掩土堅築後加以莎草未知果合於禮否也或云盛以磁缸則不朽或云磁缸入水則永無乾時不若木匣之爲善云矣 答李遇輝

又曰埋主於墓所自是家禮之文何敢以遠爲解也古禮則埋於廟之兩階間無已則或埋於祠堂近處不爲無據然朱子既以爲難便則後學亦不敢冒行

也 答或人

又曰埋主似當於墓後矣 答尹案

遂庵曰禮祧主埋於兩階之間然家舍或賣買則便作別人之家埋於潔地可也既失墓所則或埋先世墓傍或埋子孫墓上何所不可 答李世樞

埋主時告辭

問埋神主祝文 朴汝龍 栗谷曰頃有求者製給矣因口誦曰先王制禮追遠有限今將永遷不勝愴感此將遷告辭今就潔地奉安先主永訣終天不勝悲感敢以清酌用伸虔告此臨埋告辭

問埋主於墓傍時似當有告墓之節(尹宋)尤庵曰略以酒果告之似宜而不敢質言

南溪曰祭禮則只有將埋安之意告於墓次一節祧主前雖極感愴禮無再告之文是亦不能有加也(與朴泰成)

埋主卧安立安之辨(并櫝埋論)

問埋主其可卧置耶可如坐式耶(李春時)南溪曰常時用坐式以祀之今已永祧恐當卧置之爲宜

又曰祧主卧安之説非但平日所聞如是今日偶得栗谷先生及故洪判書曇兩家所處皆用卧安法此

禮疑類輯　卷十一　喪禮　五十三

亦可據矣立安之説未詳所本數十年前成承旨三問神主偶出於白岳山麓立安于白釭人皆謂此必壬辰倉皇時所爲或者因此而成俗耶又嘗以理推之神主雖與尸柩魂帛之例少異大抵不外於屈伸陰陽之端凡人生者爲神死者爲鬼此其屈伸陰陽之大分也然立廟行祀爲屈中之伸陰中之陽而至於祧遷埋主亦不復用則卽是屈中之屈陰中之陰恐不可與立廟行祀時制度同其義則然也(與朴泰成)

遂庵曰遷主卧埋似得矣(答權𢢜)

尤庵曰去其櫝而埋之云者無論禮之如何而必有所不忍矣(答或人)

埋主時舉哀

陶庵曰祧廟埋安時子孫之舉哀情禮俱得(答金天賚)

支子官次所奉先代神主奉還祠堂行吉祭

問先世神主陪往聞慶吉祭以紙榜行于此處家廟則改題主何以爲之改題之禮行于閭衙則新主雖可祫祭若以紙榜並行于彼家則先妣神主方在家廟改題亦何以爲之先世改題主後追行于家廟無妨耶(郭樞)尤庵曰宗法至嚴今世支子作宰或奉廟主而行甚違禮經矣今日事只可亟進慶衙奉還廟主

禮疑類輯　卷十一　喪禮　五十四

而行吉祭則理順而禮得矣

禫月行吉祭者吉事無拘

尤庵曰禮旣許吉祭後復寢則冠與昏未見其不可行也蓋禫後踰月而吉祭是正禮也若或禫月是當祭之仲月則不待踰月而吉祭是以奉先爲急而然也然月數徑縮故吉祭之時猶不以新舊主合享是月數變於常故其禮亦變也然旣祭之後新舊合櫝則自是一如常禮矣旣如常禮則凡係吉事更何拘碍又禮禫祭吉服祭畢還着微凶之服至吉祭然後始服純吉之服矣今哀家旣不行吉祭而行時祭則

當於時祭畢後服純吉之服矣答金昌碩

父在母喪吉祭及復吉之節見父在母喪諸節條

并有喪吉祭見喪變禮并有喪條

承重孫父喪中未行祖喪吉祭者諸叔父復寢之節同上

期功服葬前重喪吉祭行否同上

本生親喪中行所後家練祥禫吉同上

心喪中行重喪禫吉并論心喪人與祭○同上

國恤中私喪禫吉見國恤條

緬服中行吉祭

陶庵曰云云答閔昌洙○見喪變禮改葬條中改葬後除服前諸節條

主人追服者徑行祥禫退月服吉見喪變禮追服條

攝祀人不可行祧遷見祭禮遞遷條中攝祀家祧遷條諸說

孟月行吉祭者仲月行時祭當否

愼獨齋曰七月行吉祭則雖違孟月不祭之規而秋祭已行則不當再行於八月無疑

尤庵曰吉祭實喪之餘祭則雖行於孟月而亦無嫌也其後若値仲月則亦何可不行正祭乎答李漥

陶庵曰吉祭時祭之爲四時正祭則同而特以終喪後初祭而別其名耳設令季月過禫者孟月行吉祭仲月又行時祭則是天道未少變而正祭再行無或近於瀆否尤翁之論雖如此未敢遽從也答閔昌洙

立後後行吉祭之節見祭變禮立後奉祀條

禮疑類輯卷之十一

禮疑類輯卷之十二

喪禮

居喪雜儀

內外艱之辨

高峯曰鄭季涵 澈 以內艱爲父憂外艱爲母憂余攻其反說李季眞 後白 亦以季涵之言爲然余曰何以父爲內母爲外耶答曰母是外家故謂之外也其說不經考朱子行狀以母憂丁內艱余於是知兩君之見爲謬也厥後偶見圃隱集年譜其中正以父憂爲內艱母憂爲外艱然後又知兩君之言亦有傳習而

世俗流傳之誤亦已久矣 答退溪

同春問父喪稱外憂母喪稱內憂或有互稱之者何者爲得沙溪曰高峯說恐得之 高峯說見上

喪中避染疫當否 見喪變禮染患中喪禮諸節條

遭喪後哭先墓之節

尤庵曰遭喪者有告廟之禮而哭墓之文則未之見也宋尼山亡後同春因卜山至鳴灘哭於夫人墓似是人情之不可已者以此推之則於父母之墓哭之恐無妨也至於傍親墓則未知其可否也 答宋奎濂

問看山及省墓時過先壠云云 閔維重 同春曰以出入時服展拜而去杖而哭哭而後拜似當然在遠祖墓亦不必哭恐又斟酌也

南溪曰人家遭喪後別無哭墓之禮而若上先墓自不得不哭此人情之必至而亦由墓異於廟故也但遭母喪而父墓遭父母喪而於祖考則可矣若泛施於曾高以上及傍尊似涉太過 上尤菴

居喪食飲之節

退溪曰居喪始食鹽醬家禮不食雜記曰功衰食菜果飲水漿無鹽酪不能食食鹽酪可也註功衰斬衰齊衰之末服也小註藍田呂氏曰功衰亦卒哭之喪

服間傳曰既虞卒哭疏食水飲不食菜果正與此文合不能食食鹽酪可也者喪大記不能食粥羹之以菜可也蓋人有所不能亦不能勉也滉竊意古人謹喪禮無所不至故其制如此然亦不以死傷生故未嘗不示以可生之道如此章所云與註中所引是也孔子亦曰病則飲酒食肉毁瘠爲病君子不爲也毁而死君子謂之無子聖人之爲戒可謂切至矣 答金就礪

喪杖拄輯之節 與虞祭條中倚杖室外條參看

同春問喪杖拄輯之節沙溪曰禮經論之備矣可考也

喪大記大夫之喪大夫有君命則去杖大夫之命
則輯杖內子爲夫人之命去杖爲世婦之命授人
杖註大夫有君命此大夫指爲後子而言○子皆
杖不以卽位大夫士哭殯則杖哭柩則輯杖註凡
庶子不獨言大夫士之庶子也不以杖卽位避嫡
子也哭殯則杖哀勝敬也哭柩啓後也輯杖敬勝
哀也○喪服小記庶子不以杖卽位註此言嫡庶
俱有父母之喪者嫡子得輯杖進阼階哭位庶子
至中門外則去之矣○父在庶子爲妻以杖卽位
可也註舅主適婦故適子不得杖舅不主庶婦故

庶子可以杖卽位此以卽位言者盖庶子厭於父
母雖有杖不得持以卽位故明言之○虞杖不入
於室祔杖不升於堂註虞祭在寢祭後不以杖入
室祔祭在祖廟祭後不以杖升堂皆殺哀之節也
○雜記爲長子杖則其子不以杖卽位註其子長
子之子也祖不厭孫此長子之子亦得杖但與祖
同處不得以杖獨居巳位○爲妻父母在不杖不
稽顙註此謂適子妻死而父母俱存故其禮如此
若父沒母存母不主喪則子可以杖但不稽顙耳
○開元禮持杖用右手拜則兩手分據地而跪首
至於地卽畢右手拄杖而起今有兩手並擧杖而
拜如頓首者非也

南溪曰葬前雖無倚杖之文上食及葬時當去杖而
哭答柳貴三

問禮曰爲長子杖則其子不以杖卽位又曰庶子不
以杖卽位避嫡子也然則父在爲母杖者亦不以杖
卽位乎玄以規 尤庵曰以巳上二欵揆之則爲母杖者
亦當避父而未見明文不敢質言耳

問祖母若母之喪祖與父杖則雖杖同處則未杖乎
崔頊儒 愼獨齋曰卽位則不可同杖也

問禮有庶子不以杖卽位之文所謂位者何云云閔維
重 同春曰受弔與奠哭之位不敢杖也然此是古禮
杖不可虛設可杖於出入之時而世俗絕無行者或
杖於大門之內禮意恐不必如是梁處濟 南溪曰豈以
家禮似無此意今恐不必然

問父爲長子三年者及夫爲妻杖期者旣曰有杖則
妻子之杖或厭尊或拘俗而然耶不敢知也

喪中出入服色上墓服色見葬後諸節條中葬後上墓之節條

栗谷曰孝子出入不脫衰者乃古禮也古禮之不行
巳數千年以朱子之大賢尚不能復古以墨衰出入

矣今人不顧前後而帶絰出入者乃生乎今之世反古之道者也答牛溪

龜峯曰孝子無脫絰之禮禮稱雖入軍門不可脫也而兄云絰非出入他處則不可脫也是教人失禮也今之後學好禮者亦有不得已出入而戴絰者頗多兄說若行反恐沮人之爲禮也○答栗谷下同

又曰絰無可脫之禮而兄擅許脫絰於出入之時旣違禮矣何得合禮況一二好禮者不忍脫絰則兄何致憂於反古之深也朱子時喪服有欲用古制者或以爲吉服旣用今制而獨喪服用古制恐徒駭俗朱

子曰駭俗猶些小事若果考得是用之亦無害然則兄之許脫絰恐非朱子意也況今之喪服一用古制習人耳目篤禮孝子不得已有出入處雖全用喪服亦無可駭何況戴絰乎鄙意非欲使人人肆然戴絰於出入時也不欲兄之擅許脫絰以爲禮也

寒岡曰今人或着喪服衰絰道路衰絰殊爲未安鄙人則居喪時以方笠布深衣往來墓所今人着蔽陽子者似未安答李君顯

沙溪曰出入時方笠生布直領雖非古制從俗亦可喪禮備要

朽淺曰僕之居喪也不得已出入則以衰服行之似爲駭俗終未愜意耳答玄斿

問或以爲祭服出入未安方笠胡金之制宜以平凉笠金環 愚伏曰衰服是喪服不可名祭服非喪事則不當出入因喪事則當服喪服無疑蔽陽子苟簡不經反甚於方笠不可用均也

愼獨齋曰喪人以俗制喪服出入則只帶絞帶也答崔碩儒

問喪人出入時服制備要只書方笠直領而不言帶者似以成服時絞帶仍帶之而今人舉皆別具大帶

者何義李洪績 南溪曰絞帶自是喪服之帶似不可單用於俗制直領之上無乃以此不言帶之故而成習耶所謂別具則如問解所論喪中祭先之服別具布帶云者亦已近之

又曰方笠入人家則恐無脫去之義答朴泰昌

居喪接人之節

尤庵曰客至雖不得一切不語然不須泛及外事如朝家事尤不可說及矣以喪人不言而謂之驕人者是不識道理人也不識道理之人雖有云云何足嫌也答或人

南溪曰不與人坐乃練後堊室之事也雖練前喪人自不得不與人相接然禮曰斬衰唯而不對齊衰對而不言又曰言而不語對而不問若果敍寒暄討喪禮及所讀經義之外不及他事則其與今人聚客劇談連晝夜不撤以忘其哀者自有所分矣答升鍏

喪次設酒食之非

問今人居喪例於送葬祥祭之日設酒食以饋吊客甚無謂也金誠一退溪曰喪次設酒食甚非禮而其說甚長今不敢輒云

又曰喪次設酒食處之之道如陳安卿書所云當矣

此則已趁他喪所處之宜耳最是已當喪而待客欲及今之弊俗而合古之禮意其間曲折至爲難處者多故前云其說甚長今不敢輒云答金誠一

同春問雜記云小祥之祭主人之酢也嚌之衆賓兄弟皆啐之大祥主人啐之衆賓兄弟皆飲之可也此則非惟飲客主人亦自飲之誠爲末流之口實或漢儒傳會之誤處耶或云家禮弔禮護喪送至廳事茶湯而退今人既不用茶則以酒待客不至甚害而遠來之賓亦不可全無接待之禮如何愚伏曰古人祭禮與後世不同主人獻賓賓酢主人皆祭時事非如後世之餕也禮以爲重故不敢廢心不能安故不敢飲至齒而已入口而已乃其節也不可視爲傳會之誤若今人於祭餕之外盛備酒食有如宴賓之爲則無理甚矣決不可從若以祭餘待來會之客而令族人爲禮不至變貌則庶不爲陷人於惡矣

又問瓊山丘氏謂葬時親賓之來路遠者令輕服之親設素饌以待之但不可飲酒云云此說如何沙溪曰寒岡之葬弔客多至三四百人崔命龍之葬亦幾百人如此則雖欲待之喪家力不能不可一槩言

尤庵曰葬時飲酒程子之訓甚嚴何可違也古人於

祥祭擇日行之故有主人酢賓之禮今則必用二忌忌者喪之餘也亦何可設酒饌待客也然惟賓客於是日致慰主人而即去則似好矣答李遇輝

問鄉俗葬時以題主奠退後酒饌大供來客是則大害於義以若干果餅療飢送之無妨耶李命元陶庵曰葬時酒饌大壞禮防雖曰若干療飢豈不同歸一套恐只當以程子告周恭叔者爲法

南溪曰一家父兄之前恐不可以喪故而廢酒肉雖賓客長老者不能自爲善處則似難設素也答李時春

愼獨齋曰若不與喪人共處則可以用肉喪家雖設

以肉以喪者之側不飽食之義推而處之可也（答崔碩儒）

居喪出入謝答可否（與書疏式條參看）

退溪曰居喪非甚不得已勿爲出入官府尤甚不可然此亦不可以一槩斷置其有因營辦喪具不可坐待其自成者不得不少有出入亦須大段加兢慎斂避也丘氏所譏衰絰奔走拜謝者固爲非禮然亦豈可專無謝答耶家禮卒哭前不謝答而令子姪代之極合居喪之道但恐此亦尊者事爾若身爲士而地王以鄉大夫之尊賻遺相續已之喪已及三月而葬與卒哭尚遠恐須謹奉一疏言所以葬未及時身且

疾病受恩稠疊不得躬謝死罪之意如此似方爲得禮之變也（答權好文）

農巖曰野外覲稼以禮意似稍未安曾在永峽居廬時時以屋役看撿不免離喪次後來思之不無追悔如非大段不得已者則已之善矣（答朴道基）

問不得已而出入則途中哀至而哭如何云云（閔維重）

同春曰云云（詳見離喪次諸節條中在外望哭條）

居喪出入時告拜靈筵之節

問擊蒙要訣云既殯之後婦人依前位于堂上南上男子位于階下其位當北上若以喪事及不得已而出入則出告歸拜之禮亦行於其位歟（閔維重）　同春曰詣靈座前北面哭禮有明文

南溪曰喪中出入異於常時但以哭拜行之可也似不必循用焚香等節（答沈壽亮）

喪中就學授徒

尤庵曰居喪之制古今不同者多朱子損益就中以爲家禮而其所行又有與家禮不同此不可執一論也朱子於韋齋葬前就學於師門其內喪常居寒泉亦與家禮不同此必權宜得中者而後學不敢知只當謹守家禮之文矣（答或人）

問朱子居憂常居寒泉學者必多聚（朴鐔）南溪曰學者多聚未有考但呂東萊居憂時引接學者朱子則還子埜受業黃勉齋居憂亦勉以教學陸象山則貽書東萊責之甚切然家禮會成吳氏澄跋朱子與陳正已帖謂以喪中授徒爲非未知其果然也

居喪誦讀之節（幷吟詠論）

南溪曰讀書則朱子曰居喪初無不得讀書之文古人居喪廢業業是簨簴上版子蓋既不可以事忘哀亦不可以哀廢事如讀書不讀樂章是其律令也（答朴鐔）

問前輩居喪不授學者以詩傳云家兒欲學唐詩教之無害耶李世龜　南溪曰朱子送子於呂東萊廬次但受其學而陸象山猶以爲未安蓋古今居喪之禮甚嚴其於不讀樂章之戒尤難輕變其間豈無他書之可教者耶

寒岡曰梅聖俞在喪時作詩云獨護慈母喪淚如河水流河水終有竭淚泉常在眸人譏其作詩黃魯直丁母憂絶不作詩答任屹

喪中諸父昆弟喪送葬行奠祭

問有父母之喪者於諸父昆弟送葬之日從柩反哭

亦當服其服而序從耶云云尹宣舉　愼獨齋曰追到葬所下棺然後退不必從諸人序列而行虞卒哭祭祭無妨而雖未能一一依乎人皆祭之亦無妨

問母喪未葬前且當近居叔母窆事云云李時春　南溪曰既以未葬不能行奠禮於親喪豈可越禮行之於他喪耶雖曰期服叔母似難隨行於發引或可及葬時往臨否不敢質言

尤庵曰兄弟之喪有殯既許往見則葬時之往恐亦無害答趙根

又曰禮有昆弟之喪既許有喪者往哭則未見練祥不可往哭之義矣答宋基厚

喪中弔哭并論致奠

沙溪曰禮有殯聞兄弟之喪雖緦必往既往喪次則當服其服而哭之退則還服重服也如外祖父母及師喪亦不可不往哭昔年鄙人在父喪中奔栗谷之喪厥後人有以此爲咎者或謂其人曰不可咎也反爲識者所笑云其謗遂止答黃宗海

又曰異姓之恩雖不可不殺而其服有重於同姓之緦者恐不可以此斷定而不爲之往哭也答同春

南溪曰雖隣不往之說乃古經意也然在後世禮俗

相祭朱子至有未大祥間假以出謁之說則如緦服兄弟姑夫舅妻同村而居豈無一哭之義耶雖難質言恐當祭酹答李時春

又曰喪中弔禮非兄弟雖隣不往禮有明文不可以姑姊妹夫之親遽自撓改答沈壽亮

又曰如果情義痛切所不可堪則或於葬後往哭新阡否蓋原野之事異於居室賓主之節故耳答任元耆

問雖非親戚情義厚者或過其喪或過其墓恐不得不一哭大全胡伯量問禮居喪不弔云云答曰吉禮固不可與然弔送之禮却似不可廢以此觀之雖祥

前亦或無大害耶（拯尹）尤庵曰雖卒然遇之然非情義深者則只可避之情義若深則當遵朱子訓行之於凶禮而不行於吉事恐得矣

南溪曰同隣有喪而不相弔於情義甚覺缺然然禮不可犯也必欲伸此情義者或因面議喪事之端勿爲彼此受弔如常客之禮只於巾間村家或行廊之類約會相見而哭之（答李東耆）

尤庵曰喪中弔人古禮多歧難可適從只家禮書疏之儀雖禫亦與練祥前無異恐不可以既祥而弔人也（答或人）

問喪中不可往哭朋友以文伻奠（李時春）南溪曰朱子言胡籍溪言只散句做不押韻若情重不可泛過者或用此例亦無所據然更宜審處

遂庵曰愼獨齋喪尤庵方居憂只奔哭而無操文致奠之節未知沙溪於栗谷喪亦但奔哭而已耶（答蔡徽休）

陶庵曰雖是先執喪人既不可躬弔則何論致奠若欲致奠令子代之爲好（答李恒春）

重喪中遭輕喪不能具服者會哭受弔之節

問衰等遭輕喪不能具服故但於中衣上着服帶以成服月朔會哭據此而行如何且古者五服俱有弔今有已弔重喪之人來弔輕喪又吊衰等則衰等當以何服受之耶欲據成服之儀受之則於禮恐違若以重服則是重受重服之弔也不知何如（一黃有）西厓曰輕喪亦當制服則中衣加帶於禮無據然服既不制只得如此行之耳受弔以重服固似未安但禮弁有父母之喪葬母以斬衰說者云從重不敢變以此推之則雖受以重服恐或無害

居憂中遭師喪

沙溪曰鄙人在父喪中奔栗谷之喪云云（答黃宗海 ○見喪中弔哭條）

愼獨齋曰先人服栗谷先生之喪朔望服其服而往哭之人或有非之者識禮者以爲是云（答崔碩儒）

問爲師服者雖有已喪亦當奔哭則已見於問解矣若其父母之喪未葬則當如何（拯尹）尤庵曰有殯奔師喪當以君親偕喪爲據蓋事之如一故也

此實各服其服之義也（答金壽恒）

又曰喪有事各服其服禮有明文矣嘗記文元先生自言其外喪時具栗谷巾絰之服迎喪於路上云云

又曰喪衰之人言不文自是禮經朱子譏責於人者亦峻似不敢犯而行之也隨喪時服色則曾見老先

生葬時金廷望金坤寶諸人方在憂服中以師服臨之矣愚意悉如凡人太無限節以有憂者專席之意推之則不必隨衆羣行而或先或後至於臨壙時略以弔服哭訣恐似得宜老先生於石潭葬祭文不見恐只哭臨而已 答黃世楨

國恤中居私喪雜儀 見國恤條

喪中避染疫當否 見喪變禮染患中喪禮諸節條

喪中遇變亂奔問當否 見喪變禮喪中遇變亂諸節條

喪中慰疏

問禮云三年之喪而弔哭不亦虛乎弔哭固然矣至

於親舊遭喪書疏相慰亦有此嫌否 金壽恒 尤庵曰曾子有母之喪而往哭子張而曰我弔也歟哉據此則當觀情義之如何耳

南溪曰喪中慰疏世人行之然恐當擇其親舊至切者爲之 答李時春

問喪中受人慰書未答而其人遭喪則答問似當幷擧而只倣慰人答人之式其答稱稽顙其問稱頓首耶抑喪中書疏例皆稱稽顙則其問書亦可用稽顙字耶 李憺 尤庵曰兩喪家相慰答則用兩件書各用其式近見士大夫多如此矣

問弔狀未及答彼又遭喪答與慰一時兩簡似無意義故只用一幅先慰彼喪至某役事所縻刪此四字始書罪逆深重未知如何 成瀚 遂庵曰曾見洛中士夫喪中弔人之書疏皆如哀示似得矣 又答姜弁烈曰慰疏二封一時書送爲宜

陶庵曰朋知之先我遭喪者以書慰問亦不妨而吾外家閔氏則不如此矣如慰問則月日下當稱哀子某其答喪人慰問者則書以某位哀前於服人則不必稱服前依例書之可也 答金時準

服中雜儀

期以下服中飮食常服之節

河西曰雖功緦之喪比葬亦須素服素帶云云 詳見服中赴宴會條

問庶叔某日已葬不食肉何以爲限乎 金振綱 栗谷曰踰月而葬禮也雖葬於一朔之內食肉則以此爲限可也

浦渚曰期九月無食菜果一節此誠未備然以意推之凡喪之大節成服之後有葬葬後有練有祥耳成服則初喪也故不忍食菜果葬而反哭則當食酒肉而其間無大段節次故不著食菜果之時也然則過

初喪悲哀之情少殺則恐當食之也答趙克善

問朱子言呂與叔集中一婦人墓誌凡遇功緦之喪皆蔬食終其月此可爲法盖此甚厚於情而亦不可以立畫一之䂓故只言可爲法今凡功緦之喪不必盡然也其如祖父母伯叔父兄弟姊妹之期外祖父母之小功妻父母之緦是皆情愛之至者云云趙克善

浦渚曰蔬食盡月數誠爲美行當爲法者家禮所定食肉之節實爲疎略有决不可從者如來示雖不得不食不可如世人恣食珍羞者實甚當

冶谷曰期大功既葬後緦小功既殯後固飲酒食肉

矣然於月朔爲位哭則餘哀之未忘似與常日有異以子於是日哭則不歌之義與夫弔日不飲酒不食肉之禮推之是日不飲酒不食肉恐爲是也

問有服者着白笠何如栗谷曰古人雖弔不以玄冠況有服乎頃見華人着白巾而食肉者問之乃有服者今日見洪萬戶俊以大功服着白笠而來見之不至駭怪若成習則着之何害曰有官者恐未安曰私居服之何害

松江問期服卒哭後家廟晨參及出入告用黑帶否

龜峯曰此非入廟接神之比白衣白帶恐亦無妨

尤庵曰期服常居喪次時當用喪服樂靜於其祖母喪中常着布頭巾布帶云似爲得禮矣答宋炳夏

問世遇期功之服者笠纓或用白布或用緇布何者爲是趙克善

浦渚曰禮墨衰出入則冠纓緇布何妨

問重服人黑冠白纓金光五

遂庵曰少時見白纓者居多後見行禮之家出入所着皆以黑冠黑纓似當從之

又曰夫爲妻祥後禫前當着白帶答鄭必東

期功以下復寢之節

退溪曰期九月之喪復寢之節以喪大記考之期居

廬終喪不御於內者父在爲母此言惟父在爲母期者終喪不御於內其他則不然也又云爲妻齊衰期者大功布衰九月者皆三月不御於內此言惟此二者不御於內其他則不然也○葉賀孫嘗舉此以問曰不知小功緦麻獨無明文其義安在朱子曰禮既無文當自如矣服輕故也答李平叔

問葉味道問云云朱先生曰云云見上此義何如栗谷曰雖小功緦麻即御於內似未安

南溪曰復寢曾見禮意重於食肉然大功不過以葬爲限期服中如祖父母衆子嫡孫等喪終其服不御

無不可者其餘事在斟酌 答李啓晩

服中赴擧 改葬時當服朞者不赴擧見喪變禮改葬條中吊服加麻之類條

南溪曰喪服雖同是期年有正統旁統之別如祖父母服乃正統之至重者故雖女孫出嫁之人不能降其服又曰縞冠玄武子姓之冠與所謂伯叔父母兄弟非可一例而論也由此程子於元祐之議首擧以爲言則今載於備要夫人能知之實禮家之大防孝子順孫之所當自致者也夫爲子弟者必禀命於父兄云者謂他事之可否得失無傷於孝者耳若此禮則乃其重在於祖父之喪苟必從俗而應擧者在父

兄爲忽親之哀在子弟爲成父兄之過仁人君子之所不敢出然而擧世行之不憚者以旣不能深知此義又多惑於榮利之塗而不自解也奚可乎哉 答尹志和

問服祖父母喪而赴擧者程子旣非之則兄弟之喪同是朞服也冒哀赴擧於義何如云云 金誠一 遂溪曰程子只云祖父母喪不云兄弟非遺忘也但殿試在成服前則似未安

同春問祖父母喪赴擧程子非之而不及兄弟之喪然兄弟葬前赴擧似未安云云愚伏曰雖同是期豈無差間然葬前則赴擧未安來示得之外祖葬前不赴擧則似過

又問愚伏云云 見上 沙溪曰當以朱子答李晦叔問爲準愚伏說得之

李晦叔問爲長子三年及爲伯叔兄弟皆期服而不解官爲士者許赴擧不知當官與赴擧時還吉服耶衰服耶若須吉服則又與五服所載年月相戾矣朱子曰此等事只得遵朝廷法令若心自不安不欲赴擧則勿行可也當官則無法可解罷伊川先生看詳學制亦不禁冒哀守常此可見矣但雖不得不暫釋衰亦未可遽純吉也

市南曰程夫子只論祖服其意有在旁期葬後意或可赴故生平自處而處人者不過如是蓋赴擧異於冠昏吉禮在官者亦得着吉行公則士子之暫赴場屋恐不悖於情理也至於大功葬後小功葬前亦自有情理淺深之分唯在當人酌度而行之 答尹宣擧

問爲長子三年祖父母喪妻喪則一例不赴擧似合情理 沈潮 遂庵曰朝家旣以朞服葬前許廢科則爲長子斬衰雖不解官科擧則當廢妻喪葬前亦在朝家許廢之中矣葬後則雖入場何妨

愼獨齋曰降大功雖與期喪有間揆之情義葬前則

不赴似爲得宜 答尹宣擧

南溪曰赴擧求祭之事而大功以上喪之重制也若未葬前似不可相冒然退溪說雖兄弟喪成服可赴擧云此理殊未安 答成文憲

又曰外祖母葬前不赴擧固厚然未有前賢所訓可以通行則不敢以不赴爲正也第念左右既聞訃於遠外則雖不旋赴喪次義當待葬預往奔奠致事以盡其情禮何可效俗輩科後汲汲馳下只及窆穸之爲耶況大夫人方在初喪則悅親之說亦與平日有間矣 答金楺

禮疑類輯 卷十二　喪禮　二十二

服中不聽樂

同春問服中不聽樂亦有輕重親疏之差何以則合於禮意耶沙溪曰雜記及朱子說可考

雜記父有服宮中子不與於樂母有服聲聞焉不擧樂妻有服不擧於其側大功將至辟琴瑟小功至不絶樂註宮中子與父同宮之子命士以上乃異宮不與於樂謂在外見樂不觀不聽也若異宮則否此亦謂服之輕者如重服則子亦有服可與樂乎聲之所聞又加近矣其側則尤近者也輕重之節如此大功將至謂有大功喪服者將來也爲之屛退琴瑟亦助之哀戚之意小功者輕故不爲之止陳氏曰樂不止於琴瑟琴瑟特常御者而已

○問坐客有歌唱者如之何朱子曰當起避

服中赴宴會

河西曰雖功緦之喪比葬亦須素服素帶雖已飮酒食肉亦當盡其日數不與宴樂

問有服者雖無管絃齊會飮酒則不恭可乎栗谷曰偶然相値飮酒可也若相約聚會齊坐酬酢之宴則不可參也

尤庵曰服中赴宴會此難以一例斷之然大功則家

禮疑類輯 卷十二　喪禮　二十三

禮於葬前不食肉不飮酒不御於內與期服無異葬後亦不可赴宴無疑矣於緦小功則有說焉或問大功三月不御於內小功緦本無明文其義安在朱先生答曰禮無其文卽當自如矣服輕故也據此則緦小功成服後自如常時矣然先生常言呂與叔集中一婦人墓誌凡遇功緦之喪皆疏食終其月此可爲法據此則雖功緦當不赴宴會矣此在行禮者斟酌情文而爲之而已 答宋奎濂

服中授徒講業之節 吟詠弁論

栗谷曰大功以下可以講學云云 詳見服中弔人條

牛溪問其今遭重服且當廢業而一家常有外客爲賓主極爲未安欲於卒哭之前姑令外舍諸君歸其家如何龜峯曰喪固廢業示退外舍諸賢似合禮

沙溪曰廢業之訓朱子已有定說又何疑也大功廢所業之事則實爲過重豈有是理古禮云期大功不聽樂小功緦則不避聽樂大功廢所業於義爲合 答申湜

朱子曰居喪廢業業是簨簴上板子廢業不作樂耳周禮司業者亦司樂也

尤庵曰大功廢業誦可也此文載於家禮而朱子註

其下曰今居喪但勿讀樂章可也然則所謂誦者恐亦誦詩之類耶若然則所謂業所謂誦所謂樂章皆一串事而非指常業而言也 答南溪

陶庵曰尤庵先生遭姊喪成服後卽令學徒受業先生自讀於服次以禮有大功誦之文也 答李仁齊

遂庵曰居喪不得吟詠指齊斬而言朱子妹喪時不停詩章矣 答蔡徵休

服中弔人

栗谷曰大功以下可以講學小功以下則往弔他人喪可矣以上喪則未葬之前不可弔他人以其重戚在我故也

問雜記朞之喪未葬弔於鄕人註此朞之喪正爲姑姊妹適人無主者姪與兄弟爲之齊衰者也以此觀之則爲姑姊妹服朞者乃可弔人於葬前正服之朞有不可弔者耶 成爾鴻 遂庵曰註說亦好而雖正服之朞亦有不得不弔處未知如何

大小喪練後葬後歸家之節

同春問禮大小喪練後葬後有歸家之節願聞其詳

沙溪曰禮經及朱子說詳之

喪大記大夫士父母之喪旣練而歸朔日忌日則

歸哭于宗室諸父兄弟之喪旣卒哭而歸註命士以上父子皆異宮庶子爲大夫士而遭父母之喪殯宮在適子家旣練各歸其宮至月朔奠奠之日則往哭于宗子之家期服輕故卒哭卽歸也○婦人喪父母旣練而歸期九月者旣葬而歸註喪父母謂婦人有父母之喪也練後乃歸夫家也女子出嫁爲祖父母及爲父後之兄弟皆期服九月者謂本是期服而降在大功者哀殺故葬後卽歸也○喪服記女子子適人者爲其父母卒哭折笄首以笄布總註卒哭而笄之大事畢女子子可以歸

於夫家而着吉笄折其首者爲其太飾疏喪大記云女子旣練而歸與此註違者彼小祥歸是其正法此歸者容有故許之歸耳○旣夕禮兄弟出主人拜送註兄弟小功以下異門大功亦可以歸疏此兄弟等始死之時皆來臨喪殯訖各歸其家朝夕哭則就殯所至葬開殯而來哭所至此反哭各歸其家至虞卒哭祭還來預也故喪服小記云緦小功虞卒哭則皆免是也異門大功亦可以歸者大功以上有同財之義爲異門則恩輕故可歸也○葉賀孫問賤婦喪母卒哭而歸繼有喪大記曰

喪父母旣練而歸期九月旣葬而歸賀雖令反終其月數而誤歸之月不知尚可補塡乎因思他人或在母家彼此有所不便不可以待練之久其不可以不歸也朱子曰補塡如今之追服意亦近厚或有不便歸而不變其居處飮食之節可也衣服則不可不變

尤庵曰婦人喪中歸夫家者若依朱子說變其衣服則恐只是不常着衰絰而已至於黲色則是除喪之服也於禮未有所考 答趙根

又曰俗節雖無明文哭之似無害於從厚之意也曾見炭谷權詘丈内子於成服後有設位朝夕哭雖禮無明文而其誠孝則可尚矣至於練後則旣無其服而又已入御於其夫之室矣哭之無乃太過乎 答宋奎濂

南溪曰女子期年復寢之說不見於備要重刊本豈據初本而言耶飮食衣服皆從心喪之制安可與常時同乎 答李時春

心喪雜儀

心喪服色

退溪曰父在爲母期而除除後冠服家亦引五禮儀大祥後白衣白笠白帶之說因以推之於爲母期除

後心喪之服亦欲以白衣冠帶行之此實近於古禮而可行者然古之禫服皆用白文公家禮皆用黲今人依此行之何必捨擧世遵用之家禮而從試古中廢之時制乎然此則以三年之禫言之矣若以是移用於爲母期喪之禫恐尤有所未安云云 答金就礪 ○下同

又曰父在爲母降服者爲人後爲本親降服者朝夕祭時用玉色團領或以爲未安欲着白布衣 尤庵說 然旣曰禫服行心喪則玉色衣無乃可乎

愼獨齋曰退溪服玉色之說似難從小祥後則其本生父母之服已盡以玉色入几筵尤不然高峰不可

服黲之說似是 答崔碩儒

退溪曰爲本生除衰後禫服以終喪乃心喪已成之例黃草笠白團領於古禮無據又非時王之制只用疏竹黑草笠淡色黲團領升麤白直領而居處飮食一以喪禮處之豈有不可乎 答韓脩

尤庵曰心喪人如必着幅巾則其質其色猶當異於常日所用矣帽之用白未有考○心喪着白衣非古也東俗常時例着白衣則心喪人自亦如是矣若曰心喪白衣非古而必着黑衣則亦似駭人矣帶履雖不免從吉然亦當稍變於常以存心喪之意似可矣

禮疑類輯 卷十二　喪禮　二十七

答尹宷

芝村曰雖心喪旣是本生親喪則所重有在泛言之常持緇帶固亦可矣但必駭俗且於朞大功之重處尤恐未安今人持服者平居未必常持成服之帶多有別造白布帶而帶之者今亦如此則旣無駭俗之患且合於持服之義 答朴光一

心喪中有服者服本服帶

遂庵曰心喪中遭期大功喪則當服喪服 答安太奭

陶庵曰心喪者身無衰麻之服而心有哀戚之情也使黲黑帶爲服也則他服固無重於此者而旣非服矣遇他喪安得不服其所當服之帶耶 答金顯雄

心喪中受弔

朽淺曰爲人後者生父母小祥後受弔在禮本意則似不當爲之父在母喪者亦然 答金光勳

愚伏曰過期之後受弔一節在喪次時與伯氏同哭而受不妨如不在喪次則似無哭拜之禮矣 答鄭慶輔

問今居墓所時有弔客至則拜哭如初云云 申楫 愚伏曰聖人以將軍文子之禮爲無於禮之禮則衰麻旣除無乃當以此禮處之耶然至情所發生亦不敢質言至於在親側則壓屈無疑矣

禮疑類輯 卷十二　喪禮　二十八

同春曰已過禫事則似無哭泣之節然若是一家人喪後初見者則情理自當哭 答崔世柱

南溪曰父在母喪祥後受弔之節祭畢喪除亦可謂過時矣然子貢於夫子三年已畢猶能相向而哭焉況此屈情之制於其親舊而行之有何不可但麻衣練冠今人難創耳 答沈倪

問心喪人朝夕祭受弔哭泣之時以素帶易行可乎 俞岦 南溪曰冠與帶俱黑則只變帶似無意義然禮家服中行祭廟者權借黑帶以行依此借白帶祭弔恐無妨

心喪中弔人
尤庵曰心喪人往弔他人未有所考若如曾子之於子張則或無不可耶 答朴世振

雜喪次諸節

在外行奠之節

問喪人雖有兄弟在喪側有故在外於朔望紙榜行奠何如 成文憲 南溪曰兄弟異居忌日各設奠朱子許之然與此事不同似難引以爲訓無已則只行望哭之禮庶得其宜

又曰謫中居喪如晦齋亦只朝夕設位哭而已但朱

子曾有兄弟異居者當行時祭之說又人多支子設行忌祭者以此言之雖自謫中設行朔祭恐不至害義祝辭當用使某例無疑 答李漸

又曰遭喪出次之家每以安靖還家爲務未聞徑行哭奠於避所者今承欲倣聞喪未行爲位條處之事例似異而情禮甚協雖謂之權而不失其正可矣若或因此成俗其與恬然自如者大煞不同唯在詳量而善圖之 答成世柱

在外望哭之節

問不得已而出入則途中哀至而哭如何或以非奔喪而道哭近於野哭爲非或云若在旅次則可哭 閔維重 同春曰途中則不可旅次則或可然亦在斟酌也

問凡遭喪遭服者或出他旅中遇朔日則亦當望哭否 金成克 南溪曰遭喪服者若具持制服則或可擇開而哭之不然難行

在外弔哭

牛溪曰受弔於喪次然後其禮成若在行路野外則非受弔之所也杞梁之妻云云將軍文子之喪越人來弔云云今若遇人于野垂涕洟而見之既見之後不與之坐不與之款話如平日則庶幾於禮矣 答宋大立

松江問受弔若於覲母京家遇客則何以處之將軍文子云云龜峰曰禮異今古且異其勢故舊親厚或欲問孀母病候或欲察孤子疚容拒以几筵在他於情未穩量宜以處勿拘文子如何

尤庵問於野次遭相識則亦可相弔耶沙溪曰禮經所論可考

檀弓齊莊公襲莒于奪 兌 杞梁死其妻迎其柩於路而哭之哀莊公使人弔之對曰君之臣不免於罪則將肆諸市朝而妻妾執君之臣免於罪則有先人之弊廬在君無所辱命 ○左傳齊侯弔諸其室 按檀弓之言雖如

此然遇相識野次停柩豈可不吊

愼獨齋曰人請弔則雖旅次不可不受弔已或往人家而見客則未得行弔禮矣 答崔碩儒

問路中或旅次遇所知則哭而受弔如在家歟 閔維重

同春曰禮識野哭路中則不可旅次則似可

又問入親族家相弔如在家之禮歟若在親族家有來弔者亦如在家受弔之禮歟同春曰兩條當然

問期功之喪原野中聞之云云 尹明相 南溪曰猝然遇喪於原野或迎喪出郭哭拜在其中何可以無位而不行耶

禮疑類輯八　卷十二　喪禮　三十一

問出入時或遇親戚知舊於道路則其可相哭耶 李時春

南溪曰雖是逆旅若遇親戚知舊之情厚者安可闕然不哭但至紛擾草略處自有不得行者矣

又曰於所館之家若親戚故舊不相見者來弔當擇一安靜之所而行之 如所謂行廊或別所 但不可哭於人家廳事等處矣 答朴泰昌

又曰雖是兩皆喪人入主家而行弔恐未安或於行廊及隣舍處相值行哭而投宿其處其或可耶 答權鎭

陶庵曰路中非相弔之地而彼既請弔我安敢辭況如至親相見便哀動者似不可拘也 答閔昌洙

服人不在喪次者受弔

問女適人者遭父母喪而與舅姑同居則受弔非便 李時春 南溪曰雖與舅姑同居必有私室行弔恐無甚妨矣

問服人不奔喪者人有弔者亦當哭拜受之耶 尹光寀 庵曰禮記伯高死於衛赴於孔子子曰吾惡乎哭諸夫由賜也見我吾哭諸賜氏遂命子貢爲之主曰爲爾哭也來者拜之知伯高而來者勿拜也據此則來疑可定也

問雜記曰凡服未畢有弔者則爲位哭拜踊期功以

禮疑類輯八　卷十二　喪禮　三十二

下之服今之異居者可以行之否乎 崔碩儒 愼獨齋曰古制則如此酌而行可也

問禮記有弔者則爲位哭拜踊註五服悉然云云於五服雖未盡行期大功則行之如何 李泰行 南溪曰非喪次而行弔禮恐或有碍從其最重者其亦可歟 如謂祖父及妻子喪

書疏式

疏狀雜式

問重封疏上某官下恐脫大孝苫前四字 鄭尚樸 南溪曰似蒙上文而言

沙溪曰或云謹空如謹空其紙尾以待教之言恭敬之辭或云謹空如謹不備之意謹空其紙不敢書云未知孰是家禮輯覽

尤庵曰面簽以小紙書字貼於上面也謹空狀末有空紙則書謹空二字華使許國曰謹空如左素左地餘白之類魏時亮曰空即白字之意也云云答韓如琦

問謹空姜再烈 遂庵曰惶恐敬謹不敢多談而空其下方也如謹不備之意

又曰謹空於所尊者書之平交以下雖不書可也答李英

問答人慰疏不書答字者何義且慰人疏稱疏上而平交以下或稱狀上疏狀各有其義耶韓如琦 尤庵曰答字用不用無甚是非然當以家禮爲正疏狀皆是書札之名而疏之義條陳也又記也喪人之用疏字無甚取義但與狀略有尊卑之分耳

問按慰疏末端曰姓某疏上曰姓某謹封而答疏末端曰姓名疏上曰姓名狀上何也全餘 南溪曰姓某姓名不無輕重之別雖謂之有意可也

退溪曰孤哀之稱出於後世故古禮只稱孤子然文公嘗云循俗稱不妨則并哀字稱之無所害矣等字不當書之獨稱主人此乃尊祖敬宗之義衆子所不敢叅稱也答金富仁 ○孤哀之稱又見題主祝

問慰狀妻改但爲愕鄭尚樸 南溪曰妻於受慰者爲伉侶非如子孫眷屬之類故改用愕

又曰省禮等語用於親戚所諭固然但朋友情親者似亦在其中矣答朴尚淳

陶庵曰重服者牘面不着署出於不與平人同之義來示似然常時不稱某謹封謹啓等字不過從簡成習而然服中一依古禮得之至於至親則不必然省禮二字亦當去之而一如常時耳答俞彥欽

父喪中繼母在前後子孤哀之稱

退溪曰有後母生存而遭父喪者前後子孤哀之稱果似互有嫌礙而未有經據可斷然鄙意來示所舉一朝官只稱孤子者爲得之蓋士大夫後娶者亦媒幣所聘固爲正室非如嫡妾之間殊等之分故禮於後母生事喪祭一如己母而無異何可以非己出而遽稱哀於其生之日乎況人子孤哀之稱出於至痛而不得已也其稱出於不得已則其猶可不稱處所不忍稱之無疑矣父亡而稱孤母亡而稱哀俱亡而稱孤哀所謂至痛而不得已也一母亡而一母在是

正所謂猶可不稱哀處豈可恐而猶稱哀乎前母之子既不敢稱哀於後母之存則後母之子不稱哀又何嫌於前母之亡乎前之子非忘已出後母之存猶已出之存也後之子非不母前母爲存母諱哀而前母之爲我母自若也或人所謂聯書則同稱分書則異稱甚苟而無理恐不可從也（答李湛）

庶子所生母喪自稱

芝村曰母亡稱哀子本指與父齊體之母也無論父與嫡母之生存與否於嫡母於所生母同稱哀子已涉未安況其父雖先亡以所生母之死而合稱爲孤哀尤恐不當書疏中所稱既不自稱孤哀與哀子則

當弁稱罪人或喪人（答閔鎭厚）

承重孫弁有父母及祖父母喪書疏自稱（見變禮并有喪條）

承重孫母在祖父母俱亡稱孤哀

尤庵曰祖父母俱亡承重孫例稱孤哀孫既稱爲孫則其母雖存而不相嫌也設使其母先亡則以祖母之存而不稱孤哀子耶鄙見如此（答成至善）

爲人後者本生親喪慰答書式（見爲人後者本生親喪諸節條）

收養父母喪書疏式（見養父母喪諸節條）

卒哭前答慰狀

退溪曰若身爲士而地主賻送喪已及三月而葬與卒哭尚遠須答一疏云云（詳見居喪雜儀中謝答條）

南溪曰慰狀弁須卒哭後答之者常禮也若因喪葬事勢不得不往復則自當不拘此例矣（答李挺）

遂庵曰若一家及尊丈問之葬前即答之其餘待卒哭後答之故備要云隨時（答田璞）

陶庵曰古來先生長者有書則不拘葬前輒即有復蓋以父兄例之也不獨書尺爲然雖往來亦無害今必欲於葬後過虞卒始有復無乃太過乎（與李奎釆）

禫前書疏式

寒岡問禫祭祝文尚稱孤哀子則禫祭之前仍用孤哀之稱無乃可乎退溪曰恐當如此

沙溪曰云云愚伏謂禫前書疏仍用孤哀此說則是（答同春○見虞祭祝文條○下同）

同春問云云愚伏曰云云

問沙溪謂禫前書疏仍用孤哀既經祥制自是服人稱以孤哀不亦過乎（李尚賢）同春曰禫祭祝文家禮之意則似仍稱孤哀故老先生有是教從厚何妨

問禫前書疏居禫之稱出於翰墨全書云云尹拯 尤庵曰禫後仍稱孤哀考家禮可知矣家禮既如此何足以翰墨全書爲貳也

問禫祭前書疏仍用孤哀則書之稱疏亦明矣人之慰答皆稱狀而不稱疏然則惟喪人稱疏而他不必稱疏耶李行泰 南溪曰主客皆當稱疏以討閏之義觀之雖稱狀亦無大妨

父在母喪禫後書疏論 再期後禫月前自稱并見父在母喪諸節條

喪中慰疏 見居喪雜儀條

禮疑類輯卷之十二

禮疑類輯卷之十三

喪禮

喪中行祭

總論

栗谷曰凡三年之喪古禮則廢祠堂之祭而朱子曰古人居喪衰麻之衣不釋於身哭泣之聲不絶於口其出入居處言語飲食皆與平日絶異故宗廟之祭雖廢而幽明之間兩無憾焉今人居喪與古人異而廢此一事恐有所未安朱子之言既如此故未葬則準禮廢祭而卒哭後則於四時節祀及忌祭 墓祭亦同 使

服輕者 朱子喪中以墨衰薦于廟今人以俗制喪服當墨衰着而出入若無服輕者則喪人恐可以俗制喪服行祀 行薦而饌品減於常時只一獻不讀祝不受胙可也 擊蒙要訣

問春問古禮雖有喪三年不祭之文然亦不可膠守如何則可以得禮之中歟沙溪曰程朱諸先生說可考而酌處之

問伊川謂三年喪古人盡廢事故并祭祀都廢今人事都不廢如何獨廢祭祀故祭祀可行朱子曰然百日外方可然奠獻之禮亦行不得是鋪排酒食儀物之類後主祭者去拜若百日之內要祭或

從伯叔兄弟之類有人可以行或問今人以孫行之如何曰亦得○又曰期大小功緦麻之類服今法上日子甚少便可以入廟燒香拜古人緦麻已廢祭恐今人行不得○竇文卿問夫爲妻喪未葬或已葬而未除服當時祭否不當祭則已若祭則宜何服朱子曰恐不得祭熹家則廢四時正祭而猶存節祀只用深衣凉衫之屬亦以義起無正禮可攷也忌者喪之餘祭似無嫌然正寢已設几筵卽無祭處亦可暫停○答胡伯量曰薦新告朔吉凶相襲似不可行未葬可廢既葬則使輕服或已

除者入廟行禮可也四時大祭既葬亦不可行如韓魏公所謂節祀者則亦如薦新行之可也○答曾光祖曰家間頃年居喪於四時正祭則不敢舉而俗節薦享則以墨衰行之蓋正祭三獻受胙非居喪所可行而俗節則唯普同一獻不讀祝不受胙也○答范伯崇曰喪三年不祭但古人居喪衰麻之衣不釋於身哭泣之聲不絶於口其出入居處言語飮食皆與平日絶異故宗廟之祭雖廢而幽明之間兩無憾焉今人居喪與古人異卒哭之後遂墨其衰凡出入居處言語飮食與平日之所爲皆不廢也而獨廢此一事恐亦有所未安竊謂欲處此義者但當自省所以居喪之禮果能始卒一一合於古禮卽廢祭無可疑若他時不免墨衰出入或其他有所未合者尚多卽卒哭之前不得已準禮且廢卒哭之後可以略倣左傳杜註之說遇四時祭日以衰服特祀於几筵用墨衰常祀於家廟可也左傳僖公三十三年傳曰凡君薨卒哭而祔祔而作主特祀於主烝嘗禘於廟杜氏註謂此天子諸侯之禮不通於卿大夫蓋卒哭後特用喪禮祀新死者於寢而宗廟四時常祭自如舊也○楊氏復曰先生以子喪不舉盛祭就影堂內致薦用深衣幅巾祭畢反喪服○栗谷曰云云上○龜峰答栗谷曰云云詳見喪中行祭胙已條

同春曰金承旨兄在憂中欲依朱子略倣杜註之說栗谷所論行時祭於先廟與几筵僕以爲朱子之教前後似異雖未知孰爲定論而楊氏既弁引諸說而斷之以夫子之所自行其言甚明其禮甚順況喪中行盛祭畢竟可疑弁行於几筵尤屬可疑何必捨明白易順之教而從疑晦難知之禮乎答姜文星

問三年內祭祀朱子答或人胡伯量曾光祖云云從第一說則似謂主祭者雖叅祀而奠獻之禮則不可親行也第二說則只言使人代行奠獻之禮而卽無主祭者叅祀之意第三說則又似親行奠拜之禮斯

三者將何所適從耶云云宋奎濂 尤庵曰三年內大小祭祀朱子有前後三說之異同然各有義意皆無不可遵行者矣曾見太僕從兄在內喪值考忌使人代奠而以布直領頭巾於奠酌之後伏哭而退似主第二說而參以哭之之節恐於情文爲得也若依第三說而親行如俗節則其儀本自簡略無可減殺矣如忌祭則恐當只一獻如要訣之儀矣只要訣不受胙三字自是行文而後人不敢改耳忌祭出主時恐不宜躁然則告辭恐不可已也但告辭雖不書主祭之名而考妣之號則不可不書蓋其實主人告之也合

葬墓祭豐殺當以尊爲主若於考位減殺則於妣不可獨豐又不可豐於妣之故而亦豐於考也大槩三年內墓祭家禮之所不言而亦難義起如是參酌則亦不甚悖否

南溪曰栗谷雖云使輕服者行薦註中已有墨衰之文而況祭于已自行之若無服輕者恐不可曰朔望忌祀喪人一切不得參也如先墓展拜之禮尤輕於參祭宜無不可行者答沈壽亮

又曰禰祭與時祭意義一體居喪時亦恐行不得答金克成

葬前廢先祭當否

問門中出重喪而未過半月行先墓掃事不爲未安否伯考之墓喪是伯考之子婦喪如或未安而不行則如高祖之墓及他山旁墓何以爲之李筍 寒岡曰未葬前固不合上墓矣但非吉祭之比一門之人何能皆廢墓事乎若行事於旁墓則何可獨廢於伯氏之墓乎況祖墓與高祖曾祖之墓乎喪出異鄉尤難全廢

旅軒曰父喪初喪之日雖忌祀不當行矣但母喪再期則異於他忌不可全然無事當於其日略備祭羞殺禮奠行喪主暫脫衰服喪冠只以喪巾裏衣就神

位前俯伏號哭而已若奠獻則令輕服子弟常服行之魚肉之羞隨宜用之不爲未安答或人

愚伏曰未葬前廢祭禮有明文但忌日既非吉祭且是喪餘之日似難虛過令子姪攝行似得答金伯昷

尤庵曰禮同宮則雖臣妾必葬而後祭○朱子曰若百日內要祭或從伯叔兄弟之類可以行問未葬不當祭或遇先忌不知當祭否朱子曰忌者喪之餘似無嫌然正寢已設几筵即無祭處暫停也據此有祭處則便可行忌今令姪喪次與祠堂異處則莫或無嫌否○朱子曰喪三年不祭然亦宜當令宗人攝祭

但無明文不可考耳○先生以子喪不舉盛祭就影堂致薦用深衣幅巾薦畢哭奠子則至痛然此未見必是葬前如此（答閔鼎重）

又曰葬前雖小祭禮當一切皆廢也（答李顯稷）

同春曰喪家葬前凡祭皆停無疑先世輪回之祭則或與他家換行耶（答李㦹）

問從弟與無子宗婦同居而攝祭宗婦卽其出繼兄嫂也從弟今亡而祖考妣節祀及忌祀在其未葬前考備要則旣有期大功略行之說又有同宮廢祭之文云云（李時亨）南溪曰示兩說固不相合此則重在同

宮非可以服制論也旣曰雖臣妾之喪必葬而後祭然則宗婦有難從這中辦祭物以行亦難自旁孫代行禮意如是不行恐當

陶庵曰冢長房沒後所奉祧主忌日如在其未葬之前則雖一獻亦恐未安故只當廢祭雖安於別廟當以同宮論也（答金樂道）

過期不葬者祭先之限

問大宗喪貧不得葬且旣出殯則與殯在家有間葬期過後略行忌墓祭如何（金得洙）尤庵曰當以百日爲斷

又曰百日之說蓋士大夫以三月而葬故槩爲此限以爲差進差退之地耶曾聞遭從兄喪欲待其葬後而行昏禮者其葬不易則當以百日爲斷云恐可通行於祭禮也（答閔鼎重）

葬後卒哭前忌墓祭當否

南溪曰曾子問云天子崩未殯五祀之祭不行旣殯而祭自啓至于反哭五祀之祭不行已葬而祭又竇文卿問妻喪未葬遇先忌不知當祭否朱子曰忌者喪之餘祭似無嫌云云今此忌祭雖非五祀外神之比而其在葬後卒哭前者又似與未葬小間以無嫌

之義倣已葬之祭殺禮而行之恐是人情所不能已也（答閔業）

尤庵曰栗谷卒哭後墓祭忌祭之說是所謂恰好處置然若據古經葬而後祭之說則三虞之後亦可言葬後從殺行之恐不爲無說也至於新墓之祭則尤無所疑也（答靜觀齋）

同春曰卒哭前如値節祀新墳旣從俗設祭則於先墓都無事恐甚缺然依栗老所教而行之無乃爲穩耶（答靜觀齋）

遂庵曰卒哭前雖是新喪墓祭不可行（答安太東）

問三虞日卽端陽節亦當并行墓祭耶云云閔百順
庵曰卒哭未畢便是葬前墓祭宜不得行先墓家廟
祭禮恐當闕之

喪中行祭服色

退溪曰三年內家廟祭愚意有子弟者令子弟行之
止也無而自行者其服色前日謬論玉色固不可其
所謂白衣卽河西所謂白布衣似若差可所難者冠
亦白布尤爲乖異如何愚今又思得一說與其創新
而用白布冠衣孰若倣家禮所稱墨衰之服其制如
今直領樣冠亦用墨一如侍者冠服而行事卽去蔽

之以待後祭其出入等時勿用中原例服之以取俗
駭此意如何答禹性傳○下同
又曰墨衰之制未詳然似不過冠頭巾而帶亦墨耳
問前論墨衰更思之上衣下裳一如正服之制而但
墨其色冠與巾亦必用墨爲之而只去腰首絰如何禹性傳
退溪曰墨衰旣曰衰矣似當如來示然未有考
據不敢索言
栗谷曰朱子喪中以墨衰薦于廟今人以俗制喪服
當墨衰云云擊蒙要訣○詳見總論
龜峯曰喪服中行祭一條卒哭後以生布巾與衣薦
于神主者大違禮制生布巾衣極凶之製也時祭極
重之吉禮以凶接吉古無其禮何況今之生布巾甚
無謂又無制度旣脫屈冠而只着是巾則是免冠而
拜先祖會合之盛禮也安有是理朱子以墨衰行禮
者是不忍純凶而接神明也古人之服中行祭事其
例非一如朱子之使輕服者入廟行禮及橫渠之遭
期喪三廢時祀而使竹監弟代行之以竹監在官無
持服之專故也先賢處置甚有曲折伏惟深思刪定
勿容易幸甚答栗谷
問大祥前一日告遷于祠堂家禮及儀節皆不言服

色權泰一
寒岡曰李先生答禹景善之言固然而鄙人
亦嘗稟居喪入廟之服當用黑草笠白布衣白帶何
如云而先生不以爲不可
同春問栗谷以爲忌祭墓祭及四時節祀皆以生布
直領孝巾絞帶躬自行之云云愚伏曰依栗谷所行
行之不妨但所謂絞帶者若是成服時絞帶則非徒
以此入廟未安儀禮卒哭受服斬衰絞帶變麻服布
緣何旣葬後有絞帶耶今俗多不行卒哭受服之節
無乃栗谷亦只從俗耶
又問更考擊蒙要訣果無絞帶之語而亦不言當着

某帶近世不行卒哭受服之禮則不可以成服時絞帶入廟當用何帶耶沙溪曰絞帶入廟果爲未安別具布帶似或無妨

又問葬後廟祀用直領孝巾似未安家禮墨衰可復於今耶沙溪曰當用布直領孝巾行祀此外無他可服墨衰是晉襄公伐秦之服而朱子時因爲俗制本非古禮不過如今俗所謂深衣而已頃者禹谷性傳問於退溪欲復之恐不穩當

問墨衰云云（朴周）尤庵曰李先生説有難曉者其曰衣則直領云則似但如時俗喪人所着者其下又曰

冠亦墨帶亦墨則似於直領亦着以墨然未知適從墨衰之制出於魯公征伐時以文義觀之則似於衰服着以從戎也然至於朱門則有墨衰不合禮經之文未知朱門所謂墨衰者與魯之制同異何如則今欲復古如來諭之云者未知如何而可也

尤庵曰龜峰服色之説要訣終不從焉栗老之意可知也墨衰之制諸老先生難於復古終以俗制直領者當之恐或無妨（答南溪）

南溪曰宋時墨衰與今俗制喪服雖俱非古禮然墨衰則朱子行之宜爲有據今以問解所教之意淡黑其色而布升亦用稍麤者實有借吉之義而又合朱子所據（答尤庵）

又曰愚意黃草笠白布直領淡黑布帶似可蓋黃笠本與黑笠同爲心喪之服而今人或有無事平着者又有未盡變吉之義白布黑帶固爲要訣服中行祀之儀也（答朴泰輔）

問廟祀不言方笠（成爾鴻）遂庵曰方笠是我東風俗非禮文所載只着孝巾可也

陶庵曰喪中入廟服栗谷以俗制喪服當之俗制喪服即孝巾直領而龜峰難之以免冠拜先祖今以平

涼子別制布帶直領入廟似宜（四禮便覽）

喪中行忌祭諸節

問亡者親忌適在卒哭之日云云（柳乘）陶庵曰云云（詳見祭變禮兩祭相値條中先忌與卒祔祥禫相値條）

退溪曰服中不得已祭忌祭當用白衣但冠用麻巾未安用白巾尤異不若使子弟行之爲宜（答金就礪）

問三年內祭祀朱子三説云云（宋奎濂）尤庵曰云云（詳見總論）

同春問三年內祖先忌祭當遵要訣行一獻則亦不侑食否沙溪曰侑食亦盛祭時禮也只獻一杯則無

侑食也
尤庵曰三年内祖先忌祭只一獻則旣獻之後似當仍行侑食之節矣然亦須依時祭終獻一食九飯之頃而進茶則似不爲無據矣 答李漳
南溪曰問解所謂忌祭一獻云者原於要訣只云饌品減於常時無不設食之文恐亞終兩獻及讀祝告利成之外並如常祭矣 答李時春
又曰侑食者謂不如常時三獻之後別設一節而爲侑食云爾謂當於初獻時幷扱匙正筯而無再升等事也

陶庵曰一獻則無侑食闔門諸節世俗多行之者謬也 答吳瑋
南溪曰若有服輕者行禮則喪人恐辭神後叅拜爲勝 答朴弼明
陶庵曰凶服入廟終恐非禮朔望叅與忌祭令服輕者代行而忌日則喪人望哭於門外又或臨罷入而展拜爲當 答李濟厚
問先妣喪餘在先考祥前二日若用喪中祭先之禮則祝奠等事皆當減殺而第念昨年練祥等祭皆從備禮今忽減殺事或徑庭否 金敏材 陶庵曰今年祭祀卽三年後初忌與昨年練祥體貌自不同但依喪中行祀之例而無別般道理

喪中文廟從享位忌祭略設當否

問三年内忌祭似不可擧殷奠而至於先祖位圃隱則享禮自別三百六十州春秋釋菜皆擧縟儀盛禮則獨於此宗孫玄遠之喪似不宜略設單獻之祭 鄭陶琭 陶庵曰不祧之位雖於京外釋菜盛享縟禮至於家廟則其備禮與略設惟一視宗子有故無故而處之公私事體本自不同矣

喪中行叅禮諸節 晨謁并論○朔望日祠堂叅禮後行事几筵見葬後諸節條

南溪曰朔望叅視忌墓祭爲輕喪人雖以俗制喪服入廟行叅不至有妨 答朴弼明
又曰如有服輕者使之行叅而喪人輩叅後別行拜禮如哀說恐勝 答李泰壽
問晨謁三年之内姑闕之耶或以俗制喪服依前爲之耶 朴弼明 南溪曰當姑闕

喪中有事告先廟

南溪曰未葬前如有移安之擧云云 答或人○詳見祭禮有事告條中告移還安條

問立後一款亦爲告廟云云 元夢翼 南溪曰云云 詳見喪變

禮追喪條中立後後告廟之節條

喪中有事告几筵 見葬後諸節條

三年內几筵時祭行否 同上

三年內新山墓祭

寒岡曰家禮雖未有三年內墓祭之文亦未有三年內不墓祭之語孝子於體魄所托雖三年之後而尙不堪雨露霜露之感況三年之內墳土未乾之時乎時月古人今用三月上旬十月初一今之四名日之祭非禮也祭饌之備拜獻之節亦自有家禮明文但

三年之內祭必有哭況於此寒暑之變乎 答李善立

問李養中以爲正朝秋夕乃朔望也朔望殷奠也虛几筵而往奠墓側不可云曾見南中人前期三四日行事於墓側此與朱子所云鄉里所爲者相似 偰同性

退溪曰三年內并節祀皆歸几筵則體魄所在一無所事是謂神不在於彼也直待喪畢然後始行於彼則無乃有求神於所無之嫌乎李若養中所謂正朝秋夕朔望之發亦思得良是或此二節依南中所爲而寒端二節用當日行於墓或正秋仍只行於几筵而餘二節行於墓恐皆無不可也

問退溪云云然則正秋二節只奠于几筵寒端二節几筵墓所並行之否 崔碩儒 愼獨齋曰四節當祭兩所

問三年內不行墓祭者蓋重魂反室堂之義而高氏云父母體魄所葬之地不可無一祭也起義而有安墓祭於卒哭後好禮之家或行或不行 金淳 尤庵曰三年之內國俗多行墓祭矣然與高氏所謂安墓祭者皆非禮經之文此等雖行之不害於從厚之道而亦不爲全無所據矣

又曰三年內既無祭新墓之文則又豈別有祝文也不得已用常時祝文恐亦無所碍也 答宋奎濂

松江問三年內四名日墓祭欲一獻如何龜峰曰來教似當

松江曰三年內墓祀叔獻及礪城皆以單獻爲是 註墓祀指新喪

松江問三年內墓祭洒掃前後兩再拜似是平時禮今日在墓側每日洒掃則此一節略之如何只當俯伏否龜峰曰洒掃及再拜固宜略之但先俯伏一哭以行參神禮又奠而一哭又辭神時一哭凡拜哭倣几筵禮如何三年之內似不可用事神禮故也

問几筵殷奠宜無參降之節至於墓祭當有參降三

獻（閔宗萬）南溪曰几筵墓山所處雖異而義則一恐不必行參降三獻祝辭諸節當并與常式無異矣

陶庵曰愚嘗謂三年內新山墓祭之用三獻爲過重盖三年內惟虞卒哭大小祥爲備禮之大祭墓祀則本來體輕宜不得比倂於虞卒諸祭苟以墓祭爲可備禮必自別有祝而從古無之爲三獻者似用墓祭常時之祝而常時所用用於喪中豈不泛然乎且先世則俱殺禮一獻而此獨備禮亦涉未安故愚於丁憂時以一獻行之○（答閔遇洙○下同）

又曰墓祭與几筵不同安可無降神辭神等節耶只

當如先墓殺禮之儀也

問大祥後禫祭前有墓祭則當哭拜耶（金光五）遂庵曰然

葬同先塋三年內墓祭

尤庵曰三年內墓祭略設既有先正定說先位以同在一岡者而與新位同設殷祭未知如何若以豐約之殊爲嫌則毋寧於新墓省從先位之祭品耶（答朴世振）

遂庵曰新山雖在先山同麓喪中獨行三獻於新山而先山則只以單獻盖喪中家廟忌祭亦用單獻與此宜無異同矣（答成爾鴻）

問親喪葬於先塋側而喪中又遭宗子婦喪則宗子葬前廢先墓祭祀固然也廢祭于先墓而獨祭于親於先墓之側乎（沈倪）南溪曰朝夕上食乃不可廢之節子喪成服之前猶且廢之況於節祀乎葬同先塋者恐雖三年之內不當獨祭也

同春曰墓祭事新墓則喪人自當以喪服親行其他諸墓則使族人行之而只一獻不讀祝可矣（答鄭道應）

合葬三年內墓祭（吉祭前行祔祭論）

牛溪曰先喪父後喪母上塚之祭不可以母服行之當見執禮者以白巾白衣帶奉祭哭拜未知如何也

（答禹見吉）

愚伏曰家禮墓祭有哀省之文先喪墓哀恐無所妨（答吳敬甫）

愼獨齋曰所重在父以喪服行墓祭何妨若父先亡母從葬而在母服中則以布巾深衣行祀似無妨（答鄭基磅）

尤庵曰考妣同墓者例於三年內從喪祭之儀雖考先葬而妣新祔不可不哭而行之況妣先考後則宜有統尊及卑之意耳（答朴世振）

問或云合葬之墓先齊後斬則著衰服行事先斬後

齊則着直領方笠以存壓屈之意(宋奎濂) 尤庵曰三年内墓祀是合葬之墓其服色亦當以尊者爲主奠獻時哭臨一節亦然然南軒尋常上墓時必哭況母喪因祭而幷哭於考位亦何妨鄭松江亦如南軒矣

又曰合葬之後雖壓於舊墓難可脫衰而行之(答崔有華)

南溪曰喪中墓祭之儀頗駭俗世俗則共卓而哭行之不疑嶺南則以舊墓爲重喪人不敢參祭頃年李壽翁問此生答以當用孝巾深衣先行單獻祭於考之舊位待其卒事又用衰服次行三獻哭祭於新位蓋雖合墓而分西東兩邊視若各位可也與遷葬時各設几筵何異如此然後義正而禮得矣(答朴泰昌)○又答李時春曰合葬祭儀非如神板猶有請出單祭之時恐難分别矣服色亦同

陶庵曰三年内異几明有禮文神主未合位之前墓所幷祭甚未安凡合葬之墓須各行而並有喪則先重後輕而各服其服哭而行事若父先亡母喪三年内則以平凉子直領不哭而先祭父改以衰服哭而祭母若母先亡父喪三年内則祭父畢脫絰不哭而行母祀似爲合宜(四禮便覽)

遂庵曰吉祭之前猶未配合祭誠爲未安而合葬之墓事勢不得不幷設然幷祭各設床卓自是古禮雖墓前依此各設則前喪行一獻之禮後喪行三獻之禮似不相妨(答韓弘祚)

新喪葬前前喪墓祭當否(見喪變禮幷有喪條)

喪中祭土神

愼獨齋曰節祀告土神依朱子祀家廟之說用墨衰亦似無妨無執事讀祝之人則使弟讀之無妨如有親友則亦可讀之(答崔愼)

尤庵曰土神是外祀也喪人行之似未安(答吳益升)

又曰山神無他代行者則當以祭於先祖之服色主人自行之矣(答朴世振)

又曰雖三年之内祭外神之禮則似當如常儀矣然亦未敢質言(答李淳)

遂庵曰要訣雖有不祭土神之文既行墓祭於一局之内則土地之奠似當行於先墓之左矣(答崔安厚)

禫前行祀之節

尤庵曰禫祭前自與大祥前一様故家禮書疏猶稱孤哀疏上蓋猶是喪人也然則雖先祀何可自同平常乎只一獻不讀祝廢利成可也蓋雖禫後據古禮則猶不敢純吉吉祭以後始同平人矣是祥月行禫行禫之月是仲月則仍行吉祭也不然則必踰月然

後吉祭據此則禫祭後亦未得盡同平人矣自家禮以後必須旣祥三月然後行禫禫而無吉祭與古禮自不同矣答郭櫓

吉祭前行祀之節

遂庵曰吉祭前合葬墓各設云云詳見合葬三年內墓祭條

問問解曰父歿喪中嫡孫承重改題宜在喪畢後不敢歿其親之意也但祖喪畢後當遷之高祖於嫡孫爲六代祖矣亦不爲遞遷云云盧以亨 陶庵曰吉祭當在於父喪畢行之也遞遷一節當在吉祭之後而其間則以一獻行祀爲宜

喪中宗家輪行之祭

問家奉先世祭祀皆用單獻而輪行忌祀則異於家廟之祭單獻未安李世龜 南溪曰禮喪從歿者祭從生者此則從本分所得而言耳若其宗家輪行之祭雖在服中恐不得不用三獻之例

宗子喪中祭祀宗子親喪中祭祀并論

同春問宗子歿未葬前祖考忌祭墓祭喪家當廢而如有介子異居而欲行則亦不悖於禮否愚伏曰禮士緦不祭所祭於歿者無服則祭以此推之則宗子之喪乃祖考之正統服未葬廢之似當

又問云云愚伏曰云云上見 沙溪曰愚伏答是

尤庵曰大宗墓祭宗子有親喪則喪三年不祭者雖是古禮而後世居喪之禮不如古人故朱子使於葬後行之若是葬前則使支子代行可也若然則凡百當殺於宗家不讀祝不祭山神亦有禮家明文矣答李選

尤庵問高曾二世神主宗子死後祧奉于家兄家矣今家兄至此祠堂之祭葬前當廢而其墓祭當如何自長淳兩官略設無妨耶葬事若在秋夕之前則無此疑時先生兩弟爲長城淳昌宰 同春曰長淳略設恐好

又問家弟等略祭於高曾之墓來諭殊合情禮然則於先親之墓亦一體行之否同春曰宗子之喪事體自別然原野之禮從略以行不至大段未安否不敢質言

尤庵曰服中祭祀禮意雖如此而子孫之情則終有所未安故昔年家兄之亡問墓祭於同春則答謂支子略設無乃不至大害耶云故其時卒從其言雖或非禮之正而於心則校矣但所論五代祖墳同在一原云者豈以一歲一祭之祭而言耶若然則是擇日之祭也退行爲當矣若以與近祖一原之故而並設

者則當從近祖而爲廢不廢矣此則無可疑矣至於
歿者之子孫則似當體其孝心而暫廢之恐當（答問愚重）
陶庵曰宗孫未葬之前禮當廢祭支孫代行雖墓祭
恐未安○（答具瑋下同）
又曰一門內有喪禍在宗家則當廢祭在支子不當
廢則雖是同岡之墓一祭一否亦似無妨（答徐宗華）

長子喪中祭祀（衆子喪中祭祀并論）

愼獨齋曰朱子在長子塟喪不擧盛祭就影堂內致
薦用深衣幅巾薦畢反喪服墨衰之制不行於今我
國以布巾布深衣代用之若子喪則依朱子所行不

代以墨衰行祀也（答問後壽）
尤庵曰斬衰入廟未有聞然以常祀家廟之文見之
亦無妨耶但借布笠布帶亦何妨出入時恐不免此
也則此獨不必大拘也（答同春○時同春遭長子喪）
陶庵曰衆子之喪未葬前若異宮則當行祀而主祭
者於其喪爲期大功則一獻無祝小功以下如常儀
（答具瑋）

本生親喪中行所後家祭祀之節（見爲人後者本生親喪節條）

妾子承重者其母葬前行祭當否（見妾子本生親喪諸節條）

祖父母喪中葬後祭祀

陶庵曰服朞者葬後祭如平時此栗翁定論然祖父
母衰服之重非比他朞揆以死生情禮恐亦未可以
祭如平時之文一例斷之也愚意則葬後忌祭三獻
朔望節日亦如儀（忌日是喪餘之祭雖以三年之喪練祥行三獻之義推之恐無不可况左右既於葬前行一獻矣次第增損自當如此）時祭則三年未畢之前姑
勿行之禰亦同（朱子於其夫人與長子之喪三年內不擧時祭此是具三年之體者比左右今服固爲較重然亦可傍照而得其禮意否）墓祭三年內一獻不妨（原野之禮古人所重在廟廟中既廢正祭則不必於此獨爲備儀也○答問昌洙）

父母喪中子女忌墓祭

同春問有子女先父母死及父母喪未葬前其忌墓
祭皆可廢耶葬後則當以素饌行祭耶抑死生有異
用肉無妨否愚伏曰未葬廢之無疑葬後則祭用肉
似當又墓祭忌祭當廢之意既聞命矣但既嫁之女
死而與其君子同壙則外孫必不以外祖之喪而并
廢其父之祭既祭其父則同壙之原豈可不祭於其
母以緦不祭之意推之則於外祖喪當并廢其父之
祭而但緦不祭者乃指吉祭而言則墓祭忌祭似不
當廢如何曰所示得之

又問云云愚伏答云云見上沙溪曰愚伏答是鄙見亦然

陶庵曰亡妻之祭行於妻父母未葬之前以情揆之似若未安而旣是神道禮意則不必然答吳瑋

期以下服中大小常祀服色并論○與祭變禮臨祭遭喪條參考

栗谷曰期大功則葬後當祭如平時但不受胙未葬前時祭可廢忌祭墓祭略行如上儀緦小功則成服前廢祭五服未成服前雖忌祭亦不可行也成服後則當祭如平時但不受胙但不服中時祀當以玄冠素服黑帶行之擊蒙要訣○按上儀節饌品減於常時只一獻不讀祝見上總論條

松江問亡兄卒哭後晦前家廟時祭無丁亥可祭日奈何一獻不讀祝乎用何服色龜峯曰示雖無丁亥旣當行祭則倣卜日之至下旬不卜之意告定可行之日而行之恐無害也弟子欲喪內於卒哭後用墨衰祀朝又於子喪不擧盛祭用深衣幅巾致薦於此意參用如何

沙溪曰按今妻喪几筵在正寢則依栗谷說忌祭隨便行于廳事亦或不妨喪禮備要

尤庵曰古禮所謂祭者指四時正祭也若是重服則雖非正統亦何可行之忌祭則只得依朱子說行之恐是無疑底道理答閔鼎重

南溪曰宗家祭祀何可以支子異居之家喪不行耶若於宗子非期服則量而行之爲當答金洪福○又曰惟主人服期則畧行如要訣

寒岡問述當緦不祭蓋齋則忘哀哀則未齋所以廢祭退溪曰服有重有輕祭有備有簡緦而廢祭古恐未然

愼獨齋曰外喪輕服是私己之服不可以私服入廟若本族重喪葬前當廢祭而參謁則權着黑帶似可答韓聖臣

同春問著大功未葬前忌祭墓祭同居者廢而異居者行否時祭則異居者亦於葬後當行否緦小功成服前則忌祭亦可廢而成服後則時祭亦可行耶愚伏曰禮大夫之祭鼎俎旣陳籩豆旣設而有齊衰大功之喪則廢外喪則行外喪卽異居者也可考曾子問篇而參酌行之則庶乎得之矣

又問云云愚伏答云云見上沙溪曰昔年考曾子問則擊蒙要訣服中祭祀之儀與之相合以此行之無妨

又問擊蒙要訣謂緦小功成服後則當祭如平時云此與緦不祭之文不合愚伏曰雖與古禮不相應亦

斟酌得好可遵行也
又問云云愚伏曰云云見上沙溪曰愚伏答是
南溪曰朔服未葬前初無朔望恭不行之文答洪重楷
尤庵曰緦小功成服之日旣已恭錯於喪殯之間則
歸行朔恭於祠堂有違前一日齊宿之禮使人代之
可也所謂成服後必不指是日而言也答李淳
遂庵曰成服後則雖其日可祭答成爾鴻
問功緦之戚成服日若有大小祭祀則皆當行之耶
吳瑋陶庵曰若在喪次則雖成服後其日則當使人代
之蓋未及齊宿而然也至於在他所成服則成服後

躬行無妨如忌祭則勢或淩遽而成服之行於朝哭禮也晨早成服而後行祭亦可
尤庵曰以外黨妻黨之喪素服入廟似爲未安恐當
變着吉服而未敢質言答金相玉
又曰爲師心喪而廢祭曾未聞也答朴是曾

歿者有服無服行祭廢祭之説

尤庵曰於歿者無服則祭云者雖於考有服而於祖
以上無服猶不行時祭況於高祖有服而敢行於以
下乎似甚無謂矣答朴世輝
又曰尊位有故不祭則卑者從而不得祭云云答南溪○詳見祭禮時祭條中小宗家行時祭之節條

又曰考妣私服雖無與於祖考以上然旣以此服不
得祭於考妣則何可獨祭於祖以上耶答朴世振
同春曰云云朴氏家喪在君雖是緦服而以所祭言
之實是重服恭以平昔友愛之至情葬前時祭廢之
恐當答鄭道濂
南溪曰曾子問大夫之祭鼎俎旣陳籩豆旣設外喪
自齊衰以下行可也又曰所祭於歿者無服則祭今
承下詢之禮雖非本文鼎俎旣陳之比亦已卜得月
季而告之廟矣況於廟中尊位無不祭之義而特以
亡婦一位私服之故因廢正祭實涉不虔愚意以尊

位爲主而通行之似無大妨蓋所祭於死者無服之
說旣見古禮援以事亡如在之義誠亦有未安者第
以今禮詳之卒哭之後固以神道事之以至三年入
廟其禮尤嚴如退溪所論祖先忌日祭子孫用肉之
類是也況在一室之中而獨異其祭曾所未聞則區
區之見不得不出於此答李羽成
又曰所祭於歿者無服則祭云者本指祭者外親而
言非可以此反搰轉來以爲凡於歿者有服則不祭
也蓋本親則已在外喪齊衰以下行之之中各有降
殺祭者與所祭者無不同矣張子嘗曰喪自齊衰以

下不可廢祭朱子亦曰古人緦麻已廢祭祀恐今人行不得此又可見今禮與古禮異處（答李泰壽）

喪中祭祀用肉當否（與喪變禮并有喪條中新喪葬前前喪上食用素當否條參看）

問妻母大祥前亡妻朝夕之奠既不用肉則遣奠不可以用脯醢乎（李顯君）寒岡曰雖祥事未畢而服則已除矣朝夕上食則雖不用肉祖奠遣奠則大禮也恐不得不用

同春問先考喪中祭先妣當用肉否沙溪曰神道有異不妨用肉云云（詳見喪變禮并有喪條中新喪葬前上食用素當否條）

問婦人亡後其私親繼亡先喪葬時當用肉以祭否（宋弼殷）陶庵曰云云無不可用肉之義

五服變除

親喪追服變除用聞訃成服兩日之辨（計日計月聞訃當否并論○見喪變禮追喪條）

親喪追服與在家兄弟先後變除之節（嫡子未除服前諸子已受吉者常居之服并論○上同）

立後追服之節（○變除并論上同）

并有喪前喪祥日變除之節（見喪變禮并有喪條）

過期不葬者練祥禫變除之節（初期再期畢獻并論○見喪變禮過期之禮條）

成服有故遲退者變除

同春曰此人雖不幸成服遲退而實非聞喪後時之比變除之節恐宜只從死日（答或人）

期功諸服變除月數

寒岡曰大功以下當以月數喪或在晦時成服於閏初則恐當以成服計月當盡其月數以後月朔日釋服（答崔季昇）

龜峯曰大功以下遭服於月晦者欲從成服月爲計云情雖未闋而義有不可期以上既以死月爲計獨

於期以下恩殺處反以成服爲計爲未穩而又非喪禮有進無退之義恐不可引以長之日數雖少宜以死月爲準（答牛溪）

沙溪曰期以上既皆以死月爲計獨於大功以下成服爲計恐無義意當以死月爲準（答李惟泰）

南溪曰除服月數從死月爲計問解之論也今更詳之鄭氏既曰以月數者數閏以年數者不數閏今小祥大祥必以死月行祭則期以上自當用年數之制至於大功以下月數者自當以成服之月數之且鄭氏嘗論稅服以爲五月之內當追服王肅以爲當服

其殘月賀循庾蔚之皆主鄭說若從問解之論則是與服其殘月無異也以此推之自非晦日成服者當以次月數之（答崔是翁）

遂菴曰大功以下雖遭服於月晦豈可待月中除服耶然則念後遭服者不可不待旬間除服烏在其以月數之義也（答蔡徵休）

問除服月數從歿月爲計問解所言指喪出月晦成服在次月之初者也若聞訃差晚而成服在次月則亦以歿月計之耶（朴聖源）陶菴曰所釋問解之意得之聞訃晚而成服於次月者當以成服日計之

問大功以下旣以月數則似當計閏（姜顧期）沙溪曰鄭玄及射慈說分明

通典鄭玄云以月數者數閏以年數者雖有閏不數之○射慈云三年周喪歲數沒閏九月以下數閏

陶菴曰喪出月晦而成服於次月者大功以下除服月數以歿月計不以成服計已有沙溪正論南溪雖據鄭氏以月數之說以難之然要當以歿月爲準（四禮便覽）

重喪中期服變除之節

問斬衰在身若以除輕服而遽脫父之重服着白布衣笠黑網巾則便同平人不但駭俗亦所不敢問解父喪旣禫之後當妻之二祥以布衣孝巾將事此亦可見重喪不可輕變之義云云（姜欅）南溪曰白布笠白布網巾白布衣只借白色衣冠以示前喪有終之義恐無不可者但三件制度皆是常着之物則欲以問解所論布衣孝巾行之者實出於哀侍折衷詳審之意也然白衣冠行祥實因士夫間通行之禮亦莫更加博詢知其決不可然後量行新禮方甚周備矣

親喪中期服追除當否

問伯母小祥只隔數日遭先考喪據禮不敢行事於葬前若擇日追行則孤哀除服之節當何如（李時春）南溪曰哀侍除服之節有難追遂者旣過小祥之月而更欲追除則是以期服而引之也如嫡子聞訃者必爲退行正祭而其餘服人並於初期日除服乃是通例鄙意與此無少異同第其次月哭除之節終有所不得自致則是又過時不祭之類耳如何

朔日參禮與除服先後

問除服時若依問解所載忌祭朔望相値條龜峯先祭始祖之義之論而言之則當先行參禮次行除服

之節耶（宋炳文）尤庵曰祭禮與除服先後此無可據明文所引龜峰說雖似可證然彼以祭禮與忌祭相較皆是祭祀故其說盖如此今此除服非祭祀則寧有先後之嫌乎然則除服後以盛服行祭禮恐無不可但家禮將祭而有齊宿之文既齋宿則除服之哭似覺相妨以此爲嫌則先祭而後除亦爲得宜耶

服期者十一月練祭無變除

問女子及諸孫之服期者禮當除之於練日而但行練於十一月則彼服期之人無變禮否（閔維重）同春曰十一月之練只是夫爲妻及父在爲母欲具三年之

體例也他餘期服自不當變

期功變除後服色（服盡後祭祭哭弁論）

牛溪曰期喪除服亦盡其月不服華盛矣（答韓瑩中）

同春問服期者於小祥除服後即着吉服耶沙溪曰祭後易以素服如忌日服色待後日始吉服可也

又問有人遭祖父母喪終期年食素居外一如喪人至於服闋亦曰父有重喪子何敢純吉用白帶素服而不與宴樂此意甚善愚伏曰此正聖人所謂獻子加於人一等者可敬白帶素服亦得縞冠玄武之義然帶用黑色似爲得中

又問云云愚伏答云云（上見）沙溪曰愚伏說是

問祖父母喪期後着吉服不安（尹宋）尤庵曰不可服華盛曾見知禮者用麤綿麤布黑漆而爲帶此恐爲得宜

問降服者脫服後以白衣黑帶不與宴樂以終其餘日如何（李之老）南溪曰降服自處之節禮雖不言略如所示意深恐得宜

尤庵曰練後姪孫於朝夕上食哭不哭之疑此無明文不敢質言然以逮事祖忌日之儀推之則恐不可不哭姪則異於直統然亦當以祥禫與者皆哭之文

推之否（答尹拯）

又曰親戚服盡後哭與不哭恐不可以一例斷定然禮曰朋友之墓宿草不哭是未宿草之前雖朋友亦當哭也況小祥條已除服者來與皆哭盡哀祥禫亦然據此則朔望與祭時雖無服亦當哭也（答南溪）

問妻父母三年内祭朔奠世或有不哭者（宋炳夏）尤庵曰女甥之於妻父母服雖甚輕而情義輕重各自不同其重者於朔奠來祭則奉哀恐不可已也

寡居婦人脫服後服色

陶庵曰寡居婦人於大祥則脫衰而着白衣裳至於

黑帽黑紒則不於大祥而當於禫日矣 答閔遇洙

禮疑類輯卷之十三

禮疑類輯卷之十四

喪禮

父在母喪諸節

父在爲母服 見五服條中爲本宗服條

父在母喪杖即位當否

問禮曰爲長子杖則其子不以杖即位又曰庶子不以杖即位避嫡子也然則父在爲母杖者亦不以杖即位乎 規玄以 尤庵曰以己上二款揆之則爲母杖者亦當避父而未見明文不敢質言

父在母喪練 出繼追服練祥并論

問父在母喪至十一月而練子則既練其服而姪孫仍其衰絰何其重者輕而輕者反重耶期 姜頊 沙溪曰三年之喪特爲父而屈祥禫之制布升之數自與期服逈別詎以練變之節而還有反輕之疑乎 又曰父在爲母雖十五月而畢喪然實具三年之體故十一月而練者實當期年之數也不可謂以月計者而筮閏也 答同春

南溪曰練祭主人雖不在家然祭不可廢似當用攝行之禮即所謂使某代告者也 答李彥純

問出繼族父者遭所後母喪其練祥當以公文到日

計日定行而凡父在母喪其練祥其父皆已主行云云(成遠 微)遂菴曰練祥其父已行子何可再行計其日數設虛位哭而除之通行之例也

父在母喪祥服(與大祥冠服條參看)

冶谷曰期之喪杖而行練祥禫者惟父在爲母爲妻二者而已其服制旣同而其練祥禫也父皆主之則節文之間子何敢不同於其父也宋因唐制子爲母終三年而程張二夫子尚欲墨其衰於周朞之後則我國之遵古制除衰矣而反白其冠以自異於其父而以見於其父乎且夫爲妻爲祥爲禫則其旣祥之冠必與子同云云愚意依舊用草笠或黲笠無所不可

父在母喪祥後饋奠當否

問橫渠先生曰父在母服三年之喪則家有二尊有所嫌也處今之宜但可服齊衰一年外可以墨衰從事可以合古之禮全今之制朱子曰卒哭卽祔更立木主於靈座朝夕奠就之三年除之退溪先生曰父在爲母除服者朝夕祭時用玉色團領或以爲未安欲着白布衣云云(安之 泰)寒岡曰盧履冰云云以此觀之父在母喪而除之後决不得仍存几筵矣但三先

生之言旣如彼則據禮卽撤朝夕祭者孝子之心恐有所不能已者古之君子或有設遺像終身上食者況父在而母之神主別置一處古有其言則子於心喪之內几筵則雖撤而就別處仍略上朝夕之食或近於合古禮全今制庶無慊於孝子從厚之情(按盧履冰說見下)

問父在母喪十三月大祥後或有不撤几筵至三年仍行上食云云(姜碩期)沙溪曰據朱子說非不以盧履冰議爲善但不敢違時王之制耳家禮不著父在爲母期亦此意也今　國制改用古制則正朱子之所欲從復何所疑今俗或祥後不撤几筵固非矣或有仍服三年者亦或有出後子爲本生親服三年者尤可駭此皆禮經之罪人孝子至情豈有窮已先王制禮不敢過耳

儀禮喪服父在爲母期傳曰何以期也至尊在不敢伸其私尊也○盧履冰曰禮父在爲母一周除靈三年心喪又曰祖父母安存子孫妻亡沒下房筵几亦立再周甚無謂也○朱子曰盧履冰議是但今條制如此不敢違耳(按唐武后表請父在爲母終三年服宋朝因之不敢)故云○又曰喪禮須當從儀禮爲正如父在爲母

期非是薄於母只爲尊在其父不可復伸在母○國制父在爲母十一月而練十三月而祥十五月而禫

又問退溪云用白布衣終三年云云沙溪曰祥後祔廟禮有明文朝夕祭所服非所當議退溪恐或從俗而言之耳

愚伏曰古禮則不然而但朱子答學者書曰今禮几筵必三年而除只得依此

同春曰爲父降母實天地之常經禮義之大綱何可以從俗之故而必欲終三年不撤饋食廢先王之正

禮違朱子之明訓使天地之常經禮義之大綱或有所不得其正耶 答權諰

尤庵曰今人既據儀禮及 國典父在爲母十一月而練十三月而祥十五月而禫則是已行三年之喪矣豈有三年既畢而復行上食之理乎 答閔元重

南溪曰朱子之論統指卒哭後上食而言且宋朝時王之制不論父之在否而服母三年則固無怪乎此也退溪云云亦爲時俗所行而發然今 國制爲父在母喪杖期故沙溪諸先生欲據此以準儀禮之文朱子之意者 朱子嘗以盧履冰杖期之說爲是 自是正禮蓋既十一月而練十三月而祥十五月而禫則恐難再設饋食如他喪此非薄於母也尊在於父不得不爾今之盡三年上食者情也非禮也禮之所在情或不能相及唯在孝子擇而行之如何耳 答沈涀

問父在爲母期喪後朔望殷奠 鄭澔 南溪曰既已徹几筵入廟之後還奉廳事行朔望殷奠恐亦未安

陶庵曰今俗父在母喪者往往有祥禫後不撤几筵不哭而饋食者此則無識之甚者禮律至嚴安敢容從厚二字於其間耶 答張性中

父在母喪禫

問父母在者爲妻不禫則其子亦因此不禫乎 玄以規

尤庵曰云云 詳見妻喪諸節條○下同

陶庵曰云云 答李載亨

祖喪中父在母喪禫 見喪變禮并有喪條中父喪中妻喪練祥禫條

父在母喪除服後服色 見心喪雜儀條中心喪服色條

父在母喪除服後受弔 見心喪雜儀條中心喪中受弔條

父在母喪禫後書疏 再期後禫日前自稱并論

問父在母喪者十五月禫後與人書札似不當稱疏 黃宗海 沙溪曰自稱曰心喪人古有其文也

南溪曰爲人後者與父在母喪雖同是心喪而輕重

旦別然父在母喪小祥後持心喪者恐亦不可稱疏盖以祥禫已盡所持者心喪耳爲人後者本是不杖期小祥之前依俗例稱疏猶爲未安況於心喪後耶 答金栽

陶菴曰答狀中如祗奉几筵等語去之奄經下或祥或禫隨其時而爲辭而已 答金樂道

問父在母喪雖過再期而禫月之前似不可以常人自處凡諸書札仍稱心制如何 吳益升 同春曰來示似然

父在母喪禫後拜墓之節

南溪曰十五月過禫後心喪之人須請於嚴親往依墓下日日只行哭拜朔望則歸行祠堂參禮庶幾得之雖與國俗廬墓及朱子所行事同而義異盖彼則盡蔽於三年之全體此則獨伸於祥禫之餘哀誠以禫後新主入廟孝子情無依泊之處而先賢亦有三年後上墓行哭者故耳 答俞擬

父在母喪再期行事之節

南溪曰云云 答閔泳○詳見父在母喪吉祭及復吉之節條

問父在母喪再期行事哭泣之節當一如祥事歟節目似有異於忌禮 吳益升 同春曰似當只依忌禮然三獻辭神之哭恐情理禁不得

父在母喪喪畢當禫之月行事之節

問父在爲母心喪者至二十七月之期虞度亦似未安 安應昌 旅軒曰就其月中或丁或亥以吉祭設行似可

尤庵曰父在母喪喪畢之後當禫之月略行哭禮存行禫之義可也 答金九鳴

陶庵曰尤庵略行哭禮之論雖委曲而設位亦恐未安愚意則持心制以終禫月禫月既盡來哭於墓前除之似爲穩當 答金樂道

父在母喪吉祭及復吉之節

同春問父在母喪十五月禫後當行吉祭否沙溪曰吉祭乃四時祭外之別祭盖喪三年不祭故喪畢而合祭於祖廟仍行遞遷之禮也若父在母喪則父爲主以朱子答竇文卿書觀之雖妻喪廢家廟四時正祭而以答范伯崇書觀之雖父母喪亦似不廢當更詳之妻喪中家廟正祭如果不廢而妻喪又是祔位無遞遷之禮則喪畢後吉祭似無義恐不當設 朱子答竇范兩說見喪中行祭條總論中沙溪答同春說

愼獨齋曰既曰心本非服也何變除之有若除於再

期則心制果除於再期乎禫月丁日猶之可也而終不若待吉祭之期而復常無事於變除而自爲變除之爲當也 答崔碩儒

陶庵曰沙溪答同春書云云尊家未必能於妻喪三年內仍行時祭則喪畢後吉祭之設烏可已乎

問父在母喪旣行禫祭於十五月固不可再行於二十七月則當於何日復吉耶禮有禫後踰月而行吉祭復吉之制此亦倣而行之耶 姜碩期 沙溪曰來說得之

尤庵曰心喪人云云古禮復寢聽樂必在踰月吉祭

之後則斷以二十七月者似甚未安來諭以次月朔日云者似當矣然禮記有近某日之文則吉祭不必在朔日也似當於是月上旬或丁或亥擇一日爲復常之節則用意宛轉似合古意 答同春

又曰復常之期當於吉祭月中或丁或亥或宜祭祀日略擬於心以爲此日當行吉祭以此爲節似不爲無所據矣塋曰泰後復常亦何不可也旣涉其月則或早或晩俱無所妨矣 答尹明遇

陶庵曰復常之說從尤庵說不害爲加於人一等之義耳 答金樂道

南溪曰心喪本非如斬衰功緦之服煞分節度似不必有變除之節也且旣從三年之文則當以二十七月禫祭爲準矣第閔判書鼎重曾遭母喪以此質於愼齋愼齋答云終不若待吉祭之期而復常無事於變除而自爲變除之爲當蓋雖父在母喪亦宜於二十七月禫期後遇時祭之日倣吉祭行之故也 此與問解不行吉祭條不相妨 此說甚精然則再忌之無入哭及變服尤可見也 答閔濼

又曰愼齋所謂心本非服何變服之有者正得其義

又曰若除於再期則心制果盡於再期乎兩言極爲精備況通典所謂哭除在於再期月晦云者亦已蹉過只當於行時祭日不行心喪哭除而直服常服以行祭是爲得之雖非吉祭而原其事義則殆無不合也 答趙師錫

出母嫁母喪諸節

爲出母嫁母服 見五服條

出母嫁母改葬服有無 見喪變禮改葬條中改葬當服緦之類條

養父母喪諸節

爲養父母服 見五服條○爲夫養父母服見五服條中妻爲夫黨服條

養父母喪中服色 見五服條中爲收養父母條

養父母題主

尤庵曰題主屬稱旣曰養妣則旁題只稱子不稱養似不相應矣且若是支子而奉祀于所生則將何以別乎（答南溪）

南溪曰題主㝡難爲說云云（答崔寬○詳見五服條中爲收養父母條）

收養父母喪書疏式

退溪曰非繼後而爲收養父母服者所重在已之親不可稱孤哀也（答金就礪）

南溪問書疏稱號若準服制則當用狀例第此服旣以父子之名齊衰之服爲定似與爲人後者不同姑

從問解所教稱於本生之號及稽顙等文何如尤庵曰書疏稱喪人恐亦太重據朱子說則雖本生親亦稱伯叔矣第伯叔無心喪而本生則有之此是與伯叔不同處也然則所稱亦當稍異耶

又曰此等式例旣不見於禮典則以服制爲準者猶不爲無據而庶免汰哉之誚若於不重不輕之間只稱喪人雖似穩便然後生行禮必當有所據而創制儀式非盛德者不敢則今誰敢作爲此例以爲程度也故前日所對只以本生伯叔之例爲說此於人情雖似不安然常聞聖人言先王制禮行道之人皆不忍也如取人心之皆安則將不勝其厚矣且於本生旣用此禮則於此亦無不可用之嫌而比之倣於父在爲母之例此爲稍近矣（答南溪○下同）

又曰問解中喪人之稱略考古今書未有見焉凡禮家所定書式孤哀服人之外便無他稱則恐只當於二者之間舍此則用彼而已

南溪曰書式當以服制爲之節度者殊未諭其意大典養父母齊衰三年已之父母在及父歿長子則降服期其齊衰三年則與爲母同其降服朞則與父在爲母杖期大同小異愚所以於疏式欲倣父在爲母

稱哀稱疏之例者實從齊衰三年服制而言也其降服不從杖期而從不杖極涉可疑然旣已定著備要非後人所能輕改而又難直用其文故只就父在爲母之例不稱哀而稱喪人庶幾無所嫌碍矣大抵鄙意若不用大典養父母之制則已如用之以父母之名齊衰三年之服而自同服人可乎若元無問解稱喪人之義則已如有之以養父母之喪而不爲推行將行於何地也（答尤庵）

養妣服中改葬養考之服（見喪變禮改葬服條）

妻喪諸節

妻喪去冠當否見易服條中重服人去冠當否條

爲妻服見五服爲本宗服條中夫爲妻條

妻喪遣奠祝

問永訣終天之語亦可用於妻喪乎李君顯寒岡曰云云詳見遣奠諸節條

妻喪題主妹主并論

問妻亡無後及妹在室成人而死題主時屬稱旁題金誠一退溪曰書亡室某封某氏而不書旁題亡欲代以故字無封則稱鄉貫其於妹也亦然以右側書故妹云云而無旁題旁題乃尊敬之禮不宜施於此等也

沙溪曰朱子稱亡室丘氏稱亡妻周元陽祭錄稱嬪當依朱子所定答妻碩期

尤庵曰亡室之書既有朱子之訓何敢違也退溪說似不敢從答李選

妻喪虞卒哭主祭見立喪主條中父在父爲主條

妻喪虞卒祥禫諸祝

問夫爲妻虞卒哭等祭祝文李君顯寒岡曰癸家曾於虞卒哭祥禫等祭改祝辭曰日月不居奄及初虞夙夜疚懷悲念不寧他祭皆倣此

妻喪練未祭練祭設位變除并論

同春問或云十一月服練之制乃父在爲母之禮夫之爲妻不當爾也此說亦有據否沙溪曰或說誤禮經諸說可考

雜記云期之喪十一月而練十三月而祥十五月而禫鄭註云此謂父在爲母爲妻亦伸疏云夫爲妻年月禫杖亦與母同

尤庵曰妻喪實具三年之體段故練杖祥禫四者只是一串事今以不杖而不禫則獨行練祭恐是羊上而落下竊謂小記註說恐不得爲定論也然既不得攻破註說之明文則只得依此行之不至爲全無所

據也答具時經

南溪曰夫爲妻亦是三年之制則練祭變除恐與孝子無甚異答李時春

遂庵曰夫爲妻服練則首絰亦當去矣答鄭光東

問爲妻十一月小祥擇日之禮沙溪曰家禮大小祥用初再忌祭故卜日一節無所施只於禫有卜日之儀而禫者吉祭故先命以上旬之日若夫爲妻小祥用十一月而祭則其祭日卜如禫儀而先命以下旬之日似宜

曲禮凡卜筮日旬之外曰遠某日旬之內曰近某

日喪事先遠日吉事先近日註今月下旬筮來月上旬是旬之外日也喪事謂葬與二祥是奪哀之義非孝子所欲但不獲已故先從遠日而起示不宜急徵伸孝心也吉事謂祭祀冠昏之屬

又曰父在爲母與爲妻實具三年之體故十一月而練者正當期年之數也不可謂以月計而筮閏也（喪禮備要）

問先妣練祭家親係官遠道不能來參家親有變除之節只可設靈位而行之乎亦當備奠具而行之乎（李弘淵）慎獨齋曰尊大人雖未參練祭何可闕也尊大

人則設虛位而祭之几筵祝則尊大人使子某敢告于云云可也

妻喪禫

沙溪曰按小記宗子母在爲妻禫則有非宗子其餘適庶母在爲妻并不得杖也小記又云父在爲妻以杖即位鄭玄云庶子爲妻然父在爲妻猶有其杖則父歿母存有杖可知此是杖有不禫者也小記又云庶子在父之室則爲其母不禫若其不杖則喪服不杖之條應有庶子爲母不杖之文今無其文則猶杖可知也前文云三年而後葬者但有練祥而無禫是有杖無禫此二條是杖而不禫賀循又云婦人尊微不奪正服并厭其餘哀如賀循此論則母皆厭其適適子庶子不得爲妻杖也故宗子妻尊母所不厭故特明得禫也詳見通解續（家禮輯覽）

問禫祭下註父在則嫡子爲妻不杖不杖則不禫父歿母存則杖且禫又曰非宗子而母在則杖而不禫云宗子而母存者尚且禫焉則非宗子而母在者何以不禫乎（李尚賢）同春曰宗子事體尊重故母雖在得爲妻杖且禫也非宗子則有壓降之義耳

問父母在者爲妻不禫則其子亦因此而不禫否（玄以

規）尤庵曰父在爲妻不杖期古有其禮矣然家禮不論父在與父亡而通爲杖期杖則禫矣今之行禮者若一遵家禮則無此疑矣

陶庵曰不論父在與否爲妻杖期者家禮之文也父在之適子爲妻不杖不禫者疏家之說也愚意欲從家禮也（答李載亨）

父喪中妻喪練祥禫（見喪變禮并有喪條）

妻母喪葬前妻喪練祭

問亡妻練祭在妻母葬前云云（李明煥）陶庵曰以生人之情觀之似亦未安而於禮則未有所據凡祭一以

主祭者爲主今尊以服則緦也以新喪言之則旣殯也以死者言之則又是葬後以神道事之者俱無不可行之義

妻主別處之說 見祭禮班祔條

妻主入廟

尤庵曰考廟東壁下權祔云云 答宋衡朔○詳見祭禮班祔條中權祔條

同○下

問支子只奉遞遷之主妻喪祥後當祔新主於五代祖母之龕否抑權安於東序乎 鄭碰 南溪曰云云

問亡妻神主權祔禰廟告辭云云 權燮 遂庵曰云云

問妻喪題主當以亡室而祔於宗家時以宗子改題耶 宋淵源 遂庵曰云云 詳見大祥祔廟條中祔神主改題入廟條

妻忌祝辭 見祭禮忌祭告祝之節條中諸親忌祝有無之辨條

長子喪諸節

爲長子服 見五服爲本宗服條中父爲長子條

長子喪居處服食諸節

尤庵曰爲長子斬衰之節旣曰斬衰則當與父喪無異然 國法不許解官則居處飮食及其他自爲亦當有與父喪異者矣 答金瑜

又曰世人知禮者爲長子服斬而出入時以麤生布爲衣而着布裹笠以絞麻爲帶 答玄以規

問尤庵曰着布裹笠云云所謂布卽指白布耶 徐永後

陶庵曰布則是白布而今俗罕用

問父爲長子三年者有杖云云 梁處濟 南溪曰云云 詳見治喪具成服之具條中杖條

長子喪中祭祀 見喪中行祭條

殤喪諸節

爲殤服 見五服條

殤絰不絞 見治喪具成服之具條中首絰要絰條

殤喪雜儀 自始死至埋主○計月不滿下殤者不立主辨論

問備要引開元禮曰殤喪不復無含夫程朱之論旣曰當立神主則不復無含恐未安耶且無贈耶 李尚賢

同春曰喪成人者其文縟喪不成人者其文不縟郞是儀禮傳文據此則喪殤之禮恐不必太備

問開元禮曰三殤之喪始死浴及大小斂與成人同長殤有棺及大棺中殤下殤有棺靈筵祭奠進食葬送哭泣之位與成人同其芻牲及明器長殤三分減二唯不復魂無含事辦而葬不立神主旣虞而除靈座云此禮今世不用乎抑或有他禮可據者耶 洪霽 沙溪曰凡殤不立神主程朱以前之事家禮自八歲皆

立神主矣朝夕奠上食虞後撤几筵則皆依開元禮而祔於祖廟似宜

又曰三殤之作主班祔已載於家禮今人自不行之耳寧不可行乎答姜顧期

問禮六七歲兒不言有棺而雖二三歲兒藁埋揜之於情不忍尹明相　南溪曰今無塈周之法數歲兒喪或以小木棺葬者似可推行

尤庵曰殤主粉面只爲主則當書曰亡子某神主矣開元禮三殤不立神主既虞而除靈座既曰既虞而除靈座則其無卒祔祭可知矣據家禮則當立神

禮疑類輯八　卷十四　喪禮　十八

主視開元禮則稍備無乃亦有卒哭與祔耶未可知也答宋奎濂

南溪曰殤喪古禮無此節目至開元禮而有葬虞之文至程子有立主之義今只當行其有據者而已卒哭祔祭似難率易而獨虞祭證以禮經既虞之說並行三次不至於甚未安矣○雖不敢直行祔祭殤主入廟恐當有告禮行事之節答金壽增

又曰殤喪節目以開元禮大意觀之虞祭以前似與長者之喪略同然其間又有以中下二殤異於大殤者誠亦不無斟酌玄纁以上七條皆爲喪葬之備制況翣扇之必以大夫士玄纁之有君贈非如告先塋遷柩及遣奠以下之不可全廢者似當并在減殺之例矣答農巖

尤庵曰未成人銘旌女子則書以某娘男子則書以某秀才云則庶乎相稱矣答或人

又曰在室女子銘旌世俗皆書某氏神主亦然然神主粉面書亡子名則女子亦當書名矣第東俗甚諱女子名恐難猝變答玄以規

南溪曰未成之人自不無差等若年十五以上能知文字有行業者恐當曰秀才某君之柩若十五歲以

禮疑類輯

下無文者或稱某貫某童子之柩亦可云雖非古禮恐義起而無甚害故也答宋奎炳

又曰殤年女子之神主世俗書以處女某氏云捨此他無可稱者矣答沈榕

陶庵曰題主則只書名不妨然恐莫知其爲殤亡孫下添一童字如何禮記有童汪踦之文此爲可據答李秉常下同○

又曰凡例既略如成人則翣扇玄纁之減去用玄石說似可然若不欲全減則玄纁猶勝於翣扇耶

問尤庵曰當立神主則視開元禮稍備無乃亦有卒

哭與祔耶云云 李秉常 陶庵曰尤庵無乃亦有之云蓋
有持難之意然殤主當入廟則入廟者恐不可無祔
祭既有祔祭則又不可無卒哭
浦渚曰既虞而除靈座果似太簡祭之終三年亦似
過或於除喪之後除之如何 答趙克善
愼獨齋曰殤喪撤靈座虞後則太遽似當有變通之
制以待服盡而撤之似可 答崔碩儒
尤庵曰殤喪上食似當斷以開元禮而但開元禮殤
儀太薄以家禮祭及兄弟之子之文觀之則葬後便
祔恐不如開元禮之促也第無明文未知如何則可

也 答尹文舉
又曰長兒撤几筵據禮則當在於服盡之日或制期
之日而其慈氏至情不欲遽撤於三年之內則亦不
宜强拂當諭之以禮不聽則任之而已 答朴世輝
又曰喪無三年者不得爲二祥在三殤則猶可成人
無後者亦當然耶忌祭亦以故差過而又全然無事
雖在三殤亦有所不忍追後擇日略倣二祥行之或
校於人情耶然似涉義起不敢質言 答尹拯
問程子曰下殤之祭父母主之終其身中殤之祭兄
弟主之終其身上殤之祭兄弟之子主之終其身成
人而無後者兄弟之孫主之終其身又曾子問云凡
殤與無後者祭於宗子家則程子之言與曾子不同
何耶 朴廷老 寒岡曰三代之時宗法甚嚴故曾子問所
謂殤與無後者祭於宗子實爲得禮之正而在今時
家法有不能如古禮則不得不如程子之言爲之矣
問程子曰下殤之祭終父母之身殤主之祔於廟者
其父母歿則當出廟而埋之乎 崔碩儒 愼獨齋曰也是
如此
同春問亡兒今八歲似是下殤而通典殤其計月之
說不翅詳備計月則亡兒不滿下殤矣但程朱之論

皆無計月之說云云 愼獨齋曰三殤之分等定制非
但程朱之論實出於儀禮當依此而行之第念小兒
立主不無後來難處之患貴兒之殤既在疑似之間
恐不設之爲當墓前一虞後仍於其處埋置魂帛如
何

爲人後者本生親喪諸節

生父母喪去冠脫網巾 見易服條中重服人去冠當否條

聞生父母喪儀節

問爲人後者爲生父母奔喪則三祖而未奔喪則一
祖乎 崔愼 愼獨齋曰居喪之禮與在家兄弟無異而爲

位則似當一祖矣

爲本生父母服者見五服條中爲人後者爲本生親服條

爲本生舅姑服爲夫黨服條中妻見五服條

本生親喪位次哭泣之節

沙溪曰爲人後者於本生父母之喪亦以服次爲主雖未安禮當然也服雖盡參祭則當隨兄弟而哭答黃宗海

本生親喪出入服色

問本生喪出入當着何笠李文載 愼獨齋曰當着蔽陽子

尤庵曰爲本生親不杖期禮有明文杖而稍削之益無所據○世俗或着布網巾而加蔽陽子者此或不背於人情而旣無明文不敢質言答閔泰重

又曰兒子於其私親着蔽陽子及布直領此等從俗亦無妨答韓如琦

本生親題主

問出繼子者於本生父母之喪不得已主祀則祝辭屬稱何以書之姜碩期 沙溪曰當依程子朱子之言以顯伯叔父稱之而自稱從子

伊川代彭中丞思永論濮王稱親疏曰濮王陛下所生之父於屬爲伯陛下濮王出繼之子於屬爲姪此天地大義生人大倫如乾坤定位不可得以變易者也○問先儒爭濮議朱子曰此只是理會稱親當時盖有引戾園事欲稱皇考者又問稱皇考是否曰不是語類○朱子代劉玶述玶之兄珙之行狀末段有曰從弟玶謹狀盖珙與玶是子羽之子而玶出後於子羽之弟子翬故朱子以從弟稱之

又問出繼者於所生親生時旣不以伯叔父母待之獨於歿後何可以伯叔父母稱之沙溪曰不可無名

稱又不可以父稱之則禮當如是不可更容他議

尤庵曰本生祖先當以所後屬稱稱之矣答宋炳夏

又曰爲人後者專意於所後其意甚嚴盖本不可二而統不可貳故也程子當稱濮議曰仁廟陛下之皇考陛下仁廟之嫡子濮王於屬爲伯陛下於屬爲姪此天地大義生人大倫如乾坤定位不可得以變易也苟亂大倫人理滅矣朱子曰所後父與所生父相對其子喚所後爲父終不成又喚所生父爲父此道理旣如此程朱明訓又如此則何敢兩皆稱父而弁推其恩典哉况贈職官教必書其父子之名今吕令

旣不敢以父子書之則當書以叔姪耶淸江家事有所不敢知必有曲折然不可援以爲證以破古經及程朱之訓矣 答李端夏

問出繼人之於本生親喪稱以伯叔父母已有程朱之訓若父之兄弟只兄弟而已而所後父爲昆生父爲弟則當書以仲父耶叔父耶 趙宗溥 陶庵曰出繼人之爲本生親喪題主終非別嫌之義此外無可變通者耶若不得已而爲之則恐當稱仲父而去旁題也

本生親祔祭 所後喪中本生親喪祔祭并論

寒岡問先妣祔祭仲兄當爲主人而仲兄所後父服

禮疑類輯 卷十四 喪禮 二十四

未除當服斬衰主祭祝文稱孤子否退溪曰然

問崑壽出繼從伯父之後今遭本生母喪又遭所後父喪本母祔祭崐壽當以宗子主之祝板當書曰孝曾孫孤子某使再從弟孤哀子某適于顯曾祖妣某封某氏祔以孫婦某封某氏云云又於本母前曰從姪孤子某使再從弟孤哀子某薦祔事于從叔母某封某氏適于曾祖妣某封某氏云云否與舍弟並告于本母而曰從姪某使再從弟某云云於情意極爲未安不知何如 鄭崐壽 退溪曰祔祭四稱謂難極未安然舍此無他道理無他故實可作稱謂只得如是

問家兄出爲大宗後今遭本生親喪祔祭告亡者自稱當如何 申永植 尤庵曰生父母於所後長則稱伯矣仲叔季一從原序而自稱以從子無疑矣

本生親喪慰答書式

沙溪曰爲人後者爲本生父母喪稱喪人而已不可稱孤哀也人之爲弔書者亦只以喪人待之不可稱大孝至孝也 答黃宗海

尤庵曰問解中喪人之稱古今書籍未有見焉凡禮家所定書式孤哀服人之外更無他稱則恐只當於二者之間舍此則用彼而已 答南溪

禮疑類輯 卷十四 喪禮 二十五

又曰兒子與人書式當如何程朱斷定以伯叔母似不敢違故如閔孝維重氏則慰兒子書純用此例或云稱以生親或私親而改疏爲狀改哀前爲服前似穩云此雖入俗眼而有違程朱奈何任便請公則只入於弔善書稱以僉哀此則悖倫甚矣兒子所答亦當從程朱之儀 答尹宣擧

南溪曰當稱狀上伯叔父母服次稱喪次似宜第其辭語則不無斟酌從重處矣 答李行泰

又曰答人慰書曾見壯洞伯金相稱禍延私親此似穩當 答俞撥

遂庵曰爲人後者爲本生父母喪書疏中人之慰之者稱以尊本親某官府君某封夫人喪人答辭稱以禍延本生考妣此今日見行之規未知於禮如何也 答蔡欽休

又曰昔在華陽見高察訪晦在本親喪答先生慰書曰家門不幸叔父奄忽違背云云多士在坐莫不駭笑先生曰勿駭笑此似得禮又見同春先生弔人本生親喪曰尊本親某官府君云云二先生書式亦自不同此在後人擇而行之 答李會

問本生親於所後父爲兄則稱伯父爲弟則稱季父

乎 全光五 遂庵曰伯季之稱隨其行列之序可矣

農巖曰以禮意則當云伯母或叔母季母或云生母無妨耶所云生母恐當云本生先母 答朱逢源

陶庵曰慰人本生親喪鄙人則一遵尤翁遺式用伯叔父母例盖以近來喪紀大壞不念斬之義尤晦此防不可不嚴也 答沈潮

又曰答人慰狀只當書以期服人姓某狀上而已文字間不必變改 答趙宗溥

本生親喪練禫

南溪曰出後之人於其所生父母只得爲期服然則所生母練祭及禫祭出後子無可參之義當於大祥日 卽朔朞大祥 直受心喪之服而已 答金洪福

問所後親喪中値所生親之禫則不可參祭耶 姜碩期

沙溪曰云云 詳見喪變禮幷有喪條中所後喪中爲本生親喪持服行禫之節條

本生親喪除服後服色 見心喪雜儀條

本生親喪除服後受弔 見心喪中心喪服色條

本生親改葬時弔服 見喪變禮改葬條中弔服加麻之類條

親喪中出繼改服之節 見喪變禮追喪條

所後喪中遭本生親喪奔哭成服之節 見喪變禮幷有喪條

所後喪中爲本生親喪持服行禫之節 同上

本生親喪中行所後家練祥禫吉 同上

本生親喪中行所後家祭祀之節

問本生服中告廟時當用期服例以黲巾白衣行之耶 尹舜舉 愼獨齋曰心制重於期服黲巾白衣似未安喪巾布深衣行之如何

南溪曰爲所生母之服在禮只是不杖期由此言之於所後之祭非但饌品不減祝辭如常而已躬自行祭無疑 答閔泰

又曰比世禮說甚詳絶無爲人後者居本生喪而入

繼後廟之制恐只是以服斷也然則雖本生喪期年之內可以要訣之意準行繼後廟之祭無疑況於伸心喪以後乎蓋所謂墨衰及使服輕者入廟云者皆指當喪之人爲自己先祠而言非爲爲人後者入繼後廟而言故今人所行自不覺其爲本生重而爲繼後輕殊未安也然期制以前猶可以橫渠之廢時祀使竹監弟代行之說自諉矣至於伸心喪後則既爲之玄冠素服黑帶正是要訣所謂服中行祀之服然則更將何俟而不一循常行之禮乎 答申琓

又曰居常服色似當降于兄弟以時服冠薇陽子着

生布直領帶而已 視常服人加麤 然則入繼後廟之時又當從輕着黃草笠白布直領淡黑布帶以行之 做常服入廟之制及墨衰之意 似無大未安者 答李華楫

遂庵曰本生喪中入所後廟服色門下所定布巾布深衣入廟行事於心頗自安於時俗不駭若黃草笠雖是中古重服人所着而草笠亦有麤細之不齊或涉華美近來則服人着此者絶稀反不如平凉子也 答芝村

陶庵曰本宗祭祀何敢以私喪擅有減殺耶葬後期服祭如平時出後者雖以喪人自處實則朞服故也 答盧以亨

出繼子祭本生親 見祭變禮

無後本生親班祔 見祭禮班祔條

出嫁女本生親喪諸節

出嫁女爲本生親服 見五服條

出嫁女本生親喪訃聞訃日除服當否 見喪變禮追喪條

父母喪中在舅姑側受弔之節 見雜喪次諸節條中服人不在喪次者受弔條

父母喪中歸夫家諸節 見居喪雜儀條中大小喪練後葬後婦家之節

出嫁女親喪練祭無變除

問云云 閔維重 同春曰云云 詳見五服變除條中服期者十一月練祭無變除條

服中出嫁

尤庵曰女大功未盡而出嫁恐當依未練而出則三年之例遂之而不可徑除也 答金壽巖

出嫁女喪畢後服色

牛溪問出嫁女期喪畢月欲製淡甘祭蓋頭淡甘祭髮紒白布長衣以易喪服而哭之以此居心喪未知此制無大悖否龜峰曰來示未穩何得更制喪服只

宜不服華盛而已
遂庵曰父在母喪禫後適人女子服色衣用白裳用
玉色士大夫家通行之禮（答蔡徵休）
妾子本生親喪諸節
妾子爲本生親服（見五服條）
承重妾子爲所生母喪服色
尤庵曰庶子承重者爲其母緦則其服極輕然禮既
許心喪三年則與凡緦有間其居處飮食一與諸兄
弟無異則其出入時服亦當與凡緦有異嘗見世人
以麤布爲衣着蔽陽子雖未知其必合於禮而恐爲

得宜（答玄以規）
問庶子爲父後者爲其母緦成服時着布網巾布直
領云云（愼克泰）陶庵曰服緦仍心喪以終三年旣有明
文其間小節目自當斟量而至於布網巾直領無或
過否
妾子所生母題主
庶孽婦人銘旌稱號（見銘旌條）
同春問庶子祭其母當何稱云云沙溪曰云云（詳見祭禮）
妾子諸禮條中承重妾子祭其母條
同春曰當書亡母以別於嫡母庶子之子則宜稱其

父母爲考妣改題其祖母則依舊稱亡祖母可矣（答李尙賢）
南溪曰所生母只當稱亡母若以退溪亡字未安之
意爲拘則以故字代之亦可（答朴泰崇）
妾孫爲其祖母服盡後主祥禫（見大祥條中服盡後主祥禫條）
妾子承重者其母葬前行祭當否
問妾子承重者遭其母喪而其嫡父母忌辰在於葬
前則祭祀何以爲之（宋奎濂）尤庵曰承重妾子其母葬
前凡先世祭祀當依同宮則雖臣妾葬而後祭之文

廢之矣葬後則渠是緦服人行之自如常矣若是異
宮則雖葬前似無不可行之義矣嫡父之說未安
師友喪諸節
師喪（舅師兼服及師之親與妻無服幷論）
栗谷曰師則隨其情義淺深或心喪三年或期年或
九月或五月或三月（擊蒙要訣○下同）
又曰師喪欲行三年期年者不能奔喪則當朝夕設
位而哭四日而止若情重者不止此限○師友雖無
服月朔會哭亦同
問師喪或三月五月九月期三年者不食肉不參宴

樂而素衣黑帶乎 金公直 栗谷曰然

尤庵問師喪何無定制服之當如何沙溪曰禮經及諸儒說可攷

檀弓孔子之喪門人疑所服子貢曰昔者夫子之喪顏淵若喪子而無服喪子路亦然請喪夫子若喪父而無服○王肅曰禮師弟子無服以弔服加麻臨之哭之於寢○曹弁敏問弔服加麻者幾時而除鄭稱答凡弔服加麻者三月除之○蜀譙周曰雖服除心喪三年○庾蔚之曰今受業於先生者皆不執弟子之禮惟師氏之官王命所置故諸

王之敬師國子生之服祭酒猶粗依古禮弔服加麻既葬除之但不心喪三年耳○張子曰聖人不制師之服師無定體如何是師見彼之善而已效之便是師也故有得其一言一義如朋友者有相親炙而如兄弟者有成就己身而恩如天地父母者豈可一槩服之故聖人不制其服心喪之可也孔子死弔服加麻亦是服也却不得謂無服也○程子曰師不立服不可立也當以情之厚薄事之大小處之如顏閔於孔子雖斬衰三年可也其成已之功與君父並其次各有淺深稱其情而已下至曲藝莫不有師豈可一槩制服○丘氏曰宋儒黃榦喪其師朱子弔服加麻制如深衣用冠絰王栢喪其師何基服深衣加帶絰冠加絲武栢卒其弟子金履祥喪之則加絰于白巾絰如緦麻而小帶用細苧黃王金三子皆朱門之嫡傳其所製之師服非無稽也後世欲服師之恩義者宜準之以為法云云○擊蒙要訣云云上見

慎獨齋曰出入衣服當用白色或綿或布不可用華盛與恒人同也首則加麻腰亦有帶期九月五月三月亦當加麻也 答申叟

尤庵曰弔服加麻此所謂無服之服也所謂心喪也除此而復心喪云者尋常未曉其說也期九月而飲酒食肉則心喪之意安在此不如量其力而只三月可也 答朴世義

又曰師服以單股環絰及白布巾弁着白布衫謂之弔服加麻帶則或布或綿皆無所妨 答尹明遇

又曰師服若自量月數未盡之前不飲酒不食肉居處於外一如子爲父母心喪之制則婚禮何可冒行乎不然而只如緦小功服之後無所變於常而徒廢此婚禮則恐是半上落下之義也赴舉與否與此同

先賢議論閒錄于後 答金益煥

程子曰祖父母喪須是不赴舉今法雖無明文爲士者祖父母期服內不當赴舉○今師服若準祖父母期服則當準程子說矣○李晦叔問爲長子三年及爲伯叔兄弟許赴舉不知赴舉時還吉服耶朱子曰此等事只得遵朝廷法令若心不自安不欲赴舉則勿行可也○今師服若準伯叔兄弟期服則亦當如朱子說矣

問丘儀引勉齋魯齋仁山喪師之服備要亦引之而無所折衷未知沙溪之喪先生之服之也如何 李尚賢

同春曰昔歲先師之喪只倣丘儀而爲之但有未詳備者弔服加麻而已無冠與衣裳帶絰也

南溪曰兄當以兩師一善一否而不知取舍之衷爲言弟敢以寒岡所處於退溪南冥者奉告然自古及今絕無這等事例而其能相近者如此安可不以此量度比較而處義其中乎 如朱子之於象山甚矣楊敬仲以下亦多以書尺質問況於所師之人其可輕有取舍耶 夫師弟之義檀弓所記固以極至者言以該其餘矣以程張所論言之服師者有如父母兄弟朋友之例云者固已和心喪三年在其中大義之相關推此可知然則恐難以其情義淺深之說遂直爲師獨異於君父也苟爲然者當服期年以下皆不得與此是將目之以師弟而不爲左右就養不爲無犯無隱不爲服勤至死只管量服功緦而已古今天下豈有如許道理而蘇子所謂生三事一者其爲偏枯不仁甚矣然則爲師之服雖異而事師之義實同不待顏曾之於孔子而分義之嚴已明也 答尹拯

又曰師服禮經與程朱少異大抵禮經從重處而言程朱就其中分輕重要皆不可廢然愚意師生之義不當隨服制而漸降蓋如庶人服國君三月然其君臣之義未嘗與公卿大夫異故也白巾單股絰固所

謂弔服加麻矣若其爲師當法之制則可以金仁山諸公所處斟酌行之也 答崔瑞吉

又曰師服之制嘗考成一說蓋以冠絲武或白巾緦絰帶白布深衣爲之 答梁處濟

遂庵曰老先生葬時門人白布巾加練麻環絰素服加練布夾帶矣 答成爾鴻

陶庵曰師服一以三年爲準固合於事一之義然先儒斟酌降殺之論蓋亦似度其可行之者而行之者也雖無制服此當預定於加麻之日臨時裁處恐不成道理解官則自古無聞豈以伸三年者方可爲而

三年絕無而然耶答朴聖源
問女壻服舅服而兼師服則服何服耶李徽夏　陶庵曰
舅服緦也師喪三年也雖若有輕重而緦則正服也
三年則心喪也正服則先王所制宜不敢以私恩私
義有所通變愚意則服正服以終其月其後則素服
素帶以自伸其情義似宜然勉齋朱門嫡傳也不服
以舅服以師見於丘氏說矣唯就此兩端而裁擇之
也
南溪曰君則已爲斬衰之服而其親與妻又有臨上
之義故不得不爲之從服師則只有心喪之制而其

禮疑類輯　卷十四　喪禮　三十六

親與妻又無養育之恩故不得爲之服喪嘗見卞春
亭祭鳳陽夫人其辭甚慼而李師善妻亦爲栗谷心
喪此則秉彝之心猶有所存蓋春亭及李公乃團隱
栗谷之門人也答金克成

居憂中遭師喪見居喪雜儀條

朋友喪處以師友之間先論

栗谷曰友則雖最重不過三月擊蒙要訣
龜峰曰尊兄云友則雖最重不過三月如此斷定似
亦未安古禮於師服自三年以下不定月數者甚有
其意師友一體愚意以爲師之合行心喪三年義同
生我者是眞所謂師也自其下則皆是友服也友亦
情義輕重甚有等級何可以一定論哉答栗谷
栗谷曰月朔會哭云云詳見師喪條
問朋友之喪或七日或五日不食肉則白衣居外寢
可乎栗谷曰然
問朋友相爲服如之何李惟泰　沙溪曰禮經及先儒說
可考
喪服傳朋友麻註朋友雖無親有同道之恩相爲
服緦之經帶檀弓曰羣居則經出則否其服弔服
也疏羣謂七十二弟子相爲朋友在家居止則爲

禮疑類輯　卷十四　喪禮　三十七

之經出家行道則否孔子之喪二三子皆經而出
是爲師出行亦經也凡弔服直云素弁環經不言
帶或曰有經有帶弔服旣着衰首有經不可着吉
時之大帶明矣首言環經則有帶未必如環但五
分去一爲帶糾之矣○記朋友皆在他邦袒免歸
則已註謂服無親者當爲之主每至袒時袒則去
冠代之以免已猶止也歸有主則止也主若幼少
則未止小記曰大功者主人之喪有三年者則必
爲之再祭朋友虞祔而已疏或共遊學皆在他國
而死者每至可袒之節則爲之袒而免與宗族五

世祖免同歸則已者謂在他國袒免爲死者無主歸家自有主則止不爲袒免也○朱子曰經但云朋友麻則如弔服而加麻絰耳然不言日數至於祭奠則温公說聞親戚之喪者當但爲位哭之不當設祭以其神靈不在此也此其大槩如此亦當以其厚薄長少而爲之節難以一定論也

尤庵曰禮爲朋友弔服加麻弔服似以今之素衣當之麻者以練麻單股爲環絰而加於首矣然今世有難行者只素帶三月亦可以伸情矣 答朴世振

同春曰弔服加麻者三日而除之一說旣葬除之云

今於明朔除之留其服爲送葬之用似穩且吾輩於此老當處以師友之間更加數月心哀使半於前喪恐當 此老指愼獨齋○與尤庵

問親朋死於旅館則飯含之節朋友似當爲之而愼齋以爲難行云云 李先國

遂庵曰天王之喪宗伯飯含朋友主喪於旅館有何難行之義

問大忌正齋日聞切親或相切之友訃音云云 李寒齋

屛曰切親有服則當廢祭而奔哭無服而情切則祭畢別爲位以哭情不甚厚而聞訃累日則亦不必追哭

問曾子曰朋友之墓宿草不哭今在遠地練後弔則猶且不哭乎 吳允諧

沙溪曰曾子之說雖如此若情厚則哭之何害亦人情之所不能已也

尤庵曰朋友之墓有宿草是期年後也古人於朋友期年前則至其墓必哭矣期年後則未也故其立言如是矣然身病地遠期年始至其墓則亦何可不哭 答朴是曾

退溪曰朋友之喪非至親之比則恐不必先至墓況旣葬返魂之後几筵爲重奠於几筵而叙行弔爲當若三年已過當就墓不可就人家廟而行之也 答金富倫

禮疑類輯卷之十四

禮疑類輯卷之十五

喪禮

國恤

服制總論

尤菴曰五禮儀君服之制誠甚苟簡至 宣廟朝諸賢更變舊制 𦒘聖以衰服終喪以布衣冠爲視事服此則可謂一洗千古之謬矣惟臣下服只以布帽布團領麻帶爲禮旣非喪服又非公服眞所謂茅纏紙裹者也 聖考喪賤臣建議請依朱子說羣臣同服衰服時大臣李景奭極力攻之遂不行今年改葬時賤臣又請羣臣同以細衰麻成服而朝議紛紜只

右相金壽興力以爲可行而竟不行殊可歎也 答高處中

臣民居 國恤諸節 童子服弁論

退溪曰所疑麻帶布帶家禮五禮儀齊衰皆用布帶則恐當用布也燕居只白衣布木皆不妨帶或絛或布皆用白冠則疑卒哭前布裹笠卒哭後易白驂網巾則雖布裹紗帽中不易但毀匾頭不可不易 以華盛之物皆去故也 笠纓用白布木之類似無妨鞋履宜用白出入服京官皆著衰服外官恐與京官不異也馬裝諸具中華盛者權處之或易故件或雖塗裹恐亦無妨出入別制生布直領似無妨 答宋東甫官

尤菴曰下 玄宮時自 上亦無望哭禮至 孝考時始行之甚得禮意矣士庶人從而行之恐亦不害於從厚之義也至於朔望及虞則恐涉拖長矣卒哭有變除之節似難於私處行之也五禮儀卒哭後士庶人變着黑帶云者竊意朱子議卒哭後有白衣皂巾青帶之文蓋華制常着色衣故以白衣爲變常之服而以皂巾青帶爲漸吉之制也我國則常着黑笠白衣色帶若變白笠則與常服無異只變帶而不變笠也然此等事只在一時禮官之低仰眞所謂爭分

世界中現化出來者爲士民者只得從之而已示諭或以祭服成服云者豈具衰裳絰帶冠如朱子所定耶此雖至當之論然莫或有乖於從周之義耶嘗聞花潭亦嘗如是云豈亦打乖法門耶○國恤卒哭後生徒當着黑帶著在五禮儀矣然私喪三年則 國家許伸其私而至於期以下則旣頭着君服之白笠豈可腰帶私服之布帶乎似當純用君服矣且五禮儀亦有可疑以宋制觀之則使之皂巾青帶蓋頭旣皂巾故腰可以繫青帶矣白笠黑帶恐是 國制未備而然也蓋創 國制者見朱子青帶之文故爲黑

帶之制而又 國朝士人亦旣與朝官同故白笠則終不得變一身之上一吉一凶甚違於朱子皀巾靑帶之意矣後聖有作則恐必變而通之也至於私服中黑笠布帶之論誠然矣然此亦豈合於禮者不過時俗然也然好禮之家則必着巾笠黲色者略與黑笠有異矣 答朴重繪

又曰古者君服只在百工及畿內之民今則無論上中下人皆有服成服前不食肉可也 答琴鳳儀

牛溪問 國喪非朝士而行素當如何以成服爲節則太早以卒哭爲節則太遠家禮因變除之節而爲

之禮則成服卒哭之間亦無可據之節龜峰曰行素一節非有官者當以情意氣力爲視自卜遲速只恐尊兄旣一謝 命非如僕凡民之爲比也示家禮中因變除用酒肉之節於無服之地恐不可尋也當以義起必欲卒哭後則太晚而過君喪三月之服宜於服成日後自酌其宜而止耳

問 國恤葬前爲士者亦當食素否 洪禹徵 尤庵曰書曰百姓如喪考妣三年然朱子曰所謂方喪者豈曰必使天下之人寢苫枕塊飮水食粥泣血三年眞若居父母之喪哉據此二說行禮者自可量宜而行之矣

問先輩嘗以聞訃日計數成服 俞得一 南溪曰計日成服固正法也然禮有小功以下與主人俱成之文又國家大禮似不當續續成服若非袍幞之人同日行禮恐未爲不可矣

問庶民於葬前朔望會哭 李時春 南溪曰 國恤非私喪惟行其禮令所存及士夫所通行者而已何可率易獨行之乎禮令所存如服制白笠衣帶終三年之類士夫所通行如發引時在畿內者赴哭之類

問 國恤後朔望居旣僻遠於官府不能如誠往還

云云 姜宰望 遂庵曰山中淨潔處望哭亦合禮意

又曰月朔會哭時如無設位似無拜禮 答金鼎凝

南溪曰禮經臣爲君斬衰三年庶民齊衰三月其分殊矣今混爲白衣冠三年之制然食肉復寢之節恐當自視禮經制服之義而酌處之俾無失其厚者可也蓋大夫士雖直行三年無不可者庶民雖只以其服爲斷猶有所據故不必立定一制也 答李時春

又曰 國葬前山栖恐無害 答閔以升

又曰退溪於 國恤不輓親舊云云 答農巖○見私喪葬禮諸節條

問禮曹節目不言童子雖年長而未冠者皆不服君

服而只用素帶乎 金冉疑 遂菴曰童子有大小既是年長雖未加冠與恒人何異

國恤奔哭 細禮 并論

松江問 恭懿殿奄棄長樂僕適以姊喪到洛下既非前銜欲入高陽官成服赴 闕則凡百多有所碍某頃以一書具道盛意於浩原浩原答云 國母喪較經不可以此呈身躐朝班也司馬公遇神宗喪疑於赴 闕則明道勸入臨亦爲世道此足據依云未知如何龜峰曰司馬公是在洛時也不可以是爲證尊侯若在南鄕則是矣今以私喪來在洛下嫌於進退

遭 國喪晏然於十里之地不一赴 闕殊失情禮以前銜例成服於 闕門外似合義

南溪曰通典有奔大喪條其說甚備蓋出於穀梁傳五經通義等書魏時禮官議奔喪禮有除喪而歸哭於墓者皆聽哭於陵東晉成帝恭皇后山陵司徒王濛議立奔赴之制請南極五嶺非守見職周年不至者宜勅洪黃紙有爵士者削降萬里外以再周爲限雖在父母喪其責不異詔如濛所上施行大唐元陵儀註又有宗子五等以上不限遠近同赴山陵之文以此觀之 仁祖朝駁論梁學士 曼容 未爲不可也至於伊川以草野微末之官亦赴宣仁山陵而退溪於 文定王后喪身在宰列終不赴臨恐爲未盡於義 答尹拯○下同

又曰朱子不赴高宗之喪者方在辭官之際非所謂無事則恐不當引證也惟退溪之於 文定牛溪之於 仁順仁聖誠如來諭然牛溪起草野官才中士而退溪位至宰列區區前日之疑所以在此而不在彼也大抵通典所論乃爲大喪發者至於后妃之喪則遠外之臣容有不能同者退溪之意似亦有見於是栗谷於 仁順喪在坡州赴臨於 仁聖喪在海

州終不赴 國葬後始入都亦只以慰 上在疚爲言恐此亦遠外之義終有不敢曉者耳然伊川之赴山陵亦是后妃之喪而西崖寒岡皆不得遵守師門舊說次第赴哭蓋以其義有所不安故也

又曰山陵緬禮揆以古義恐無必爲趁會之端至於野哭塗泣要各自伸其追慕者又難以例局也

國恤在外成服除服之節

西厓曰成服事五禮儀既以文書到日爲言當待公文之至次第舉行但今則方伯遠在海邊文書之至未知何日而聞訃之後凡百禮節不容晏然如舊而

哀情在中亦抑不行亦似未安不知何以處之然後可合於情禮而無違於　國典也如鄙生者以罪廢之臣不敢與於公庭成服之列則於事本無所拘而又不必等待他人故初四日得府吏之傳即出江舍西望號哭其後第六日又出江舍變服而已此乃生自處之道不可例論於他人也答吳大源

南溪曰方上章辭命雖曰近畿稱號居住自係外臣又非如常仕之人可以入臨而無妨方赴維楊府成服以[illegible]衛生進服色成制○答林泳

又曰　國恤所據之禮承教以朱子官舍之說爲重

謹聞命矣語類有出榜告示之文其首乃曰君喪士庶亦可聚哭但不可設位此似許其聚哭而不許其設位也退溪事自謂地主不與官次有難獨行成服於　殿牌故姑倣朱子望闕謝恩之例如是行之意亦可見矣嘗見士人不能徒步奔赴合數村同行望哭成服之禮誠不允於官舍之說矣然若以非官舍爲拘全不望哭成服恐尤未安無乃語類所記亦可聚哭者指此等處而言耶然則似不可一槩斷定答尤庵

又曰不得入官府者只可望　闕哭拜而已成服亦然至於晨暮望哭之節恐不敢私行答李時春

退溪曰當初成服旣於　殿牌行之今之除服亦於初行處行之爲當若然則早朝着衰服入庭跪執事上香俯伏哭拜不出就次改服入庭四拜而出如此似爲合禮然若就府內則只依上官所爲可也吾則阻水不得出書堂只於東廳行之私家哭禮未安只入庭俯伏而出他皆如右爲計寄李寯

罪廢中及宥敘後居　國恤之節未署經前弁論

西厓曰生方在罪廢之中今此　國恤固無徘情之路退陶先生於乙巳亦在削職之中而　仁廟發引

之日不得入班次獨出郊外望哭行禮雖無　國命而可以義起也昨日未免依此出江舍哭臨四拜○白笠當用何色或可以生布裹之以別於士庶否以生冒勳猶在故耳○笠色但言用白而無布裹之文然帽笠不容異色以布裹帽者亦以布裹笠無疑矣國法旣云前銜三品以下白笠云云三品前銜猶用白則無職之人豈敢用布玆用稍細布裹笠而白其色使與生亦有別衣則草野之人布衣乃本分故以六七升布爲直領如俗所謂深衣樣使別於平時之服盖生上從士夫之例則不敢下欲與士庶人同於

無服則不忍故如此爲之與鄭琢
又曰云云　聖意非以迷臣爲無罪也特以當初行遣太重而歲月已久故許復官銜使與罷散者一般而已諸人書曰雖在革職之中當來哭於　山陵之日僕甚惑焉　朝廷之禮至嚴無服無班次者何得以情爲誘而妄進耶如僕者初不得成服但與士庶同變素服而已假使更有敘命服不當追成矣於入班行禮尚有阻礙當何以處之耶禮曹傳關內有前銜宰樞會哭於路祭所之語罷散之人既不可權着布帽無冠服而冒入宰樞之列千萬無理云云答金昌遠

又曰所謂謝前者五品以下官既肅拜而未署經不敢供職者謂之謝前　國恤内卒哭凡舉哀及他會皆重與平時公務不同故不得以謝前不出若卒哭後則否也答鄭琢
南溪曰城外散班無論遠外之臣罪黜之蹤一皆聚哭其來已久恐不當直造　陵下也至於下　玄宫時有難　闕外行禮如在京士民例則雖不待　陵下行禮後即歸鄉居亦可矣答趙持謙

幷有君父喪總論

問　國恤中遭私喪李惟泰　沙溪曰禮經頗有處此之禮而古今異宜惟在斟酌遵行之如何耳
禮記曾子問曰君未殯而臣有父母之喪則如之何孔子曰歸殯反于君所有殷事則歸朝夕否大夫室老行事士則子孫行事註殷盛之事謂朔望及薦新之奠也室老家相之長也以大夫士在君所殷事之時或朝夕恒在君所則親喪朝夕之奠大夫使室老攝行士則子孫攝也小註虞氏曰人君五日而殯故可歸殯父母而往殯君也若臨君殯則歸哭父母而來殯君訖乃歸殯父母也
○君薨既殯而臣有父母之喪則如之何孔子曰

歸居于家有殷事則之君所朝夕否曰君既啓而臣有父母之喪則如之何孔子曰歸哭而反送君註有殷盛之事則往君所朝夕不往哭啓啓殯也歸哭哭親喪也反送君反送君之喪也○君之喪既引聞父母之喪如之何孔子曰遂既封窆而歸不俟子註遂遂送君柩也不俟子不待孝子反而已先反也○父母之喪既引及塗聞君薨如之何孔子曰遂既封改服而往註雜記云非從柩與反哭無免於堩此時孝子首着免乃去免而括髮徒跣布深衣而往不敢以私喪之服喪君也○大夫

士有私喪可以除之矣而有君服焉其除也如之何孔子曰有君喪服於身不敢私服又何除焉於是乎有過時而弗除也君之喪服除而後殷祭禮也曾子曰父母之喪不除可乎孔子曰先王制禮過時不舉禮也註君重親輕以義斷恩也君服除乃得爲親行二祥之祭以伸孝心以其禮大故曰殷也假如此月除君服即次月行小祥之祭又次月行大祥之祭若親喪小祥後遭君喪則他時君服除後唯行大祥祭也然此皆謂適子主祭而居官者庶子居官而行君服適子在家自依時行親

喪之禮他日庶子雖除君服無追祭矣

問曾子問庶子居官而行君服嫡子在家自依時行親喪之禮從古禮則無官者可以行祭而 國制卒哭後始許行之若此之類當何從崔碩儒　愼獨齋曰當從時王之制

尤庵曰禮記所謂嫡子自依時行親喪之禮云者此嫡子是庶人也古禮庶人服君喪但齊衰三月則無不可行親喪之義矣我國則士大夫家無論有官無官皆服三年則事體與古不同矣答沈之漢

又曰 國恤時不禁私喪成服此與古者有官者朝夕君所者有間矣答閔泰重

又曰曾子問適子庶子居官云云者以古者君喪居官者皆在君所故其禮如此矣後世則皆以親喪爲主皆在私次則不可以古禮之文而兄弟有所異同也答李碩堅

南溪曰夫子所論弁有君親之喪者其不敢私服及至行殷祭之義則實係變禮之大者而今皆一切廢之蓋其本出於漢文短喪之制爲君則因此而益輕爲親則因此而益重已成歷代通行之規其難以一人之見直行古禮亦審矣但自君子處之必有就中

斟酌服行之道以附於聖人愛禮存羊之義有不可已云云答李世弼

遂庵曰曾子問曰君未殯而臣有父母之喪則如之何孔子曰歸殯反于君所以此推之 國恤雖未成服私喪成服無不可行之義矣答李頤材

王妃喪私親喪輕重

松江問小君喪異國君當行祥祭云如何龜峯曰云云詳見下私喪練祥條

南溪曰士大夫於其君及小君之喪服雖有殊義則大同祭則其於君親弁喪輕重可知矣惟今之庶民

有不然者禮庶民爲國君齊衰三月而於小君無服
安可以 國制白衣冠之故比隆於私親三年之喪
耶 答李時春
問葬是 國恤旣爲從服之期則以此而廢三年之
變除豈是禮意 崔奎瑞 南溪曰此非有禁令而然臣子
於 大喪在殯日其義自不得行祭如常故也君母
之喪雖與伯叔兄弟同是服期旣有公私尊卑之分
則豈敢比幷而爲說耶 禮雖有視君之母與妻比之兄弟之說此以飮食一節言之
非指服制大體也

私喪中 國恤成服

尤庵曰古禮以君服爲重故有君服在身不敢服私
服之文然古今異宜只當於君喪成服時暫着君服
而還持私服此則京中士大夫之通禮也 答李碩堅
同春曰重喪中遭輕喪者亦必制其服而哭之況方
喪重制是何等大節目而諉以私服在身古今異宜
遂廢不服耶 答趙錫胤
南溪曰君喪不敢服私喪之禮今皆已廢盖嘗思之
漢文遺詔短喪之後天下不服君喪而只服父母喪
故因以成俗今旣爲樸袍斬衰三年之制雖未能一
準古禮恐不宜以此仍循謬規

問雜記謂不敢以私喪之服喪君親此則固不可哭
以衰絰矣然亦不可全然脫卸以中衣孝巾哭之及
其成服別具蔽陽子布深衣布帶不悖於禮耶 李時春
南溪曰在喪服中者未詳其成服之制然略如來示
恐或得宜
芝村曰喪人服色兩宋先生皆亦以白笠成服爲宜
而近多以平凉子爲之槩取其易辨且於喪人服色
相近故也近聞或以私服常着或以平凉子麻帶爲
私居出入服而杖亦去之云此則未有先儒所論私
服是凶服比君喪白笠麻帶其輕重相懸今乃舍重

而取輕不着凶服與無故人一揆自處豈不大段不
安耶 答金昌集
問大夫士私喪三年內遭君喪則似當入公府成服
而凡民在喪者亦當成服於公府歟抑與鄉隣相會
而成服歟 吳益升 同春曰似皆不妨然以朱子說觀之
庶民皆入公府爲宜耳

國恤中居私喪雜儀 服人常持服幷論

問在家持私服出外着君服 李時春 南溪曰此身爲大
夫士者之事如此行之恐爲斟酌得宜之道
遂庵曰 國恤中持私喪者平凉子繩帶有何所妨

但私喪之杖去與不去禮無明文不可臆說（答金鼎煥）

問受弔等事仍前勿廢耶（崔奎瑞）南溪曰無可疑

問有期功之服者　國喪成服後因着白帶耶抑着私帶耶（柳貴三）南溪曰雖儒士旣爲　國家白衣冠之制則不可着私服矣

問　國恤中遭期大功私喪未葬前帶布帶以居無妨否（沈潮）遂庵曰身服斬衰而着期大功布帶决知其不可

私喪中遭　國恤饋奠行廢用素當否

問私喪三年内遭君喪則君喪未成服前其上食及

殷奠皆當幷廢耶凡民則似與大夫士有異只廢殷奠而上食則可行歟（吳益升）同春曰似然

又問　國制國恤卒哭前不許大小祀則雖私喪饋奠似不敢行而以曾子問殷事則歸朝夕則否之語見之則雖　國葬前可以行饋奠未知何所從歟同春曰曾子問可據

南溪曰成服前罷朝夕上食亦似太過蓋非同室父母兄弟之喪則難乎行此也（答李時春）

尤庵曰祭時用素不敢質言然　國恤葬前用肉恐未安也自虞祭以後則事之以神道故先儒之說以爲當用矣然嘗見愼老於　國恤成服後祭於沙溪而用肉曰家親雖在世八十之年必無葬前行素之理云矣門人以爲疑則答曰此亦誠信不欺之道也云矣（答李揖）

問生人　國恤行素若謂之可則未葬之親亦未可遽以神道待之葬前用素似亦不悖（李時春）南溪曰父母喪若在殯則其義或然否第與喪中死者事體不同不敢質言

國恤中私喪葬期

問　大行王妃喪已於　崇陵有虛左之位私家行

葬亦無拘礙否（兪命賚）尤庵曰因山未定前私家不可行葬云者正如嘉禮時禁婚之義耳如今日則恐無不可

南溪曰　國恤未葬前不行私葬或曰臣子之義不可先行或曰因山未卜故不可行或曰　國恤卒哭前倂大中小祀故不得行然於禮令別無禁斷之事矣曾子問曰父母之喪旣引及塗聞君薨如之何孔子曰遂旣封改服而往如此者正指其大夫士而言無所難處況爲庶民者乎惟未及引者未有明文然愚意恐亦可以先輕後重之義依禮而謹行之蓋以

禮令既無所禁祭祀節目又係凶禮實與所謂停大中小祀者無甚相妨而第此前後　國恤時士大夫家守之甚嚴今亦不敢質言（答李時春○下同）

又曰　國恤葬祭諸禮云云（詳見國恤中私喪練祥條）

國恤中私喪葬禮諸節

問　國恤中祠后土時當以　國喪服白衣冠行之耶（尹明遇）尤庵曰來示似得

南溪曰土神祭雖曰外神恐無當　國恤而着黑服之理（答李時春）

問　國恤時大夫引葬用彩轝未安（李擇）尤庵曰素轝

與否未見明文然以親喪中死者葬禮準之則此有可據者大槩自斂襲衣衾以至旌翣皆當以素然後轝亦可用素矣不然則爲斑駁之歸矣

問用綵轝行事服（李時春）南溪曰後世旣難用不敢私服之義則行葬服色非可深泥

問葬用挽雖當　國恤之初似無所嫌（李擇）尤庵曰挽詞是哀死之語與尋常歌詞不同用之恐無妨

南溪曰曾見退溪於　國恤初喪絶不作詩栗谷語錄又云先生當　恭懿殿喪以身有衰服不挽親舊大歸喪且不會葬當時意以爲此必晩年定論正當可法者茲不欲破戒（與農巖）

遂庵曰挽幅他人則酬應者多而鄙人不爲之矣（答蔡徵休）

國恤中私喪返魂儀節

南溪曰反魂時儀物云者自是俗規不干於禮況當　國恤時耶反哭在路時期功之人不宜服本服以從蓋君臣禮嚴與在家行禮不同義故也（答李廷英）

尤庵曰嘗聞於先師喪中死者不當用素旌素轝據此則反魂亦可知也第今俗必用素簾紙轎此則本非禮意雖微　國哀亦可廢之矣只以靈車奉主而

歸有何未安但靈車亦不可太華略示其變則似安於心（答金壽恒）

國恤中私家虞卒哭（與國恤中私喪練祥條參看）

問　國恤中私家虞卒哭（李徵明）尤庵曰先賢之說無一定可據者今條列于後○一說以爲禮有君喪服於身不敢服私服又何除焉旣曰不敢服私服則又不敢行私祭愚以爲此實古禮不可行於今者且此古禮正指公卿大夫常在公朝者言非泛指士民而言也○一說以爲　國喪行葬者衣衾銘旌大轝皆用華鮮者則獨廢祭祀不亦過乎且五禮儀所謂大

中小祀皆廢者指　國家而言非指私家也愚以爲
凡此數說皆有所據然　國家於私喪祭祀皆無禁
令而只是爲臣子者全用常禮有不敢安於心故不
能不有所損節先師所謂　國恤卒哭後可行私喪
大小祥者似是酌中之論今日所論虞卒哭未知與
大小祥輕重如何葬前既不可行二祥則虞卒哭似
亦不可行然二祥則於古必卜日行之然則二祥之
退行自無所妨而虞則是安神之祭既葬而不能安
神則於人子之情誠有所不忍者故愚於前日敢爲
似可行之說而然亦不敢專用常禮故以爲略依渴
葬例卒哭則退行於　國葬卒哭後以示變常之意
似或不甚悖也
南溪問云云曾子問既有父母喪既引及塗聞君薨
遂之之文已與大夫之祭鼎俎既陳聞君薨廢之說
不同而朔日月半之殷事亦且互舉則其以在下先
輕之喪必待其君五月之葬而後乃葬者似無其理
既行其葬而不行虞卒亦知其必不然也蓋喪服小
記雖有既葬而不赴虞及父母之喪偕先葬者不虞
祔待後事其葬服斬衰之文恐非如此之類者誠爲
以不敢私服之義推之則其於親喪輕包重特之制

有難擬議而又曰主人皆冠則類非以君之服而廢
赴虞明矣大抵有官者之禮終無的證不敢爲說而
至於無官之人於其祥祭之重且吉者猶當依時行
禮而於其虞卒之輕且凶者顧反不行以致更與朱
子所謂三月許昏之義不啻背馳無甚義意矣且如
二祥之說則又有其由既非適子之居官又非時祭
廟祭之吉禮愚意恐其亦無必以無官之卑分而不
行奪情之喪祭之理矣若其有官者之禮必欲更加
參酌則似當以退溪之不行節祀栗谷之專廢忌墓
爲法而葬與虞姑依赴葬赴虞之說以行之或用既
葬不赴虞之例而退行於卒哭後以附朱子選人以
上之義者庶幾得夫尊卑吉凶之衷而亦與備要二
祥未知其必不行之說合矣若曰退栗雖有有官無
官之別不至如此盡行虞祥云則有一焉先正所論
只在時忌墓而不及於虞卒者豈亦非所謂吉凶之
分而惟栗谷引祥乃殷祭之說則是以有官者言矣
蓋今日雖無官者亦爲不敢全行時忌墓之吉祭則
是又豈非爲臣子者不敢自處其薄而實與　國家
所行有異處耶續考禮答問有曰小君喪之與君喪
固有輕重今　國祭亦廢而大夫家於都下敢行三

獻私祭於國有殯之日情義未穩此乃答鄭松江者而與栗谷所論爲一事矣詳其語意似亦但以大夫爲重矣尤庵曰有君喪不敢私服等說雖是古禮非後世之所可引用者栗谷所論官之高下蓋倣古禮爲之隆殺者而爲言豈不是正當道理然我國官制未能如古卿大夫士等級之井井不亂自三公以至百執事皆用一等例（如古則惟達官以下無杖而既今則大小官皆無杖之類）於此不能分别其高下而獨欲分别於前銜三品以下至士庶者不亦疎乎且如堂上僉使用高官例豈提學之罷散者反以堂下之故而下同於書吏則豈

不外哉今所引退栗之說雖如此亦未見其高下之分明區别未知自何品爲高官自何品爲卑官也大抵今日 主上雖以内喪之故 國家大中小祀一皆舉行而自爲臣子者言之方持齊衰之服而 梓宫在殯一用常時祭祀之禮竊恐有所未安也盖以曾子問言之則君喪如彼其重也後世雖不能如此豈不可略示其變乎古禮於等級雖甚截然然圻内百姓尚服齊衰三月則今日未仕之士夫獨不得比於圻内百姓乎哉 朝先賢之論亦多異同均無一定之論與其失於薄寧不當失於厚乎且以私情言之當二祥者略設於忌日待 國葬畢後擇日行二祥則其於私親亦未爲不厚也古人有喪期無數者今以 國喪加服私喪數月亦未見其甚悖於人情也

南溪曰鄙意無論有官無官當行葬禮但有官者退行虞祭以下於卒哭後無官者雖仍行可也（答俞得一）

又曰虞卒一依喪禮行之如以爲未安則依小記既葬而不報虞之文營葬立主而先告其由退行諸祭於大喪卒哭後不無所據抑小記又有所謂報葬則報虞卒哭又俟三月之說雖稍不襯於哀家所遭今

若只行三虞而退卒哭及祔於大喪卒哭之後其於安私神重 國恤之道似乎兩宜（答李徵明）

陶庵曰近聞 朝家新式大小祥許行於 因山前則葬時卒哭與祔固無可論而先儒引禮所謂報葬則報虞卒哭必俟三月之說只行三虞而退卒祔於因山後者亦有定論唯在酌量而取舍之也（答鄭觀濟）

國恤中私喪練祥（與國恤中私喪虞卒哭條參看）

松江問 國恤卒哭前大祥祭揆以古禮固難行矣然今不可一遵古禮如何龜峰曰古禮爲君母不杖期而臣妻無服記云於所祭有服則不祭哀侍先夫

人則當亭而哀侍則似難行矣今　國恤在殯雖祥祭都下士夫之家似難行矣家禮之祥忌日也忌日略行奠禮告不得行祥之由用古禮卜日行祥於卒哭後似無妨

又問　國恤卒哭後祫祭與時祭猶可行否龜峰曰古禮則不可行　國法若曰行之則姑宜從法

又問如古禮則　國喪未除不得行私喪二祥明矣然今人行不得示忌日略行奠禮又卜日行祥雖古意似難行如何某以在服中　國法不得服　國喪似有別也尊李氏以私喪祥祭幷有喪皆行而惟君

喪不得行以小君喪異國君當行祥祭云此論如何龜峰曰小君國君雖服有輕重同是國服且今　國法卒哭前不得行祭以大夫違法而行不可如日卜日行祥又有未穩則祥日告文幷告以　國恤不得備三獻禮之意設奠脫衰如何家　國異禮小君服雖輕行祥於殯日未安

沙溪曰　國制國恤卒哭後大小祀皆許行之私喪二祥未知其必不可行喪禮備要

問以曾子問問答之意見之則君服除然後可以除私服而以喪禮備要引　國制之語見之則當除於國葬卒哭之後於古於今當何所從升興益同春曰備要所論意非偶然

又問備要幷引　國制與古禮槩言除私喪之節而不言凡民大夫士分別之義何歟同春曰今時之制難可異同

又曰君喪私服之禮曾子問論之詳矣君服盡後次月行練次月行祥然亦皆謂適子居官若適子在家自依時行親喪之禮云云古禮固如此矣但古禮則卿大夫士庶人君服輕異故士庶在家自當行二祥之祭今則通士庶皆服三年二祥之行實似未安師雖

喪卒哭前大小祀皆廢者旣是時制則二祥之祭恐未安若一遵古禮則古今又異甚有所闕者或謂　國恤卒哭前値練祥之日則依忌日禮略行之卒哭後擇日行練祥變除之節似或得宜答權諟

南溪問云云尤庵曰云云詳見上私喪虞卒條

尤庵曰　國喪未葬前私家祭祀自有先賢定論今不容更議而惟是今日則以　內喪之故論議多歧然鄙意則　梓宮在殯朞制在身臣民自不敢遽同於　國家且以人情言之初期再期之日略設庶羞以伸情禮而於　國葬後擇日行二祥用意宛轉公

私無憾何必於疑文難斷之中遽自處於其薄乎蓋古者喪期無數雖誤加數月何害於義饋奠之又加數月亦是伸情之一端也答李世龜

又曰父在母喪者因　國恤不得行練祥禫於其月則當依禮記陳氏說　國葬後次月而練又次月而祥禫既過時則不祭矣文元先生之初忌適値　仁穆聖妃之喪愼齋考禮退行矣今聞尼尹必欲相反國葬前使其門孽娶文元公門孽而凡練祥雖在葬前必使行之矣愼齋嘗曰此是疑禮疑而引之加服父母喪有何所害疑而短之必欲急急脫服者是何

心哉此言厚善而可謂順孝子之心矣老僕當從此說矣答芝村○以上無論有官無官退行練祥之說

問以備要退行二祥之故無論有官無官皆不敢除喪恐失禮意古則以君喪服於身故不敢祭而今則以不敢祭之故反不除私服私服當除而不除君服當服而不服有官者則失君重親輕以義斷恩之義無官者則失適子在家自行親喪之禮進退無所據矣然則如之何而可曰古者君喪亦具衰麻故除私喪而服君喪無不安於心矣今則君服只白衣白笠而已故持私喪者不容去衰麻而着白衣此實古今之異也然則無官有官皆當於再期除喪而有官者則用退行殷奠之禮於　國葬後更設祥祭無官則用自行親喪之禮仍行祥祭而若以全然無變於平常爲未安則亦依上文虞祔之例或殺其禮以一獻行之無妨矣如此然後通於古今適於情禮而君臣父子貴賤隆殺之節可以無所妨奪矣曰禮曰三年之喪旣潁其練祥皆行君喪乃三年之喪也何可以無官而行練祥於葬前耶曰不然古禮無官者服君之喪齊衰三月今禮雖以白笠終三年而其許昏娶於葬後則所謂義之至而情或有不至者也恶可一

以三年之喪例之也曰古者喪期無數親喪雖加數月之服何害於孝而必欲除之耶此以孝子之心言之耳非所以論禮也禮只言當除與不當除豈問孝子之情願耶從厚之說則亦有可言者父服親喪固厚於恩而不服君喪不亦薄於義耶設令如　中仁二廟繼陟之時則私喪幾至於更加一年而君喪則漫不之服恐無是理也云云尹拯

南溪曰退栗兩賢所論　國恤之制明有有官無官之別而自備要以來及於尤丈無所分別曰我國士庶以下皆爲君服白衣冠三年其於　國恤葬祭之節自當與宰相同非

愚所能曉也盖白衣冠之制於禮無當爲今之道所宜叅考禮制斟酌得宜以補世教而乃欲遂因白衣冠之制使士庶服君凡事上同於宰相此豈平允之理耶所論諸説皆與鄙見相同但鄙則主有官無官高明則主不服君服似少叅差矣

又曰高見所主急就君服之意可謂超出近世諸儒之論矣然其間煞有難平處盖以古禮推之似是并有君親喪者專服君服而往來祭奠於親喪雖未知當時必爲問政行事而其通行無碍於公私可見也今則 國家條制必計其人行禮之期而後付官付

官而後或供職或陪祭方爲服君服之人雖急就君服有不可得矣盖三品以下只是白衣冠之制本異於古所謂君服者三品以上自有衰服其所輕重固非盡出於尊君之義亦不可謂之不服君服與其脱服而在家無寧姑全親喪而終就君服猶無掣肘也 答尹拯

又曰 國恤練祥之禮尤丈以爲 國制自公卿至士庶既以白衣冠終喪則卒哭之前皆當廢祭愚則以爲 國制之白衣冠雖不可不遵至於葬祭必依禮經註説自依行親喪之義及考退溪栗谷有有官無官之論使有官者練祥卒哭前當廢無官者雖卒哭前當行盖所謂有官者指百官有衰服及前銜堂上官亦服衰服者非指曾霑一命之類也 律以正義一命之類當入有官者無疑然 國制如此亦無奈何矣 但栗谷於鄭松江以直提學居憂時使勿行祥祭已與禮註有官無官之義少異而沙溪之喪愼齋以前持平居憂不行練祭尤丈則尤以愼齋爲明證矣頃年亡子大祥適在 仁敬王后卒哭内鄙以禮經退栗之論爭之甚力尤丈乃謂是欲薄於君親其言極不安遂退行喪祭矣大抵此事鄙意斷欲行之而栗沙以後諸論如此故亦不敢

直行然禮經之義終必不可廢矣 答李時春

又曰大中小祀之説鄙亦以 國家祀典考之備要始有 國恤卒哭後大小祀皆許行之之文有若大小祀本指士夫而言者遂成轉誤然栗谷龜峰皆言卒哭前不當舉殷祭盖指三獻之禮也嘗竊推之諸賢所見皆泥於註疏中以二祥爲殷祭之文不察其所謂三獻雖似過盛實乃喪祭之禮非如經文所謂殷祭乃吉祭之禮必待除君喪然後祭之者仍欲倣行於卒哭後遂有此論耳以此言之雖君父卒哭之前恐無不可行之義 答崔奎瑞○下同

又曰　國恤葬祭諸禮初誤於註疏以殷祭爲二祥而謂其必當行於君服旣除之後者再誤於栗龜諸賢以　國制卒哭擬之於君服除後者三誤於備要不分有官無官而遂爲一時通行之禮者以至於此其獘有不可言然　國有大𤕤時祭决不可矣　山陵廢祭臣子之家不可獨擧節祀矣忌祭雖行終亦不過於一酌矣此皆前後諸賢因心起義庶幾有以自安於臣子之分者而至於凶禮如葬如練祥同有歲月定限著於禮法又非吉禮之比則恐無不行之義盖葬在卒哭後則以匹夫而行天子之禮矣練祥

在卒哭後則或有數年不脫衰絰之患矣其可乎哉

又曰略祭除服一節宋龜峰及尹子仁皆有此說愚意不然練祥者人子送終之大祭也壓於　國恤不行正禮而獨自脫衰其於孝子之情喪禮之本果何如耶（答李時春○以上分別有官無官之說）

問父在母喪當練月遭君喪則俟　國葬後不行練事而行大祥歟（吳益升）　同春曰次日行練次日行祥禮也

國恤中幷有私喪練祥

問今以　國恤祖考祥祭當行於卒哭後妻喪練祭又當卜日於其後而行之乎（李秀衡）　尤庵曰先後祥練少無相妨之義隨所卜日行之可也

國恤中練祥退行者本祥日行事之節（與喪變禮追服條中追服退祥者本祥日行事條參看）

尤庵曰　國恤卒哭後擇日行練旣有連山已行之規凡筵未撤前朝夕哭上食何可廢乎然行忌之日不可虛過當略設而哭之有服之人於此時皆可除服也雖出繼出嫁之人似無異同矣（答李箕洪）

同春曰依殷奠禮行於厥明愼獨所行然也（答李益升）

南溪曰若不行祥則再期之日當行單酌之奠如要

訣所謂服中行之者可也祝則又當告以有　國恤不敢行之意（答崔奎瑞）

問主婦則當借主人除喪而庶母則亦可先除而不待祥耶（崔奎瑞）　南溪曰當與主人同時除服

又曰喪家雖不行練祭降服正服之兩期則恐無不除之理（答柳貴三）

國恤中私喪禫吉（除私喪時服色及國忌日行禫幷論）

尤庵曰　國葬卒哭前禫月已過則祥祭後仍不禫而復常禫月猶未過則雖與祥同月亦可行之盖古禮則祥禫自同一月矣（答李碩堅）

又曰　國恤卒哭前不可行禫祭旣卒哭後亦不可退行禫記所謂過時不祭正指此也只於當禫之月或丁或亥之日設虛位哭而除禫服此禮家通行之變例也（答或人）

又曰若當禫而禫者則是日脫私喪白笠着　國喪之笠矣（答芝村）

同春曰　國家卒哭當行十月而兄家禫期恰在其月須於卒哭後卽卜日行祥禮於中旬卜日行禫事恐合宜（答趙錫胤）

南溪曰禫雖吉祭皆在三年喪祭之內雖與君喪同爲白笠素服亦與禮經所謂輕包重特之義無異（君服雖重今人旣以親喪爲主則反似輕矣）過禫之後仍行君喪方爲允當矣（答崔奎瑞）

又曰行禫雖於祥後未滿一朔若與有行小祥於十四五月而到二十五月依例行大祥者相參則其義甚明（答李世龜）

問禮服笠則白而網巾用騣迺時俗之通例也而方當　國喪白笠騣巾與民人之服色無別似乎不安網巾以白布爲之宋龜峯之言如何（尹宣擧）　愼獨齋曰以白布代騣網巾似當

問　國恤中私喪禫祭時乍着吉服耶直以白衣冠行之耶（沈潮）　遂庵曰　國恤中私喪禫祭當廢退溪曰禮君服在身則雖親喪不得成服者以君服爲重不得以私喪之服加於其上故也今此禮雖難擧行然擧國皆縞素已獨爲親喪黑笠黲服豈可爲乎故愚意以爲白笠白衣行之可也（答金施普）

遂庵曰旣無禫則似當以禫月初丁爲復吉之限矣然今日之無禫只爲　國恤內不可服吉故耳士子則自祥日已服　國制布麻而婦人雖着微吉之服無妨也（答李箕鎭）

牛溪曰禫祭是喪祭之餘哭泣行事雖値　國忌何可不行之有乎（答韓瑩中）

尤庵曰　國恤卒哭後　太廟以下大祭祀皆行之私家吉祭似無不可行之理矣况吉祭猶是喪餘之薦與常時大祀有間益無所嫌矣（答宋炳文）

國恤中私家改葬服行虞之節

尤庵曰古禮有君喪服於身不敢服私服然古今異宜不可不暫着私服以臨之（答尹明遇）

又曰　國恤中士夫葬事旣無禁令於禮意亦無所害而但葬後例有殷祭此則非惟禁制所拘正當

宗廟山陵停享之時臣子之心亦所難安若因此而
葬後廢虞於人子之情亦有所不忍此便是難處者
雖行虞祭而降殺行之如退溪忌祭之說則或似無
妨而此無明文難可杜撰耳抑有一說遷葬而虞自
是丘儀如朱子說則遷葬無虞而只於葬畢奠於墓
而哭之而已所謂奠者只是常時忝禮之比則似無
未安之義矣如今士夫家遷葬後不用朱子說而從
丘氏儀雖是從厚之義而亦似未安故愚答人之問
雖常時遷葬必以朱子說爲主矣 答李敏章

國恤中私家大小常祀 東宮喪中私家祭祀幷論

退溪曰墓祭忌日雖似未安似不可廢故不上塚只
於齋舍設素饌奠以白衣冠行之似無妨時祭則不
可以素饌行之卒哭前權宜停廢似當卒哭後烏帽
行之爲當 答李楨
又曰卒哭前不可上墓其就廟如節祀之禮有官者
恐亦不可行也 答寒岡
又曰古禮國之內喪與國君喪亦有間故今玆服內
倣家禮墨衰行奠之例暫借白衣冠躬自行之才訖
返初服 答金就礪
栗谷曰卒哭前祭祀可行與否無禮文可考墓祭忌
祭雖無分別但忌祭一年一度其日悲然無事是所
不可忍也墓祭則卒哭後亦有節日故不必行也如
珥則卒哭前忌墓兩祭俱廢矣如兄則無衰服略設
一奠不備殷奠無妨也卒哭前朔望忝則非祭禮也
依常例行之何妨節祀略設奠于墓前無妨卒哭後
時祭當依常例 答牛溪
牛溪問 國喪卒哭之前大小祀幷停故 國家陵
寢香火亦絕然則人民在畿甸之內者如正朝寒食
等節祀可以祭其先墓乎此義殆未安而亦無見於
禮經時祭吉祭也雖非朝官服衰者固不敢行也至

於朔望忝忌祭亦可略設時物行奠獻於家矣以此
推之墓祭亦可倣此而以 陵寢廢祭臣民獨擧爲
未安嘗見禮記被私喪而服君喪者不敢行練祥之
祭俟君喪畢卜日追行無官者不在此類然則朝官
與士民固異然畿甸之士又與居遠方者不同目見
陵寢廢祭而擧先墓之節祀亦有未安乎龜峯曰
國喪卒哭前大小祀幷停云者五禮儀本意則是擧
國家之大小祀也於士庶無行廢之定草野民庶當
以古禮爲準禮國君齊衰三月君妻君母無服但禮
於所祭有服則不得行祭所祭之祖考若有官而於

禮跡　懿殿當有期喪則祭似難行惟朔望奉禾子
身有重喪者亦欲使輕服入廟行之則所祭雖有服
而奠之行無疑矣且朱子於廢祭一事深以爲重於
古禮之斷然不可行處每眷顧欲行之則忌祭今欲
薄設只行奠禮而告文幷告　國喪在殯之由墓祭
亦欲如忌祭之儀惟魚肉卒哭前　國禁恐不可用
也朔望之只設酒果又當如禮無所損益行又何嫌
禮有等殺父或有廢子或行之君或有止臣或爲之
何可以　陵寢之廢爲難行哉國旣無禁推古禮斷
以朱子之意茲欲不停焉

禮疑類輯　八　卷十五　喪禮　三十五

松江問　國恤卒哭後祫祭與時祭猶可行否龜峰
曰云云 詳見上私喪練祥條
問從古禮則無官者可以行祭而　國恤卒哭後始
許行之云云 崔碩儒　愼獨齋曰當從時王之制
同春曰聞沙溪先師每遇　國恤節祀墓祭幷廢惟
忌祭設素饌單獻云此豈非酌變之宜而又疑事神
與事生有異祭子於父喪之內先儒尚云當用肉況
今　國恤成服之後生者則酒肉自如獨於祖考而
設素饌莫或有未安也耶 答權諰
問　國恤卒哭前家廟朔望奉禮則雖小祀乃是吉
事行之未安歟升 具益　同春曰似然
尤庵曰　國葬前祭祀朱子於此未有商定　本朝
先賢互有異同之論亦有先後自相參差後學莫適
所從然朔望奉不廢之意則無不相符鄙意則以爲
如朔望都廢則已如曰不廢則忌墓之致哀其視朔
望小節不可同日而語矣略具饌品稍如朔望而行
之恐無不可也 答南溪
又曰忌祭先賢只言大葬前略行而已更不分公除
前後今未敢質言其如何然揆以孝子之心則恐不
忍於是日都無事也 答李箕洪

禮疑類輯　八　卷十五　喪禮　三十六

又曰　國葬前私家忌祭不用祝是先賢定論也只
減饌品而普同一獻以示變於常時也降神之節則
當只如常祭耳 答李湛
又曰退溪所謂不上塚而行於齋舍者所以示變也
古有嫡子去國支子望墓爲壇而祭之之禮退溪之
說或略引此變禮耶且以神道待之當自葬後始子
孫歿已久而其祭猶不用肉則恐於神之之義有相
違耳　國恤初喪元不許祭而又禁屠殺故雖不得
已而祭之而不敢不變常故有不肉之義耶此等不
敢質言其妄意則栗谷之分士與朝官有所難行者

自古禮以至朱子議則臣下以高下居君戚自有等殺　本朝則不然雖士人　大王喪白衣白笠三年王后喪白衣白笠期年則與朝士無異其服無異而其祭不同果是十分無疑者耶且士人所祭祀代數一如大夫而至於君喪則曰我非朝士而有所異同或有所未安也○國恤卒哭後大小祀皆許行之以一許字觀之則似指私祀也 答朴重繪

又曰退溪栗谷有略行之說不分　大王與內喪且自臣子言之則難可等夾矣 答俞命賚

又曰只當依退栗說略設以行而上墓則決不敢矣

墓下既有屋子則修掃行禮有何不可若以不潔爲嫌則除地於墓側亦可至於朔望則其禮尤略雖是卒哭前似無大嫌矣 答金鎭玉

又曰薦新是小祭祀故　朝家行之　朝家行之則士大夫家亦無不可行者然似亦當殺於常時矣 答閔維重

又曰　國恤中祭祀無服色借吉之制只當以時服行事聞鄉校則借吉書院則用白衣白巾云據此則私家祭祀亦可知矣且既云時祭則祭物何可略備只不受胙一節異於常日時祭云矣 答閔泰重

南溪曰忌祭一款無官者略設行之有官者當廢乃栗谷之說所謂有官者以袍帽成服而言栗谷其時亦已廢祭矣鄙家先忌亦在月末而既有所考情禮雖切勢當不得行矣 答李泰壽

又曰諸賢雖有忌墓祭可行之說然退溪答金而精李剛而兩說皆非大喪正禮愚謂此處不但當以有官無官分之亦可以吉禮凶禮分蓋忌墓祭雖曰行於哀諱墟墓之間不比時祭之純吉然其必在於吉禮之內如二祥之必入於凶禮則無疑以及朔望恭恐當以栗谷之論爲正 但雖士庶恐不當上墓 節祀亦當用退

溪說 答尹拯

又曰私喪三年內墓祭自是喪祭恐無不可行之義但若上墓則吉凶難辨殊無爲　山陵不敢顯行之意矣愚意哀侍既是無官之人雖未葬前亦不必全闕單獻之奠然則莫如並兩位設行於齋舍內而單獻三獻先後之制亦依前行之爲得其宜或有別葬非先塋者其亦不宜上墓則同栗谷龜峰雖有無官者當上墓之說愚意此一節恐不如退溪之曲盡故決欲從之前日　仁敬王后公除後士夫墓祭尤文則依舊行於齋舍鄙則上墓以單獻爲節未知果無

大悖否也答李世龜

問朔參俗節何以分其行廢耶尹拯　南溪曰朔望俗節無大分別第朔望自是逐月常行之制所設不過酒果而已俗節則既爲節序燕樂之辰又其所設時食二味之屬實乃小減於時祭者故退溪之說似亦出此此所以有異也

又曰俗節可以減饌行之得一答俞

又曰　國恤卒哭前祭祀參以諸先生所論退溪栗谷以有官無官爲節者此最可據而行也有官者朔望參當行俗節及時忌墓祭姑廢忌祭或行無官者朔望

禮疑類輯　卷十五　喪禮　三十九

參俗節當行忌墓祭當用一獻禮墓祭或舍內行之亦齋皆親行之但時祭亦不可行蓋雖曰五禮儀廢大中小祀皆指　國家而言然有官者身服衰麻無官者目見陵廟廢祭終有所不能自同於平時故耳

遂庵曰忌祭則是喪餘之日略設單獻而行之似無所嫌而名日則厥初因燕樂而取義似乎吉禮也國家既停　山陵之享則雖廢之可也墓直行祭出於退溪不得已之論然人家墓直之居於墓前者少其家淨潔尤少愚意略設如茶禮行於家廟猶勝於全廢耶參禮尤是略之略者不成爲祭祀行之無妨答李志逵

芝村曰忌祭退溪牛栗雖云或行或廢兩宋謂當略設若從多則當從略設之論至若栗谷有官無官之論則今有不可行者其時則從　國制堂上前銜以袍帽麻帶成服此即服衰故謂之有官而當廢堂上正三品前銜以下至儒生只以白衣冠終三年故謂之無官而當行今則自公卿大夫士至儒生一體服斬前銜既衰經儒生亦麻帶皆可謂服衰有官無官之論雖使先生當之必不更舉矣答金昌集

退溪曰　東宮禍變止服制則內外百官四日成服

禮疑類輯　卷十五　喪禮　四十一

七日而除其他士庶人則無服以未嘗臨莅而德惠不及於民庶故也惟於禮曹　啓單子內有禁屠殺一日之文然此亦指都城內而言非指外方也則外方士人之家過六七日後舉行廟祭恐無不可也若如宴會等事葬前決不可爲耳答琴蘭秀

國恤中私家冠禮

尤庵曰禮有因喪冠之文　國恤成服時冠之可也若於　國恤葬後行之則其節文未有所考答郭始徵

問成王嗣立既葬而朝于祖以此觀之或因葬時而冠恐不爲無據尹拯　南溪曰將冠而遭　國恤者固當

因成服而冠矣不然當待卒哭之後只冠者借吉而行之恭以昏禮等數尤無不可也至於葬時云者只是成王之事何與於今日士大夫而欲據之耶

問君喪三年之内冠禮云云 河翼宗 遂菴曰冠禮不在於 朝家分付家禮父母無期以上喪者可行況斬衰乎

國恤中私家昏禮

尤菴曰以朱子大全爲據則祔廟之後許承議郎以下小祥以後許朝請大夫以下大祥後許中大夫以下各借吉三日中大夫以上並須禫祭然後行禮云

云未知宋之承議朝請等官與 本朝官職高下如何耳大槩祔廟是指卒哭後然則卒哭後官卑者行禮亦或有據耶愼齋之意則以爲斬衰在身寧有服斬而嫁娶者云爾今議婚之人若是官卑而又令曰與 大王喪有異若待服盡則大善而服雖不盡準之以承議以下則或不至大戾耶此實大節目不敢輕易論說以犯不韙之罪去歲殷孫與娶在其前妻三年内心有不安呈禮曹得其批然後乃敢行禮今此人亦稟於禮曹而行之則庶幾甚不惑矣 答俞命賚

問五禮儀無論貴賤悉於卒哭後許昏恐太無分別今當略依朱子說爲節目士吏以今之校生庶族當之選人以今之生進學生當之承議郎以今之通德郎以下當之中大夫以今之通訓以下當之太中大夫以上以今之通政以上當之如此則庶乎適厚薄隆殺之宜而不疑於可行矣 尹拯 南溪曰朱子所論臣民嫁娶之說豈不正正堂堂行之無獘而若非 朝家變通而頒行之則亦難自下斟酌而創制愚意只當依五禮儀處之唯其士夫之識禮者各量其職秩事理必使通合於朱子說然後行之則公私兩無所碍此以禮撈典之大體也

問婿至門主人出迎今當 國喪婿雖借吉主人借吉未安云云 李端夏 南溪曰昏禮雖許借吉恐只爲婿婦而言蓋祭重於昏而今士大夫家雖行時祭不可遽變白衣冠況於昏禮耶

禮疑類輯卷之十五

禮疑類輯卷之十六

喪變禮

聞喪

聞親喪未見訃書

問在外而聞父母喪者傳聞若自的徑則遲待訃書不爲發喪於情果如何姜再烈遂菴曰只憑流播之言何可輕易發喪雖甚罔極當俟的報

生死交傳處變

寒岡曰賢季弟隨從事陷於西師之敗然其生其死旣不可知則不得不處之以死而爲之禮也乃聞西敗家屬或具棺虛殯云其是否不敢知而設位成服

則恐不得不爲也答許洞

問仲兄以斥和陷於北虜矣去年夏被殺云而李去奴持復衣而來設魂帛以奠之未及作主生存之說又至傳者非止一再雖未可盡信間或有可信者又有走回人自言目見生存者而不忍以傳聞之說遽撤已設之神位姑遲作主以待後報之如何今者再期已迫而更無此外尤信之言吉凶交傳不知何據廣詢諸人則或曰凶報出於傳聞吉報亦出於傳聞奈何舍吉而取凶況吉報稍信於凶報者乎初聞凶報而設位祭之常也今聞吉報而撤去之處變之道也撤之何疑或曰此言則然矣今以傳聞而撤之後若不聞生死之報則終無神而祭之之日不若及今作主以爲善後之計未知此兩說何者爲得尹愼獨齋曰所示兩項說俱極詳盡而考之古禮旣無證據求之人事亦難取斷而竊以臆見言之則吉凶之說俱出傳聞始凶後吉則似當從吉而必得的報方可卽吉旣以發喪再期將迫雖有吉報不能全信以不能全信之吉報撤再期將迫之几筵非但事勢之未妥或有後日之狼狽愚意則姑以吉報置之疑信之

間仍存几筵更待的實之報雖過再期亦非失禮若木主之造旣已遲延今有吉報不必造作姑以魂帛終三年而待的報處之恐未晩也

聞親喪易服易服見喪禮本條

沙溪曰按此當有被髮一節而家禮不見蓋蒙上文初終之儀也喪禮備要

聞親喪未奔哭婦人未奔哭幷論

南溪曰爲位者弁椅子及主人位次而言也盛水則俗規不可行答柳貴三

問家禮聞喪變服之下無成服二字中湜沙溪曰聞喪

變服豈至聞後第四日之久乎必落成服二字無疑又曰按變字疑成字之誤又按丘儀次日變服第四日成服當以是爲據（禮家輯覽）

遂菴曰奉使死於他國而其子不得越境奔喪則其成服似在見柩之後若返櫬無期遲速難知則此如禮所謂未奔喪之人先爲成服勢不得不然（答姜再烈）

尤菴曰死於他所而子孫皆赴則婦人獨在家者設位朝夕哭如男子至於柩至然後始去之矣（答李遇輝）

出使聞親喪

尤菴曰春秋傳曰大夫以君命出聞喪徐行不反○

喪謂父母喪何休註不反重君命也徐行爲君當使人追代之又曰君使人代之可也以此言之雖聞父母之喪不反可知（以上皆疏說）○經曰歸使衆介先衰而從之○此謂雖聞父母喪已至所使之國則不敢廢使事然不忍顯然越步往來其在道路使价（謂副使也）居前歸又請反命已猶徐行隨之君納之乃朝服反命出公門釋服哭而歸○據此數條則舍君命者雖父母死不敢反則今之不反之說者似有據然未知古今經傳或有當反之議耶（答金壽基）

聞諸親及無服喪

問聞祖父母之喪或袒或否（成文憲）南溪曰聞喪成服一依初喪之禮則逐節成袒者爲是

問聞母妻黨之訃哭之當於何所有弔者亦當受之耶沙溪曰禮經所論可考

奔喪哭父之黨於廟母妻之黨於寢師於廟門外朋友於寢門之外所識於野張帷凡爲位不奠○檀弓妻之昆弟爲父後者死哭之適室子爲主袒免哭踊夫入門右使人立於門外告來者狎則入哭父在哭於妻之室非爲父後者哭諸異室註父在已之父也爲父後妻之父也門外之人以來弔

者告若是交遊習狎之人則徑入哭之情義然也疏子爲主者甥服舅緦故命已子爲主受弔拜賓也夫入門右者謂此子之父即哭妻兄弟者

問聞遠兄弟之喪既除喪而後聞免袒成踊免袒之節止於幾日耶（梁處濟）南溪曰除喪而後袒免成踊亦變也雖不成服或以四日爲限耶以祖免之親所行推之似亦然也

問降而無服者不當爲位而哭耶沙溪曰禮經所論可考也雖元無服者分厚之喪亦當爲位而哭

奔喪無服而爲位者唯嫂叔及婦人降而無服者

麻註婦人降而無服謂姑姊妹在室者緦麻[illegible]
無服也哭之亦爲位麻者弔服而加緦之環絰也
問爲位哭時有伏哭不拜者有哭而拜之者（尹宗案）尤庵
曰既曰爲位則拜之或可而家禮無之恐當以家禮
爲正

親喪中聞外喪

問有服之喪告于几筵而哭之否（洪周）友尤庵曰按孔
子曰兄弟吾哭諸廟此可爲來示之證矣

問雜記有殯聞外喪條註謂改重服[illegible]新死不成服
之服云云何其與父喪未葬不敢服母服之義不同

耶（李時春）南溪曰未成服之服卽指免絰之類中衣則
恐不可去矣與葬母不同者此猶未成服故也

發引及臨葬時聞喪

退溪曰妻喪在途而聞兄弟之喪云云（詳見奔喪條中臨葬遇喪條。下同）

問有爲人後者於所後葬時上山後未及下棺本生
母訃至云云（李心濟）陶庵曰云云

在官次聞諸親喪擧哀之節（路次不哭并論）

寒岡曰衙舍自是私室擧哀恐無妨路中及馬上非
擧哀之所還家設位爲之無妨路左幽僻處亦恐近

野哭（答李潤雨）

尤庵曰哭於僧舍非朱子說乃溫公說朱子引之於
家禮矣此蓋當時法令有不得於公廨擧哀之文故
有此例也今守令則有衙舍何可舍此而哭於他所
乎若監司諸使臣則常館於客舍而客舍有　殿牌
則其行祀擧哀皆有所不敢者矣（答李選）

聞訃後訃入棺日成服

靜觀齋曰只以常道言之則某日入棺與否在京無
路卽知唯當以聞訃第四日成服而但此則與常道
不同既有撥便既知其未及入棺而徑自成服大非

禮文本意退行於明日似當（答李徵明）

冠婚遇喪（見冠昏變禮）

臨祭遇喪（見祭變禮臨祭有故條）

奔喪

奔喪被髮之非

沙溪曰奔喪云奔喪者未及殯先之墓哭盡哀括髮
遂冠歸註不可以括髮行於道路也冠謂素委貌括
髮而行尚云不可今俗奔喪者或被髮而行甚非也
（答黃宗海）

奔喪所着（出繼子所着并論）

尤庵曰奔喪者家禮四脚巾而儀節用白帽各是一制而今人兼用之則誤矣 答或人

南溪曰冠及上服以素委貌布深衣而言委貌古冠名也家禮改素委貌以四脚巾矣○男子則四脚巾女子則未聞其爲人後者似亦只用白䍐頭之屬 答柳三貴

問奔喪易服絛白布衫繩帶而不別言父母云云 崔徵厚

遂庵曰奔母喪似亦用繩帶

到家後諸節

尤庵曰入門變服如始死之變服也坐哭又變服如

小斂時變服也其曰如大小斂者謂此也其曰亦如之云者其變服節目如大小斂時所行也然上文只有小斂變服而大斂則無之此可疑耳 答或人

河西曰又變服如大小斂亦如之亦如之者柩東西向坐哭盡哀也

問變服如大小斂大斂則元無變服之事無乃大字衍耶 鄭尚樸

南溪曰禮所謂於又哭括髮袒成踊於三哭猶括髮袒成踊也恐非可疑

問奔喪有易服之節而此言入門始去冠者何也 柳貴三

南溪曰考禮經無就東方去冠之說豈指袒括髮一節而言耶

沙溪曰按奔喪既除喪而後歸亦括髮據此成服而奔喪者恐當有括髮之節 喪禮備要

問既葬則先之墓云云 姜碩期

沙溪曰既葬先之墓爲體魄也然家近墓遠則何必過家不入而先之墓乎

河西曰已成服者亦然亦然者歸家詣靈座前哭拜也

主人奔喪與在家兄弟先後成服之節

問入棺之明日成服禮也而主人奔喪而到家三日故不同日成服待其明日同主人成服何如然則上

食差退未安 李彬

陶庵曰奔喪之主人日滿自可成服兄弟之在家者則先爲成服恐無害於義既成服矣上食豈有差退之事耶

所後喪中遭本生親喪奔哭成服之節 見本生親喪條

新婦未及見舅姑而赴舅喪

問婦未及見舅姑而舅沒婦成服而來歸則入哭日亦有奠菜之禮否廟見祝改曰子婦某氏聞喪來哭敢薦酒果之奠于皇舅某官不甚悖否姑之前似亦有禮物而既非常時則闕之何如 朴尚淳

南溪曰新婦

三月奠菜之說自是儀禮文第念吉凶婚喪之際其分甚嚴苟以人情俗例行奠於始哭之日則容或可矣必欲以此爲禮恐未的當且赴舅初喪何論見姑之常禮乎

出嫁女奔哭

寒岡曰百里不奔喪之說恐不合今日用得許令奔哭俾伸爲人女子之情如何 答安夢尹

南溪曰女子之嫁在千里者未見有不奔喪之義豈因小學不百里奔喪之語而然耶雜記曰婦人非三年之喪不踰封而弔然則所謂不百里奔喪者指期服以下而言也苟未及此者省墳時用素服似宜 答羅甲斗

禮疑類輯 卷十六 喪變禮 九

服人奔喪成服之節

問齊衰以下奔喪若服未成不能即日成服則所着冠帶當如在途時耶 崔季昇 寒岡曰服未成之前當依初喪之禮豈必拘在途之服

遂庵曰奔期功之喪到門外先去冠出於鄉俗豈有其義 答蔡徵休

牛溪問凡奔喪之人已成服後則到家後四日成服禮也若及小斂前則亦當待四日乎抑同在家之人成服乎家禮只言成服後儀節而不言其餘意其初終奔喪之人當不計四日而從喪主成服也龜峰曰奔喪人成服之禮雖載於家禮然未詳悉儀禮經傳奔喪條未服麻而奔喪及主人之未成經也疏者與主人皆成之親者終其麻帶經之日數註云親者大功以上疏者小功以下疏者及主人之節則用之其不及者亦自用其日數云從儀禮如何

又曰尊兄所述擊蒙要訣喪制章云親戚之喪若他處聞訃奔喪則至家即成服此即字未合古禮奔喪條云云其禮等級如是分明而兄合親疏泛言曰即

禮疑類輯 卷十六 喪變禮 十

成服甚無據朱子家禮又無捨古禮即成之文也而强欲引而如此看雖承傍據爲說亦未敢信也 答栗谷

同春問備要奔喪者至而值主人成服之時小功以下則直與主人成之云主人雖已成服亦當即成服耶沙溪曰主人成服已過則小功以下亦當四日後成服也

南溪曰雜記曰未服麻而奔喪及主人之未成經也疏者與主人皆成之親者終其麻帶經之日數註曰小功以下謂之疏疏者值主人成服之節與主人皆成之備要亦以此附入奔喪條愚意則不然經文所

謂與主人皆成之者正爲其行能及小歛之前故與主人俱成其帶絰云爾若或行遲在於小歛之後則其自全日數與親者無異矣盖禮註旣以皆成之成遂作成服之成以有其說而備要又採之世多以是爲準恐與經意逕庭答尤庵

追喪

親喪追服變除用聞訃成服兩日之辨計日計月計閏當否并論

尤庵曰喪服當從聞訃日計之成服雖後於聞訃數月之後亦不可據此爲斷也答或人

又曰聞訃在亡月則只計月數而行練祥於亡日以應十三月廿五月之文例也但朱子大全有計日月之文故人家以此日字而疑當計日此亦有所據未知當以幾百日爲斷也或云當以聞訃日爲定云此等論議不敢臆決答朴世振

問今年正月初一日人歿而晦日聞訃則明年正月初一日除服何如朴世振 尤庵曰聞訃之日在親歿之月則當於其歿日行練祥矣

沙溪曰大全答曾無疑曰在今練祥之禮却當計日月實數爲節但其間忌日却須別設祭奠始盡人情耳按此適子爲然庶子聞喪在後則變除之節亦計日月實數哭而行之不敢祭耳喪禮備要

問愼齋曰云云李之濂同春曰在禮凡喪變除但以月爲計未聞有計日云云詳見親喪追服與在家兄弟先後變除之節條

又曰成服雖晚練祥之禮却當計聞訃之日爲實數似無疑答姜碩期

南溪曰大全所謂於禮聞訃便合成服者非謂聞訃之日却爲成服也乃謂聞訃時旋當於第四日成服之意也然則遠近間已有聞訃之日矣何不令於此日行練祥祭而反令行祭於太晩成服之日耶盖古

禮卜日而行練祥家禮乃於忌日行祭今之欲於聞訃日行練祥亦將以聞訃日比擬於忌日而行祭也其意固有所在但此旣非家禮元定忌日又非朱子酌定成服之日只以無明文之聞訃日爲主未知何如此區區所未能明決處答尹世紀

又曰某氏之家喪出於二十四日主人到家乃後二日其爲練祥之節固異乎尋常苟或同朔之內得其日數稍寬筮遠行事猶無所碍今者不然其所成服又在明月之初吉則尤爲難乎若以小記之義推之忌日卽行殷奠成服之日只受練服稍似穩當然否

嘗考朱子之說其答曾無疑書當時自是成服太晩固已失之於前然在今日練祥之禮却當計成服之日至今月日實數爲節但其間忌日却須別設祭奠始盡人情耳準此主人在外奔喪者其行練祥自當以成服爲限但此更有一層難平之節其喪出於四月而兩歲之中有小有大若今晦日正滿成服本期又不踰親亡之月此似可用然以日則然以月則又未滿十三月練之數夫期以統月月以統日是月固不可沒而固反有重焉實不知其當竟何從也抑有一於此以朱子之說推之練祥只計其間日月實數

不復筮日然今既輾轉至是又失成服之本期竊恐其於五月五日丁未設小祥祭并受練服庶幾古人筮日致嚴之意方爲得正 答南二星

問問解變除條當以死日爲準云云則在外聞喪者其聞喪日卽死日也除服當以聞喪日爲限而朱子答曾無疑書曰云云以此觀之後滿後除者當以到家成服日爲限 問鎭綱 遂庵曰曾無疑之兄作官於萬里地無疑聞其客歿未見文字不敢發喪製喪服以待矣久後始見訃書卽爲成服故朱子所答如彼矣玄石不知無疑家曲折以爲朱子之常訓如此而勸人計成服實數老先生曾以玄石之言爲不然劄疑論之矣 按朱子答曾說見上南溪說中

陶庵曰日月實數爲節固是朱子正論而尤庵以爲聞訃在亡月則只計月數而行練祥於亡月此亦一道然以孝子之心言之只當從朱子說 答楊應秀

又曰與姪闋服事尤庵所論蓋謂奔喪在於同月則不必退行此與朱子計日之論略異然先正之論如此不妨遵用 答閔昌洙

問宋別坐時烈曰云云若從成 牛溪 宋 龜峯 兩先生說而從聞訃月計之則似計閏月也計閏則練月適當先

丈殉義之月而似用初忌日行禮也云云 李惺 慎獨齋曰朱夫子之計成服卽兩先師之計聞訃也何可執言措語之偶異而致疑於四箇日之間乎自喪至此不計閏凡二十七月者家禮正文也何以有計閏之言耶雖從聞訃之說豈必計閏乎既從聞訃之說復以初忌行練祭則安在其計聞訃乎

親喪追服異在家兄弟先後變除之節

與追喪禫祭條參看○嫡子未除服前諸子已受吉者常居之服并論

問聞親喪於數三月之後始爲奔哭則其成服固後於在家兄弟不可與在家兄弟同時變除否 姜顧期 沙

溪曰變除之節朱子已有定論

朱子曰親喪兄弟先滿者先除後滿者後除以在外聞喪有先後

同春問聞親喪於數三月之後者不可與家人同時除服故有練祥再行之論主喪者則固然矣雖諸子亦可再行練祥歟祝辭措語亦恐難便若於十二月之朔奠告辭變服則如何且兄弟異服練祥各行亦禮之大變若聞喪之遲至於數三月之久則不得不如是若一二月則與家人同時變服亦不至悖禮否沙溪曰朱子答學者曰承喻令兄喪期於禮聞訃便

合成服當時自是成服太晚固已失之於前然在今日練祥之禮却當計成服之日至今月日實數爲節但其間忌日却須別設祭奠始盡人情耳今詳朱子此言則一月之內從後成服者雖未及期當與兄弟同行練祥之制若過數月別設祭奠爲宜雖諸子以長子之名書祝告其由行祭何妨也

愼獨齋曰若宗子在家遭喪則依禮以第二忌日行大祥之後奉主祔于祖龕追到諸子計日只設位而除之若宗子在外追到則亦計日設祥祭除服初再期日設忌祭而已諸子在家者雖日數已滿姑遲之偕宗子除之無妨○後見儀禮有先滿先除之文俟宗子偕除者不必然也答金之白

尤庵曰長子聞喪差後而在家諸弟其服先滿則當先除矣此則朱先生說然也諸弟於初期再期設祭如常時忌日而除其服云者老峰說是矣但初期再期長子亦無不祭祭之理其告辭當備言以長子之故而退行二祥之曲折似有委曲之意矣至於禫祭則諸弟只當於其月擇日設位哭而除長子亦當於當禫之月哭而除之而已蓋禫祭則有過時不祭之文故不可追行也答鄭德甫

又曰主婦不得與主人同時除則須待後日設位除之耳答康用錫

問愼齋先生言宗子在外聞喪而變除之節若十餘日相先後則在家者隨宗子偕除無妨云云李之濂同春曰在禮凡喪變除但以月爲計未聞有計日者在外聞訃在於踰月之後則練祥退行固也若在同月之內則古人練祥卜日而進退行之要不出是月而已今何必創爲計日之禮有所先後爲哉

問兄弟三人成服各有先後長子聞喪最在後云云李萬挺南溪曰先滿先除者禮也同時變除者情也固

當以禮爲正然古禮小祥必卜日而祭今雖退期同
除恐無大妨
問兄弟成服差一日當計日差一日脫服耶 姜栐 南溪
曰此禮所爭在於一日之差揆以人情似當同時而
除然非但朱子先滿先除後滿後除之文甚明雜記
又有大功以上必滿日數而後成服之說以此推之
服之成旣異日則其除也恐無必當同日之義愚意
異日者爲是
問云云 鄭澔 南溪曰云云 詳見追喪禫祭條
又曰在家諸子當除服者練祥則固以忌日行除而

但雖受古嫡子未過練祥之前則服色等節略依心
制規模以俟其大期如何 答鄭澔
遂庵曰喪期但計月數古禮及家禮皆然大小祥用
忌日後世所起也今者聞喪與在家兄弟同在一月
之內則似不可以日字少差而異其變除也 答宋相琦
陶庵曰古禮練祥之月卜日而祭而先滿先除之文
出於儀禮恐非指同月聞訃者而言庶子聞喪若與
適子同月則適子練祥時偕除似當先正意皆如此 四禮便覽

母子聞喪各有先後變除之節

愼獨齋曰諸孤聞訃只遲二日則日數不多以再忌
爲祥無妨若尊嫂氏則踰月聞喪不可徑脫只可參
祭而已諸孤不可從母而加服一月諸孤亦不可從
母而減服一月必也嫂氏過再期更滿一月然後擇
日別設祥祭而脫衰也 答尹棨

出嫁女本生親喪計聞訃日除服當否

陶庵曰出嫁女一款云云著服固無計日之事祥日
同諸服人變除似爲得之然而旣與他朞服有別滿
日乃除恐亦一道 答閔昌洙

病中遭親喪者練祥之節

遂庵曰病重不得通訃則當以聞訃日行練祥今旣
以喪服加乎病人身上則此是承訃之日必待奔哭
之日而行練祥似無其義 答宋茂錫

追服退祥者本祥日行事前期告由之節

南溪曰小祥退行於適子成服之日初忌日奠時告
辭當曰今日當行小祥因孤子某成服最後勢將退
行敢告 答尹世紀
陶庵曰祥祭只當以聞訃日過行初期日單獻無祝
前一日告由不可無也措語錄呈某罪逆凶釁不克
終孝昨年聞訃在於七月二日將以是日退行小祥

而明日諱辰且行一奠之禮彌增罔極謹告因朝上食告之爲可耶答李渭載

問出後人當待發喪日將行練事初朞日單獻不可無告辭云云全樂道　陶庵曰今以顯考初期之日禮當行練事而孤子某以昨年十月成服月滿之後始可追行今日則敢用一獻略伸情禮謹告

追喪除服前上食當否

尤庵曰長子未行大祥則其於几筵未可遽撤云者來示然矣但如中原則或於三年喪畢之時有始聞喪者矣若然則其几筵之設當至六年耶此甚可疑

而於古未有所考答鄭德雨

南溪曰喪之再期雖過嫡子方在練衰之中祥祭前朝夕上食之不得遽撤恐無可疑答鄭游

遂庵曰主人聞喪於二十四五月乃追服喪也神主已入於祠堂朝夕朔望之薦何可既撤而復行只喪人自處如三年之內矣答郭守操

喪期後滿者朝夕哭儀

陶庵曰與姪云云朝夕之哭先滿已除者元無可論不必隨人而爲之如何渠若於服未盡之前來處墓幕朝夕展省及期入往則尤似無窒礙之端矣答閔昌輔

追喪禫祭兄弟先滿者并論○設位哭除與并有喪條中前喪禫祭行廢條參看

南溪曰逾月無禫之說固出於三年而葬者必再祭之義然此本爲全過喪期者而言若其喪出未久而追服者則恐無因此不禫之理故開元禮亦曰未再周葬者二十五月練二十六月祥二十七月禫其義殊極明白矣答趙泰東

尤庵曰禫祭則諸弟只當於其月擇日設位哭而除云云答鄭德雨○詳見親喪追服與在家兄弟先後變除之節條

問或曰練祥兩節則嫡子追服之期雖未滿限在家

諸弟用忌日式行祭變除可也至於禫時則與練祥節次不同云云鄭游　南溪曰嫡子追服行禫之期未至而諸弟只爲已之先行變除別設祭奠似非禮意抑有一焉曲禮卜日條有喪事先遠日吉事先近日之文以此推之禫雖吉事嫡子尚在練服中而大祭未至其哭除之節退行下旬之日以伸情理恐或得宜

沙溪曰若兄弟行禫則追服之人不可參吉祭答姜碩期

問父母喪過一月後追聞成服者大祥之次月方始釋麻至禫月亦不可與在家兄弟同參而必待踰月耶蓋踰月而禫非古禮則同參抑無妨否蔡徽休　遂庵

曰禫者吉祭也不當闋服者何可同參嘗見人家遣
此事者以凶服哭拜於外庭或門外矣
主人追服者徑行祥禫退月服吉
問先妣喪事出於五月晦日而家親翌月初二日闋
訃諸議以初期行祥故禫祭亦於祥後間一月過行
終歸於失儀不可無補塡之道欲以服吉之節退一
月行之云云遺收遂庵曰凡喪父在父爲主喪出五月
晦而主人之闋訃在六月初二日則當以六月初二
日行祥祭旣以六月行祥則禫祭當在八月退月服
吉之示深得補塡之義與朱子近厚之訓暗合矣

體疑類輯　卷十六　喪變禮　二十二

立後追服之節變除弁論
問立後於葬前後或練前後追服之節申湜沙溪曰祖
括髮成服當一依初喪祭告其由所後神主亦當改
題詳見通典錄在于下司馬操之言爲是
通典何承天問婦人夫先亡無男有女已嫁婦人
亡未周宗從之兒乃繼其後今旣更制廬杖未知
當及亡月一周便練爲取出後日爲制服之始荀
伯子答出後晚異於闋喪晚稅服也應以亡月爲
周不以出後日爲制服之始假使甲有婦及男女
甲亾甲兒持重服已練甲兒復死甲弟乙方以子

景後甲景已爲伯父持周年服訖便更制二十五
月服甲婦女不合先景除服何容持三周服耶司
馬操難爲人後者盡禮於彼致降於此所以全受
重之道成若子之義豈不爻子之名定於受命之
辰加崇之恩起於辭親之日大義昭然無厭奪之
變論云甲死甲兒持服已練甲兒亾甲弟乙方以
子景後之景無緣爲伯持周服畢復更制二十五
月服難曰景以甲練後方來後甲彼喪雖殺我重
自始更制遠月於義何傷且昔以旁尊服不踰朞
今爲其子禮窮於制事乖義異深淺殊絶豈宜相

體疑類輯　卷十六　喪變禮　二十三

蒙共爲三年論云甲婦女無緣持三周服又不合
先景除服難曰甲婦女二周終訖何事三周吉凶
有期何必顧景論云或疑甲服垂除而景出後景
應服斬旬日而除意謂延待除服而出後難曰景
不及甲始喪蓋由事趣且喪位無主骨肉悼心旣
爲置後宜及三年之内豈得持疑以俟吉視再周
之徒過哉論云甲死婦女持服再周弟乙二子遠
還以景後甲景弟丁爲伯父追周景以出後之故
更居絰縞旬日以除弁錯淺深不復是過難曰乙
之子景今來後甲旣不可與弟丁同稅周服又不

可暫居縗縞旬日而除則景於甲之喪終闕徵服親爲甲子反不如丁有周月之制處之於三年之地而絶之於一日之哀待吉之義於此爲躓論云甲婦女無緣避此凶居別卜吉宅又不可婦女歌於内繼子哭於外難曰甲婦雖復縗麻去身號咷輟響然素服蔘居與代長戚夫何圖于吉宅何務於謳歌云云

問立後於三年之内云云 崔顧儒 愼獨齋曰未立後之前已題主則喪中改題似爲重難喪畢後改題可矣祥祭則妻不可主再忌日別設祭奠不用祝脫服而

已所後子則更制遠日以終三年而祥禫之祭擇日行之可也

問小祥後立後追服 金得洙 尤庵曰當服三年禫則過時不舉禮有明文改題當在三年後吉祭時矣

尤庵曰朱子答曾無疑說似有曲折以成服太晩之說觀之則疑無疑於日月久後始爲成服而中間難以指的某日爲聞訃之日矣故不得已而以成服爲節矣今此奎煌之事則異於是蓋旣以公文來到之日爲聞訃之日凡人練祥皆從聞訃日計之矣此何獨不然○假如親喪在正月聞訃在二月二十八九日成服在三月初則當從二月計之而至來年二月行練乎當從三月計之而至來年三月而行之乎以是例之則處此無難矣 答宋奎炫

又曰喪後繼後者從 啓下文書到家日爲聞訃日四日成服其練祭亦以翌年文書來到月擇日行之其初期日則以常時忌日例行祭而告其退行練事之由大祥亦然矣喪家如有服期者則自當於初忌日脫服耳 答宋基學

問或曰若追喪於小祥後則服至大祥除之而服以喪以至於翌年忌日永除可也或曰追喪於小祥後

者宜自成服日計其月以至二十五月而除服可也或曰追喪者必服三年則三年之内不宜徒服其喪每月朔望設行朔祭可也或曰追喪者自成服日計月數以至小祥大祥之期服練服禫皆如常禮又至禫月之期略行禮儀而後除之可也云云過禫後卽從禮入主祠堂而臨祭時出主行之耶抑將仍設舊几筵行朔望祭而到追喪盡後始入祠堂耶 朴浩 南溪曰代服者曾有服喪之人在前故或遠或近可以通計爲三年而卽除之矣今此追喪與此大異旣制重服於練後則其不可徑行祥禫而徒服在身也明

矣姑摭以或者之後說似不背於追喪本意蓋練祥
等祭自當以主祭者爲重則今之再期不過爲忌日
奠獻之類又何論於神主出入與否耶
遂庵曰喪中立後者以公文到日發喪十三月而練
廾五月而祥廾七月而禫當依禮行之亡日則不須
略設亦當備行忌祭之儀而亡者之妻是日變除間
一月亦自行禫矣 答成爾鴻
問出繼者父在母喪追服練祥遂庵曰云云 詳見喪禮父在母喪諸節中練條

立後後告廟之節

問立後一款亦爲告廟則服輕者代行耶喪人如自
爲之則以何服將行耶 元夢翼 南溪曰使服輕者代祭
乃橫渠說然朱子既以墨衰入廟栗谷又言今之喪
人可以俗制喪服行祀所引俗制喪服乃布直領孝
巾別具布帶服色則非無可據矣第葬前方專於新
喪無入廟行祭之事恐當待卒哭後喪人親行告禮
於家廟文

立後後改題之節

問葬後始立後當於成服日兼行題主奠而改題之
亡人之家翁神主前以侍養子名旁題矣亦當同時
改題 遠朴浩 南溪曰題主一節固當於成服日爲之告
祀節目亦依題主本文至於繼後父及祖先神主並
當於吉祭時改之蓋侍養子及他子孫旁題雖不安
於繼後奉祀之後然此方守重制喪未畢而先擧其
禮尤似太遽也○告辭云繼子某今已成服敢以改
題之禮云云蓋當初發喪時必有攝主預告之事若
猶未也則似當先行此禮方成次第矣
又問旁題尚存前侍養子之名亦未安刮去以待吉
祭時改題南溪曰前期刮去旁題一節禮既無文事
亦太簡

立後追服者喪出再期後撤几筵當否 與追服前上食條參看 喪除

南溪曰追後者練祥之禮禮經無所著唯通典司馬
之論乃以更服三年爲定問解從而是之舍此誠無
他道矣但不言几筵亦隨服而終三年與否此殊可
疑然凡喪練祥禫大祭必以長子主祭者爲準故兄
弟在家行喪而主祭者在外追服之節不以歿者忌
日爲練祥而反以追服者成服之日行之其大體可
見也禮有正文有旁照不得正文則只以旁照推之
以此愚意欲處此禮則不得不以右兩條通考而酌

行之而已答趙泰東
問云云遠朴浩南溪曰云云詳見立後追服之節條
遂庵曰若於練後立後而以公文到日爲始服之制則雖過大祥不可撤几筵而歿者之妻雖盡三年似不可遽除其服此甚難處矣几筵未撤朝夕哭泣而遽爲卽吉實爲未安當以不除爲是然難處如此故吾以爲喪出未久則當立後已久則姑待終喪徐爲立後可也答成遠徵
問三年內立後則服制未盡而喪期先畢撤几筵一節何以爲之金光知農巖曰几筵若撤則雖衰麻在身

而哭泣無所且將來練祥之節亦有難處然而三年之外仍存几筵朝夕上食在鄙意終覺未安
問三年內追後立後者再朞過後几筵之撤不撤禮無明文最是難處潮當以爲几筵雖不撤上食則當廢蓋几筵旣撤則哭之無所上食則古禮卒哭後已罷四年五年因行恐無其義也似聞門下以爲上食亦不可廢未知果然否近來一議論以爲几筵亦不可不撤只於舊日几筵所設處設虛位朝夕哭臨練祥禫則奉神主出就于位行之而其意三年入廟神道之常服喪三年子道之常皆禮之大關各盡其常

不可踰越云爾此說似好宋士能則以爲几筵撤後當廬墓終三年此說又如何沈潮陶庵曰禮疑素所蓄疑而未敢決者上食亦不敢廢云云似由於几筵難於遽撤之言而亦頗爽誤所示一說雖差好而未見有援據更欲熟量而取舍未知果如何也
又曰小祥後立後者前雖已行小祥其爲後之子更當行小大祥伸三年矣主人旣行三年則三年之內不可撤几筵几筵尚在則上食與否非可問也然三年仍行上食爲未安廣加搜訪得一二條以示悔智異姓人遭此變禮者使之撤上食矣答李漼

問追後立後者過祥後撤几筵與否有尤庵農巖之論尤庵則曰中原則或於三年垂畢之時有始聞喪者然則几筵之設當至六年耶農巖則以爲三年外仍存几筵終覺未安農巖之論直是此事而尤庵說亦可旁照未知如何沈潮陶庵曰立後者過祥後撤几筵係是變禮之大者累年商量才以几筵先撤爲斷矣兩老之論如此其或不悖否

立後追服兩喪者成服先後

問有人有子無子而歿後子婦又死小祥後其舅又死至是又定繼後孫成服當以服之輕重爲次耶或

言當以喪之先後受服云云李縡陶庵曰繼子之服所後家當以公文來到日發喪母與祖發喪旣在同日則其歿之先後非所可論當比類於一日內幷有喪之例矣成服先後考問解可見

問解問祖父母與父母同死襲斂成服答曰喪在一日內襲斂當先祖後父成服亦然

親喪中出繼改服之節服中出繼本仍遂幷論

尤庵曰父喪中出爲人後者若是練前則當卽日改服不杖期若在練後則當卽日除服盖父不可以一刻貳也與女子出入事體大不同矣此如君臣之義

天命未絕則雖一刻之間猶爲君臣當日命絕則便爲路人此間不容髮處也答尹拯

又曰繼後子見　啓下公文之日卽　君命移天之日卽當以期服降其所生盖　君命不可覆逆也覆逆謂不可以方服所生父而覆逆也父不可貳通典雖有五服皆定於始制之日之文然以禮記女子未練而出則三年自期年而三年也既練而出則已此通典所謂皆定於始制之日也未練而反則期謂制三年而復期也亦從其初定之義也此既練而反則遂之之文此亦自期而三年也觀之則其上下二條不從初定之義甚明女子外成猶且如此況此深抑之使同本疏相報之義耶喪服爲人後者爲其父母報疏曰言報者深抑之使同本疏相報故也盖此言報者其生父母爲其出繼子服大功而其子爲所生服期似若本疏而彼爲大功故不得已報以期者然盖不如此則嫌於以所生爲父母故也○答閔㫚重

南溪曰或本親及所繼父皆在三年之內則似當卽告本親几筵以除衰之由又告所繼父以制斬之意改題行禮尤不容少緩答朴世堂

同春問有人服期大功而出後者當依禮降一等乎

沙溪曰不然通典已論之

庾蔚之曰五服皆定於始制之日女氏大功之末可嫁旣嫁必不可五月而除其服男子在周服之

內出爲族人後亦不可九月而除矣是知凡服皆以始制爲斷唯有婦人於夫氏之親被義絕出則除之

南溪曰立後　啓下之後卽當告祠改題雖告祠之後其本親服似當仍遂盖不惟通典所謂而已如喪服小記既練而反則遂之之文皆可旁按也答朴世堂

期功以下稅服當否

同春問小記生不及祖父母諸父昆弟而父稅喪已則否註稅者日月已過始聞其死追而爲之服也此言生於他國而祖父母諸父昆弟皆在本國已皆不

及識之今聞其歿而日月已過父則追而服之已則不服也祖父母至親而以已之在遠不及識不稅其喪揆諸情理終有所未安無乃鄭註或失本意沙溪曰小記說固可疑也通典張亮果有云云

北齊張亮云小功兄弟居遠不稅曾子猶歎之而況祖父母諸父兄弟恩親至近而生乖隔而鄭君云不責人所不能此何義也生不及者是已未生之前已沒矣乖隔斷絶父始奉諱居服而已否者尋此文義蓋以生存異代後代之孫不復追服先代之親耳豈有并代乖隔便不服者哉

又問小功稅服則以小功而降在緦者亦稅否沙溪曰檀弓及小記註詳之

檀弓曾子曰小功不稅則是遠兄弟終無服也而可乎註若是小功之服不稅則再從兄弟之歿在遠者聞之恒後時則終無服矣其可乎疏此據正服小功也馬氏曰曾子於喪道有過乎哀是以疑於此然小功之服雖不必稅而稅之者蓋亦禮之所不禁也○喪服小記降而在緦小功者則稅之註降者殺其正服也如叔父及嫡孫正服期在下殤則皆降服小功如庶孫之中殤以大功降而爲緦也從祖昆弟之長殤以小功降而爲緦也如此者皆追服之檀弓曾子所言小功不稅是正服小功非爲降也凡降服者重於正服

又問稅服是指服期已過而始聞者耶抑垂盡而聞必滿月數耶沙溪曰古人論之詳具于下

晉元帝制小功緦麻或垂竟聞問宜全服不得服其殘月○賀循曰不稅者謂喪月都竟乃聞喪者耳若在服內則自全五月○徐邈答王詢云鄭玄云五月之內則追服王肅云服其殘月小功不稅以恩輕故也若方全服與追何異宜服餘月○宋

庾蔚之謂鄭王所說雖有理而王議容朝聞夕除或不容成服求之人情未爲允愜

遂庵曰檀弓曰小功不稅則是遠兄弟終無服其可乎據此則雖緦小功亦當稅服答金光五

出繼後所後家諸親追服當否

陶庵曰出後於人而在於所後祖父母喪期年之內則其追服與否實是變禮之難處者唯稍可證者喪服小記生不及祖父母諸父昆弟其父稅服已則否鄭註云生於他國而祖父母昆弟皆在本國已皆不及識之今聞其歿而日月已過則父則追而服之已

則不服也北齊張亮駁之其說曰生不及者是已未生之前已沒云云以此兩說旁照則今此所後祖父之喪在於已未及出後之前則或可以已未生前已沒之事爲準且未出後而在本生家者便可與生於他國一例看則稅服恐無所據至於期年服盡出後則尤無可論。答鄭陽元下同

又曰來示已之不爲追服不在於生他國而在於日月之已過與所後孫出後於期年未過之前者有間云者似然矣然雖在他國而祖孫天屬之恩固自在也故聞訃於日月未過之前則當追服而至若所後

孫則未出後之前元非祖孫之親近則有服遠則無服出後之後祖孫之義方定雖在期年未過之前恐無追計日月必滿期年之理矣尤庵集有人問出後於人而所後家子死未久所後子追服與否則尤庵亦擧鄭註張說爲證不許追服此可以旁照否死而無後者期年之內取人爲子而其子亦有子此亦當從父稅服已則否之例矣今此所後子設令於葬時已爲出後則是在本服未盡之前禮貴別嫌義在重統不可不即日改服期年而今則本服已盡只當以未生前已沒爲準此兩段似若矛盾而實不然彼則改服也非稅服也此則既無可改之服又無當稅之文恐只得從一否字而已

尤庵曰出後於人而所後家子死未久則所後子追服與否只有一事可以證援者小記云云北齊張亮云云稅服見上期功以下條中沙溪說今此所後家之子死在於已之未及出之前則當以已未生之前已沒之例準之矣鄭註雖爲張所駁然其所謂生於他國之說亦可爲今日之證矣答朴光一

南溪曰繼後外祖之服恐不當追服何者所謂有君命便成父子者正指所繼父母而言若其正服之

列必爲告祠改題之後方可稱親受服今日既未及行此大節於繼後父則將以何義先服外祖且外祖亡在前而告祠在後者恐不可直以諸親聞訃稍後之例追成其服盖其亡時與已未及成親故也答朴世堂

出嫁後夫黨諸親追服當否

遂庵曰女子嫁而夫黨已有喪者婦之從服大功如夫之祖父母伯叔父母衆子婦孫與兄弟之子女是於夫皆爲重制自不得娶婦若緦小功則元無追服之事人家之未見追服者良以此也耶答權𡩋

親喪久後追服之非

追溪曰追服朱先生以爲意亦近厚觀亦近二字其非得禮之正明矣既非正禮則又豈可立法而使之通行耶盖既失其時而從事吉常久矣一朝哭擗行喪已不近情其於節文亦多有窒礙難行處故也（答金）

追服

問人有爲父母追喪者云云（安之 泰）寒岡曰此是無於禮者之禮不敢爲說或世俗徑情之人遇忌日制衰服服之哭泣薦奠一如初喪此豈可舉以爲禮而教人者乎

尤菴曰追服未服之喪未之前聞古今未伸至情者

何限則自我作古未知如何且哀省事以後即以行此則雖曰非禮而或諉於徑情至於今日則益無所據矣且徑情二字聖人以爲夷虜○前日徑情之語盖孔聖少孤至不知父墓所在而未聞有追服之禮今欲出於聖人之外故敢呈妄見（答尹以健）

又曰尹氏子於所後父歿後數十年而始爲之子則是與生不及祖父母不稅之義同恐當以改葬禮處之（答閔鼎重）

南溪曰追喪之說自古聖賢未嘗開此一路爲後人定制惟篤孝不學之人往往徑情而直行非君子所貴也（答金相殷）

陶菴曰追喪三年禮既無文先儒亦無許之者今不可輕議（答沈柱國）

代喪

父有癈疾子承重

尤菴曰父有癈疾其子承重此於鄭志雖據天子諸侯而言以朱子所論觀之則此實自天子以至於庶人之達禮也嘗記昔年有人論通典父歿未殯而祖亡則服祖以周盖不忍死其親而遽服承重之服也父既歿而猶如此則況今父在而遽恐以癈疾代服其服乎此說亦自有理然先師沙溪先生嘗以通典說爲未安而以爲如此則是無祥禫其可乎然則通典之說恐未得爲定論也又嘗有問於朱子者曰七十老而傳則適子適孫主祭如此則廟中神主都用改換作適子適孫名奉祀然父母猶在於心安乎朱子曰此等也難行且得躬親耳然朱子嘗有告廟文曰行年七十衰病侵凌筋骸弛廢已蒙聖恩許令致事所有家政當傳子孫而嗣子既亡顧孤孫鑑次當

承緒又以年幼未堪跪奠今已定議屬之奉祀而使二子埜在相與佐之云云此二段雖與今日事微不

同然亦可以相照而處之矣大槩此事事體至重悬意以爲閔氏家具此事情呈于禮曹禮曹議于　朝廷定爲一代典禮則事尤完備〇答閔愚重 下同

又曰朱子曰三年之喪齊疏之服飦粥之食自天子達於庶人無貴賤之殊而禮經敕令子爲父適孫承重爲祖父皆斬衰三年盖適子當爲父後以承大宗之重而不能襲位以執喪則適孫繼統而代之執喪義當然也此實今日朴和叔大證語類答沈僩之問雖有且得躬親之答然大全又有老傳告廟之文則又不可以語類爲定論也然朱子嘗論宋朝祧廟議

曰今太上聖壽無疆方享天下之養而於太廟遽虛一世略無諱忌此何禮也云云所謂太上卽癈疾之光宗也今適孫雖代父承重而至於題主遽以祖孫稱之則是預虛考位正如朱子之所譏也此便難處或云只代其喪而題主則以父主之云如此則似爲穩便然於古旣無明文朱子嘗言義起之事非盛德者不能行之今誰敢自謂盛德而便於其間斟酌創制乎

又曰題主雖以適孫而遞遷當俟癈疾人身後云者玄石之論似得矣如此則朱子所謂遽虛一位之嫌又不須論矣盖以朱子所行者揆之則奉祀雖傳於孫鑑而先代二主一時幷遷於朱子易簀之前不敢謂其必當如是也然事體至重亦不敢斷然爲一定之說矣 答閔光益

又曰云云此書 朱子討論喪服劄下方所書跋語 似無一毫悔其前劄之意其曰方見父在承國於祖之服云者所以證夫前劄所謂適子不能執喪則適孫代之之說也其曰心常不安者以其無明白徵驗也其曰學之不講其害如此者以其未曾見鄭說而只以禮律人情大義而答問也其曰此事終未有決斷者不敢自信已

說而歸功於古人之心盖皆德盛禮恭信而好古之意也又是聖人欲徵杞宋之義也曷嘗有自悔前言之端耶大槩鄭氏雖只記天子諸侯之禮而奏劄則兼貴賤而言之也若以奏劄傍照則鄭說亦可通於庶人也借曰奏劄異於鄭說然後學之所從違則必有所在矣況復以相證而不相悖耶 答南溪

南溪曰劄 朱子之討論喪服劄 所謂禮經敕令卽周家宋朝通上下之定制而其代之執喪一段實夫子之所斟酌義起者觀其嫡子大宗之文盖比士庶不啻的確而次第說入寧宗所處違失喪制上去仍請追正則正

是推用嫡孫承重之服亦所謂禮律人情大意者也第以本條初不著於禮令似涉義起故姑未有以折人人之口而心且不安及得趙商問諸侯父有癈疾不任國政不任喪事而鄭答以天子諸侯皆斬之文以爲是雖非統論此禮者而尤足以明證寧宗承重斬衰之義始乃特書奏藁以識之非欲因此悔然改圖並異前日通上下代服之意而盡廢焉則當初所論嫡孫承重禮律大義自在無疑然則後之當處變者又不得不以劉子爲據此實今日閔家之禮所由本也議者徒見此劉本爲寧宗代服而發又書後所

引鄭志只有天子諸侯皆斬之說而所謂心常不安學之不講其害如此若無鄭康成此事終未有決斷云者不一其書故便以此爲主而其代之執喪一段或謂此爲初間未定之論難於遵用或謂只是泛論大義不可以辭害意必通於士庶然則夫子當初所論劉意其曚禮乖倫交涉虛妄亦已甚矣何不於書後末端更下一轉語直破前非以睎來裔而當說不說反作模糊蔽遮之態有同世俗庸夫者耶且此劉意若曰國統存亡係於代服與否不可不行則所謂專指天子之說或亦有據今寧宗已即大位別無他

虞而劉子所陳實以嫡孫承重之義爲主則古今天下又安有子爲父嫡孫爲祖父承重者宜於國而不宜於家者耶〇上尤庵下同

又問主喪主祭初無輕重意謂若果代服則行當以此題主矣及得先生兼引夫子告廟一段益無可疑盖語類雖有且得躬親之說而旣舉老傳之禮則所謂廟中神主都用改作適子適孫名者勢當如此也其抵趙尚書書又與胡伯量問答不同恐此只是主於遽祧僖祖而言如何抑老傳代服二者其禮自異耶遞遷一節鄙意以爲凡有所遷者必有所祔今祔

一主而因以代數並遷二主揆之情禮俱似不安故曾有云云亦蒙印可矣近方考得大全答胡伯量書其中正說此意循序陞遷不以夫子存否爲關者甚與代服題主之意合成一串似益明的甚悔前言之不審也第朱鑑旣奉宗祀則受之固當與其高曾者代入廟而至於晦庵龕次抑姑闕之耶尤庵曰改題遞遷未有明白證據只以老傳爲旁照之案而朱子所答胡伯量說似是明證然伯量所問只是叔姪問以叔姪而答以祖孫固亦有是理而朱子小孫亦有諸叔無乃朱子之意亦以叔姪耶〇今日爲閔氏計

者莫若姑祔新主於廟以待好禮之人掌實之曰稟而行之則或庶幾寡過矣抑有一說古今禮訟無如宋之濮議而朱子以王陶蔣之奇伊川之論皆未爲允當而終之曰其後無收殺只以濮國主其祀可見天理不由人安排今日事亦恐自有如此道理也

南溪曰或以爲圖式儀禮喪服圖式之作在劉子後而癈疾承重之服不著於本宗服圖只載於天子諸侯服圖者爲代服不通士庶之證亦似有據第此本係三山所謂草具甫就有未及諟定之恨者誠難一一爲準而且以愚意反覆其體例本末則只是以記疏補喪

服又以後儒之說明記疏之義而已未嘗別添一條於其間然則癈疾承重之載於天子諸侯自仍補服常例而其不著於本服者意義曉然恐尤未可爲或說之明證也

又曰今之議者不勝嚕嗜然究其大趣則亦不過兩塗其以爲代服之義不通士庶者略論於前矣其以爲人情所不忍者愚且直之禮曰喪有無後無無主又曰以恩則父重以義則祖重所貴乎有子有孫者以其主喪主祭尊正統而當大事也今欲以父在癈疾之故期服攝主自同於旁親朋友之類不及乎祥禫祔遷之節者能安於其心乎況其已旣不得執喪又使其子不爲代服以至亡父喪祭無異於無後無主之例而不得夫以恩以義之禮者能安於其親之心乎父在承重固甚不忍只拘平常之情理不於此時而順親之心代祖之服以盡處變之大義可謂孝乎其與代父喪服之不安者孰重孰輕孰大孰小是以朱子每論此事必舉禮律人情爲言旣告於君又辨於門人蕫其重祖之義成父之孝而未嘗以代父服喪爲深不忍由此而論今日所謂人情者其亦與夫子之意背馳矣抑有一喩儀禮家禮並無爲小宗

立後之文而惟於程朱志碣文字因事略見而已夫父子天性也出後大義也以小宗而易父子事絶於代服以志碣而當條制文徵於奏劄然而世俗之人心恬於彼目駭於此者徒以見聞習尙然爾

又曰以儀禮宗子之文證諸大全奉祀之說雖祧遷一節似更明白皆有着落

又曰崔令公而桒丈以爲若但天子諸侯行代服而士庶人皆不得行者是使天子諸侯以天下爲重而輕其父也可以破朱劉異同之論

又曰近觀宋史禮樂志寧宗旣以嫡孫承重服喪三

年到禫祭時御史胡紘建言太上已於宮中行服而陛下服重是所謂喪有二孤斷不可吏部葉翥等以爲宜倣方喪之制遂稟太后止不爲禫矣史臣乃以朱子書奏藁後引爲定論而胡紘傳論明以使君父短喪斥之觀此然後始知綱目所謂行三年喪年譜所謂皆只據其首尾一款而言又知古今論議之未嘗不同而卒有所定也

又曰閔氏疑禮云云老傳之禮扤隉稀濶孰不爲疑千數百年間惟鄭康成朱夫子斷然行之然其見於經者不過致仕也傳家也衰麻在身也不與賓客也

四種而已我夫子於戊午十二月乞致明年四月準請六月告廟傳家事而又爲客座答目不復加禮於賓客次第行之沛然無所疑若曰行此三種而獨以人情不忍當廢衰麻一節則愚亦不敢領信也 答尹拯

又曰自有此禮以來論者必以衛輒父子參互其間使人惶怖豈輒之據國拒父多少不順已成萬世爲人子者之戒而至於宋寧之尊父卽祚較其扤隉猶當爲輒之次矣然而夫子之處輒必曰正名而不肎仕衛晦庵之處寧宗怡然赴召論事勸講無有所不盡者何也豈不以寧宗之心初不求位而輒之惡恐於以兵拒父耶苟或不然其與衛之君臣又何所擇耶 寧宗時留正主監國趙如愚主內禪而朱子以爲權而不失其正至明仁璦山近日尹希仲反是留正之義與今所謂當用攝主者蓋一義也 而況匹夫之禮本無與此而論者比而督之殊亦太甚矣至於盛諭以父視癈疾之子可與無子同而以子視癈疾之父不敢與無父同推以比諸衛輒之祖孫惟此無子無父云者恐是大段生事愚請冒昧陳之夫禮之爲用所以本天理順人情使天下之人篤信而謹守之者也蓋當先王制義之初固有尊卑貴賤之分爲其輕重隆殺之節者矣及其立之於經具之於傳註行之於後世則安有

爲父則可爲子則不可之禮哉今姑以所引斬服適子有癈疾不堪主宗廟立適孫爲後二者推之則閔氏之孫不可謂不爲祖後審如議者之論而不得服其祖通喪則是亦不可謂爲後然則又安有制此祖以爲爲後爲之服期而孫不得爲爲後不爲之服斬之禮者哉而況爲人後者受重於大宗至疏遠也猶以尊服服之乃於爲祖後者受重於祖至尊而親也反使不得服其通喪則未知於所謂天理人情尤當何如也蓋父爲長子三年父卒而爲祖父後者亦三年然於適子癈疾而降服期非以爲無適子也以其

不得傳重也於父有癈疾而猶服祖斬非以爲無父也以其爲祖後也且如以適子癈疾而遂移其宗於第二長者謂之無適子亦可也父有癈疾而直以已承祖之統不更爲之服斬立廟則謂之無父亦可也今欲以只準父卒爲祖之文克盡適孫承重之服者必律以無父之罪而比禰祖之衛輒無乃太過而爲無事而生事耶 答申啓徵

問春曰數十年前僕亦作此見解厥後有一士友力言帝王家事不可輒引爲證且通典諸儒之論以爲父歿未殯而祖歿則其子以其父未及殯如在也不

忍服其祖以斬只服本服云况其父雖癈疾尚生存則何忍遽服承重服也只宜以本服擧事爲是其言似爲有理不欲仍主前見且考朱子書奏稾鄭說天子諸侯之服皆斬之文方見父在而承國於祖之服云云則所謂與帝王家事不同云者亦不爲無理矣何不敢質言 答閔暴重

遂庵曰父有癈疾子不可任自傳重然至於祖父喪則不可不服斬 答金光五

陶庵曰癈疾者使適子代服既有朱子定論更無可疑但乙卯後尤庵爲羣凶所構誣而此事又其一端玄石亦坐此削版自此以後爲世忌諱鮮有行之者然當此變故者果能的知禮意之不可容已因論之不足撓奪則詳禁而莫之爲乎只當論與此道理合其人量處而已至於題主玄石主此論而尤庵是之矣然未知其時閔家果行得否也 答楊應秀

父死喪中子代服

退溪曰母喪身歿其子代喪之疑考之前籍未有可擬然以事理言之甲者所謂祝文及奉祀之類皆當以長孫名行之所以不可不追服此恐不易之理也乙者所謂其子已服其孫不追服雖似近之其奈喪

不可不終三年而又無無主之喪其於祝文不可無名而行之又禮無婦人主喪之文則冢婦主喪之說又不可行也 答李湛

又曰父歿服中而子代喪者其始死後諸禮父皆已行之但未畢喪而歿耳故其子則只當代父而行其未畢之禮而已不當再行其父已行之禮此必然之理也然則其成服之節但於朔望或朝奠告于兩殯所以代喪之意仍受而服之乃行奠似爲當也 答李典宗

同春問祖喪未葬又遭父喪則長孫當追服其祖三年否沙溪曰儀禮經傳通解之說可據但亡在練後

則只伸心喪云者未知恰當否也
通解曰本朝石祖仁言祖父中立亡叔從簡成服後亡祖仁是嫡長孫欲乞承祖父重服博士宋敏求議曰子在父喪而亡嫡孫承重禮令無文通典晉人問嫡孫在喪中亡疑於祭事徐邈曰可使一孫攝主而服本服期何承天曰既有次孫不得無服但次孫先已制齊衰今不得便易服當須中祥乃服練裴松之曰次孫本無三年之道宜爲喪主終三年不得服三年之服司馬操駁之謂二說無明據其服宜三年大凡外襄終事內奉靈席爲練

祭祥祭禫祭可無主之者乎祖仁名嫡孫不承其重而乃曰從簡已當之矣而可乎按儀禮女子嫁反在父之室爲父三年註遭喪而出者始服齊衰期出而虞則以三年之喪受既虞而出則小祥亦如之既除喪而出則已杜佑號通儒引其義附前問答之次況徐邈裴松之之說已爲操駁之是服可再制明矣又喪必有服今祖仁宜解官因其葬而制斬衰其服三年後有如其類而已葬者用再制服通歷代之闕詔如敏求議○又曰今服制令嫡子未終喪而亡嫡孫承重亡在小祥前者則於小祥受服在小祥後者則申心喪幷通三年而除（嫡孫爲祖母及爲曾高祖後者爲曾高祖母準此）
又曰按嫡子凡追服祖父者父亡在期內而已服未除則因變服節未葬之虞既葬之卒哭期之練宜成斬衰以盡餘月若亡在期後而已服已除則宜用女適人被出已除本宗服不得追服云者似然矣然以嫡孫而不復制服則祥禫無主可乎古人之議難不可輕改畢竟未安（家禮輯覽）
又曰云云三年之中人子不忍死其親之意爲母爲祖宜無異同云云（喪禮備要○詳見幷有喪條中父喪中母亡服母條）

愚伏曰杜氏通典明言父爲嫡居喪而亡子不得傳重蓋謂父既持服今於新死之日即代其喪則是爲死其親情有所不忍也至其不可一日無主之說則通典又言小祥前自有期服當以本服奉饋奠練後以素服行之亦不至闕事云此說似爲可據又儀禮經傳通解嫡子兄弟未終喪而亡者嫡孫承其重亡在小祥前者於小祥受服亡在小祥後者申心喪幷通三年而除云其可從尤無疑禮以服已成而中改爲未安故女子子嫁反在室爲父母三年未練而反則朞既練而反則遂之上云小祥前則小祥受服小

祥後則申心喪者卽此義也據此則小祥前以本服
執事練時受以三年練服乃爲得禮之變矣 答洪鎬
尤庵曰通典何承天之說以爲當須中祥乃服練云
恐此說爲可行無碍也 答尹宣擧
又曰老先生嘗以只伸心喪之說爲大不安盖代父
承重是禮經之大節目且祖喪練後不可不祭如祭
則當服何服故必如老先生之說然後節節理順矣
且父喪成服之後適値朔望則可以服祖若朔望相
遠則其間祭祖時當服何服以此知服父服後不待
朔望而卽服祖服之說爲得也 答鄭纘輝

同春曰喪服圖式嫡子未終喪而亡嫡孫承重因其
葬 謂承重之葬 而再制斬衰亡在小祥前則於小祥受服
云云盖無時不得變服必待受服之節故也李君承
重其曾祖母則當以此爲據無疑唯其祖母承重則
又是變之變者其父子初旣未及成服則今於成服
時承重者直成齊衰三年之服與其父服偕成之雖
與禮意微不同無乃於事情爲宜而不失權變之道
耶 答或人
南溪曰祖喪父亡代服之節圖式宋敏求議旣以因
其葬而制斬衰爲言朱子又於請寧宗承重劄亦倣

此意則固當用此爲準矣惟退溪於答宗道孫書言
當於朔望朝奠行之以此頃年 朝家當 仁宣王
后追服時遵用此禮然今喪家方在未葬之前則自
依宋議朱劄而處之恐爲允當 答金楺
遂庵曰祖母承重成服不可遲延父喪成服卽服承
重之服何待朔望乎 答姜再烈
問祖母大祥前四日伯父棄世從弟代喪受服將在
於祥日旣過之後云云 韓朝睿 遂庵曰父喪成服前不
可行祖妣大祥成服後卽服承重服大祥則退定於
虞後似宜未大祥前尊季父徑先脫服未安雖遲數

月祥祭時與宗孫一時脫服似合情禮
問舍兄追服前喪之節或云因朔奠而當受服或云
後喪成服後四日乃可受服云云 沈僖 農巖曰尤齋嘗
論此事以爲當於後喪成服之翌日受服云以義推
之似當如此不然則當從四日之說若所謂因朔奠
者則恐無意義
芝村曰旣以代服爲定則依退溪說因朝奠行之無
妨 答李頤命
陶庵曰代服一節自是變禮故家禮不載而人家之
遭此變者當哀遑急遽之際未易善處云云盖喪不

可一日無主父或癈疾未能執喪或未終喪而亡其子之爲父代服斷不可已也通典賀氏雖有父死未殯而祖亡則服祖以周之説而其後因宋敏求議以再制斬衰爲令父喪中祖死者亦可代服則祖喪中父歿者尤豈有可論耶 四禮便覽

又曰父喪成服之日仍卽爲祖制服在練後亦如之矣 答楊應秀

又曰體莫嚴於廟而丘墓爲輕受服爲何等大節而其可舍重而取輕耶受服之布生練與否此旣是代父而終其喪者以并通三年之文觀之只當以練後

制處之然則首絰一段亦無可問也 答閔遇洙

問祖喪三年內父歿則其孫當代主其祀但神主不可仍其舊題云云 朴漢碩期 沙溪曰改題恐宜在喪畢後不敢歿其親之意也

父在母喪而子死者其子代服當否

問有父在母喪未葬而歿者其子當代服否代服之義只爲喪不可無主矣此亡者生時已以父在之故雖是兄弟之長而不敢主喪則其子亦不當代服耶 閔翼洙 陶庵曰杖期條嫡孫父卒祖在爲祖母是則以承重也苟非承重則是當入於不杖期條矣以此義推之恐亦不可不代服也

又曰適孫父卒祖在爲祖母旣入於杖碁條則其爲承重無疑是亦祖未嘗不爲之主也代服固與承重小異而猶可以此義推而用之至於父在母喪未葬而死者則不爲代服云云於禮無見愚意於此持難蓋此也 答閔翼洙

父喪中遭祖父母喪代服當否

同春問父喪未殯遭祖父母喪則當何服沙溪曰通典父未殯服祖以周愚以爲只服期年則是無祥禫可乎然古人之言如此不敢輕議

通典賀循喪服記云父歿未殯而祖父歿服祖以周旣殯而祖父歿三年此謂嫡子爲父後者也父未殯服祖以周者父尸尚在人子之義未可以代重也○庾蔚之曰父喪內祖父亡則兼主二喪立二廬爲父喪來弔則往父廬爲祖喪來弔則往祖廬○虞喜曰服祖但周則傳重在誰庾蔚之曰父亡未殯同之平存是父爲傳重正主已攝行事事無所闕○徐邈曰大功者主人之喪猶爲之練祥再祭況諸孫耶若周旣除當以素服臨祭依心喪以終三年

又曰云云三年之中不忍死其親之意爲母爲祖宜無異同云云喪禮備要○詳見并有喪條中父喪中母亡服母條愚伏曰賀循之言雖未有先賢折衷之論求之情理似爲合當遵行不妨答吳允諧

問父未殯而服祖以周者果無未安者乎假如祖死於未殯之前而祖母死於旣殯之後則一兩日之間而服制懸絶尤似未安家禮旣泛稱父卒承重今不必論殯未殯以起難處之端也如何崔是翁南溪曰家禮雖泛言父卒承重則爲祖父通典賀循諸儒已爲未殯已殯之說勉齋黃氏亦載儀禮通解續金沙溪

問解又以不敢輕議爲言則今難不從其文也假令以已殯之故而服祖母三年禮意如此恐無奈何矣又答崔是翁金楺見并有喪條中父喪中母亡服母條當參看

遂庵曰服祖以周賀循之說如此則朞年後几筵當撤祥禫亦廢此豈情理愚意賀說恐不可從也答金光五

陶庵曰未殯則周周亦有賀循之說而此非先王所定之禮不無可疑夫喪不可一日無主若服祖以周則周之後祖喪便無可主之人是雖出於不忍死其親之意而父亡之後不得代其躬而盡三年之制亦非所以順親之心此於天理人情至爲未安愚意則父喪中祖死者無論殯與未殯皆服三年恐爲正當底道理答柳乘

嫡孫死喪中無後庶孫代之

同春問嫡孫持重死於喪中而無後庶孫代之不悖於禮耶沙溪曰通典論之頗詳可考也但庾蔚之云猶父爲嫡居喪而亡孫不傳重分明是引古證今之語而未詳其來歷可疑更詳之喪服圖式所論與庾說不同見祖喪父死代服條以此遵行恐宜

徐邈曰今見有諸孫而祖無後者於禮宜禮宗子在外則庶子攝祭可依此使一孫攝主攝主則本

服如古禮大功者主人之喪猶爲之練祥再祭況諸孫耶若周旣除當以素服臨祭依心喪以終三年宋江氏問甲兒先亡甲後亡甲嫡孫傳重未及中祥嫡孫又亡有次孫今當應服三年否何承天曰甲旣有孫不得無服三年者謂次孫宜持重也但次孫先已制齊衰今不得便易服當須中祥乃服練居堊室耳昔有問范宣云八有二兒大兒無子小兒有子疑於傳重宣答小兒之子應服三年亦粗可依裴松之答何承天曰禮嫡不傳重傳重非嫡皆不加服明嫡不可二也范宣所云次孫本

無三年之道無緣忽於中祥重制如應爲後者次孫宜爲喪主終竟三年而不得服三年之服也何承天與司馬操書論其事操云有孫見存而以疎親爲後則不通既不得立踈豈可遂無持重者此孫豈不得服三年耶嫡不傳重傳重非嫡自施於親服畢無關孫爲祖也庾蔚之謂嫡孫亡無爲後者今祖有衆孫不可傳重無主次子之子居然爲持重范宣議是也嫡孫已服祖三年未竟而亡此重議已立必是不得卒其服耳猶父爲嫡居喪而亡孫不傳重也次孫攝祭如徐邈所答何承天司

馬操并云接服三年未見其據

代喪後告兩殯之節

問父死服中其子代喪則代喪之意必告於其祖與父之殯告之當於何日告辭何如 梁處濟 南溪曰父亡在葬前告在啓殯在葬後則告在小祥前一日其辭只當臨時量爲之

代喪後改題之節

問祖喪三年內其父歿則其孫當代主其祀矣但神主不可仍其舊題當於何日改題乎 姜顧期 沙溪曰改題恐宜在喪畢後不敢歿其親之意也然無經可據不敢以爲是也

陶庵曰祖喪中父歿不敢不代爲承重之服而至於改題則留待喪畢後吉祭恐爲允當 答盧亨

禮疑類輯卷之十六

禮疑類輯卷之十七

父母及祖父母偕喪襲斂入棺先後

偕喪 幷有重喪輕喪幷論

問祖父母與父母偕歿則襲斂將何後先若從先輕後重之禮則承重孫於祖父母與父母何重何輕耶 姜碩期 沙溪曰襲斂與窆葬有異不可以先輕後重爲拘當以尊卑爲主而先祖後父也然古禮無據不敢以爲是

問云云 姜碩期 沙溪曰喪在一日內襲斂當先祖後父

禮疑類輯　卷十七　喪變禮　二十一

若父喪差先一二日則當以先歿爲先云云 詳見下成服先後條

問偕喪襲斂以尊卑爲主而父歿未襲而祖歿亦可以尊卑爲主耶 閔泰重 問 尤庵曰若是同日則當先尊後卑矣

問一日之內幷遭祖與父喪者襲斂先祖而後父則入棺亦先祖後父乎 金光五 遂庵曰似然

承重孫幷有祖喪母喪飯含

問承重孫遭祖喪其夕母喪又出於十里地奔喪矣母喪無他兄弟十里之間有難往來幷主兩喪

陶庵曰祖父喪側既有叔父一人則襲斂諸事亦可主張行之而至於飯含之節承重孫當主之相去不過十里則其勢亦足推移行之也

父母及祖父母偕喪成服先後

問祖父母與父母同歿襲斂諸事當先祖後父而成服一節若從通典父未殯服祖周之說則父喪三年之制無重設令祖先歿似不可先服祖服矣但有諸父在則決不可以渠之父母喪未成服而退行於第四日之後也此間禮節實有所難何以爲之 姜碩期 沙溪曰喪在一日內襲斂當先祖後父若父喪差先一

禮疑類輯　卷十七　喪變禮　二十二

二日則當以先死爲先也成服亦然若祖喪差先則諸父諸兄諸孫不可拘於承重孫退日成服也宗孫在父母喪被髮或括髮之時則不可遽成祖父母之服而殺其哀也待父母喪成服日先祖後父似爲得也然此等禮皆以臆說未知是否

問內喪未成殯而外喪出入棺則先內喪而成服則先外喪外喪成服訖仍行內喪成服 閔翼洙 問 陶庵曰入棺成服之先後似如來示

立後追服兩喪者成服先後 見追喪條

輕喪中遭重喪成服先後

尤庵曰兩日之內兄與父次第亡則當待父喪成服之日先成父服而次成兄服也據先生答姜博士問則似當如此然姜博士問則擧祖父母與父母故老先生以先祖後父爲答矣今此問則兄與祖有間兄雖先歿似不敢先成其服矣答或人

問長子歿未成服父母沒云云李東耆南溪曰沙溪云待成服日先父而後子爲當然恐當更觀日子遠近及受服者輕重而酌處之也

所後喪中遭本生親喪奔哭成服之節

退溪曰重喪旣成服在途恐只以重喪服行而至彼

行變成之禮似可蓋重喪遭輕喪當其事則服其服旣事反重服云則重服爲常故也○就哭位時不得已脫去衰服而就位自此至成服中間恐不可間間還着衰服入前喪次之理須待成服還脫而入前次矣答禹性傳○按本文首云鄭君重遭大禍又禹性傳問目中云發喪則當別設哭位就哭位時依着衰服乎云云衰服下以所後斬衰言之然則新喪似指本生親矣

父歿喪中子代服服條見代

父喪中遭祖父母喪代服當否同上

父喪中母亡服母

同春問父死未殯而母歿者其亦以父尸尚在而不服三年歟母喪將周而父歿猶不得爲母申三年服歟沙溪曰先儒說可參考而酌處之

儀禮經傳通解父卒則爲母疏直云父卒爲母足矣而云則者欲見父卒三年之內而母卒仍服期要父服除而母歿乃得伸三年故云則以差其義○通典庾氏問徐廣曰母喪已小祥而父亡至母十三月當伸服三年猶厭屈而祥也答曰按賀循云父未殯而祖亡承嫡猶周此不忍變在也故自用父在服母之禮靈筵不得終三年也○庾蔚之云諸儒及太始制皆云父亡未殯而祖亡承祖嫡

者不敢服祖重爲不忍變於父在也況父在之日母亡已久寧可以父亡而變之乎○杜元凱曰若父已葬而母卒則服母服至虞訖服父之服旣練則服母之服父喪可除則服父之服以除之訖而服母之服按疏說雖如此而揆之情理終有所未安若父死未殯而母歿則未忍變在猶可以父未殯服祖周之說推之而服母期也如父喪制竟而又值母喪亦以父喪三年內而仍服期果合於情理乎杜說則似無服期之意未知如何

沙溪曰按通典賀循云父死未殯而祖父歿服祖以周徐邈云周旣除以素服臨祭依心喪以終三年旣殯而祖父歿三年又按經傳通解宋敏求議曰子在父喪而亡嫡孫承重禮

令無文大凡外襄終事內奉靈席爲練祥禫祭可無主之者乎當因其葬而再制斬衰服三年詔從之今服制令云嫡子未終喪而亡在小祥前則嫡孫承重者於小祥受服在小祥後則申心喪并通三年而除之○又按喪服父卒則爲母疏父卒三年之內而母卒仍服期要父服除而母死乃得申三年云此蓋三年之中人子不忍死其親之意爲母爲祖宜無異同而一則再制斬衰一則仍服期經傳通解皆錄而并存之當何所適從耶此是大節目不敢輕議姑附其說以備參考〔喪禮備要〕

又曰近者洪按理霧并有父母喪愚謂父卒三年之內而母卒仍服期十一月小祥十三月大祥十五月禫祭脫衰心喪古禮然矣人誰有非之者洪答曰母喪旣練之後肆然脫衰遽然心喪揆諸情理終有所不忍焉者參夫子所謂古禮固難行恐指此等處而發也洪之所言亦近情義未知如何〔家禮輯覽〕

愚伏曰服母以朞乃是屈於父在千萬不得已而奪情耳若以賀循之論比類而降服則恐於心不安寧從禮疑從厚之說無乃爲得耶〔答具允諧〕

尤庵曰父喪中爲母期之疑終未能釋然今所諭此年父死明年母死者母之期尚在父喪未沒之前則猶有厭屈之義矣若是明日父喪當畢而今日母死則亦當期而期盡之後便爲無服之人耶此不可不深思也且經所謂父卒則爲母三年云者正欲以見父在則不敢三年之意而已而以此一則字生出父喪未除母死之說者非常情所及故雖勉齋載之於續解終不敢以爲必然而信之也〔答南溪〕

同春曰更考儀禮本文則所謂父喪三年內母死則仍服母期者非喪服本經乃疏家說也此說極可疑父若未葬或未殯而母死則不敢死其父而服期猶

之可也若父已葬而母死則待父以禫道者亦多有之豈獨於母喪而有厭不得伸其情乎況父喪將畢而母死則數月之後父服已闋矣猶以爲厭於父而服母以期求之情禮寧有是理○又考通典有云父母同日卒其葬先母後父皆服斬衰其虞祔先父後母各服其服卒事反服父服若父已葬而母卒則服母之服至虞訖反服父之服旣練則服母之服父喪可除則服父服以除之訖而服母之服云云據此則分明服母三年何嘗仍服期耶但俱非先賢折衷之論難可的從唯母喪已練而父亡則厭屈之義猶在

云云此語亦出通典恨未及稟證
南溪曰父喪中祖亡母亡服制異同之義備要以爲不敢輕議然愚嘗思之通典及註疏之說雖同出於不忍死其親之義然若以父身而推之祖則父之所重故雖既殯之後子必服以三年母則父之所輕故雖三年之內子必服以期其義則然也但沙溪已以杜元凱之說爲王參以今日人情事勢亦有難以直行其說者茲亦不敢質言 答崔是翁
又曰備要於祖承重註曰此是大節目不敢輕議姑附其說以備參考於爲母註曰不敢輕議姑存其說

問解父喪中母死註曰杜說則似無服期之意未知如何大抵疏義之說雖或未允實演經文之義自黃楊大儒以來未之有改備載通解而況沙溪三說畢置疑貳於其間終亦不敢爲決辭則其又誰敢舍彼而從此耶 答金㮙
問父喪葬前遭母喪則爲母不得三年耶 成爾鴻 遂庵曰然
陶庵曰父喪中母死者其服最爲可疑云云蓋儀禮父卒則爲母之文本自明白而賈氏因一則字曲爲解釋以爲父服除而母卒然後乃伸三年沙溪尤庵兩先生既以爲可疑與其泥滯於可疑之疏說毋寧直依經文之爲寡過若一依經文則父先卒而母後死者雖一日之間亦可以申三年未知果如何也 四禮便覽

母喪中父亡仍服母期 題主及練祥倂辯並論 詳見父喪中母亡服條

同春問父死未殯母死云云沙溪曰云云
尤庵曰父在服母既定爲之期何忍以父亡而遽伸之耶其仍服期而十一月練十三月祥當如通典諸說矣若父亡於母葬之前者則其題主以亡室似無

其義未知如何難題之以妣而練祥仍如父在恐不相妨耶若然則其題主及練祥時具由以告事方宛轉 答南溪
問𣝕等先母奄背繼遭先考之喪而喪既在一月之內及至窆葬又復同日其他禮制俱無先後異同之節然先君服亡母期服者至數十日則其於不忍變在之義當從庾氏徐氏之說而家禮中既無明白可據之文何以則可耶 姜𣝕 南溪曰徐庾之說固爲此事明據而其源出於儀禮通解續喪服父卒三年內母死仍服期之說蓋其說既以尊父爲主又經朱子之

印證則雖於家禮無所別現而恐無不可準行練祥之理第葬後題母主時若以顯妣則似與今日以父在爲母之義準行練祥者不無逕庭恐當於練祭前日因上食措辭告以依禮文行練祥之意於妣位然後其於幽明常變之際可絕遺憾若考位則生時已知其意又無行祭事似不必告

靜觀齋曰父在時母喪成服日既以期制服之則不得申重服較然矣 答南溪

陶庵曰父在母喪其父雖病未能主喪而其沒在於母喪成服前則數日之間猶有知也其子爲母服期

於禮當然豈有可疑之端耶 答金樂道

問人有父母同日死者其母死於朝其父死於日中當依父在母喪禮耶云云 任聖辛 陶庵曰雖數時之頃終是母死於父在之時唯當一依禮律而已誰敢斟酌通變於其間耶

又曰告辭前喪几筵則曰先考不幸以某年某月某日棄諸孤禮律至嚴不敢不仍用父在母喪之制將於某月某日孝子某替行練祥敢告後喪几筵則曰先妣初忌隔以數日題主既以亡室則禮當十一月而練將以某月某日孝子某代行練事罙增罔極敢告 答閔宗修

父母偕喪設几筵持服

同春問前喪練後遭後喪几筵當合設於一處耶服則常持何服沙溪曰禮有明據可攷而行也

曾子問并有喪自啓及葬不奠反葬奠而後辭於殯註從啓母殯之後及至葬柩欲出之前惟設母啓殯之奠不於殯宮爲父設奠也云及葬不奠謂不奠父也及葬母而反即於父殯設奠告語於賓以明日啓父殯之期○士虞禮男男尸女女尸疏虞卒哭之祭男女別尸○司几筵云每敦一几鄭

註云雖合葬及同時在殯皆異几體實不同祭於廟同几精氣合 右異几筵 ○喪服小記父母之喪偕先葬者不虞祔待後事其葬服斬衰註其葬母亦服斬衰者從重也以父未葬不敢變服也○又曰斬衰之麻與齊衰之麻同皆兼服之註経殺皆五分去一斬衰卒哭後所受葛経與齊衰初死之麻経大小同兼服之者謂居重喪而遭輕喪服麻又服葛也○間傳斬衰之喪既虞卒哭遭齊衰之喪輕者包重者特註早可以兩施而尊者不可貳疏斬衰受服之時而遭齊衰初喪男子所輕者腰得

著齊衰腰帶而兼包斬衰之帶婦人輕首得著齊衰首絰而包斬衰之絰故云輕者包也男子重首特留斬衰之絰婦人重腰特留斬衰之腰帶是重者特也○通典杜元凱曰若父已葬而母卒則服母服至虞訖服父之服旣練則服母之服父喪可除則服父之喪以除之訖而服母之服 右持重服

同春曰云云雖同奉一堂同時行奠亦須各設床卓中間用帷屛以隔之以存異几之義異時練祥等祭亦無相關難便之事矣 答或人

問借喪者先葬母而必服斬衰者以父未葬故不變服也然則母殯雖各設而父喪未葬之前不可服母服而哭之乎 黃宗海 沙溪曰小記之說分明今不可違也

喪服小記父母之喪偕先葬者不虞祔待後事其葬服斬衰註葬先輕而後重先葬葬母也不虞祔不爲母設虞祔祭也盖葬母之明日卽治父葬葬父畢虞祔然後爲母虞祔故云待後事祭先重而後輕也其葬母亦服斬衰從重也以父未葬不敢變服也

愼獨齋曰後喪在殯宜常服後喪服侍於殯側至前喪祭奠服其服而將事 答尤庵

尤庵曰父未葬以前則不敢他服雖葬母之時亦服父服況於饋奠可服母服耶父母異殯禮有明文 答或人

問斬衰之喪遭齊衰之喪則輕者包重者特之義可得聞耶 閔泰重 尤庵曰家禮無此文而古禮有之男子重首則所謂輕者是腰也父喪小祥男子不去父之腰絰而兼服母之腰絰故曰輕者包首絰則除之而只服母之首絰故曰重者特然此與間傳之說不同似當參考

又曰并有喪常持重服此禮家之大經也然斬衰練後則亦當有變間傳曰云云盖古禮卒哭有變服之節今當以小祥準古之卒哭而行之也夫并有喪雖常持重而男子腰帶婦人首絰則當兼服輕服之帶與絰也如此則諸說之異同皆無所窒碍第今世無有行此者則或恐駭俗也 答徐文淑

又曰禮并有喪不變服但據父喪斬衰未葬前而言今某氏所遭兩皆齊衰則似當依家禮之文而行之矣 答黃欽

家禮曰凡重喪未除而遭輕喪則制其服而哭之

月朔設位服其服而哭之據此則雖在重喪之側
猶且服其輕服況於輕服喪次可不暫服其服乎
是知不變服者只據斬衰葬前而言也
又曰父喪未葬不敢釋其服而服輕服禮也然家禮
成服條下明言重喪未除遭輕喪則制其服而哭之
此通葬前葬後而言也據此則似與前說有異然成
服時暫着輕服與着輕服行祭者有異然則兩說或
可相備而不相妨耶 答尹家
又曰喪人當常在父殯統於尊故也 答李顧堅
問前喪練後又遭後喪反哭後當服何服而行祭乎

沙溪曰喪服小記麻同皆兼服之註曰麻葛兼服也
小記之文意蓋斬衰已經卒哭則改着首腰經之葛
又遭母喪齊衰則首仍斬之葛腰着齊之生麻經帶
故曰麻葛兼服之也今則不行卒哭葛經之制只行
小祥練服之制小祥已去首經則當用齊衰之麻經
腰經則依小記之說用齊衰之生麻帶也云 姜碩期問
春曰小記之意固然更考間傳云云以此推之男子
斬衰既練者首已無經則應用後喪齊衰之經腰帶
則齊斬兩施之婦人斬衰既練腰已無帶則應用後
喪齊衰之帶首經則齊斬兩施之似合於禮意間傳
說喪服圖式亦首錄之適用似無疑 按間傳說見上沙溪答同春條中
南溪曰父母偕喪未吉祭合櫝之前當各服其服先
後行祭事雖煩而義則正矣 答柳貴三
問古禮卒哭而受葛故包特於卒哭之後而家禮省
之尤庵以爲當移之於練後然受服於斬衰之後而
除之於練服之前如罪姪今日所遭者并此包特一
款而亦無所施名爲期年而實無一日之服矣妄意
卒哭變葛之去於家禮者只是從俗省之今欲援據
古禮變葛於卒哭之後而行包特之制至於齊衰受

葛之後則雖無包特之義亦可略倣其意而兼服二
經或不至大悖禮律云云 金敏材 陶庵曰輕包重特之
說本爲斬衰卒哭受葛後遭齊衰者而設哀家則齊
衰未成服之前又遭斬衰雖於葬後豈有麻葛包特
之可論耶尤庵練後包特之說特以小祥準古之卒
哭而其義則與間傳無異矣夫并有喪者常持重服
而於輕者亦當祭而服其服則壓屈之中亦容其自
伸之道孝子之心雖無窮大義爲重何得以驅使古
禮以售其己見耶

承重孫并有父母及祖父母喪持服 書疏自稱并論

寒岡曰父喪既葬後遭承重齊衰之服則未葬前服齊衰既葬後服斬衰有事於祖母几筵則服齊衰從事或合權宜答任屹

問春問承重者居祖母喪既而母亡則何服爲重而書疏自稱云何沙溪曰通典有所論可考而行之通典晉雷孝清問曰爲祖母持重既葬而母亡服制云何別開門更立廬不言稱孤孫爲稱孤子范宣曰按禮應服後喪之服承嫡居諸父之上一身爲兩喪之主無緣更別開門立廬以失居正之意至祖母練日則變除居堊室事畢反後喪之服禮

無書疏稱孤子孤孫之文今代行之合於人情稱孤孫存傳重之目宜幸祖母訖服然後稱孤子○庾蔚之曰二喪共位廬堊室雜處恐非適時之禮謂宜始有後喪便別室爲廬兼主二喪○杜元凱曰若父已葬而母卒則服母服至虞訖服父之服既練則服母之服父喪可除則服父之服以除之訖而服母之服按祖母既葬而母未葬則當服母服母喪已葬則還服祖母服祖母還服母服母服既練則還服祖母服祖則還服母服以終喪與父母偕喪持重惟稱號則不可隨母禫前當稱哀孫

又曰昔年人有并遭祖與父喪者問以何服爲重而常持乎韓鳴吉伯謙以父服爲重愚以爲俱是斬衰而祖父尊當以所尊爲重論辨不決矣今見通典諸說愚見果不虛然通典與間傳家禮互有異同姑并存于右以備參考家禮輯覽

問祖母與父偕喪當服何服朴光一尤菴曰昔年從兄時瑩之孫彝錫遭此變禮其葬時士友多會如美村諸人亦來論議紛然蓋以服則斬重而齊輕以理則是齊也是爲父而代者也且大傳曰自仁率親等而上之至于祖名曰輕自義率祖順而下之至于禰名曰重一輕一重其義然也夫喪禮多以義斷者矣又

一人之說以爲禮記論并有喪之祭曰先重而後輕今此兩喪之祭以何爲重而先之乎以此兩端持疑不決而罷矣其後彝錫常持齊服若於其心有所不安而出於自然之天理則此乃無於禮而得其中者耶然終不敢決定其得失也

又曰代父服祖則其常持祖服者乃所以順父之孝心也答李欅

南溪曰并有父喪祖母喪而常服某制者禮無其說惟通典杜預有父母喪互服之說而沙溪引之以爲母喪祖母喪互服之斷今於父與祖母之喪勢當以

此斟酌之而已盖祖母卒哭以前當服新喪之服卒
哭以後則俱是小祥前當還服舊喪之服以此量處
庶合禮意 答金克誠
遂庵曰并有祖母與父喪先師嘗以爲當服祖母承
重服但父歿未葬前雖並有喪常服斬衰之說載於
禮記父葬前則服父服爲可耶未敢質言 答郭守燦

父喪未殯妻亡服妻

遂庵曰適子於父喪未殯遭妻喪者依父在之例不
杖於妻喪揆以古義似當然矣然未見明文不敢質
言父喪未葬雖行妻奠不可脫斬衰父葬後祭於妻

服其服而哭之祭妻訖還着斬衰是通行之例也 答李英

重喪中主輕喪

問大功之喪無主者可以主喪而方服重喪則如之
何 崔碩儒 慎獨齋曰雖服重喪似可主喪而拜賓之禮
不可行

新喪成服前前喪上食當否 廢朝夕哭并論

同春問人有父母喪未畢而死則其成服前父母朝
夕祭當廢否愚伏曰禮君薨則祝取羣廟之主而藏
諸祖廟卒哭而後各反其所釋之者曰象生者爲凶
事而聚集也以此推之則未殯前朝夕上食不得已
當廢矣
又問愚伏曰云云 見上 沙溪曰愚伏說是
尤庵曰或人所後與本生親是大功之親則其喪當
相爲之三不食矣當據此廢三時上食矣然老先生
嘗言喪中歿者葬前用素饌自虞以下當用常饌盖
自虞以後則以神事之故也據此則今或人私親歿
於所後葬後則上所謂廢三上食者亦不必然似當
使無故者攝行之矣 答金益壎
又曰孫兒輩饋奠之疑以雜記聞外喪入奠之文推

之似無不可行之義但雜記所言是父母葬前而孫
輩所遭是葬後則似或不同故疑之耳然他無可據
之文故已令奠其母耳用素只欲順死者之心矣亦
無所據當依常例耳 與同春
問喪中遭昆弟子姪之喪雖異宮未殯前朝夕上食
亦當廢之否 尹升來 遂庵曰似不當廢

新喪葬前前喪上食用素當否

同春問先考喪中祭先妣當用肉否沙溪曰神道有
異不妨用肉也退溪所論甚合情禮但喪中歿者異
於是凡奠物歿者餘庋之物用以爲奠也若初歿以

魚肉奠之非事死如事生之道朝夕奠及上食用以蔬菜至虞祭始以神事之用肉饌似可也昔年問於鄭道可其意亦然

尤庵曰先正云祖父喪遭父喪者葬前用素於父殯自虞以後則薦肉盖自虞以後則神之之故也今此家父虞已過則似當用肉而但祖喪在殯則似爲難言者矣曾見愼齋於文元公小祥時遭 仁穆王后國恤成服前用素於几筵云亡親無恙則雖年衰亦當行素於成服前矣亦不以已經虞祭而全不用素此等無明文處只可叅酌情文而行之耳答尹明遇

又曰朝夕祭旣曰象生時則父母葬前用素亦恐合於人情答閔鎭厚

同春曰父母喪三年之內子死則葬前用素虞後用肉卽先正之論盖虞後則以神道事之也卒哭旣過神事已久而始有父母喪則象生用素恐或未安答徐履晉

問子喪小祥後其父死則其子朝夕上食時用肉如何洪益采

遂庵曰子先死而旣經小祥則以神道事之久矣此異於居喪而死者葬前用肉恐無不可

問父母之喪在殯如昆弟死而同宮未殯則不可以肉饌饋父母之奠乎崔碩儒

愼獨齋曰饋奠之饌似當用素

問內喪未成殯而外喪出欲於內外喪上食幷用肉閔翼洙

陶庵曰內喪上食之用肉恐涉未安雖有齊體之義自是所天之重先儒正論如有酌量者則已不然不妨從厚如何金君亮行云使亡人在則必食素其在象生之道無可疑者此言亦有理

喪中死者祭奠用素當否見喪中身死條

幷有父母及諸親喪饋奠行事之節見改葬條中兩喪几筵行饋奠條參看

尤庵問幷遭父母喪後喪殯後似當擧朝夕祭于考之几筵而主人旣未梳洗則當使人攝之而主人只拜哭祭畢歸奠于母殯耶愼獨齋曰來示得

同春曰葬前喪人不澡潔前喪饋奠不可親行唯立於位而哭使子弟奠酌似宜答李㙫

問曾祖母祖父几筵奠獻之禮葬父畢虞祔然後始爲親行耶或人

南溪曰若諸叔持服者在待父葬畢始行奠獻恐宜盖亦未遑澡潔故也

又問饋奠四處几筵南溪曰惟當一循次第行之雖有早晚之異其勢然也

問亡伯母即先妣之姪也設几筵于一家祭奠當何先後 李時春 南溪曰似當先祭伯母

新喪葬前前喪墓祭當否

同春問三年未畢而一家有喪則舊喪墓祭與他祭并停耶抑喪內祀事停廢未安略設爲當否 慎獨齋曰孝子不忍死其親故雖當并喪之日不廢前喪之奠以此而言則前喪墓祭似亦可行而離殯行祭非苫塊者所安況練祥既廢於同宮則墓祭獨異於練祥乎凡禮者必可遍行於彼此不可宜於此而不宜於彼也若別葬新山則似可設祭祔葬先壠亦可獨

祭乎謂是別葬而欲爲獨祭則是果通行之禮乎愚意則姑依他位停廢似當

問卒哭前大小祭祀固當準禮廢之而今日吾家則廟中朔望祭雖廢而祖妣几筵殷奠則未嘗廢然則正朝節祀壽洞山所則不當廢耶若不廢則只當以一獻行之矣 閔遇洙 陶庵曰誠如所示

并有父母喪朝祖時朝几筵

尤庵問并遭父母喪葬時朝祖於祠堂遂朝於夫之几筵而後行耶 慎獨齋曰來示得

并有父母及祖父母喪發引先後

發引時何喪當先歟 裴尚龍 寒岡曰恐府君當先

同春問父母喪偕在途及下棺將何先後 沙溪曰在途父先母後下棺則先母柩

愚伏曰葬是奪情之事故先輕今同日而葬則既於奪情之義無取而先發輕喪未安議者之寧欲先發重喪以應男先之義亦不爲無見然聖人既明言先輕後重則有不可違易況啓殯之際先啓輕喪覲載既訖而後還啓重喪之殯雖時刻之間猶有尤不得已於重喪之意行乎其間發引在途至出下棺莫不皆然恐當從禮經之文爲是 答金淨遠

尤庵曰發引不同日則先母後父矣若同時在道則當先父後母矣生死無間豈有男女同行而女先於男之理乎 答或人

同春問并有父喪與祖母喪者其發引及葬時以何喪爲輕而先之耶以服則父喪爲重以義則祖母爲重誠難處寒岡云父喪當爲輕發引時亦先行云未知果爾否 慎獨齋曰以倫序言之則寒岡之言似是而禮經先後之訓既以奪情言之父喪祖母喪又異於并有父母喪未知如何

問祖父及先人兩喪在途時先後 南磐 南溪曰偕喪之

禮在道則先重後輕當以祖考喪柩在前

承重孫幷有父母及祖父母喪先後葬

尤庵曰禮曰葬先輕而後重祭先重而後輕小記註先葬母明日卽治父葬葬父畢虞祔然後爲母虞祔○孔子曰喪先輕後重（幷有父母喪則先葬母）其奠也先重後輕禮也（奠則先父）自啓及葬不奠（其先葬母也惟設母啓殯朝廟大奠不爲設奠）也行葬不哀次（行葬亦不得爲母伸哀於所次之處）反葬（葬母而反）而後辭於殯遂修葬事（既反卽於父殯告辭賓以啓其父之期遂修營葬父之事）虞也先重後輕（如虞祭偶同則異行而先父後母）○此蓋葬是奪情之事故先母後父祭是伸情之事故先父後母今以

承重孫言之則未知祖母與父孰爲輕重然以服言之則有齊斬之別或可以此斷之耶至於虞祔之祭則春秋傳有子雖齊聖不先父食之文據此則似不可先母而祭子矣然則祭先重之說似難用於今日矣略有一說可據者禮曰同宮則雖臣妾葬而後祭今承重孫雖或先葬祖母而父喪在殯則似當待父葬畢後先行祖母虞祔矣然亦無明文不敢質言○贈及題主等事均是虞祔前所行之禮不可以父未葬而有所碍矣（答閔鼎重）

又曰同時發引則先父柩是老先生之說也葬時壁柩衣銘旌等事皆係葬具則似當先母矣（答黃世禎）

又曰贈是伸情之事其先重後輕可知（答尹宷）

祖孫及母子偕葬

問祖孫同日永窆下棺虞祭先後（李成已）朽淺曰孔子所謂先輕後重之說本爲父母偕喪而發非所擬於祖孫然若論其葬之先後則不得不依此行之也鄭先生嘗論父與妻同時死者之葬亦以此爲言則先父而葬者有何不可

南溪曰母子一時俱葬恐不可以夫妻幷有喪先輕後重論當以尊卑爲序也（答李時泰）

父母偕葬題主先後

尤庵曰父母同日窆則當先題重喪之主虞祭亦先行之矣蓋葬是奪情之事故雖先母後父而題主則是伸情之事故先父後母耳（答閔泰重）

父母偕葬返魂

尤庵曰考妣偕喪雖同日題主返魂時當可異車（答韓如琦）

臨葬遇喪

問有爲人後者於所後葬時上山後未及下棺本生母訃自百餘里外而至則當止下棺而奔哭耶待下

棺後奔哭耶（李心濟）陶庵曰旣是出後之人則本生親卽爲朞服語其情理雖不可與他朞服比論而身方主喪適又臨葬以大義斷之則輕重自別待其下棺始爲奔哭恐爲得禮之正然聞凶之後雖未敢卽時奔赴亦當思所以粗伸情事禮云有殯聞外喪哭之他室此或可以旁照否

退溪曰妻喪在途而聞兄弟之喪此等事古無明文臆說爲難恐遇此變者固當奔兄弟之喪然若妻喪無人幹護不得以成葬則至妻喪掩壙而後奔其或可也（答李叔平）

問遭母喪將祔于父墓旣穿壙而又遭妻喪云云（與再挺）尤庵曰云云（詳見重喪中遭輕喪者重喪虞卒祔條）

問樂道母葬方近而家親纔遭重制葬事退定甚難虞卒當退否（金樂道）陶庵曰期服成服前實爲未安然送終大事異於平時祀事退期亦難似不得不過行而旣葬之後虞祭又安可不設耶然主喪之人如以身有重制未成服而備祭儀爲尤未安則虞祭其子代行祝辭以父使子爲辭可耶虞祭繫於葬此事只當論葬事之當退與不當退也

父母及祖父母偕喪虞卒（與改葬條中新舊喪合窆行虞條參看）

尤庵曰葬先輕而後重祭先重而後輕云云（答閔鼎重○詳見承重孫幷有父母祖父母喪先後葬條）

又曰先葬父後祖母不虞祔待後事禮有明文更無可疑祔虞亦是虞也何可與再虞三虞異同也初虞不行於葬之日中誠爲未安然所重有在何可徑情直行也（答南宮述）

南溪問不虞祔云云經文幷擧祔祭者非必待父虞祔畢後始行母之虞祔參之情理行母初虞於幾筵之後殊非安神本意玆欲捨集說而從通解第葬日

行父虞明日行母虞又明日行父再虞次第倣此則幷失家禮遇剛遇柔之義何以處也　靜觀齋曰陳澔澤之說果是硬看不虞祔三字而然也通解疏有先虞父乃虞母之語旣不失先重後輕之義又無太遠未卽安神之失依來示爲之似可剛柔日則父三虞卒旣不失剛柔則母祭雖非剛柔之日所重在父以先重後輕以重包輕之義權之則似無所失矣

重喪中遭輕喪者　重喪虞卒祔

問父母喪云云（崔碩儒）愼獨齋曰卒哭祔祭在於人事虞祭急於安神而兄弟之喪同宮未葬似不可祭此

等處未可容易斷言更徐詳之功緦之喪未殯則不可行祭

問遭母喪將祔于父墓旣穿壙而主人又遭妻喪成服適當葬日成服後當更擇日以葬而虞卒哭祔祭倣禮行之耶 吳再挺 尤庵曰初再虞則卽行三虞卒哭祔祭則葬妻後擇日行之而三獻之禮皆不可廢

幷有喪卒哭小祥相値

問父之小祥與母之卒哭相値則如之何 梁處濟 南溪曰同日各行恐無妨

幷有父母喪祔祭

問母喪祔祭有故未行練前又遭父喪先喪練祥亦當退行於後喪卒哭後而後喪則卒哭後卽行祔祭禮也先喪喪旣在先而祔在後喪祔後似未安先喪祔祭雖練前與後喪同行如何先後喪若一日幷祔則祖考妣神主似依忌祀幷祭儀行之而所祔先後喪神主尙未合櫝當各設位行之耶 或人 尤庵曰前後喪祔祭亦當依先輕後重之禮而各行之矣

問父喪葬後祔祭未行又遭母喪云云 洪益采 遂庵曰當時旣未行祔祭則到今不可不追行來示母之卒哭明日行父之祔翌日行母之祔似得矣

祖喪中孫歿祔祖

沙溪曰凡祔從昭穆祖父母在則當間一代而祔於高祖今者祖已歿喪雖未久猶當祔祖以昭穆同故也禮經詳焉 答同春

雜記王父歿未練祥而孫又歿猶是祔於王父註孫之祔祖禮所必然故祖歿雖未練祥而孫又歿亦必祔於祖

南溪曰祔祭事雜記旣言王父歿未練祥而孫又歿猶是祔於王父則似不可以未三年拘也但祖考妣新舊兩主未及同廟而先行合享恐有所未安誠如

來諭蓋無他考經禮又不可廢其義只當單行於祖考而已未知如何五禮儀及東人舊俗亦有待三年而行祔者然問解旣言父母喪中不行祖父母吉祭則是亦未配也無如之何耳 答朴泰純

陶庵曰祔祭之不行於三年內大失禮意令弟所後祖喪未大祥之前急宜行祔祔之翌日行令弟祔祭於祖喪几筵祭畢卽入祔于高祖龕東壁下而夫新主入廟此是大節亦不可眛然行之於高祖龕亦以酒果告由祖喪大祥後亦祔于高祖龕西壁下 答李命元

所後喪中本生親喪祔祭

寔閶問先妣祔祭仲兄當爲主人而仲兄所後父服未除云云退溪曰云云（詳見喪禮爲人後者本生親喪諸節條中本生親喪祔祭條○丁酉）

問遭本生母喪又遭所後父喪本母祔祭云云（鄭崐壽）

退溪曰云云

重喪中諸親喪祔祭

問宗子居父母之喪未練又當期大功祔祭則着何服而祭歟（崔碩儒）愼獨齋曰祭時服其所祔之服也

南溪曰禮曰王父死未練祥而孫又死猶是祔於王父也是則可爲宗子方在王父喪中而尚行其孫之

祔之證然則宗子服重而爲之祭固在於禮而蓋非宗子則亦莫之行也服色則深衣孝巾似亦得之（答趙重得）

又曰祔祭必使繼祖之宗子主之蓋尊在於祖也以此推之令姪雖在衰服中似當自稱孝孫爲告行祔之意於祖廟而往當祔之喪家設紙榜行禮恐無可疑（答金洪福）

問從嫂祔祭當行於祖母几筵而弟主其祭云云（閔翼洙）

陶庵曰祔是爲新喪而設者新喪五服之人若當各服其服然以哀言之緦服至輕且是 國制恐當

服本服而行之也

幷有父母及祖父母喪練祥（練祥退行者本祥日行事之節）

（幷論○與追服退祥及 國恤中練祥退行者本祥日行事條參看）

問有人遭外艱於本月旬後又遭內艱於閏月旬前則其除服也不可不先除後喪後除前喪耶（蔡徵休）

遂庵曰事勢不得不如來示矣

尤庵曰母喪練祭當待葬父虞祔後擇日行之其初忌日則略設單獻祭而哭之而已祝文則闕之而只告不行練祭之由矣（答或人）

問父喪卒哭後其月擇日行母小祥次月行大祥當

何日行之耶（梁處濟）南溪曰練祥祭擇日當依禫祭例用或丁或亥

問父在母喪初期將迫未及行祥事又遭父喪當於父葬後行母祥而父葬之次月卽母喪再期日以此日行大祥如何（吳再挺）尤庵曰父葬卒哭後卽行祥事再期日以忌祭行之而單獻略設宜矣

問母喪未及練而又遭父喪前喪祥期已至而後喪猶未襄奉則祥日雖無三獻變服等禮不可無變通云云（梁處濟）南溪曰依朔奠行禮時當措辭告以日喪不得行祥之意

問以問解幷有喪條觀之則改題祖父母神主當在父喪畢後祥祭祝辭則以嫡孫名一依家禮書之耶或人 南溪曰旣不可以亡者爲祝則雖未及改題恐當以嫡孫爲主備要合祭未改題而先稱幾代孫已有其文矣

幷有喪前喪祥日變除之節

退溪曰雖重服在身旣云除服則暫服黲服而行之旣而反喪服不得不然也齊衰期除服亦同 答鄭晛壽

沙溪曰前喪大祥之祭服其喪服入哭後服大祥服祭畢還服後喪之服可也雖於緦功之輕服亦暫釋

重服而服其服況於此乎且大祥之服本非吉服又何嫌乎嚴陵方氏曰服其除服而後反喪服以示於前喪有終也 答姜碩期

同春曰疊遭喪者前喪祥日似當以衰服入哭祥服承祭訖反後喪衰服何必更論墨衰之制耶 答權諰

尤庵曰祥祭畢奉神主入廟後反服後喪之服 答朴光一

國恤中幷有私喪練祥 見國恤條

親喪中期服追除當否 見喪中五服變除條

幷有重喪中前喪禫祭行廢 與追喪條中兄弟先後變除條參看

問喪出一月禫亦在一月未知上丁行祖母之禫而行父之禫於亥日耶或曰一日之內先行祖母之禫後行其父之禫云何如寒岡曰若同堂借祭則何如不然先卜日行先喪之禫次卜日行後喪之禫

問斬衰已除禫在開月而猶齊衰在身纔過練祥云云 金烋 旅軒曰大喪之禫固不可以齊衰之在身而廢其事也

問斬衰與承重祥日旣在同月則禫祭亦當行於同月禫祭先後從祥日之先後而次第行之耶禫服旣就吉則後禫之前行前禫而服禫服雖一時權着似

未安於心云云 鄭存謙 陶庵曰前禫旣非過期則安敢闕之禫事亦當從祥之先後而次第行之至於同日則不可矣

又曰前喪禫當行於後喪大祥後雖同月內此則無嫌矣 答李命元○以上禫祭當行

同春問承重孫將行祖父之禫又遭母喪則當待母喪畢後行之耶云云沙溪曰喪中旣不可行禫而過時又不可追行諸父豈可以嫡孫之故而不脫服也設位哭除恐當

又曰父喪中不可參祖母禫諸叔父告辭行之可也

當俟父喪畢後行之承重孫父喪雖畢祖母禫不當追行蓋過時不禫朱子說有之耳答李敬輿○上文答宋浚吉條與此似不同當參考

問弁有喪者前喪禫祭似不可行於後喪未除之前然則終廢前喪之禫耶期姜顧沙溪曰禫吉祭也喪中不可行也亦所謂不忍於凶時行吉禮之意也據朱子說不可追行明矣

語類問三年而葬者必再祭鄭註以爲只是練祥祭無禫朱子曰看見也是如此

又曰父喪既顈之後方行妻之二祥以布衣孝巾將

事禮則不可行然其子不可以父之故而久持祥服至當禫日只設位哭除之而已其父則斬衰服盡後依過時不祭之禮更不祭未知如何此等禮是臆說無據不敢爲是耳答鄭弘溟

問弁有喪中行禫服色則要訣所謂喪服可以通用時祭猶可以喪服行之則禫祭不可以喪服行之乎云云尹宣擧愼獨齋曰禫是變除即吉之節非時祭乎常家廟之祭決不可着吉而行又不可喪服而行其可以禫有哭泣而謂之比時祭有間乎是故雜記既顈練祥云而無行禫之說耳決不可以權行時祀而喪服行禫也長孫不能行禫則諸叔不可以已之即吉而出主設祭也以當禫之日別處設位而變除似可矣

尤庵曰曾子問註只論二祥而不及禫者二祥是終不可闕者禫是淡淡乎平安意視二祥差別故不及耳答沈之漢

同春曰禫則雖有哭泣之節而其名既吉其服亦吉決非喪內所敢行喪畢之後則又過時難追答權諰

南溪曰疊喪者之於先喪之練祥當服其服唯禫祭則係是吉祭似當更詳處耳答金克成

又曰云云唯當習聞其或因喪故追行大祥於禫月則更無行禫之義矣鄙意行祥未禫固爲孝子無窮之痛苟已準禮不行禫祭則義當於祥祭時姑着纚黃草笠或黲黑布笠白布直領淡黑布帶以行之俟後仲月正祭時時祭始着純吉之服方似有據所謂俗禮於祥後或間一日及中下丁行禫即吉者既違不再禫之禮又失中月而禫之文進退恐益難安答申銓

又曰問解兩答中設位哭除者終是正當蓋無長孫而諸叔父獨行大祭禮節雖異恐或未安故耳答權益文

重喪中遭輕喪者重喪練祥禫行廢

問退溪喪祭禮問答爲人後者服所後母服爾將
行禫又遭所後母之父母喪可行禫否退溪曰豈可
行吉待服盡別擇後月行之似合情文此說如何李惇
泰沙溪曰外祖服乃小功五月也必盡五月服行禫
則是三年而加五也其後若有期服加延一年又不
幸疊遭期服則將至四五年不旣服豈有是理以禮
經諸說推之三年喪則旣顯得爲練祥其餘喪初不
擧論殯後可練祥之意據此可知愚意自期以下旣
殯之後擇日行練祥禫不須待服盡也
雜記父母之喪將祭而昆弟死旣殯而祭如同宮

則雖臣妾葬而後祭註將祭將行小祥或大祥之
祭也
問父喪中遭妻喪値父大祥云云尹宣擧慎獨齋曰雜
記曰父母之喪將祭而昆弟死旣殯而祭云云妻喪
雖重於兄弟而殯旣異宮則父喪祥祭似當行之雖
禫亦可行之
尤庵曰將行祥禫而昆弟死則殯以後祭禮也若祖
母死則雖亦期服而正統之喪實異於昆弟然非同
宮而必待祖父母葬後而祭則有一說焉假如父母
大祥在正月初二日而初一日其祖父母死則將如

何若必待三月葬後則是父母之祥行之於二十七
月也無乃未安耶此甚難處不敢質言也至於支子
異居者死而其父母死則於支子之子固爲期服而
支子之妻則是三年喪也當依三年喪則旣顯得爲
練祥之文旣顯練祥似有據矣然禮所謂三年喪者
正指父喪中母喪或母喪中父喪言也其餘則無與
焉今支子之妻據古禮則於其舅姑正期服也何可
謂三年也子婦之爲舅姑三年是宋朝魏仁浦等獻
議所定也今以宋朝上以律之於古禮所謂三年喪
旣顯得爲練祥之文則逕庭而不合矣大抵其父母

與其祖父母旣是父子則是同宮矣禮同宮則雖臣
妾葬而後祭今所殯旣是家間雖小祭祀似亦不敢
擧矣答或人
南溪曰要訣則期大功於未葬前雖忌墓祭亦一獻
減饌問解則期以下旣殯後雖練祥禫祭必擇日設
行此似不同然忌日因喪之餘自是吉祭而練祥禫
家與葬同稱實爲喪祭且問解所引雜記雖爲昆弟
而言沙溪乃以期以下爲斷準此雖祖父母之葬前
似無不可行練祥者答徐宗積
問婦於姑喪中遭本親喪而夫亡無他主人而自當

其室則其姑禫祀如何李時春 南溪曰其夫雖亡姑之
禫由婦而設則只當依例行之而已禫以上練祥當行
問衆子之子服父禫而遭祖父母喪云云閔泰重 尤庵
曰未禫而遭祖父母喪則禫不可行矣
問父母禫日遭妻喪云云李之老 南溪曰妻喪及父母
喪只有尊卑大小之等而已若果不可行禫則哭除
節目亦未見其有異以上禫祭當廢

重喪中輕喪練祥備禮

問孤家巨禍之前荐哭婦嫂二喪三年內祭祀例有
單獻不讀祝之規故練祀時亦依此行之云云俞廣基
遂庵曰云云若并有喪而當行大小祥則禮所當備
無節略之義
問喪中行祭只一獻不讀祝而亡弟大祥若如此則
恐不成禮尹敬倫 陶庵曰此與喪中行祭之事不可作
一例看令弟大祥之具禮過行恐無可疑

并有喪吉祭

慎獨齋曰吉祭乃正祭而父子易代祖先祧遷此何
等盛禮耶曾謂居喪墨衰而行吉祭乎時祭或可攝
行吉祭遞遷不可攝也答尹宣舉
問舍叔即繼高祖之宗取家兄爲後家兄喪逝翌月

舍叔內外同月俱歿宗姪承重今者喪制已畢將行
吉祭當遞六代祖五代祖兩位神主而改題告辭列
書諸位下者但曰先祖考喪期已盡禮當遷主入廟
六代祖五代祖親盡神主當祧云則六代祖固於祖
考喪畢後親盡矣五代祖則不可謂之親盡於祖考
喪畢後若并言先祖考先考喪畢則亦有所不安告
辭何以則得宜耶李章 陶庵曰今此吉祭專爲祖父
喪盡而設則改題祝辭宜若但以先祖考喪期已盡
爲辭而祧位中六代祖與於祖考喪後爲親盡五代
祖則不然其間不可無通變之道告辭列書諸位之
下係之以先考某官府君喪期已盡於某年某月已
祔於祖龕今者先祖考某官府君喪期又盡禮當并
爲遷主入廟云云爲可
又問伯父在世時舍嫂已亡神主亦將改題當於告
先代祝板列書告之耶吉祭當遞遷六代祖陞考與
祖于正位矣袷祭時於祖位則當用新主祝而考位
則於祭曾祖祝只以先考祔食爲辭則世次迭遷此
是大節而不以各祝告由於考位極涉昧然袷祭後
以祔位陞正位祖與考别無異同考位亦當依祭祖
考之例別用祝板以告躋入于廟之意然則其祝辭

中喪制有期等語似不襯未知亦何以措辭耶陶庵曰此亦當於吉祭前一日改題而別告妣位曰當初題主時祖考某官府君爲主故以某屬書之矣今祖考喪期已畢子某將以顯妣改題謹告事由云云改題時荼禮則同設而祖先與妣位告辭則當異板矣改題後合位並祭其祝辭並書考妣而其下曰先祖考喪期已盡爰舉吉祭六代祖考某官府君六代祖妣某封某氏五代祖考某官府君五代祖妣某封某氏方祧遷于長房禮當以序隮入于廟時維孝孫追感歲時昊天罔極謹以云云爲可

期功服葬前重喪吉祭行否

陶庵曰喪餘之薦與常時時祭有間雖朞服未葬之前苟其異宮則未見其不可行也 答閔翼洙

又曰緦之緦吉祭可行云云 答閔昌洙○詳見改葬條中改葬後除服前諸節條

本生親喪中行所後家練祥禫吉

問嘉問所後喪將練而遭所生喪或謂所生初喪行練未安第以三年之喪既顯而練祥及父母之喪將祭而昆弟死既殯而祭等語參詳練祭似不可退如何愼獨齋曰所生之恩固重而已降爲期服三年既顯之說如是其明甚則似不可以私情而廢當祭之祭雖曰遭喪未久情所未忍而其間亦無別據可行節目今難徑情創改奈何

南溪曰禫祭傳重爲重不可不行之說亦於鄙見所嘗主之者也及考沙溪凶時不可行吉禮之言而後始以爲服雖異而情固同似未合遽變吉常之服今諸說皆以傳重爲重此乃所謂以義裁恩以禮處情者據而行之恐不至有妨然其一切降殺不顧孺慕之私心却行平安之大祭豈非以此服輕彼傳重果以爲斷案耶然而反於吉遞遷祔之禮乃反以所生

之喪而使諸父主祭則是於未嘗行以有喪之意其前後盖已不相坐而又何以能與乎祖統爲重之義耶 答閔業

陶庵曰出繼者於本生親雖自伸其心喪而實則期服也繼體之義至嚴且重禫是變除之大者吉祭則又有遞遷改題之節所關尤大何敢以私親之服廢闕而不之行也本生家小祥既在於六月旬前則以中丁過禫而吉祭亦可行於當行之月服色則只是一時借吉恐無可疑也 答尹彤來

又曰出後於人者爲其本生親雖自伸其心喪而聖

人制禮則只是伯叔父母之服遭親喪者雖有伯叔父母之服豈有不行祥禫之理乎今之致疑者曰伯叔父母則無心喪一節不可比擬然自伸其心喪者情也一斷以朞服者禮也今於變除之大節其可拘於情而廢於禮乎抑將伸於公而屈於私乎況所賓乎禮者爲其別嫌也苟於此等處不能一視以伯叔父母之服則恐非所以嚴一本之義也議者又以祥後禫前服色爲疑然私親與所後服不可錯雜但當待所後服盡後方可服私親服矣至於吉祭則事體尤嚴重行之無可疑以此推之祥禫之不可廢盖明矣 答李敏坤

又曰祭時服色似當用微吉之服也吉祭實喪之餘祭固不敢不行而至於時祭則權廢亦何妨 答金樂道

心喪中行重喪禫吉祭 心喪人與祭宗論

南溪曰問解雖有喪中不可行禫與吉祭之說此則以方有斬衰正服者而言今左右所持乃心喪凡所謂心有哀戚之情而身無衰麻之服者也如必以此而不得行祖父三年之終祭承重改題之吉祭則是殆以輕哀而廢重禮不待校證而明矣惟當祭不着純吉之服涖事不行受胙之節猶不至爲自同於平常之人也 答呂光周

尤庵曰家禮小註引朱子說以爲卒哭後遇四時祭日以衰服特祀於几筵用墨衰常祀於家廟可也卒哭後且如此況心喪人已從吉服矣其與於禫祭吉祭有何未安之理乎 答尹明遐

母喪心制中遭父喪者祭母服色

問先妣心制未闋先考又沒其於祭先妣也當何服

南溪曰恐當以問解喪中祭先之服行之 李時春

所後喪中爲本生親喪持服行禫之節

問所後喪畢而本生喪期未除則其持本生期服當

在祥乎當在禫乎 韓如珩

尤庵曰私親與所後服不可相雜當待所後服盡後方服私親服矣

問所後親喪中值所生親之禫則不可參祭耶 姜碩期

沙溪曰禫吉祭也身有重喪不可參也如君家則長婦雖存而不在於家君則服已盡且無他兄弟除服者禫祭不設似可矣

父喪中妻喪練祥禫

問主妻喪者未練祥而遭斬衰之喪則及其妻之練祭當服朞服祥而亦然但祥祭時易練服後當服何服以卒事耶禫祭則以重喪在身固可廢也但其子

於十三月之祥除練服着祥冠則及其十五月當禫之時以其父之不主祭已亦廢母之禫乎抑可自攝其祭而除服乎且此子方有祖父期服在身今若釋期服卽禫服則於義無據如欲廢母之禫而遂祖父之喪則其除母之祥服當在何時耶 鄭弘溟 沙溪曰主妻喪者有父喪斬衰之服其妻之練祥當服妻服入哭而祭時不可着吉服只着頭巾與布衣祭之而已禫則父有重服不得主祭子不可獨行禫至祭日只着母之祥服入哭後脫服又服微吉之服哭之而已其父雖斬衰服盡後當依過時不祭之文更不祭朱

子之言有之矣此等禮是臆說無據不敢爲是也

又曰云云 答鄭弘溟○詳見幷有重喪中前喪禫祭行廢條

幷有君父喪 見喪禮國恤條

居憂中遭師喪 見喪禮居喪雜儀條

禮疑類輯卷之十七

禮疑類輯卷之十八

喪變禮

道有喪

追後喪不可解斂飯含

問有人客死於千里之外無飯含而襲斂則喪人至啓棺解斂更爲飯含耶云云 李心濟 陶庵曰飯含之節雖重而日久之後解斂追行非惟勢不可爲恐非情禮之至不忍而大未安者耶恐不當論也

大斂時追用幎握 見追行之禮條

在途喪到家成服

問在途喪未殯殯故兄弟過四日亦未成服到家殯殯後一日方成服而第念奔喪者至家四日方成服則此雖非奔喪之例以兄嫂觀之則聞喪而喪未至亦猶奔喪而未到喪次者也喪至之日大斂則雖卽爲之其儀節則一依始死之禮第四日成服如何退溪曰當如是

在途成服前饋奠 本家設虛位行奠幷論

問途中不斂不成服而日數已過四日不忍廢奠將生時路次所用之物食時乃上食是否 金誠一 退溪曰當如是

遂菴曰客死他鄉喪側無人不能奉奠則本家當設行於虛位 答姜再烈

喪中身死

喪中死者襲斂衣服 喪服處并論圖

退溪曰服中死者襲斂用孝服似當然一用此服地下千萬年長爲凶服之人此亦情理極礙難執處愚意襲用素服黑巾帶小斂時着身正服亦用素其餘顛倒用服雜用吉服當大斂入棺之時孝服一具與吉服一具對置孝服右而吉服左似有服盡用吉可以兩得之意不至長爲凶服之人 答禹性傳

問喪中死者襲斂當用何服 姜碩期 沙溪曰退溪及或人有論而與鄙意不合故嘗辨之亦未知是否

退溪曰云云上見○又有或者曰禮喪從死者故凡襲斂大夫士各有其服且禮云所祭於死者無服則祭也以其哀慽之情與生時無少異故也愚以爲當襲以衰麻斂以縞素顛倒衣裳則雜用吉服至於冠經則高硬不安或用麤布爲大帶及幅巾以代之恐亦不妨 按或者之言似有據而終未穩當退溪之言似合於情理然亦不能無疑於其間也既以生死有異變用黑巾帶爲襲又雜以凶服一人之身而吉凶并用既不爲吉服又不爲凶服進退無據恨不得就質於函丈也又如齊衰重服斂以凶服於情近似至於緦麻

小功之輕服及國恤中死者亦以凶服襲斂極有妨礙惟以孝服隨魂帛出入置諸靈座以待其服盡之時似或可也已卯諸儒議定喪中死者襲斂皆用吉服喪服則陳於靈床若既葬而徹靈床則藏於靈座之旁以待除服之期乃遺衣服必置靈座之意也練祥時奠告去首經負版辟領衰以至易服一如生時昔年以此問寒岡鄭道可答曰來教得之也未葬之前則象生時用素饌喪服常置靈座既葬之後則撤喪服而用肉祭未知如何云

寒岡曰喪服置之靈床葬後輟之 答李天封

愚伏曰鄙意喪服只得留之生時喪次除後去之於象生之義爲得矣聞西厓寒岡亦皆如此說 答同春

南溪曰焚埋一節別無可考第與生者之服不同姑用禮記祭服弊則焚之之義恐不至大悖也

喪中死者祭奠用素當否

問亡人在母喪中而未經大祥云云 李君顯 寒岡曰初喪則不以死者待之朝夕上食不須用肉

南溪曰若必欲以生人之禮待死者則素饌之外如喪服諸具其類甚多何可一一追行耶苟欲盡廢他事而獨行素饌則亦似未允 答李賀朝

問亡母在喪而違世生前病重時既以用權故奠因用肉饌 李縡 南溪曰限葬前還用素饌爲宜

喪中死者不行致奠

問平日居喪未嘗御非時別饌矣致奠諸品雖用素

饌亦係非時別饌則其在象生之道無乃未安耶抑几筵朔望殷奠外俗節別奠無所廢致奠一節亦依別奠例行之無妨耶 閔遇沐 陶庵曰葬前凡事既一以喪中禮處之則致奠不行恐合於象生之義也

嗣子未執喪

子幼攝主

問若有乳下兒猶以兒名告否 李淳 退溪曰兒名攝主告

尤庵曰禮子幼則有以衰抱而行禮之儀雖在乳下當以其子題主而凡祭祀時若難於抱衰則以其幼

告於几筵而使人攝之似宜今日士大夫家如此者多矣 答俞命賚

又曰攝主之意如虞卒哭等大祭祀則須皆告之矣雖亡者之弟攝行其祝文頭辭則必云孤子某幼未將事云云矣此於禮經無見出之文而曾聞入家皆如此云矣 答梁以杞

南溪曰退溪答寒岡書有攝祀事子某之說然此則宗子未及立後故也今者已得立後事體與寒岡家不同恐當用朱子兒名攝主告之說爲祝辭曰孤哀孫某幼未能卽禮孤哀子某攝事敢昭告于云云自虞以下依此行之恐當 答元夢翼

陶庵曰主祀者年幼未可將事則告以權攝之由而替行何妨三獻不可無祝 答曹命益

寒岡曰祝文中顯考及夙興夜處等語既以兒子名書則當用家禮本文無所改 答李善立

問人歿而子幼者以子名題奉祀而攝主告之之禮已詳於朱子答李繼善之書矣但以兒名書祝文云云無乃不近嬰兒所稱耶 黃宗海 沙溪曰當以兒名主之告以攝主之意夙興夜處哀慕不寧等語則改用不妨

尤庵曰夙興夜處云云既非嬰兒之事而攝主之人若是兄弟若遠親則亦非所宜稱 答或人

南溪曰兒名攝主告乃退溪用朱子語者也其祝辭似當曰孤子某 兒之定名非乳名也 幼不能將事屬某親某敢昭告于顯考云云沙溪謂夙興夜處哀慕不寧等語當改用然既以兒名告則此處下語極難直繼以淸酌庶羞云云恐亦無妨矣 答李時泰

又曰考曾子問云云君薨世子生奉子以衰以名徧告五祀山川之神禮也今當以此爲準祝辭則以兒名爲告行禮則以攝主代行方爲大正然此以禰祔

兄論之禮適子若八歲以上當室者服喪與成人同則今之行禮恐當尊長持執而教導之如哀慕不寧等語自不必改用也若其兒決不可將事或不成貌樣則亦當用上禮而以攝行之意告於始事之際爲好 答朴世堂

長子病廢次子攝主 病兄生子其弟還宗事并論

問有人遭父喪長子則病廢不能行喪次子專主喪事雖然此非主人凡喪葬祭時何以爲之祝文又何以書之 答韓南應寅 問曰長子雖病廢恐不得不書長子之名

問有人生兩子長則盲廢次則無故皆未及娶其父早世其祖以次子主其父喪旁題亦以次子名書之其後祖母歿其祖父仍使次孫代喪祖父死又代其服盲兒娶妻生子今至長成其家宗祧當歸何處耶 或人

南溪曰祖父生時既以權宜命次孫承重矣非其本意也今長孫雖廢疾既娶生子則理當還使主宗兄弟相議以此意告祖父祠堂而行之恐當

嫡子廢疾次子傳重當否

愼獨齋曰長子雖病廢似不可傳重於次子況長子有子則豈謂不可傳重而以次子奉祀耶 答崔碩儒

父有廢疾子承重 見代喪條

無適嗣喪

爲長子立後次子不當主喪奉祀

退溪曰父母生存長子無後而歿爲長子立後而傳之長婦此正當道理也若不立後漫付之長婦則是使冢婦主祭世或有此事而今所辨云云者也如何且看人家遇此故父母之情多牽愛次子而欲與之爲次子者亦多不知爲兄立後之爲義而欲自得之因卒歸於不善處者比比有之尤可嘆耳 答高峰

栗谷立後議曰爲人後者爲之子是常經通義無子

而有子父子之倫已定反以所生父母爲伯叔父母則與親子無毫髮之殊當以兄弟之序定其嫡庶故宋賢胡安國有親子而乃以繼後子寅奉祀父子既如此則祖孫之倫亦定矣如靈川副正健既奉壽璿之祀則其奉陽原之祀無疑矣安嬪之祀則 先王後宮非立宗之比因一時特 命定于河原君亦不害理矣若宗法則決不可亂今以世俗常情歸重於親子則 先王立後之本意不明而父子爲假合之親倫紀紊錯所係非輕伏惟 上裁

同春問長子無後取從兄弟或再從兄弟之子而爲

後則 國典只爲長子之後而其父其祖之奉祀則傳之親子云亦有禮經之可據者乎沙溪曰長子立後而不得奉祀則禮防大毁此法由近世一相臣之議仍爲藉口之資棄禮經不易之典惜哉栗谷集中立後議可攷

安嬪長子益陽君次子德興大院君益陽君無子以興寧君爲繼 宣廟朝相臣沈守慶獻議以大院長子河原君奉 安嬪之祀厥後遂成謬例云仁祖朝禮曹判書崔鳴吉建議據禮經繼後子令奉祖先祀如所生允之遂爲定式○栗谷立後議曰云云見上

南溪曰殷人立次子周人立適孫雖曰俱是古制而禮經必以長適爲主今之繼後亦必不得不同貫其理可知已以此推之無適孫而有次子者自當以次子姑使攝主喪祭以待他日嫡孫立後而始爲承重奉祀之人乃不易之義也程叔子事則朱子旣謂之未詳則固非可引而爲證者沙溪先生家則長子早歿於壬辰之難故命愼獨爲承重愼齋又以無嫡子故移宗於其季又非不立嫡孫後而命次子爲長嫡也要之非大典奉祀條所謂長子欲自與妾子則爲一宗及長子夫妻俱沒無同議立後之地者則第二子恐無直爲主喪承重之義矣况於頃年沈相家事朝家所處甚嚴爲今日一大法例又何可以世代較遠之故不憚冒犯行之乎答李濮

陶庵曰今以承重孫歿無子不立曾孫而立子或立孫則是亡子亡孫無罪而見廢也寧有是理事勢雖曰切迫禮之大經至嚴雖有近世謬習決不可苟從也答李命元

長婦次子中主喪當否嫡孫婦次子並論

尤庵曰以同居之親者主之之文觀之則兄弟中最長者當主之而如此則嫌於仍奉先祀故世俗有固

避者若然則主婦當主之然禮又以爲婦人主喪終是非禮吾意莫如急急立後凡百皆順矣答宋基厚

又曰金安陰震粹之喪其次子昌錫以奪嫡爲嫌固辭攝主故其家不得已從其所願而其家婦又以姑在不敢爲主爲辭蓋家禮初喪則亡者之妻爲主婦故此於道理與禮意未知如何而其嚴嫡之義則得宜然婦人無奉祀之義此便相碍矣第以周元陽祭錄爲證則亦不至無據耶凡事次子皆可攝行而惟題主爲難處耳答閔鼎重○以上論次子及長婦主喪皆不便

尤庵曰或云以次子主之而具由告於柩以終當待

長子妻立後歸宗之意似好未知如何(答金昌錫)

問無嫡孫有次孫而遭祖喪者當以期服主喪而問解似有持重三年之意未知如何若無次孫而只有子婦與孫婦則何婦爲主(沈潮)陶庵曰次孫雖主喪宜不敢持重三年問解說恐難從婦與孫婦間若不得已主喪則似可屬孫婦(以上論次子當主喪○與祭變禮攝主奉祀條中長子無嗣次子攝主條參看)

問長子先歿而父母後沒只有長婦及次子則題主及虞祥時長婦主之耶次子主之耶(金光五)遂庵曰長婦當爲主喪泝來金昌錫元夢翼皆禀於兩先生而

行之矣

又曰長子長孫婦以顯舅與顯大舅題主而祭祀次子攝行來示然矣(答成爾鴻○以上論長婦當主喪)

長子無嗣次子攝主(論在腹兒未生前攝主幷論○見祭變禮攝主奉祀條)

無衆子而長孫之弟攝主(同上)

適嗣歿喪中練祥權主

問宗人沒孽子承嫡而葬後亦於其祥事承嫡者之妻初獻耶云云(蔡命洪)陶庵曰婦人主祭是萬萬迫不得已之事於禮未穩亡者之姪子初獻爲可而祭前先告以替攝之意尤爲曲盡耶亡者之妾則僭甚宜不敢論也

妾子奉祀(見祭變禮)

因變故攝主(見祭變禮攝主奉祀條)

無後喪

有男主者婦人不可奉祀題主

同春曰顯辟之稱出於千萬不得已有兄有弟則自可主之而祔於祖龕得禮之正耳(答李厚源)

南溪曰大功主人之喪疏曰妻不可爲主而子猶幼少未能爲主問解亦曰婦人無奉祀之義又曰若不

得已或依此題主耶(問解兩條皆作疑辭)蓋以曾子問及朱子答李繼善者揆之子則雖以姑幼不可爲主而必當郎以其名題主甚明此所謂大功主人之喪之義也若只有其妻則恐當用諸親題主攝行以待立後而不用妻(如奔喪父在父爲主以下及家禮班祔條及備要題主祝必先主叔姪兄弟而後別錄皇辟之義皆可考也蓋所謂父爲主以下固以待賓客爲言與主饋奠者不同然若無其子則義當通用雖妻亦然但爲不可先於男主耳此與服三年者其義自異)其以曲禮祭夫曰皇辟之言而至於易乾坤之大位題主奉祀豈不重難乎然則曲禮之文無乃在家諸親皆無如周元陽所謂祭無男主故不得已而爲此者耶然今世俗必不安

於諸親攝行而安於妻稱皇辟恐難抑而行之（答鄭齊斗）○下同

又曰雖以皇辟題主者虞祔諸祭依小記行之恐當

又曰題主諸親非宗子又爲遠屬之難安生亦念之深矣以此言之用皇辟之說尤似可用但有一說昔年洪叅判處厚家之喪孫外有妻而諸父居喪與平尉之喪無婦人而有弟皆不得立後及當祥禫改題之節來問於生生乃倣退溪答寒岡之意謂當用諸父及弟代數親屬改題先代神主而但闕旁題準儀禮稱子不稱孝之義且以或姪或兄之主姑祔祖廟

準家禮大祥後吉祭前奉神主之制必俟異日立後而始爲改題并著旁題矣如此則先相國以上自是士仰之曾祖位似與彼家無異雖其下稱顯伯父顯從兄與彼又似難安者是亦一條直下以男主攝行祀事之義也今若書顯皇辟則三年後改題其先駙馬曰顯舅猶有可據者以上諸位則雖欲盡成女主決然推不去矣且以直長君既稱顯辟則必當遷入正室既入正室則相國先君勢當遞遷未立後而先遞遷又甚不便以此推之必先定三年後事而後可以皇辟題主如何但有一碍以從姪題主準禮練祭之後爲之祥禫亦無可據之文鄙意此則當旁照於家禮大祥條下註不必言爲子而祭之義蓋彼亦服盡而爲主祭故也

問人有獨子獨女其人先亡獨子只有獨女而亡其家只有寡姑孀婦一時俱沒或曰姑之神主以姑之亡夫從子主之婦則以亡人之幼女題主云云（成遠徵）

遂庵曰幼女雖是血屬出嫁之後不可仍主其祀寡姑孀婦之喪從子主之似宜

無男主者婦人奉祀題主

遂庵曰周之法有嫡子無嫡孫子與孫一時俱亡則

嫡子之妻未及傳重於其婦母喪題主當從嫡子妻爲之（答郭守晛）

問人有繼後子無嗣而先死其父與其祖母又繼死而在子只有婦在父又有妻三喪葬時題主以誰爲之耶（洪益采）遂庵曰以他家已行之事見之三喪母皆主之子喪亦以母主之無疑之（又答成爾鴻曰無男丁主喪只有母與妻則似當以妻爲主）

問祖子孫三世一時喪出他無子弟之可主其喪者只有三孀云云（成爾鴻）遂庵曰三孀各主其夫之喪矣

又問三喪中一喪無孀則家尊者當兼主其喪耶曰

然 又曰禮無明文不敢臆說

陶庵曰出後人者又還主生親之喪實有違於別嫌重統之義顯辟之稱亦是窮極盡處萬不得已之事二者俱苟而已然取此較彼顯辟差爲寡過也耶 答李崇臣

退溪曰妻存無子而夫亡未詳當何書都下有一家書曰顯辟盖依禮記夫曰皇辟之語也未知是否 答李咸亨

沙溪曰妻祭夫稱辟出於禮記周元陽祭錄亦曰無男主而婦祭舅姑者祝辭云新婦某氏祭顯舅某官

封謚顯姑某氏妻祭夫曰主婦某氏祭顯辟某官封謚夫祭妻曰某祭嬪某氏弟祭無子之兄曰弟某祭顯兄某官封謚兄祭其弟曰弟某甫云稱顯辟似有據旁題禮無明文 答姜碩期

遂庵曰葬時婦人不得上山題主祝文使人代行如何 答李志逵

有本親則外孫不敢主喪

尤庵曰禮喪有無後無無主東西家里尹尚且主人之喪况外孫乎然若有本家之親有所不敢焉爾 答洪汝周

婦人喪夫黨爲主

南溪曰以禮經言之非夫黨則雖有親者不能主喪似當如來示李谷城爲主矣然則亦當曰亡從弟婦某氏云云第退溪及尤丈皆欲不用亡字未知其果得禮意否也且念谷城既出後宗家則子姪中必有方主生親家祭者其於此喪屬親服制最近未知竟無其人耶若其文序先後亦當以主喪者居前祭者略如祠堂宗子當位伯叔父居右稍前之例可矣 答李世弼

妻黨不可主喪

陶庵曰里尹主之一句甚言妻黨之不可主也何者里任無嫌妻黨有嫌禮以別嫌爲義 答尹昌鼎

養父母題主 見喪禮養父母喪諸節條

外祖考妣題主 見祭變禮外孫奉祀條中外孫奉祀稱號代數條

無後諸親喪題主 諸父兄弟嫂姪妹弟婦庶母

愼獨齋曰周元陽祭錄以婦人題主然此非古禮而出於不得已也禮無男昆弟則子一人杖似可以女子子題主而不見于古有昆弟則可以題主而繼世有所難便姪子不爲後者則未可承祀有亡者之妻則可以立後不能立後而歿則當班祔而以宗子題

主爲當（答崔碩儒）
問人家有父子俱亡父有妻若昆弟子有妻若三歲女子其題主如何（崔碩儒）愼獨齋曰禮無可考而其父之主似當以其昆弟之長題之其子之主似當以其女子子題之未知於禮如何尹吉甫曰其父子神主皆當以父之昆弟題之未知如何則可也
南溪曰備要先書從子敢昭告于顯伯父諸條而其末別錄顯辟一條其意可見愚意此喪必當用左右屬稱題主曰顯叔父云云但無旁題期後雖除服而亦用三年者必爲之再祭之禮則恐無難處之端也

題主祝辭中府君敢昭告等文當依常例添用無疑（答朴泰崇）
又曰無男主然後立女主父兄弟姪皆可爲男主則恐可姑依班祔例以伯氏爲題蓋情雖弟切而義似姪勝故耳（答金楺）
問諸父諸兄則稱顯伯考府君顯兄府君於諸弟諸姪則稱亡弟某亡姪某如何（柳億）尤庵曰當如來示
問兄嫂喪云云（成晩徵）遂庵曰主面稱顯伯嫂爲宜
問門人之仲父無后而伯父主宗故題以亡弟矣今有仲母喪而伯父且卒從兄移在遠地家親今則主喪題主何以爲之耶其奉祀則以門人攝主者乃仲母遺書云云（金時準）陶庵曰在重宗之義恐當以令從兄爲主題主則以顯仲母矣令從兄方在遠哀姑爲攝祭畢竟則班祔爲得
問妹在室成人而歿題主退溪曰云云（詳見喪禮妻喪諸節條中）

妻喪題主條
問班祔姊妹與子弟無間而姓氏之書有異（李行泰）南溪曰朱子曰姓是大摠腦處氏是後來次第分別如魯本姬姓其後有孟氏季氏同爲姬姓而各不同以此觀之氏乃男子之稱也第今專爲婦人之稱者蓋

以男子則後世有稱公稱君之例而於婦人則不用此節尊爲其稱之由耳然則今世婦人之稱舍是道何爲耶
同春問弟妻題主沙溪曰以弟婦書之爲可
愚伏曰前日賢季之主必書亡弟二字今當書故弟妻某郡孺人某氏耶於禮庶人曰妻妻字似未安然無他可施穩字而今俗通尊卑皆用妻字書之於主雖似不雅猶不至大不當耶來書用婦字此則不可禮曰謂弟之妻婦者嫂亦可謂之母耶言不可稱婦也妻字嫌於太朴則只書故孺人云云又如何（答洪鎬）

芝村曰玄石答人問曰以禮經言非夫黨雖有親者不能主喪當曰亡從弟婦某氏云云似以夫之從兄而主其從弟妻之喪矣雜記既曰夫黨無兄弟使夫之族人主喪既主喪則題主又何疑乎夫黨無兄弟之言若有兄弟則其使主喪尤可見矣 答李頤命

遂庵曰題主家禮親同則長者主之以嫡兄爲主恐無不可 答閔鎭綱

尤庵曰妾子之於他妾之無子者喪即與嫡子無異其無服無疑矣既已無服則何可用子喪其母之禮乎題主則直稱小母或庶母可矣其旁題則朱先生

云旁註施於所尊今茲旁註闕之似可矣祝辭自稱若是嫡子則稱以嫡子可矣今茲妾子則未知其以何稱之也生時從俗稱以母子則只稱子字或無妨否朱先生嘗有妾母祔於妾祖姑之語既行祔祭則祫事等字恐無不可用之理而但哀薦二字改作薦此二字庶或不甚悖否凡此皆未有考不敢質言 答李選輝

無後宗子祔廟

問宗子無後不能繼序而兄亡弟及則其祔廟也如之何 李尚賢 同春曰喪畢不設吉祭仍時祭祔廟祝辭當製用

無後諸親喪祝辭

問無子而有兄弟姪壻則喪葬祝文宜書何名夙興夜處小心畏忌等語當何云云 李淳 退溪曰其中必有主其喪者當書其名祝辭則當量宜改之

南溪曰告弟曰弟某則書名無疑閭近世知禮家於亡子神主猶不書名云雖於弟祝姑闕其名容或爲斟酌得宜處耶 答柳益文

愚伏曰禮有嫂叔之文而據此稱叔亦似泛然且與今世之所呼叔父者相混無已則書名而不書屬如何 答洪鎬

無後諸親喪撤几筵遲速

問未娶之人云云 趙克諧 浦渚曰雖以成人處之既無妻無家則喪祭皆父兄主之祭奠似當使子弟婢僕行之若無子弟可行祭無婢僕可供具則隨力爲之恐爲當也以兄奉奠初喪則可恐決不可盡三年行之也

沙溪曰弟雖無子卒哭後撤几筵有所不忍禮妻喪期年後撤几筵依此行之未知如何 答同春

同春問若於期後撤几筵則練祥之祭雖以忌日行

之而恐不可以小祥大祥名之其祝辭當書以初朞再朞歟沙溪曰只用忌祭祝文而不必言初再朞也

問沙溪曰云云（李尙賢○沙溪說見上）同春曰老先生所謂依此行之者不過大綱說一家無後之喪即撤几筵則不忍至三年則似過恐是參酌人情而有是教也然若有幼兒或奴僕可行三年則行之何可以一槩論哉

南溪曰子婦既亡而過葬則其夫饋食之禮固當撤而不擧矣然只隔一月而廢大祥非惟情理有所不忍者蓋喪服小記有出妻爲父母未練而返則期既

練而返則遂之之文集說曰緣已隨兄弟小祥服三年之喪不可廢也方氏曰此所謂以仁起禮也其與此禮事例雖殊而義趣較切或可照勘商量而處之否不敢質言（答朴泰淳）○上同

又曰問解有弟歿無子者依妻喪期後撤几筵之說此亦以義起之也然則子婦亡服除後似無仍存几筵之義蓋本宗雖有期年之親其義不繫於本宗故耳如何

問無後喪若出嫁女子來留喪側三年上食欲伸情理則如之何（蔡休徵）遂庵曰出嫁女朞後服盡已御於夫何以行三年上食於本親

又曰禮曰大功者主人之喪有三年者則必再祭此言其妻在則不撤几筵而當行大小祥只有奴僕祭三年所未嘗聞（答成爾鴻）

陶庵曰凡喪無三年者則徑撤靈筵其在父母兄弟之情有所不忍曾聞同春以婢僕爲有三年者故前後累以此答人之問矣此一段録呈以俟財量（答俞拓基）○下同

李尙賢問云云同春答云云（見上）以此段論之弟喪是朞朞年猶有可據此則主喪是大功只限初朞

亦無所當無寧從春翁說自附於從先進之義耶以禮則固無明白可行之證然人情爲勝終未恐遽撤則自不得不如此矣幸量處之

又曰尤庵所論几筵撤於服盡之月於禮得正而春翁之說終恐遜了然緣情取合不得不從此云云（尤庵說見喪禮殤喪條中殤喪雜儀條）

長子無後班祔

沙溪曰長子無後而歿次子承重則長子雖當承重當班祔無疑若帝王則雖以叔繼姪兄繼弟亦有父子之道今不可引以爲證（答黃宗海）

愼獨齋曰次子有庶陞嫡則長子之主當班祔矣 答崔碩儒

繼祖禰之家兄亡弟及則兄主別奉

問繼祖之宗其伯父冠而夭云云若祔于父廟則其弟旣以繼體爲正位其兄反居于下西而未安 李基敬

陶庵曰大宗雖在遠地如可往祔則固好矣不爾則止兄弟孫奉祭雖無不可弟兄之序終屬大段未安恐莫如姑奉于別房使免彼此難處之端也

問兄亡弟及而第三子之子奉伯叔神位云云 成鴻爾

遂庵曰第三子之子爲其禰立祠則伯父神主不可

同入一祠當奉于別廟

無後諸親神主奉別室

問曾祖兄弟無主者不祭此無可祔之位故雖不祭然有兄弟之子與孫則似不可不祭或祭之別室如何 沈世熙

尤庵曰曾祖兄弟之無所祔者似當於喪畢後埋其主矣然旣曰成人而無後者其祭終兄弟之孫之身則其兄弟之子與孫何恐不祭若其祔食於宗家者則當五代祖祧去時亦已埋安矣

問次子之子若奉祖祀則宗子父母之主因存于廟耶若因存而又入奉祀人父母主則昭穆似亂出宗于父母則置于何處耶 朴延老

寒岡曰此一條常所未曉亦未有所據以程子繼祖之宗絕亦當繼祖爲後之意觀之則亦當繼祖爲宗而父母之主或別廟此程子義起之意也然旣未有的據不敢明言

寒岡曰姑姊妹之已嫁而無後者祔于本宗家廟於理不合至於夫妻神主兩邊親屬各自分去尤不近理 答崔季昇

同春問姑姊妹女子之無後而死者其夫黨無可祔者則勢不得已當祔於本宗而其夫神主似不可同祔當祭之何所 沙溪曰祭之別室似可

無嗣祖妾神主

尤庵曰尊王考侍人旣是賤人又無嗣續葬後作主處之實難然朱子旣主妾祖姑之文而以妾母不世祭之說爲可疑似難違貳於其閒矣抑未知所謂妾祖姑者是有子者而其子作主書亡母如朱子說祭至於其孫者耶此未有所考○又有可疑者妾祖姑云云是古禮而古禮適士二廟官師一廟故朱子曰如今祭四代已爲僭然則妾母何至於祭及其孫耶此必有說而未有質問處可恨 答兪相基

過期之禮

大斂成服不可同日（卑幼喪成服同日并論）

問今俗或於第四五日始得入棺其日卽爲成服此似未安或曰成服始爲上食若便待明日則上食漸遲此所以急於成服也此說如何（吳允諧）沙溪曰楊氏曰三日大斂可以成服矣不忍死其親故必四日而後成服也雖四日五日而大斂人子不忍之意與三日大斂何異必待來日而成服於情禮合也不可以上食稍遲而遽成服也

愚伏曰葬日虞不忍一日未有所歸也則虞祭之急而重不啻上食萬萬而事有不得已者則禮許不虞

以待旣有奠以依神則上食雖遲半日恐不至大段未安（答吳允諧）

問云云若卑幼之喪而斂殯失時者則可同日而成服乎（趙克善）浦渚曰必竢大斂之明日而成服者依其日數者也雖或出其日數日子不多則自當如此若日數旣多則殯與成服雖同日恐無害也

尤庵曰先王制禮旣以入棺成服爲死者生者之日其所以分而二之者深意存焉今何可以入棺之進退而合之於一日乎（答或人）

過期不葬者練祥禫變除之節（初期再期日單獻并論）

問祥期已過襄事未畢則不當變服否（李惇）退溪曰不變

又曰按喪服小記云云（見下）據此則今之還服以送葬未爲非也（答金就礪）

問過期不葬至於終三年則其服制當如何練祥祭亦何以爲之（李惟泰）沙溪曰禮記及通典諸說可攷

喪服小記久而不葬惟主喪者不除其餘以麻終月數者除喪則已註主喪者謂子於父母妻於夫孫於祖父母不葬不得除衰絰也麻終月數者期以下至緦之親以主人未葬不得變葛故服麻

以至月數足而除不待主人葬後之除也然其服猶必收藏以俟送葬也○又曰爲兄弟旣除喪已及其葬也反服其服（開元禮奠則除之）○又曰三年而後葬者必再祭其祭之間不同時而除喪註孝子以事故不得治喪中間練祥時月以尸柩尚存不可除服今葬畢必舉練祥祭故云必再祭也但此二祭仍作兩次舉行不可同在一時如此月練祭則男子除首絰婦人除腰帶次月祥祭乃除衰服○開元禮父母之喪周而葬者則以葬之後月小祥其大祥則依再周之禮禫亦如之若再周而後葬

者則以葬之後月練又後月爲大祥祥而卽吉無復禫矣至未再周葬者則以二十五月練二十六月祥二十七月禫註禫一月者終二十七月之數○東晉徐靈期問曰親喪未葬出適女應除否張憑答曰禮云父喪不葬主喪者不除又曰主人不除此無緣獨施男子正嫡一人故當總爲男女衆子耳又無明文別言已出之女猶應除也今論者據已服周故謂宜從除例然緣情處意獨有所疑女隨外出降從周制至於居喪之禮同於重者誠以天性難可盡奪本重不得頓輕何必旣降盡與

周同禮者人情而已疑則從重若釋衰絰以處殯宮襲吉服以對棺柩非孝子之所安也○晉杜挹問亡婦未葬挹服便周旣無喪主未應得除徐邈答曰按禮夫不應除卽於下流多不能備禮今且宜變至葬反服亦無不可之理也○宋庾蔚之曰喪服小記爲兄弟旣除喪及葬反服其服女子子適人及男子爲人後者皆隨其服而釋除緣其出有所屈故也素服心喪以至過葬但今世輕於下流之喪妻猶去其杖禫不容復有未葬不除也議者疑不得以下流之未葬而廢祖禰之烝嘗若事遲過於服限亦不得停殯在宮而響樂在廟吉凶相干心所不忍通典

同春問有父在母喪者去正月遭喪有故未克葬十二月始襄事今當進小記及曾子問次月行練次月行祥之節行練於正月似當而初忌適在月內仍用是日如何又次月當行祥事而適値閏月又何以行之耶鄭氏曰以年數者不計閏以月數者計閏據此則用次月之禮者實是月數則似當計閏而母喪雖降元是杖期其間月數進退不過零碎曲折而不計閏爲大節目如何若不計閏而行祥於二月則禫祭

又間一月行之於四月耶自喪至三月實是十五月應爲行禫之月當以十五月爲準而行禫於三月耶愼獨齋曰以年數者不計閏者其意蓋不欲遷兩期之月也今之追祭者旣後於兩祥之期則似當只計月數而但本以不計閏之喪而到此欲從數月之制無乃未安乎初忌本大祥之日也似不宜相混到正月擇吉行練初忌行大祥祭如何小記曾子問之說則是兩祥皆過者之謂也似不必拘於此而廢當祥之期也一月內行兩祥如以爲苟簡則擇吉行練於正月而初忌則只行祭到二月行大祥間月行禫與

他無異耳或云祥雖退禫則當行於應禫之月

尤庵曰正月當大祥者以未葬退行小祥於正月則二月當行大祥矣其禫祭行於三月則有違於間月之制矣從間月之制則又爲過時不祭之文未知如何則可也若前年十二月葬則其月小祥正月大祥三月禫祭甚順而只以葬月行小祥爲疑此則如何與或人

問父母之喪初期後葬云云閔泰重　尤庵曰葬畢行小祥大祥則自用再忌之日矣

又問母喪過期不葬則子當葬後行練而夫則雖未

葬猶可除服否尤庵曰夫於妻亦有三年之義似當與子同其進退矣

南溪曰家禮初虞後卽埋魂帛盖用雜記既虞埋重之文也以此推之所謂虞則除之者似指初虞而言也服而祭祭而除便是除之之節答李時春

陶庵曰雖在祥禫過期之後今月行葬則來月小祥又來月大祥而禫則不可行矣與子同其進退當從尤庵說答徐永後

問退祥於禫月云云徐永後　陶庵曰若於晦日過祥事則是日安可行禫過是日則無禫矣

過期不葬者期功諸服變除之節與上條參看

問遷柩時己除服者將何服色以臨之歟姜期顧　沙溪曰期以下至緦之親月數足而除其服收藏之及其葬也反服其服虞則除之

尤庵曰反服其服虞則除之者此所謂虞似指初虞然不敢質言答趙復亨

過期不葬者祭先之限見喪禮喪中行祭條

追行之禮

大斂時追用幎握

問在途遭兄喪不能備禮幎目握手亦裁布假用到

家大殮之時依禮作二件物事安之於當面手處此等事出於臨時杜撰未知是否如何金誠一　退溪曰逆旅倉卒臨時杜撰勢所不免

七星板追用當否

南溪曰此事於古今無所據只朱子門人有神主遣尺度者先生答以今不可動此似相類第當初苟簡不用七星板必爲孝子終天之痛而春秋傳亦有葬故有闕是以改葬之文然則其與神主違尺度者事體少異歟答蔡時鎬

成服有故追行

旅軒曰喪初不成服而出避已爲失禮今既避在別所則尤不可待秋云云詳見染患中喪禮諸節條中喪出癘疫不成服之非條

問族祖父之喪在遠不臨尸適聞親病在途荒忙不得成服則仍素帶以終其月耶或人南溪曰此與稅服有異前雖失之當待事故稍定或因月朔成服終其月數無疑

追後立主改題追行及附中諱字追塡并論

問葬時或因變亂未及設主則追造於何日安昌應旅軒曰或祥或朔望題主似可

問有人在乳喪父不得立主其意他日因母喪立主

奉祭其果安於人子之心乎恐不如卽墓造主之猶爲彼勝於此也

又曰追行立主之禮嘗以爲當行於正廳盖以退溪答祠堂火改題主之說爲拘也今便思之初未立主者其義與此不同盖改題主者當初既已返魂於祠堂故不得不改題於前日安神之所也初未立主者雖其行葬已久神魂未必尚寓於墓所而當初既無立主返魂之節則今日立主之時亦無所謂前日安神之所其義亦不得不往行於墓前猶有所憑依者

也如何答金克成

同春曰付紙題主恐無古據雖不免失之於前而今可改之於後但既返魂行虞卒哭等禮則何可追題於墓耶須於朔望時具由告辭去其紙書而幷陷中題寫於几筵葬事則只依遷葬之禮行之恐是處變之道答李光迪

尤庵曰葬時神主未及造則追後合櫝不可少緩當俟主成卽當設祭以告而祔之何待於忌祭時祭也告時亦當以追祔之意告於舊主矣答李選

陶庵曰前喪之不爲造主旣非士夫家所當有之事

則今之追造焉有可證之禮也第以臆見言之祠堂火而改造神主時則必卽其前日安神之所設虛位改題焚香設祭使飄散之神更依於主者卽先儒定論今則初不造主豈有安神之所唯前喪之柩爲其合葬而復出於地此猶足爲依據之地以復衣置於椅上合葬後先於新喪而題主仍爲焚香行奠三獻一如初喪而行之爲可如無復衣則以亡人曾所身着之衣繞墳而三呼如喪出初皐復之禮仍設靈座曾所身着之衣如又無之則實無奈何古人有剪紙招魂之語此則爲生者行之者而亦未可移用於死

者耶所謂剪紙卽剪紙爲旐卽旗也追造神主時先告于靈座而告辭則以爲孝子某前喪時穉昧不能成喪全闕題主之節今因合窆始爲顯考某官府君追造神主敢告云云主成後設奠時則以常用題主祝用之亦不妨（答或人）

寒岡曰改題旣未及喪畢之日似當於時祭前一日具文以告而題之（答任屹）

問舍弟所後前母題主時族叔未記諱字陷中容二字空之其後問於本家而識之矣今當改題追塡爲計云云（全樂道）陶庵曰諱字追塡先賢豈有論此者耶

然容二字空之以待後日遺意可見改題時塡書恐無所妨

祔祭有故追行（廬墓者喪畢返魂後祔禮幷論）

松江問再朞而返魂祔祭行於何日龜峯曰朱子云旣祥而撤几筵其主且祔于祖父之廟俟三年喪畢合祭而後遷今日返魂在再朞祔祭似當在撤几筵之日

寒岡曰卒哭之明日或蹉過未及行祔祭則不得已當於大祥之明日行祔事而朱子答陸子壽書曰旣撤之後未祔之前尚有一夕其無所歸也祥祭之日未可撤去几筵（或遷稍近廟處）直俟明日奉主祔廟然後撤之則猶爲無於禮者之禮耳以此觀之似當於祥祭之夕仍行夕上食以待明日祔遷而後方始撤得几筵矣（答朴汝昇）

西厓曰哀家不及行於卒哭欲行於大祥前此則未知如何禮云殷人練而祔旣曰練而祔則是必練祭後行祔也家禮但云卒哭後明日行祔祭不言前一日行之執此兩端而推之則稍可爲據若於大祥後新主姑留几筵只以酒果告祠堂以明日當祔之由明日就几筵設紙榜祖妣位行祔祭然後奉新主入

祠堂則禮意宛轉頗似有據（答金兌）

沙溪曰哀家卒哭後祔祭蹉過不行大祥後擇日而設曾祖考及新主位祭之然後還入本龕至吉祭後始以先考爲正位入于第四龕而南向矣（與李厚源）

愼獨齋曰祔祭失時者何可昧然遽祔於祖廟乎必預於大祥前擇吉設祭可也（答李明漢）

尤庵曰禮曰周卒哭而祔殷旣練而祔孔子善殷朱子時有議當從殷禮者朱子以爲殷禮旣不可考又凡百皆用周禮而此獨爲殷禮爲未安孔子雖善殷禮而後世不可行者也然今祔祭旣不可行於卒哭

後則當行於練後無疑矣大祥以前則皆當爲練後矣若大祥後則非但禮無所據且事多拘碍矣（答金致鳳）又曰祔祭若有故不得行於卒哭之明日則又於其明日行之無妨如不得行則練而行之亦不爲無據矣（答俞命賚）

問寒岡曰卒哭明日或差則當於大祥明日行祔事云云（李選）尤庵曰既祥之後擇日行之恐似拖長恐寒岡說爲長祥日撤去几筵遷于稍近廟處朱子之說雖如此然此可行之於宗子而若哀家則祠堂只有先夫人神主而乃以權安於旁側亦似未安不若仍

安於舊處明日祔祭畢然後奉入祠堂之爲穩也夕時上食恐亦未安盖喪期既以大祥爲斷豈可以權置故處之故而復設當止之祭耶

南溪曰祔祭當有追行一節而又已蹉過則要須於祥後行之嘗見朱先生答陸子壽書曰必不得已而從高氏說但祥祭之日未可撤去几筵直俟明日奉主祔廟然後撤之則猶爲無於禮者之禮此乃論禮異致雖非追行之本意今日之事適與之合而實爲先儒定論恐當依此檢行然其曲折必須略加斟酌方始無碍（卒哭祝中隮祔祖考之文當移用於大祥祭之下前期告祔一節當行於祔祭既畢之後若祔祭將行而先告祠堂則本條元不著恐不必行○答李徽明）

問葬後有故不卽返魂祔祭今既過時秋間欲返魂於京家其時請宗子而行之耶抑於練祭之明日行之耶（李志達）南溪曰依示行之似當但不比卒哭明日而祭則卜日一節似在其中

問祔祭有故欲於練後行之家親適赴遠邑未及上來若過此時待大祥後祭之則恐有過時之患（李彥縉）南溪曰祔祭追行練祭大祥前皆可禮又有攝行之節然今既遷就恐當於兩祭中以家長在家時擇而行之

遂庵曰卒哭而祔古禮十分分明雖略差過日子猶不失朱先生意聞玄石喪子行祔於練後此則於朱先生之教終未知果如何也（答韓弘祚）

陶庵曰卒哭而祔常禮而如有故則禮又有小祥而祔孔子善殷之文大祥前擇日追行因告厥由似得之大祥後則無義（答或人）

問母喪祔祭未行練前又遭父喪云云（或人）尤庵曰云云（詳見幷有喪條中幷有父母喪祔祭條○下同）

問父喪葬後祔祭未行又遭母喪云云（洪益采）遂庵曰云云

問宗孫主祔祭而重喪在身又在葬前似不當往薦祔事(李爀亨) 南溪曰待宗孫過葬後往行之似宜

遂庵曰宗子在妻喪葬前云云(答李朝海 ○詳見喪禮祔條中宗子有故攝行條)

問祔祭退行大祥明日告廟在祥日祝辭服色(李熙)尤庵曰大祥已屆下云禮當入廟將以顯妣祔焉云云則如何服色則大祥前既用衰服告之則大祥後當用禫服矣

退溪曰今人廬墓成俗葬不返魂故卒哭明日而祔率不得依禮文退至於祥畢返魂之後是與程子喪

須三年而祔之說名雖同而其實則大遠矣今謹喪之家若能依古禮而返魂則事皆順矣既不能然而行於祥後則不卜日當以返魂到家之日行之(按五禮儀大祥祭行於靈座畢詣祠堂行祔祭 ○答金泰廷)

以染患重病追行練祥(見染患中喪禮諸節條)

失禮追行大祥

南溪曰先禫服而後祥祭固爲失矣廢祥祭而行禫事尤無可據不得已預告前者蒼黃不祭之由於几筵而卜日行祭其或稍勝耶盖二祥禮重非如禫事之過時不祭故也(答李恒)

祔廟追行(亂後祔廟并論)

問家有癘疫奉几筵來往齋舍行祀先妣神主將不得於祥日躋祔(尹拯)尤庵曰妣位不得祔於祥日則當俟禫祭之日耳大祭祔遷之禮皆從家禮則當於大祥行之若從古禮則當於吉祭行之有所拘碍兩不可行則不得已參用家禮古禮猶不爲無據庶或免於杜撰之譏矣以哀家事言之則尊先妣當祔於大宗之家祥禫仍舊自期至吉祭時改題合櫝正合古禮矣據此則祥禫之時尊先妣神主仍奉別室恐亦無害

又曰當因朔望有事之時具由以告而追祔之無疑(答沈之漢)

又曰賢閤之喪當於十二月大祥之日即祔於祖龕而蹉過至今則當於再期禮畢後遷祔可矣(答韓聖輔)

問宗子有居謫而喪其妻者次子適爲邑宰權奉家廟赴任宗子妻喪卒哭已久而妻主尚未得祔待母喪之祔因禘祫起義而祭之於祖以妻主祔廟則如何(洪錫龜) 同春曰過時不祭於禮亦然恐不可引禘祫爲證母喪三年後祔廟時具由告辭而并祔妻主無乃爲穩耶

旅軒曰貴廟在亂後用紙榜行事于各龕則乃權宜之設也木主則未奉安焉新主先安爲未安者果似然矣然若無他室假安之所則雖奉安于廟內亦未爲不可但不可致安于龕姑當於東壁下西向之位設椅奉安待合祭後先世神主幷安之日還安于當龕恐宜（答金汝涵）

兵火中權厝未備葬禮者追行諸節（見受中遇變諸節條）

追改之禮

改棺

旅軒曰初喪所用之棺非有大段欠憾似不可改如不得不改則啓殯之日啓即改之然後朝祖如何○改棺當有告○古禮啓殯有變服之節見尸柩故也止見尸柩猶變同小斂之節况如改棺則恐尤不得不變服也（答或人）

誤成服追改之節

尤庵曰適人而仍服私親三年大違禮法如知其非斯速已矣當於朔望告由除服似是無於禮而得禮者（答閔粤重）

問亡兒服制改爲期服則其變除受服之節當在何時（金蘇）南溪曰變除之節禮經必以葬及卒哭小祥爲節今則退溪先生更爲定論當受服於朔望行祭之日云頃年　明聖王后追服　宣仁王后時亦用退溪之論似可倣行如此之禮必待小祥而變除則服已盡矣勢須如此

又問當變除之時似有節次南溪曰此非練祥變除之類只是當初不審而服之耳恐當將行朔望奠之時以告辭告靈筵曰所服斬衰更考禮經有所不可者今將改以期制玆用申告云云仍着新服而行祭如何

問舍弟以童子而絰杖後考家禮喪禮備要則不巾不杖無疑而改之亦似未安且須葬而後除之歟（李絳）南溪曰葬發引啓殯時除巾絰恐宜

衰服補改可否

同春問衰服破毁或製失其制欲改之如何沙溪曰禮經及朱子說可攷

喪服四制苴衰不補註不補雖破不補完○大全李繼善問昨者遭喪之初服制只從俗苟簡不經深切病之今欲依古禮而改爲之如何朱子曰服已成而中改似亦未安不若且仍舊

尤庵曰服旣成而中改之朱先生明言其不可矣然斬衰之失而爲齊衰齊衰之失而爲斬衰如此大節目何可不改也（答尹宷）

問裁之中衣斬而不緝今擬於練中衣改造之時綴緝其邊（金栽）南溪曰中衣古制明載備要改製時依此行之恐當

問婦人服制從俗不經欲改爲而亦有中改未安之說云云（李時春）南溪曰婦人服亦因練而改則非所謂中改未安者矣

問朱子云斬衰草鞋齊衰麻鞋宇宏等考禮未悉成

服時用藁草鞋云云（金宇宏）退溪曰小祥改作麻鞋禮有初未合宜者中而覺之據禮而改之豈有不可者乎

同春問喪人遇水火盜賊失其喪服則改製似無疑

愼獨齋曰遺失喪服雖未盡旬月不作無服之人改製無疑

追改神主（主櫝改造并論）

退溪曰神主尺度不中改造似當然昔李堯卿造家先牌子只用匠尺其後覺長大不合度欲改之問於朱子朱子云而今不可動以此觀之神主與牌子庸何異乎牌子不可動則神主可易改乎（答李咸亨）

寒岡曰先世神主因兵亂未保誠爲痛悶而追造於親盡之後恐未合理支孫之親未盡者雖爲之權奉而追造代盡之主亦似未安（答崔季昇）

問有人於虜亂失高曾神主以紙榜祭之歿而傳於其子前日高祖則爲五代祖自當不祭而曾祖爲高祖今亦祭之始覺紙榜之非改造與否問於尚樸答曰似當於其時亡失處爲之而今不知其處則似當於墓所爲之也如何（鄭尚樸）南溪曰此段若王家禮而言之失主雖久可以改造而無疑若以經禮 國制

而參之降殺以兩之制終爲不刊之大典雖不得追改其主而姑以紙榜行之恐或未爲不可其改造之處則來示似可矣

問有人神主見失改造未及奉安所失之主得於園外云云（李著聖）遂庵曰云云（詳見祭變禮祠墓遇變條中失廟主還得處變之節條○下同）

問失廟主改題奉安矣後得舊主而不甚傷汚還安舊主而埋安新主否（魚有鳳）陶庵曰云云

問神主有蟲變字畫刓盡云云（李光壂）陶庵曰云云

問神主櫝歲久傷破則當告辭改造（蔡徵休）遂庵曰然

神主誤題改正 盡缺改題并論

退溪曰階中議書云者謂第幾爲世數之誤耶然改之亦甚重難姑仍之如何 宋門人有神主遺尺度者有製喪服失古制者而欲追改先生皆答以不當改之故云恐難改○答李楨

問誤題奉祀於寫者之右今欲改正 金宇宏 退溪曰當於練祭改之何必更俟大祥而後爲之蓋大祥改題主時神主尚在几筵亦使其日改要亦與先世改題別一節次均是別一節次先事而爲之恐無妨也

問題主誤題寫者之右今欲改正因練祭及大祥之日孰爲得宜耶 金宇顒 蘇齋曰恐莫若卜日虔告而遽

改之爲愈也

南溪曰改題似當在於後喪大祥蓋以覺非即改之意則葬後已晚矣至大祥時新舊二主同入一室而所題各異此正不得不改之節比他日尤爲有據告祝只在臨時措辭爲之 答洪錫龜

問粉面寫字或蠹缺則不得不卜吉改題 蔡休徵 遂庵曰然 又見祭變禮祠堂遇變條中廟主有變條

染患中喪禮諸節

喪中避染疫當否

退溪曰染疫遭罔極之變者不當避而求生所論甚善滉前日所舉朱先生之言謂曉人當以義理不可避者正是此意非有異也然此就病死斂殯時而言之固宜如此若在既斂殯後則容有可議者何也蓋避者未必皆生然而避者生之道也不避者未必皆死然而不避者死之道也然則當此時欲付葬祭於何人必處其身於死地而不少避以圖後事乎然此乃人事之大變極致處吾未到能權地位恐難以立下一格法以訓世也比如人與至親同遭水火之急固當不避焚溺以相拯捄及不免焚溺而一有偶脫者斂殯既畢乃不顧後事而反自投於水火則其所

處得失何如耶此滉所未判斷處也 答李咸亨

沙溪曰癘疫人疊死或父母死退溪曰成殯之後子當出避其言曰避者未必皆生然而避者生之道不避者未必皆死然而不避者死之道也愚見此說以爲是更思之亦有所難處爲其子者畏死出避付之於婢僕之手婢僕亦畏死避而不守以子而出避則不可責婢僕之不守或有至於火災而不捄也其可乎然則退溪之說未可遽爲定論也 答金獻○下同

又曰癘疫親死出避之說固是難處若爲土殯無火災之虞則如退溪說出避似或可也

南溪曰朱子所謂告之以恩義則彼之不避者知恩義之爲重而不忍避云者誠人道之至訓至如退溪所謂避者未必皆生然而避者生之道云者亦處變不得已之論逮乎沙溪初是退溪之論而間爲或者所謂不當付父母喪於婢僕之論所撓以有末段土殯後出避之言或者所謂似矣而有未盡通何者朱子雖有云云如上文者而其首尾又有其實不然及染與不染似亦係乎人心之邪正氣體之虛實不可一槩論之之語此所以致退溪殯後出避之議也皆竊略究其意則當父母疾病之時喪出之際無論心

氣之邪正虛實爲人子孫者自當一體救病治喪以盡其道也及斂殯既畢之後既有邪正虛實之不可一槩論者則亦豈宜固守常法而終昧以死傷生之大戒哉譬之有國家者値外敵入寇危亡之禍迫在朝夕不得已而出於權宜圖存之計太子親王撫軍分監以爲重恢之地將相士民禦侮敵愾以爲死守之舉上下相維各有攸當今爲太子親王者自謂能盡子道而必欲死守則其於畢竟扶持宗社底道理當何如也大抵朱子恩義之說亦以骨肉至親爲言然所謂骨肉至親亦有分數退溪斂殯之論既以父子爲言其無此而有伯叔昆弟者似當議擇其親屬最近性不畏癘之人捄病治喪餘皆在外經理不必全數入見如父母之爲則是當無專委婢僕不謹藥餌之患其於人心天理殆無遺憾矣

問父在母喪大祥身爲瘟火所逐遠離几筵云云 郭守㦤

遂庵曰以父命不敢參祭則闋服於外亦有何所妨

喪出癘疫不成服之非

旅軒曰喪初不成服而出避已爲失禮今既避在別所則尤不可待秋爲不成服之喪人要就切近不煩

處成服耶 答金傑

饋奠不忌痘患

南溪曰痘患俗忌甚切然恐不可廢饋奠哭泣如以相妨爲慮則預置兒輩於隣家方便處之似宜 答朴泰昌

染患中成服未備者不可退行練祥

遂庵曰以癘疫不爲成服是俗間無識之謬習也然此與追後聞喪者有異以成服月爲準之說恐無所據 答蔡徵休

又曰若喪出之時喪人亦痛不省人事闕其哭踊等節次則固當據奔喪之禮而行練祥可也 答鄭明佐

問有人合家遘癘遭母喪貧甚喪人只以孝巾中衣布帶執喪其八月追加衰絰或曰便是追成服當以八月行練事金樂道陶庵曰練祥之退行於月久之後只當論於在遠奔喪者所示喪家事特衰絰不能悉具耳雖不可謂之成服而亦不可謂全然不成服恐不得不於當日行祥不必退期也以衰絰言之則固不滿於練期而既不愼初豈有善後之道耶

以染患重病退行練祥

遂庵曰父喪練祀長子身有重病則擇日退行爲可其病數月内如難差復則祝辭當曰孤子某病重使

禮疑類輯 卷十八　喪變禮　四十六

介子某昭告云云亦可答郭守炳

問亡弟再期已過而寡嫂孤姪遘癘未能叅祭云云金孝徵旅軒曰喪主主婦既不得叅行祥事則雖令門孽攝行於再期之日而喪主主婦則依舊爲衰絰中人矣何可謂之祥事已過乎其勢在今不得不用擇日行祥之古禮

又問孤姪練服則孽叔擅自付火云云旅軒曰大祥所除之服即練服也今既無練則所除者何服也或所謂改製練服入哭盡哀後還出着黲復入行事乃是祥祭時前後節次則此固不可欠過者也但喪家未能卒辦舊服則只用所餘頭巾喪杖及麤布衣行事其亦勢所不免也

同春問有人服母喪祥期在前歲十月而闔家染患不得行祭今將追行祥祭時當着何服若據今制用純白則當於何時除之依古禮用微凶之服似宜於兼祥禫之義耶愼獨齋曰當依朱子說只行祥而不行禫矣但必既祥而後方可脫衰脫衰之後遽着微凶恐不可也盖日月雖久而脫衰則始於今揆之人情似不當遽變服請兼祥禫之義也鄙意以爲行祥也當用純白雖不禫而間月即吉情禮方安亦不遑

禮疑類輯 卷十八　喪變禮　四十七

於從厚之意也

尤庵曰所寓處若奉安神主則只於當日行練卜日追行盖出於不得已也答金得洙

問大祥日闔家痘疫若俟乾淨於二十六月或七月而始過大祥則禫祭不須待踰月耶蔡徵休遂庵曰廿七月而禫禮也大祥若行於廿七月之内則月初行祥晦前行禫過廿七月則禮有過時不祭之文祥祭可追行禫祭廢之爲宜

避寓中行禫

寒岡曰奉主避癘則行禫事於權安處不然則設紙

榜病者出幕家無痛焉則備持祭物就行於本家皆不妨至於祭於墓所則甚害於理(答任屹)

問避癘方在他所云云(權褧)遂庵曰禫祭過三月則便作過時不祭豈可等待還入舊村稍向安淨則雖不能便入奉主行祭於寓所似可如不得已則紙榜行之猶愈於闕祭矣

以癘疫祔廟追行(見追行之禮條中祔廟追行條)

山殯年久處變之節(見草殯條)

喪中遇變亂諸節

喪中遇變亂奔問當否

陶庵曰喪中奔問一款鄙意則三軍不呼之義蓋所以順人情而合天理也雖往往有不避金革者而猶不免得罪於禮教況奔問而無所事者於義何所當耶事親之日已無可及自盡之節唯此終喪一日違舍几筵孝心之所不忍者致身報國豈無他日耶(答閔昌洙○下同)

又曰喪中遇變亂則雖曾經侍從之人奉几筵奔避山裏恐無害於義理至於因事入城云云喪人宜不敢暫離廬次其出入則爲喪事及時見于母兩節而已苟能一如禮律而無違則雖卽日還侍几筵與同奔避自可無疚於心平時行動旣不能如此則仍留以俟亂定亦不爲不可如何

兵火中權厝未備葬禮者追行諸節

同春問有一士人遭喪而遭胡變不得已爲權葬而事勢甚急祖奠遣奠等禮皆未及行賊勢稍退之後始爲謀葬而祖遣等禮皆已過時欲遂已則情理不安欲行之則不知何時行之也權厝掘被奉柩而出然後行祖奠旣載於轝然後行遣奠可不失禮意否且神主未及造成若遷延至於數三年之久則形歸於地而神未有依且喪期雖盡豈可脫服乎今若難

於趂速改窆則先備木主告辭而書之設虞以安之如是則練祥等祭亦或可行而不悖於禮否云云沙溪曰來示曲折幷與鄙意相合若久不改葬先書神主行虞祭爲可何子平之八年在殯恐權葬亦不得也

問葬時或因變亂未及設主則追造於何日旅軒曰云云(詳見追行之禮條中追後立主條)

亂後祔廟之禮(見追行禮條)

被罪家喪禮諸節

銘旌題主請輓

尤庵曰神主之題既以別號則銘旌尤無可問云云答宋炳文○詳見喪禮題主條中書別號條○下同

陶庵曰陷中非可改處被罪家先輩亦多有書官名者今亦不以號而用官不妨官與號幷書則恐無義矣答閔百順

尤庵曰所題於尊祖妣者苟如來示則寧有夫削其官而婦有其封之理乎又豈有一櫬之內夫卑婦尊而可安之理乎欲以孺人書之則又非諸君子之所能安者百爾思量未得其當略據婦人誌蓋之稱如此書送莫或不駭於聽聆否用於尊位之稱當時重

卿諸君見時出示程子書中題主書別號及子孫稱父祖爲先生之文矣來示何故如是也答宋炳文

寒岡曰夫無職則妻借用孺人削奪者之妻恐當用無職之例也答崔季昇

問亡父官爵未復銘旌以常時所號者書之題主將依銘旌所書書之而陷中當如何書之或云書以及第此說如何云云成德朝 陶庵曰葬時銘旌當書號而疎翁二字自好不必改耶然而來示亦有意義惟參量而用之也陷中異於粉面書以職銜不妨被禍家人亦多如此云矣顧今丹書未洗如哀自處宜若古人藁葬之爲者恐不必乞輓而已請者今不可收回矣如有製來者亦勿用於啓𠝹在道之時如何

禮疑類輯卷之十八

禮疑類輯卷之十九

喪變禮

草殯

入棺前草殯成服

靜觀齋曰草殯成服固未安但於其前只服素帶不但有拖引之嫌而已前頭入棺既未知定在某時則屢月後入棺成服之節既與追服等禮不同功緦月數之際尤豈不難處耶 答南溪

啓草殯至葬時諸祝辭

朽淺曰啓草殯時告辭將以某月某日定行葬禮茲於吉辰啓出靈柩始安幕所敢告○祖奠告曰永遷之禮靈辰不留將奉靈柩式遵祖道○遣奠告辭今奉靈柩往卽幽宅敢陳遣禮永訣終天○下棺時告曰今遷柩就壙敢告 答金光勳

山殯年久者處變之節

問有人父母俱没於染疾入棺卽爲山殯今至十二年之久云云 李濟厚 陶庵曰山殯雖不能盡如葬禮亦不可不謂之葬是必以葬斷之而後凡百難處之事一時平了唯至今不撤靈筵一切以喪人自處猝然曰我於其時已行葬云爾者不成事理就此地頭而

論之汲汲行葬禮翌月行小祥又翌月行大祥此外無他道矣

權葬

總論

沙溪曰權葬非禮至於無事時行之甚無謂也 答黃宗海

問權葬者其以出殯于山之謂耶雖以葬禮行之而將遷改之謂耶欲依小記所謂家貧或有他故不得待三月之説姑行報葬云云 李時春 南溪曰所謂權葬者所論後說是也蓋不備其禮而出殯於山則謂之藁葬矣今此喪雖曰無主乃係一家之尊行有難以徑行葬禮者然理勢所在姑依小記之文處之亦似不無所據

愼獨齋曰雖非永窆而既葬體魄且其事勢遷改未易則當其權厝題主無妨 答尤庵

兵火中權厝未備葬禮者追行諸節 見喪中遇變亂諸節條

改葬權厝除緦服之節 見改葬條中除服之節條

改葬

總論

沙溪曰古者改葬爲墳墓以他故崩壞將亡失尸柩

也世俗惑於風水之說無故而遷葬者甚非也 喪禮備要

告廟之節 告几筵弁論

問丘氏曰前期一日告于祠堂墓所若在遠則其告廟節次當如何或云當先定遷墓之日主人臨行告廟而去或云主人先去墓所經營葬事及其葬前一日令在家子弟代行其禮 金誠一 退溪曰似兩可

同春問父喪未葬改葬母告廟云云沙溪曰酒果本爲告事而設只奠本龕可也主人自告豈可代行也凶服入廟於祔祭可見矣葬畢告廟則有哭泣之節當出主也

問考妣各葬只遷一位則就祠堂啓櫝而只出一位主否 閔泰重 同春曰恐然

問父喪未葬遷葬母告祠堂 尹家 尤庵曰使祝行之如新喪靈座之禮似宜

又曰改葬朱子以爲祭告時却出主於寢未知此只謂葬畢告廟之時耶抑兼指當初告廟而言耶問解則專指告畢而言未敢信其必然 答李顯稷

南溪曰既無家廟龕室之制則勢難獨行告禮於當位恐當請出正寢而行之也 答南磐

問改葬告廟時告辭自稱及稱某位與神主將不同何如 或人 尤庵曰今日哀家遷葬時自稱當稱孤子雖與神主所題不同然不可不如此觀於吉祭時祝辭可見矣

問告祖父祝文中罪人方在父喪孫字上當稱以何字 南磐 南溪曰禮卒哭明日行祔祭於祖考祝辭稱孝孫今亦依此爲稱

告墓之節

退溪曰遷墓若非專爲宅兆之故告辭固不可全用儀節之文合葬是吉禮而又有遺命以此爲文爲當如無遺命只以新卜吉地用古祔葬之禮爲文似亦

當矣 答金富仁

尤庵曰破墓告辭當用於始役之時而因服緦矣出柩則卽設奠而不復以辭告矣若有意外事端則似當別告所以矣 答宋炳文

問舊山破墓時當依備要改葬之節而方與祖父之葬同日合墓則啓墓告辭何以爲之 科振河 遂庵曰啓墓告辭今將改葬四字改以今將遷祔於顯考新塋云云祠堂告辭改葬于某所五字亦改以遷于顯考云云似宜

尤庵曰啓墓之時祖先墓同處一岡則如此重事何

可不告耶此雖無明文然以祔葬時告于先墓推之
則遷改時當告無疑矣答李顯發
又曰兩墓同崗而今一遷一否則兩皆告之答李碩堅

改葬服

改葬當服緦之類

退溪曰改葬之服既云親見尸柩不忍無服則於改
葬母也獨無服而可恐乎竊意人子於父母情非有
間而聖人制禮則多爲父壓降於母者家無二尊之
義最重故謹之也其意豈不以五服最輕者緦降緦
無服今既以斬衰當緦則齊衰以下無服可當故只

以素服行之耶答金富仁
問改葬服只云子爲父而不云爲母黃宗海 沙溪曰言
父則母在其中退溪曰不爲母服緦者家無二尊故
也此說誤矣子思曰禮父母改葬緦王肅曰非父母
無服喪服疏子爲母亦同豈有葬母而無服之理乎
愼獨齋曰改葬服非但爲父也服三年者皆服緦況
父母一體豈有不服母之理乎子思曰禮父母改葬
緦儀節適不及之耳答鄭弘重
問方營亡妻改葬家豚雖是應服三年者秉實爲之
主子不得服緦而只以白布巾帶從事耶柳稷 陶庵曰

父在母喪者雖壓屈而不能自伸其間猶能具三年
之體緬禮之時恐當服緦

問丘氏曰改葬緦子與妻也妻是子之妻否外者妻
否不及女何也金誠一 退溪曰所謂妻子之妻也女在
其中

沙溪曰按禮意應服三年者改葬當服緦古禮子之
妻爲舅姑期至宋陞爲三年服則改葬服緦恐當喪
服記改葬緦疏云不言女子子婦人外成在家又非
常故亦不言據此通典所謂出嫁女緦恐誤答同春
尤庵曰改葬緦果如李先生說則妻爲夫無服而子

之妻爲其夫之父爲服緦故從服緦也無論義理之
如何而禮所謂妻爲夫之文似不如此也且妻爲夫
無服則適人女本服不杖期而於改葬乃同於子而
服緦者亦似未安且李先生於改葬云子但爲父服
緦而不可爲母緦此與禮經不同答洪友周
沙溪曰承重者雖在曾玄孫與長子無異當服緦麻
豈但素服而已通典已論之答姜碩期

晉步熊問改葬孫爲祖亦宜緦但不受重於祖父
亡後祖墓崩不知云何許孟云父卒孫爲祖後而
葬祖雖不受重於祖猶爲主雖不曾爲祖服斬亦

可制緦以葬也通典

遂庵曰五代祖喪宗孫似當承重遷窆時服緦鄙見亦然答朴正源

問前母繼母出母嫁母改葬皆當有服耶沙溪曰通典皆有明文然徐廣之言亦似可疑也

晉胡濟改葬前母服議云禮無其章故取繼母服準章前繼一也爲前母改葬宜從衆子之制○劉鎮之問父尚在母出嫁亡今改葬應有服否徐廣答云改葬服緦唯施極重此既出嫁未詳兒有服之文然緣情立禮今制服奉臨就從重之義合即

心之理亦當無疑於不允也

尤庵曰承重孫之妻亡人之妻諸子妻皆是斬衰則今於改葬皆服緦無疑答李選

南溪曰家禮既云大功以下不用負版辟領衰則以緦服而備三條勢不可也答姜錫朋

父喪中改葬母之服并論諸孫服

沙溪曰父喪中改葬母者據小記父母之喪偕疏父未葬不敢變服若父既葬則恐當依重喪未除遭輕喪之例服母改葬之緦以終事喪禮備要

同春問父喪未葬改葬母墓則啓墓時當釋重服而服緦耶但緦服既成當即反重服雖執奠於前喪亦以重服行之否云云沙溪曰據禮雖有事於前喪亦當用重服無疑若服緦時則杖亦當去

小記父母之喪偕其葬服斬衰註其葬母亦服斬衰者從重也以父未葬不敢變服也

問父喪既葬改葬母服緦從事否鄭弘溟沙溪曰既葬與未葬有異改葬服緦似無不可

尤庵曰父喪未葬前遷母喪則雖有事於舊喪不敢變斬衰禮也惟既葬而虞祭時始服遷葬之緦矣答成晚徵

又曰雖同是下棺下棺亦奪情之事故先輕後重之說終爲定論矣若然則此時尚是父未葬則何可變服耶且雖當變服然頃刻之間旋脫旋服於蒼黃之際豈成擧措耶須以不變重緦爲正可矣答宋炳文

南溪曰雖重在父喪初無不爲母成服之理既成服則隨喪行奠恐當用緦服只路中欲弔大喪者當以方笠布直領受弔而反喪次然後以此爲主也然前日羅顯道并遷祖父母喪愚則以各成服爲言而尼議以只成外服而通用之爲說云云答或人

又曰喪中改葬雖有小記之文鄙意此指發引及窆

葬同時行禮者而言耳如啓墓時或有母葬在別所者尤難處及與几筵時朝夕上食猶有服緦哭祭之儀恐亦無異義而有加重矣答權鑽

問父喪未葬遷母葬云云尹湛　陶庵曰父喪中遷母墓合封者雖於父喪仍服斬衰至母筵虞祭始敢服其緦而祭之禮也

愼獨齋曰來示改葬服緦輕於禫服含重服輕似未安云云竊詳古禮凡重喪未除而遭輕喪則制其服而哭之卒在父母喪而緦服亦當服其今此禫服比於改葬緦輕重雖似有間當其事則不可以禫服其

禮疑類輯　卷十九　喪變禮　九一

服輕重不當論也況衰麻已除緦服方始其爲輕重亦未可知也何可以白衣白冠仍着於見柩之日也若果服禫幾與旁親之素服無異矣大抵服重之說祖述於喪服小記小記所謂乃謂父母之喪偕先葬者不虞祔待後事其葬服斬衰註曰其葬母亦服斬衰者從重也以父未葬不敢變服也云云今之改葬非偕先之比不可援小記之說廢緦麻而服禫也明矣若衰服未除雖廢緦服猶是本位之服而不失從重之義也然無明據未知何如答李敬興

問祖考葬前遷祖妣墓時家親服重喪衰絰至於案等似當用改葬服尹家　尤庵曰尊丈既服重服則子孫似當一例行之矣

母喪中改葬父之服

問改葬當服緦麻而方在衰中哭從之時當服何服尚龍　寒岡曰當服重服葬考時服緦麻

問遭母喪將遷父墓云云人或　愚伏曰以齊衰服改葬前喪似爲不妨恐不當必以最輕之服易之

問當母喪改葬父舊喪上食時服緦麻新殯饋奠時服衰服厥後合殯于一處則仍服衰服而居矣發引時服緦麻如何安重弘　愼獨齋曰新舊喪各服其服來

禮疑類輯　卷十九　喪變禮　十一

示然矣今者既已同殯各服節目無施也方在初喪中似難以緦服之輕恒處於殯側也同時發引則更服緦麻又無所施如何如何

問饋奠之時則各服其服而若發引下棺在同日同時則當着何服尹宣擧　愼獨齋曰喪服既以舊喪爲重似當服緦也雖是緦服何可以凡緦功之服比方而言之乎不以緦看緦而以父喪服爲重不失尊尊之義不亦可乎若期服以下諸人若脫齊衰則只以白衣素帶隨行極似未安且異於服緦之人雖以新喪之服隨行似無妨焉

尤庵曰母初喪父遷葬或云爲父雖服緦自是斬衰之餘當服緦以葬此雖有其理然旣無古訓則似不可遽從矣惟以淺見言之則齊衰重於緦當服齊云者稍爲可據矣答黃世禎

又曰頃年從兄之喪則以緦麻將事至母虞然後服齊衰亦未知果得禮否也主人旣服緦麻則餘有服者之弔服從可知矣答全汝南

又曰前喪雖重不可以緦而揜衰且諸服人皆服衰而諸孝友服緦似涉尷尬答尹商擧

南溪曰孝子雖持母喪而當破父墳時不爲制服殊未安服之無疑也其祭之則似當服緦不變蓋改葬古人皆以喪禮處之初喪幷有喪者先葬母時以父未葬之故斬衰將事者從重也此亦恐當倣此爲有據而不以緦服之輕有間者亦退溪所謂與其無據而創行寧比類於幷有喪之例之意耳答愼景尹

又曰行喪及下棺時當持改葬父緦服以從小記之義恐當答李時亨

問贈玄纁時以緦服奠于父柩以衰服奠于母柩而衰遑急遽之間衰緦換着亦似煩碎李世弼　南溪曰改先葬時服緦固無疑矣若贈玄纁時則當以小記父母之喪偕先葬者不虞祔待後事其葬服斬衰之義處之蓋雖緦猶斬也

遂庵曰母未葬遷父墓禮無不變服之文前喪行祭服緦後喪行祭返重服云者來說恐是答成達徵

陶庵曰母未葬而改葬父者初喪旣異於改葬緦麻亦輕於齊衰然舊棺之出卽同初喪古人皆以喪禮處之緦服雖輕本是斬衰之餘略具三年之體恐當以父葬爲重而服緦將事至母虞始還齊衰若非合葬則葬時各服其服無疑矣此事從前多甲乙之論而愚見則如此答李希仁

繼母葬前改葬母之服

南溪曰服後母喪改葬母墓者當釋重服而服緦無疑與父未葬不敢變服之義自不同雖爲後母出者服緦一款亦恐無異答李箕洪

生母葬前改葬生父之服

尤庵曰兒子生母葬前改葬生父渠以弔服奠母爲忽略又以母服奠父爲不敢故臆斷而出於各服之擧矣與同春

養妣服中改葬養考之服

南溪問養考之葬今欲還奉啓墓時當以何服乎蓋

新喪既不得用三年之制則似亦只用弔服云云尤庵曰養姚服中改葬養考之服古無所據只當從弔服之制而有事于兩殯則當從各服其服之文矣蓋惟斬衰未葬前不可改服他服也

承重孫父喪中改葬祖之服

尤庵曰以重服中服輕服之文觀之則承重孫雖在父喪當爲祖母服改葬緦矣餘人之加麻恐當如此曾見文元公喪門人之有私喪者仍服布直領而加麻依此爲之亦不爲無據耶答李相夏

南溪曰雖在喪中隨祖父喪柩及奉几筵饋奠時當用緦麻惟行奠父喪用本喪服恐當答南銓

承重喪中改葬父母祖父母之服

問人於祖母承重服內方遷其祖父母及父母四墳緦服幷制四件葬窆祭奠時各服而行事否破舊墳後當以何服爲重金栽南溪曰祖母當喪遷墓則不當制緦服其餘皆如來示處之似當破墳後常着之服亦似以祖母服爲定蓋服之輕重既別恐與禮家服斬衰從重之義不同故也

又曰緬禮節目如以其葬服斬衰之文觀之遷葬王父母者似全不用王父母服矣然疏曰其葬服斬衰直以葬爲文明爲母虞祔練祥皆齊衰也以此推之愚意啓王母柩時即成其服朝夕祭奠及虞祭時亦皆以其服將事而外此一以王父服行之恐爲得宜答羅良佐

三年內改葬之服

尤庵曰三年內遷葬者當以原服行之不必改制緦也答鄭尉

問祖母遷墓在小祥後則衰服首絰既已除去矣更制緦服首絰而加於衰服上否金栽南溪曰不當制緦絰

又曰方服三年者雖改葬不當更制緦服當闕壙之日已以時服將事其後假令値禫月服禫服自是一串出來有何致歉於不緦耶但王尊長及前妣喪承重孫及諸子不可不各製緦服各設几筵葬時若同窆一穴只亦當以王尊丈緦服將事以準古人以斬衰行禮之制所製緦服且得各用於祭奠及一虞時似當答金楺

問禫服中改葬當從禫服乎當行緦服乎鄭具南溪曰禫服緦麻之說有難折衷第當改葬不可無服緦之節誠以改葬爲王故耳常時則持禫服葬時則持

緦服行禫而除禫服三月而除緦服亦與輕者包重者特之義可以旁照至於畱服喪服恐非其倫矣○愼齋答曰江問其論改葬服一節正如左右畱服之說而愼齋所答當服緦者一如鄙見 按愼齋說見父喪中改葬母之條服

姑喪中改葬夫之服

南溪曰雖居姑喪何可不服夫遷墓之服耶 答李時亨

期服中改葬父母之服

南溪曰期服雖重而乃旁親之服緦服雖輕而爲其父母之服又方當喪行事則其服緦服爲是 答姜錫朋

改葬時在家成服

問云云不能來參者亦當制緦服望哭成服於破舊墳之時耶 尹文擧 同春曰來教恐然

問婦人不得往墓則於啓墓日成服於家耶 李時春 南溪曰然

改葬時攝主之服

問有人遷葬其祖父而其父年過七十身有篤疾其子當以攝主之禮行之否抑以七十癈疾老傳之義處之而其子直主其葬否其子服制亦當如何 金代 南溪曰平日旣不能擧老而傳之禮則似當用攝主之例盖攝主則人家所常行故也其子服制只當依諸孫素服而已

弔服加麻之類 不赴擧並論

問改葬時期功之親當依丘說用白布巾否 李尙賢 同春曰恐當

南溪曰有服者改葬時當用弔服加麻者通典王肅說也所謂素服布巾又出於丘氏儀節其實只是一例非有輕重 答金樑

問五代祖以上遷葬宗孫雖在破宗以承重之義當服三月乎 崔祏 陶庵曰遷葬時服緦之疑決於承重與

否旣不承重則只當弔服加麻而已

南溪曰出繼子於本生親遷葬無他可服之服當以弔服加麻行之 答南某

尤庵曰緬禮子孫之不得來會者素服望哭情理之不可已者況 國朝已成典禮耶哭不設位禮已非之此恐不須疑言弔服加麻以餘有服之文觀之則恐無親疎之別而子思所答則似專指期親耳疎屬雖只去華綵恐不爲無據也 答尹文擧

陶庵曰弔服加麻固無服制之可論然本是期服而靈柩出地凡百一如初喪卽是未葬之前此時何服

論場屋試藝之事耶揆以情理恐不可赴矣答洪啓祥

喪中祖父母以下諸親改葬時服色重服人并論

問應服三年者改葬時皆服緦餘皆素服布巾然則諸孫之方在斬衰者亦當布巾加麻歟宋三錫尤庵曰所重在此當依加麻禮

又曰改葬妻當用素服加麻之制而哀侍方持重喪當依家禮重服未除遭輕喪之例有事于改葬時暫釋重服而服改葬服矣凡喪父在父爲主子雖長成何敢爲主耶答金澤

禮疑類輯八　卷十九　喪變禮　十七

問母喪中改葬妻朝夕奠及贈玄纁脫母服而服妻加麻亦涉未安只以深衣方笠行事耶李世弼南溪曰所示似然

問身居重服臨視諸父與兄弟改墓則將何服色李時春南溪曰亦用布直領孝巾

問方營祖父窆禮而欲遷祖妣舊墳弔服加麻者方持重服亦不敢改服耶朴河振遂庵曰禮只言父母葬不敢變服然則斬衰之外餘親似可服弔服矣

改葬服緦之節

寒岡曰緦服當服於告啓墓之初答任屹

冶谷曰瓊山改葬儀節將啓舊墳遽已服緦行哭余常竊疑服華采從事吉常之人者未見柩而先哭不哭而先服凶似不合人情今見朴躍起遷潛冶墓用潛冶平日說見柩而後哭奉柩就殯而後服緦遂信其見之幸中仍又思之見柩吉冠哭踊以象初終奉柩就幕衣服緦以象成服似有節文

尤庵曰始役之時仍服緦云云答宋炳文○詳見告墓之節條

國恤中私家改葬服見喪禮國恤條

破壙出柩異日凡節

問啓墓之日服緦舉哀云者非爲是日當親見尸柩

禮疑類輯八　卷十九　喪變禮　十八

故耶李灤朽淺曰術家例以破壙日爲重不計日數之遠許以略破某方豈啓墓而親見尸柩之比耶謬意恐當以素衣帶告以遷墓之意且告后土而歸以俟後日啓墓穿壙之時乃服緦

遂庵曰前期破土是地家之說亦非禮文也旣以遷窆爲告則破土時即服緦服可也答郭守煥

問破壙出柩各擇兩日則似當各有祝辭李箕洪南溪曰破壙出柩異祝古無其儀所不敢說如必爲之當曰卜葬非地體魄靡寧將欲遷窆他所敢先破壙伏惟尊靈庶無震驚別以酒果行之於出柩日則乃可

盡用備要啓墓之制蓋彼有舉哀一節似非只破墳
時所當行故也
問遷奉合葬於先塋日者曰先塋及權厝處破舊墳
旨於吉日略爲開土臨時始爲破開云祠土地告先
塋祭則已行於初始役之日臨時破開之際又不可
無節而若又設酒果則反似重疊未知秖當焚香更
告於先塋耶 李世龜 南溪曰此誠無於禮者如必用之
則舍此恐無他道理

兩喪出柩改殯先後

問同葬父母則先輕後重奪情故也改葬啓墓時亦

當先啓母出棺改殯時亦當先殯母否 金誠一 退溪曰
皆當先
問合葬遷葬則啓墓出柩時當先父後母乎 閔泰重 尤
庵曰出柩是伸情之事似當先父

改斂改棺之節

尤庵曰出柩後改斂爲急然當朝奠時只行朝奠當
上食時亦行上食若有奠上食則不可無靈座旣上
食後移靈座於他處而改大斂無不可者此備要註
說之意也 答姜錫朋
問或曰年久薄葬者啓墓之後極爲無形難可收拾
則別以板子造棺去地板單蓋還斂築以成墳爲得
或曰雖至無形若妙手則移斂安頓不至散處雖百
歲之久亦可移安兩說孰善 任屹 寒岡曰後者之言是
也若着手精妙百分謹愼則用竹片移奉無形之骨
斂襲安頓不差毫釐
旅軒曰移墓於歲久之後則例未免拾骨所拾者骸
骨而已不可以親膚而并收其土所以改葬者必用
綿子以將其所拾之骨使之有所維持而無所雜亂
其次序者也 答鄭亦顏

離先塋時朝祖墓當否

問離先塋而向他山不可無朝祖之禮朝於祖墓而
後設遣奠乃行如何 尹宣擧 愼獨齋曰朝墓不見於禮
而以情理言之不可無矣

發引時設奠

杇淺曰就轝後設奠如遣奠儀告曰靈輀載駕往卽
新宅敢告若祖奠則丘儀無之豈非以異於新喪故
耶 答李成己
問經禮問答改葬條曰儀節備要皆無遣奠等儀而
備要發引有設奠此與遣奠有異而只設酒果耶 鄭觀
齊 陶庵曰此奠雖無祖遣之稱而實有祖遣之義略

倣遣奠爲之似宜

兩喪發引相會之節（與并有喪條中發引先後條叅看）

尤庵曰以鳴山之引而會於燕山則是以卑詣尊矣事體當矣若如來示則是以尊就卑矣似未安矣愚意則雖先破鳴山而姑殯於其處外引歷過前路時兩引相會略停於路次而告由○外喪曰祖妣靈柩出自鳴山或云舊墓今將同奉以行敢告云內喪曰今與祖考靈柩相會於路次今將以下上同○隨其事勢內引先行先殯於新山亦何害也（答宋炳文）

問父母兩柩相會之際別有設禮者乎第禮無路祭

則兄弟及有服之人盡哀而止乎（權鑌）南溪曰來諭末端說是第似有告祝兩柩之節而諸家禮無考不敢質言

停柩設靈座靈寢

南溪曰改葬之柩入奉家內與新喪同殯無乃與喪事卽遠之義少異耶（答李時亨）

問改葬設紙膀乎（金誠一）退溪曰只設靈座

同春問改葬靈座當只設椅子耶若有遺衣服置於椅上似宜沙溪曰然

尤庵曰凡遷葬時凡百一如初喪而靈座則不設魂帛只以遺衣服置神位矣（答或人）

又曰遺衣服有則設之無則只設虛位此則出於不得已也況既異殯則尤無異同虧完之嫌矣靈床之具既曰如初喪則何可不設如無舊時衾枕則備用新者似宜（答宋炳文）

問柩前靈座只設空椅似是（李世龜）南溪曰遺衣服儀節初喪雖有椅上置衣衣上置帛之說恐非家禮本意蓋所謂椸者實置遺衣服之物而椅上只得設魂帛而已來示似當

又曰新山移殯之後櫛頮諸具亦當依在家例陳設

無疑（答崔補）

又曰若前喪近而靈寢存則設之亦好復衣亦然（答李時亨）

遂庵曰春堂改葬時子華問靈寢於尤庵先生答以當設今此改葬亦當設之而既無平日衾枕不過數日之用備置誠難故欲不用矣（答權燮）

兩喪異殯（與并有喪條中父母偕喪設几筵條叅看）

尤庵曰母初喪父遷葬同殯之示非是雖父母同日歿必須異殯也（答黃世禎）

又曰內外喪異殯明有禮文雖朝夕上食之時亦當

各服其服○所謂異殯者非必相遠也假如二間之家則隔障中間而各設几筵亦可矣 答宋炳文

又曰舊山出柩後引就新山禮也須預於新山設殯廳奉安而諸孝子分守新舊殯似宜矣新喪殯側設幕遷柩之論據禮決不然禮曰喪事有進而無退 答成晩徵

弔

尤庵曰雖是遷葬客有來弔者則主人何可不受也 答尹宷

同春曰弔禮親戚情厚者外恐不可一如初喪 答黃世禎

陶庵曰親見尸柩之日若之何其不弔於禮亦有之矣 答李命元

上食奠

退溪曰改葬朝夕上食不可考然今既見柩事象初喪者多恐上食爲當 答鄭崐壽

同春問遷葬時出柩朝夕哭奠上食一如初喪否沙溪曰退溪有教可遵行也

又曰設靈座則朝夕哭奠亦在其中 答姜碩期

尤庵曰酹酒奠酒凡禮書單言酹酒者是指奠酒也兼言酹酒奠酒者酹是傾酒茅上奠是奠于神前也然喪禮備要所載遷葬時酹酒奠酒出於丘儀家禮則葬前無酹酒之義恐當以家禮爲正 答閔泰重

又曰改葬一如初喪則焚香酹酒皆當以祝行之矣 答李碩堅

遂庵曰發引後遇寒食日則當設奠於路次 答鄭萬績

三年內改葬兩設饋奠

問改葬朝夕上食并設於靈筵及柩前否 閔泰重 同春曰并設恐不得不爾或有只設一處者似未安

南溪曰几筵之祭爲神主也墓上祭爲體魄也兩處各行爲是 答金栽

又曰朔望殷奠與朝夕上食在禮無一行一廢之證當爲兩設雖在一山之內而既有家山主柩之別則恐不然耳 答李世龜

尤庵曰三年內遷葬之家每以饋奠當於何處爲疑而第無古今論此者以禮宜從厚爲義而兩處并奠者似無大害故愚見亦以爲然矣第今喪家則略異於前義蓋既還殯於家則與几筵同處於一家之內矣一家之內并設兩處几筵未知如何猶以爲兩設不害於從厚之意耶必欲行之於一處則無寧捨几筵而行於殯耶不敢臆斷 答俞相基

問同是一喪而几殯同奉家内則上食當行於何所耶欲上食行於几筵而殯所則只設朝夕奠李志遠 南溪曰初喪固合尸柩魂帛而祭之然葬時魂帛爲神主尸柩入地則又當各祭矣今以遷葬還奉尸柩於一家則殊亦可疑第以還奉一節而廢其可行之祭尤覺未安恐依常例後神主而行之爲宜

遂庵曰喪事即遠已葬之後還殯於家殊非禮意然既殯於家則兩處上食不可廢一雖似重疊他無變通之道守悰

問三年之内有遷舊墓之擧則几筵上食及朔奠使婦人或輕服代行耶朔奠殷奠也不親行似未安崔慎 慎獨齋曰所重在彼喪人不宜留在於家几筵祭則使子弟服輕者代行可也

兩喪几筵行饋奠之節 承重孫祖母改葬前奠父殯并論

問外内兩喪几筵各設焉則朝夕奠上食先行於外殯次行於内殯似當矣而日勢早晚饌物冷暖似未便穩故不得已分獻饋奠一時并行分獻之節情禮不可并伸故喪人四人行朝夕哭奠於外殯後哭拜於内殯四人行朝夕哭奠於内殯後哭拜於外殯上食時則奠於外者饋於内奠於内者饋於外夕亦如之擧尹宣 慎獨齋曰來示無妨但聞兩几筵雖各設而只隔障奉祭之人則無所隔障云喪人既不能自奠而使執事行祭則不必分獻而一時并行饋奠如何

問考妣同遷則或謂兩殯兩虛間必以帷隔而奠其上食必各進先進於考位既退後進於妣位云姜錫朋 南溪曰是

問祖母改葬之前値朔望父殯行事李翊夏 尤庵曰承重孫行事於祖母而諸孫歸奠父殯似宜

改葬與忌日生辰練祥相値

尤庵曰遷葬者柩既出而朝夕哭奠則無日而非忌

日也復行忌祭於其柩似甚重複恐當只行於神主

又曰忌日生辰似當行於几筵朔奠則兩行於彼此矣○答或人下同

恐或無妨

又曰遷葬之禮一如初喪則雖遇練祥之日當以未葬之禮擬之只如常時忌祭而一獻哭而行之且於告辭備告事由待葬畢擇日行練祥似得矣答俞相基

問改葬時祥期在於破墳成殯後梁處濟 南溪曰此祥祭亦指依朔奠單獻者耶當行於家内几筵

問遷葬之期與祖母小祥相値云云金栽 南溪曰家禮

以後小祥無擇日之法遷葬雖曰歸重曰家亦豈可
無進退隨便之道耶告以退行之說恐不可用答金栽

發引以後諸節

遂庵曰改葬發引時不設靈寢要轝非所聞也備要
既云如始葬之儀則安得不設答郭萬績
南溪曰哭婢行者於禮無隨行之文雖在三年內從
重喪姑闕之似當答南磐
尤庵曰若果成殯則啓殯時不可無告禮矣答李相夏
又曰據儀節及備要則皆無遣奠祖奠等祭矣答或人
寒岡問改葬時贈玄纁送明器等事當一如初喪時

乎雖合葬亦當各具否退溪曰改葬玄纁之類隨力
措送雖合葬力不及之物外不可兼也
同春問若改葬先妣與先考合窆則玄纁翣扇等物
當各備用之耶沙溪曰各備用之可也

因喪改葬先輕後重

退溪曰歷考諸禮當喪而改墓合葬之禮并無據證
而改墓一事古人皆以喪禮處之考於瓊山儀節可
見今比類於并有喪之例而行之先輕後重庶不乖
禮意答金富仁
問因喪改葬者又有前後喪輕重之疑退溪初謂改
葬奪情之義比新喪有間可不拘先輕之例其後謂
改墓古人皆以喪禮處之與其創行臆見不若比類
於并有喪之類云今何所適從耶黄宗海沙溪曰退溪
後說恐當
慎獨齋曰喪雖新舊有間而在殯則一也既曰在殯
則似不可以新舊而有所輕重之也雖非并有之喪
而奪情之舉無間於新舊聖訓決不可違也答尹宣舉

改葬虞

行虞當否行虞諸節并論○與葬畢告廟條參看

尤庵問語類問改葬神已在廟久矣何得虞乎朱子

曰便是如此而今都不可考看來也須當反哭於廟
云云據此改葬當不行虞祭而丘氏儀節有之今士
大夫皆遵行未知何據沙溪曰朱子說固然但王肅
以爲既虞而除之朱子又有一說云云恐丘氏因此
而推之爲儀節也更詳之
朱子曰改葬須告廟而後告墓方啓墓以葬畢奠
而歸又告廟哭而後畢事方穩當行葬更不必出
主祭告時却出主於寢
又曰按語類問王肅以爲既虞而除之若是改葬神
已在廟久矣何得虞乎曰便是如此而今都不可考

看來也須當反哭於廟但丘氏儀節行虞於墓世俗皆遵行之似不可廢未知如何 喪禮備要

尤庵問朱子曰改葬畢奠而歸又哭廟而後畢所謂奠者即虞祭也儀節亦曰既葬就幕所行虞祭據此二說則虞祭似當在封墓之後而今人家畢葬例在三四日之後必待事畢然後設虞耶或於窆日徑行亦無妨耶 愼獨齋曰語類云云竊詳朱子之意蓋謂改葬神已在廟不當設虞又不可都無事故葬畢而奠哭廟而畢夫虞者祭也奠者非祭也左右欲以奠作虞看儀節改葬之虞果行於事畢乎若以朱子之

言爲定則元不當設虞若未免從俗則當從儀節節變換恐非禮意

尤庵曰虞者安也始葬體歸于地魂則徘徊無依故行虞者欲神之安於神主之意也改葬則神之依廟已久當從王肅議勿行而返哭可也 答宋三錫

遂庵曰改葬之虞本非禮據朱子之訓除却虞祭一節只返哭於廟爲當耶 答朴振河

陶庵曰按語類問王肅止哭於廟上見 盖改葬之虞始於丘儀而尤庵以爲失朱子之意而云只於葬畢奠於墓而哭之而已故虞祭一節刪去且依語類添入

奠而歸及告廟二段 四禮便覽

問既不行虞則設奠於墓前耶 鄭觀濟 陶庵曰虞祭行於墓所靈座前矣若不行虞則於此處設奠爲可也耶

問改葬日若及封墓則虞當退行耶 朋美錫 南溪曰初喪虞祭待平土而行無待翌日遷窆則當待翌日

新舊喪合窆行虞之節 與先葬有喪條中父母及祖父母備要

虞卒條參看

退溪曰兩葬行虞之節按禮偕喪偕葬先輕後重虞則先重後輕今改葬當虞於幕所新葬反哭而虞 答鄭崐壽

又曰虞祭偶同則異日而祭若同日合葬則虞不必異日所疑正然且夫婦一體虞祭偶同同日而祭似不害義但所謂先重後輕未必皆非合葬也然猶必云異祭此必有深意不敢强爲之說然與其徑直而行恐不若從禮文之言如何 答金富仁

同春問父喪遷母墓同葬則新喪之虞當行於家改葬之虞當就幕次行之勢有相妨沙溪曰據禮記及朱子說父之虞祭葬日反哭後行之母之虞祭翌日行之

喪服小記父母之喪偕先葬者不虞祔待後事註葬母明日卽治父葬葬父畢虞祔然後爲母虞祔故云待後事○語類問禮記云云同葬同奠亦何害焉其所先後者何也朱子曰此雖未詳其義然其法具在不可以己意輒增損也

問同窆之後虞祭幷行歟尚龍 寒岡曰改葬只用一虞祭于墓所先妣之虞當在返哭之後

尤庵曰父母幷葬必先母而後父若是父葬後行父虞而日尚早則母虞行之於其日亦或一道而不敢質言答或人

又曰平土後虞母葬後虞父之說恐未然若是同穴則無論平土葬訖而當先父後母雖是異穴必待父虞畢後始行母虞觀於禮記之文可知答先一朴

又曰小記所謂先葬者不虞祔者謂今日葬母明日葬父也今若同時下棺則當於是日先行改葬父虞於墓所卽行母虞不待還家告改葬之後也答金汝南

又曰母喪題主後臨其虞祭時主人始可澡潔然則未題主前先行改葬之虞亦難便須待題主後卽澡潔而行父虞也答黃世楨

同春曰母喪題主後卽行遷父之虞又返母魂似宜答黃世楨

問新喪題主後改葬一虞事旣聞命矣而從柩臨葬已着緦服題主若在一虞之後則不得不變着齊衰題主後脫齊着緦似有變易煩數之嫌尹宣擧 愼獨齋曰行虞後題主卽返哭恐無妨

又問舊喪一虞喪人所當親獻而新喪未虞不及澡潔云云 愼獨齋曰改葬虞喪主未能親獻只行奠禮恐無妨

南溪曰葬日先行改葬虞於墓次新喪則到家翌日始行虞祭是禮也答李時亨

又曰遷墓之魂及室堂已久當於合葬日先行新喪初虞待翌日次行遷葬虞於墓所矣新喪虞祭若以剛柔之例必將退行則恐亦當於不行新虞之日始行遷虞也答李時春

遂庵曰遷葬與借喪異無返哭之事幕次行父虞返哭後行母虞於是日似無所妨答成遠徵

又曰母之虞行之於家未安翌日就幕次行之恐不安愚意欲於葬訖行奠於墓前歸家行父喪初虞似宜矣答郭守焌

祖喪卒哭前行改葬母虞祭

問今有人其母改葬虞祭在其祖卒哭前 尹明遇 尤庵曰今於重喪虞後行輕喪之虞似宜若以重喪中行輕喪虞祭爲未安則從朱子說於輕喪改葬只行奠禮亦宜

國恤中私家改葬行虞之節 見喪禮國恤條

葬畢告廟 與行虞當否條參看

告廟諸節

尤庵問奠而歸哭廟者以小生家事勢言之家廟方在報恩舍兄家當葬事畢兄弟齊往耶抑設虛位而哭亦不大錯耶愼獨齋曰哭廟一節是大項事始事

而告廟畢事而哭廟是重其事終始必告之義也雖千里地遠必當齊還而哭廟有何汲汲有何難進而必欲設位哭之乎

尤庵曰事畢告廟時服色無明文不敢質言然以初喪祔祭時主人衰服入廟奉祖考神主之意觀之則今緦服入廟恐無不可祭時哭泣之節亦無明文然以丘氏一虞儀例之則序立後一哭似有據矣然以他祭禮觀之則讀祝後哭亦似得宜未知如何虞祭旣一哭則此小祀恐無再哭之義也大凡葬畢只以小祀哭廟者朱子之意也其設一虞者丘儀也二者各是一義而今人旣虞又哭廟恐失二禮之意也然虞之言安也爲死者神魂飄蕩安其神於主之意也今旣安之已久則何可更有安之之意也且設虛位則更使安於何處耶故愚意則每以爲當只從朱子說而世俗行丘儀已久似難猝變矣 答宋炳文

問反哭時出主當於何所耶 宋炳文 尤庵曰朱子旣曰出主於寢則當以大廳爲正矣然以廳事正寢亦互遷就者亦有之若此時門生入參而難容於寢庭則行於外廳亦宜祭需稍設亦無妨也酒則當一獻矣又曰旣行虞祭於山次則歸家哭奠似當闕之矣 答或人

問今遷祖妣之墓合窆於祖考而破墓時旣已并告于廟則葬畢當更有告告廟之際當并出主而告之耶抑先告考位而後妣位出主耶 鄭觀濟 陶庵曰今此遷奉蓋爲合窆恐當并出主而告也告祝體魄托非其地等語似當改下以合窆之意最初告廟祝亦當如此

新舊喪改葬葬畢告廟

退溪曰前云告廟時素服亦出臆見葬時旣不敢變服至此而變服似爲未安但旣不可不告又不可以

凶服不得已代墨衰之例素服行之庶得權宜但喪冠絞帶不可入廟令子弟出主而以右服奠告又子弟返主何如 答金富仁

問新喪之虞及哭後先行改葬之虞若於翌日就幕次行之則改葬後告廟一節當在何時 崔補 南溪曰當待翌日行虞後還家連行爲是

又曰當告廟後告几筵 答李時亨

又曰愚意欲復墨衰之制但近世諸賢皆謂不必復故不敢耳然以孝巾布直領代墨衰則以此告廟有何不可 答朴尚淳

改葬後除服前諸節

問丘氏曰祭畢釋緦麻服素服而還當服何服而終三月乎 金一誠 退溪曰疑仍服素

又問在官者　國有七日之制七日後不許三月之服則何如曰居家則素服爲是

同春問改葬既見尸柩則非他緦服之比云云沙溪曰不與宴樂居外爲可既不解官不出入食素無乃過乎

尤菴曰老先生改葬後愼老見謂曰此緦異於三從外親之喪葬後雖不能不食肉而未除前欲居外寢云並須量力而行之也 答宋炳文

又曰本位墓祭時緦服未盡則何可不服如不服則是有徑先脫服之嫌矣哭泣之節雖無明文此等以喪過乎哀之義處之恐或寡過耳

又曰云云嘗見南軒先生所行雖尋常時若至墳墓前則必哭　本朝鄭松江亦然況既遷改則朱子所謂墳土未乾而又衰麻在身如來示而行之豈不合於人情乎 答南宮述

同春曰緦服只爲葬時之用雖無壓尊之嫌恐不當以此入廟行祭 答洪柱元

陶庵曰緬之緦固異三年之體然三年喪變除之節亦重不可以緦服而廢之也吉祭亦恐無不可行之義 答閔昌洙

改葬除服

除服之節 除加麻并論

問丘氏之禮則葬時服緦麻既葬易服而還更無服緦節次而乃曰三月而除所謂除者除何服也 金一誠 退溪曰丘說可疑然恐有所據豈不以既葬并朝見柩時而仍服麻似無漸殺之意故只服素食素而持緦服之意在其中至三月而止以爲終服之節也歟

問改葬之緦除服之節諸儒所論不同今欲不失禮之正則當從何說 姜碩期 沙溪曰當從朱子所定

儀禮喪服記改葬緦鄭氏註臣爲君也子爲父也妻爲夫也必服緦者親見尸柩不可以無服緦三月而除之賈氏疏曰三月而除者謂葬時服之及其除也亦法天道一時故亦三月而除也若然鄭言三等舉極痛者而言父爲長子子爲母亦與此同也○韓文公改葬議緦三月而除之 以上鄭氏賈氏韓文公必三月而除之 ○魏王肅曰司徒文子問服於子思子思曰禮父母改葬緦葬而除不忍無服送至親也非父母無服無服則弔服加麻○開元禮既葬除之○丘氏儀節葬後出就別所釋緦麻服服素服云云 以上子思及王氏開元禮丘氏葬後即除 ○語類問改葬緦鄭玄以爲從緦之月數而除服王肅以爲葬畢便除如何朱子曰如今不可考禮疑從厚當如鄭氏

尤菴曰弔服加麻者當葬訖除之矣至於主人除緦之日其已除麻者與主人會哭亦可以伸情矣聖訓曰喪過乎哀雖禮之所不言而不必太泥也若至留麻帶以至三月則恐是杜撰似不可爲 答宋炳文

改葬權厝除緦服之節

慎獨齋曰雖曰權厝既已襄奉則所服緦服滿三月而當除矣後日啓墓更服緦服又滿三月而除之可也凡改葬緦爲親見尸柩故也既爲權厝而若謂葬事未完自去臘至來冬恒服緦麻則是實期服也果可請緦服乎 答池德海

問八月遷先妣墓即爲權厝十月又將遷先考及後妣墓更奉先妣合窆三位於他岡先妣緦服當計自始服月而除於十一月之初乎抑計自更遷月而三緦共除於正月耶 鄭始徵 尤菴曰以鄙見則八月緦服當除於十一月之初不以中間權厝而有變也十月兩位遷改時則當各制兩緦蓋於兩位各服其服行事故也然則此兩緦當除於來正矣

問慎獨齋答池寧海有可疑既曰權厝而若未安葬則是與未葬同其滿月除緦而更待啓窆服緦未知無害於禮耶 楊應秀 陶菴曰來論甚高然凡緦而服爲親尸見也雖曰權厝既襄奉則所服緦滿月當除矣後日啓墓時更服云者慎齋說恐是

仍舊復土後即除服

尤菴曰禮雖言見柩故服緦然其大節則改葬也旣不改葬則恐當於仍舊復土之後即除所服也 答[illegible]

明言不可以無服送至親今既不改則何事於送答尹文舉

虛葬

虛葬之非 遺衣落髮葬并論

服招魂而葬其服然非禮矣

問招魂葬栗谷曰死於軍或沒於水不得其尸則以牛溪問隣有溺死不得其屍其子欲招魂爲墓於義理如何龜峰曰墓只是葬體魄既不得其屍則不墓似合惟魂無所間爲主以祭爲得義理之當

問人死不得其尸體者聖賢立言何無處此之道耶

或招魂葬或遺衣葬在禮何所據耶申湜沙溪曰虛葬之非先儒已言之何謂無處此之道乎僕嘗抄録數條詳見于下

通典晉元帝時袁瓌上表請禁招魂葬云故僕射曹馥沒於寇亂嫡孫胤招魂殯葬聖人制禮因情作教槨周於棺棺周於身非身無棺非棺無槨胤無喪而葬招幽魂氣於德爲愆義於禮爲不物監軍王崇太傅劉洽皆招魂葬請下禁斷博士阮放傅純張亮等議如瓌表賀循啓辭宜如瓌所上荀組非招魂葬議亦如前或引漢之新野公主魏之郭循皆招魂葬答曰末代所行豈禮也或引喬山有黃帝之塚是葬神也答曰時人思帝葬其衣冠非葬神也于寶駁招魂葬以爲失形於彼穿塚於此亡者不可以假存無者獨可以僞有哉未若於遭禍之地備迎神之禮宗廟以安之哀敬以盡之孔衍禁招魂葬議云招魂而葬委巷之禮殯葬之意本以葬形既葬之日迎神而返不忍一日離也況乃招魂而葬反於人情以亂聖典宜可禁也李瑋難曰伯姬火死而叔弓如宋葬恭姬宋王元賢光武明王伏恭范逡并通義理公主亦招魂葬豈

皆委巷乎衍曰恭姬之焚以明窮而彌正不必灰燼也就復灰燼骨肉雖灰灰則其實何緣舍埋灰之實而反當葬魂乎此末代失禮之舉非合聖人之舊也北海公沙歆招魂論云即生推亡依情處禮則招魂之理通矣招魂者何必葬乎蓋孝子竭心盡哀耳陳舒武陵王招魂葬議云禮無招魂葬之文宜以禮裁不應聽遂張憑招魂葬議云禮典無招靈之文若葬虛棺以奉終則非原形之實埋靈奕於九原則失事神之道博士江淵議葬之言藏所以閉藏尸柩非爲魂也無尸而殯無殯而窆

任情長虛非禮所許○宋庾蔚之論葬以藏形廟
以享神季子所云魂氣無不之寧可得招而葬乎
○綱目范氏曰人之死也魂氣歸于天形魄歸于
地葬所以藏體魄也若魂氣則無不之也苟無體
魄則立廟以祀之而已魂氣不得而葬也而必爲
之墓不亦虛乎○朱子曰招魂葬非禮先儒已論
之矣○通典亡失尸柩服議劉智云訖葬而變者
喪之大事畢也若無尸柩則不宜有葬變寒暑一
周正服之終也是以除首絰而練冠也亡失親之
尸柩孝子之情所欲崇也可令因周練乃服變衰

絰雖無故事而制之所安也○開元禮云亡失尸
柩則變除如常禮
尤庵問頃日死於國事者率多招魂虛葬禮議鄉閭
復之以矢則招魂戰沒者既失禮意而虛葬亦甚無
據但欲題主則當於何時何處耶愼獨齋曰招魂虛
葬先儒非之若題主則竢三月葬期擇日而題之於
几筵似當
南溪曰招魂葬既有朱子所論斥之以非禮何敢容
議至於題主節次設魂帛於正寢而行之似宜 答閔滌
問有人其父從軍而死其母藏其遺衣及落髮而遣
令并入其棺中其子不忍同藏一棺欲別具一小棺
用合葬之禮而追服三年云云 閔泰重 尤庵曰此是無
於禮之禮也不敢有所說論然其不以父之遺衣及
落髮同入母棺則得矣

失君父

失君父處變 失子處變并論

尤庵問失君父終身不得者其處變之禮當如何沙
溪曰通典已論之可考也
通典魏劉德問田瓊曰失君父終身不得者其臣
子當得婚否答曰昔許叔重已設此疑鄭玄駁云

若終身不除是絕嗣也除而成婚禮適權也○
晉徐宣瑜云鄭玄云君父亡令臣子心喪終身深
所甚惑心喪是也終身非也荀組云至父年及壽
限 中壽百歲 行喪制服立宗廟於事爲長禮無終身之
制○環濟議曰春秋之義納室養姑承繼宗祀聘
納事在可許仕進須候清平
又曰父母陷賊不知死生者通典諸儒論之多矣魏
劉德問云云鄭玄駁之云云 見上 問亡其親者不知死
生則不敢服然則不祭乎劉智曰猶疑其生故不敢
服必疑死則可不祭乎昔晉宣瑜云云 見上 愚以諸儒

之說推之不知其死則心喪終三年若知其定死則當服喪也 答金獻

尤庵曰比有失其父不得者愚嘗據通典使計其父年百歲而發喪制服矣

陶庵曰比有失其父不得者愚嘗據通典使計其父年百歲而發喪制服矣 出尤庵集 尤翁之說雖如此但古人則多享壽者故以百年爲限而今人則壽至百年者蓋絶稀矣若待百年而後發喪則其爲之制服者能有幾哉是必不在其子而在於曾玄矣此則恐難於膠守也又按劉智曰三年求之不得乃制服居廬

祥禫而除 出通典 若用此說則三年求之不得亦可發喪況此八年乎然而制服祥禫則固無難而其間虛葬與否及作主等事極難處有未敢容易義起大抵此事捴而論之不死而爲之發喪與其死久而不爲之制服俱所不忍於此二者將何所擇又按劉智曰古之死者必告於廟今亡其親者必告其先廟使咸知之求之三年若不得也則又告之告之者欲令其生也則隨而佑之也 出通典 此說禮意極精微今亡者之家雖已博求之四方初告于廟亦未敢必其再告于求不得之後耶愚意則亡者之父以其子亡去之由爲文以告于其先廟 若非宗子使宗子告之 更爲博求之四方如又不得則又三年而後更告之更告之後始可發喪矣聞亡者之婦尚未于歸未告廟之前不可不先使見舅姑見廟亟宜迎來行禮後仍留于其家以待三年也于歸時服色勿用全素勿用華盛用黲黑淺淡等色○代金生告廟辭干支云云某弟某之子某某年某月某日亡去不知其處自是月至庚申臘月遍求之四方終不能得其生其死不可得而測也謹稽杜氏通典有曰古之死者必告于廟今亡其親者必告其先廟使咸知之求之三年若不得也則又告

之告之者欲令其生也則隨而佑之也今此姪子亡去係是莫大之變故所當卽爲告廟而遑遽未暇以至八年之久竊念今日是渠亡去之日情理痛毒無異始失之時爰據禮書追舉告儀從今以往復欲訪求以三年爲期伏惟尊靈同此傷惻特垂陰隲使父子得以相見於未死之前不勝泣血禱祝之至謹以酒果用伸虔告謹告 答金華壽

禮疑類輯卷之十九

禮疑類輯卷之二十

祭禮

總論

南溪問今人祭禮雖號禮法之家各自異行至於一家有四宗而繼曾或繼祖之宗子欲一倣家禮而行之獨繼高之宗子堅執先世所行及俗禮而不欲行或至繼曾以下亦然則繼禰小宗當只行古禮於其家耶抑從宗子而循俗耶尤庵曰所謂各自異行者有家禮五禮儀及要訣等書之不同故也當一從家禮而猶或有疑文然後補以他書則合於大一統之義而無此弊也然一家長上堅執先世所行而不至甚乖於禮則亦難直情徑行似當勉從若其甚不可行者則亦當盡吾誠敬宛轉開悟而已此外更無善處之道也

問凡時享生辰忌墓等祭舉廢隆殺之節及饌品酌定之規並一一依此行之則固善矣但累代傳習之規率然改定不無專輒之慮以改定之意措辭先告于祠堂而後次第行之似或得宜朴泰昌南溪曰前日所行者乃時俗仍習之禮也今此所定乃家禮當行之事自不相同以朱子所謂子孫曉得祖先便曉得之意推之似亦不必申告但若累代承祀之家事體稍異雖告祝而行之亦可矣

問尸童之童字申湜沙溪曰曾子問可攷然禮周公祭泰山以召公爲尸則不必童明矣

曾子問孔子曰祭成喪者必有尸尸必以孫孫幼則使人抱之無孫則取於同姓可也

尤庵曰祭不用尸朱子曰一處說有男尸有女尸亦不知廢於甚時又曰主人獻尸尸酢主人開元禮猶如此不知甚時因甚事後廢了到本朝都把這樣禮數併省了據此數說則至唐時猶有尸至宋時而永廢之也答李選

廟祭世數

祭三代四代之說庶人無廟大夫以下無主并論

晦齋曰高祖有服不祭甚非文公家禮祭及高祖蓋亦本於程氏之禮也然禮大夫三廟士二廟無祭及高祖之文故朱子亦以祭高祖爲僭且今　國朝禮典六品以上祭三代不可違也竊意高祖雖無廟亦不可專廢其祭春秋俗節率其子孫詣墓祭之庶無違禮意而亦不至忘本也

退溪曰祭四代古禮亦非盡然禮記大傳大夫有事

省於其君干祫及其高祖說者謂祫本諸侯祭名以
大夫行合祭高祖之禮有自下干上之義故云干祫
以此觀之祭四代本諸侯之禮大夫則家有大事必
告於其君而後得祭高祖而告之不常祭也後來程
子謂高祖有服之親不可不祭朱子家禮因程子說
而立爲祭四代之禮蓋古者代各異廟其制甚鉅故
代數之等不可不嚴後世只爲一廟分龕以祭制然
簡率猶可通行代數故變古如此所謂禮雖古未有
可以義起者此也今人祭三代者時王之制也祭四
代者程朱之制也力可及則通行恐無妨也 答趙振

顧庵曰時祭則拘於　國法止於曾祖而高祖則只
行墓祭忌祭五代祖則只行墓祭於寒食秋夕六代
祖之墓祭則只行於寒食
沙溪曰祭三代乃時王之制然高祖當祭不但程朱
有明訓我東先賢如退溪栗谷諸先生皆祭高祖云 答同春
問今人不祭高祖如何程子曰高祖自有服不祭
甚非某家却祭高祖又曰自天子至於庶人五服
未嘗有異皆至高祖服既如是祭祀亦須如是○
朱子曰考諸程子之言則以爲高祖有服不可不

祭雖七廟五廟亦止於高祖雖三廟一廟以至祭
寢亦必及於高祖但有疏數之不同疑此最爲得
祭祀之本意今以祭法考之雖未見祭必及高祖
之文然有月祭享嘗之別則古者祭祀以遠近疏
數亦可見矣禮家又言大夫有事省於其君干祫
及其高祖此則可爲立三廟而祭及高祖之驗○
問士庶當祭幾代曰古時一代即有一廟其禮甚
多今既無廟又於禮慤缺祭四代亦無害
又曰栗谷擊蒙要訣亦從　國制只祭三代然家禮
既以四代定爲中制故好禮之家多從家禮 家禮輯覽

同春問古者庶人只祭考妣　國制亦然所謂庶人
若是未入仕之通稱則只祭考妣似爲太略沙溪曰
程子曰雖三廟一廟以至祭寢亦必及於高祖又曰
雖庶人必祭及高祖今世遵此禮者不爲無據
尤庵曰廟祭世數蓋栗谷以四代爲是而時王之制
不敢違故著於要訣者以三代爲定也正如朱子以
父在服母期爲是其見於語類者甚詳而及纂家禮
則乃因國朝三年之制此豈非夫子從周之義也 答趙明世
問程子曰雖庶人祭及高祖比天子諸侯止有疏數

朱子曰祭法有月祭享嘗之別古者以遠近爲疎數
沈世熙　尤庵曰豐殺疎數程子說似以貴賤言朱子則
以遠近言之然皆論古禮如是也古禮則世各異廟
故可得如此今世則同處一廟此禮恐是行不得
南溪曰祭三代古今通行之禮栗谷之反從時制不
可非也但大明會典及我國五禮儀皆許士大夫以
從文公家禮是亦不以祭四代爲罪也然則從程朱
祭高祖恐不至未安答崔瑞吉
尤庵曰庶人雖無廟豈無居室耶有居室則必有寢
矣答李遇輝

問朱子曰古之非命士祭於堂伊川曰庶人祭於寢
祭則常時位牌蔵於何所閔泰重　尤庵曰說者謂古者
大夫以下無主或謂有主先師金先生嘗言謂之有
主者似勝此蓋主無主而言

祭三代家告祠祭四代當否

愚伏曰祭三代固是時王之制而程朱之論皆以爲
高祖有服不可不祭退溪先生謂士子好禮之家從
古禮祭四代亦不爲僭具由告辭于先廟而不爲祧
出未知如何答同春
同春問愚伏曰云云見上沙溪曰如今祭四代雖違古
禮與國法鄙家從程朱之說亦祭四代哀亦依愚
伏之言不爲祧出未爲不可
又問寒門祭三代自先世已然故高祖神主於宗子
既爲親盡而遞遷之先考以最長房奉祭矣今者孤
哀若欲祭四代而仍奉不遷則有若奪宗實深未安
未知如何雖已遞遷於宗家而祭四代本合禮意其
所由以告而仍奉祭之亦未爲不可耶沙溪曰哀既
非宗子有宗孫在其不可擅斷因留奉祭似難使祧
出爲可同春追後所錄曰到今思之具由告辭而還奉於宗家似當悔不可追

廟制

廈屋殿屋之制後寢小廟并論

沙溪曰集覽中廈屋殿屋全圖出於申生義慶大槩
本於儀禮圖解及何氏小學圖而兩書只有下宇之
制無上棟之制申友以大全釋宮說補其未備不無
經據不可不錄答申湜○下同
又曰後寢之制前見公所作諺解圖似作二間非矣
殿屋廈屋之制自後庋至前庋通五架一大樑樑上
兩頭各立短柱以擎前後架則只立兩柱明矣見於
儀禮及何氏圖與朱子大全釋宮說更無可疑楹外
簷下階上有餘地亦可行事

尤庵曰廈屋之制五間（以東西言）而以中三間之北一架中分之以其西一間半者爲室其東一間半者爲房室之西爲西夾房之東爲東夾朱夫子所謂前五間而後四間者也（以三間分作二間而幷東西夾各一間是爲四間也）其所謂室者如國俗溫堗而寢處者也所謂房者如國俗之虗廳也房室之南三間三架所謂堂也（答閔聖重）

問家廟圖後小廟似是遺書祭器等庫前小廟是祠堂一間之制而要解以爲幷非是者何也（柳貴三）南溪曰後小廟盖因註中寢廟之說而誤也前小廟卽廟門非所謂一間小廟也

昭穆之制

尤庵曰昭穆之制甲爲昭則甲之子乙爲穆乙之子丙爲昭丙之子丁爲穆故祖孫爲一班也爲父子不可同席故自然如是也（答或人）

祠堂

祠堂之制

尤庵曰古者建國都左祖右社左是東方而主陽右是西方而主陰士大夫家亦遵用此禮耳（答或人）

退溪曰古之正寢在人家正南故祠廟皆在其東而無所礙今人正寢或東或西其在西者祠堂難立於其東矣奬門宗家西寢而東祠勢甚不便近年方移置西軒之後盖隨地勢不得不爾（答鄭惟一）

問祠堂必須三間或一間者何義抑從陽數耶（梁處濟）

南溪曰似然

沙溪曰按本註階下隨地廣狹以屋覆之者乃家衆序立之際欲蔽雨暘也然則其制當與祠堂前簷相接今　陵寢丁字閣亦其制也其下曰龕註兩階之間又設香卓然則香卓豈可設於雨暘之下乎（家禮輯覽）

南溪曰家禮輯覽立屋於庭中如今　園陵丁字閣之制旣涉於僭又不足以弁覆東西兩庭恐非是愚

意如今關王廟之制前簷外連作一二間無中絶之狀者乃所謂以屋覆之者也（答鄭尙樸○又答申靖立曰當承前簷爲橫簷）然量家衆多少而爲之耳

陶庵曰丁字閣之制不獨有嫌於僭以本註推之亦似未穩旣爲家衆序立而作則當容家衆之位矣爲廟下子孫者或至數十百人之多將何以分內外位於丁閣縱屋之下乎本註不曰隨地長短而曰隨地廣狹則其爲橫屋明矣今人亦以橫屋爲是矣若慮兩階間香卓之設於雨暘之下則置香卓於此屋中間以東西言之自爲兩階間矣何必當階然後爲兩

階間也禮書言兩楹間者亦多不與楹相當而直以
東西之中言之者矣（四禮便覽）
尤庵曰阼階之阼古註以爲酢也盖與賓客酬酢之
義（答閔泰重）
問鄭鈺云扃疑關戶之横木（梁處濟） 南溪曰鄭說是但
扃一說以爲門扇上鐶鈕當通看
同春問神厨乃備祭物之所而在祠堂垣内殊非君
子遠庖厨之義如何沙溪曰祠堂内神厨非殺牲之
所只臨祭時炊爨羹炙而已與遠庖厨之義自不同
（愚伏答同春日沙溪答見）

龕制（坐次幷論）
退溪曰祠堂三龕欲增作四龕而患狹隘與其取東
壁添作一龕恩意不如取西壁添一龕爲得之蓋西
壁東向本始祖居尊之位今以爲高祖之室非但有
先尊之義仍不失遞遷而西之文未有不可若考妣
居東西向古禮無可據矣（答金泰廷）
又曰祔王祖考妣室西向奉安古禮然也今同堂異
室而龕小難設正如所諭嘗反覆籌度未得其宜今
先生非不知其然尚以愛禮存羊之義不敢變[illegible]
祔位置之他處今亦何敢輕爲之說欲從古禮并一
如寛作龕室令其可容西向之設及其設酒果時出
置東壁下行之庶或可也（答禹性傳）
問家廟只立一間則四龕於一壁狹窄難容一龕權
宜移設東西壁如何而父母位東之乎高祖位西之
乎（盧亨運） 寒岡曰曾見中朝禮文高祖居中南向而曾
祖禰坐東西向祖坐西東向
疑庵曰一間祠堂難於一行并奉則祖廟居北壁正
中南向新位居西壁向東考妣居東壁向西（答成爾鴻）○按
新位卽禰位

尤庵曰大抵祠堂三間以北架分作四龕則東西不
患不長南北亦不下三尺（布尺矣）其中置一大卓而安
正位於卓上北端祔位於東西端則雖東西各二而
亦無難容之慮矣又於正祔位前卓上空處各設二
盞一果盤節祀各設二盞食三器（時食一器蔬一器果一器）則何
患其狹小乎今人例安神主於椅子而別設卓子故
難容於龕内矣（答金壽增）
南溪曰龕我國公私所用皆爲壁藏之制壁藏外別
置卓子以祭之故祔位及祭物皆難容近世湖中諸
公考據以爲當就近北一架三間内不爲壁藏只以
木板隔作四龕而上則以板覆之下則不用板又就

各龕中置卓設主及饌而行之云恐是（答鄭尚樑）

尤庵曰龕室雖未備以屛簇隔截則便成龕室（答李碩堅）

正寢（見附錄禮宮室之制條）

合櫝

前後室幷祔

退溪曰滉家祠堂神主兩妣同入一龕而先妣共一櫝後妣別櫝安別床及出主行祭時先妣共一卓後妣別一卓聯席而坐蓋兩妣並祔朱先生答李晦叔書已言後妣別櫝雖不明言其勢似當如此（答柳希范）

尤庵曰前後妻朱子旣以爲當並祔合祭則何可有

不合櫝之疑也（答李選）

又曰父之所娶雖至於四何害於合櫝配食云云（答朴光後○見忌祭條中考妣幷設單設條）

南溪曰退溪亦有繼室別櫝之說此與葬禮不同係

朱子說並祔合祭畢竟爲是（答梁處齊）

問父若前後室而以品字合窆則神主亦以品字奉安耶（李光國）遂庵曰此曾所未聞

班祔

總論

沙溪曰禮既有爲後之文則所謂旁親之無後者亦可以有後而曰無後者何也按曾子問孔子曰宗子爲殤而死庶子不爲後註雖是宗子死在殤年無爲人父之道故也曰然則成人而無後者何也曰按喪服傳爲人後者孰後後大宗也曷爲後大宗也尊之統也又按通典張湛謂曹述初曰禮所稱爲人後後大宗所以承正統若非大宗之主所繼非正統之重無相後之義（家禮輯覽）

南溪曰卒哭後祔祭無論適庶及有後與否而通行之龕室中班祔特以殤與無後者處焉自是二事（答成文憲）

問成人無後者祭及兄弟之孫而家禮無後班祔於祖或以父母遺命次兄弟主其祀主祀之孫旣沒而適兄弟之孫尚在則神主還安於宗家班祔於祖似合禮意云云（郭守㙆）遂庵曰孫祔於祖禮也祖廟未祧之前何忍埋其主次兄弟家主祀之孫旣沒則當祔宗家無疑

長子無後班祔（見喪變禮無後喪條）

諸祔位同入本龕內（嫂別處之說幷論）

同春問高氏妻喪別室藏主之說胡氏非之引朱子內子之喪主只祔在祖妣之傍爲證朱子答萬人傑

妻喪問目亦曰祔祖母室歲時祭之東厢又家禮班祔條小註先生云兄弟嫂妻婦祔于祖母之傍又曰遇大時節請祖先祭于堂旁親祔祭者右丈夫左婦女不從昭穆了在廟却各從昭穆祔據此數條凡祔位皆當祔入于本龕之内無疑但有一節不能無妨礙如本位應祔之孫或至三四則許多神主同入一龕必有狹窄難容之患且如主人有亡妻旣祔於祖妣又有兄弟祔于祖考則是爲嫂叔同入一室雖東西異坐以生人之理言之則畢竟未安且朱子答陳淳妻喪問目曰妻先亡別廟弟亡無後亦爲別廟須

各以一室爲之不可雜也此與家禮班祔條不同却可疑然弟與妻不可同祔一室之意則分明又曰祔畢於家廟傍設小位以奉其主不可於廟中別設位也又家禮大宗小宗圖下小註朱子曰嫂則別處後其子私祭之據此數條又是別室藏主之論也將何所的從耶沙溪曰所引諸條果不同然前數說似是定論惟當祔於祖先雖嫂叔同龕何嫌之有所論各以一室不可雜云者初非班祔之謂也

問應祔之孫或至三四五六云云 金光五 遂庵曰一龕難容則祭于別室

尤庵曰兄弟則祔於祖考傍妻嫂則祔於祖妣傍自有明文而兄弟若有夫妻俱沒者則當合櫝而祔於祖考亡者有子則當立別廟且妻嫂之祔祖妣若有前後室則當祔於夫所親者○語類雖有嫂則別處之文家禮班祔條有兄嫂弟婦祔祖龕之文當以家禮爲正 答鄭纘輝

又曰朱子所謂嫂則別處云者嫂之夫即宗子之兄弟也其夫不得爲其妻立廟故姑祔宗家爾但旣祔宗家則當祔於祖龕矣安有別處之理乎此或是初年未定之論耶不敢質言 答或人

南溪曰古者兄妻謂之嫂弟妻謂之弟婦家禮亦曰嫂妻婦其不可混稱如此然今單舉嫂則容弟妻在其中矣家禮祔食已妻之外皆無後與殤者而已然則此嫂恐是有子之兄弟初不祔食偶幷言之耳或曰嫂是中一而上祔於高祖者故云然未詳孰是 答柳三友

祔位坐次

沙溪曰或曰附註云右丈夫左婦女然則祔位之夫婦當分左右耶愚答曰所謂丈夫婦女似指兄弟與姊妹或子與女之謂若兄弟之妻則當與兄弟合櫝

何可分而貳之也 家禮輯覽○下同

又曰或曰劉氏垓孫引朱子說以爲如祔祭伯叔則祔于曾祖之傍西邊安伯叔母則祔于曾祖母之傍東邊安所謂伯叔伯叔母則明是夫妻而此說合櫝何可分云者與劉說不同按伯叔父與伯叔母皆歿則當合櫝而祔于右矣若伯叔母先歿則當姑祔於左矣朱子之意恐當如此

同春問祔位之祭劉氏引朱子說謂右丈夫左婦女云云時祭設位則祔位皆於東序或兩序相向尊者居西云此則不分男女只以尊者居西也兩說不同

今當何從沙溪曰果有二說居右亦西上之意也然夫婦神主相分未穩鄙家從下說

尤庵曰龕室之制極其簡省龕內置一卓於此卓北端安神主而其前空處設酒果非別有卓子也祔位亦安於此卓之東西邊矣若考祠堂章上下文則可知矣祔位之安於東西壁若是妻子以下則如是或可也若是尊於祖與考之親則其安於西壁者固便而其安於東壁之逝考龕者豈不相與嫌碍耶或曰如此則時祭時何以設祔位於東西壁下乎曰時祭則諸正位皆去櫝出於堂上而統於高祖此東西壁者是高祖之東西壁故如此無嫌也況尊者位於西壁則尤無不安矣至於常時則正位之卑者尊居龕內而祔位之尊者露處壁下豈不爲兩有所嫌乎 答金壽增

又曰家禮小註雖有伯叔父祔于曾祖之西邊伯叔母祔于曾祖母東邊之說然夫婦似無各處東西之理竊謂此各指伯叔父伯叔母先後亡者而言也今兩位如以地狹不能同安於一邊則姑以小櫝坐各奉一位同安於東邊未知如何 答宋炳文

又曰祔位東西竊意正位考西故男亦西正位妣東

故女亦東也然旣曰伯叔父則伯叔母在其中矣其單書伯叔母者伯叔父存而伯叔母先亡者也 答沈世爀

南溪曰所謂祔皆西向者以西尊東卑大體而言也伯叔父祔于西邊伯叔母祔于東邊者或伯叔父伯叔母非夫婦而各先亡則義當父西而母東故也大時節左丈夫右婦女者爲其正位亦皆東西分坐故子孫雖分坐而無害也然則諸說不相妨礙 答崔瑞吉

又曰龕室甚窄難容他主忝禮時亦難成據姑祔祠內無妨祠內之位右尊左卑 答李泰壽

陶庵曰龕中班祔今之說難行者未始不以狹窄爲

辭然時祭設位條有祔位東序西向北上或兩序相向尊者居西之文倣此而變通之則一龕中雖東西各累位亦無難容之慮矣何可滞泥於本註西向之語以狹窄爲憂而遽廢孫祔祖之正禮也（四禮便覽）

班祔不論奉祀者疎戚尊卑

問金存畏歿無後欲祔於其祖龕則其宗孫於存畏爲再從孫祀於再從孫家何如（鄭村）尤庵曰孫祔於祖自是正禮奉祀者之疎戚不須論也家禮云祖之兄弟祔于高祖豈可謂無其文乎

南溪曰父莅子祭雖非無後者姑當以班祔之例處

之同入一廟祭時使子弟行薦本位何可以此之故遂祀別室不參時享耶（答白以受）

妻主別處之說

退溪曰班祔註妻祔于祖妣所論者是而有子之妻則既祔而主還几筵及喪畢別置他室或子室可也（答鄭惟一）

又曰妻喪高氏別室藏主之說先儒非之固依禮文而云也況所以云云者夫尚主祭如設酒果等時夫拜跪庭下而妻祔祖妣龕有所未安權藏別室恐未爲大失故耳（答禹性傳）

權祔

問亡弟之主禮當祔於家親繼禰小宗之廟矣然而克善母亡別立一祠未可權宜祔于於母廟耶（趙克善）

浦渚曰旁親祔祖於國俗不便盖祖廟奉祀者乃是從昆弟則越己之昆弟而祭於從昆之家則親疎不同情勢似有不便者以是今世鮮有行之者祔享於親母之室似無不可

尤庵曰祔妻於祖廟自是正禮而事勢有不能然則不得已於考廟東壁下權祔矣然終不可據以爲法也（答宋衡甫）

問支子以最長房只奉遞遷之主而妻喪祥後別廟亦未易則當祔新主於五代祖母之龕否抑權安於東序之坐乎（鄭維）南溪曰妻喪別室藏主之說胡楊二氏皆以爲非則今只有祔在祖妣之傍一路矣其奉祧主者似異於是姑當以東序爲主

問先考支子也先妣曾已姑祔於舅姑旁未知先考亦令權祔于禰廟耶仍安于殯宮待禫移奉耶（李時泰）

南溪曰以禮則自當立廟雖所祔之祖廟不可祔以勢則雖禰廟似當姑祔然俟禫後爲之爲宜若祥畢即祔則嫌於例祔之主矣

又曰毋先亡者過三年後祔於祖妣者爲是盖朱子旣於內子之喪以此行之而後來未聞有異論則此不可爲法耶然則今世大家所行似出於一時形勢非有正義可準也答李啓晚

問亡妻初朞之日當遷入神主於祠堂而只奉禰祀無廟可祔則祠堂告辭以今將權享於顯考之傍爲辭耶權變遂庵曰如示可矣

殤主班祔見喪禮殤喪諸節條中殤喪雜儀條

婦未廟見祔廟可否

尤庵曰未廟見之女不遷於祖云者指未三月之婦

也後世不親迎者多故婦或生子而尚在其室者有焉豈有生子而猶未成婦之理也嘗聞嶺外一先賢答生子婦之問曰古禮如此不可祔於夫黨愼齋聞之以爲極害理答金壽增

無後本生親班祔

問頎期所生父大祥已届而兄嫂無後且在遠地不能奉祭若祔於祖廟以待其立後似或可矣而旣非旁親無後者之比則班祔亦有所未安姜碩期沙溪曰姑爲班祔無妨

尤庵曰所後家非當祔之親云云答金瑜○詳見別室藏主條中無後本生親奉別室條

陶庵曰侍養之名不見於禮家云云答崔日復○詳見祭變禮出繼子祭本生親條中出繼人之子遷繼本生祖條

夭疾人不入廟之非

尤庵曰天疾人不可入廟之說見於何書雖有是說苟有其子則將何以處其父耶頃有一宗人來言其弟廢疾未娶而歿將祔廟則家議不許云愚答云禮則不能知而以人情言之父母於廢疾之子慈愛有甚焉豈不欲同饗於一室哉李秋教傳曰有天疾者不得入于廟○答李樺

祔主埋安見遞遷條

遺書遺衣

遺書

尤庵曰遺書所命不至甚悖於義則何敢不從耶若臨歿亂命而必不敢從者則雖不得不變通然亦何至於焚裂也只當襲藏之也答李顯稷

又曰遺書即遺言也開元禮有疾病遺言則書之此不問手書與代書而有乖禮違法則爲官員者一切打破而一正之以禮法矣答崔天壁

問置立兩櫝西莊遺書衣物東莊祭器云云吳遂南昌

溪曰不容一櫃故也西重東輕

退溪曰遺衣服祭器依古制藏於廟固善而密爲防盜之策亦可若患此而藏於他各在其人善處他人似難爲說 答鄭惟一

遺衣 平日所用物并論

同春問父母遺衣服固不忍他用而其數頗多則似不可盡存如何愚伏曰遺衣服祭則設之或以衣尸乃是古禮而今則亡之藏之祠堂似無所用不如依禮文稱數多用於大小斂得之矣

又問遺衣服不能盡用於大小斂而今不用尸則亦

不可以衣尸藏之祠堂果無所用依漢朝原廟之禮藏之祠堂而時時設之亦如何沙溪曰漢之原廟藏遺衣服月出遊之儀未知是否不須援而爲效 愚伏答同春曰沙溪答是

又問遺衣服藏之祠堂果似無用而處之亦甚難便竊以意度之遺衣服則或澣濯以爲子孫衣服亦無不可至於冠帶諸物比於杯圈書冊尤不能接目而存之難處焚之墓所或埋於潔地未知如何沙溪曰示意曲折甚好焚之墓所似可而古無此禮不可創始

又問云云 同上 愚伏曰禮所不言先賢之所未嘗論何敢析哉

尤庵曰遺衣服依家禮藏於廟中此是正當道理而人家或被偷竊之患封鎖一櫃敬以藏之密處似或可也然既非家禮之說則何敢質言也 答韓聖輔

慎獨齋曰禮經無久遠後處置之文亦無遞遷時焚燒之節若遷于長房則遺衣服隨而遷者似合情禮 答崔慎

遂庵曰遺衣服埋與燒俱不可 答宋相琦

又曰遺衣服代遠祧主之時則埋置亦似當 答金光五

問亡考平日所用硯墨刀筆之屬云云 金得洙 尤庵曰依遺衣服之例藏置似宜

祭田

尤庵曰祭於祠堂則謂之祭田祭於墓則謂之墓田 答鄭纘輝

又曰親盡之祖祭田以爲墓田既有明文何可移之於最長房乎○迭掌謂今年長子家主之則明年次子家主之之謂 答閔泰重

又曰初置祭田時立約聞官既是家禮之文則見失後聞官歸正何可已乎若是族人則私以義理開諭

不聽然後聞官穩當 答全瑜

問宗家代盡神主移奉于冣長房則本位祭田并卽許與而及其遞遷後宗家主之永爲墓田歲奉香火耶 蔡休徵 遂庵曰此禮文所未言京中士夫則宗孫讓田民于長房而長房不受鄉中則宗孫不與而長房爭之大抵以此事多入訟場愚則不欲可否

又曰卽今士夫家別無置墓田者只有所謂奉祀條田民而已長房或有頻易者田土奴婢屢換其主則保存未易毋寧不動以厚宗家爲愈故某家方奉安高祖遞遷之位而所謂奉祀條田民辭而不受老先

生所教之意亦如此而然耶在宗家之道送之似得而聞 國法無移送之文此所未考不能質言 答李東

祔位祭田親盡後區處

問要解曰遞遷條祔位無歲祭之文祭田只用於其主不祧之前今詳文勢則以爲祭田以爲墓田之下曰凡正位祔位皆倣此云云遞遷條不及祔位者無乃親盡後爲墓田之說已詳於此故只言正位以該之也 朴尚樸 南溪曰末段看得是

尤庵問伯父無嗣祔於隆姪家此姪歿後已埋其神主矣隆姪之子元錫以爲此位田民不少今只存墓祭而已請量留墓祭條外分諸諸家云弟諭以不然而渠力請不已弟意以爲當初如是處之則有 國法及俗例之可據者猶之可也今已盡歸於宗家久爲宗家之物而今乃分之萬無是理請得兄分明一語以諭之且以爲鄙家定式耳 同春曰元錫云云不勝嘉歎與伯有子矣其事不難知設有一族人呈官請分則自官必卽許之台教雖甚切至元錫之不安豈不誠然鄙意早爲區處俾無後弊且遂元錫之美行恐當如何

祭器

問祭器皆用木器 李先稷 尤庵曰此儉素無苟費之意恐無害也然家禮許用燕器所謂燕器生人常用之器也

問大夫祭器固不假於人若有假於我者則當假之否 朴尚淳 南溪曰有田祿而不具祭器非禮也然猶相假恐傷於義

又曰不粥祭器不衣祭服子孫若有飢凍之患似不可不粥之衣之 南溪曰經言其常不言其變

退溪曰祭器依古制藏於廟云云 見答鄭惟一遺衣條

問置立兩櫝云云 吳遂昌 南溪曰云云 見遺書條

影堂 真像奉祠堂并論

退溪曰自家廟之制廢士大夫祭先之室謂之影堂蓋奉安畫像於此而祭之故稱影影堂卽祠堂也 祠堂之名始於家禮前此稱影堂○答李頻

問伊川曰庶人無廟可立影堂又一說曰祭時不可用影一髮不相似所祭已是他人何兩說之不同耶庶人可立影堂或指賤人不立祠版者言之 李德明 南溪曰末段所論得之

問圖隱先祖眞像奉於祠堂則士子展謁時便自難便別立影堂於祠堂之傍似便 鄭纘輝 尤庵曰二主之

不可分離既有朱子之訓何敢違貳然左相之意既以士子展謁爲疑則亦似難處第未知兩堂相去遠近如何果如咫尺則不可謂分離朱子所謂則留影於家而奉神主之官之謂也祭時幷設於影及奉影合祭於神主之示未有所考然恐不必如此○所論祠堂必如家禮始祖之制可行於久遠而無疑且事事皆便矣且念此祠展謁者紛然自四親以下無與於受拜而徒失幽貞之意其在子孫之意亦甚未安矣幸以稟於諸公隨地勢造建別廟則事有據而且順矣

晨謁

晨謁焚香

沙溪曰書儀及要訣皆無焚香之節而鄙人從家禮常行焚香 答同春

晨謁不計未潔

寒岡問逐日晨謁出入必告或未潔則奈何退溪曰若計此則是乃周澤長齋恐無是理蓋晨謁但行庭拜非有薦獻故也

尤庵曰主人參謁是平日晨昏之禮也平日自喪次歸者豈廢晨昏之禮此與祭祀有異矣 答或人

値忌祭行拜先後

問奉四代祠堂者晨謁大門之禮若値忌祭之日則當於請主時先行乎祭畢還主後行之耶 金重載 南溪曰忌是高祖考妣則祭後行拜高祖以下則請主時行拜似可

衆子獨行晨謁當否

栗谷曰主祠堂者每晨謁于大門之內再拜雖非主人隨主人同謁無妨 擊蒙要訣

問與兄同居兄若不爲晨謁弟可獨行乎 吳仲老 栗谷曰理當委曲陳達而兄若終不行則不可獨行也朔

望則雖獨行可矣

沙溪曰晨謁乃主人之禮與主人同謁則無妨無主人而獨行則不可 答姜碩期

尤庵曰諸子晨謁家禮不言只要訣言之豈以宗法甚嚴故耶擬以生時則諸子晨昏各自如儀且家禮諸子出入時大門告廟一如長子但不開中門爲異據此則獨於晨謁有所不熟者未知其義也來示雖無主人晨謁於中門之外如出入瞻禮之儀云云者恐亦精當如曰晨謁則當如儀再拜豈可瞻禮而已已則斯已矣如是損益自非盛德者不敢也 答閔著重

同春曰晨謁之禮以隨主人之禮觀之無主人時餘似不敢獨行而以出入之儀言之雖無主人餘人亦有拜辭之節且以象生時論之亦無不可獨拜之理 答閔維重

南溪曰要訣有衆子隨謁之說然擬以家禮之意恐或不當矣及考語類有子弟幷謁事然後知其果無所妨也但衆子獨行則似甚未安 答崔瑞吉

遂庵曰晨謁鄙家則主人有故之時弟與子常代行矣 答崔安厚

喪中先廟晨謁 見喪禮喪中行祭條中 喪中行祭禮諸節條

出入告 唱喏 拜辨論 婦人

龜峰曰擊蒙要訣祭儀章出入必告祠堂若遠出經旬則開中門再拜之家禮如此而今以月字換旬字似不當 答栗谷

沙溪曰瞻禮乃今之揖也唱喏揖時之聲也 答黃宗海

華使許國曰喏字出漢書兩手垂下作揖之狀○金河西曰喏音惹揖也○河濱泉曰揖相傳上唱喏想古人相揖必作此聲不默然於㕘會間也唱喏者引氣之聲也宋人記虜廷事實虜揖不作聲名曰啞揖衆所嗤笑契丹之人手於胸前亦不作

聲是謂相揖宋人以爲怪卽宋以前中國之揖作聲可知今日承元之後揖不作聲久矣而其名唱喏猶存官府升堂公座與皂排衙猶引聲稱揖豈非唱喏之謂歟此固自有本也 會成

問出入儀凡出入唱喏作揖之禮代以再拜如何 韓壁輔

尤庵曰擊蒙要訣出入儀實從家禮今何敢有所改易近出則元無告禮矣瞻禮之儀甚簡省非所難行何故廢之如不得已則以單拜代之似爲近之然不敢質言

沙溪曰按本註凡拜男子再拜婦人四拜謂之俠拜

盖主立拜言也今南方婦女皆立而叉手屈膝以拜北方婦女見客輒俯伏地上謂之磕頭以爲重禮禮之輕者亦立而拜但比南方略淺耳考之古禮及儒先之說盖婦人當以肅拜爲正大略似是兩膝齊跪俯腰低頭俯引其手以爲禮而頭不至地也今北俗磕頭則類扱地稽顙之禮惟可用之昏禮見舅姑及喪禮爲夫與子主之時尋常見人宜略如所掟肅拜儀可也南俗立拜已久不可驟變但須深屈其膝毋但如北俗之沾裙叉手以右爲尚毎拜以四爲節如所謂俠拜者若夫見舅姑則當扱地爲喪主則稽顙

不爲喪主則手拜庶幾得古禮之意云 家禮輯覽

參

每龕一大盤

退溪曰一大盤盤中所設恐不止一器而已盞盤應是盞臺 答金字顒

尤庵曰朔望饌品一龕內旣有正位二分或三分四分 祔前後妣 復有祔位或一或二或三四而只共設一盤果 盤卽今之貼匙 則似褻而太嗇矣故愚毎疑毎龕之龕字是位字之誤也未知然否 答南溪

又曰家禮參儀只設一果盤者恐是只據正位而言盖祔位非是例必有者故只言正位也若有祔位則恐不可合設一器也 答金壽增

南溪曰新果一大盤之文嘗亦疑之盖禮大小祭祀皆具二分食雖參禮之茶酒亦然獨於設果而夫婦共一器未知何義 答尤庵

饌品

栗谷曰脯果隨宜或設餅亦可若正朝冬至則別設饌品冬至則加以豆粥 擊蒙要訣

尤庵曰朔望之儀家禮所定者極其簡省其曰毎龕新果一大盤云者其龕內并考妣及正祔而言也而

其所謂大盤實今俗名之大貼也若是則雖祭及高祖之家并朔望不過新果八大貼而已此豈難辦者耶所薦之酒亦用一宿而成者則亦不甚難矣鄙意寧於此酒果之中又從減省而朔望節祀則恐不可闕一也 答金壽增

問擊蒙朔望設脯果餅恐不如家禮之爲簡 李行泰 南溪曰脯餅之設似亦從俗禮而然第恐未安

問家禮朔望參不言設箸 李時春 南溪曰只設酒果無用箸之處故也

茅沙 見時祭條

設盥盆不分內外 設東西之義幷論

問家禮祭條盥盆有臺架者在西爲主人親屬所盥云者謂主人及衆男女皆洗於此耶其在東爲執事所盥云者謂男女執事皆洗於此耶似混幷可疑 俞命賚

尤庵曰所謂主人親屬男女皆舉之矣所謂執事亦內外皆舉之矣然古盥洗之禮以別器儲水置於洗東盥時沃而洗之則男女內外不嫌於混雜也

又曰盥盆必設於東南者古人云海居東南之義也盥盆雖一云云惟巾則未有所別之義豈或內外各用一頭耶 答閔泰重

問盥盆帨巾內外不可共而只言於東不言於西 梁處濟

南溪曰似是言重以包輕

問祭條註設盥盆帨巾云云龜峰引男女不同架疑其闕文標題 要解初名 有論曰似是喪嚴祭敬不暇致意之義云云此可疑按特牲饋食禮主婦盥于房中註主婦盥盥于內洗然則祭之內外異洗可知也 李世龜

南溪曰要解後改云按自此至祭禮終無分別之文恐或闕略於婦人一邊而然也

祭禮服色

總論

龜峰曰朔望祭服色以家禮推之今之白直領卽古之深衣也用白直領亦可不必只用紅直領也 答栗谷

問婦人祭禮時頭無所着腰無所帶似甚未安 李之老

南溪曰今之好禮親迎者必用冠子神衣愚以爲古今服色相雜不如純用家禮假髻 或冠子 大袖長裙之制苟能復此者可以通行於祭祀矣然帶則未有用

考

幞頭襴衫皂衫帽子靴 幷見冠禮三加冠服條

幅巾深衣大帶黑履 同上

凉衫

尤庵曰凉衫事物記原筆談近世京師大夫朝服乘馬以黲衣蒙之謂之凉衫亦古遺法也然考朱子語則以爲宣和末京師士人行道間猶着衫至渡江戎馬中乃變爲白凉衫至後來軍興又變爲紫衫皆戎服也按以此朱子說觀之所謂凉衫亦是盤領之制而記原以爲古之遺法者未詳其意○竊意凉衫卽古之景衣古人出入既着正服後以單布爲衣加於正服之上以禦塵也後世以此因以爲正服耳景衣見儀禮但不如後世盤領矣 金鬐增

又曰云云其制則皆當如襴衫 答鄭纘輝○見冠禮三加冠服條中襴衫

條

假髻特髻大衣長裙見昏禮親迎條中婦服飾條

背子見笄禮

序立

龜峯曰擊蒙要訣祠堂章子孫序立圖諸子諸孫外執事宜直在主人後重行而今移于東不可也主婦後子婦孫婦內執事亦宜重行而今不然亦不可也諸弟宜稍後主人之肩而今乃并肩亦不可也答宋翼弼

沙溪曰或問今觀此圖諸丈夫旣以西爲上而諸兄立於主人之東有失兄弟之序故有少前之說然衆

兄弟則兄在西弟在東不失其序而亦有少前少後之序何也按王制父之齒隨行兄之齒鴈行朋友不相踰註鴈行并行而稍後也此圖序立之位亦倣此說也何以知之其曰有母則特位於主婦之前子孫外執事在主人之後者卽隨行也其曰少前少退者卽此稍後也其曰外執事無兄弟之序者恐倣此不相踰之序也家禮輯覽

又曰所謂重行者諸父異行兄弟則只有少前少退之異非重行也若如今公之說諸兄一行主人又一行諸弟又一行主人兄弟中豈有三行之異乎恐不然答申湜

尤庵曰嫡庶之分雖嚴而昭穆不可亂庶叔在前行而立於行末不當於嫡姪之前則庶乎兩不相妨也答朴世義○嫡庶位次又詳見附錄居家雜儀條

問當祭庶孽之行成遠徵遂庵曰以行列爲之小間立可也

出主

寒岡問當祭之時神主當脫櫝特立否退溪曰似當脫櫝

沙溪曰出主出於櫝外也以祔祭及時祭條看之可

知矣答姜碩期

又曰或問置櫝蓋方位愚按唐元陵儀註大祝奉神主置於曲几後趺上其匵置於几東近後以此推之可見家禮輯覽

尤庵曰所謂出主者乃出置主身于櫝前非脫韜之謂也蓋韜藉家禮無之而只見於卷首圖圖非朱子所爲則家禮所謂出主者非干於脫韜與否也明矣答韓聖輔

同春曰出主云者奉主身安於倚座也不出主云者只開坐子之蓋而已大蓋如此答李選

問家禮出主時斂櫝各置一笥云而笥底不平有難安之患或用板造之如笥樣如何 李逕 同春曰如示恐不妨

南溪曰出主分明出於櫝前世俗以數動爲近於煩褻故不敢然當以禮文爲正 答崔瑞吉

參降先後之異

退溪曰參則是日之禮本爲參神而設若先參則降神後都無一事其所以先降神者爲參故也祭則降神後有許多薦獻等禮所以先參而後降 答寒岡

同春曰家禮參禮則先降神凡祭則先參神未知何義沙溪曰凡神主不出仍在故處則先降後參如朔望參禮之類是也設位而無主則亦先降後參如祭始祖先祖及紙榜之類是也若神主遷動出外則不可虛視必拜而肅之如時祭忌祭之類是也

陶庵曰朔參則無遷動之節故先降後參時祭之先參後降其義可推而知也 答李師範

獻拜之節 辭神并論

寒岡問凡獻禮參則主人手自斟酒祭則執事斟之退溪曰恐無他意只是參無代神祭節文似略故自斟爲盡愛敬之心祭則有代神祭等許多自行節文

足以盡愛敬之心雖非自斟亦可耳

又問參神辭神朱子則用再拜瓊山則用四拜退溪曰程子亦以爲當再拜瓊山意未可知

沙溪曰丘氏四拜乃其當時所行之禮當從家禮再拜 答姜碩期

問參禮辭神當倣時忌而行之於斂主之前乎抑當倣虞祥而行之於匣主之後乎 李志逵 南溪曰家禮雖無明文儀節參禮條辭神下添奉主入櫝之語當依時忌祭例處之無疑

望日用酒與否

栗谷曰國俗無用茶之文當於望日不出主只啓櫝不酹酒只焚香使有差等 擊蒙要訣

尤庵曰家禮望日旣不用酒則未知降神時亦以茶灌于茅沙耶抑灌則以酒而薦則以茶耶古人灌用鬱鬯者取其香氣也若所用之茶亦有香氣則亦與酒無異耶又古禮士於喪中只有朔奠而無望奠家禮亦無之而今世雖未仕者無有不設望奠者是有他書之可據者耶至如來論望日只欲設果而不用酒此固差別朔日之意也第未知亦不降神耶如曰降神不可廢則必當用酒 東俗無茶 旣用酒以降神則雖

非家禮之文而仍用以薦豈甚未安耶望日之儀家禮云不設酒不出主餘如上儀既云如上儀則果之仍設無疑矣且既有設茶之文則只焚香叅拜云者似不然矣 答南溪

南溪曰望日不設酒國俗又不用茶此則恐難强行惟朔叅所用果一器及降神香 只焚 叅神辭神之節不可廢也 答尹明相

閏月朔望叅當行

問閏月非正月天子不以告朔而喪者不數云然則閏月朔望亦不當行耶 閔泰重 尤庵曰不可不行

朔望奠婢僕代行之非

退溪曰朔望奠專爲主人自展已思慕之誠而設有故而使子弟猶或可也婢僕必不可也俗節之祭亦然然此事今世或已他居者於墓祭等事不得已有令婢僕代行者又使盡廢尤甚未安 答禹性傳

朔望只行焚香當否

問朔望叅禮貧未辦酒果則開中門焚香再拜如何 韓如琦 尤庵曰來示猶賢於已然家禮朔望之禮極簡每龕設果一盤所謂盤俗所謂貼匙也此豈至難辦者而若是苟簡耶

南溪曰朔望焚香節次朔宜行叅望宜焚香所以有差等者家甚貧一盞酒一器果亦不能備者只得並行焚香但其儀則當用朔望之禮矣 答崔瑞吉

忌祭與叅禮相値行祀之節 時祭日不行叅禮并論 ○見祭變禮 祠祭相値條

朔日叅禮與除服先後 見喪禮五 變除條

喪中行叅禮諸節 見喪禮 喪中行祭條

國恤中叅禮 見喪禮 國恤條中 私家大小常祀條

俗節

俗節名義

澤堂曰元日書云正月上日卽正月一日歲之元月之元日之元故謂之三元節日廟祠履端之祭上下慶賀之禮此家爲重我國並行墓祭○上元正月望日謂之上元日其夜謂之元宵佛書有燃燈事中國仍有觀燈之戲我國則無之只以是朝奠先廟盖以望日自有望奠故也○寒食歲時記云去冬至一百五日卽有疾風急雨仍禁火爲之熟食故云寒食節周禮司烜氏仲春以木鐸徇火禁於中國盖仲春新火將出也或云龍星木之位也春屬東方心星爲大火懼火太盛故有禁此皆近理之言俗謂介子推焚

死故爲之寒食非也我國依先儒之禮奠祠廟亦有墓祭○社日社者五土之神用春秋置二社日祭社壇禮也以春秋分後戊字日爲社春社不出二月秋社不出八月中國最重此節民俗宴遊○三月三日雜書有後漢郭氏三月上巳産二女不育故後人忌諱是日皆於水上祓除之說此甚不經今則中國不用上巳而以清明爲節日我國則惟用三月三日民俗或奠先祠仍爲宴遊○四月八日此是佛生日故自古禪家燃燈設齋前朝奉佛故仍爲俗節有觀燈之嬉如中國上元今尚有遺俗然我國不之重也○

五月五日謂之端午端始也午者五月所建也古記以五月五日午時謂之天中節盖五數居十數之中故也荊楚俗以屈原五月五日沉江死故有飯筒投水之祭然非天中節日所從出也我國依禮文祭祠墓○六月十五日高麗國俗六月十五日沐髮於東流水祓除不祥故謂之流頭日中國則無之我國亦不以此爲俗以望日故奠薦先祠○三伏日夏至後第三庚爲初伏第四庚爲中伏立秋後第一庚爲末伏古者重此節爲之宴樂我國則無之謂之伏者以金氣方生伏於餘火也必以庚者庚乃陽金也○七

月七夕古今雜說以七月七日爲天孫會河鼓之夜故中國民俗有乞巧賣磨喝樂之事其言與事皆不經我國則無之○中元七月十五日謂之中元此說本出仙佛書故僧尼道俗皆尊尚之有盂蘭盆供無祭誦經之事我國僧家皆以是日設齋薦先魂[illegible]俗多效之士大夫家則無之但以望日故依禮奠先祠又新羅故俗王女率六部女子自七月旣望早集大部庭績麻至八月十五日考功多少負者置酒食以謝勝者相與歌舞作百戲而罷故以七月望日謂之百種節八月望日謂之嘉排節我國則雖有其名而

無其事○八月十五日古無節日之名而以中秋月四海同陰晴最爲明朗故爲賞玩之節又以金精旺盛之日故道士以此日肇煉内丹道家亦尚之我國以望日故奠先祠又以此日當正秋之中依禮文行上塚祭○九月九日風土記九月九日律中無射而數九故俗尚此日折茱萸房以插頭言辟惡氣禦初寒又仙人費長房教桓景以九日登高飲菊花酒佩茱萸囊以避灾厄又漢武宮人賈佩蘭九月九日佩茱萸飲菊花酒此事相傳自古莫知其由惟魏文帝與鍾繇書曰九月九日九爲陽數而日月幷應俗愛

其名以爲宜於長久故以之宴享高會此最爲近理我國元月元日之後有三三五五七七九九名節而無二二四四六六十十則乃尊陽卑陰之義也民間依禮文奠先祠而登高飲菊酒則如故事○十月十五日謂之下元道家有醮祭我國則無之○十一月冬至十二氣日無非節日獨以冬至爲節日者以其爲一陽始生之辰也古有圜丘奏樂登臺書雲物之禮今者萬國朝賀用此日爲首國有 宗廟大祭民家亦祭先祠又荆楚俗至日作豆粥以辟疫鬼故我國仍用爲節物奠薦○十二月臘日或稱蜡日今稱

臘者取田獵之義也古者置臘而用五德庫蔵日如漢用火德故用戌日是也今行曆法則用冬至後最遠戌日在十二月內者而不依古說我國則用未日盖以東方木庫在未故也國有 廟社大享○除日歲終之日卽謂除日古有儺禮今天下通行其他雜戲各從土俗

俗節增删

栗谷曰俗節謂正月十五日三月三日五月五日六月十五日七月七日八月十五日九月九日及臘日 擊蒙要訣

問擊蒙俗節註寒食不入 李行泰 南溪曰豈以寒食乃墓祭所行又非正朝之兼朔奈故闕之耶

同春問中元之節家禮俗節討焉韓魏公用浮屠設素祭而朱子不用云者似是不用素饌非并廢其節云云沙溪曰朱子所謂七月十五日不用云者不行素饌也

尤庵曰臘日是大俗節何可不行薦享乎鄙家則行之矣 答韓聖輔

南溪曰節如清明寒食重午中元重陽之類凡鄉俗所尚者 按寒食爲上墓大祭儀節已删中元朱子以爲設素饌祭不用今於三節外更依韓魏公

祭式添春七家範添上元五禮儀添秋夕重三流頭二節只是俗說無文可據不用 三禮儀

問按祭饌後說論俗節條不用清明中元而添重三云云中元之不用恐因朱夫子論韓魏公家節祀一語而朱子此語恐是不用浮屠素饌云爾非不用其節也臘日栗谷旣收於要訣此是一歲之終與夏季之流頭對待而爲節亦似合宜 崔錫鼎 南溪曰清明中元之說當時區處不敢不致詳盖類書之爾雅莫過於事文其言以上巳爲重三而别出清明一節且考曆書清明必前寒食或後各一日其不可溷同明矣

至於中元純是道佛家作用非如正月十五日十月一日猶有西都雜記夢華録等諸書舊俗可以通行蓋其兩節王義在此而不在彼也况以朱子語謂當只用下一着者恐未深思嘗考朱子之廢此出於南軒之力爭兩家文字較然豈可以此徒諉之素饌耶臘日云云果亦有據只爲今來人家祭祀節日甚煩使聖王有作竊意其必從簡省之法玆以不欲創起家禮國俗未擧之禮也

俗節墓廟幷行

晦齋曰按世俗正朝寒食端午秋夕皆詣墓拜掃今

不可偏廢是日晨詣祠堂薦食仍詣墓所奠拜若墓遠則前二三日詣墓所齋宿奠拜亦可

同春問四時墓祭時家廟亦行茶禮否沙溪曰墓祭與家廟處所既異兩行恐不妨

又問俗節三年内則先設享於几筵後行祭於墓所家廟則先行茶禮後行墓祭無妨否沙溪曰所示皆無妨

問薦獻儀俗節謂正朝端午中元重陽之類其中五月八月行俗節茶禮又行墓祭又行時祭之月也語類問行時祭則俗節如何朱子曰某家兩且存之云韓聖輔尤庵曰同日大小祀兩存之義既有朱子之訓則不可以一日重疊而有所廢也若二祭幷値而不可周旋則或廟或墓使人代之可也若無可代之人則依朱子除夕前三四日行之之說而先後行之似好

問尤庵曰同日大小祀兩存云云徐永後陶庵曰云云

詳見祭禮兩祭相値條中忌祭與茶禮墓祭相値行祀之節條

饌品

栗谷曰時食如藥飯艾餠水團之類若無俗尚之食則當具餠果數器擊蒙要訣

沙溪曰角黍粽也風土記以菰葉裹糯米五月五日祭汨羅之遺俗也又裹糯米爲粽以象陰陽相包裹未分散也家禮輯覽

問冬至豆粥以辟瘟之具而不薦望日香飯以飼烏之物而不薦如何任屹寒岡曰初出於辟瘟飼烏而遂以成俗豈不聞節物各有其宜人情於是日不能不思其祖考而復以其物享之者乎南軒廢俗節之祭朱子曰端午能不食粽乎重陽能不飲茱萸酒乎不祭而自享於汝安乎蓋菰米飯絳囊萸豈從古所有者乎

問今俗必以春時花煎餅薦廟此非古禮不用煎熬之意打愚謂衣服飲食古今異宜煎餅蜜果何可不用此言如何 尹案 尤庵曰俗尚及祖先平日之所嗜好不可全然擺脫要在酌中而處之閭尼山諸尹以先訓不用蜜果云若有先訓則處之甚安矣

南溪曰按要訣食如藥飯之類蓋以上元言今擬清明用花煎端午蒸餅荐七霜花秋夕引餅重陽菊煎他如冬至豆粥正朝餅羹亦隨其宜花煎菊煎若不及則當以他食代之 三禮儀 ○下同

又曰按朱子有俗節小祭止二味之說今於時食外

亦添酒及果二品蔬肉各一器以時食多是米食故兼肉爲二味

又曰正至俗節稍有饌品者斟酒再拜後容肅竢少時

又曰俗節饌禮無見處酒果蔬菜湯餅之屬當隨所有而酌處之至如炙則乃大祭三獻所用恐不必設

遂庵曰時食之薦以其平日所進之物也厥初剏始之由何能究覈況共工疫鬼之流不經甚矣何足信也然心以爲不可則闕之無妨上元粘飯人或中毒 答尹朋相

故鄙家不用矣 答蔡徵休

國恤葬前俗節 見喪禮國恤條中私家大小常祀條中

支子異居遇俗節 見支子諸禮條中支子自主之祭條及支子祭先墓條

薦新

薦新諸節

栗谷曰有新物則薦須於朔望俗節幷設五穀可作飯者則當具饌數品同設禮如朔參之儀雖望日出主酹酒若魚果之類及蔴小麥等不可作飯者則於晨謁之時啓櫝而單獻焚香再拜單獻之物隨得即

薦不必待朔望俗節 擊蒙要訣

沙溪曰五穀何可一一皆薦如大小麥及新米作飯或作餅上之爲可 答同春

南溪問五禮儀薦新皆用生而要訣則必作飯云云

尤庵曰薦新之儀家禮言之於喪禮而註云如上食儀然則當時薦新恐亦當如朔望儀也○家禮大祭祀外雖無設飯之文然今此薦新專爲五穀而設則不可生用勢須作飯也遡禮雖無薦新之文而旣曰俗節獻以時食則恐薦新包在其中也

問朔望參禮隨時所得或以麥粟飯薦之或以爲事

死與事生有別不可薦以不精之物未知何如尹宷尤庵曰家禮之喪禮篇有新物薦之條可見其物矣何以麥粟爲不精之饌也

問麥飯薦廟因朔茶行之具饌數品依備要要訣設行無設羹進茶之節而只扱匙飯中少頃後撤果不悖於禮意否抑有飯則似有羹羹後似有茶李濯陶庵曰麥飯之薦尊家所行似不悖於禮而鄙人則設羹進茶之節自前行之蓋亦循俗薦新之儀本無明白現出處不曾博攷而柰定未敢遽斷其得失也

問單品之薦甚薄而闕積重難何如或人尤庵曰闕積

有何重難耶不闕積而薦亨無乃無謂耶

問稻粟既已作飯以薦則糯亦其屬也不須別薦尹拯南溪曰聞命

問設薦奠時若有新物自外來云云任屹寒岡曰方陳設未降神之前或得新物則并薦何妨既降神進饌之際復以新蔬果之類更進於前無乃未安乎

三年內薦新見喪禮

國恤葬前薦新見喪禮國恤條中私家大小常祀條

在外遇新物

寒岡問未當不食新在禮當然若出遊遠方未薦而再三遇之奈何退溪曰隨地隨宜力所可及處當盡吾心其不及處恐難一一守一法爲定規也若膠守而不變則出遠方者不食新穀飢而死矣無乃不可乎

栗谷曰凡新物未薦前不可先食若在他鄕則不必祭擊蒙要訣

支子異居遇新物見支子諸禮條中支子祭先墓條

生辰祭與喪禮生辰條參看

生辰祭當否

寒岡問先考生日設飲食以祭象平生也其祭文曰

存既有慶歿寧敢忘云云此意如何退溪曰恐孟子所謂非禮之禮此類之謂也

松江曰生日祭議論不同如蘇齋頤庵皆以爲不可後來議及李叔獻以爲朔望遍奠此亦何傷云云故遍奠諸位今承浩原之說有曰若不能從禮無寧取中原別祭之制可乎

龜峯曰家禮祭有其數無先親生辰祭祭不可瀆只祠堂章奠無定禮有俗節之獻倣此行奠禮如何稱生忌用祀似難行矣答松江

沙溪曰生忌之祭馮善創開退溪非之是矣答姜碩期

愚伏曰朱子以季秋祭禰爲重而適生日在月内故以其日行之非以生日爲重也若於考妣生日有祭則必著之家禮矣（答同春）

尤庵曰生辰之祭若知其非禮而以先世所行爲難停廢則是非禮之禮無時可改也世人喜說喪祭從先祖之文此殊未安然先世所行之儀眛然遽廢亦似未安須告以廢之之意恐爲婉轉（答韓聖輔）

又曰生辰祭退溪既謂之非禮然高氏則有祭儀至有祝文只有一位處據高儀行之恐不至甚害（答朴世輝）

南溪曰孔子稱生事葬祭以禮爲孝人之生世也爲

子孫者喜慶其生日而養以酒食固禮也及其下世也爲子孫者悲哀其亡日而奠以饋食亦禮也若於亡後猶以酒食追養其生辰恐於理有悖非如四名日之不至甚妨故君子不爲也（答閔采萬）

陶庵曰生日之祭非禮也當從古不當從俗（答金天資）

三年内生辰（見喪禮）

子孫生日薦享當否（祖先生日行時祭并論）

愚伏曰朱子以季秋祭禰爲重云云（答同春○見生辰祭當否條）

尤庵曰古人於先世生朝必祭至有祝辭曰生既有慶沒寧敢忘退溪則截然以爲非禮未知孰是第念諸位同安一祠未知獨設於廟位耶抑并設耶或請出其主於正廳耶三者皆有所難便退溪非之者或出於此耶今玆子孫之生日雖異於先世祖父之生日其難便者亦有數件將獨設父母耶抑並設於諸位耶若子孫衆而一一薦享則無乃煩瀆耶此有所不敢知者不敢質言耳（答洪聖休）

又曰祖先中一位生辰若在仲月則行祀於此日恐似婉轉矣朱子生日在九月十五日故其禰祭例行於是日此雖與祖先生日有間大槩其意則相近矣禰祭是時祀之類（答韓聖輔）

問尤翁以子孫生日薦酌於亡親爲可未知如何（李命奭）

陶庵曰尤庵說亦恐非正當之論不必苟行

有事告

總論

問禮云祭不欲數數則不敬今若吃宮及追贈在時享月内則待時享日若已過時享則俟次仲月時享告婚嫁則以其日告生子三月後遇時享則告云云（鄭基榜）

愼獨齋曰有事則告不可留待酒果之奠爲告事而設豈祭數之比乎

冠昏告祠堂（見冠禮昏禮）

告追　贈贈職實職先後書見喪禮題主條

問追　贈改題時酒果云云閔泰重　尤庵曰酒果只設於所告之龕矣

又曰改題之儀一用家禮則更無可疑但世俗以盛典之下只行小祀爲太略或於翌日仍行盛祭因與宗族設酌雖非禮之正亦或從俗之一道否此則更在斟酌也告文亦不須大段陳述若云某年月日一鄉之人共舉府君孝行于郡庭郡守申于方伯方伯轉以上　聞聖上下其事于該曹該曹覆　啓請贈官階以旌之因　命如章某年月日　特贈奉列

大夫宗親府典籤竊以府君誠孝至行無愧古人而藐孤孱劣不能顯揚大懼堙沒於無聞幸以鄉評不泯克闡潛懿適茲　孝理之日竟蒙　追榮之典上可以光飾先德下可以覆庇後昆誠不勝大幸今將所下　誥命改題神主以展焚黃之儀涕泗摧咽不知所告謹以酒果云云如此庶或無大乖矣答鄭維評

同春曰家禮告追贈條有云若因事特贈則別爲文以叙其意正左右今日事也當叙　筵臣建請　聖王允許特贈之實耳焚黃與時祀各是一事翌日行時祀正好矣曾見愼齋家亦然耳此盖一家盛事也與一家諸親同慶情所不已也祭後尊行與少者有獻酢之禮在於家禮時祭餕條可考而行也　教旨前拜禮依五禮儀行之亦無妨盖備要專主家禮故不載此條矣答崔世慶

焚黃

沙溪曰古之制誥用黃紙故謄以黃紙替焚之今則教旨既用白雖用白以焚似不妨答姜碩期

瑣碎錄唐上元三年前制勑皆用白紙多有蠹食自後用黃紙○朱子曰以黃紙謄詔命宣畢焚之

尤庵曰焚黃朱先生皆行於家廟而亦嘗言舉世行

之於墓恐不可不從也答李端夏

南溪曰謄者或是詔命不可直焚故有以代之焚義未詳似是達于神靈之意也答柳貴三

有喪之家告追　贈改題之節

問曾祖父易名之典將至於宗孫未葬之前焚黃改題不可已於喪內而傍題以孤兒名曾祖爲高祖則曾祖妣神主因舊不改似爲未安其以下神主云云盧亨弼　旅軒曰其餘神主待後改題

又問曾祖易名之典將至宗孫葬前攝事弟不便爲廟中主人旅軒曰支孫最長者攝主其事

問追贈祖先者未及焚黃而歿則改題主告辭當如何措語耶李之老 南溪曰以生者名告歿者事只當言追舉焚黃之意豈有所疑

問蒙 恩榮贈卽行改題爲當而未行吉祭未及改題之前有祭祀則 恩誥雖下而祝辭中追 贈職銜不可書耶尹暘來 陶庵曰寵擢旣係 異恩似已具由告廟矣告廟之後則雖未及改題祭祀時祝文書以 贈銜似無不可而至於先爲改題恐不成道理

延諡

尤庵曰吉甫所問盖以兩諡幷迎或先宣老先生諡

還奉神主於祠堂然後復出愼老神主而宣諡此二者孰優也弟意此二者無甚是非得失而一幷宣傳雖甚盛美之事然他人行之恐有所碍盖今日則二主人皆無故故如此固無妨若烱喪未畢則幷宣之時章拜而烱哭似不便此恐非通行之道與春同

南溪曰先祖延諡一節前承當行於墓次惟鄙意亦當如此矣或者以爲當於宗家設位而行云云答尤庵

告授官貶降及第生進

栗谷曰云云若介子孫之事則主人亦告而其詞曰介子某或介子某之子某臨時隨宜變稱云云告畢當身進于兩階間再拜當身拜時主人西向立 降復位與在位者辭神擊蒙要訣

告生子

尤庵曰告事條滿月謂生子日數滿一月也答宋晦錫

南溪曰按內則子生三月見於父祭式亦曰生子三月後遇時饗則告恐滿月是滿三月禮三儀

問主婦抱子止再拜主婦當四拜而此曰再拜者蒙上俠拜之文而然耶鄭尚樸 南溪曰生子者再拜恐來諭爲是但虞祭亞獻下獨言四拜未詳其義盖一書中他無所見故也

告喪見喪禮

告移還安遷奉修改之節

栗谷曰凡神主移安還安或奉遷他處等事則告祭用朔叅之儀若廟中改排器物鋪陳或暫修雨漏處而不動神主之事則告祭用望叅之儀告辭則臨時製述擊蒙要訣

南溪曰未葬之前殊無行祭之禮如有移安之擧則恐當使服輕者只告辭而行之所謂告辭無年月首尾只告當行之事故也答或人

又曰如一日內移奉者似當一告一薦禮三儀

喪中有事告先廟（見喪禮喪中行祭條）

告事祝（祝板幷論）

退溪曰稱某朔似當以月建然嘗考之古文實皆指朔日之支干盖古人重朔朔差則日皆差故必表出而言之耳（答金富仁）

問生子而見及納采壻家以復書告祠堂皆不用祝主人自告（黃宗海）沙溪曰所告之辭多則用祝板少則只以口語告之也鄙家幷用板

又問家禮自稱孝何義告辭條稱元孫時祭條稱玄孫亦何義沙溪曰經史及丘氏說可考

郊特牲曰祭稱孝子孝孫以其義稱也註祭主於孝士之祭稱孝子孝孫以祭之義爲稱也○宋眞宗大中祥符五年聖祖降延恩殿詔聖祖名曰玄朗不得斥犯先是追封孔子玄聖文宣王至是改至聖文宣王以玄字犯聖祖諱也○丘氏曰宋朝諱玄凡經傳中玄字皆改爲元字故家禮稱元孫今悉改從玄（玄者親屬微昧也孫猶後也）

問祝板諱玄字而改爲元字則獨諱之於告事而不諱於時祭條者何義（閔遂）南溪曰豈於始見處改正之其他如成服時祭等處姑存之否然如愼字諸註中一皆改正則殊未詳其故

問告授官祝昭告于故某親云則通指高曾祖考而自稱則孝子某云此非以最尊爲主之例（鄭尚樸）南溪曰授官祝以告禰爲主與最尊者爲主之意各是一例通用無妨時祭奉主時祝乃通稱故只稱孝孫初獻時祝乃各稱故於高祖稱孝玄孫云云自不同也

寒岡問家禮祝版長一尺高五寸當用周尺否不言其廣廣用幾寸退溪曰周尺恐太小或疑高是廣字之誤未詳是否

家廟移奉（見祭變禮）

祠墓遇變（同上）

禮疑類輯卷之二十

禮疑類輯卷之二十一

祭禮　時祭

卜日

總論

梅齋曰家禮卜日之儀上旬中旬之日不吉則直用下旬之日告于祠堂若至於是日或有疾病事故而不得行祭則不能無祭不及時之慮今依程氏儀註擇日行之或用二分二至爲便

巢岡問時祭或前旬擇日或例用分至或例用上丁

退溪曰家禮卜日註溫公及朱子說已明不必更求異說況环珓今不知爲何物以意造作而用反涉不虔乎按溫公朱子說皆以用分至爲可

栗谷曰時祭用春分夏至秋分冬至前期三日告廟若其日有故則退定不出三日以退定之故告廟或依家禮前期一朔以仲月卜日若事故無常未可預定不能卜日則只以仲月或丁或亥之日擇定前期三日告廟擊蒙要訣

龜峯曰時祭之用二分二至不必大書爲式也亦恐非朱子意也或問時祭用仲月清明之類或值忌日則如之何朱子曰卻不思量到此古人所以貴於卜日也然則今不可舉是日爲式也答栗谷

又曰今世無用珓之家朱子亦曰卜日無定慮有不虔又欲用二分二至而又以或值忌日爲難將此數段酌處如何答松江

沙溪曰按禮註春祭過春不祭夏祭過夏不祭據此仲月若有故則季月亦可祭喪禮備要

同春問時祭不得行於仲月云云愚伏答云云沙溪曰云云詳見稱祭條中廟祭過時不行條

丁亥之義

尤庵問祭必用丁亥其義如何沙溪曰經傳論之詳

矣可考也

小牢饋食禮來日丁亥用薦歲事于皇祖註丁未必亥也直舉一日以言之耳禘于太廟禮曰日用丁亥不得丁亥則已亥辛亥亦用之無則苟有亥焉可也疏丁未必亥也直舉一日以言之耳者以日有十辰有十二以五剛日配六陽辰以五柔日配六陰辰若云甲子乙丑之等以日配辰丁日不定故云丁未必亥經云丁亥者不能具載直舉一日以丁當亥而言餘或以已當亥或以丁當丑此等皆得用之也不得丁亥則已亥辛亥亦用之者

鄭云此吉事先近日惟用上旬若上旬之內或不得丁巳以配亥或上旬之內無亥以配日則餘陰辰亦用之無則苟有亥焉可也者卽乙亥是也必須亥者按陰陽式法亥爲天倉祭祀所以求福宜稼于田故先取亥上旬無亥乃用餘辰也○劉氏敞曰丁巳丁亥皆取於丁所以取丁者以先庚三日後甲三日故也大抵郊祭卜辛社祭卜甲宗廟祭卜丁無取於亥註家不論十干之丁巳專取十二支之亥以爲解其失經文之意遠矣日有十干辰有十二支以五剛日配六陽辰以五柔日配六

陰辰甲子乙丑之類是也以日配辰或丁丑或丁卯或丁巳或丁未或丁酉或丁亥丁日不定故直舉丁當亥一日以言之其意或以巳當亥或以丁當丑皆用之云爾○朱子曰先甲三日是辛後甲三日是丁先庚三日亦是丁後庚三日是癸丁與辛皆是古人祭祀之日但癸日不見用處又曰庚之言更也辛之言新也丁有丁寧意

尤庵曰或丁或亥是禮家所卜之日也不可以卜日與丁亥二視也 答韓聖輔

又曰宋之儒先不卜日或用分至此亦可行至於不用前月下旬之文改以前三日則於事雖便然損益家禮之儀恐似不敢每於擊蒙要訣不能無疑 答閔泰重同○下

又曰三月謂之時則季月亦在原時之內矣

南溪曰卜日之制本係經禮雖有後賢所行似難輕易但其法未詳茲依要訣只用仲月或丁或亥之日擇定前期三日告廟之說 三禮儀

环珓之制

尤庵曰环珓之制旣非難備者又不必俯易而仰難正如今俗歲時折木爲戲之具俯仰均矣今俗無端

不用未可曉也 答或人

南溪曰环珓之制韻書稱判竹爲之或用竹根其長二寸其制可略想所謂一俯一仰此必以竹之表裏爲俯仰也 答或人

卜日雜儀

寒岡問卜日則立於右讀祝則立於左退溪曰卜日亦立于左矣至其終立于右者主人與諸執事東西相對而立皆北上以次而南則主人之右卽執事爲首者對立之處故就此而告爲順若左則不與對也

愼獨齋曰西向者未詳其義而將祭卜日而已非卽

今祭先故不北向恐無他義也稱孝孫者泛稱之辭若有高曾祖則當以最尊爲主答崔慎陶庵曰云云答李惠輔○詳見喪禮禫卜日條中總論條

孟月行吉祭者仲月行時祭可否見喪禮吉祭條

正位別廟時祭先後

問始封之祖不遷高祖親未盡而不可祭五代別室以祭云如四時祭亦不可共設於正寢勢不能一時行祭崔碩儒慎獨齋曰似當先祭正位某之宗家先祭正位次別室所藏之主

小宗家行時祭之節

尤庵曰家禮所謂次日行祭者本爲同居者設耳若考楊氏本文則可知也高祖之祭旣用丁亥則繼曾家不得別卜日只於次日行之恐是統於尊之義也○如營造事日家云旣用吉開基則其後雖遇惡日不撤工役此等恐亦有此理答南溪

南溪曰此段以宗法爲主乃義起之別法也非可以丁亥常制拘者答鄭尚樸

尤庵曰尊位有故不祭則卑者從而不得祭亦勢之不得已處也雖異居而地若相近則亦與同居者無異曾見沙溪金先生答人書云祖先墓在越岡則小宗不可先祭其墓此義似可類推也答南溪

陶庵曰時祭宗家雖不行旣是異宮則支孫似無不可行之義答吳瑋

齋戒

晦齋曰程子曰思其居處思其笑語此平日孝子思親之心非齊也齊不容有思有思則非齊齊者湛然純一方能與鬼神接按程子之說有異於祭儀之意蓋孝子平日思親之心固無所不至至於將祭而齊其追慕之心益切安得不思其居處言笑志意樂嗜乎然此乃散齊之日所爲也至於致齊日則湛然純

一專致其精明之德乃可交於神明也

問七日戒三日齊古禮也而家禮時祭只言三日齊何也金誠一退溪曰七日戒三日齊古禮爲然故今廟社四時大享百官前期十日受誓戒誓戒之辭正以云云之事爲禁前三日入淸齋所患人不能盡如禮耳蓋大享禮之至重故如此其他祭不盡然也又曰時祭極事神之道故齊三日忌日墓祭則後世隨俗之祭故齊一日祭儀有不同齊安得不異答鄭惟一

顒庵曰五禮儀祭享誓戒之目有曰不縱酒不與穢惡事而大明會典則更深一節曰不飮酒不與妻妾

同處盖　高皇帝熟諳俗習之放失曲爲之防耳又前朝之法於私家祭祀齋戒條有曰不許騎馬出入接待賓客違者科罪云云今之人士多嗤前朝之於禮法爲踈略若此等處果如何耶余見世俗於祭前一日雖不出入親朋萃至則博奕開酌終日讙譁是尚可謂之齋戒乎大凡酒之爲害最能迷亂人情齋時常禁此爲第一况復接客則多闕於所應檢理者矣非惟不可不謝絶實是不得不謝絶也凡吾子孫每當致齋一切謝客如非老病服藥切勿飲酒以專檢理以一思慮其違者以不祭論之可也

又曰凡祭祀齋戒之日不還日不縱酒不茹葷不弔喪問疾不聽樂不行刑不預穢惡事而其爲前期大則三日小則一日如斯而已矣今俗昧於本原而致曲於末務或前期七日或八日便戒或有婢僕觧産於外廊有猫犬隕斃於藩墻或有奴隷作游喪家門巷而回便謂之犯染謬矣苟耳目之不遌及雖隔一壁無所動情苟心神之不收斂則雖處一室不免坐馳千思萬想凶穢淫慝何所不至哉况人倫在世事故多端慶弔歌哭皆不可廢又如從仕之身則夙夜于公不敢顧私　國家令式時祭忌祭給暇并止二日或一日尚可望三日外哉故司馬温公有時至事暇不必卜日之說韓魏公之祭只齋一日者以此也若欲如俗所爲則須連旬日盡廢人事方可豈容行得

栗谷曰時祭散齋四日致齋三日忌祭則散齋二日致齋一日叅禮則齊宿一日所謂散齋者不弔喪不問疾不茹葷飲酒不得至亂凡凶穢之事皆不得預若路中卒遇凶穢則掩目而避不可視也所謂致齋者不聽樂不出入專心想念所祭之人思其居處思其笑語思其所樂思其所嗜之謂也夫然後當祭之時如見其形如聞其

聲誠至而神享也擊蒙要訣

尤庵問時祭忌祭俱是祭先也而齊戒則有三日一日之異者何也沙溪曰開元禮齊戒註凡大祀之官散齋四日中祀三日小祀二日致齊大祀三日中祀二日小祀一日

退溪曰時祭極事神之道云云上見以此觀之祭有大小而齊戒之日亦隨而有異也

尤庵曰前期三日齊戒是家禮之文故要訣引之矣若是賢孝君子依古禮行之則不亦善乎第慮今人十日拘禁似必甚難故家禮之文如是耶答尹家

又曰祭王於嚴此嚴字是嚴敬之意也始自齊戒具需至飲福歸胙苟無是心則所謂禮爲虛也然此甚難矣程子嘗言齊戒時思其居處心志嗜欲已是一等人答或人

問致齊於内散齊於外註陳氏以心之内外言吳氏以廟之内外言或人南溪曰陳氏爲長

行時祭之所

問人家正廳南北長而東西短凡四時大祭於北壁下自西設位狹窄難行不得已高祖在北曾祖祖禰分東西相對傳禹性退溪曰正寢設祭位有太屋可依

禮設者自當如古其不然者不得不隨地形排設雖若未安亦無如之何矣

沙溪曰設位補註云云按家禮非不知昭穆之爲正禮而姑因時祭而爲之節目朱子嘗曰古者宗廟之制今日雖未及議尚期興復之後還返舊都則述神宗之志而一新之以正千載之謬成一王之法使昭穆有序而祫享之禮行於室中則又善之大者也據此則補註之說恐是輕加議論也家禮輯覽

愼獨齋曰只奉一位者則仍祭於其所而告辭曰請出就前堂可也答崔愼

問要訣時祭行於祠堂亦有所據耶李行泰南溪曰亦用五禮儀之制

考妣各卓

寒岡問瓊山儀節如獻時不奠而先祭與夫婦共一卓等處皆未決意退溪曰瓊山禮多可疑

問父有三室凡人祭祀時考妣共一卓今四主共爲一卓則其勢難便分爲四卓則各位共卓亦有異同似未安崔季昇寒岡曰不得四位各卓則寧四位共一卓而盞盤飯羹炙肝之類各設恐無妨於不得已之權宜也

同春問今俗同奉考妣於一椅又兼設饌於一卓與家禮考妣各用一椅一卓之意大相不同孤家從前從俗今欲變改愚伏曰兩位共一卓五禮儀之文從時王之制亦無妨吾家自先世遵五禮儀今不敢必變

同春曰鄙家用一卓每欲改從家禮只緣貧窶未易辦且五禮儀有共一卓之文非徒五禮古禮亦似如此故不敢率爾答或人

問世俗或果蔬脯醢肝肉炙魚肉湯共一器唯飯羹麪餅各設鄭基昉愼獨齋曰考妣各卓禮也今人不但

堂宇狹隘若貧窶不能各設則自不免如來示然莫如從禮爲正

尤庵曰考妣各卓禮有明文何可違也四代奉祀之家或有三四娶者時祭排位時雖三間之屋亦窄狹難容矣然變通爲難不若小其床卓使可容排也答卞東規

又曰昏禮同牢是合體同尊卑之意也祭需異卓男女不相褻之義也恐不可相證而爲說也答韓聖輔

又曰時祭考妣各設既有家禮明文不可拘於器皿而合設也禮曰祭器未具不造燕器人雖貧窶寧有

不造燕器者耶凡人奉先緩於養生故失先後之序矣答黄世禎

陶庵曰祭饌勿論蔬果餅麵一一各設卽是家禮所載不可拘於床卓大小而苟爲合設之例然士大夫家蔬果則合設獨各設餅麵飯羹者大抵同然鄙家亦不免如此雖知其非禮而事力不逮因循未改矣吾外翁前後凡三娶祭時床卓難容伯舅趾齋公於末年考妣諸位之餠與麵亦爲合設蓋爲慮後而然也凡此諸件以禮意言之大都苟簡若能慨然行古之道則豈不爲好然亦不當不量家力而輕易變改如欲量力而後行之則輒又爲因循不改之歸矣此甚難處唯在財量答鄭存中

祔位設位與班祔條中祔位坐次條參看

尤庵曰云云時祭時祔位恐當從兩序相向之文若皆坐於東序則或有嫂叔逆坐者矣大不便矣答沈世熙

問時祭設位鄭尚樸　南溪曰妻位在階下者以祔之尊者在兩序故也若無則恐當在序端以在廟時祔在祖妣旁觀之無疑矣

饌品

總論

退溪曰祭之饌品儀節從禮文爲當而古今異宜亦有不得一一從禮文處循祖先所行恐無所妨答宋言愼

栗谷曰祭饌每位果五品貧不能辦則三品亦可脯一楪俗稱佐飯熟菜一楪醢一楪沉菜一楪淸醬一器醋菜一楪魚肉各一楪魚肉當用新鮮生物餅一楪麵一盌羹一盌飯一鉢湯五色或魚或肉或菜隨所備若貧不能辦則只三色亦可炙三色肝肉及魚雉等物務令精潔未祭之前勿令人先食及爲猫犬虫鼠所汚擊蒙要訣

龜峰曰擊蒙要訣設饌圖脯醢祭物之重而今以佐飯易脯名飯羹盞等亦擅移其位皆似不可答栗谷

牛溪問魚肉恐非生魚生肉云云鄭道可言家禮祭饌圖脯醢蔬菜用六品却是古意非俗饌也是以吾用脯二器醢二器蔬菜二器而不用今俗盤床之羞去清醬不陳云云鄙人以爲脯醢蔬菜相間次之者却是宋時之羞也於何見得古意乎去清醬不陳則時羞有未備也渠却以爲不然也渾家用五色果脯醢蔬各二器湯三色爲二十五器或恐過僭不儉云云龜峰曰魚肉雖無用生明文而以義推之用生無疑也但今世私家窮無省牲之禮必以生爲式恐難爲辨朱子又曰但以誠敬爲主其他儀則隨家豐約

如一羹一飯皆可自盡其誠以是論之則省牲之家可以用生而自其下則恐未能也示品數多少某家所備一以家禮爲準而於常食品數不能無加減者以四時時物亦或不同故也朱子語南軒曰於端午能不食粽乎於重陽能不食茱萸酒乎不祭而自享於汝安乎以是看之隨時物薦享或恐人情不得不爲者也如是則鄭道可之不設清醬與非俗饌之語皆非朱子意也朱子又曰溫公祭儀庶羞麪食共十五品今須得簡省之法方可以是看之雖豐於奉生而不煩之意亦可知矣

問家禮之饌卽當時之饌今亦以生時所用而祭之如何若五禮儀士庶人祭饌圖得無大略耶黃宗海沙溪曰以生時所用常饌祭之亦可五禮儀圖雖有云云稱家之力豈拘於此乎

尤庵曰祭貴蠲潔雜陳非禮云者來示不可易矣書儀共不過十五品而家禮則多至二十餘品鄙家則貧甚隨得用之本無定式雖有所得多品者以鄙家考妣各設難得如許大卓故也大抵一位品數不減於家禮也答李選

問祭物貧家則稱其有無而富貴之家雖積高多品

無害於禮耶一依家禮定式爲之可乎金光五遂庵曰雖或有從厚之時常時定式不可變也

果蔬

栗谷曰每位果五品云云擊蒙要訣○詳見總論

同春問家禮時祭果用六品要訣用五品何義沙溪曰要訣蓋本司馬公及程氏儀或者常以爲非讀禮記知或說近之今人六品之果若難備四品或兩品庶合禮意

郊特牲曰鼎俎奇而籩豆偶陰陽之義也籩豆之實水土之品也不敢用褻味而貴多品所以交於

神明之義也○長樂陳氏曰鼎俎之實以天產爲
主而天產陽屬故其數奇籩豆之實以地產爲主
而地產陰屬故其數偶
又曰所謂蔬菜三件沉菜熟菜醋菜等物在其中有
何難解脯醢各設爲是圖則合設誤矣以禮意推之
脯熟菜醢沉菜清醬醋菜等相間排設似當擊蒙要
訣似然 答黃宗海
問要訣設饌圖不以奇偶數 朴是 尤庵曰從俗也
脯醢
問脯三品醢三品 柳億 尤庵曰或脯或脩或魚脯可備

三品之數耶醢則魚醢食醢肉醢亦可備三品之數
耶
南溪問脯醢則不過二物而已將以何物代爲三品
耶尤庵曰家禮脯醢三品云者恐是脯二醢一或醢
二脯一合三品也脯有始腵之別醢有魚肉之異恐
不可謂只爲二物而已
又曰問解脯醢三品以二脯一醢當之者亦未見必
是家禮之意盖家禮旣泛言蔬菜及脯醢各三品則
所謂蔬菜者或芹或瓜或菁之類也所謂脯醢者凡
乾魚肉皆謂之脯鹽魚肉皆謂之醢今當勿論乾者

鹽者只用三品似可矣何必拘於脯二而醢一哉且
寒岡之以脯醢幷爲一器者固本於家禮卷首圖然
卷首圖本非出於朱子而或有與朱子本文相戾者
恐不足爲據也且脯醢是燥濕相猜之物而同盛於
一器亦未知其如何 答南溪
又曰脯醢未知脯三品醢亦三品耶抑脯醢合爲三
品耶若如前說則脯以乾脩乾魚及腊等爲三品醢
以魚醢食醢肉醬等爲三品矣而若如後說則未知
脯用二品而醢用一品耶此便難處也鄙家則會其
隨得用之本無定式矣大抵一位品數不減於家禮

也 答李選
南溪曰脯醢三器之說殊可疑以此沙溪以脯一器
醢一器相間次之爲主寒岡以脯醢同設者三器相
間次之爲主恐皆未盡愚則添鮓一器於脯醢中用
之盖俗重食醢而墓祭亦有其文故也 答李德明
又曰脯醢是二物與上文蔬菜有異故見者又或以
脯三醢三爲說竊更詳之惟台今日之教義益的當
然若論其所受用則人家饌物必無全濕者勢復恭
設則自成脯二醢一或醢二脯一之規矣且以東萊
宗法質之蔬菜脯醢共六品尤似無疑 答尤庵

遂庵曰脯醢三品云者恐是脯二而醢一或醢二而脯一合三品也而所謂脯醢者乾魚肉皆謂之脯鹽魚肉皆謂之醢今當勿論乾者鹽者只用三品似可矣且今俗設饌之品或不無與中華古禮有異者從俗只設各一品亦無妨 答金光五

佐飯切肉食醢

問要訣云脯俗稱佐飯以此見之脯醢似是飯床佐飯及醢楪也若設佐飯及醢則雖不別設脯肉食醢亦無妨耶 韓聖輔 尤庵曰要訣脯下註云卽佐飯只此見之二者恐是一物今之學宮用乾魚而幷謂之魚

脯然以古禮言之則西北陸故設脯於右東南海故設魚於左今俗所謂佐飯者多是海物則恐不可幷謂之脯而皆設於右也食醢之用只是東俗禮家所謂醢則是海物之加鹽者也幷用恐無妨食醢似是古之醓屬也

又曰家禮時祭具饌條無所謂切肉者而祭始祖條有所謂切肉者而此則當炙以獻於再獻者也來諭所謂切肉未知指何物言耶若是脯脩等則當依家禮與醢相間矣 答柳億

又曰所謂醢卽魚肉之浸鹽者國俗旣用此又用食醢則非家禮之意矣若用其一則當去食醢無疑矣 答李選

南溪曰脯醢尤丈書云用脯二器醢一器或脯一器醢二器若用脯一器佐飯一器以應所謂二器者則似宜第鮓非古饌亦俗之所重而佐飯只是俗味故也使鮓專品而雜佐飯於脯亦未知如何且脯佐飯同器雖涉不嚴如餅醢之類又已先犯恐不太嫌也 與尹拯

生魚肉用否

顧庵曰語類祭用血肉者蓋要藉其生氣耳又曰古

者釁龜用牲血是見龜久不靈用些生氣者接續也史記龜筴傳占春將雞子就上面開卦便是將生氣去接他又曰古人立尸也是將生人生氣去接他又朱子每論時祭忌日或用浮屠誦經追薦是使其先不血食也以此觀之祭祀當須用生魚肉而家禮設饌圖所謂魚肉者正指血腥也今俗少用血薦須知朱子所論如是其切至然後可於祀先之道無欠矣劉氏曰今人祭其先祖未必皆殺牲云而引司馬溫公祭儀有鱠生肉之品丘氏儀節牲或羊或豕雞鵝鴨云今亦雖不能全殺牛猪等肉及肝以爲炙而肉

則生切盛楪且魚若體大則截作二三段盛一段於楪可也或以雞鴨可代生肉鰕蟹可代生魚而雞鴨不必全體當支割分盛魚之細少者亦可入用不必滿尺而後可也

栗谷曰云云魚肉當用新鮮生物擊蒙要訣 ○ 詳見總論

龜峰曰家禮惟祭初祖先祖有用生之文於祭禰曰同時祭時祭魚肉無用生之文但朱子語類平日所論祭必用生神道見生血則靈似不可不用生也全肩之薦同 國禮恐不可用也家禮祭初祖前後脚皆作三段答松江

沙溪曰家禮所謂魚肉非生魚肉也乃魚湯肉湯也栗谷之用生雖本於書儀與儀禮饋食禮不同嘗質于家庭問于牛溪答曰恭用生熟雖是古禮主於家禮則朱子曰以燕器代祭器常饌代俎肉則不用生明矣答同春

特牲饋食禮註祭祀自熟始曰饋食饋食者食道也亨于門外東方註亨煮也豕魚腊以鑊各一爨

○郊特牲曰腥肆爓腍祭豈知神之所饗也主人自盡其敬而已註祭之爲禮或進腥體或薦解剔或進湯沉或薦煮熟豈知神果何所享乎主人不過盡其敬心而已耳

又曰顧庵所引朱子說及要訣與饋食說不同行禮者擇而用之可也家禮輯覽

愼獨齋曰古者大夫士各有牲庶人則無常牲今人鮮用牲若依家禮用牲不亦可乎但不可用腥耳答鄭基磅

九庵曰家禮初祖祭有腥熟兼設之文至時祭以下則不用腥豈初祖則是上世之人故兼用古今之饌而近祖則純用俗饌耶然程朱所論生物生氣等訓如此則全不用腥不安於心故鄙家用魚膾肉膾蓋

是常饌而有生氣者故也其器亦用燕器蓋不敢異於家禮也其設之時與處則依初祖祭進饌時設于蔬菜之行矣要訣魚肉之設未知終據於何書故不敢從如有程朱明訓則遵用此儀似長矣家禮雖有省牲之節而旣殺之後熟而薦之恐不可以有省牲之文而疑於用牲薦俎也答李選

又曰魚肉與湯要訣以爲二物此則與家禮別爲一說矣大抵家禮只說魚肉則或湯或胾恐皆無妨但要訣俾用生魚腥肉家禮凡祭需皆熟獨於此用生腥則恐非純用家禮之意答南溪

又曰家禮所謂魚肉未知用湯與否與用生與否也然禮曰禮之近人情者非其至者又以爲鬼神反本故亦尚質然則兼用生物如要訣之說恐亦無妨 答韓聖輔

南溪曰禮曰饋食之道自熟始然則生熟幷用古之義也至家禮以常饌代俎肉故無用生之法或有以魚肉當之恐非其倫 答金克成

遂庵曰儀禮有象生之文無用生之文故沙溪以用生爲非栗谷時儀禮自中國未及來故要訣用生矣禮記有用生之言乃漢儒之雜記不可盡信 答成遠徵

又曰顧庵所引朱子說及要訣與饋食說不同行禮者擇而用之可也雖用熟薦若以生魚肉各一器祭用以存愛禮存羊之義尤善 答姜再烈

又曰家禮所謂魚肉明是魚湯肉湯也盖家禮以常饌代俎肉似不用生魚也鄙家則魚肉湯外別用魚膾肉膾是亦常饌故也 答李光國

陶庵曰用生一節深得古經本意然尤庵先生又於此起疑云云近世士大夫往往用生腥一二器者是則盖參取要訣備要而爲之惟在裁擇之如何耳 答楊應秀

湯炙品數

寒岡問家禮本註魚肉用二味而通禮獻以時食註引語類云大祭則每位用四味請出神主俗節小祭只就家廟止二味故今欲用四味盖於大祭只設二味太略故也退溪曰善

栗谷曰湯五色炙三色云云 擊蒙要訣 詳見總論 ○

尤庵曰家禮所謂魚肉未有必是湯之明文祭禮有三獻爓之說說者謂爓沉肉於湯也然則今世所謂湯者或意其本於此也溫公祭儀有肉羹炒肉之文此其爲湯明矣如不欲用湯則依禮記用殽胾之設

亦何妨哉 答南溪

又曰湯三色五色云者實出於要訣而家禮則未有也然東俗承用已久似難猝變也仍且用之恐亦無害也同春九色云者愚亦嘗聞其說矣此兄嘗曰家間得美味而不用則心甚缺然故雖多而亦盡用之云此雖若無品節而亦可見孝子如事生之意矣 答楊光後

又曰家禮有炙肝炙肉之文又有祭先肝祭先肺之說似是三獻各用一物其多少則恐當隨宜也 答韓聖輔

問三鼎五鼎之說如今魚肉湯品數耶 李時春 南溪曰

魚肉當依家禮各用一品一亦三五之數也

陶庵曰擊蒙要訣果湯之俱用陽數固甚可疑前輩謂栗翁禮學少遜沙溪云者豈指此等處而言歟既知其非是則略加增損庸何傷乎（答李命奭）

鹽醋醬

沙溪曰加鹽之方按少牢饋食禮尸祭酒啐酒賓長羞牢肝用俎縮執俎肝亦縮進末鹽在右以此推之可見古亦用鹽又特祭炙肝獨不言加鹽者有何義耶按特牲饋食禮賓長以肝從疏此直言肝從亦當如少牢賓長羞牢肝用俎縮執俎肝亦縮進末鹽在

右此亦不言者文不具也以此觀之時祭肝炙亦須加鹽也所以不言者亦是文不具也（家禮輯覽）

南溪曰鹽楪凡饌似皆當用然不如炙肝時之有據其獨言於初祖祭者亦容有互見之義（答金榦）

問丘氏儀節鹽醋二楪並設於前一行而亦不設醬楪家用醬代醋楪云云（金宇顒）退溪曰只一依禮文鹽醋俱設其設處且當從丘氏然凡飲食之類古今有殊不能必其盡同以今所宜言之鹽不必楪設各就其器而用之醬則恐不可不設也所謂象平日用醬代之者得之

尤庵曰鹽楪醋楪之專設恐是古禮如是各於魚肉設鹽於其器者似褻（答李選）

沙溪曰醋在匙羹之間遵行不妨（答黃宗海）

問擊蒙祭饌圖匙楪醋楪居外與家禮有異（李行泰）南溪曰以盞盤居中者乃五禮儀之制然并醋楪易置恐皆未安

又問擊蒙祭饌圖醋菜即家禮醋楪而曰菜何也南溪曰似以後世不用醋又且代用清醬故以醋菜代醋楪也然亦未安

又曰醋則家禮用之猶今之醬醬則要訣用之猶古

之醋備要兩存似無其義（與尹拯）

南溪問古人設食以醋爲重家禮用醋即備要用醬之意今若幷設似涉重複從古只用醋如何尤庵曰家禮醋楪要訣代以醋菜者恐未然內則納酒醬籩豆註醬醋水也是祭禮別用醋矣栗谷所謂醋菜恐當入於蔬菜之類也古禮祭不用醯醬（考士昏禮可見）醯醋也不尚褻味也然則內則及家禮之用醋恐亦隨時也則要訣備要之幷用醬恐亦無害如以煩複爲嫌則依士昏禮和醋於醬而只用一器亦無妨耶

又問古人重醋猶今人之重醬家禮旣用醋似當廢

醬而用醋然人家釀醋未易精好合於祭用故欲以清醬或代其乏而仍設於醋位尤庵曰以清醬當醋楪之文而設之於北端雖似合宜然醋亦是饌品之一而特東俗不爲特設耳且以儀禮言之則醬是食之主故設之於中今以代醋之故而設之於偏處亦未知如何

饌品條總論

牛溪問鄭道可言去清醬不陳云云龜峰曰云云詳見又曰來示祭器品數圖清醬置東失燥居左濕居右之義似未合他與某家所行相符且看古禮醬爲飲

食之主宜居中云云答牛溪

南溪曰清醬雖以曲禮言之膾炙處外殽胾處內醯醬又處其內家禮設饌亦以內外爲重輕云云然則醋之所處甚尊恐非今世以醬中置飯床之可比也要之欲依家禮只用醋則頗駭人情欲依要訣代用醋楪依備要兼用清醬則皆非家禮之意但東俗雖不特設醋楪而非如點茶之全然不用且檢問解以爲不妨故永則定用醋矣答尤菴

米食麵食

退溪曰以麵爲麪食以餅爲米食今人汨董雜陳只務多品此不知禮者之事何用議爲答寒岡

問進饌條曰以盤奉米麪食而按具饌條則無米麪食只有饅頭糕劉氏註曰麪食饅頭糕之類米食糕糕之類按輯覽註曰資糕飯餅今俗呼粘糕云云然則麪食米食皆餅而所謂麪食亦斷非今俗所用餅麪之麪耶米麪食饅頭糕其實一物而具進兩條稱名之各異者亦何意耶李德明南溪曰米食麪食同是所謂餅者而但有用米用麪之分耳然我國之俗旣以一乾一濕爲麪而中國亦有麪食烹用者故不必盡削也

桃鯉燒酒油蜜果犬肉用否

沙溪曰桃及鯉魚不用於祭見家語及黃氏說燒酒則出於元時故不見於經傳我國　文昭殿日祭夏月則用燒酒栗谷亦謂喪中朝夕祭夏月則清酒味變用燒酒甚好云膏煎之物不用出於儀禮今俗必用蜜果油餅以祭恐不合於古禮也答同春

士喪禮記凡糗不煎註以膏煎之則褻非敬疏云凡糗直空糗而已不用脂膏煎和之〇家語孔子曰果屬有六而桃爲下祭祀不用不登郊廟〇黃氏日抄鯉魚不用於祭祀云

澤堂曰私家四時祭品耻於無油果此有何味徒爲觀美於享先末矣禮庶羞不加於牲況油果乃蜜餌麪食之屬一楪平排與菜果平等可也先輩名儒難於遽革以只存一楪爲戒吾則從家有無有則只設一楪若有時不備油蜜則一楪亦不設矣

尤庵曰禮煎熬之物不用云云而油果是煎熬而成者則不用似宜而第三代之時祭尚臭油果之香臭比諸餅特異廢之無乃不可乎尹八松則遺命勿用愼齋則嘗言油果貧不易辦只欲平排云於此數說擇而從之可也鄙家甚貧每欲廢而廢之鈌然故依

禮疑類輯八　卷二十一　祭禮　二十七

先例仍用而亦用高排然亦當以澤堂說爲宜耳 答李選

遂庵曰若不用膏煎之物則非但蜜果油餅魚菜用油之物亦當廢此甚難行 答李光國

南溪曰非但儀禮之文如此家禮饌品圖亦無所謂蜜果油餅者當準禮勿用爲正然我國俗尚已久先賢猶有行之者雖或平排一二器不至大悖否 答李之老

尤庵曰禮記曰士無故不殺犬豕註故謂祭祀賓客又周禮夏行腒鱐膳膏臊註臊犬膏據此則古人祭祀用犬不但來書所引而已然東俗則不用未知其故竊謂犬則家家所畜視豕尤賤故東俗用豕而不用犬耶大抵此事從古用之可也從俗不用亦可也此在行禮之家裁處之如何耳 答洪聖休

遂庵曰古禮旣用犬則只當遵用習俗之難變非所可論 答洪益秊

生時所嗜不嗜之物當用與否

寒岡問祭酒用清酒用醴酒或用平生所嘗嗜何如

退溪曰用平生所嗜恐未安屈到嗜芰遺言要薦君子有譏

問用其平日不食之物以祭之恐非思其所嗜之意

禮疑類輯八　卷二十一　祭禮　二十八

然若子孫世守不替則亦近於屈到薦芰之譏何以則果合情禮乎 黃宗海 沙溪曰來示然矣然并諸位設之則不敢獨異耳

尤庵曰俗尚及祖先平日之所嗜好不可全然擺脫要在酌中而處之云云 答尹寀○詳見俗節條中饌品條

南溪曰祭以平生所嗜人情之所必然若在三年之內則固無妨矣若入廟以後則并設諸位恐有所不敢酒醴祭物之主況神道異於生人豈可廢也 答沈倪

遂庵曰生前不飮酒則以醴代酒無妨 答金光五

陶庵曰天地之間元無不可食之物凡人生有不食

者則是氣之偏處其死也安有不可用之理孝子之心雖若有不忍者而從正不害爲孝 答李師範

茅沙

同春問家禮束茅聚沙何義至祭始祖條小註始云截茅八寸束以紅絲亦有所據耶他祭則不束以紅耶沙溪曰諸家所論可考

集說或問束茅聚沙於地擬住茅家否曰然曰用茅何義曰郊特牲云縮酌用茅註醴濁用茅以泲之也曰盤載以酹何也曰程子謂降神酹酒必灌於地家禮亦同未聞有盤至劉氏補註祭初祖條

始有茅盤截茅八寸束以紅立于盤內劉必有考但其不註於時祭各條又恐止宜初祖不敢據也曰茅或用三束何也曰按三祭于茅者三濟酒于茅上非三束茅也豈誤其數也逕見他書每位一獻用酒三盞者尤非又曰祔位不設○周禮註必用茅者謂其體順而理直柔而潔白承祭祀之德當如此也○會通註曰截茅一搤許紅帛縷束立沙中東之有叢沃酒滲下故謂之縮茅 或云士虞禮苴是用茅之始歟

尤菴曰時祭條降神茅沙在香案前祭酒茅沙在逐位前無可疑貳者忌祭茅沙當並在香案前其左其右恐無甚分別 答柳億

問束茅用紅絲云尤庵曰紅欲其文沙取其淨八寸之義未詳

玄酒

問祭用玄酒何意 姜碩期 沙溪曰禮經可考

鄉飲酒儀尊有玄酒教民不忘本也註古之世無酒以水行酒故後世因謂水謂玄酒不忘本者思禮之所由起也○禮運註每祭必設玄酒其實不用之以酌

尤庵曰玄酒恐不須不用若以爲文具而去之則如茅沙焚香等亦可去也 答韓聖輔

時祭服色 與參禮條中參服色條參看

晦齋曰凡言盛服者有官則公服帶笏無公服則服黑團領紗帽品帶無官者黑團領黑帶婦人則大衣長裙

寒岡問晦齋先生奉先雜儀註凡時祭盛服無官者用黑團領鄙意盛服無如黑團領若紅團領豈是盛服古人不以爲褻服退溪曰恐然

栗谷曰有官者紗帽團領品帶無官者團領條帶婦

人上衣下裳皆極其鮮盛之服（擊蒙要訣）
同春曰今之所用盛服只有紅黑兩色云云（答姜碩期○詳見喪禮吉祭條中祭時服色條）
尤庵曰時祭所用之服家禮只言盛服而已若欲酌
取古今之宜則從要訣似好矣（答李渟）
設盥盆不分內外（設東南之義幷論○見參條）
行祭早晚
同春問人家行祭或早或晩未有定式何者爲得沙
溪曰先儒說可考
陳氏曰小牢大夫之祭宗人請期曰旦明行事子

路祭於季氏質明而始行事晏朝而退孔子取之
此周禮也然禮與其失於晏也寧早則雖未明之
時祭之可也○張子曰五更而祭非禮也○朱子
語類先生凡遇四仲時祭隔日滌倚卓嚴辦次日
侵晨已行事畢
尤庵曰行祭早晩太早不可太晩亦不可惟當以質
明爲正然孔子曰與其晏也寧早聖人之微意可知
也（答朴是普）
南溪曰質明即大昕指日未出時也朱子亦未免侵
晨已行事畢則此亦古今不同處勢不得用大昕耳

（答柳貴三）
匙楪居中居西之辨
問家禮及備要設饌圖匙楪當中要訣則居西何耶
（宋道性）陶庵曰不同處從家禮
祭時男女位（內外執事並論○與參條中序立條參看）
尤庵曰祭時地窄男女之位太逼則似當隨地勢推
排變通（答或人）
問內執事外執事（閔泰重）尤庵曰或似以婢僕看者或
似以子弟看者恐不可執一而言也
詣祠堂奉主就位之節（無主婦奉主幷論）

晦齋曰按程氏祭禮主祭者盥手詣祠堂奉諸位神
主置盤令子弟各一人奉至祭所主婦以下不詣
問要訣詣祠堂時祭則無拜忌祭則有拜（朴光一）尤庵
曰來示得之文元先生嘗如此下教矣甚仰高見之
精也
陶庵曰時祭無拜似以諸主出奉正寢而後有參拜
故也（答徐永後）
問家禮告事祝云四代共一板則自稱以最尊者爲
主而時祭出主祝稱以孝孫前後不同（閔泰重）尤庵曰
或云出主祝脫一玄字抑古人無問先代遠近只有

稱孫者此亦仍古而稱之者耶然前說恐是
沙溪曰前導云者主人在神主之前而導之也禫祭禰祭吉祭亦當如時祭而儀節正衡皆無前導之文不敢為說 答同春

問壽翁以為西階是賓階祖考之神待以賓恐害於義理奉主者當與主人由阼階云云 崔錫鼎 南溪曰家禮奉主之儀尋常以為既置於西階卓子上惟當從本階奉升其義不過神道尚右然也大抵以主人則當由阼階以神道則當由西階若如程氏儀使子弟奉諸位神主至祭所者此亦可以各專其義矣今家

禮且令主人主婦奉主就位則義不得不并由西階無推移處壽翁之說徒執其一隅也
又曰奉主一節固為男女之異任既無主婦云云 答尤庵○詳見喪禮立主條中主婦條

出主 見參降條

參降諸節 與參條中參降先後條參看

栗谷曰若時祭行于祠堂則無奉主就位節次只就祠堂各位前陳器設饌先降神而後參神 擊蒙要訣
尤庵曰生時無階下拜祭時之有者祭禮主於嚴故也 答或人

退溪曰降神之禮非獨虞祭其於祔及祥禫皆各再拜夫虞朔之類禮宜簡節而反備時祭宜繁縟而反略皆不可曉 答鄭惟一
同春問家禮朔望焚香灌酒各再拜時祭則只於灌酒後一再拜其義何也沙溪曰焚香再拜求神於陽也灌酒再拜求神於陰也時祭一再拜恐闕誤故喪禮備要依朔參禮以兩再拜添補未知得否
尤庵曰時祭降神只焚香先師每以為參與時祭輕重迥別不應時祭之儀反輕於參明是闕文輒補奉先儀亦補入不但備要而已後人行之亦不至大害

否 答南溪
南溪曰時祭焚香無再拜故備要添入之然鄙意家禮必有其意而輕添似未安 答李東壽
問朔參則主人受注斟酒反注取盞盤此則主人受盞盤執注者斟注于盞 鄭尚樸 南溪曰時祭三獻皆獻者東面立執事斟酒乃聽命於神之義降神此禮亦其意也與朔參自不同

飯羹左右之義

問祭圖陳饌尚左而扱匙則西柄似有尚右用右手之義何也 金就礪 退溪曰祭饌尚左之說恐未然蓋食

以飯爲主故飯之所在卽爲所尚如平時陳食左飯
右羹是爲尚左而祭則右飯左羹是乃尚右所謂神
道尚右者然也而今云尚左非也扱匙西柄果如所
疑人之尚左食用右手則神之尚右似當用左手矣
然嘗思得之所謂尚左尚右但以是方爲上耳非謂
尚左方則手必用右尚右方則手必用左也故雖陳
饌以右爲上而手之用匙依舊只用右手何害焉
沙溪曰曲禮言凡進食之禮特牲言饋食之禮然食
黍稷皆居東而家禮則不然羹居東飯居西未知何
義恐是出於當時俗禮而書儀從之而家禮亦未之

改故歟 家禮輯覽
問或以爲三年內象生時飯左羹右爲是謹意則卒
哭始用吉禮事以神道此不得獨象生時 黃宗海 沙溪
曰陳饌飯右羹左未知其意至於揷匙西柄以右爲
尚則左陳之意尤不可知也愚意三年內上食則象
生時左飯右羹爲是亡友趙重峰汝式嘗曰禮食居
人之左羹居其右酒漿處其間生死異設何所據耶
烹飪具饌代神祭酒扱匙西柄皆用養生之道而陳
饌引致死之義亦未詳其所指也
曲禮凡進食之禮左殽右胾食居人之左羹居人
之右膾炙處外醯醬處內蔥渫 蒸 處末酒漿處右
以脯脩置者左朐 劬 右末註肉帶骨曰殽純肉切
曰胾骨剛故左肉柔故右飯左羹右分燥濕也膾
炙異饌故在殽胾之外醯醬食之主故在殽胾之
內蔥渫爲蔥亦菹類加豆也故處末酒漿或酒或
漿也處羹之右若兼設則左酒右漿疏曰脯訓始
始作卽成也脩亦脯脩訓治治之乃成薄析曰脯
捶而施薑桂曰腶脩朐謂中屈也朐置左也朐脩
處酒左以燥爲陽也呂氏曰末者在右便於食也
食脯脩者先末方氏曰食以六穀爲主穀地產也

所以作陽德故居左羹以六牲爲主牲天產也所
以作陰德故居右○特牲饋食禮主人升入復位
俎入設于豆東主婦設兩敦黍稷于俎南西上及
鉶芼于豆南南陳 按此數說凡祭設饌羹宜居西飯宜居東家禮則不然羹居東飯居西未知何義恐是出於當時俗禮書儀從之而家禮亦未之改故歟然當依家禮左設不可有異議
問家禮陳饌飯右羹左未曉其意義重峰以生死異
設爲無所據沙溪亦以爲然而又謂當依家禮左設
不可有異議者何耶退溪曰時祭右陳神道尚右故
也今人以飯右羹左爲左設飯左羹右爲右設沙溪

所謂左設亦如此而退溪謂之右陳者豈以飯右爲主而然耶若如退溪說則飯右羹左果合於尚右之義耶（金壽恒）尤庵曰重峰說主於禮記沙溪說主於家禮家禮乃損益古今而爲之定制者故沙溪以爲不可有異議耳且左右設云云今人以尚生時者爲右以變於生時者爲左退溪則主飯而言故以飯居右爲右陳爾

酌獻之節（見喪禮虞條）

祭酒之義

同春問祭酒代神也論語君祭先飯之祭亦祭酒之

義耶其註曰若爲君嘗食然不敢當客禮也祭之之義似無關於主客之禮而朱子云然何歟沙溪曰古者座中上客祭酒餘人不爲之祭國子祭酒之名出於此但家禮四時祭正位皆祭酒與古禮不同未詳其義

尤庵曰降神時傾酒于茅沙者求諸陰之義也二獻時少傾于茅沙者代神祭之義也（答朴是曾）

又曰三獻皆祭儀禮家禮皆然故備要仍之要訣則其意以爲初獻既祭則亞終獻不必更祭故其文如此然當以儀禮家禮爲正（答或人）

啓飯蓋

同春問祭飯啓蓋宜在何時沙溪曰祭時扱匙飯中雖在侑食之時啓蓋則應在初獻之後未讀祝之前以特牲饋食禮觀之可知

特牲饋食禮曰祝洗爵奠于鉶南遂命佐食啓會佐食啓會郤（仰也）于敦南

告祝之節

祝文

退溪曰時祭祝文若用丘氏禮併一祝文則當不用昊天罔極之語（答李成亨）

愼獨齋曰家禮逐位讀祝之制自是禮專而曲折分明何必從儀節之苟簡乎考妣用昊天罔極亦有意焉儀節不必遵用（答崔愼）

尤庵曰家禮於高祖以下則主人不稱姓於先祖以上始稱之此則似以遠近爲別也丘儀於高祖稱姓有不敢知者耳（答尹案）

退溪曰牲不特殺則不可用潔牲等語士大夫廟祭不聞以一元大武爲祝辭假使一時因事殺牛非平日每祭輒殺牛則一用此辭而後不用尤恐不可也（答金宇顒）

讀祝

問凡祭無執事則祝文自讀之耶 期 姜碩 沙溪曰不妨

同春問或云無執事則受胙當闕而祝文則主人當自告退溪先生謂張兼善無祝人則設祝文而不讀在苟簡不備禮中自盡其心之事云云兩說如何沙溪曰無祝人則主人自讀猶愈於不讀

退溪曰湖南或有陳而不讀云然古亦無此說矣

寒岡問讀祝當高聲讀抑低聲讀退溪曰太高旣不可太低亦不可要使在位者得聞其聲可也

獻祔位之節

問祭高祖畢即獻祔位則祔高祖者乃曾祖之子也子先於父可乎栗谷曰祝辭以祔食言則非所謂先父而食也況使人行之則是大有間矣

同春問家禮纔祭高祖畢使人酌獻祔于高祖者云祔于高祖者即曾祖之子先父食未安沙溪曰恐當活看豈可先也

又曰儀節則先獻正位畢而次祔位朱子亦曰祔食之禮古人祭於東西廂某只設於堂之兩邊正位三獻畢使人分獻一酌如學中從祀然 家禮輯覽

尤庵曰或家長房奉祀高祖則其高祖之玄孫亦當祔食矣 答芝村

問繼禰宗者妻若弟與孫則無可祔之班時祭祝文云云 洪益采 遂庵曰雖配享於考妣而昭穆各異則决不可同爲祔食別爲文以告似合於禮

亞獻終獻

退溪曰亞終獻不使諸父應有其意不可考以情理言之廟中以有事爲榮況諸父之於祖考非宗子弟之比若終祭無一事豈非欠缺耶 答鄭崐壽

問四時祭亞獻註朱子曰主人未獻未有主婦則弟爲亞獻弟婦爲終獻云若主人兄弟有三人已上可以三獻而必以弟婦爲終獻否 崔碩儒 愼獨齋曰婦人與祭則嫂尊故爲終獻

問同春喪虞祭李執義翔爲終獻此非親戚云云 宋奎濂 尤庵曰親賓謂所親之賓客也古者必筮賓而祭者或以賢或以爵皆所以重其事也非裔屬非尊行似不當論

南溪曰祭禮用親賓蓋古禮也家禮仍之墓祭則行禮於堂域之外與主人有兄弟之義者恐無不可至於時祭乃堂室之事雖與主人有厚分其與婦人並爲行禮於至近之地恐是古今異宜處若非姑姊妹

夫一家之親則似難泛行 答申漢立

又曰家禮不許諸父亞終獻盖爲叔父於主人爲尊行也然如尊家只有叔姪兩人行祀何可拘於常禮而不爲之變通乎鄙意迭行諸獻無不可者諸節中如讀祝噫歆則主人行之執注反注則叔姪并行恐皆不得已至於受胙則不行無妨惟婦人不可交叅於男子之禮耳 此言男婦一時交叅之非非謂主婦亞獻等常禮也○答金載重

尤庵曰三獻皆祭云云 詳見祭酒之義條

問今人或爲添酒終獻故未滿甚 閔采萬 南溪曰亦當從家禮三祭酒若行祭酒之禮則終獻故未滿斟之非可革矣

三獻皆進炙

同春問時祭三獻各進炙忌祭墓祭亦如是否沙溪曰忌祭三獻亦當進炙墓祭雖殺於時祭家禮本註如家祭之儀云則三進炙似當

陶庵曰亞獻時當奉出初獻炙盤而別以他盤進炙矣魚肉不可同盛鄙家初獻則肉亞獻則魚終獻則雉或雞如此則無混雜之獘 答李基敬

扱匙正筯之節

寒岡問主婦不參祭則扱匙主人爲之否退溪曰當然

松江問扱匙飯中西柄之義須是令匙背向西如生人舉匙括飯之爲乃合而或云令匙內向北如生人所扱而微偃匙柄於西可也恐是非西柄之義龜峰曰前說飯在匙上將食之狀後說以匙取飯之狀後說似是

南溪曰龜峰扱匙微偃之說只是取以匙取食之義而已今詳南北曰縱東西曰橫凡祭饌皆橫設正筯亦然若獨於匙縱挿則恐未安 答金克成

問扱匙西柄 金光五 遂庵曰古禮無匙筯今人扱匙正

筯乃虞祭象生時仍以不變

退溪曰古人羹有菜者用筯以食祭時上筯于羹不妨 答金就礪

沙溪曰正筯之所退溪曰正之於羹器恐未然若是正之於羹器則何獨於匙特言挿之所而筯則無說乎恐正之於匙楪中也 家禮輯覽

南溪曰所謂正筯者似指其正置於楪上首西尾東也 答閔采萬

闔門 啓門并論

寒岡問闔門之後或有不出而俯伏於前者何也退

溪曰家禮所闔之門卽中門也出者出此門也但今人家廟中門與古所謂中門似異若以今楣下出入戶爲中門則所謂俯伏於前卽是出也

同春問時祭闔門所謂厭也願聞厭之義沙溪曰曾子問詳之

曾子問註厭是饜飫之義謂神之歆享也厭有陰有陽陰厭者迎尸之前祝酌奠訖爲主人釋辭於神勉其歆饗此時在室奧陰靜之處故云陰厭陽厭者尸謖之後佐食徹尸之薦俎設於西北隅得戶明白之處故曰陽厭制禮之意不知神之所在

於彼乎於此乎或庶幾其享之而厭飫也

又問家禮闔門條所謂一食九飯何義退溪曰一飯而九擧匙然否愚伏謂嘗見中原人飲食以小器盛飯旣食又進之又食又進之據此則一食卽統言九飯卽小數之節云云此說如何沙溪曰儀禮禮記註疏可考愚伏說近之

少牢饋食禮註食大名小數曰飯疏天子十五飯諸侯十三飯九飯士禮也三飯又三飯又三飯○特牲饋食禮註三飯禮一成也又三飯又三飯禮三成也○曲禮三飯疏三飯謂三飯而告飽勸乃更食故三飯竟主人乃導客食胾也

南溪曰一食九飯非匙數也以小器除出本飯而食之至九次也 答柳貴三

問啓門自虞至祥禫皆祝進當門北向噫歆告啓門三乃啓門時祭則祝聲三噫歆乃啓門所謂告啓門三者稱啓門者三耶豈與聲三噫歆者互文而同看耶 崔叔厚 遂庵曰噫歆乃是告啓門也不可分作二事看

徹羹進茶伏立之節

退溪曰今人進湯水是古進茶之意 答寒岡

尤庵曰今人徹羹然後進熟水豈以不徹則無地可安耶澆飯於熟水似是象生時也然中朝之人則常時飯畢飲茶少許云則澆飯亦東俗耶 答尹寀

同春曰和飯置匙等事禮所不言吾家則不爲也雖爲之恐無大妨 答蔡之沔

問點茶時禮無取飯放水之規而人家皆行之 李泰壽

南溪曰此亦從俗而然曾聞鄭守夢家不行蓋以禮爲準故也鄙家亦不用

陶庵曰中州人重茶每食必設若古之食竟飲酒蕩口安食之義也祭祀亦用之我國則常時不用茶故

祭時以水代茶而至於調飯卽是俗例故好禮之家
徹羹進水而已 答金汝性
問今人祭時進湯水後飯中所扱之匙移置于湯水
器云云 徐 徹 遂庵曰禮所不言恐鬧未安 答徐
問凡祭進茶後旋卽辭神似爲太遽 姜碩 沙溪曰立
而少遲可也伏則無據
退溪曰祭時當立據禮文無疑但國俗生時子弟無
侍立之禮祭時不能盡如古禮如墓祭忌祭皆循俗
爲之惟於時祭則三獻以前皆立侑食後乃坐世家
間所行之禮也

受胙

尤庵曰受胙是時祭大節目何可不行耶橫渠說有
可觀者其意蓋曰當初行禮時俗人駭之心亦不安
矣行之旣久則人不以爲駭心亦自安云非但行禮
爲然凡干異俗事莫不皆然也 答韓聖輔
沙溪曰祈福主人不曰祝而曰嘏者何也按禮運註
假與嘏通嘏尊祝卑以尊統卑故但言假 家禮輯覽
尤庵曰工祝朱子曰善其事曰工商祝謂祝之習於
商禮者 答韓如琦
問晦齋奉先雜儀時祭下刪其嘗飯掛指之節云云
金汝性 陶庵曰嘗飯一節禮意甚好不可去
寒岡問無執事而主人獨行則受胙嘏辭及告利成
等何以爲之退溪曰無執事已闕於禮安能備此禮
耶

告利成之義

沙溪曰利成之義禮經詳之後世旣不用尸則恐不
須行然家禮旣有之行之恐當 答同春
曾子問註云利猶養也謂供養之禮已成也饋食
禮疏祝告尸以利成不言禮畢若言禮畢有發遣
尸之嫌故直言利成而已蓋古者祭有尸事尸禮
畢則告利成雖告主人而其實欲令尸聞而起也
是以其下文卽曰尸謖

告利成

問受胙後主人再拜而告利成在位皆再拜主人不
拜云云 崔愼 獨齋曰受胙告利成皆一時之事主人
已再拜而未復位告利成者祝與在位者之事故主
人則不拜似無他意
問告利成再拜爲尸耶爲主人耶 閔泰重 尤庵曰利養
成終也謂祭畢也嫌於請尸起去故但告祭畢則尸
自起去矣告利成後衆主人再拜爲尸也

下匙筯合飯盖

南溪曰下匙筯當在辭神前合飯盖時答鄭尚樸

愼獨齋曰旣已啓飯則自當合之此等曲折禮書雖不偏擧而可以推行之耳答鄭基磅

祖先生日行時祭

尤庵曰祖先中一位生辰若在仲月則行祀於此日云云答韓聖輔○詳見生辰祭條中子孫生日薦享當否條

減墓祭行時祭之說

朽淺曰謹按四仲月時祭古之正禮禮之重者也四名日墓祭後之俗禮禮之輕者也一年之內行此八

大祭非但人家事力所不及實有違戾於禮經所謂祭不欲數數則煩煩則不敬之語今以春冬二仲月如禮祭之又依孟詵用分至之例及程子用寒食端午重陽冬至之儀以端午秋夕祭於祠堂以當夏秋二仲之時祭夫如是則四時之祭實皆行之而端秋二名日亦可兼擧矣盖夏秋二仲月各行兩大祭則旣有所謂煩數不敬之㲊且不於墓而於祠堂合禮意故也

尤庵曰以端秋二祭移行於祠堂以當夏秋時祭云者似若以祖先爲徵債於負債之人者殊甚未安矣與其如此不若依家禮只行三月一祭於墓而其餘三節則皆廢之四時時祀及節日小祭祀無所廢闕旣盡合於禮又不牵於俗矣如此則大小大整齊也答韓聖輔

陶庵曰云云世之只行墓祭不行時祭者須移祭墓者行之於廟而於墓則一祭之爲宜四禮便覽、詳見墓祭條中墓祭增減同異條

貧家行時祭之說

尤庵曰曾聞趙重峰遞報恩宰移入沃川山中欲設時祭其大夫人責之曰貧窶如此何以具辦重峰對

曰但賜聽諾則子當隨力所及矣及至祭日見其所設各位只飯羹及粟末爲餠瓜蔬各一器而已極其精潔云竊恐貧家奉先當以此爲法也答金壽增

南溪曰愼獨齋當昏朝時家甚窘祭祀無以成樣每行時祭祭饌至有一位用乾石魚一尾者在誠不在物亦可爲後人法

陶庵曰時祭乃正祭祭莫重於時祭而近世行之者甚尠誠可寒心其不識禮意則已矣亦有欲行之而患其貧者易曰東鄰殺牛不如西鄰之禴祭苟能盡其愛敬之心則雖以一簞食一豆羹因俗節而薦之

恐亦不妨 便覽四禮

時祭替行當否 攝行諸節見祭變禮祭祀攝行條中主人不與祭使人攝行條

同春問時祭及禰祭或在遠地使子弟代行猶不失使人攝之義否愚伏曰攝行似不妨

遂庵曰今戶判爲關東伯時其家廟行時祭或以芝湖公代行或以君晦代行當時稟于老先生其婦人在家而先生之意如此可爲今日可援之證周禮天王有故則大宗伯攝行未聞以后代行也然則古禮之意亦可推知也 答權燮

陶庵曰時祭替行君家已成家法今無可疑而吾則必欲見可據之文而後行之 答閔遇洙

三年內几筵時祭行否 見喪禮葬後諸節條

國恤中時祭 見喪禮國恤條中私家大小常祀條

附土神祭

栗谷曰謹按朱子居家有土神之祭四時及歲末皆祭土神今雖不能備舉四時之祭例於春冬時祀別具一分之饌 不設匙筯 家廟禮畢乃祭土神似爲得宜降神參神進饌初獻皆如家廟之儀其祝辭曰維年歲某月某朔某日某甲某官某敢昭告于土地之神維此仲春歲功云始若時昭事敢有不欽酒肴雖薄庶將誠意惟神監顧永奠厥居尚饗 仲冬祭則改曰維此仲冬歲功告畢若時報事云云餘並同 亞獻終獻 無侑食進茶之儀 辭神乃徹 祭土神之所宜於家北園內淨處除地築壇○擊蒙要訣

沙溪曰朱子大全有家中四時土地之祭儀節及擊蒙要訣亦皆有之好禮家采而用之可也 喪禮備要

同春問擊蒙要訣云云 上 依此行之如何但不設匙筯亦無侑食進茶之儀則應不設飯羹矣此是何義耶然則墓祭土神亦不設飯羹耶 國家山川廟社之祭不設飯羹匙筯祭神固異於祭先栗谷不設

匙筯於土神無乃有意耶沙溪曰家中土神祭世無行之者若行之則當依墓祭土神具飯羹匙筯也家禮墓祭土神有設盞盤匙筯于其北餘幷同上之文則其有飯羹明矣丘儀亦有匙筯家中若祭土神則宜無異同要訣無乃從簡而云耶

尤庵曰土神之祭雖不見於家禮而大全有之要訣所謂只行於春冬者視大全已減其半矣今又減其半無乃太簡乎且吾東禮儀全是蔑裂若以駭俗爲嫌則恐無備禮之日矣 答韓聖輔

問土神祭云云依先祭質明行之耶 金光五 遂庵曰近

世清陰宅行之祭禮依來示似當

初祖先祖祭

問始祖先祖之祭朱先生謂覺得僭不行然著之於小學云云 尹案 尤庵曰不祭始祖先祖似是先生晚年事

南溪曰家禮大義以宗法爲主然終不復始祖之祭是猶廢大宗而崇小宗也若以程子所謂立宗非朝廷所禁之意推之斯亦可見其復之無害於大義矣

沙溪曰初祖之祭只一位故只設一位而并祭考妣先祖之祭不止一位故分設考妣兩位以兼享之 答姜

顧期

語類問冬至祭始祖是何祖朱子曰或謂受姓之祖如蔡氏則蔡叔之類或謂厥初生民之祖如盤古之類曰立春祭先祖則何祖曰自始祖下之第二世及己身以上第六世之祖曰何以只設二位曰此只是以意享之而已○問祭先祖用一分如何曰只是一氣若影堂中各有牌子則不可

問初祖之祭去牲之後足近竅一節而先祖之祭則進後足上一節前後不用何也 重閔 泰 尤庵曰後足三節去近竅一節而尚有上下二節故云

節去近竅一節 朴光一 尤庵曰竅是矢竅不潔故去之又曰肉湆謂煮肉汁也不和者即謂大羹和之以菜者即謂鉶羹大羹太古之羹也鉶實羹之器以器名羹 答俞命賚

禰祭

總論

龜峰曰祭禰祭之大也而要訣闕不見錄似當添入 答栗谷 ○下同

又曰祭禰程子朱子已定之禮而小學家禮所載其儀猶曰恐豐于昵也深爲兄致疑焉

沙溪曰栗谷曰祭禰恐豐于昵然以先儒說參考祭亦不妨今好禮之家多行之者 答同春

禮輯曰父廟曰禰禰者近也○程子曰季秋成物之始亦象其類而祭之○朱子曰某家舊時當祭立春冬至季秋三祭後以立春冬至二祭近禘祫之祭覺得不安遂去之季秋依舊祭禰而用某生日祭之適值某生日在季秋遂用此日○問禰祭如何曰此却不妨

寒岡問禰祭欲例用重陽退溪曰家禮卜日註溫公及朱子說已明不必更求異

愚伏曰先大夫生日適在季秋則雖三年之後以其日行禰祭甚得情禮與所謂非禮之禮者自不同矣來示得之答同春

尤庵曰禰祭不嫌於僭而又朱子所行者行之不亦善乎嘗聞李參判端夏說其考澤堂公每言人家當廢而不廢者四節日墓祭也家禮只一祭而俗四祭之故云當行而不行者禰祭也今如貴家以右族行之則世自有相效而行之者矣答俞命賚

問或曰只奉禰廟而別行禰祭未安又曰八月正祭或有故而遷于九月則并舉時祭與禰祭有煩而不

敬之疑云云閔昌洙陶庵曰禰祭之必於季秋者實以成物爲主若不行正祭而獨行禰祭則誠有豐昵之嫌矣或人之說則未可知也惟鄙家去月有拘今月又少無故日才過時祭明日又將行禰祭煩數之懼則有之

問禰祭攝主則不可行否任屹寒岡曰奬家亦方奉攝當初祭禰自宗孫改題之後不敢爲之

卜日齋戒設位饌品以下行祀諸節并見時祭條

禰祭過時不行

同春問時祭及禰祭或有故不得行之於仲月及季秋則可以退行於次月否愚伏曰禮曰過時不祭據此則月後退行似爲非禮而詳陳註則又似謂春祭過春則不祭夏祭過夏則不祭然則於季月亦可行之也然禰祭則恐難退行於十月季秋成物之文何取於十月耶

又問愚伏曰云云見上此說如何沙溪曰退溪嘗言過仲月不祭與禮意不合常以爲疑鄭說正合鄙見禰祭行於十月則真所謂過時也

禰祭替行當否

同春問云云愚伏曰云云詳見時祭條中時祭替行當否條

喪中禰祭見喪禮喪中行祭條并總論條南溪答金克成說

三年內几筵禰祭見喪禮生辰條

禮疑類輯卷之二十一

禮疑類輯卷之二十二

祭禮

忌祭

總論

同春問忌祭之義沙溪曰忌者含恤而不及他事之謂非祭名也宋儒始以義起禮經及先儒説可考

檀弓曰忌日不樂○祭義曰君子有終身之喪忌日之謂也忌日不用非不祥也言夫日志有所至而不敢盡其私也○又曰忌日必哀○張子曰古人於忌日不爲薦奠之禮特致哀示變而已○又

曰凡忌日必告廟爲設諸位不可獨享故迎出廟設於他次旣出則當告諸位雖尊者之忌亦迎出此雖無古可以意推○朱子曰古無忌祭近日諸先生方考及此○又曰忌日唐時士大夫依舊孝服受弔五代時某人忌日受弔某人弔之遂於坐間刺殺之後來只是受人慰書而不接見以謝書援之○問人在旅中遇有私忌於所舍設卓炷香可否曰這般微細處古人也不曾説若是無大碍於義理行之亦無害○每論士大夫家忌日用浮屠誦經追薦鄙俚可怪旣無此理是使其先不血食也先生家凡値遠諱早起出主於中堂行三獻之禮一家固自蔬食其祭祀食物則以待賓客○先生爲無後叔祖忌祭未祭之前不見客語類以上○顏氏家訓云忌日不樂正以感慕罔極惻愴無聊故不接外賓不理衆務爾必能悲慘自居何限於深藏也世人或端坐奧室不妨言笑盛營甘美厚供齋食迫有急卒密戚至交盡無相見之理盖不知禮意乎○通典王方慶曰按禮經但有忌日而無忌月若有忌月即有忌時忌歲益無理據

又問忌日謂之諱日何義沙溪曰忌是禁字之義諱

含恤而不及他事也諱是避字之義其義相近又古語云如有不可諱註謂死也死者人之所不能避故云不可諱諱日之諱無乃出於此耶諱日之諱卒哭而諱之諱出處雖不同其避義似同卒哭而諱謂以諡稱之而不名以神道待之也亦非謂卒哭之前則直稱其名也但無用諡諱名之謂也

閏月小月晦日死者忌日

問祖考之終在閏月者復遇亡歲之閏月則行祭於閏乎趙振退溪曰閏非正月人之行祭常以正月而獨於是歲依亡歲之月而祭似未穩祭則依常月行之

於閏月亡日則齊素而不祭似當也（言行錄）

同春問人或死於閏正月則忌祭當用本正月否若値閏正月則當用何月云云沙溪曰通典諸說可考也或謂閏月死者後値閏月當用本月爲忌而閏月歿日亦當行素云云大月三十日歿者後値小月固當以二十九日爲忌値大月則自當以三十日爲忌小月晦日死者後値大月當仍以二十九日爲忌不可延待三十日也

通典范甯曰閏月以餘分之日閏益月耳非正月也吉凶大事皆不可用故天子不以告朔而喪者

不數○閏元禮閏月亡者祥及忌日皆以閏所附之月爲正○庾蔚之曰今年末三十日亡明年末月小若以去年二十九日親尚存則應用後年正朝爲忌此必不然若其不然則閏亡者亦可知也

兩日間歿者忌日（輿喪禮初終條中夜半死者從來日條參看）

南溪曰復而後行死事然則初喪諸節固不得不以此爲主若夫歿者之正日二祥忌祭所係甚大豈可隨此而每退一日以昧處變之道耶雖未見先儒所論恐非深疑且記往歲　仁敬王后之喪出於兩日間所値疑文正類於此而厥後朝廷以喪出日爲國忌是今日公朝之禮也尤當準行（答李世勉）

行忌祭之所

尤庵曰忌日遷主曾稟於愼老答謂正寢廳事是平日所居故必遷之於此云疑禮意或出於此也（答朴世輝）

愼獨齋曰忌祭出就正寢者爲有他位故也只奉一位者則仍祭其所而告辭曰請出就前堂可也（答崔愼）

考妣幷祭單設

晦齋曰按文公家禮忌日止設一位程氏家禮忌日配祭考妣二家之禮不同蓋止設一位禮之正也配祭考妣禮之本於人情者也若以事歿如事生鋪筵

設同几之意推之禮之本於情者亦有所不能已也

退溪曰忌日幷祭考妣甚非禮也考祭祭妣猶之可也妣祭祭考豈有不敢援尊之義乎吾門亦當如此而非宗子故不敢擅改只令吾身後勿用俗耳（言行錄）

栗谷曰忌祭則設所祭一位具饌但具一分（若幷祭考妣則具二分○擊蒙要訣）

牛溪曰程子俱祭考妣鄙人則用程禮（答朴汝龍）

寒岡曰祭妣而以考合祭固不可祭考而亦不當合祭妣禮旣當然則奉出一位祭之何至未安

同春問雜記云有事於尊者可以及卑有事於卑者

不敢援尊據此府君忌日配祭夫人夫人忌日不敢配祭府君似當沙溪曰忌日幷祭考妣雖非朱子意我　朝先賢嘗行之栗谷亦曰祭兩位於心爲安云援尊之嫌恐不必避也

晦齋曰云云見上○退溪曰忌日合祭古無此禮但吾家自前合祭之今不敢輕議 愚按忌日只祭所祭者哀在於所爲祭者故也配祭考妣似非禮之正也然今之士大夫配祭者多從俗恐不至甚害如何

又曰按士虞禮是月也吉祭猶未配註猶未以其妣配某氏哀未忘也而祭義君子有終身之喪忌日之

謂也以此觀之忌日止祭所祭之位而不配祭者非薄於所配祭以哀在於所爲祭者故也○又按居家必用眉山蘇氏曰或問伊川先生曰忌日祀兩位否先生曰只一位愚謂家庭之祭與　國家祀典不同家庭晨夕朔望於父母之敬未嘗舉一而廢一也魯人之祔也合之孔子以爲善忌祭何獨不然故忌祭仍當兼設考妣位若考忌日則祝辭末句增曰謹奉妣某氏夫人配妣忌日則曰謹奉以配考某公後之君子更宜審擇據此則程子以祭一位爲是晦齋所引未知出於何書 家禮輯覽

朽淺曰凡忌祭當忌之位

旅軒曰忌祭人多幷祭考妣甚非禮也 答權赫

愚伏曰不敢援尊固有所本於理亦精然幷祭亦何不可 答同春

愼獨齋曰幷祭爲當 答崔愼

尤庵曰考妣合櫝及忌日只祭一位皆是家禮之文矣然則不得不於合櫝中只奉出一位矣父之所娶雖至於四何害於合櫝配食乎忌日爲伋也妻者是爲白也母旣爲之母則難於取舍也此理甚明 答朴光後

又曰如以幷祭爲是則雖合櫝何妨於幷出乎若祭

一位則雖合櫝何嫌於以空櫝奉出一位耶大抵合櫝自是家禮明文似不敢違矣 答李喬岳

又曰忌日幷祭考妣者當依時祭儀凡干祭物一切各卓各設矣 答或人

又曰吾家亦設考妣兩位雖知其不當而行之已久不能改也 答崔愼

陶庵曰只設一位禮之正也蓋忌日乃喪之餘値其親歿之日當思是日不諱之親而祭於其位不宜援及他位只祭所祭之位而不爲配祭非薄於所配祭以哀在於所爲祭者故耳然則當以只祭一位爲正

考妣幷祭雖有先儒之說恐不可從（門禮 偰覽）

又曰忌辰之合祭本於人情雖未忍遽廢而若論禮之正則只設一位是也某人家數世所行旣得其正今以奉來祧位之曾前合祭難於異同有此疑問是雖嫌於援尊然廢其正而從其失其可乎以祧位論之前後祭儀之不同固似未安而合設與單設惟考祀者所處如何爾恐不必爲嫌也（答權震應）

齋戒服色食素之節（齋戒又詳見時祭條）

退溪曰朱子繫辭本義曰湛然純一之謂齊肅然警惕之謂戒忌祭及節祭則禮之小而近人情者故只

齋一日時祭則禮之重大所以致盡於事神之道者故七日戒三日齋也（淸齋二日幷祭日爲三日也）然今人親父母忌日則迫於情意亦或齋二日（答趙振）

又曰家間每遇親忌自有不忍之意故從前二日齋戒今若幷七日則爲十日齋戒雖甚厚自一介篤行之士言之誠是至孝然以是爲天下萬世通行之法則恐或過中矣（答金誠一）

問家禮忌墓祭前一日齋戒要訣忌祭則散齋三日致齋一日兩說不同何所適從（李萬春）南溪曰與尤丈子仁相議欲專從家禮蓋日數多則難得潔淨誠一故也

尤庵曰家禮忌祭致齋條云如祭禰之儀祭禰齋戒條云如時祭之儀時祭齋戒條云沐浴更衣然則似當變於常服而不言何衣不敢質言（答金鎭王）

又曰古人以黑色爲齊服未知於忌祭致齋時亦用此否耶鄙意用素恐無妨（答閔泰重）

寒岡問忌祭行素止行一日否世俗亦於齋戒日不敢食飮此是過於厚處從俗何如退溪曰禮宜從厚此類之謂也

又曰吉注書忌日疏食水飮甚善後人法之亦固至

意若其人有父兄在則如當餕時父兄欲他食稻已獨別設疏食豈不難乎若此處當如何（答金誠一）

沙溪曰或問禮君子有終身之喪忌日之謂也爲子孫者固皆不飮酒食肉矣一家之人亦皆素食乎愚答曰語類先生家凡値遠諱一家固自疏食其祭祀食物則以待賓客（家禮輯覽）

尤庵曰家禮齋戒儀飮酒不至變貌食肉不至變味至於正忌日始言不飮酒食肉據此似無前期不飮不食之義矣然世俗必前期不飮不食如此無害於義者從之恐無妨也（答韓聖輔）

又曰鄭寒岡則只於當日不食肉而已答崔愼
問不飮酒不食肉寢於外不在於致齋之日而日是日者可疑李咸春南溪曰忌者喪之餘不可以此推行於未喪之前禮意然也然東漢申屠蟠爲親忌行素三日退溪亦曰禮宜從俗以此揆之恐無不可況寢於內視飮酒食肉不啻加重者耶
問前期行素則高曾祖及父母忌日當有差等耶李萬春
南溪曰似然
退溪曰忌日雖非已當行素之親若當行其祭則行齋素善矣答金富倫

陶庵曰是日不酒肉一段變服叅祭之人遠近親疏固亦不一然既叅祭而在祭所則雖疎者與主人同之何妨答安鳳胤

饌品諸條見時祭條

茅沙用一器二器之辨與時祭茅沙條叅看

問忌祭時當設茅沙二器耶或設一器而降神灌酒及初獻祭酒兼用云韓如琦尤庵曰降神與三獻各用茅沙禮文然矣何可疑乎
南溪曰虞祭忌祭等祭似當以一器而通行於降神初獻矣答權纘

玄酒見時祭條

設盥盆不分內外設東南之義并論○見叅條

祭時服色

寒岡問禫服畱一襲每遇忌日服此服行哭奠之禮不知可否退溪曰忌雖終身之喪與禫不同畱禫服以爲終身之用必非先王制禮之意曾參考已亦未聞行此事
又問忌日着白笠何如退溪曰恐異
栗谷曰父母忌則有官者服縞色帽垂脚或黲布帽垂脚玉色團領白布裹角帶無官者服縞色笠或黲

色笠玉色團領白帶通着白靴婦人則縞色帔白衣白裳祖以上忌則有官者烏紗帽玉色團領白布裹角帶無官者黑笠玉色團領白帶婦人則玄帔白衣玉色裳旁親忌則有官者烏紗帽玉色團領烏角帶無官者黑笠玉色團領黑帶婦人只去華盛之服縞白黑雜色也黲淺青黑色即今之玉色也○擊蒙要訣
松江問黲幞頭布裹角帶云云龜峯曰云云詳見冠禮三加冠服條中幞頭條
又問用今笠代幞頭未安欲用程子巾如何龜峯曰冠巾異制用亦不同家禮忌日行祭時變服黲紗幞

頭祭後是日素服黲巾巾恐非承祭所用家禮歷言有官無官之用而無用巾處且幞頭實非古制乃南北朝胡制則今笠之代幞頭亦家禮幞頭代巾之意也今笠之制似不可論其可否

同春問忌日服色古今異宜未知何以則不遠於禮意耶沙溪曰當以張子朱子說及退栗諸先生之教參酌行之

橫渠理窟爲曾祖祖考皆布冠而素帶麻衣爲曾祖祖之妣皆素冠布帶麻衣爲父有冠帶麻衣麻履爲母素冠布帶麻衣麻履爲伯叔父皆素冠帶

禮疑類輯 卷二十二 祭禮 十一

麻衣爲伯叔母麻衣素帶爲兄麻衣素帶爲弟姪易褐不肉爲庶母及嫂一不肉○家禮禰則主人兄弟黲紗幞頭黲布衫布裹角帶祖以上則黲紗衫旁親則皂紗衫主婦特髻去飾白大衣淡黃帔餘人皆去華盛之服○大全問自高祖至禰忌日之衣服飲食當如何伯叔父母兄弟孫姪子再從三從忌日又當如何朱子曰橫渠忌日衣服有數等今恐難遽行且主祭者易以黲素之服可也○問忌日之變呂氏謂自曾祖以下各有等級不知如何曰唐人忌日服黲今不曾製得只用白生絹衫帶衫巾○語類其自有弔服絹衫絹巾忌日則服之○問黲巾何以爲之曰紗絹皆可某以紗○問黲巾之制曰帕複相似有四隻帶若當幞頭然○先生母夫人忌日着黲墨布衫其巾亦然○退溪答鄭道可云云○擊蒙要訣云云上幷見

又曰曾聞龜峯以禫時所着笠冒之爲大忌時所着未知其如何也鄙人則於大忌着黑布笠行祭矣答同春

尤庵曰今俗重服着草笠據此則忌日着草笠或似有據然此爲年少尚侈者所着或未安耶恐不如黑

禮疑類輯 卷二十二 祭禮 十二

布笠之近黲也答尹案

又曰朱子於禫時及忌日皆用黲色而吾東則無用黲之制然禫時既用白則忌日亦且用白恐無不可然玉色雖非正黲而其實相近好禮之家用之以復朱子之儀不亦可乎且朱子於祭後仍服黲以居今既用玉色以祭則祭後亦當用玉色以居矣答韓聖輔

問要訣旁親忌着黑帶與橫渠說有異尹案尤庵曰旁親忌祭服色先儒說有所異同當遵其從厚者耳

問黲縞之制今人鮮能備之云云姜碩期同春曰如以黲布裹笠則或可若作冠巾祭時着之則似非從宜

之道

又問世俗之遭服者必着黑漆布笠吾以此㨾笠着之於父母忌行祭之時同春曰黑布笠之制此間亦當遵行

行祭早晩 見時祭條

匙楪居中居西之辨 同上

祭時男女位 與參條中序立條參看○上同

詣祠堂奉主就位之節 同上

出主 見參條

參降之節 見時祭條

飯羹左右之義 同上

祭酒之義 同上

啓飯盖 同上

告祝之節

祝文

寒岡曰若欲并祭考妣則祝辭在馮善集說家禮然恐未安 答朴廷老

同春問并祭考妣則告辭與祝辭似當添一兩語沙溪曰固然告辭遠諱之辰敢請下當添顯考顯妣以祖考妣并上同神主出就云云祝辭歲序遷易下當添某親考妣所稱祖以上并同諱日復臨云云

退溪曰忌日祝末丘氏恭伸奠獻之文用之爲善張兼善無祝人則設文而不讀在苟簡不備禮中自盡其心之事其意善矣但此等權行事只爲一時自處之事難乎以此爲訓於世耳 答李咸亨

沙溪曰丘氏祝云恭伸奠獻鄙家常用之退溪亦用之云常事出於士虞禮曾子問用於忌祭未知其如何也 答李以恂

士虞禮薦此常事註古文常爲祥疏天氣變易孝子思之而祭是其常事○曾子問薦其常事註薦

其歲之常事也

尤庵曰忌祭祝末端據家禮則當引祭始祖之文而備要不用者未知其意豈以其上有歲序字故嫌其疊而不用耶未敢知也 答鄭纘輝

遂菴曰忌日是終身之喪故用奠獻字家禮自無病而備要所改似尤切當 答李東

退溪曰尊者與祭卑者爲主人此祭祖考之稱以小宗法之主人論之則據主人而稱之無疑矣若只如今人輪行辦祭之主而謂之主人則尊者雖非辦祭而既在其位矣子弟卑行安可以一時辦祭之故越

尊長而以己之昭穆稱祖考乎 答金當倫

諸親忌祝有無之辨

愼獨齋曰妻忌祝無古據諱日復臨下只著不勝感愴四字而已盖祔位無祝子孫祝似不當 答同春

問愼獨齋以爲弟以下忌無祝家禮言旁親而只云諱日復臨者似是主祔主之尊者而言且如時祭祝辭擧祔位處只言某親某官府君而弟以下無祝文也然則弟以下有祝無疑 李東 遂庵曰備要忌祭祝註曰妻弟以下亡日復至據此則弟以下有祝無疑

寒岡問於高曾妻祖無人與祭已爲初獻則祝文當

何書退溪曰當闕

父祭妻子讀祝當否

問夫祭妻而無他執事則其子讀祝耶 姜顧期 沙溪曰以子而名父祭母固爲未安祭祀先則壓尊故猶可

問父祭母無他執事則子不可讀祝 閔泰重 尤庵曰或只書夫而不稱姓名無妨耶不敢質言

南溪曰母前子讀祝是承父命而告也恐不至未安 答李萬春

讀祝 見時祭條

擧哀之節

同春問考妣忌日固當擧哀祖父母以上忌則當如何沙溪曰丘儀似可行

丘氏儀節考妣及祖考妣近歿則擧哀祖考妣遠歿則否 按逮事祖考妣當擧哀

問忌祭孫爲宗主子有恭者姪將爲叔父而哭耶 尹彝 愼獨齋曰孫於祖忌及事於生前者哭否則不哭哭不哭初不係於叔父也

尤庵曰家禮只言主人以下儀節推之於逮事之孫今又推之於未逮事者節節推去有甚盡期恐只從有據者爲穩也 答李樺

問長孫初獻之時諸子不哭而至亞獻始哭殊甚未妥諸子於長孫初獻時哭盡哀似合情理同春曰鄙意亦然

南溪曰寒岡答問以主人以下哭盡哀之文爲在位者當哭之證愚謂以下者卽指衆主人及婦人應哭之徒而言 要訣改以下曰兄弟意益分明 盖孫行不必哭已在考妣則三字之中矣如何但儀節本文有曰若考妣及祖考妣近歿則擧哀非考妣及祖考妣遠死則否與家禮及問解所引不同殊未曉然矣遠近似以年數世代而言 答李時春

又曰未及承顔者其祭時哀情必不及於承顔者其不哭亦不可非之(答李彦績)

遂庵曰祭祀之禮以誠爲貴悲痛之心深則自不得不哭不逮事祖考以上只當竭誠致敬而已無哀之哭是僞也故禮文如此若逮事則雖親盡祖先之忌何可不哭旁親亦然哀至則哭(答李濯)

問丘儀祖考妣遠忌則忌祀不哭父母諸叔皆哭而孫獨不哭情理似未安至於宗孫則雖未能逮事亦不可不哭耶(金光五) 遂庵曰小過卦曰喪過乎哀從厚何妨

寒岡曰病不能參祭而氣力猶可以伸一哭之情則姑着潔衣而哭之不妨(答李辭)○下同

又曰外祖忌祭我獨奉行或與諸表兄同祭而諸表兄不哭則我亦不哭若陪諸舅以祭而諸舅哭之則我亦哭而助哀何妨然家法各不同吾家則我哭先諱在位諸子孫無不哭盡哀

亞獻終獻三獻各進炙(并見時祭條)

論加供之非(見支子諸禮條)

扱匙正筯闔門啓門撤羮進茶伏立之節(并見時祭條)

告利成之義(同上)

告利成

南溪曰告利成本在受胙條內似不必行然在喪禮虞卒亦皆一一行之則恐此亦當行無疑(答鄭尚樸)

諸親祭告利成當否(見喪禮虞條)

下匙筯合飯蓋(見時祭條)

祭卑位拜坐立當否

濂渚曰兄弟雖有長幼之序不似父子叔姪之間似不可與父與叔父無別而兄之拜弟亦似不可未知如何而可鄙意恐雖不拜當於節目間稍異於父與

叔父似可如於坐哭立哭亦可爲分別矣(答趙克善)

問從弟及妹之祭可不拜否(朴世義) 尤庵曰似不當拜也禮男女異序於妹則未知其如何也

問祭子女弟姪立耶坐耶(或人) 尤庵曰喪禮既曰尊長坐哭祭禮亦豈異同耶

南溪曰退溪答李淳曰妻當拜弟不當拜盖當通喪祭看與家禮小斂奠只言卑幼皆再拜之義亦可相發也但今人於年輩相敵從兄弟以下及異姓從甥等處有難以父兄自居者率用答拜之規而獨於㱡後奠祭必行此禮則似未妥當且如弟姪卑幼之類

當初臨喪時猶可以哭代拜矣其於三年後若或時節經過爲省墳土殊無節目可以遵行云云 答尹拯

兩忌同日行祀先後 見祭變禮兩祭相値條

忌祭與參禮墓祭相値行祀之節 同上

先忌與卒祔祥禫相値行祀之節 同上

子孫忌日値先忌用肉 同上

忌墓祭輪行 見支子諸禮條

齋舍或他所行忌 見祭變禮異居行祭條

旅次及異居遇先忌 同上

喪中行忌祭諸節 見喪禮喪中行祭條

國恤中私忌 見喪禮國恤條中私家大小常祀條

忌日私居服色

栗谷曰父母忌則縞色笠白衣白帶祖以上則黑笠白衣白帶旁親則去華盛之服 擊蒙要訣

忌日接人供客之節

退溪曰私忌遇尊客而設素食本爲未安然忌有隆殺尊客亦有等級況於亡妻忌日方伯來此乃忌輕而客尊不敢設素但於進肴客肉而主素方伯祭之令俱進素矣若遇忌非此等之輕君子以喪之餘處之也何可謂進肉爲宜乎自非極尊之賓恐皆當設素爲禮然其中實有未安者故古禮以忌日不接客爲言今欲遵此禮而客或知主人有忌亦至則非矣○極尊謂如下士於公卿之類非以齒德論也蓋下士爲私忌而設素於公卿之賓恐不可爲若卑之私故難以及於尊也雖重忌亦然但於己也重忌則設素輕忌則設肉不食何如輕忌如妻子忌之類○忌祭邀客已是人邀雖爲非宜況自不能盡如禮不敢爲説以報然雖非當日參祭之人而親族親客在傍雖與之同餕恐或無害若辦酒食召遠客則自不當爲耳 答金誠一

朽淺曰齋戒日客至不出見禮也朱子雖於從祖之忌亦不見客寒岡先生於齋戒日作牌懸於門外客見牌而去 答趙惟顏

同春問吉注書於是日蔬食水飲有一士人客至而謝不見蔬食水飲其意甚好而客至謝不見則似若加等於喪中如何沙溪曰客至不見人固有行之者鄙人不能行之無乃未安乎

同春曰忌日謝客常欲爲而未能者但溫公謂忌日舊儀不見客於禮無之今不取云且喪中人客來亦無不見之理忌日雖曰終身之喪何至過於喪時耶

以此亦疑其不必然(答或人)

尤庵曰忌日客至主人辭以實狀而館客於外且謝曰姑待明日而就見云爾則似乎宛轉而得宜矣(答李選輝○下同)又曰忌日待尊客不設素退溪盖以爲不可以已之私而廢尊之義也此恐不無斟酌適宜之意也

陶庵曰古者忌日無祭只行終身之喪而已有宋諸賢特起奠薦之禮今人但知忌祭之爲大不知忌日之爲重已祭之後應接賓客不異平時或有謂已罷齋出入如常者甚不可也當節其酬應致哀示變以終是日也(四禮便覽)

墓祭

總論

問墓祭之儀(姜顧期) 沙溪曰先儒論之已詳可攷也

通典曰三代以前未有墓祭至秦始起寢於墓側○又曰古者宗子去他國庚子無廟孔子許向墓遥爲壇以時祭即今之上墓儀或有憑然神道尚幽不可逼黷塋域宜設於塋南山門之外設淨席爲位遥祭以時饌如平生所嗜若一塋數墓每墓各設位昭穆異列以西爲上主人盥手奠爵三獻而止主人以下泣辭(精靈感慕有泣無哭)食餘饌者可於他處僻不見墳所孝子之情也○唐侍御鄭正則祠享儀云古者無墓祭之文漢光武初纂大業諸將出征鄉里者詔有司給少牢令拜掃以爲享曹公過喬玄墓致祭其文悽愴寒食墓祭盖出於此○唐開元勅寒食上墓禮經無文近代相傳寖以成俗宜許上墓同拜掃禮不得作樂○柳子厚曰每遇寒食田野道路士女遍滿皂隷庸丐皆得上父母丘壠焉馬醫夏畦之鬼無不受子孫追養者○程子曰嘉禮不野合則必不墓祭盖享祭祀乃

宮室中事後世習俗廢禮有踏青藉草飲食故墓亦有祭如禮望墓爲壇并冢人爲墓祭之尸亦有時爲之非經禮也○又曰墓人墓祭則爲尸舊說爲祭后土者非也○又曰拜墳則十月一日拜之感霜露也寒食則又從常禮祭之飲食則稱家有無○張子曰寒食者周禮四時變火惟季春最嚴以其大火心星其時太高故先禁火以防其太盛旣禁火須爲數日糧旣有食復思其祖先祭祀寒食與十月朔日展墓亦可爲草木初生初死(家禮云并州俗以冬至後一百五日爲介子推焚骸日斷火冷食三日是謂寒食後人因以是日上墳祭)

此與張子說不同事文類聚亦有兩說○朱子曰墓祭程氏亦以爲古無之但緣習俗然不害義理但簡於四時之祭可也○又曰墓祭無明文雖親盡而祭恐亦無害○又曰墓祭不可考但今俗行之已久似不可廢又墳墓非如古人之族葬若只一處合爲一分而遥祭之亦似未便此等不若隨俗各祭之爲便也○又曰橫渠說墓祭非古又自撰墓祭禮卽是周禮上自有了○又曰墓祭非古雖周禮有墓人爲尸之文或是初間祭后土亦未可知但今風俗皆然亦無大害國家不免亦十月上陵○周元陽祭

錄或羈宦寓於他邦不及時拜掃松櫝則寒食在家亦可祠祭○韓魏公家祭式寒食上墓祭又十月一日如上墓儀若身不能往弁遣親者代祭○補註云南軒曰墓祭非古也然考之周禮則有冢人之官凡祭於墓爲尸是則成周禮盛時固亦有祭於墓者雖非制禮之本經而出於人情之所不忍而其義理不至於害害則先王亦從而許之

寒岡曰我國未建家廟之時通行四時之祭於墓所今旣立家廟而一遵家禮則家廟與墓所自有定規不必更爲之說也答河淵尚

尤庵曰萬實收藏之後寒暑遞序十月行之恐是此意答尹宷

四名日行祭本義與俗節條中俗節名義條參看

朽淺曰正朝乃家禮與朔望同其禮者也朱子以爲當行單酌之薦而我國上墓行殷祭寒食本介子推事天下共行先祖墓祭中原人一年墓祭止此而我國亦行之端午屈原沉江之日也楚俗於是日納飯於竹筒投之江中以酹屈原之魂其後中國人以爲俗節行薦禮於家廟未聞上塚而我國則例行墓祭秋夕非中國俗節新羅時男女分曹效績以較勝負

負者具酒食設宴於是日名曰嘉排其後國俗因行墓祭答玄紳

墓祭增減同異墓祭變通時祠堂告辭并論

晦齋曰家禮墓祭三月上旬擇日行之今世俗正朝寒食端午秋夕皆詣墓拜掃今且從俗行之可也

栗谷曰按家禮墓祭只於三月擇日行之一年一祭而已今俗於四名日皆行墓祭從俗從厚亦無妨但墓祭行于四時與家廟無等殺亦似未安若講求得中之禮則當於寒食秋夕二節具盛饌讀祝文祭土神一依家禮墓祭之儀正朝端午二節則略備饌物

只一獻無祝且不祭土神如是則酌古通今似爲得宜擊蒙要訣

沙溪曰三月上旬想朱子亦從俗爲之耳四節日祭乃我國俗也栗谷之意以春秋爲重故寒食秋夕三獻餘祭則只一獻然於古禮亦無考據只當參情酌禮以處之耳○答姜碩期下同

又曰朱子常行墓祭如韓魏公家祭式而與家禮所著果不同今嶺南人只用寒食及十月云然我國祭四節行之已久雖馬鬣夏畦之鬼無不受子孫追養者以此思之從俗恐不妨

問寒岡於四名日依朔望俗節禮行之四仲則一如家禮祭之上墓則倣家禮及韓魏公朱夫子所行以三月上旬十月朔爲之云好禮者所當遵行而猶未能者只爲俗禮難擺脫耳今揆古參今端秋二節祭於廟以當夏秋二仲之時祭正朝則依朔望之儀上墓則一從韓魏公朱夫子以寒食及十月朔行之如何黃宗海

沙溪曰四名日墓祭固知其過重栗谷欲於寒食秋夕行盛祭正朝端午略行之此意似好但自祖先以來數百年從俗行之至于鄙人不敢容易改之來示亦好而未能斷定

朽淺曰謹按古無墓祭國俗上墓必用四名日者於古無據亦礙於四時之正祭故退溪以爲非禮而難於違俗擊蒙要訣以爲未安而略加裁損寒岡乃以三月上旬十月朔祭之然則今我門中定爲恒式豈不合於情文乎○又曰三月上旬之祭本朱子之著於家禮者而寒岡行之是則慮其寒食之或跨乎仲月而有一日二祭之煩數然朱子雖定此禮而至其躬行則用寒食無乃素行程張之制故雖知上旬之爲合宜而未遽改易耶程朱所行旣如此又不可盡革俗禮故不用上旬而用寒食耳

尤庵曰四節日墓祭自是國俗而家禮則毋論親盡未盡只於三月一祭之而已矣栗谷以爲國俗不可猝變故欲於端午正朝減殺行之今執事欲遵先志有所損益則依家禮雖只存寒食一祭亦可而第有一說墓祭古所未有故南軒與朱子辨論而謂之非禮朱子以人情之不容已者往復甚勤然後南軒竟亦從之然則墓祭與廟祭事體殊別可知矣今人不知廟中四時祭爲大事而有全然不行者今依家禮皆廢三節日墓祭而又不行廟中四時祭則是幸先致孝之道全歸鹵莽矣此又不可不知者也墓祭減

損之意蓋有栗老之說則因先志遵賢範以爲中制而使國人通行豈不甚善愚意以爲端午正朝墓祭雖不減猶爲從衆之義而亦不害於從厚之道也答李端夏

又曰家禮墓祭只於三月一行之要訣不能頓變國俗乃於四節日略加隆殺此似爲中制耳答韓聖輔

問嶺外人但有秋夕墓祭崔慎尤庵曰寒岡歲一祭於先世之墓嶺俗化而行一祭蓋從家禮而然也

南溪曰墓祭寒食始於唐初十月朔始於宋朝七賢韓魏公司馬公兩程子張子朱子呂東萊此雖與家禮三月上旬擇日之

文少異而義當從先儒所行也至於四名日出於五禮儀俗節正朝寒食端午秋夕冬至臘日之制此自是　國家所行不干於士大夫而時俗行之已久牢不可破以此貧窮之家家廟時祭自至廢闕尤非善理也苟以先儒及時俗所行孰當孰否之義講而求之自不難辨矣答申漢立

又曰四名日墓祭退溪沙溪皆不變栗谷似變而實則未變惟寒愚兩公正得中國程朱之義矣鄙家初從要訣之說及復思惟終亦未安自已巳歲竊倣程朱舊制而行之答沈元浚

又曰按會通朱子宗法晨墓用寒食及十月朔又與程張墓祭法合今擬以此爲定國俗寒食外三名日已入於祠堂俗節恐不當疊設○又按寒食有始祖先祖等祭恐當依朱子次日卻令次位子孫自祭父祖之義而酌處之三禮義

陶庵曰墓祭非古也朱子隨俗一祭而南軒猶謂之非禮往復甚勤然後始從之然則墓廟事體之殊別可知矣今於廟行四時祭又於四節日上墓則是墓與廟等也烏可乎哉四節墓祀國俗行之已久有難頓變故栗谷要訣略加節損然猶未免過重終不若

以家禮爲正而三月一祭也蓋古所謂祭即時祭也祭莫重於時祭今人不知其爲重或全然不行而又廢三節日墓祭則尤爲未安此亦不可不知也世之只行墓祭不行時祭者須移祭墓者行之於廟而於墓則一祭之爲宜四禮便覽

愚伏墓祭變通時祠堂告辭曰逐節上墓行之雖久禮實無據今人致隆於此而四時正祭或廢不行尤失聖人制禮之意今考朱子家禮東萊宗法止於寒食及十月上丁展掃封塋其餘節日則并就祠堂薦以時食舉廢之際不敢昧然行之玆因朔叅用伸虔

告謹告

齊戒見時祭條

饌品諸條并同上

祭時服色

總論

栗谷曰主人以下玄冠素服黑帶擊蒙要訣

沙溪曰墓祭素服黑帶之制他未有考有官者必着白衣角帶亦未知是否儀禮大祥祭用向吉之服喪祭尚然況墓祭乎答姜碩期

又曰考通典天子拜陵哭臨豈有着吉服哭之也以

此觀之栗谷之着素服恐爲得之鄙人着紗帽則着紅衣品帶着笠子則着白衣答同春

問要訣用素服沙溪以爲當用盛服云云李東老磨曰問解所載雖如此備要引家禮用深衣當從之

深衣見冠禮加冠服條三

布席陳饌共卓各設并論

問家祭及土神祭皆用卓子而墓祭用席原野之禮有所降殺故耶鄭檏尚南溪曰依家禮如此蓋似亦以體魄在土異於廟龕故也或以木床代之而不爲高足者亦可耶

又曰后土及墓布席盖以古者用席不用床卓故也今則并用床似可但俗人必爲石床長設於墓前此則無義矣答金克成

又曰墓祭雖一石而亦當各設其饌矣盖圖說各設器數與俗禮共一卓者無甚張大似無不可排設之患也答朴泰昌

進饌諸節

問家禮凡祭進饌在初獻之前侑食在終獻之後墓祭獨無此兩節丘氏儀節敷行其禮一依家祭之儀未知何據禹性傳退溪曰墓祭無進饌侑食之節或人

以爲不設飯羹恐其不然也示諭原野禮當有殺云云此爲得之況今宗法廢而不行人家衆子孫不能盡孝敬於家廟之祭而墓祭不得以不重乃及疎略如此無乃未安乎竊謂依丘氏禮行之無妨

沙溪曰既曰墓上每分如時祭之品則其有羹飯可知而下無進饌侑食二節可疑丘儀有之當從家禮輯覽

同春問家禮凡祭進饌在初獻之前侑食在終獻之後墓祭獨無此兩節何也沙溪曰豈原野之禮殺於家廟故耶鄙家依要訣三獻前并進魚肉蔬果挿匙正箸未知是否

愼獨齋曰某家墓祭依家禮而不用侑食之節 答崔碩儒

匙楪居中居西之辨 見時祭條

飯羹左右之義 同上

叅降之節

同春問家禮及喪禮備要墓祭皆先叅後降而擊蒙要訣先降後叅何義耶沙溪曰喪禮備要墓祭欲依擊蒙要訣先降後叅而改家禮未安故仍之耳宋龜峰答栗谷書曰墓祭之叅神降神旣定於朱子家禮而遽欲改之恐未合又况禮意難知乎云

又曰設位而無主則先降後叅墓祭亦然家禮先叅

禮疑類輯 卷二十二　祭禮　三十一

後降未知其意要訣墓祭先降後叅恐爲得也

尤庵曰凡神主遷于他處則先叅後降神主不遷及紙榜則先降後叅觀於家禮時祭及叅儀及初祖先祖祭可見矣然墓祭亦與神主不遷同當先降後叅而乃反先叅後降誠有所不敢知者至於我東賢之異同得失則亦有所難言者矣 答或人

南溪曰要訣墓祭先降後叅之義栗谷以爲墓祭旣已兩度再拜而旋又叅神恐非禮意盖指哀省時前後再拜而言然彼前後再拜爲哀省此叅神再拜爲行祭而然各有其義何可相蒙而爲禮耶似難遵用 答申漢立

祭酒之義 見時祭條

啓飯盖 同上

扱匙正筯之節 同上

告祝之節

祝文

問擊蒙要訣墓祭祝辭正朝云春陽載回端午云草木旣長備要正朝則歲律旣更端午則時物暢茂未知當從何說 姜碩期 沙溪曰兩說不甚相遠

讀祝 見時祭條

禮疑類輯 卷二十二　祭禮　三十二

三獻各進炙 同上

侑食當否 見進饌諸節條

進茶

同春問墓祭無闔門之節亦肅俟後進水如何沙溪曰是

下匙箸合飯盖 見時祭條

齋舍合祭或前期次日行祀

退溪曰同原許多墓各行祭之獘世多有此愚意不如掃視墓域後以紙榜合祭於齋舍無舍則設壇以行之可免瀆褻而神庶享也名曰祭前期而行雖非

在官者當日不免有禮俗往來之煩恐未專精祭祀徇俗行之耳答金就礪

問墓祭或墓非一二多至八九東西埋葬丘隴峻險南往北來神倦身疲恐有怠慢之氣或生而日亦不繼則將何以處之或厥日有終朝之雨則亦將何以爲之欲預構一屋於墓側而若遇如此之時則依時祭儀合祭一所如之何退溪曰豈不善哉

同春問祖與父墓各在數舍之外四時墓祭無他子孫可以分行而一日内決難行祀於兩墓則何以爲之嶺南俗例於前數日行祀於祖先而當日則祭於

考妣墓此亦合於朱子除夕前行事之義而亦愈於使奴僕行之耶沙溪曰前期行祭亦有朱子之所行嶺南之俗得其宜也

又問儀節有云履端之祭隔年行之恐未安今擬以次日行之此言看來極是以此推之他節日亦然沙溪曰前期行祭雖有朱子之教次日行祭尤似便宜

朽淺曰高曾祖禰異日設祭謹按支子支孫各行祖禰之祭不參高曾祖之祭則非特有乖於尊祖之義其在祖禰之靈亦豈安乎假令所祭之地相近且當春夏永日諸處往來必有情倦禮瀆不能致敬之患況所祭地遠又在秋冬寸晷者乎是則雖欲一日并行不可得也以此於高曾於祖禰不能不親疎之傷倫悖禮孰大於是古人於忌祭亦有卜日之禮況此俗節之進退何害於義理乎

尤庵曰退溪之意欲於墓下齋室以紙榜行之云耳非謂還家而行之如此也答尹家

又曰節日薦廟家禮也上墓東俗也寒食則中原人亦上墓於廟於墓俱有故則似當廢之然以朱子答南軒書所謂是日不能不思其親之意觀之則或如來示設紙榜致其如在之誠或是人情之所不能已者然既無

明據不敢質言答或人

又曰家禮小註朱子有前期行祭之說又小註有一日祭其曾祖餘子孫與祭次日令次位子孫自祭其祖及父之文據此兩條而參商之則或先或後恐皆無妨答李志爽

又曰節祀之論不知同春之所以捨朱子而從丘儀之意也且以朱子說觀之祭祖祭考雖皆行之於除夕之前可也大抵儒家儀範不得徵於朱子然後遷就他說似乎寡過也答閔著重

又曰節日上塚不得一日周旋於諸位則依朱子除

夕前之說先後而行之恐無不可况家禮墓祀只於三月內卜日行之東萊則以十月卜日行之則此事元無一定之日矣况朱先生每稱上蔡所云子孫精神卽祖考精神之語子孫之不得已通變者實祖先之所通變也 答閔昺重

同春曰墓祭本無定期故進退以行恐不至大妨 答閔著重

問今有祖禰墓相遠無他參祭而身不得兩行使僕行之者甚可寒心推以朱先生餘意一墓先節日行之如何 成文憲 南溪曰以理言之追行於新元後二三

日方始爲得

芝村曰秋夕墓祀因阻水未行遂以念後卜日往行稟之玄石亦謂丘氏所論正合遵用云 丘氏曰履端之祭隔年行之恐未安依朝廷元朝行大賀禮於別日行時享之意有官者以次日行事

陶庵曰嶺俗正朝墓祀輒進行於臘月晦間世謂出於退溪先生而實則已見於朱子書中矣以此推之有故則退日而行亦似無害於義 答吳璋

忌祭與墓祭相値行祀之節 見祭變禮兩祭相値條

上下墓及考妣位易次行祀之節

蘇齋問墓之岡太短狹以促從先府君遺命參諸[illegible]

墳三四尺之次無地可容行祖祭云云退溪曰上墓地窄設位次墓之前而祭之事涉苟且墓左右設位之說未爲非便但云地勢無餘則不得已用次墓前設位之說設於次墓下之西無善策可出於此外也

同春問有人父墳在後母墳在前石物則立於父墳而祭祀時欲幷行於尊位前則背母墳而行禮實甚未安各設爲當否沙溪曰行祭與立石當於父墳而合設之不可兩處各設也

又問先妣宅兆左右狹窄合葬雙墳皆有所不便前面亦橫轉急迫不得已稍向右邊而下卜得新穴其

間甚近實是上下墳而但上下墳形既不相直坐向亦不相同將欲遷墓合窆於下穴而未遷之前祭祀及拜禮當兼行耶各行耶沙溪曰考妣兩墓相去不遠雖坐向稍異祭祀及拜禮似當兼行也既作上下墳則何必遷葬遷葬重難矣

問有三配從夫同葬一岡而拘於地形以致先後易次甲者曰享墓之制一從葬地酌獻之時當以獻男位之酌奠于第三位次以獻于第一配之酌奠于第一位次以獻于第二配之酌奠于第四位次以獻于第三配之酌奠于第二位而飯羹陳設亦當依此奠

酌次第而爲之矣乙者曰凡享神之道祠與墓不異豈可以葬地之換次并易其酌獻之次第乎當依享祠廟之制以獻于男位之酌奠于第一位以獻于第一配之酌奠于第二位而第二第三配之酌亦當倣此以奠于第三第四位不可拘於葬地之次序云云鄭載崙

南溪曰家禮葬法男西女東而世俗或不免易次爲女西男東者其家立石於墓前書夫人祔右字以別之然則其祭也必先設於男位而後女位與以西爲上之常制不同也今四墓同岡而亂次視此尤甚實無斟量合禮之勢如就所示甲乙兩說而言之

甲者爲勝以其本位雖乖而可因行祭次第猶得義精而禮當故耳若如乙者之說其勢倍艱蓋祭必依神雖曰祠正而墓亂不從當位之墓次而乃從遠隔之祠次其於彼此交互之際恐有益覺其難安者矣

問有人問云云南溪以甲乙說答之而以甲說爲勝云云鄭有中　陶庵曰同在一岡而墳旣異塋則不必同設一床有此難處之端先行男位祭罷次一配次二配次三配如此則節節理順元無可疑愚見以乙爲稍勝

問合葬者或考東妣西子孫祭時序立當如何且饌墳之間相去頗濶則或從便從重并設於考墓前而依墓位設妣位饌於西或依時祭正禮而設妣位饌於東此亦何者爲是楊應秀　陶庵曰考東妣西旣失禮之正矣子孫則只當以西爲上何可順其失而亂其序耶祭饌則各設禮也不必并設於考墓前一依墓位分西分東而祭之似宜

先祖墓同岡一獻之禮外祖墓同岡并論

同春問先祖與祖考墓同在一山則只祭祖考未安欲略設酒果於先祖墓以伸情禮如何愚伏曰饌品不可有豐約之別歲一祭可也

又問愚伏曰云云見上此說如何沙溪曰只祭祖考果爲未安然而雖在一山非如時祭同堂并享之比只設一獻猶愈於全廢也愚伏說太執

尤庵曰以吾家言之則先人墓與先祖墓相接四名日不可獨祭先人故亦以一獻之薦先設於先祖及一祭先祖之時則祭自吾家設故亦以一獻行之然先祖祭若他家行之則豈肎如是哉且吾家所行直緣私情有所缺然而已於禮則未知如何也諸祖墓若在他岡則又與在階下者有間矣答朴世振

又曰雖是親盡祖旣同墓兆則不可不并祭似不可

以行祀於齋舍而有所異同也答全瑜

陶庵曰五代以上先塋與高祖同岡一祭一不祭似若未安而情雖無窮禮則有節不必嫌於獨行每歲十月一祭五代祖以上恐合於禮意四節中春秋酒果亦好擇於斯二者可也答吳瑋

問父母墳與外祖同托一山則祭之當何先李淳退溪曰先外祖

墓祭行於家廟見祭變禮異居行祭條

俗節廟墓并行見俗節條

支子祭先墓薦新并論○見支子諸禮條

墓祭奴子代行見祭變禮祭祀攝行條

三年內新山墓祭見喪禮喪中行祭條

葬同先塋三年內墓祭同上

合葬三年內墓祭同上

新喪葬前前喪墓祭當否見喪變禮并有喪條

國恤中墓祭見喪禮國恤條中私家大小常祀條

墓祭輪行見支子諸禮條

附

后土祭與喪禮祠后土諸節條參看

后土先墓行祭先後

同春問祖先及子孫同托一山則土地祭當俟諸位祭畢行之耶沙溪曰諸位祭畢行於最尊位之墓左家禮集說問祀后土如何不在墓祭之前曰吾爲吾親來薦歲事專誠在墓土神自宜後祭盖有吾親方有是神也

問先墓雖一局之內而若不同岡則祀土地各祭其岡耶抑祭於上位之所而不必各行否鄭始徹同春曰雖不同岡若是一山之內則恐不必各祭鄙家所常行如此

問晦庵訓塾之言曰土神祖先托體之主云云人尤庵曰朱子之訓只是土神祭饌不可降殺之義而其說先後之序則分明先墓而後土神何可以彼而變此乎

饌品祝文

問四味粟谷曰謂餅麪魚肉而湯則無之余以爲不可無湯故擊蒙要訣敎用湯矣

同春問祭后土四盤云只言盤數不言某物何意沙溪曰上文具饌註既曰更設魚肉米麪食各一大盤以祭后土云則此云四盤實相照應但朱子嘗書戒子云可與墓前一樣吾家欲依此行之

同春曰云云答姜碩期與上沙溪說同

尤庵曰墓祭土神只用四大盤者家禮正文也與墓祭無有等殺者朱子戒子書也從此從彼兩無所妨 答韓聖輔

又曰土神之祭當依家禮大註至於墓前一揲云者是朱子戒子書而後人附入者當以本註爲正矣所謂四盤者只是四器要訣之不設匙筯其意有不敢知然豈以土神有異於人神故然耶 答韓如琦

南溪曰葬時祀土地奠也墓祭祀土地祭也旣曰祭則飯羹恐當幷設 答吳處濟

又曰春秋土神祭旣同托一山則當以最高位爲祝

餘在不言中矣惟隔壠別局相距稍遠然後可以更設其祭而無碍耳 答李濮

愼獨齋曰當以最尊位書之 答崔愼

遂庵曰先世墓前無論單獻三獻旣行祀禮則土神祭祝恭修歲事於先墓之云有何不可 答李芝村

喪中祭土神 見喪禮變中行祭條

告祭省墓

有事告墓

問墳墓修改或石物竪立時當具辭以告於所有事之墓而若一麓有累代先墓則可幷告耶旣告墓則不告祠堂耶抑告兩處耶告時只用酒果無已太忽略耶 金相玉 尤庵曰有事於一墓而幷告諸墓未之前聞家禮祠堂章告追贈條云只告所贈之龕恐此爲可據之證告於祠堂恐難杜撰據家禮則追贈改題何等大禮而只設酒果今於告墓何獨爲太忽略耶

省墓 榮墳幷論

問祖父同入一麓拜祖時父墓在後心似未安栗谷曰勢然也視之以異室可也問傍親同在一山則雖不參祭時或展拜可乎曰雖因時不必皆拜一年一度不可廢也

尤庵曰省墓時初度再拜復再拜而退則禮意尤爲懇惻而周詳矣 答或人

遂庵曰曾見兩先生謁廟展墓只行一再拜據此行之未見違於禮也 答宋相允

問此行歸省先墓當在端午後當別具酒果設薦然則當有祝文耶若値端午依禮參拜似不當自主 閔維重 同春曰別具酒果則告辭去孝字而爲之恐不可已墓事似亦與家廟有異矣如値節祀則祝文以孝子某在遠使介子某敢昭告云云例也

遂庵曰登科或作宰者榮墳時獻酌之節禮宗子當

行之宗子有故則使宗子弟與子攝行爲宜答宋相允

始謁遠祖墓時哭拜當否

杅淺曰湖南風俗祭於遠祖墳墓時必哭之寔由於至情但每祭必哭似過今始拜而哭之固合至理至情人或以爲過中而何能斷然禁得耶答鄭澗

祠墓過變見祭變禮

禮疑類輯卷之二十二

禮疑類輯卷之二十三

祭禮

遞遷

遞代只許奉祀孫世代不論母在否

退溪曰聖人非不知母在而遞代爲未安其所以如此者父旣歿則子當主祭子旣主祭子之妻爲主婦行奠獻母則傳重而不奠獻故曰舅沒則姑老不與於祭與則在主婦之前此與冢婦不主祭之說當通爲一義矣盖夫者婦之天夫存則婦雖亡而不易代夫亡則婦雖存而以易代論此固天地之常經尊卑

之大義聖人制禮以義裁之而孝子之情不得不爲所奪焉故也昔胡伯量問於朱子曰先兄旣娶而歿欲爲立後旣立而主祭則某之高祖亦當祧去否曰旣更立主祭者祠版亦當改題無疑高祖祧去雖覺人情不安然別未有以處也家間將來小孫奉祀其勢亦當如此今詳此言亦不論母之在否而直如此斷置豈非所謂無可如何而然者耶由是觀之其以妻在母在祖母在而不行祧遷其可乎如以爲不可則來喻曾祖之妻尚在埋其曾祖之主奉祀者之祖母尚在埋其祖之主雖皆未安恐不得不限於禮而

奪於義況可以二母在故遷奉其主而可行乎答高峯
尤庵曰親盡祖祧遷當以奉祀孫世代而計之而已非惟其母雖祖母曾祖母生存亦不可不遷蓋旣改題神主則高祖當爲五代祖矣祭五代祖是　太廟之制也僭也何敢爲答或人

最長房之義

問最長房之房字黃宗海　沙溪曰以朱子說觀之古人累世同居者於一門之內子孫各有私房亦若儀禮所謂南宮北宮者祠堂若有親盡之主當遷而族人有親未盡者則遷于其中最長者之房以祭之也

語類朱子曰賀州有一人家共一大門門裏有兩廊皆是子房如學舍僧房每私房有客來則自辦飮食引上大廳請尊長伴五盞後卽回私房別置酒云云

長房遞奉之節

問凡祧主當遷於最長房最長者歿其子雖亦親未盡而門中又有諸父諸兄則當遷奉於其房耶黃宗海
沙溪曰然
愼獨齋曰遞遷之主應奉於最長房小宗合大宗之嫌不當致疑也先君亦奉祖禰小宗而曾祭高祖遞遷之主且改題之答鄭基磅
尤庵問家兄三年後高曾二世神主當遷於弟家而家姪以爲高祖固然矣曾祖則渠亦未親盡因請奉祀云愚意此於禮意決不可從旣遷而早晩復還其於卽遠毋退之義有何所害愚見如此未知不悖否
同春曰來敎恐當
又問或云最長房歿則其所奉神主當卽遷于次長不待三年喪畢云此說如何同春曰三年喪畢合祭而或埋或遷禮意本然次長則不待三年此有出處否

又問最長房之不必待喪畢而遞遷祧主者非有所考只爲最長之奉祧主其事體與宗家有異只欲權奉祭祀而復三年廢祭有所未安故有前書之疑耳同春曰次長房不待喪畢而奉歸祧主者以事勢言之則誠如所敎第未見古據爲可疑耳
尤庵曰家兄亡後鄙意以爲凡最長房之禮專爲祭祀而設也三年內昧然廢祭有所不安故欲於家兄葬後移安於鄙家問於同春答以當待三年後吉祭時也俄聞尼城尹都憲於從兄尹掌令葬後卽移奉於其家云鄙意以爲此雖非古禮甚安於人情彼旣

以大家行之則已成俗例從之不亦宜乎遂於葬後移安於鄙家矣 答宋奎濂

南溪曰當待三年詳見家禮大祥條可推而行也 答李時春

陶庵曰最長房歿則其所奉神主遷于次長不待三年之畢近世士大夫家多行之者以愚所聞祧遷在於最長房之喪過葬後而來示則以爲成服後彼此所聞未知孰是而成服後則無乃太遽耶大抵此事始出於尼山之尹而尤翁以爲可行經禮雖無可據而實以三年廢祭爲未安故也愚意亦以爲長房事

體非與宗家等不必待其喪畢吉祭之後次長之當奉者告由遷奉遷後始行改題似得之 答李顧正

問亡父三年内祧主姑欲仍奉 李綎 陶庵曰哀之情願如此一家之間所當體諒而許其三年後祧遷也

宗子死無子祧主移奉之節

問宗子歿而無子有將遷奉於最長之廟而合祭無人可主欲於合祭前移奉則無禮可據欲待合祭後移奉則亦無其期奈何或云措辭以告而當遷奉無大害否 任聖周 陶庵曰此事初出於尼尹家尤庵亦以爲可行苟以廢祭爲未安則如或說權宜行之似亦無害如何○所引尤庵語非謂直同本事或可旁照耳 尤庵說見上條

庶孽奉祧主

同春問 國法庶人只祭考妣則祧主子孫有庶孽猶不可以最長房論歟但古者士族未受命者皆稱庶人則只祭考妣之法恐不可行也此法既不可行則庶孽亦不當只祭考妣嫡兄弟皆歿則似可奉祭曾祖矣沙溪曰庶孽地位雖卑其於祖先均是子孫據程子說則初無不可奉祭之義但嫡兄弟盡沒後奉祭似不妨 愚伏答同春日沙溪說甚當

問親盡之祖有庶曾孫若嫡玄孫則庶曾孫奉祀乎嫡玄孫奉祀乎 崔碩儒 愼獨齋曰庶曾孫當奉祀若貧殘不可以奉祀者則嫡玄孫奉祀無妨

問問解云庶孽地位止似不妨 見上 所謂嫡兄弟指玄孫兄弟行乎或謂不必專謂玄孫兄弟也雖有曾玄嫡孫姑舍是而庶孫行高者必先祧奉此於禮意不知如何續錄則云雖有嫡玄孫庶曾孫當奉祀二說何所適從 李顧正 陶庵曰禮解蓋許庶孽以遞奉祧主而亦云嫡兄弟盡沒後奉祀無妨夫兄弟之倫序豈不重而弟既先於兄則其他可推而知也續錄可疑

處頗多此條亦其一耳往年吾舅丹巖閔相國以此事發難議論多歧不佞亦嘗叅聞而卒以不論昭穆必令嫡先於庶爲定論矣

又曰鄙家祧廟遷於庶從叔而旁題只稱玄孫矣左右之言固爲直截然或添或刋於既題之後亦涉重難雖不書於旁題而祝辭則自稱爲庶恐得之（答閔昌洙）

問庶孽以最長房立祠奉先祖神主其母乃是妾則決不可許入一祠（李選）同春曰云云（詳見妾子諸禮條中承重妾子祭其母條）

出後子孫不用最長房之制

同春問先考庶弟雖存而出繼於人亦可奉祭耶愚伏曰既是庶孽又是出繼之人以本宗最長房論之未知如何

南溪曰出後子孫難用最長房之制（答李行泰）

又曰以遞遷本法叅之未見已祧之主歷祀於別宗諸孫以成二本之嫌者此正胡氏所謂心雖無窮禮則有限（答沈㙉）

陶庵曰既爲人後而奉遷所生高祖一如長房例亦大有乖於不貳統之義高祖兄弟并入一室亦甚不可行之驗也（答朴大陽）

又曰出繼者既非其子孫則不可以最長房論也然近世或有立別廟移奉限其身歿前不廢祭祀死後方埋安者固出於情理之所未忍而非禮之正也（答盧以亨）

祧主還奉祠堂

問宗子歿而嫡孫承重則祧主已遷于最長房矣嫡孫又歿無後而宗子之弟代奉其祀則其祧主當還入於祠堂耶或云既已祧遷則不當復入未知如何（李碩期）

沙溪曰當還奉無疑

最長房有故次長房奉祀當否

寒岡曰最長房寠且不慧而不肖則固難強焉既有次長房則親猶未盡建祠墓山無乃或未安乎彼所謂最長房不比宗子之截然難犯鄙意次長之房權宜奉祀無乃出於不得已之勢而或未爲不可乎（答任屹）

祧主不遷於長房則奉別室或別廟當否

問親盡之主當遷於最長房而勢有未能云云（秉性儉）

退溪曰親盡之主四時共設於正寢實爲未安奉安別室只於春秋設祭似爲處變之宜然終未必正當否

沙溪曰最長者不能遷奉姑當安於別室矣四代後仍安家廟則借不可爲也若退溪祭春秋之說無妨最長房既不奉祀則恐不可以是人爲主也答姜碩期

南溪問云云既不能奉祧主則恐不可以最長房主祭最長房改題旁註而以宗子攝行未知如何尤庵曰祧遷之主長房不能奉遷則宗子姑安於別室云者是師門所行也既安於別室則是權安也雖不改題豈有兩高祖之嫌哉然如來示而改題者尤似正當矣蓋此事每由於長房貧殘之致故鄙家則所祧子孫合力就長房家構小祠而奉遷祭時亦合力助

之此最合宜矣如何

問五代祖神主姑安于別室而改題主事或曰沙溪云最長房既不奉祀不可以是人爲主以此祭之則當以主祀者爲主云云李世楅遂庵曰親盡祧遷之後以五代孫之名改書傍註甚無義意勢將以親未盡最長房書傍註而姑爲權安於別室矣

問庶孽殘替不堪奉祀宗孫代數漸遠則宗家別室亦可幷祭六七世耶閔采萬南溪曰非但庶孽雖巨室子孫亦多零替難奉祀者此今世之巨患也然彼親猶未盡則不可徑埋其主主在別室則又不可以代數論也

又曰大夫祭三代三代各立廟有室有堂事體甚重今則只以一廟中各立龕室爲代矣親盡之主既在四龕之外則雖安於一家內別室不拘五代數也答俞撥

陶庵曰尊門別廟之立於禮無當今則三世旁題各異而同安一室之內尤爲未安爲最長房者宜各移奉于其家其貧弊之甚勢有所萬萬不可能者則一位因奉別廟諸孫合力具祭物而祝辭則以最長房爲主某使某云云不害爲權宜至於幷安則不可也

答金樂道

又曰士大夫子孫淪落貧殘雖序當最長而不能尸先祀者類多此別廟之不得已而作者也然其間禮節實甚難處以來示數條言之題主則以親未盡者屬稱書之而旁題則獨不書既無旁題則其屬稱將安所着落耶問解答姜博士問意有所指恐未爲不可旁題之的證也至於無旁題而讀祝三獻設有世俗權行之例終不成道理也然今之爲別廟者輒指最長當奉者而曰某家貧弊與某家同或仍奉而不遷又或一位二位以至于三儼然成數龕家廟制樣

而實則無主者矣夫神者依於人者也親未盡而奉於其家則氣魄精神自相感通雖或家力不給香火數缺而人神相依之理固自如也彼尸祀者未必盡知此義而禮意則實如此若別廟則廟貌雖修享祀雖豐旣無主者與不祭無異惡在其親未盡祭不廢之意也今聞尊門最長之人居在別廟相望之地雖曰貧窮旣與異鄉淪落者絶異則至今仍奉別廟實有未敢曉者愚意則兩位改題移奉不可一日少緩此後長房之當次者雖在窮鄉情願奉往則許之苟不能然而勢不可奈何則始可爲權奉別廟之議矣

然遞遷之日長房當次者不可不使來以其名旁題行祀告以不能奉往權安別廟之由其後祀事來則躬行否則祝文玄孫某使某親某云云行三獻爲當以旣出者名祝設如來示所慮遠外旣不得聞知則此亦何害於義理也其人旣沒則祧主又當遷而之他矣云云 答韓命玄

攝祀家祧遷

尤庵曰所諭喪終祧遷之禮似非權代者所敢當者此義至精彼時全家來問時此義最爲難處故疑以次子之辭免爲得也 答閔冑重

陶庵曰云云三年後祧遷一節似非權攝者所敢爲必待宗孫長成則亦太遲又八九歲而能將事則亦當行之矣 答白師宏

又曰盖攝祀之稱但以喪不可以無主婦人又不可主喪故用一時權宜之道而今又因此改題四世之廟遞遷當祧之位是便以宗子自居矣豈不爲萬萬未安乎就此禮律事勢之間斟酌變通是所謂義起者非盛德者誰敢爲之是以守經之外卒無可奉塞勤問者也至於行祭旣曰攝祀則祖廟考位似無異同雖於祝辭稱孫而備禮亦何至大害於義耶然而

此亦一獻爲正法也 答尹啓鼎

祭三代者高祖神主奉別室 見別室藏主條

祧主改題之節

問祧主旣遷於最長之房則神主當以主祀者所稱改題乎若然則其節當在於遷奉之日而旁題不稱孝只稱曾玄孫乎 黃宗海 沙溪曰然

尤庵曰祧主改題自是遷奉者之事則非舊主人之所當與也旣遷之後似亦當有酒果告由之禮其時改題宜矣 答尹拯

南溪曰祠廟奉遷事理勢如此初到日改題之禮旣

見於問解且追後改題節目頗難莫如其日出奉神主于座又設一卓於其東如追贈禮先行降神參神斟酒讀祝再拜訖主人奉主置于卓上以下又如追贈例至奉主置故處然後復位辭神似當○改題祝辭當曰今日神舉無事遂臨不勝感幸禮當略加改題謹以酒果用伸虔告謹告（答朴泰恒）

遂庵曰祔位與祧主改題時備要雖無告辭製用無疑（答成爾鴻）

陶庵曰凡祧主改題不必於宗家爲之長房遷奉至家而後當具酒果告由而告辭則曰某官府君某封

某氏之下係之以宗子親盡某以長房禮當遷奉今將改題謹以酒果用伸虔告謹告云云（答李慶章）

又曰改題時一二字拭去甚爲苟簡莫若盡洗而改之（答盧以亨）

祧廟奉安時告本祠堂之節

寒岡曰考妣前亦當以曾祖考妣以長房奉來之意略敘以告（答任屹）

問共安祠堂之後似有合祭之儀（任屹）寒岡曰共安祠堂適在仲月時事之時則具羹飯盛祭爲當不然則用酒果以告然具三獻盛祭亦何甚妨不若時事之偶然相値情理最便

長房祭祧主時親盡宗子位次

問祧主遷於最長則彼親盡之宗子當立於衆子孫之列不以祠堂序立之次耶（黃宗海）沙溪曰廟毁不相宗固有其說而若大宗子則似不可一例看（或曰程氏遺書凡小宗以五世爲法親盡則族散若高祖之子尚存欲祭其父則見爲宗子者雖是六世七世亦須計會今日之宗子然後祭其父宗子有君道云云當考）

陶庵曰序立之次最長房自當在前行宗子固位於衆兄弟之先而安敢居最長房之右耶（答金碩）

遞遷時遺衣服隨遷（見祠堂中遺衣條）

正位遞遷後祔主埋安

沙溪曰凡祔位之主本位出廟則亦當埋于墓所（喪禮備要）

尤庵曰正位遷于長房則祔位埋安事理恐當蓋無後人祔食旣是不得已義起之禮也寧有更享於最長房之理乎（答或人）

又曰家禮墓田註正位祔位皆同而遞遷註只擧正位雖有詳略之不同然旣言正位則其所祔者幷擧之矣蓋家禮班祔註其祭終兄弟之孫之身旣至兄弟之孫之身則其正位恰是高祖也若至於兄弟之

曾孫則當一併祧埋矣此兩條似當互舉以明者也答南溪
又曰繼祖之小宗絶嗣則其祖之神主當祔於繼高祖之宗而其高祖已祧則不得已埋安矣答鄭僖
問祔位之兄弟若兄弟之子在則不當遽埋其將奈何沈世熙 尤庵曰其兄弟及姪雖有所不忍而分則有限無如之何矣或於其忌日以紙榜略伸其情則似不妨矣
問春曰祔位於最長房亦是至親則弁奉以祭亦似爲安答李厚源

南溪曰族曾祖祔位雖有祔不班祔於宗家及祭終兄弟孫之文今其祖位雖出廟而猶在長房挨以禮宜從厚之義似難獨先埋安答朴泰定

祧廟展謁時薦獻

問六代祖祠位遞遷奉安於清州族祖家甥之展謁時欲以酒果薦獻更思之今行已爲設祭於墓所又於家廟行祀則似近於瀆閔維重 同春曰每歲四節日旣行祭禮於家廟又行節祀於墓所僕嘗疑其瀆褻諸老先生答以其地旣異兩行不妨據此言之今日行事於墓所數日後設祭於家廟恐無不宜

不遷之位

親盡祖有勳不遷高祖別奉

問有不遷之位則高祖雖非代盡似當遞遷而或云不遷之位當設於四龕之外未知如何姜碩期 沙溪曰四龕外又特設則乃五龕也僭不可爲也或問如今有始基之祖四龕之外欲立別廟朱子曰如今祭四代已爲僭又答汪尚書曰天子之三公八命及其出封然後用諸侯之禮立五廟仕於王朝者其禮反有所壓而不得伸云云今者立五廟則乃全用諸侯之禮其可乎吾宗家五代祖乃不遷之位故四代祖雖

未代盡而出安別室耳近聞崔伯進以其父參勳預立五龕極非矣

南溪曰始爲功臣者別立一室昉於我國盖倣古者始封之君爲太祖廟之義然 國典本使士大夫止祭三代則別立一室猶未上僭於諸侯之制故也今若以此合於家禮四代奉祀之法則正是諸侯之制此所以備要有高祖當出之說不可以帝王家世室定論也答崔是翁

始封勳不遷次勳當遷

問家廟設五龕之僭旣聞命矣但以近世言之則李

光岳三代策勳皆不遷之位也世次迭遷至於光岳曾孫則將不得祭其祖設或四代策勳則又不得祭其父矣甲者曰唯始封勳不遷其餘雖有功勳當遞遷乙者曰 國家待勳臣既有常制爲其子孫者自不敢擅祧不遷之位雖多皆當特設於四龕之外何者爲得姜碩期 沙溪曰甲說爲是若連四代策勳而皆不遞遷則祖與考亦不得入廟豈有是理大典只言始爲功臣則第二以下祧遷從可知也或者因大典別立一室之文而欲別立一廟廟與室果同乎彼無知妄作欲立七八代龕室者亦不足言也

大典奉祀條始爲功臣者代雖盡不遷別立一室又見五禮儀大祥條

南溪曰次勳當遷之遷通指長房墓所而言答崔是翁

不遷位墓所或宗家立廟高祖不遷不遷位不可別立廟并論

尤庵曰家禮祠堂章附註論別子條既曰百世不遷其下遞遷條云藏其主於墓所二者誠似有異然其所謂不遷云者不遷於他所而猶主於大宗之祠也然則其所謂藏主者雖與在廟者有異而宗子主之則一也其神主既藏於墓所則時祭忌祭當準禮廢之而楊氏既曰有祠堂以奉墓祭云則是墓祭之名猶在而其實行之於神主也貴宗兩大君一功臣俱是百世不遷之位若主祀者奉此三位而又奉其四親則祭七世也正是殿天子廟制而過於 本朝之廟制矣寧有是理故 國制使士大夫只祭三代而其有功臣者則恐脫三位之上以祀之然必須始爲功臣者然後可以如此然則貴宗之廣平以下當遞出矣試嘗論之延平是始爲功臣則延陽自當遞出而延城則以大宗之故當百世不遷矣以人以功延城以食而延陽餒而者豈是道理故愚嘗禀於愼老以

爲 國制狹隘而多碍若從家禮藏墓之儀則三延俱爲不遷之位而三延之後雖更有十功臣亦無所碍云矣仍請以此附入於問解中而愼老終不肯可每一思之恨未得當時力爭而歸一也答李選

又曰據家禮則撫安廣平各爲別子當各就其墓所立廟而依東俗享之於四名日二墓同在一處此則同廟尤便既有家禮明文似無難處惟永順府君則似有未易言者蓋永順既非別子則當祧而於 國法始爲功臣者別立一龕於曾祖之上以祭之此則 國法令士夫只祭三代故加設一龕而亦符於家禮祭四代

之文矣老先生旣依家禮祭四代而又有不遷之位故不得已遷出高祖位此旣非　國法又非家禮矣愚嘗請於愼齋以爲不遷之位遷於墓所而不埋旣是家禮之文今用此禮而還奉高祖位於廟中似合於家禮又不違於　國法待功臣之意矣愼齋以老先生之所定而終不敢變通矣以鄙見論尊家事則永順亦當立廟於墓所而廟中則祭及高祖似皆有據 答李選輝

同春曰按家禮旣曰大宗之家始祖親盡則藏其主於墓所百世不改云則外此難容他議蓋必如此然

後承四龕方得穩安無難處之患矣今有數代策勳者只奉始祖一世第二世以下雖有功勳遽埋其主國家旣以勳臣許令不埋而其子遽埋之殊非孝子慈孫承先裕後之用心也禮律情理皆有不當然者朱夫子於此必十分斟酌立定此制也何可捨之而刱出新例耶但念墓所有遠近形勢有難易設令立廟於墓或有難便之勢則亦當權宜處變不失家禮之意也若奉始祖於首龕遷高祖於別廟第二世以下雖有功勳遽埋其主則旣非家禮之意又乖時王之制直截未安 答姜碩朋

遂菴曰家廟之中高祖爲主位親未盡而祀於別室豈不未安乎　國法勳臣奉祀不限代數別立一廟永奉不遷之位似爲合宜靈城君祠堂宏大今其子孫雖欲別立一廟視舊制必低且狹靈城以最尊之位反處於低狹之室亦甚未安若然則新構一祠奉安四代而不遷位仍奉於舊廟情理俱安如何 答郭守焜

芝村曰鄙家七代祖延城府院君嫡長孫李莘老家以不遷之位故只祭曾祖以下此已未安又尤翁所謂旣立別廟以奉不遷位則設有十功臣亦當幷祀之者最似無碍且此府院君神主與嫡長孫三代神

主幷安一廟之故他子孫展拜時亦多不便今若就嫡長家立一廟只奉府院君神主而嫡長之高祖以下四代神主則又自爲奉安於他所或別立祠則事事平順矣抑尤菴以爲時忌祭準禮當廢豈以廟在墓所以奉墓祭爲名故耶然此則雖在墓下乃是宗家也旣就宗家而立廟則時忌祭似當一如平日而行之 答閔鎭厚

問月沙先祖新有不遷之　命奉安之所終未決定云云尤翁有一說欲依李益齋影堂例別立廟於宗家曰程朱之論人家別廟不啻多矣云云玄石四龕

五代之論亦甚苟簡無已則祠堂三間上一間隔壁
奉不遷之位下二間爲四龕而奉高祖以下如何李時
韓 陶庵曰家禮別子藏主墓所目是不易之定論所
謂事勢有所窒礙者未知指何事苟是拘於私小之
見則只當擺脫而亟從之此爲第一至於別廟於宗
家雖未詳程朱說出處尤翁既援舉爲說足以信而
可行抑又次之末段一龕隔壁之說破碎苟艱不成
道理就上兩段商量擇定恐爲合宜
南溪曰五禮儀始爲功臣者別立一室祔廟中而言
今制法重於禮故沙溪有高祖當出之說者此也然

禮疑類輯　卷二十二　祭禮　二十

則不遷之位恐難立廟於墓所答鄭尚樸
又曰此事沙溪以爲高祖當出旅軒以爲既有 國
令雖祀五世無害尤庵以爲當倣始祖立高祖廟於
墓所未必皆當愚意其疑於僭者在龕而不在世欲
倣古禮官師一廟祖禰共享之意以處之此區區之
意也○別立一室之說旅軒與鄙皆以歸重高祖有
此議論然旅軒全無分別鄙則自謂稍倣宗子無廟
不可謂僭之義而處之矣沙溪說非不遠僭但於程
子祭四代之制不免或就或舍是爲未允耳答閔彥暉
不遷位墓下有書院則當立別廟於宗家

尤庵曰不遷之位家禮言之詳矣當別立祠於墓所
而藏其主矣第老先生墓下已有書院則又別立祠
似涉重複未知如何若然則當立於宗家如李益齋
影堂之爲而神主畫像幷安於此矣盖一祠之中奉
安不遷位而又奉高祖以下則是五代也此僭於
太廟之制決不可爲也若爲此而只祭曾祖以下三
代則雖云 國制而有違於家禮大訓義變[illegible]俗遑
家禮此實老先生盛典而今士夫好禮之家皆祭四
代況以子孫而其敢違此乎答鄭纘輝
不遷位別廟不可同奉親廟四代

禮疑類輯　卷二十二　祭禮　二十一

陶庵曰我 朝大君卽古所謂別子別子親盡則爲
廟於墓下祭之百世者禮也今此孝寧大君之廟建
於墓下實得斯義夫人家一祠之中奉安不遷位而
又奉高祖以下則是五代也此則僭於 太廟之制
宜不敢爲也今孝寧宗孫之以四代同奉於始祖之
廟極爲僭猥所當釐正之不暇況此新廟係是 國
家褒揚淸德之 特恩事體尤別者乎設令宗孫移
家於墓下安敢如前僭猥以犯禮律也答李道翼
王后考妣與功臣不遷不同見中別室藏主條王后考妣
代盡奉別室祭

從享之人不遷當否 有學行節義不祧之非弁論

南溪曰　宗廟配享文廟從祀之人其主不遷云者洛中亦有此說頃年栗谷先生家立後時諸公頗費詢考終不得可據之文似因圃隱神板事以致訛傳蓋古今配從之數甚多而未聞有果如此言者則其誤明矣始祖立廟之禮恐亦不可如此相混 答崔是翁

又曰所教從祀文廟當百世不遷者恐難輕議蓋自宋季至于　皇朝從祀當代儒賢者不一凡此之類若皆百世不遷則善矣若中國無之而我東獨然事創禮異豈不爲天下後世之譏笑耶千萬愼處 答李端夏

芝村曰圃隱事似因前朝功臣而然云云　沙溪自上教以當爲不遷之位此便爲時王之制當否則誠亦有未知者有功於　國家者旣許不遷則有功於斯文者亦宜一體而但功臣則始封外皆遷若遷此例祖孫父子皆入文廟則亦當只不遷始入者耶宗廟配食人亦無不遷之事惟　孝宗世室後尤翁代作祝文使告以　宗廟庭享旣將百世不祧則私家祠版亦當如之云據此文廟之重不減於　宗廟雖非始入者亦當不祧又以此意推之雖不入於文廟或儒先或忠臣　朝命立祠而官給祭奠者其私家祠版之或祧或埋亦未知其如何 答李頤命

陶庵曰文廟從祀之大賢　太廟配食之功臣皆當不遷此外則皆僭也眉庵固是碩儒而於斯二者俱無所當爲子孫者安敢以私情而擅行耶湖南此類最多不獨眉庵家而已恐不可不盡爲釐正然旣無釐正　朝令則其子孫之賢者只當自爲之而百拜告辭之前又當先爲具由以告矣 答楊應秀

問河西文靖公代盡後立廟墓下云云 金承祖　陶庵曰先生道德節義固爲百世所宗而此則已有士林俎豆之享至於家廟親盡而猶承奉者在禮無徵於法

不可難遷於墓所而終覺未安矣

遠代不遷位稱號

寒岡問先代有勳勞於　國爲不遷之主祝文當書幾代孫某告于幾代祖否　退溪曰當如此

同春問不遷位或書幾代祖或書始祖未知孰是　沙溪曰稱先祖可也或書幾代祖亦可也始祖之稱似有嫌於厥初生民之祖恐未安

尤庵曰別子則當稱以始祖其以下不遷之位則稱以先祖據家禮可知矣 答李選

同春曰曾聞有不遷之主者屬稱書幾代祖旁題書

孝玄孫不知其果有據否旁題亦書以孝幾代孫恐亦不妨（答蔡之两）

別室藏主

王后考妣代盡奉別室

芝村曰大典奉祀條則專論奉祀之當爲幾代故只云代雖盡不遷致祭條則　王后考妣非如功臣之百世不遷隨　后位之祧否而或致祭或不致祭故只於此言奉祀者代盡則別立一室以祭之矣此所以微有不同也別立一室之文似亦謂當別立一龕室於家中也既謂之別立一龕室則作爲一間祠堂

亦可尤翁謂　國法令士夫只祭三代故加設一龕云者卽別立一室之義也然則　王后考妣之別立一室亦當如此本只三龕故當更立一龕而爲四龕矣（答閔鎭厚）

祭三代者高祖神主奉別室

同春問玄孫爲高祖承重而從　國制只祭三代則高祖喪畢當埋其主而高祖母在則情理有所不忍如何沙溪曰情不忍埋奉安別室恐當

祧主不遷於長房則奉別室（見遞遷條）

親盡祖有勳不遷高祖別奉（見不遷之位條）

不遷位墓下有書院則當立別廟於宗家（同上）

無後本生親奉別室

尤庵曰本生親班祔大宗已有先正之論若所後家非當祔之親則當祭於別廟耳（答金瑜）

南溪曰無後生父不論同宗之遠近不得不祭之別室（答李行泰）

繼祖禰之家兄亡弟及則兄主別奉（見喪變禮無後條）

無後諸親神主奉別室（同上）

妻主別處之說（見班祔條）

班祔難容龕內者奉別室（見班祔條中諸祔位同入本龕內條）

承重妾子祭其母（見妾子諸禮條）

出嫁女神主奉別室

尤庵曰柳氏姊神主柳宗有主祀者而時未奉歸則當姑奉於別室以俟之決不可與尊先考同廟矣（答金得洙）

墓所藏主

始祖神主藏于墓所（諸位同廟及廟制祭式并論）

尤庵曰遞遷條藏其主於墓所云者墓所有祠堂奉安神主也曾見完南君先兆則廣平大君是始祖故

其墓下有祠堂而藏主至今祭之矣家禮之文旣如此而時俗亦有行之者則今之士大夫只得如是行之而已中庸小註所謂祧者是在國都而非在墓者與　本朝永寧殿之制無異也蓋藏主墓所恐是寃夫子以義起者而亦只是士夫禮也答宋晦錫

問無安廣平永順三墓同在一局故自先世立一草屋於墓前四節日幷設三位於其中而祭之云云李遇樺　尤庵曰　本朝大君即家禮所謂別子也別子親盡爲廟於墓下祭之百世即家禮之說也而諸墓之祭設於墓下齋舍者又退溪之意則高門之制雖非

古禮亦可謂協諸義而恊者矣况禮文如此分明乎草屋尾屋之辨有不待問而可知者今功臣王子之禮葬必造給尾家幾間則今此以尾易草亦何嫌於僭哉且其制如凡人墓下之齋室則丁字閣之嫌尤不可言也

問始祖親盡其第二世以下及高祖親盡皆率其子孫一祭之始祖高祖同一祭也則始祖神主不埋之意安在成人　尤庵曰始祖神主不埋而藏之於墓所祠堂行墓祭於其主蓋所重在於不埋其主若其歲一祭墓則與小宗親盡者無異矣

問別子乃是百世不遷之位而遷于墓所何也吳遂昌　南溪曰百世不遷非指墓所而言此則始見家禮蓋今法無始祖廟故也

又曰始祖之廟遷於家而立於墓蓋以家則固有世數定制有不可違而墓則無甚妨始祖之主又不宜埋故也大祭則同爲一歲一行之常而諸孫往來省視自有其時豈至終歲不開門耶答李德明

問春問家禮始祖親盡則藏其主於墓所而大宗猶主其墓田以奉其墓祭歲率宗人一祭之楊氏曰墓所必有祠堂以奉墓祭云夫墓所立祠堂藏其主而

不埋則四時節祀皆似不當廢而家禮本註及楊氏說皆只以墓祭言之深所未曉愼獨齋曰墓所既有祠堂則自當有祭豈但墓祭而已乎但未知一如在家四時節祀幷不廢耳或歲率宗人一祭之耶未可知也

不遷位墓所立廟之位見不遷條

祧位歲祭祧位歲祭幷輪

同春問寒門從　國制只祭三代高祖墓祭廢而不行甚非所以報本反始而爲子孫法也茲欲與宗人相議依家禮歲一祭之禮除外孫只與姓孫輪回行

之如何沙溪曰示意極好
問始祖第二世以下祖親盡及小宗之家高祖親盡則其墓田諸位迭掌而歲率其子孫一祭之云云此與最長房遞遷者有異焉(金相敬)南溪曰假令人家祖先位為二十世其第一世以下直派為始祖百世不遷之大宗第二世以下至高祖以上其間十五世為先祖皆隸於第二世以下之支高祖親盡以下始為高祖以下之宗曾祖亦然祭時則禮無其文恐當或用墓祭三月上旬及寒食十月朔之類諸位則以大宗祧主之語觀之似只指諸子小宗家蓋大文所言

乃遞遷之禮而事見大祥章註中所云乃始祖以下墓祭之禮恐與今說自不相同矣
問宗子與父兄尊行同行遠祖之祭則其祼獻誰當主之耶或曰五代祖代數不遠而既已親盡祧遷則宗子不得主祭況於遠祖乎尊行當祼獻或曰宗法至嚴宗子不可不主祼獻(宋奎濂)尤庵曰神主祧遷則其宗毀而族人不復相宗矣又安有宗子之名乎其主在最長房則是稍近而尚且如此況神主既埋而尤遠者則宗子之名益無所施矣
遂庵曰墓祭三獻可也祝文臨時製用以行列最尊者為之可也(答金光五)
南溪曰禮云庶殤不祭準此程子所定已為從厚而若於墓祭猶且百世而不改則無乃太過乎至於成人無後者恐或宜然然似與有子孫者無別亦未知恰當否也且墓未必同兆或是葬於他所者及其主初不祔食於祖如俗所謂收養外孫奉祀之類亦將盡用此禮耶(答尤庵)
又曰家禮置祭田條親盡則以為墓田後凡正位祔位皆倣此今閔氏五世祖考妣神主當祧久矣特以墓祭一事疑議未定因循至此蓋外孫奉祀雖非禮

自其本宗言之亦不得不謂無後之祔位也祔位之置祭田與正位無異如是故魯西草廬皆謂當行歲祭於其墓無疑尤丈雖斥外孫奉祀而其論祔位則亦同此乃行祧而當行歲祭之說也問解先祖與祖考墓同在一山則當設一獻於先祖以伸情禮今沈司果祖考妣墓與小承旨公墓同托一岡而四時上塚設祭彼此懸殊私心踧踖不安甚矣蓋亦出於當初祧埋時不思詳審處置之道而然兄今東祧大承旨公禮制恰同一祭一否則尤為不安此乃當因祧禮并舉沈氏祖考妣歲祭之說也(祔位歲祭說見家禮實與有其廢之)

不敢舉之且念吾家田民皆出於閔氏閔氏則皆出義小異於沈氏兩家既幷無後其在　國法或當贖官或當分給族人而今不可遽變受人之托享人之財產而使其應行之墓祭闕而不舉一任其㑹蕪廢弛義所不敢出也恐當別置祭田更爲之定規制立廳庫具器用使墓僕謹厚者看守勿怠而主事之人時往行禮庶幾不負其屬托恩義而終無嫌逼之忌也答朴泰斗

陶庵曰歲一祭或遇雨則差退日子行禮上墓爲當主於紙榜行事恐違酒掃之意答盧以亨

支子諸禮

支子立祠

寒岡問支子生而立齋歿而爲祠亦可否退溪曰家禮云云者以生時居處神所依安故也

寒岡曰奉父母之祭者又奉曾祖之祀則曾祖當安於西之第二龕考妣當安於東之㝡下龕西之第一龕雖中一龕則當虛之矣答任屹

尤庵曰支子雖各立祠堂而壓於宗家故只計世數爲龕而不敢爲四也答閔泰重

問家兄爲伯父後云云今與伯嫂同居而既有廟矣先考喪畢後又立私廟則是一家之內爲兩廟李時春南溪曰雖立兩廟只成家禮支子同居立廟之制恐無所妨

問支子之不敢爲其妻立廟禮有明文而欲別搆小草屋爲祭廳大祥後仍奉其處云云李志遠南溪曰此未必爲立廟之嫌

姪父自立祠堂遷徙之義

寒岡曰班祔姪之父生則姪之父家無廟不得不姑祔於宗子之父亦所以順昭穆之序也姪之父亡而立祠堂則姪又不得越其私祠而就祔於宗子之廟故不得不歸祔於其父之祠堂竊恐情有不得不然

答沙溪

龜峯曰姪之父兄弟行也姪無後當祔祖而祖尚存不得祔故就祔于宗家祖位及其祖歿而其父立祠堂則乃遷從親祖也蓋此云姪之父從兄弟及再從兄弟也若親兄弟則自家已立祠堂宜祔其姪何遷之有

同春問家禮班祔條云姪之父自立祠堂則遷而從之未詳其義沙溪曰曾問於鄭道可其答云云宋龜峯亦有說可考

鄭道可云云見上○宋龜峯曰云云見上○按家禮正衡之說亦然

尤庵曰姪之父自立祠堂若如寒岡說則是失孫祔祖之義也問解於龜峰說下云正衙說亦然云則取舍之意可知也（答沈世熙）

又曰班祔條下所謂姪字若是兄弟之子則其子之父寧有自立祠堂之事哉兄弟各立父母之祠者古今天下無有是理也（答或人）

支子自主之祭

退溪曰四時正祭之外若忌日俗節等祭支子亦可祭之

又曰二主雖隨宗子而所當主之祭留於支子而不

從也

問支子自主之祭栗谷曰以今觀之別無支子自主之祭者但古人多與宗族同居而支子各立祠以祭其父母所謂不必隨宗子而徙者疑指此也

龜峰曰支子自主之祭乃繼禰繼祖等小宗也即祠堂章所謂祭之次日即令次位子孫祭之者也

問朱子答劉平甫書云支子所得自主之祭則當留以奉祀所謂自主之祭指何祭耶（黃宗海）沙溪曰退溪龜峰皆有所論愚意恐此乃班祔神主也支子之妻若子若孫曾已班祔於宗家而今宗子奉先祖神主

遠去則其夫若父若祖在家自當主之不當隨宗子而遠去也

退溪曰云云又曰云云○龜峰曰云云（并見上）

南溪曰朱子所謂支子所主之祭退溪雖以忌墓祭爲言然文義相碍後儒亦多異見實難刱開以爲通行之制（答李后晟）

又曰禮無支子蔵妻主之說恐其主入祔於祖龕然也若有官位異居者則其子依時行祭於所蔵別室而夫爲之告祝宜亦可矣（答李志達）

問弟既爲妻立廟且期大功葬後祭如平時則雖與

宗家異之不妨（黃世輔）遂庵曰既奉於別廟則宗家雖遭重喪何可廢祭

支子權行廟祭（見祭變禮支子祭先條）

論加供之非

問程叔子曰衆子不可與祭則以物助云云稱以家供別具餅酒侑食之後雜陳於床前於禮無據所見亦然（韓聖輔）尤庵曰古禮有獻賢之文蓋支子有一物則獻其優者於宗子以供祭用也程子所謂以物助之之意也獻其賢而助之則可致其誠意何必稱以所謂家供之瀆褻也

陶庵曰今俗或於小大祥及忌日支子孫別具餅酒謂以加供侑食之後雜陳於卓前其爲瀆褻孰甚於此如欲伸情則以物助具饌之需似合於古禮獻賢之義矣（四禮便覽）

支子祭先墓（薦新并說○與忌墓祭輪行條叅看）

尤庵曰朱壞（制置）子廷雋子昭元子惟甫子振（惟甫三男振季子也）子絢子森子松子熹○據此族譜則朱子非宗子而其祭制置墓朱子自爲之主而有祝文未知墓祭與家廟有異故支子猶得祭之耶抑以親盡之祖故耶又按朱子嘗曰宗子越在他國則庶子居者望墓

爲壇以祭祝曰孝子某使介子某執其常事盖其尊祖敬宗之嚴如此據此則支子雖得行墓祭而祝辭猶以宗子爲主也朱子又論廟祭以爲兄家設主弟不立主只於祭時旋設位以紙牓標記逐位祭畢焚之如此似亦得禮之變也據此而論廟祭猶尚如此況墓祭支子尤無不可主之義矣○據此二條則今日提忠之祭盖以叅互適中而得其情文之宜矣鄙意則祝辭以公瑞丈爲主而曰介子某建節來莅適茲本路云云而仍叙追慕之義則庶或寡過矣（答閔維重）

尤庵問云云同春曰云云（詳見喪禮喪中行祭條中宗子喪中祭祀條）

問俗節墓祭支子行之則其祝文直書行祭者耶抑書以孝子某使某云云耶（李之老）南溪曰當從使某之例盖雖曰父兄之尊夫旣厭於祖先則恐無所妨如君前臣名父前子名可見也

尤庵曰墓前薦新亦自情摯其禮但古無墓祭又支子不祭而當時有支子望墓爲壇而祭之文家禮親盡則諸位迭掌墓祭此數者略可據矣每有新物不能不思其親祠堂旣遠則與宗子越在他國無異矣此若不甚悖於禮則欲仍爲一家儀未知如何南軒嘗據禮深斥墓祭及朱子以人情及復商量然後歸

一（與南溪）

南溪曰薦新及俗節飮食果亦難處然設置淨處或墓前之說固是切於私情者要非謹守禮經之義則恐亦只得遲待其物節晩而後食之方無不安於心耳（答李后晟）

忌墓祭輪行

退溪曰專主設行近於古禮甚善然朱子亦有支子所得自主之祭疑支子所得祭之祭卽今忌日墓祭之類然則此等祭輪行亦恐無大害義也（答金就礪）

寒岡問忌祭欲定行於主人之家支子女子則只以

物助之而已何如退溪曰此意甚好然亦有一說朱子與劉平父書有支子所得自主之說今若一切皆歸於宗子而支子不得祭則因循偷惰之間助物不如式以致衆子孫全忘享先之禮而宗子獨當追遠之誠甚爲未安又或宗子貧窶不能獨當而幷廢不祭則反不如循俗行之之爲愈也

顧庵曰國俗忌祭不論男女輪遞設行 國典云祭享之費與祭宗族輪番偕辦又言主祭子孫別居遠處衆子孫就其家行祭謂送助其費于宗家耳非使之設行於各家耳

栗谷曰墓祭忌祭世俗輪行非禮也墓祭則雖輪行皆祭于墓上猶之可也忌祭不祭于神主而乃祭于紙榜此甚未安雖不免輪行須具祭饌行于家廟庶乎可矣 擊蒙要訣

南溪曰雖支子家具饌祝辭必用宗子名 答柳貴三

異居遇先忌 見祭變禮異居行祭條

支子官次不敢奉先廟

沙溪曰支子爲守宰者奉神主以行非禮之正亦亂後權宜之道耳 答黃宗海

問庶子出仕宦祭時其禮亦合減殺云然則庶子之出仕宦者當奉神主而往耶 或人 尤庵曰庶子仕宦而祭其先恐當時宗法不立習俗如此

又曰支子作官者不敢奉神主以往之論甚正且嚴張禮宗子越在他國而支子在本國者不得不祭則猶不敢入廟行祭只於望墓處爲壇而行之而亦以宗子爲主曰孝子某使介子云云宗法之嚴如此則何敢奉神主於支子之官乎支子中如有不顧禮義而欲徑情直行者則當以義諭之只使備送祭需於宗家以致獻賢之誠可也 答韓聖輔

妾子諸禮

妾子奉祀 見變禮

妾母祭代數 與下條參看

陶庵曰爲人妾者祭止於其子於禮爲正何者子以承父孫以承祖禮之經也妾子既不能奉其禰位則不可以傳序之義論也苟以情有所未忍則於孫猶可奉主似當於別處三世四世則不可祧遷尚何可論 答李晩濟

承重妾子祭其母 祭祖母及代數稱號及庶孽奉祢廟者祭其母并論

同春問庶子祭其母當何稱祭之當何所丘氏曰若嫡母無子而庶母之子主祭恐亦當祔其母於嫡母

之側此可遵行否沙溪曰程朱之説可考妾母豈有與嫡母同祔之理乎丘説大違於禮不可從也

程子曰庶母不可入廟子當祀於私室○問妾母之稱朱子曰恐也只得稱母他無可稱在經只得云妾母不然無以別於他母也又曰弔人妾母之死合稱云何曰恐也得只隨其子平日所稱而稱之或曰五峰稱妾母爲小母南軒亦然據爾雅亦有小姑之文五峰想亦本此○問子之生母死題主何稱祭於何所曰今法五服年月篇中母字下註云生己者則但謂之母矣若避嫡母則只稱亡

母而不稱妣以別之可也伊川云祭於私室○問妾母若世祭其孫宜何稱自稱云何曰世祭與否未可知若祭則稱爲祖母而自稱孫無疑矣

又問妾子爲父後則其母神主當藏於別室而祭之但未知必至玄孫易世而後埋置否沙溪曰庶孽雖不可一從只祭考妣之法亦當祭三代而已豈至玄孫易世之後乎

問庶孽以最長房立祠於家以奉先祖神主則此與承適而主父祀者無異其妻或其子歿則其神主恐當入於祠堂而至於其母乃是妾則決不可許入一祠之中似當安於別室其庶孽必欲同入一祠則任其所爲亦或不至於大段不可耶李同春曰承嫡者之母許入於先廟丘氏似有此論老先生常以不識義理斥之恐不可不謂之大段事也

承重妾孫爲其所生祖母主喪祭當否（見祭變禮承重妾子祭本生母條）

庶孽奉祧主（遷條）

外庶孫奉祀者所生外祖母稱號（見祭變禮外孫奉祀條）

禮疑類輯卷之二十三

禮疑類輯卷之二十四

祭變禮

臨祭有故

臨祭遇喪 與喪禮喪中行祭條中期以下服中大小常祀條參看

尤庵問將祭遇喪則如之何沙溪曰古禮有箇節目當酌古參今倣而行之耳

曾子問曰大夫之祭鼎俎既陳籩豆既設不得成禮廢者幾孔子曰九天子崩后之喪君薨夫人之喪君之太廟火日食三年之喪齊衰大功皆廢外喪自齊衰以下行也其齊衰之祭也尸入三飯不

侑酳不酢而已矣大功酢而已矣小功緦室中之事而已矣士之所以異者緦不祭所祭於死者無服則祭註外喪在大門之外也士卑於大夫雖緦服亦不祭所祭於死者無服謂如妻之父母母之兄弟姊妹已雖有服而已所祭者與之無服則可祭也○雜記大夫士將與祭於公既視濯而父母死則猶是與祭也次於異宮既祭釋服出公門外哭而歸其他如奔喪之禮如未視濯則使人告告者反而後哭註視濯監視器用之滌濯也次於異宮以吉凶不可同處也如未視濯而父母死則使人告於君告者反而後哭父母也○如諸父昆弟姑姊妹之喪則既宿則與祭卒事出公門釋服而後歸其他如奔喪之禮如同宮則次于異宮註既宿謂祭前三日將致祭之時既受宿戒必與公家之祭以期以下之喪服輕故也如同宮則次於異宮者謂此死者是已同宮之人○父母之喪將祭而昆弟死既殯而祭同宮則雖臣妾葬而後祭註將祭將行小祥或大祥之祭也○五禮儀凡散齋聞大功以上致齋聞期以上喪及疾病者並聽免若死於齋所同房不得行事

問將行時祭而遭有服之喪則未成服前似不可行祭若忌日乃人子終身之喪遭功緦之輕服而廢之未安 趙顧 沙溪曰按擊蒙要訣所論合於情禮當以此行之

曾子問云云 上見○擊蒙要訣緦小功則成服前廢祭云云 詳見喪禮喪中行祭條中期以下服中大小常祀條

遂庵曰禮前期一日設位陳器鼎俎既陳籩豆既設似指祭前一日也 答成爾鴻

問父母之喪將祭而昆弟死既殯而祭同宮則雖臣妾葬而後祭如此則於將祭之位當告其由而期服

可除者因朝上食除之耶 蔡徵休 遂庵曰來示然矣
問大夫士將與祭而父母死則旣祭釋服哭而歸 李彥純
南溪曰敬莫重於祭故古禮節文如此然在後世
難行五禮儀有致齋聞期以上喪並聽免之文
尤庵曰問解所引曾子問所謂大夫齊衰大功廢祭
外喪則自齊衰以下行也及士緦不祭云云者皆指
鼎俎旣陳籩豆旣設臨祭而遭喪之謂也未知不至
於臨祭亦當如是耶又後世喪祭之禮皆不分士與
大夫則獨於此區別未知如何累以爲緦小功
則成服前廢祭五服未成服前雖忌祭亦不可行據

此則來書引用恐未恰恰精當也且墓祭異於忌祭
或俟成服後卜日展掃則恐尤合宜否耶 答閔彥重
問當祀齋戒之日或遭外黨有服之喪則其祭可廢
否 金相玉 尤庵曰曾子問有鼎俎旣陳籩豆旣設之間
答依此行廢則雖不中亦不遠矣
問祭祀時聞外喪奈何 李尚賢 同春曰未出主則廢之
旣出主則略行之事畢後卽位而哭
又曰凡禮皆當統於男子元無以婦人之故而爲之
進退者況婦人外喪則尤恐無所嫌以曾子問齊衰
以下行之說推之甚分曉惟遭喪之婦人成服前則

恐難參祭也 答權諰
陶庵曰功緦之戚無論本宗外黨妻黨未成服之前
忌祭墓祭茶禮皆當廢而如外黨妻黨之服則使家
中無服者代行亦可雖喪出他所只當論已之成服
與未成服也 代行則似當單獻無祝 ○ 答吳瑋
問母與妻之祖父母喪未成服前主婦不可供祀廢
祭無妨否 吳瑋 陶庵曰母與妻之祖父母喪雖於未成
服前只當論已之有服與無服婦人不當論
問大忌正齋日聞訃云云 李以直 寒岡曰切親有服則
當廢祭而奔哭無服而情切則祭畢別爲位以哭情

不甚厚而聞訃累日則亦不必追哭
死者有服無服行祭廢祭之說 見喪禮中行祭條
有喪產廢祭當否 往來喪家者拘忌并論
同春問臨祀家內有婢僕之喪或有產婦則凶穢之
甚何以處之齊戒時喪家往來人亦忌不見否 愚伏
曰禮父母之喪將祭而有兄弟之喪則殯而後祭此
謂練祥二祭也如同宮則雖臣妾葬而後祭以此觀
之廢之似當家內有解產者則不潔不可祭也初喪
殯斂往來執事者則忌之亦不爲過
又問云云愚伏答云云 見上 沙溪曰愚伏說是

問雖臣妾之喪若同宮則葬而後祭如此輕喪廢先世忌祀情理極碍成遠徽遂庵曰當先世忌祀移其殯而祭之或可耶

問祭祀之日家間有生産云云安應昌旅軒曰已不親與其汚染之事則或兄弟家或親屬家設行而已若親與則使子弟代行如無代行之人雖闕之可也

南溪曰解産廢祭禮無其文惟遲解內則妻將生子居側室至于子生夫齋則不入側室之門是當祭者不入産室而已祭則自如可知況於牛馬耶古之臣妾與今奴僕固無所分然必以奴僕之喪至於三月

廢祭恐亦太重然恐不如謹守古制之爲無滲漏也然今臣妾之喪無必待三月而葬者事過行祭無疑矣答李時春

又曰禮云云産者不與於祭其餘家人自若行祭可知矣若所詢只一婦有産他無代行者則其勢亦只得姑廢而已恐無奈何答朴泰崇

陶庵曰俗忌廢祀固爲無識而家內痘疫或解娩恐不淨潔治祭具於他舍而行之爲得否答臨江院儒生

尤庵曰緦小功成服之日既已參錯於喪殯之間則歸行朔參於祠堂有違前一日齋宿之禮使人代之可也所謂成服後必不指是日而言也答李澤

染疫廢祀當否

顧庵曰甚矣時俗之惏於疫疾也夫瘡疹者大有毒熱之病也小兒遇之宜多難保且凡血氣之盛者必有變動又小兒例有一月一度變蒸之候而氣運相激或示異狀則昧者疑有鬼神之使作巫覡因之恣爲恐嚇而寢所禁忌者祭祀也牲牢香火諱不敢言古者廢祭則問今也將祭則駭嗟乎人於疾痛則必呼父母憂患則聚族而謀之然則凡有疾患當先告祠堂以求先祖之陰佑而徒事乎非鬼何耶報本追

遠人道之大者也灾厄之來未必非廢祭之因而顧不知悔罪致誠修祀復禮唯憑巫覡覬回天命灾愈集而惑愈甚終至於身隕而家敗尤可哀也沙溪曰按宋公之說有補於世化

問或云寒岡十里許有疫疾則廢祀尹家尤庵曰寒岡事未有明文則似不可輕議染疫在近而廢祭祀於古未聞

南溪曰合家染瘟疫者勢似不得行祀世人或以鄰里近村而不祭者惑矣大疫則只兒少染痛恐無不可行祭之義小疫則自前國俗無忌祭之事不必論

也答朴泰崇

又曰祖先祭祀雖與父母在殯出避之義較有輕重亦不宜只管廢闕如寒岡所謂奉主避癘則行禫事於權安處家無痛者則備持祭物就行於本家皆不妨云者可見歸重祭祀不爲疫疽所奪之意也除非疫之全家出避疽之正寢委痛無所可祭者恐無不行之義蓋論症治療莫詳於醫書亦不言以祭爲禁而時俗必以膏煎之物爲大忌謂其氣臭相薰則如此之類不設亦可幽有鬼神明有禮樂彼雖有神豈必禁人之祭其先耶

喪中行祭禮見喪禮

兩祭相值

兩忌同日行祀先後

尤庵曰祖曾忌祭同日則當先後行之蓋偕喪三年中有異殯各祭之文忌日喪之餘也答閔行重

又曰妻忌與妣忌同日則一處設位并祭雖似順便旣無經據難可杜撰且妣忌則哭而行祭無所妨於下位若妻之子不可不哭其母而有壓尊不可哭之義觀於祔祭可見矣大凡變禮若有窒碍處則便爲失禮不若先後祭之爲寡過矣答李顧堅

遂庵曰先祭高祖後祭禰位事勢正當但雞鳴後至天明似未及周旋兩祭或有二位之祭同一日則決難先後行之觀其事勢而行可也答蔡徵休

陶庵曰忌祭與時祭名義自別兩忌雖同日決不可并設只當先尊後卑而各行之雖至達朝亦無傷也答金錠

忌祭與參禮墓祭相值行祀之節時祭日不行參禮并論

龜峰曰若值高祖忌則忌祭畢仍行參禮曾祖已下忌則參禮畢行忌祭乃先祭始祖之義也

沙溪曰宋龜峰云云上見未知如何也答姜碩期

尤庵曰忌祭重而參禮輕無論尊卑似當先忌後參耳然老先生旣從龜峰之說則何敢有異議也答韓聖輔

遂庵曰參禮畢後行忌祭事勢甚難答尹彤來

寒岡曰若從俗墓事行於名日而先諱偶然相值則世人墓祭不必行於正日或有先於數日者此亦依彼而稍先朔行墓事似不妨若曉行忌事晚行墓事不惟事涉窘束亦頗未安答任屹

問今年寒食適與亡親大祥日相值十六日乃清明節也欲退行於此日慶宜朽淺曰嘗見退陶先生之

論則四名日或與忌日相值則必異日而祭之蓋爲兩祭幷行一日有所不便故也南中人到今遵依此乃變通得中之禮也行於十六日何害義理

問祖先忌日適當寒食秋夕則俱當三獻耶或曰一日不再祭節祀則單獻似宜云如何（盧以亨）陶庵曰廟與墓各異俱當三獻不必拘於一日不再祭之文矣

問尤庵大小祀兩存之義旣有朱子之訓則不可一日重疊而有所廢也（徐永後）陶庵曰此指叅禮與忌祭而言若時祭則叅禮恐不必疊行也

先忌與卒祔祥禫相値行祀之節

陶庵曰鄙人居憂時卒哭之日適與祖妣忌相值先過卒哭而後以一獻行事矣（答安備）

問卒哭明日之祔適與先考諱日相値先儒以爲卒哭後不可廢祭則祔祭之前當使子弟先行忌祭乎抑一日再祭禮涉煩亂且卒哭纔過於昨日今雖不祭無憾於幽明乎（安弘重）愼獨齋曰葬虞已過設行忌祭似不違於情禮矣

陶庵曰祔祭與亡者祖父母忌日相値則忌祭亦可不廢只行一獻爲可（答吳瑋）

問亡父初期日五代祖忌祀亦在是日所當先行忌祀次行祥事第夜刻甚短云云（李涑）南溪曰五更祭非禮之說雖出於張子然朱子居家行禮侵晨已行事畢則如時祭節目甚多固已涉於五更有非家禮質明行事之法矣況今宵短大祭同日無可推移雖略倣公家行祀例差早始事使後祭之徹在於質明之時無不可者何必深拘於五更之說耶

陶庵曰禫祭則與吉祭差別雖行於仲母忌日恐無未安喪餘變除之節旣重且貴速令勿退而行之爲宜（答閔昌洙）

子孫忌日值先忌用肉

退溪曰禮於三年喪祭亦皆用肉況忌祭何疑今之喪與忌皆不用肉乃取便於生者之行素而失其義流傳成習則反以用肉者爲怪可歎然則有能不拘流俗而用之以禮者何不可之有祖先忌日有涉所祭子孫之神而用肉祭之以事亡如事存之義推之似爲未安而古未有所據不敢妄爲之說然泥意神道有異於生人用肉似無妨也（答金富倫）

俗節墓廟幷行（見祭禮俗節條）

異居行祭

告廟設虛位（見喪禮祔條）

避寓中行時祀當否

退溪曰避寓中行祭之禮未有考焉盖時享之禮至重至嚴非如俗節忌日薦新等禮可以隨宜過行因已有故舉家出避時暫闕行似亦無妨又有一焉在他次難爲行令所寓則乃是墓所祭用百具無闕若可無苟率未安之慮量處所宜亦可 答金彥遇

齋舍或他所行忌祭

退溪曰墓所齋舍爲祭而設其行於此豈害於事若借他僧舍則不可 答閔采

問王祀家有故以紙榜行忌祭於他所 李輝遇 尤庵曰

禮疑類輯 下　卷二十四　祭變禮　十一

紙榜行祭一如神主之儀但於祝辭不可不以祭於紙榜之故幷告也

旅次及異居遇先忌

栗谷曰監司行祭于别舘終似無妨盖忌日之哭與擧哀之哭自不同也若曰不異則未聞朱子行忌祭于僧舍也舉哀則必於僧舍矣 答牛溪

尤庵曰語類問忌日當哭否曰若是哀來時當自哭又問人在旅中遇有私忌於所舍設卓炷香可否曰這般微細處古人也不曾說若是無大碍於義理行之亦無害○朱子所論忌日之儀如此今以台家所行言之則逮事祖考妣以至考妣之忌設位拜哭是朱子所謂哀來時當自哭之義也○曾祖以上只爲拜位而已者朱子所謂設卓炷香無大碍於義理者也朱子嘗論忌日之服曰考與祖曾高各有等數妣與祖妣服亦不同服旣不同哭與不哭亦當有異○若是出嫁之女則當哭與否未有所據然胡伯量問子婦丁其父母憂遇節序變遷可以發哀出盤否朱子曰若有舅姑難以發哀於其側喪中尚如此則忌日可知也○嘗見先輩在遠値其餘或用紙榜設祭家禮小註中似亦有此意愼獨丈嘗言家直値栗谷

禮疑類輯 下　卷二十四　祭變禮　十二

忌辰每設祭云云據此則雖出嫁女亦可紙榜奠獻而然各有形勢之不同不可以一槩論也 答閔鼎重

問云云 李輝遇 尤庵曰紙榜行祭云云 詳見上條

又曰旅次忌日之儀朱先生所訓已爲詳悉況如吾儕一年一伸之哀阻廢已多年歲則窮天之痛益復寃鬱以故此中所行已如來示之爲耳至於設祭則宗法至嚴宗子雖越在他國而稱宗子以祭者猶且望墓爲壇故朱子嘗以此爲說而又考先生他日所說則許支子相去遠者於祭時以紙榜標記逐位祭畢焚之則似指時祭而言也時祭尚然則況忌日事

體尤輕尤無所嫌矣第未知先生二說孰爲後日定論也苟如始祖先祖先祭後已之說則亦不敢容易取舍故此中則不敢生意耳（答金壽增）

南溪曰朱子答李晦叔書雖言兄家設主弟不立主至於祭時旋設位以紙榜標記逐位祭畢焚之然於其末以更詳之爲結後來亦無以此通行者恐終不得行也惟父母忌日是終天之痛有難每年只行望哭而已若非往參宗家之時則雖以紙榜設行不至大悖曾見士大夫家多行之未知如何（答李后晟）

遂庵曰旅次遇親忌擧哀例也然或官舍或人家則

不得不停哭是則哭於山中或可也（答蔡徵休）

南溪曰祖先忌祭子孫異居者素食居外之外終無所爲殊欠節目今人惟於父母忌別設祭奠祖以上則否矣曾閱先譜有起坐遠曙之語以爲至行可法但未見古人所論也李世龜送示其先人所定祭式有曰若在遠方不得參祭者當忌辰曉起望拜尤似可據以行（答尹拯）

陶庵曰祖先之祭未參而在他處者亦當變服居外矣（答安鳳胤）

又曰忌於遠代忌日在遠不得參祀晨起正衣冠而坐素服素帶以終其日（答閔遇洙）

墓祭行於家廟

寒岡曰世俗之行墓事於神主者似未安是神主祭也非墳墓祭也（答任屹）

問四節日正朝端午人多行之廟中三獻侑食闔門一如時祭如何（金得洙）尤庵曰既不上墓則依參禮單獻可矣

南溪曰廟中諸主之墓皆在一處者若墓所有故不祭則四名日並須代爲於廟者（以常時不行俗祀於廟者言若常時并行墓祭俗節者自當不論）然饌品當用廟中俗節之規不可用墓祭

盛饌蓋廟嚴不得輒用墓饌而薦也若諸主之墓各在或行祭或不行祭則恐難揀擇而行之并姑廢似宜（答朴泰崇）

紙榜參降之節

沙溪曰按設位而行祭則必先降後參祭始祖先祖是也據此則祭紙榜及墓祭疑亦皆然（家禮輯覽）

祭祀攝行

主人不與祭使人攝行

退溪曰父不與祭而使子弟攝行則當依宗子在他國而命介子代祭之例曰孝子某使子某（答鄭惟一）

尤庵曰凡祭主人有故則使子弟代之者詳於家禮附註矣然代者是尊行則使字未安故俗禮改云孝子某有故代叔父或兄云云而祖先之稱當從代者之屬云未知必合於禮否也○家禮附註引古禮使介子云云所謂介子即主祭者之弟也如此則祝辭無所妨碍而今俗例或尊行代之則似有難處者盖叔父代行而以宗子屬稱稱其父爲祖旣有所未安若或以己之屬稱稱之則又與尊祖敬宗不敢入廟之義相悖尋常於此不敢有杜撰之意 答李選擇

又曰凡祭事主人有故則使人攝行例也所攝之中

禮疑類輯　八　卷二十四　祭變禮　十五

如有尊行則子弟似不敢爲攝主矣所祭於攝主爲子姪則當用祭子弟之祝而不拜矣 答李湛

又曰主人兄弟獨與兄嫂行禮似有難便朱子於昏禮有禮相妨之言今此祭禮似亦當相準也 答宋炳夏

南溪曰祖先忌辰父兄在外其祝辭若父兄有命則用使介子告例爲當不然則姑闕之亦無妨 答鄭粧

又曰旣曰使子某告于某則使是攝行非主人之本體也攝主妻姑爲主婦 答金幹

遂庵曰宗子有疾病不得參祭則祝辭改曰孝孫某有疾病介子某代行薦禮敢昭告云云 答李柬

又曰家廟大小薦宗子有故則使子弟代行可也何必主婦爲也 答權燮

寒岡曰受胙等禮恐非攝主所敢 答任屹

妻祭使子攝主

問父在母喪三年後若忌祭墓祭亦當父爲主耶 柳貴三

南溪曰夫在則以夫名使子攝告而行之爲當

又曰非老而傳則只使其子爲攝主稱以亡室而行祭可也旣舉攝主之意於祝端則餘辭無所變 答李泰時

時祭替行當否 見祭禮時祭條

墓祭奴子代行

禮疑類輯　八　卷二十四　祭變禮　十六

顧庵曰墓祭奴子代行時豈可無參辭之拜乎韓魏公家祭式亦有陪祭行拜之禮矣 答李義健

支子祭先

支子權行廟祭

退溪曰廟祭主人不在則爲衆子者以主人之命行祭固當矣但於此亦有不可一槩斷之者若主人暫出或病而命子弟行於其家廟則爲子弟亦或以物助辦而行於廟可矣或主人遠在而未及有命或勢不能行祭爲衆子者率意自辦而行於宗子之家廟似有越分之嫌恐不可爲也然古有望墓爲壇而祭

之文朱子亦有以木牌殺禮以祭之說此出於不得已之權誠有其理而不可以易言也若宦遊祿食之人遠離家廟不得恭祭者則固當依朱子之說權以行之亦可 答金富倫

問繼祖之小宗固不敢祭曾祖若與大宗異居時物所得獨祭吾祖似未安奈何 李淳 退溪曰獨祭祖雖未安越祖而及曾祖恐尤未安若是支子則雖權宜殺禮而祭禰亦未可及祖

問兄弟異居者設紙榜而祭見於時祭條下未知此禮果可行否 閔泰重 尤庵曰以先生所引望墓爲壇之

說觀之則宗法之嚴如此豈可以支子而可行時祭乎此或是因習俗而爲不得已之說者也

問人有兄弟者其兄流落他鄉父母祠堂決無奉往之路其弟雖至貧祭祀及奉安之節姑爲自當云云 金光五 遂庵曰拘於事勢姑爲權奉蓋出於不得已也況祝辭既以兄爲主人而曰介子某云云則尤無所嫌

支子祭先墓 見祭禮支子諸條

忌墓祭輪行 同上

次嫡奉祀

長子無後次子之子奉宗祀

退溪曰長子無子次子之子承重應指適子孫而言雖有妾産恐未可遽代承也冢婦奉祀當代者不得受則祭無主人事事皆難處所不可行也而 國法決訟率用冢婦奉祀法中間尹彥乂爲大憲欲改其法滉謂尹曰此法固可改但薄俗無義長子死肉未寒或驅逐冢婦者有之當如之何故今若欲改此法必并立令冢婦有所歸之法然後乃可尹極以爲然未知其後能卒改與否耳 答宋言愼

問長子無後而死不立後次子死而有子又季子生

存則誰當奉祀耶 黃宗海 沙溪曰次子之子當奉祀也

愼獨齋問有人生三子仲子則死於父生之時而有子一人孫二三人長子則死於父死之後無子又無孫第三子生存而又無子其父之神主或云次子之子當奉祀或云第三子當奉祀傍題尚不書之昔年改葬其母仲子之子問於先人則以爲渠當承重服緦遵而行之云今者又欲改葬其祖來問於余余亦以仲子之子當奉祀答之矣其後士深以爲長子無後身死以兄亡弟及之義言之則仲子當主祀而死已久矣仲子雖有子異於嫡長孫凡立後當以生存

者爲主似不可泥於倫序捨時存第三子而立仲子之子如何若第三子奉祀之後幸而有子他日彼此爭訟則當屬之何人耶同春曰以伊川祀太中之義言之李令公之論亦不爲無理然此特宋朝一時之制非古人宗法之義難可爲訓於後世也令長子無嗣則次子當代之次子雖没其子若在則當爲承重無疑雖非正嫡猶是次嫡何可舍之而以第三子爲主祀耶不然不然要之所謂禮者必本根不差然後枝葉整齊長子若立後則都無此疑兄亡弟及元是苟且故耳

尤庵曰兄亡弟及禮之大節目也長子既死無後則宗移次子而次子之子爲宗子矣正程子所謂旁枝達爲直幹者也家禮所謂傳重非正體者也季子何敢自謂於序爲禮而折其已直之幹奪其已傳之重乎丁不是萬不是（答洪錫）

問人有三子其長子亦有三子而長子之長子未娶而遭祖父母喪喪中又死則誰當主祀耶（李顯枝）尤庵曰長子之次子當以兄亡弟及之禮代長孫而主祀矣長子雖有弟不敢主祀者宗法至嚴故也朱子所論伊川立子之說可見矣

問外祖具忠胤以宗子無後而死先世神主其從孫當代奉云云（李文奎）愚伏曰云云（詳見喪禮吉祭條改題之節條中告辭條）

問次子之子若奉祖祀則宗子父母之主置于何處耶（李廷老）寒岡曰此一條常所未曉亦未有所據以程子繼祖之宗絶亦當繼祖爲後之意觀之則似當繼祖爲宗而父母之主或別廟此程子義起之意也然既未有的據不敢明言

嫡子癈疾次子傳重當否（見喪變禮嗣子未執喪條）

長婦立後次子還宗事當否（見立後奉祀條中兄亡弟及後兄妻立後條）

妾子奉祀

總論

問長子之庶子不可代承宗祀而歸於次嫡禮法當然否（崔碩儒）愼獨齋曰古禮則不必然而　國法如是耳

尤庵曰古禮自適長子外不問妻所生妾所生父母同謂之支子其兄同謂之介弟故長子死無後而支子傳重者以妻所生之第二子無則以妾所生之第一子矣據此則水使以下祀事大翼當傳之時說時說當傳之夏績矣○大典立後條適妾俱無子然後

方許立後據此則有妾子者當以爲承重矣○大典奉祀條適長子無後則衆子衆子無後則妾子奉祀此與上立後條同矣據此兩條則夏績當主先祀矣然此條註曰適長只有妾子願以弟之子爲後則聽此註之意雖有妾子若欲以適姪爲後則許其與原條及上條不同據此則大翼雖有時訖若欲以大翰之子爲後則　朝家當許之矣而大翼旣已不然則夏績之主祀似當矣

鄭文翼公光弼子莘謙子惟仁子名不記妾子希蕃主文翼公以下祀 據此則夏績當主先祀

子之衍 右議政

沙溪金先生子集 文敬公 妾子益炯 主文敬公祀

妾子益煉

子槃 參判 子益烈 子萬埈 主沙溪先生以下祀 據此則大翰當主先祀

判官朴夢吉 子承伯妾子慶興主承伯祀

子胤伯 子漢英 主夢吉以下祀 此家遵沙溪禮

以古禮　國典俗例言之夏績之當主先祀者固大翰之當主先祀者一此在門中擇而處之之如何耳傳與文記有無不須論也 答或人

又曰大典立後條云適妾俱無子然後始許立後據此則妾子奉祀之意昭然可見矣古禮然也故文翼公奉祀付之鄭希蕃乃鄭相家孽屬也而向者元老之祖也○愼老則以爲莫重宗祀不可付之賤生移之金南原子章以傳之君平此亦禮法家所爲則當爲士夫家所效矣○吾家所處亦如愼老家伯父只有妾子時樊伯父身後宗祀歸於主簿從兄此從兄是第四房出也然鄭相家事終是正當故吾則當初告於愼老而不見聽矣 答鄭文溶

良妾子奉祀

問無嫡子者賤妾子年雖長又已從良猶以良妾之子奉祀乎 黃宗海 沙溪曰禮律然也

婢妾長子奉祀他婢所生不可奉祀

問無嫡子者只有婢妾二人二妾所生長子皆癡頑先妾子又娶他婢故家長臨沒遺言自擇後妾子中稍勝者使之奉祀題主時依其言以其人旁題矣三年後後妾之長子不告嫡長擅自刀割旁題而書已名其時先考卽稟于沙溪先生則先生答以廢長立少家長雖有遺言不可從也今者後妾長子已歿而有一子先妾長子生存多產而乃他婢所生奉祀當

主乎誰耶李文載　慎獨齋曰宗法立長不易之禮雖有遺言決不可從卽今則先妾之長子當奉其祀而旣娶他婢則至於其子他奴無可奉祀之路先妾長子姑爲奉祀歿後則當傳於後妾長子之子

妾子得罪者奉祀 見攝主奉祀條中因變故攝主條

次嫡無嫡子還宗于長子之庶子

問長子有庶子而無嫡子故宗事傳于次嫡而次嫡又有庶無嫡而歿未知次嫡之庶仍承其祀否還于長子之庶否崔碩儒　慎獨齋曰次嫡又無嫡則長子之庶似可奉祀

承重奉祀代數

退溪曰禮旣有妾子爲祖後之文又喪服小記云妾祔於妾祖姑而註疏嘗舉此以問朱子所答亦以疏義妾母不世祭之說爲未可從然則庶人只祭考妣只謂閑雜常人耳若士大夫無後者之妾子承重者不應只祭考妣故大典只云妾子祭其母止其身而已如今韓明澮奉祀之類未知　朝廷以只祭考妣之法禁之也答鄭惟一

問承嫡庶子神主當入於本宗祠堂乎李文載　慎獨齋曰當入矣而似不可並坐矣

承重妾子稱孝

慎獨齋曰庶孫承重則當稱孝孫矣答崔碩儒

問非宗子則不言孝若庶子承重則不得稱孝耶或人　尤庵曰旣曰承重則便是成之爲適子也何可不言孝耶

立後奉祀

爲長子立後次子不當主喪奉祀 見喪變禮無適嗣喪條

立後後行吉祭之節

問吉祭喪畢之祭名而喪畢久後若立後而改題則亦行吉祭耶李命元　陶庵曰待婦立後後遇仲月行時祭易世告遷而吉祭祝某親喪期已盡云云改作措語則與吉祭異名而同意庶幾寡過

兄亡弟及後兄妻立後

問伯仲兩兄先死後先君卽世孤哀主喪神主旁題亦以孤哀名書之祖妣繼沒孤哀亦服喪神主題名亦如之今長嫂欲取孤哀之子或舍弟之子爲後以奉大宗爲孤哀舍弟者當聽從其言而一以遵禁爲重歟趙希逸　沙溪曰古禮必以長孫承重至趙宋長子歿則不用姪用次子非古禮也明道沒後伊川主太

中之祀亦時王之制而不合於禮也後來明道之孫昂與侯師聖等論宗祀見二程全書我國專用古宗法長子妻立後則是無子而有子當奉祀也又反思之長子妻無子已移宗於次子到今立後必有辨爭之端未知 國典舊例之如何也

二程全書伊川先生將屬纊顧謂端中曰立子蓋指其適子端彥也語絕而沒既除喪明道之長孫昂自以當立侯師聖不可昂曰明道不得入廟耶師聖曰我不敢容私明道先太中而卒繼太中者祭者伊川也今繼伊川非端彥而何議始定或謂

師聖曰明道既歿其長子不當立乎曰立廟自伊川始又明道長子歿已久況古者有諸侯奪宗庶姓奪嫡之說可以義起矣況立廟自伊川始乎 伊川親註云此一段差誤 〇語類問伊川奪嫡之說不合禮經是當時有遺命抑後人爲之耶朱子曰亦不見得如何只侯師聖如此說問此說是否曰亦不見得是如何〇游定夫書明道行狀後云鄂州從事既孤而遺祖母喪身爲嫡孫未果承重先生推典告之天下始習爲常云 按明道既行古法而伊川家不行之亦不能無疑焉豈太中公因國制遺命伊川使主之耶

南溪曰此段所疑已見問解既云長子妻立後則當奉祀又云未知 國典舊例之如何盖慎重之道也愚謂父雖未達異日必當立後之意而徑用次子奉祀次子亦未達今日姑爲攝主之義而遽承先人遺命然此皆似出於一時事勢非甚有固必之意也夫爲長子成人而歿者不立後非古也既立後矣而不使承先世之祀又無於禮者也由前言之事勢之或不得已由後言之禮義之所必當然然則今日所以發其取舍而決行之者恐不難知也若兩家相讓一節末世此事甚罕殊可歎服昔有問夷齊當立之義

晦翁答曰看來叔齊雖以父命終非正理恐只當立伯夷曰伯夷終不肯立奈何曰國有賢大臣則必請於天子而立之不問其情願矣雖二子立得都不安以正理言之伯夷稍優然則今日之義乃是門長事也具其本末告廟還宗終似得禮 答成文憲

立後諸節 見附錄宗法條

傳重攝祀 見附錄宗法條中傳重條

子幼攝主 子見喪變禮嗣子未執喪條

攝主奉祀

長子病廢次子攝主 病兄生子其弟還宗事弁論 〇上同

長子無嗣次子攝主在腹兒未生前攝主并論

寒岡問伯兄見背唯有二女又仲兄出繼於大宗逑在母側而家廟則繼祖之宗與仲兄同薦時祀未知孰爲主人云云退溪曰云云未立後之前不得已權以季爲攝主不稱孝只書名稱攝而行之爲可仲則已出繼雖攝祀恐未安也○晨謁旣云攝主宜攝此禮○祚階恐當避○宗子未立後已爲攝主之意當告於攝行之初祭其後則年月日子下只當云攝祀事子某敢昭告于云云

又問逑以攝主自爲初獻則亞獻不可使丘嫂爲之

伏蒙賜教禮曾孫爲曾祖承重而祖母或母在則其祖母或母服重服妻不得承重然則攝主妻似不得爲亞獻云竊恐未然孫旣代父之服妻不得代姑者著代別嫌所以不容不然兄既無嗣弟爲攝主與子代父之義不同而嫂叔之嫌更有甚焉行禮極礙退溪曰似然

又問逑旣爲初獻賤婦爲亞獻則終獻仲兄爲之何如仲兄以出繼之故今此私喪不得爲攝主所以當爲終獻若賤婦當避嫌於主婦則仲兄爲亞獻賤婦爲終獻亦何如退溪曰恐當如此此謂兄爲亞獻主婦爲終獻也

問有人兄亡而有嫂無子其祖母歿則主喪題主何以爲之李尚賢同春曰弟爲攝主以待其兄立後恐當

尤庵曰伯氏家變禮可謂得矣次子不敢旁題而只稱攝行者實嚴宗統之一大防士夫家不可不知也但退溪所答鄭道可說與朱子答李繼善問全不相干盖李繼善則已有主祀之人而只以其年幼故繼善姑爲代行朱先生所謂攝主但主其事名則宗子主之云者可謂十分明白矣若寒岡所問則異於是旣無主人則攝之一字無所當矣觀於成王幼周公攝政可知攝字之意矣今伯氏家與寒岡正同未知其所引用退溪說果合於朱子意否愚意不得已而

次子主祭則用權字無乃稍安耶答閔鼎重

南溪曰此禮古今無可倣者惟思退溪先生答鄭寒岡攝主之說寅爲近之盖以雖有兄妻姪妻之別其主婦在而不及立後則一故也然則祥禫改題等節皆以攝主主之而但姑闕旁註以別於正似當推用曾子問旅辭不稱孝祭不配之例且以或兄或姪祔於祖廟似當推用家禮大祥後吉祭前奉新主之制而必俟異日立後一併改正恐此外無他道理也攝主之義備於曾子問而又見朱子答陳安卿書盖既曰主祭而於祝辭稱孤稱子則改題祧遷

似或不得不略主（答洪受泰）

問先兄早逝寡嫂獨存無後孤哀今遭大故或曰以顯舅題主寡嫂奉祀姑待立後或曰以顯考題主而介子旁題攝行三年或曰介子則旁題闕之可也（頑叟）

夏南溪曰所示題主首條實爲歸重長嫡且遠嫌疑之義世或有行之者云非不明白可據也但禮經必無男主然後用女主備要題主祝亦歷舉諸男主而最末始用女名號此蓋一無男主然後用女主之證也況曾子問有云宗子死庶子告於墓而祭於家稱名不稱孝身沒而已退溪又有攝祀子某之說尤似

無嫌故鄙敢以末條之意曾於洪參判吳判書兩家問皆答如此誠以喪禮不可不姑主大防不可不致嚴故也至於不書旁題之言可謂愼之愼者亦無不可但旁題例施於所尊旣以顯考題主而只稱子不稱孝以待他日之立後則獨不用旁題恐及未安○吳判書家問時以攝祀孤哀子某爲說矣

陶庵曰殷及（兄亡弟及之謂）之制旣無父兄遺命則支子當喪義不敢自爲如此則所示權攝之外似無他策抑又聞吾外氏宗家曾有權攝之擧而題主則無旁註但書以顯考妣啓殯日告以支子某攝祀之由而其後行祭祝輒以攝祀事孤子某爲稱云其時以此稟于尤翁則不爲全可而亦不以爲不可矣此是大家所已行者只願就此而財處之（答韓悌）

朽淺曰在腹之兒男女未判之前似當以無後處之當以攝主旁題若後日遺腹子爲男則練祭時更題不爾則繼後（答羅萬葉）

無衆子而長孫之弟攝主

南溪曰若長子有弟則是應服三年之人當使其子問書祠主以顯考奉祀旁題不稱孝而只稱子當依退溪答寒岡祝辭孤子某上加攝祀二字待異日立

後告祠而一併改正之若無衆子而只長孫有弟當依通典范宣庾蔚之及問解說服祖父重三年待異日立嫡孫後告祠改正如前儀如何並圖式服制令云無嫡孫則嫡孫同母弟無同母弟則衆長孫承重卽封襲傳爵者不以嫡庶長幼雖有嫡子兄弟皆承重曾孫元孫亦如之今旣無封襲傳爵之擧則恐無不得還宗之義但衆子則以應服三年者爲之攝祀衆孫則以應服朞年者爲祖持重攝祀似少不同不敢質言（答柳貴三）

嫡孫死喪中繞祥權主（見喪變禮無適嗣喪條）

因變故攝主

問全義叔父內外喪疊出於期年內無嫡嗣只有側出二人一則歿於昨年禍其存者性行不馴得罪於叔父叔父嘗言其不可傳重欲立後則無論寸數親疎同姓之序亦不可得云云（李成問）南溪曰示變禮有三難有側室子而不用一也歿後權定收養二也外孫主祀三也再三思量皆未得穩當底道理不知何以爲說也大抵以禮意大體言之無適子則用庶子乃古今通行之制二子之中一雖歿其後可待而立一雖得罪於先庭若可悛改則身後不得已奉祀亦

似與生時斥責之意有間（渠或因禍亂自悔則此人雖告祠行之亦可蓋性行雖如此其子或善則未終處置甚難故也）恐當自門中以此兩端商議處之最爲近理如所謂權定收養云者猶非俗間預於生時取姪或從姪輩幼養長愛仍命奉祀之例名義情理終未見有當至於外孫奉祀則其在俗例私情雖勝於身後收養實係禮家之大防亦難輕論（以上答□）（孫攝主後雖有立後之路其勢恐違況季丈出爲叔父後者乎）今以愚意度之三者皆不得爲則莫如以李進士兄弟名書曰顯從祖叔母某氏神主云云（備要旁親雖尊不必書旁註）仍亦以爲祝辭而其承家奉饋等事一委於禍死之子婦此乃禮經親同長者主之不同親者主之大功者主人之喪有三年者必爲之再祭之遺法也（雖以子婦名爲題爲祝亦可但禮意一無男主然後爲女主則猶非其義）蓋必如此然後非但於禮意有據於他日或立後或使外孫奉祀之際皆無所碍故也

又曰長湍金生潤遭亡失其兄之變又其祖母沒而益難爲服子仁厦卿謂與癈疾者無異當立其子承竊以爲亡失與癈疾其義自殊恐不必然似只有攝主一路而已昨聞先生所教偶相符合然其爲亡失者之道終不可諉以中壽百歲之說使人爲妻爲子者沒身而無尊服以乃啣至痛而廢大事也愚意東土數千里疆域假欲跡遍戶說而亦無甚難者蓋其勢窮不得之日便是父亡追服之節未知此義或有

可據於古者否（與尤庵）

祭祀攝行（見上）

攝祀家祧遷（見祭禮遞遷條）

侍養奉祀

侍養奉祀當否

退溪曰異姓人侍養自是人家苟且之事然既云奉祀則不容無安神設祭之所仍指其所爲廟亦勢所必至然比廟制亦當稍減損乃爲得之（答趙振）

問白樂天以姪孫因爲繼後何也朴廷蘷寒岡曰孫不可以爲後旣無他子姪行則今世多以族孫爲侍養者然非古禮也樂天事盖其門中無他子姪之可後者出於不得已非禮之正也

同春問有人自三歲時被養於其從母若奉祀則屬號及旁題何以書之沙溪曰古禮無據不敢爲說

尤庵曰侍養禮無其文惟 國法三歲前收養始得即同己子然此指喪服而言不必使之奉祀也若是異姓則非族之祀朱子明言其不享其意嚴矣一世猶不可況曾祖耶答或人

又曰尊丈所繼之序旣是祖孫則正 皇祖所謂昭穆失序者即呈官改正寧有可疑只是改正之後無他族人之可托者則依俗人侍養例仍奉其祀雖不正當而似亦踰於有所受而歸無處故當時奉告者如此矣答具時經

出繼人之子還繼本生祖見出繼子祭本生親條

外孫奉祀

總論外孫奉祀之非

退溪曰今人無子而有女牽於情私鮮能斷以大義而立後至以外孫奉祀一廟而二姓同祭夫天之生物使之一本而此則爲二本焉甚不可也今人或不幸其外家祖先無後而未有所處者不忍其主之無歸則權宜奉置別所而往來奠省未爲不可若公然與其本親同享一廟則悖理莫甚所謂神不歆非禮者此類之謂也答寒岡

尤庵曰外孫奉祀之非旣有朱子答汪尚書之明訓又賈充以外孫爲後秦秀已議其昏亂紀度今何敢犯此爲之乎按程子母夫人傳則夫人將終命伊川曰爲我祀父母明年不復祀矣若具氏諸祠主有女子則猶可援此而奉祀或不至無據矣第 皇朝之

制如無緦小功以上親許擇立遠房及同姓爲嗣今具氏之蕃豈無可以立後者乎此外更無正當道理答或人

又曰所引侯夫人語以爲明年不復祀云則其祀當止於侯夫人而伊川則將不得祀矣此亦爲外孫不得奉祀之明證也父之所祀子猶有不得祀者五代祖是也豈敢曰母之所祀而子必奉其祀乎答具時經

又曰外孫不敢奉祀自有朱子明訓寧有節文之可言者然喪家未立後之前其出家女權奉饋奠則亦有俗例而非禮之正也至於其女服盡之後不徹几

避則尤有所難便者誰敢於無禮之中刱出臆見也不若從速立後之爲愈也（答洪友周）

外孫奉祀稱號代數

問世俗或有以外孫主祀者神主當以顯外祖考妣書之旁註亦書之耶外祖神主或傳於外孫女則亦將何以書之（姜碩期）沙溪曰外孫奉祀猶爲不可況外孫女耶何必書奉祀旁之可也

問外孫奉祀者題主當以顯外祖考妣書之而其旁題亦以外孫某奉祀書之耶（俞受之）南溪曰終無立後之人則如所示稱謂其亦可否至於旁題問解有當

闕之說似當準此

又曰外孫奉祀代數不敢僭論或曰當止於外孫之身或曰既已奉祀則豈宜止祭一代未詳何爲而可也本宗祭四代之制雖出於程朱之論主正禮者猶或以爲不可而況外孫侍養非所弁論於本宗者乎當事之家只當更加詳察斷而行之而已終非學禮者所得創論（答俞撤）

又曰外孫奉祀似聞牛栗兩先生家皆稱以外裔代祖至四世而埋主若果兩先生自定其禮則必有訂量而今乃出於後孫者如此然世人遭外祀者必以此籍口殊可慮也（答崔錫鼎）

又曰今有一家曾孫奉祀而其祖實爲奉外家祀者然則其祖之外曾祖必遷無疑第其祖行一人在則於所謂外曾祖亦爲曾孫姑安於其室以待日後而永遷之未知如何蓋外家奉祀既無迭遷長房之義且本家祭四代則外家祀當減一代雖不得如此所謂曾孫奉祀正是當遷之日然以外曾孫一人尚在而永遷埋墓情理有所不忍（答尤菴）

陶庵曰朱子非族之祀一句語實爲正論以大賢而間不免此者終是苟也非正也愚意則爲外孫者設

或不得已而權奉其祀已身亡後即當埋安（答南宮櫶）

遂庵曰外孫奉祀甚無於禮之禮但後孫不計疏戚皆稱外裔或有告由則稱以外高祖似無所妨（答全先五）

外祖前後室幷奉

問奉祀外孫者是前室所出則其後室之無後者亦可同奉耶（羅斗甲）南溪曰禮云爲假也妻者是爲自也母雖曰外祖奉祀後室之有子與否非所當論也

奉祖禰及祖禰外祖者行祀先後

寒岡曰外家神主奉祀本非禮經今者不得已奉祀則當時祀茶禮時先祭祖外祖次祭父外祖然後當

祭祖與考矣雖一曉三祭未免差晚而晚祭之妨猶勝於合祭之未安矣（答李道長）

外庶孫奉祀者所生外祖母稱號

問外庶孫奉其外祖父母祭祀則其母所生外祖母題主當何稱未知嫡祖妣上加嫡字以別之乎所生祖母只稱祖母以別之乎（李春時）南溪曰或問庶子之所生母題主當何稱朱子曰若避嫡母只稱亡母準此後說似亦近之矣

出繼子祭本生親

祭本生親祝辭屬稱（見喪禮爲人後者本生親喪諸節條中題主條）

無後本生親班祔（見祭禮班祔條）

無後本生親奉別室（見祭禮別室藏主條）

出繼人之子還繼本生祖

尤庵曰出繼人之子還爲本生祖後此通典之文而尋常有疑於心盖有父然後有祖此子將以何人爲父而繼其祖耶若如世俗所謂侍養之云則本生之名非所加也而侍養之服禮所不言今何敢創出也以近事言之則黄秋浦以其弟愓之獨子爲後是義州公也義州之子璡將還後其所生祖其時愼與春兄稟於愼老如前所疑愼老亦以爲難處謂姑以其所生祖班祔於宗家似無大段過誤矣盖以 本朝之法則赴擧者四祖爲仕者署經皆有所阻隔名不正則言不順矣未知如何則與通典之文會通而無病也○所生祖有子無後而歿而今此出繼者之子歸而爲後則當爲所生祖服承重斬矣題主等事不須言也不然而只如世俗侍養之云則所謂心喪及題主之稱皆未免杜撰矣或曰爲人後者之子爲其所生祖爲從祖而服小功爲其所生曾祖爲族曾祖而服緦麻其爲所生高祖則無服然後名義正當矣若爲所生祖大功爲所生曾祖爲小功則當爲所生

高祖爲緦麻矣然則與所後皆服四代而無差等此爲未安此言亦有理矣且聞或人之說則其父旣爲所生父服期則是以伯叔父之服服之也旣爲父之伯叔父則當不問所後近遠而於其子皆爲從祖云其言似亦是矣（答閔維重）

南溪曰田瓊所謂以庶子還承其父者不祭其無昭穆可爲祖後古今天下一無無父而承祖之人其無義理事實可知（與李柬）

又曰示及變禮大抵此事多出於後世人情非先王定制故尤丈常以直後爲主恐其正理在此也然若

其父出繼者不在而已當祭則服主祭則亦從其父
爲本親降一等之禮服以大功題以從祖云云宜有
不得以己者惟心喪之制世人雖多行之禮律無明
文未知何爲而可也蓋通典所謂還繼所生祖者猶
不廢者代然則終不如立後之爲勝但人家事勢或
有所窒碍者誠無可爲矣答閔師重

陶庵曰出繼子之第二子雖權爲主喪而至於題主
旁題則中間既闕一世稱祖稱孫決知其不敢矣侍
養之名不見於禮家而俗雖或有行之者答俞士昌丈書
家恐難苟從出繼子之第一子似是宗家以題從祖

禮疑類輯 卷二十四 祭禮 三十九

題主而用班祔之例爲宜班祔則無旁題矣大抵別
爲立後即大經大法捨此則皆苟而已下遞遷之不
失其正者惟此一事差可爾答崔日復

承重妾子祭本生母

承重妾子祭本生母諸節見凡祭禮中諸妾子條

承重妾孫爲其所生祖母主喪祭當否

問妾孫承重者爲其父所生母無服則其祖母之喪
誰其主之其父之同母弟若己之同母弟存則可以
代主其喪耶老李之南溪曰喪服小記曰妾祔於妾祖
姑又曰妾母不世祭註曰於子祭於孫否高正洋嘗
以此問於朱子答曰妾母不世祭則永無妾祖姑矣
今恐疏義之說或未可從也恐於禮或祭有別廟但
未有考耳以此推之妾孫承重者似當以別廟主祭
但所謂不世祭者既已明著小記黃氏通解續亦無
因朱說改正之文而無服者主祭又於人情少異殊
不知何以處之也須問金慎齋命其子主妾之祭
亦未知必合禮意否耳

家廟移奉

移居出次奉廟

尤庵曰家廟只奉於奉祀者所在處正也朱子喪母

禮疑類輯 卷二十四 祭禮 四十一

夫人葬于寒泉仍居其精舍朔望則歸奠几筵蓋几
筵在家故也三年內守墓之時自爾如是矣朱子嘗
自潭溪遷居考亭之時告于家廟而奉遷焉此何嘗
當平時而異處也答鄭養
又曰今世出次之人例置家廟而獨身廢出想以所
次之處無奉安之所而然然非事亡如事存之道矣
答啓中

謫中奉廟

南溪曰謫中奉廟未記古賢蹤跡第以事理推之所
謂絕無而僅有者何以言之所謂謫者直則窮海絕

塞輕則限年徒配要之皆難以木主幷行然若如左右之處善地無年數者至或獨子無兄弟罹徙邊之律則恐亦難以長違先廟而闕烝嘗鄙意奉廟行祀恐無可疑 答沈權

亂時奉廟

同春問遭亂播遷者其家廟處置終未得恰好底道理或謂神道尚靜流離中不可奉往埋於墓所云而但念數年之後朽腐殆盡木理字畫不成形樣此則經亂者所詳知也似不若奉安於一笥或負或載以身保之隨地奉護之爲愈也若不幸而一家未免禍

及則其他又何暇論也況三年內几筵則決不可埋置而獨避云云沙溪曰所謂神道尚靜神主不可奉安云者乃迂濶者之言也平日仕宦遠方者亦且奉往獨於亂離中何可不爲奉往乎鄙家丁酉倭亂時奉神主而行去匣入籍奉安卜馱之上得以全保云云三年內几筵則有朝夕上食尤不可埋置也鄉校書院位版不可一槩論也

又曰人遭禍亂流離之際奉主而行極爲非便人或埋於祠堂或墓所祠堂可避雨漏勝於墓所矣僕尋常念之有不虞之變而欲奉主而行則或有多至十餘位者只奉近親而行而埋遠祖有所不可故埋則幷埋奉以行則幷奉行可也壬辰倭亂爲定山宰時送主于墓所盛甕中埋安矣半年後出之櫝足脫落濕氣所侵故也 答金巘

尤庵曰亂時神主奉以避兵此固情理之當然而然曾聞逍於盜賊或被屠戮者無不棄之道路云若是則不如埋安於墓所之爲愈也 答芝村

祠墓遇變

祠堂火

退溪曰神主火災者只祠廟火而室屋猶存則當題

主於家不當之墓所若幷室屋蕩燼則寧從權而題主於墓所似或可矣慰安則可倣虞禮而用素服行之似當 答金就礪

又曰人死則葬於山野題畢卽速返魂者使其神安在於生存之處也一朝神主火焚則神魂飄散無依泊矣卽於前日安神之所設虛位改題神主焚香設祭使飄散之神更依於神主可也前日已返之魂豈可徙依於體魄所在之處乎 答趙振○金而精所問在辛酉振之所問在戊辰先生晩年所見可知云○言行錄

又曰或云正寢爲當

問家廟焚禮當如何改造神主題於何所或云當題於墓海黃宗沙溪曰經史及退溪說可考檀弓有焚其先人之室則三日哭故曰新宮火亦三日哭註先人之室宗廟也魯成公三年焚宣公之廟神主初入故曰新宮春秋書二月甲子新宮灾三日哭註云書美得禮此言故曰者謂春秋文也○漢宣帝甘露元年太上皇太宗廟火帝素服五日○退溪曰云云趙上卿答見說也

又曰火焚神主則當依春秋新宮灾三日哭之禮而已不爲製服耳答金爍

愼獨齋曰禮宗廟焚易服三日哭今當依此行之而憂中以孝巾及出入時所着布深衣行事題主時亦如此似可也答金榮後

問家廟被灾改題神主於前日安神之所云云金光五　遂庵曰　神德王后改題主之禮行之於　慶德宮舊基當時兩先生收議如此

問或云爲位於被灾之所未知爲位以改新主爲限乎金榮後　愼獨齋曰古有三日哭之儀三日之外又設則未可知也

問神主見燒而未改造之前或云以黃紙姑書紙榜權安于虛位姜再烈　遂庵曰禮無可據不敢質言

問四位神主改造未易日子久曠其間先世祭祀及几筵朔望當如平日行之乎金榮後　愼獨齋曰神主雖未改造先世忌祀几筵日祭及朔望不當停廢耳

問主宗祀者身死未斂火灾及廟斂殯後當改造神主告辭措語何以爲之耶或人問　陶庵曰家禍孔酷祠屋告灾宗子纔亡尸事無人三日之哭有禮莫伸伏惟神魂何所依泊茲於前日安神之所設位改題神主既成仰冀尊靈是憑是依

廟主見失

寒岡曰先世神主因兵亂未保云云答庸李昇○見喪變禮追改之禮條中退改神主條○下同

問有人於虜亂失高曾神主云云鄭尚樑　爾溪曰云云

失廟主還得處變之節

問有人神主見失改造未及奉安所失之主得於園外而粉面多有傷汚處既得之後則當以舊主改粉面奉安耶新主既成當以新主奉安耶李聖著　遂庵曰舊主如無傷汚處仍奉爲宜若傷汚則恐不可不改奉

問失廟主改造奉安矣後得舊主於園中而不甚傷

汚還安舊主而埋安新主否(魚有和) 陶庵曰舊主之成在於瑰返室堂之時雖不幸遭亂其身傷汚而所以憑依之者猶不失其舊則猶可用也況幸而不至大傷汚者乎新主改造出於不得已也憑依之節視舊主似不及焉舍新遂舊恐無可疑(雖傷汚而憑依不失者理之當也)

廟主有蟲變

問神主有蟲變字畫剝盡云云(李光庭) 陶庵曰火灾燒燬全體既無固不得不改造此則雖有蟲患主身自如神氣所寓何得妄行改易既知其難改則舊主處置之道非可論也

問粉面寫字或蠹缺則不得不卜吉改題(蔡徽休) 遂庵曰然

墳墓遭水火

寒岡曰丘壠不免今之燒黑當即葸脩於數日之內何至藁草之義只當淨掃而已慰安之祭當哭行矣素服行素恐三日而止(答李天封)

問檀弓曰云云若火犯墳墓則何以處禮(玄以規) 尤庵曰以墓擬廟則以墓之火焚與被侵犯不及柩者與廟之火焚同爲一等以侵犯及柩者與廟之並神主見焚同爲一等而但墓之見柩則服緦哭臨三月新宮火則三日哭而已無服緦之文未知所謂新宮火者並神主見焚耶抑只焚其廟耶未見明文不敢質言

問墳墓遭水患尸柩露出服緦後趁未改葬則雖過數月猶持其服待其葬後方始除之耶(蔡徽休) 遂庵曰然

墳墓遇賊

問墳墓遇賊見毁處變之節當如何 沙溪曰古人論此多矣當觀其遭變之輕重而酌處之耳

通典東晉大興二年司徒荀組表言王路漸通士

人得視家墓多聞凶問朝野所行不同臣謂墓毁之制改葬緦麻當包之矣鄭康成王子雍皆云棺毁見尸痛之極也今遇賊見毁理無輕重也杜琰議墓既修復而後聞宜依春秋新宮之災哭而不服江啓表按鄭玄云親見尸柩不可無服如鄭義以見而服不見不服也臨頴前表改葬之緦不以吉臨凶今聽其墳墓毁發依改葬服緦麻不得奔赴及已修復者惟心喪縞素深衣白幘哭臨三月○宋庾蔚之謂人子之情無可輟聖人以禮斷之故改葬素服不過於緦麻服(雖)輕而用情甚重意

謂聞其親尸柩毀露及更葬便應制服奔往縱已修復亦應臨赴苟途路阻碍猶宜制服緦麻三月而除豈可以不及葬事便晏然不服乎○梁天監元年齊臨川獻王所生妾謝墓被發不至埏門蕭子晉傳重禮官何修之議以爲改葬服緦見柩不可無服故也此止侵土墳不及於槨可依新宮火三日哭而已帝以爲得禮

失墳墓處變

問廷岳先祖怒撫使墳山失傳久矣因延處人來告仍爲守護云云宋廷岳 陶庵曰必明有證據而後方可以祗先壟山待之既有疑信間則守護猶可祭則恐過矣目下道理但當亟爲改莎就墳之前後左右遍求誌石幸而得之則非徒可祭圖所以表揚忠烈烏可已乎

又曰昔人祭古塚文如謝惠連之類或有之今方置之疑信之間則不妨倣此爲辭稱以慶州金某等敢告於古塚之神某幾代祖某官之墓久失其處古來相傳以爲在某地此下歷敘證據既無碑表眞可指的或冀有壙誌之可以攷徵者不敢不略開瑩域伏願不震不驚昭示實迹以啓疑惑云云大意似不出此矣答金碇

禮疑類輯卷二十四　祭變禮　四十七

禮疑類輯附錄上

大宗小宗之別

儀禮經傳及註疏公子不得宗其君故君命一人爲宗以領公子而諸公子宗之嫡子爲宗則宗之以大宗之禮庶子爲宗則宗之以小宗之禮皆公子昆弟中禮也他族則無之家禮輯覽

問家禮四龕章小註大傳別子條末端云有有大宗而無小宗者皆適則不立小宗也有有小宗而無大宗者無適則不立大宗也其義可得聞歟或人 尤庵曰假如 仁祖大王只誕龍城麟坪兩大君而無崇善樂善則是有大宗而無小宗也只有崇善樂善而已則是有小宗而無大宗也○麟坪非大宗也是大宗之祖也至福寧然後麟坪諸子孫宗之而始有大宗之名也○凡大宗有二一是諸別子之長子各自爲大宗此則只其別子之子孫宗此繼別者而言一是有諸兄弟相宗者會爲兄弟之長故其同姓諸侯皆謂之宗國是也此則古制也○朱子曰人君有三子一適而二庶則庶宗其適是謂有大宗而無小宗皆庶則宗其庶長是謂有小宗而無大宗○儀禮經傳

禮疑類輯八　附錄上　一

註疏公子不得宗其君故君命一人爲宗以領公子
而諸公子宗之適子爲宗則宗之以大宗之禮庶子
爲宗則宗之以小宗之禮○以　本朝言之則龍城
（麟坪之兄無年考）爲大宗麟坪以下諸王子皆宗之爲大宗
假如但有崇善以下而無大君則　仁祖命崇善爲
小宗矣然則此二條與上一條各爲一說也上一條
別子之子始爲宗此二條別子自爲宗○皆適則不
立小宗○以　本朝言之則假如　仁祖大王只有
龍城麟坪而無崇善以下則是皆適也各自爲大宗
而不立庶子之小宗也此亦自爲一說也○滕是周

禮疑類輯 八　附錄上　二

公孽弟也然以古制言之則雖是周公之母弟而皆
宗周公也○魯季友乃桓公別子所自出朱子曰所
自出三字衍文○季友以年則雖居孟叔之下而以
是莊公之母弟故爲一族之宗也
又問以儀禮註疏適子爲宗則宗之以大宗之禮之
說觀之則只別子之居長者當爲大宗而以皆是適
也各自爲大宗之說觀之則別子兄弟皆是同母則
無論長次皆爲大宗與上註疏之說不同未知別子
母弟皆當爲大宗耶當爲小宗耶尤庵曰大宗小宗
有兩說以周公爲長故滕謂魯爲宗國之說觀之則

雖同母之弟皆當從其次長（次長謂嗣君之次也）矣以皆適不
立小宗之說觀之則嗣君之母弟各自爲大宗此二
說者不可合而爲一也竊謂生時則嗣君之次長爲
一族之長而諸母弟以下及諸庶皆宗之已死之後
則其諸母弟之子孫各尊之爲大宗之祖各自百世
不遷然則二說亦當通爲一義矣○別子之適繼別
子爲大宗○以　本朝言之則麟坪非大宗只爲大
宗之祖至福寧然後始爲大宗而麟坪之諸子孫宗
之百世不遷福昌以下則又爲小宗之祖而其子繼
之者各自爲小宗

禮疑類輯 八　附錄上　三

南溪曰別子有二法一則君之次子爲一宗之始祖
是也一則庶人起家爲公卿大夫其子孫立之爲始
祖不復祖其庶人蓋周家貴貴之義如此（答李德明）
傳重（傳重後改題遞遷之節有尤庵南溪說見喪變禮代喪條）
同春問老而傳重於情理似未安何以則不失處變
之禮沙溪曰語類以爲難行然大全有告廟傳重之
文可考
語類問七十老而傳則適子適孫主祭如此則廟
中神主都用改換作適子適孫名奉祀然父母猶
在於心安乎朱子曰然此等也難行且得躬親耳

○大全致仕告家廟文曰行年七十衰病侵凌筋骸弛廢已蒙聖恩許令致事所有家政當傳子孫而嗣子旣亡藐孤孫鑑次當承緒又以年幼未堪跪奠今已定議屬之奉祀而使二子埜任相與佐之云云

問宗子旣老傳重於其子則與有故而不能與祭者有間若以愛重而遽稱孝子則於心決有所不能安 李尚賢 同春曰只當曰孝子某衰耗不堪事使子某云云可也此外無變通之理

黜嫡

得罪倫常不得奉祀

尤庵曰禮有嫡子癈疾不得承重之文今沈得祥之父旣以凶悖之人得罪倫常則其重於癈疾也懸矣況其祖父判官公及其祖母前後有治命至使得祥不得奉祀則其絶之也嚴矣今祖父母俱沒之後乃敢違命奉祀似無其理矣 答或人

又曰泰伯以至德逃而旣已逃之則周家之宗歸於王季況今逃者其敗人倫賊天理不可容於覆載也其可以宗統之嚴而歸之於其人乎且其逃者之次子不知其父之死生如或生也則何敢越父而承祖之統乎如或其死也則未知其次子葬於墓而作主祔於廟乎不然而承統何敢生意乎且聞其逃者盜其妻弟率其長子而逃使其子稱其妻弟爲母則其子不從故殺之云未知信否今其次子不知其兄之死生而敢爲承重乎爲官者當以亂家子斥之使不容於境內可矣適統承否何敢論也 答尹以健

嫁母子爲後

尤庵曰禮有嫁母之子爲父後之文何嘗以母嫁而奪宗於他人乎子思之母嫁於庶氏而未聞子思不得爲孔子及泗水侯後也宗法至嚴何人敢生變通之議也 答朴世振

支子祭先 見祭禮

次嫡奉祀 同上

妾子奉祀 同上

立後奉祀 同上

攝主奉祀 同上

立後諸節

總論

南溪曰禮經古義大宗及貴爲大夫者外不可立後而今世雖支子遠族皆必繼絶使班祔一路遂廢誠

足慨然也然程朱諸賢旣不能正而反助之至張子則曰據今之律五服之內方許爲後以禮文言又無此文若五服之內無人使後絶可乎必須以疎屬爲之後也其視程朱之論不翅加增當今之世人無不然獨以古義行於左右宗家不亦宛乎○家禮旣有班祔一節甚晳而又立爲人後之文不分宗支其意可知也且於劉草堂屛山程企才等文字皆以立後之意班班可考何可遽以無後叔祖一段爲斷乎然則古禮雖重譏難遽廢程朱之制亦所可恨者程朱雖用今禮宜有斟量限節而終無所見使繼絶之義

太重離宗之道太輕以至終廢班祔一路此區區所以欲質於百世之前而不可得者也至於爲後之節當以儀禮大典同宗之文爲主如理窟之說間或有之然非經制也仁祖朝李起豐以功臣被收其遐宗判書溟子爲後○答李泰壽

爲長子立後次子不當主喪奉祀見喪變禮無適嗣喪條

獨子爲大宗後

問世說長子無後則次子雖有獨子當繼長子是於禮於法皆無違庭否黃宗海　沙溪曰長子無後則儀禮及　國典皆以同宗支子爲後故自前必以支子爲後曾有一宰臣引通典說陳訴以其弟獨子爲後因成規例焉宰臣卽黃秋浦

通典漢石渠議大宗無後族無庶子已有一嫡子當絶父祀以後大宗否戴聖云大宗不可絶言嫡子不爲後者不得先庶耳族無庶子則當絶父以後大宗魏田瓊曰長子後大宗則成宗子禮諸父無後祭於宗家後以其庶子還承其父○程叔子曰禮長子雖不得爲人後若無兄弟又繼祖之宗絶亦當繼祖爲後禮雖不言可以義起云云以上是長子爲後之證然與禮經不同

寒岡曰程子之意蓋謂長子雖不得爲人後而若無兄弟又繼祖之宗絶則不得不後於伯父以繼先祖之宗使之不絶者實爲義起之大節竊謂大賢之論出於至公私親後事自當酌處不可以私親之故而絶先祖之祀也程子之意恐出於此答李潤雨

尤庵曰獨子不可爲後之說可以繼程子之訓而當廟朝黃秋浦亦以黃義州一皓爲後義州乃秋浦弟暢之獨子也答或人

南溪曰獨子爲大宗後雖有戴聖程子之論而禮經本以同宗支子爲之况　國制奉祀條有長子無后

則梟子奉祀之文恐不可捨此而取彼也盖前日出後伯父之時固用諸父之命矣今旣以未及告官不成爲後則是將自我告官一難也假令宗姪可代門長而不遵禮律正文必從兩家變節二難也嘗試思之其所以絶父者爲大宗終不可無後故耳今若一遵禮律雖於戴程之論有所不合而旣無大宗無後之患亦無絶父後人之碍矣 答李孝閔

立後不用遺命

南溪曰大抵人家其意於遺命固當以此從事也然繼曾之宗一朝絶祀其重比遺命尤甚如有可爲之

地則惟當具由告祠堂立後而不用遺命方爲大正然若無一家門長之可主此事者亦難得成矣 答李彥純

立後不待爲後者之許

尤庵曰立後必待爲後者之許云者此甚無理之說也當爲後者苟有人心誰肯捨其父母而許爲人後哉以故必待其父母之許君上之命而後不得已而爲之矣○孔子於矍相之射謝去與爲人後者若尊從不辭而肯許之則豈不爲聖人之所斥乎以敬固辭不得已而爲之者然後可以專意於所後矣幸勿以此阻意如何 答南溪

立後不可捨近取遠

尤庵曰所問某家事 高皇帝始爲吳王亟須教令凡繼後不可捨近取遠近者盡然後求於遠者有服者盡然後求於無服者 大明令雖忽諸何可違也

立後必聞官

沙溪曰立後者必命於君乃其法也父母俱沒者或門長上言云 答黃宗海

尤庵曰朱子大全程氏表所謂爲人無後者而聞官立後恐是聞官自是當時令格故程氏如此矣非謂其人財産之將納官而爲此法外事也妄意如此未

知是否至如鄙書所謂告君之式恐缺於古經云者未蒙印可是不免爲無稽之說犯不韙之罪也不勝惶悚第鄙意則以爲古禮非但昏姻日月亦必告君凡民生子自名以上皆以籍告則況此立後是人倫之一大事也豈敢私爲而不告於君乎制其輕而闕其重恐非聖人稱物立法之道也且念古者男女旣皆籍告則今此出後者獨以出後之故而見漏不告恐無此理豈立後而告者亦同於生子而告之禮故不別立文耶此雖不必如 本朝諸保 啓下立券之例而其不敢私爲之大綱領則恐無異也妄意終

始如此○立後之議每以爲此不翅重於民庶昏姻而昏姻猶告於君告其輕而遺其重者似無其理則妄竊以爲此混入於獻民之制故前書妄有云云今蒙不甚揮斥又自幸瞽見之不甚悖也若其大全一款則竊以爲宋朝若無立後告官之制則程公只當議於宗族詢於鄉黨而立之足矣何必自創無法之法以垂從周之義而朱子亦何必著之於書乎(答南溪)

上言立後(呈勳府幷論)

沙溪曰門長上言云云○(答黃宗海見上儀)

尤庵曰承重孫夫妻俱沒而門長上言則禮曹防

啓云禮典立後必兩家父母呈狀云云此上言勿施何如云則自 上或別判付云情理切迫節念許之如是則事或成矣自 上循例依啓則事不成矣(答金相王)

又曰高門立後云云旣曰門長則寧問其族屬行第耶原州朴門之以奴僕代訴雖非士夫家規例然朝家猶聽其訴則況以族兄弟而豈不敢於陳訴耶都正公上疏之云揆以事面果似有偃然之嫌大凡係于私事者非大官則皆以上言陳乞矣(答南溪)

又曰旣爲大宗後則所後父當爲其父矣所後父及所後子俱亡則其門長當上言立後矣若無他門長而其所生父生存則雖以其名上言而亦不敢曰爲其子立後當云爲大宗立後矣(答宋奎昌)

南溪曰示咸爺事 國法嫡妾俱無子方許立後咸爺初以乂松爲嗣者本自正當然今乂松之無子決矣渠若自立其後以奉咸爺之祀則恐亦無害第必未易得合立者如其果然坐待乂松身後而絶嗣莫若及夫人在世時爲咸爺依例立後之甚正但以乂松尚在與 國法所論少異耳然念 國家行功臣殊絶常例若以咸爺不可終使無後之意具訴勳府

必得 上徹倘蒙 報可則無背 國法無礙立後(答金澄)

前後妻沒後立後爲前妻子(爲後妻子幷論)

尤庵曰前後妻皆沒後始爲之子者當爲前妻之子(答或人)

陶庵曰出繼者之於所後父前後妻俱亡後爲後則外家當從元配事理似然愚見亦如此而但吾家歸樂堂仲父於所後外氏從同福之吳此則繼配也不敢知其時所考據者如何而家中所行如此故雖疑而未敢質言也(答或人)

遂庵曰前後妻皆亡而後立後則所後子以父之後
妻之父爲外祖父之前妻稱以前母 答洪益采
長婦立後女子還宗事 見祭變禮立後奉祀條中兄亡弟及兄妻立後條
立後追服之節 見變除并論○見喪變禮追喪條
立後後告廟之節 同上
立後後改題之節 同上
立後追服者襲日再期後撤几筵當否 同上
立後追服而喪者成服先後 同上
親喪中出繼改服之節 同上

未闡官立後變禮
問人有無子而取兄弟子撫養那已出將傳其宗事
未及闡官之前其子死而其孫在其後祖又死既不
得闡官則似不可代執承重之服而所後祖生時一
門齊會列名成文以定祖孫及其祖歿俾之執喪題
主亦稱祖孫當時孫年尚幼不能自斷惟長者言是
從及長頗覺其未安而非但養育之恩與本生父母
無異諸父諸兄暨內外諸親列名成書一朝遽爾背
卻實是人情之所不忍何以則不失禮意而伸其情
耶 沈世黙 尤菴曰父子天性也惟人君代天理物故命
他子以繼無子之人故中庸言繼絕世亦以人君言
也 本朝繼絕之法甚嚴必兩家父母呈狀之後以
問備審其虛實而又問備兩家門長無有異辭然後
該曹入啓自 上允下然後承旨次知復下於該曹
該曹始乃備舉前後事實成給公文然後乃爲父子
其嚴且謹如此其可不命於君而私爲之乎古禮未
之考而大全有闡官之文亦何可違也然則今日某
家事其不可以諸父兄列名成書之故而遽定其父
子祖孫也明矣○族人李三龜不爲 啓下而先服
叔父三年矣既而覺其非是不服其叔母正得其昨

非今是之意而時輩以爲敗倫削之儒籍未知欲從
朱子及 國法者何爲而爲敗倫也
又曰有人出繼而未及 啓下其所後父歿服喪題
主矣既而其所後母歿或曰未及 啓下則使非後
於人者前日服喪已誤矣今不可因循故其子只服
本服期矣竊聞其人轉以聞於座下則以爲非是故
其人極其狼狽罔知攸處云未知信否大抵父子天
性也不可以人力斷續而惟人君代天理物有存亡
繼絕之仁故必須命於君然後乃謂父子此雖不見
於古禮而大全則有告官之文恐是古禮有闕文蓋

雖昏娶及生子其時必告於君則豈有如此大事而乃反不告耶設或古者眞無告君之例而朱子旣如此　國法又甚明嚴何敢違此而不遵耶不幾於禮記所謂與人爲後而不敢入於矍相之射者耶今此人於其所後服其不當服者猶爲不可況於此時設令其所生父歿則當服期耶抑斬衰耶旣斬於彼又斬於此則是二本也若斬於彼而期於此則是無君命而私自絶其父也而可乎蓋此處間不容髮正如君臣之義當日命絶則爲路人雖是一刻其命未絶則尚是君臣也今父子之倫尤重於君臣矣有何敢

無天命而私自絶於天屬之理乎昔年愼齋爲人難處事略有依違之論竟爲持論者所正此是天理人倫之大者不可不極論歸一 與南溪

南溪曰立後人之大倫也載在禮律無復可疑然其聞官一節自古今禮典之備以及程朱諸書皆莫之有惟　國典爲然蓋詳禮經以至　大朝之制立後之法本出於君而成後之命實受於父其義似以當初大體著之令甲布諸天下子孫帝王世世守之則凡爲臣民者乃得據此以支子而後大宗又是有家尊祖重宗之常禮雖不申聞非所謂私相爲之矣苟或不幸無後財產當納官如朱子所記 程公才墓表 不得於所後如會典所許而後方始聞官討此特爲一時遭變伸理者設耳其非通行之制亦明矣大抵禮意假審如是居今之世自當守今之法其必以告官爲重者誠爲不易之理第以某家所依禮制服所後之喪斬衰三年雖不如並全　國典終無滲漏而其不服從喪亦非細故在於人情天理尤所萬萬痛迫則容或有依據變通之道也伏承鐫敎義理明白辭旨嚴截如知當時深料殊有所未究者竊觀禮制之意以君命而許父命由上達下法立而自行　國典之

文以父命而乞君命由下達上事至而必告無論大小得失所處各異然則其爲我臣民者恐難捨　國家新典而泛從禮制大體總之先生所論先立其大自然明順世采所料似乎委曲畢竟窒碍今雖商量稍有根據益知初說罪不勝贖 答尤菴

尤菴曰閔丈在汶三子汝耆汝臺汝老汝臺早歿閔丈使耆子某甲後之其後臺妻死某甲服三年題主稱子矣然不爲聞官矣去乙未夏耆妻歿泰之以爲雖有祖命卽不聞官則不成爲臺子某甲當服生母三年矣遂制母服與諸子同尹吉甫聞之亟以告于

愼老曰某甲於耋妻既服三年題主以子則既爲耋子而又服本生三年則人之大倫亂矣愼老然之有所云云泰之論辨不已頗成鬧端其時余服母喪以師門事不能默然亟以書禀于愼老曰古者出繼者告官之文雖不見於經傳然婚姻日月尙且告君矣出繼之事甚大於婚姻不翅相懸則萬無不告之理而適其文不傳矣雖古無其文　國法必使告官入啓然後始成爲他人之子矣先生今許其甲之爲耋後假如日後先生爲訟官而耋之女與其甲爭財相訟曰彼不聞官不成爲吾父之子則先生當義起

而廢法乎愼老答曰吾豈以泰之爲非也吾意則以爲既承祖命爲叔父後既服喪又顯主則今玆生母歿後亟以聞官而服生母以期則似好云矣不意李基稷失吾意而誤傳吾意且庶弟杲也作荒文以與諸尹以致紛紛殊可歎也連山諸少又駁泰之於适相适相曰此則然矣若使長者爲公牧而處此則當廢法令乎否自是泰論稍伸而此事遍入湖南金陽城一隊則以不告官爲是曰此愼老之說也李相淳一隊則以不告官爲非然隨强弱多少爲是非故湖南一道不告而私爲父子者已成規例極可寒心彼

爲之父者猶之可矣爲其子者私絶其父母而爲人之子豈非悖理之甚乎今世名家如張應一尹舜擧諸人猶尙如此其他何足說也近者金汝亮私子其弟汝玉子婚書榜目皆爲之父去年亮妻歿玉子以杖喪之矣昨者玉也又歿有一少輩之論以爲不告官而後於人此愼老之所許遂使降服玉以期亮也在昌原聞之命勿降服而服斬其家事不成倫理矣何也如欲爲玉而斬則榜目既經　睿覽即公文也又方以桐杖服亮妻而又服玉以斬則一人之兄嫂叔爲父爲母不可騰諸口舌如欲不爲玉服斬則是

私絶其父有所不敢者矣當初愼老亦豈料此弊之至此耶出繼聞官雖不見於古禮朱子大全明有此文歸宗亦然矣湖南不從李論必有罔測難處之事而皆將以愼老爲口實矣思之不覺寢食不安也今幸令監按湖幸望從頭明辨以明愼老本意之不然然後大明法令使不聞官者一切勿許爲父子則名正言順大亂斯止云云○戊戌年得奉完南李相公語及閔家事相公曰私自爲父子非惟於理不當亦大亂之道也假如汝耋有女而呈官曰某非吾父之子也其子曰吾實爲之子也訟官當徵所後文書而

其子不得現納則訟官當許其子乎當許其女乎此不難知之是非也（答李泰淵）
又曰未聞官而服喪既誤於前云者乙者之說是矣既已許之則雖未聞官而不可不服云者甲者之說不可從　國有令甲雖小事不可違况父子天倫是何等大事而私敢擅輒耶當待　幸行時上言蒙允然後追後服喪似合於通典之說矣通典有喪後出繼者從出繼日服喪盡三年之例矣（答或人）
陶庵曰近世人家以兄弟之子爲後者往往有不告官者又或欲出禮斜而因循未果畢竟生出許多難

處之節矣大抵立後者必命於君乃可爲父子此是大經大法今某家所持疑惟遷葬時服承重昏書中出繼子兩款亡父之意固未嘗不許然只是不命於君而私爲之者今於父之喪不斷而朞則是無君命而私自絶於天屬也惡有是哉亟宜服斬無疑至如宗家絶祀則亡人之伯嫂具事實上言以竢　朝家處分爲得之（答或人）

立後昭穆失序（姊妹爲婦姑及老少易置幷論）

尤庵曰　皇明祖訓繼後非昭穆則使之改正故近世清州池姓人以兄弟爲父子者上言變通云矣但貴家事略與池姓有異而與金韓山光烒家相同雖不得爲父子而以侍養傳繼則或無妨耶只金韓山家於禮則有乖未知法律或許之耶抑國俗因循而至此耶是未可知也（答具時經）
問有人叔姪爲友壻者姪娶其姊叔娶其妹姪之年稍後於叔而叔是大宗也叔無子他無繼後之人不獲已將以其姪繼之姪繼叔後禮固當然而妹爲姑姊爲婦以兄行婦道於弟揆以人情天理極涉駭[illegible]或姪之年反高於叔則亦將何以處之（答金）尤庵曰姊爲其妹之子婦誠有倒置人倫之嫌不知將如何處

之也如不得已則姪當改娶耶然　國法若不許有妻更娶則亦無如之何矣若姪之年多於叔則決不可爲其後揆諸天理則豈有父少而子反老者乎禮不許爲殤立後者以其無爲父之道也况老少之易置乎

立後後生已子

栗谷立後議曰父之於子子之於父其恩情一也子既捨生父而父其所後則父獨不能捨親子而以繼後子爲嫡乎若父捨親子爲無理則子捨生父無理尤甚矣故禮無罷繼之文而其論爲人後女適人者

皆降一等而女被出則有還服之文子無還服之議其不許罷繼灼然明矣癸丑年受　教所謂論以衆子者雖引　大明令而今所云云者只論義同兄弟均分財物耳非謂論以衆子也此　教雖立而不久旋罷禮官誤置于新立科條之故至今猶存兄爲衆子弟爲嫡子甚乖情理此受　教不可舉行也自今以後立爲不罷之法永底金石之典則綱常倫紀庶得其正而天下後世之爲父子者定矣

同春問無子者旣立後後生子則當如何處之沙溪曰古人所行亦各不同當以禮律事勢參酌處之然

胡文定所爲畢竟似是

通典漢諸葛亮無子取兄瑾子喬爲子喬本字仲愼及亮有子瞻以喬爲嫡故改字伯松喬卒後諸葛恪被誅絶嗣亮旣自有後遣喬子攀還嗣瑾祀

○晋夏循取從子紘爲子後有晩生子遣紘歸本

○名臣言行錄胡寅傳曰文定之長子朱子大全曰胡公明仲侍郞出爲季父後按胡文定公養其兄子寅後生二子寧宏而以寅爲後

○國朝　嘉靖癸丑受　教立嗣後生親子親子奉祀繼後子論以衆子毋得紛紜罷繼

嘉靖甲寅大臣議爲人後者遇本生父母絶祀則依法歸宗許立後之家改立其後若其父母已歿不得改立則從旁親例班祔仁祖朝完城君崔鳴吉繼後後已生子請從胡文定公故事以繼後子爲長子允之

罷繼歸宗

沙溪曰出後者本生親無後則兩家父相議歸宗古有其例兩家父歿則子不可擅自罷繼當以本生親爲班祔也答申湜

同春問云云兩家父一生一歿則可以罷繼否沙溪曰兩家父相議罷繼不然則何可擅改

南溪曰彼此俱無父則恐不當擅自罷繼而歸宗其

義然也第必有門長告官議處之擧其或可從否不敢輕議答朴處齋

身歿後罷繼者還爲立後承祀

問庚寅年儒臣　筵奏以族叔三嘉公錫長子道濟立爲其兄鎬之後戊戌年道濟夭歿姪行無可繼者故鎬之妻欲援引寅平尉家例更立次子以待其子之生長而復繼道濟之後因遂庵言不果三嘉公姑爲權攝丙辰相臣奏以錫之次子夏濟更立鎬之後而道濟則罷還本家矣不幸夏濟又夭逝而無嗣一家方議定其後而曰夏濟承祀七年降服私親又爲

所後祖母服喪三年而道濟則雖主祀十年無此二
者之重云云 濟觀 陶庵曰檀弓孔子曰立孫一句卽
禮之大經亘萬世而不可易者若夫帝王家則當別
論有非匹庶所敢借引近世寅平都尉家謬例一出
而士大夫行之者衆其害理也大矣錫之第一子道
濟爲宗子鎬之後主祀既十年而不幸無子而死禮
當爲道濟立後而乃改立錫之第二子夏濟爲宗嗣
是則寅平家例也以道濟而言則是宗子而無罪見
廢也以夏濟而言則是支子而遽奪宗也死者固
寃甚而生者其得自安於心乎今夏濟又不幸死而

無子當此擇定宗嗣之日似若爲夏濟立後而此則
實有大不可者夫父子天屬也倫紀一定本無可絕
之義況道濟已死矣死後何罪而見絕已死之人又
安有罷絕之可言哉所謂還歸本宗者爲本宗無後
歸奉其祀也已死之道濟雖曰還本亦豈有奉祀之
實乎道濟與夏濟死則同而其無後亦等耳欲立宗
子則不可不乘此機會以正其失今當爲道濟立後
俾主先祀至於所以處夏濟者則雖或以爲當如道
濟罷繼還本之例而一之已大謬其可再乎宜仍以
夏濟爲鎬之次子錫則更求宗族中可繼者爲後如
此則揆以禮法與情理似可兩得而無憾矣或曰夏
濟既爲其本生親服朞矣又爲承重祖母服則是宗
子也道濟則雖曰十年主祀既無此二事且其罷繼
至於七年之久今乃捨宗子而反爲已罷繼者立後
豈有是理曰夏濟之代其兄正所謂不當立而立者
頭腦既不是中間二事何足論也道濟則所謂不當
廢而廢者既知其失則雖累十年之久安得不爲之
釐正乎或曰以宗子而無罪見廢今而得伸則於道
濟固幸矣而夏濟亦是宗子既服承重之喪而不得
爲繼統之人亦不寃乎曰自夏濟而言之則始以

朝命黽勉代其兄而其心則固不安生前雖不得讓
位而猶足爲死叔齊斯豈非順天理而協人心者乎
或曰錫有二子而渠則不免絕嗣得一他人子豈不
寃悶乎夏濟則其將讓統於兄而亦爲無後之人耶
曰世之只有一子而出後於大宗者亦多以所重有
在故也今錫之二子雖盡歸大宗此於孝子慈孫之
心焉有寃悶之理且寧已之絕嗣而不忍父兄之無
後者人之至情也錫與夏濟之心亦奚間於生死況
錫之後雖非已出自可不絕夏濟既爲鎬之次子則
亦可立後自爲別宗如此則宗統既得正而二人俱

各有後使歿者有知必甘心而無所恨也或曰義理則固然矣而此非自本家所可變遷之事始也道濟之罷繼歸宗夏濟之代爲宗嗣皆出於　君命今欲捨夏濟而立道濟之後則必須更煩陳禀而後方可爲也而　朝議未必其如此爲夏濟立後則易爲道濟立後則難奈何曰天下事只有是非兩端是則從之非則改之小事猶然況倫紀之大者乎尋常士夫家猶然況大賢之後事乎圃隱先生我東方道學之所從出於宗統之重尤當一以禮律不敢少忽何可從俗苟且而爲之也往年陳白不過權宜之策既知

其苟且則所當釐正之不暇況往年則道濟子行未有生者今則多有之前後事勢亦有不同矣此事體重固不可不復經禀裁苟能據實陳奏而得請則所以改之者是亦　君命也何疑之有

又曰示及　筵話大賢宗事從此得正豈獨尊門之幸也　筵教即一立案然始之文閱者似當還出還出後宜具此事由先生位則門長宗婦几筵其家近屬當告之矣罷歸本宗者之婦自當改服本服而還爲大宗者之婦當奔喪而到家四日方可成服改制喪服而待之此外恐無他節目矣宗中同議定嫡嗣後祠堂几筵亦更有告辭耳 答鄭纘

禮斜後有改正之議處義

問圃隱先祖奉祀孫大臣以續述之曾孫八玄　筵達已爲禮斜矣族孫師濟謂以譽家而當爲上言改正云云 鄭纘述 陶菴曰彼之上言既請改正則　朝家未斥絕之前使是倫紀未定待其聽施與否始即令八玄往拜宗婦方得處義惟在諒處

出繼人之子還繼本生祖 見祭禮出繼子祭本生親條

禮疑類輯附錄上

禮疑類輯附錄下

襍禮

居家雜儀

定省之禮

南溪曰定省時拜揖之節此間諸生久欲講聞而終不能得蓋事親之禮莫備於內則而無其節故也朱子皆論朝夕哭無拜曰常侍者無拜禮子必俟父母起然後拜此亦可見矣大抵經傳皆無父子君臣師生朝夕進見之節父子朔望出入之拜始見於禮君臣之禮亦非謝恩陳賀出入之時則雖經筵進見無別儀耳師生之禮始見栗谷院規似可據此而行也 答金克成

又曰安置者蓋願平安也唱喏者道安置之時引氣聲也乃中國恒用之語 按唱喏詳見祭禮出入告條中沙溪條華使許國金河西河燕泉三說

朔望拜禮

問溫公事父母於朔望生時有拜禮歿則有參禮此事生事歿一也今人不然生時全廢拜禮歿後只得參禮此事生不及於事歿也依古禮行之何如 成文濬

南溪曰朔望拜禮若以修身率禮能見聽於父母則行之甚好

尤庵曰冬至朔望共拜家長條所謂長兄長姊分立門左右受弟妹拜訖各就列共受卑幼拜云者謂弟妹既拜兄姊訖弟就兄之列妹就姊之列共受卑幼拜也非謂就家長前原位也前輩謂兄弟一等之親後輩謂子姪一等之親 答宋晦錫

遂庵曰假如兄弟數多則第二者拜於長兄後立於長兄之下第三者拜於兩兄後又立其下第四以下諸妹亦然 答洪益采

上壽侍食教之自名

上壽

問上壽只言家長不及女尊長與時祭餕條內外交相獻壽之義不同 鄭尚樸 南溪曰上壽主家長餕主祭畢子孫內外相慶其義不同

侍食

問侍食於君君祭先飯於父於師亦然乎少事長賤事貴亦如何 金克成 南溪曰君祭先飯之禮未知其必行於父師蓋具饌而進於父母舅姑時固當致誠但未如 國家爲君設官備物各有所司者也如何禮之於父有嘗藥而不言嘗食其或有間而然耶至若

君祭而已不祭一款雖於座中長者尙然況父師之
際乎

教之自名

問教之自名（曲禮子於父母則自名 註自稱其名）來示雖有經據非學
語乳兒之所可能也先教之名然後可知其自稱恐
不可以文字偶同而牽强爲訓也（申湜）沙溪曰旣有經
據不可創爲他說能言之兒豈有不能自稱其名況
又教之唱喏安置則亦可謂非學語兒所能爲也耶

夫婦相拜

寒岡問夫婦久別而相見或有相拜者何如退溪曰

婚禮壻婦交拜古無而後賢循俗著之祭妻夫亦當
拜云以此觀之拜似得之但未有考據不敢質言耳
雖拜恐當如今人相見只單拜爲得
尤庵曰吾出遊數日以上未嘗不與妻相拜以別而
歸亦如之也（華陽語錄）

內外親黨稱號行次

尤庵曰程子於伯叔父亦稱姪胡文定改以猶子朱
先生以爲稱姪無妨今於姑母稱之正所宜也（答尹宋）
又曰從父從兄據禮家說則只用於同姓之親惟世
之姊妹謂之從母而已（答或人）
又曰其文懿於台監與沈靑陽有間然外曾祖外更
無可稱之屬難可義起矣自稱則彌甥二字甚當此
蓋出於左傳而我東先輩亦多稱之矣鄭林塘於我
先祖雙淸堂爲外孫而淸陰又林塘之外孫故於雙
淸堂自稱爲彌甥矣（答李端夏）
南溪問外族至於八寸兄弟之子於其父之兄弟宜
不得以親屬爲名而但其父則自稱兄弟而其子便
將路人視之亦似不可若以戚丈稱彼而以戚末自
居無所背否尤庵曰古人以服之精麤爲親疎東俗
於無服外親掩引太長恐非古義然朱子於程允夫

實外黨再從則是無服之親而猶稱以吾弟於允夫
之父則稱叔父此豈不可爲法耶然君子小人之澤
皆五世而斬此以同姓言也同姓猶止於五世則異
姓尤當有隆殺之義也
南溪曰朱子稱程允夫之父爲叔父與禮所謂同姓
諸父稱伯叔之義似有逕庭恐不可爲法此或從俗
而然耶（答尤庵）
寒岡問妻族稱兄弟叔姪妻母有以母稱之又有以
妻齒爲坐者何如退溪曰妻族稱呼妻齒爲坐皆非
是妻母稱母俗亦有之終不可爲訓耳

問世俗於妻父泛言則曰丈人至書於簡書則曰聘君或聘父夫聘君徵君也錯認朱子謂婦翁爲聘君雖識者亦多冒用固可笑也若聘父則尤無據今依禮經以外舅字書于簡面無乃可乎或曰舅字下書王字亦可云此說如何旣稱外舅則婿之自稱當用甥字耶舅姑甥等字所用處非一似爲混並然各當其所用而用之可無嫌乎 海黃宗 沙溪曰聘君之稱世俗承誤久矣依來示稱號似無不可

問混公曰愛女婿及外甥拜云而未見母之兄弟稱外舅之文 翁崔是 南溪曰妻之父母曰婿者以婦翁

及女婿言曰舅曰甥者以母之兄弟及甥姪言皆儀禮喪服篇文也曰母之昆弟爲舅曰男子謂姊妹之子曰出者以正舅甥而言曰妻之父爲外舅妻之母爲外姑註謂我舅者吾謂之甥然則亦宜呼婿爲甥以妻親舅甥而言乃爾雅親屬篇文也今入儀禮通解亦可曰禮經而非本禮經也此外舅甥之稱甚多有難盡行平時俗例多以聘父聘母稱妻父母殊無經據故問解以曰舅曰甥爲可今欲以混公一時之言分外甥而稱於母之兄弟恐反殺亂不如妻父母之稱姑從問解而舅甥之稱直從喪服經文猶爲有據蓋自稱雖同而舅與外甥之稱不同無所嫌也

問妻之祖於書札則前面書上書某宅執事此一款聞命矣若於他文字則以何稱之 李遇輝 尤庵曰妻祖稱之於他人則依俗稱丈祖恐無害也

又問外舅之弟年歲相若則以友交之旣聞命矣是之三寸姪妻之弟亦當相友耶姑之夫呼叔姊之夫呼兄不知始自何代而旣曰叔與兄則年歲雖或相與爲友恐有所妨尤庵曰姑夫稱某姓姑夫而不敢呼字見於小學以爲邑氏家法之美此於東方俚語稱號未知如何而其尊之之意則可見矣今人年輩

等則輒呼字而友之甚不可也妻之弟姪有才德可友則何可不以友相待耶朱先生於勉齋亦待以朋友之禮矣

牛溪問姊妹夫以姊妹之年紀爲之序於義理何如尹聃之父年後於叔獻而叔獻呼之爲兄坐之在上云極未安鄙見以爲姊妹爲一位以年而坐婿與男子兄弟爲一位以年而坐恐得倫理之正也龜峰曰禮有右前後皆得合理是爲得中叔獻雖欲尊尹公之父尹公之父安得挾妻年居長我之叔獻上乎來示正合項見叔獻講其不可答以姊是長我者而姊

之所天其夫也勢不得坐其上云吾以爲不然似別
行之爲便而如難別行處則叔獻之坐尹上爲是而
尹之坐叔獻上爲非且禮云女坐以夫之齒今何敢
以夫而坐女之齒乎又禮云男女異長

兼親稱號與喪禮五服條中兼親服條參看

遂庵曰女子叔姪爲一家之婦叔爲家婦姪爲介婦
則當從夫族以兄弟相呼若姪爲家婦叔爲介婦則
叔則稱姪爲兄姪則以叔稱叔爲宜答成爾鴻

嫡庶間稱號位次良賤間稱號并論

退溪曰妾子之於嫡母稱於人則曰嫡母可也但以

方言稱於母前及家內則別無可當之稱恐只得如
今人家婢御稱主母之辭而已蓋於父既不得稱曰
父主於母安得而宜稱曰母主耶答鄭惟一
栗谷曰妾子於嫡母稱號退溪之言似合義理答金櫶
問庶母於已妻貴賤雖不同猶是姑婦之行其行坐
位次飮食先後當如何處之嫡女同鄭惟一○退溪曰此亦
未有明據然父在而母死父不得已使一妾代幹內
事一家之人豈可不稍以攝母之義事之乎故古有
攝女君之稱雜記曰攝女君則不爲先女君之黨服
註妾攝女君則稍尊也又曰主妾之喪云云殯祭不
於正室註攝女君之妾死則君主其喪猶降於正嫡
故殯祭不得在正室也以此觀之攝女君稍尊於衆
妾可知如是而子妻與諸女諸孫女直以貴賤之分
每事輒先於彼則非但於庶母不知有攝母稍尊之
義其於事爲之禮亦有所未盡故謂宜坐位則當避
食則當讓讓食之節在家內當然也若盛衆燕會或他有壓尊處亦不得讓矣惟同出
於一路乘馬者先於乘轎者事體殊異故不待下轎
先而馬後矣若可相避則避之未可避則如上云
栗谷曰庶母之說終無可據之禮吾家之祭則伯嫂
立於主婦之前庶母立於伯嫂之西稍退諸妾立於

主婦之西稍退不敢序以昭穆矣承重妾子之親母
立於主婦之西稍前似無害雖曰妾而乃是親母豈
不與庶母有間乎婦居姑前終是未安不如不參祭
也答牛溪
龜峰曰凡禮守名分別嫌疑爲重故自古禮家未許
庶母位次者良以此也禮莫重於祭而祭禮序立之
次未有庶母之位其餘家衆大小之禮俱未見庶母
之序雖於昏禮有及中門申命之文此亦非序次也
但喪禮妾婢立婦女之後云云此妾云者乃衆妾之
妾也於喪主爲庶母以此觀之庶母之不得參於平

日家衆之會者別嫌疑也不得已而參則必在婦女之後者守名分也或云庶母不當在子婦之後此妾云者乃歿者之子之妾也甚不然凡喪禮曰妻曰妾云者皆據死者而言也何獨於此據歿者之子而爲言乎且歿者之妻率其子婦在次則妾固不得與於其間而在其後於禮於情不亦宜乎且今按禮有一家長奉母而行禮會於堂中則子婦蓋亦當聚於堂中矣庶母若不得已而出參則豈可入此堂中耶固當在於楹外耳今者栗谷以未奉先妣之故而推此楹外之人處之堂中尊位此豈別嫌之禮也哉經次

五等之服以節中人情而庶母有子然後只許緦服則栗谷之庶母乃無服人也尊此無服之人而壓之家衆之上是豈節中人情也哉且妾子之爲父後者爲其母降服必至於緦然後合禮者以別嫌故也何以知其然也凡爲人後者爲其母只降一等而爲父後者則降其母乃至於緦者既後其父而母其嫡母恐有二母之嫌故必降與父之他妾同服然後方合別嫌之明法矣以此推之先王制禮之微意亦可想矣鄙意栗谷奉先妣之時則庶母雖或入中堂只是犯分矣今日而許入中堂則無乃失禮之大本乎栗

谷之欲尊庶母者以爲奉御先君耳以爲奉御先君而加之子婦之上獨不念嫌逼於先妣耶凡嫌疑之禮雖甚絕遠猶有干名犯分之弊故繼母則雖無子服三年庶母則雖有子服緦相距五等之服豈不絕遠乎而後世猶有匹嫡之僭焉栗谷乃欲以坐之差後爲嫡妾之別無乃不可乎自三代至于今日千百載之間行禮與說禮家不可量數而未聞有以庶母雜坐於嫡婦女之間而行禮者區區之意特以庶母未有位次之明文故姑信其不可廁於嫡婦女之間也而栗谷則反以無明文而加之嫡婦女之上未知

如何朔望讀法之禮廢之已久栗谷獨舉而行之非徒當今好禮之家或慕而行之操筆者必書一儀一動之節垂作來世之規範矣其爲世教之益大矣然而或失於嫡庶大本之禮則一席之間已作千里之謬始以爲一世盛大之禮而反爲無窮之害可不念哉栗谷示以尊兄有云庶母可參於餕與宴之說鄙見則不然既不參於序立而何敢參於餕讚乎祭與餕之不得參者以無位次故也既無位次而可得參於宴禮乎栗谷示以常時奉之爲上云云此亦不然栗谷家奉之爲上者乃其伯嫂氏也庶母則宜處別

房而尊之而已豈得爲一家之上哉大凡妾與妾子甚有分別妾子則從父故其於五服與嫡無殺妾則不得從夫故不匹於嫡而不與於族是以漢惠之庶兄肥不嫌於兄坐庶子如意不嫌於弟寢而未聞肥等之母得厠於宮中之位次也此其三代之禮到漢猶然而今世之人視庶兄弟則欲退之奴僕之間而推尊庶母則不避與嫡同席之嫌區區之所嘗痛惜者也栗谷示以唐世名卿受撻於庶母云云此則又出於一時情勢而非關禮節矣韓愈拜乳母云云此亦未知合禮與否但其拜也第未知坐之一家之尊

位而拜也否鄙意以爲待庶母之禮尊處別房而上不干嫡婦女下不與妾婢凡一家之事不須稟而不敢決朔望禮畢家衆以次就拜於其室云云答牛溪

栗谷曰庶母之禮祭時婢妾立於婦女之後云者亦難曉解古人所謂婢妾者多是女僕豈必庶母乎倘使庶母立於婦女之後則非但嫡婦居前雖所生之子婦亦必居前矣欲避匹嫡之嫌而使姑居婦後則無乃虞舜受瞽瞍朝之禮乎此一難也庶母亦多般父若幸侍婢而有子者謂之庶母則此固賤妾不能處子婦之上矣若使父於喪室之後得良女主饋以攝內政厥父生時已居子婦之上矣今以父歿之故還抑之使坐子婦之下則於人情何如哉此二難也父之婢妾則有子者有服無子者無服矣若王家之妾則乃貴妾也不論有子無子而其家長尚有服則況子爲父之貴妾豈可以爲無子而無服乎況同爨緦者著之禮文恐不可目之以無服也今兄定論以爲無服此三難也古人慕親者所愛亦愛之犬馬尚然庶母旣經侍寢則子不可不愛敬也今以位次之嫌故使之塊處一室不敢出與家人相率宴集而庶母不得出參飲泣終日則是乃囚繫也於人情何如

哉此四難也大抵禮固主於別嫌而位次相隔則非所憂也若使庶母主北壁受諸子之拜則固是干名犯分矣今者坐西壁而與諸子婦相對而拜則是果相逼於先妣乎以坐之差後分嫡庶云者亦不然若先妣在則其可坐於西壁而差前乎君臣之分嚴於嫡妾而君坐北壁臣坐東西壁先妣之位在北庶母之位在西寧有干名犯分之嫌乎近世人心薄惡尊視庶母如婢妾至於所生之子亦嗤厥母爲婢妾者或有之吾兄不此之憂而乃憂時俗之推尊庶母無乃過乎又以爲庶母居尊則凡事必稟命者亦不然

庶母只是位次居上耳家政則當屬家長母子之間尚有三從況於庶母乎 答龜峰

龜峰曰叔獻所答如是禮雖或過情則可取但舜之於瞽瞍也舜雖爲天子而瞽瞍則其父也妾子則不然旣奉先妣則其生母不得居主婦之前者以嫡母爲其母而嫡母特位主婦前故也叔獻斷之爲居前一失也云云 答牛溪

栗谷問奉祀妾子之母固不當立于主婦之前矣亦豈可立於主婦之後乎不得立於前者嫡妾之分也不得立於後者母子之倫也頃者有承重妾子來問

祭時厥母之位余答以當立於主婦之西稍前云兄必非之矣雖然三代以後亂嫡妾之分者多有之矣若亂母子之倫則人情尤駭無乃母子重於嫡妾歟高論以行列之多爲不可行此則未然若曰禮不當然則已矣於禮無害則雖千行百列何傷哉子孫若分産數代則其行列亦多矣豈可以行列之多而合昭穆爲一行哉大抵貴妾之異於婢僕三代以來皆然恐不可一切斥以婢妾也同爨緦非謂父妾之無子者也耳豈不知哉禮大夫爲貴妾雖無子亦緦妾無子尚可緦況庶母之貴者雖無子豈可無服云爾假曰無服亦當以同爨有服此則指珥之庶母而言也非泛指人之庶母也龜峰曰奉祀妾子旣以嫡母爲母則所生母何得位居主婦之前來示旣自誤而又教人使誤甚不可此何等禮也嫡母在則宜在母位嫡母不在則宜虛其位安有以父妾僭居母位之行乎生母以居婦後之難宜不出參而已行列之多亦非謂如昭穆堂堂正位也妾旣無位而見自辨別位混於諸位種種多不得成禮是僕之未安者也且同爨之緦禮文所謂指等輩而言兄欲引以父妾亦似未穩貴妾之稱在諸侯大夫而自其下則不可論

也禮有降殺何得混稱貴妾古禮未曾見士有貴妾也凡人於父妾之主中饋者應有別禮而未得其據制禮作樂亦非人人之所敢爲也莫如於庶母所在房中尊爲極高之位參拜於其中正寢中之私禮私會或出參於後行之高處於祭於昏於朔望讀法等禮避嫌不出使情禮兩得之爲佳

牛溪曰舜受瞽瞍朝之喩恐不然家長生時妾有生子娶婦者子婦則在諸子諸婦之列而妾則不得與於其間則平日之禮有時而子在正位矣在私室則自可盡尊敬之禮而陪家長則恐不然然則婢妾立

婦女之後者不獨喪禮爲然也人倫上有父母下有子婦若着妾位則爲逼於嫡而爲剩位矣叔獻平日每疑喪禮立婦女後之語欲着庶母於主婦之前豈不誤哉 答龜峰

牛溪問竊以禮家無庶母之位非無位也朔望參謁公儀婢妾在家衆之中凡祭在執事之列故不序庶母位也若果異位而不可不序其隆殺則聖賢之制名物度數至纖至悉豈有遺此一節使後人無所承用耶鄙意禮無庶母位者已在婢妾之列已明言之也且鄙見欲參於餕與宴者祭與朔望參乃禮之嚴

敬處不可以父之婢妾尊於其間餕與宴乃一家會同和豫之禮旁親賓客自外而至亦可序坐故庶母可出參禮以展親愛之情耳云云龜峰曰庶母非無位之喩甚明白同居家自當有庶高祖母以下及旁親從曾祖父以下亦各有妾凡序位在婢妾之列而只分高下之次而已如是則祭與朔望餕宴凡禮無所不可參矣若如叔獻之論則庶祖母在母之上而差後庶母在嫂之上而差後旁親之妾亦在其班而差後耶所謂婢妾在家衆之中婢妾在婦女之後等云云者非獨指主人之妾凡家衆九族之妾皆在其中亦甚明白

問良妾子爲賤妾母稱號當云如何良賤兩妾子相謂亦如何 李尙賢 同春曰兩妾子相呼其母各稱庶母良賤子異稱則未聞

諱法

退溪曰諱法雜記下篇詳之試詳考之可見也其言母之諱宮中諱之妻之諱不擧諸其側則外祖妻父有當諱處有不必諱處可知但卒哭而諱則生前不諱固也然生前豈敢斥稱名而稱之耶此尋常所疑 答寒岡

問曲禮云卒哭乃諱釋之者曰卒哭之前猶用事生之禮故卒哭乃諱其名然則古人於父母生時不諱其名耶 沈柱 陶庵曰小戴禮記註敬鬼神之名也諱避也生者不相諱名衛侯名惡大夫名惡君臣同名春秋不非以此觀之生時之不諱名可知且子路曰魯人孔丘也亦可爲生時不諱名之一證耶然古今異宜今則行此不得

問不諱王父母不逮事王父母者世多其人是以不逮事而又名其祖耶 李彥純 南溪曰禮有古今異宜處如此者今人固難輕犯但不可以古法爲疑也

又問大夫之所有公諱註云諱其先君者謂先王耶然則公朝之會不敢諱私親耶南溪曰此則以公私爲輕重恐亦不可疑

又問臨文不諱於義理何如南溪曰與上不諱王父母條同

署押面簽

南溪曰署押之說嘗所未曉綱目曰陳蕃不肎平署韓文曰平立覡丞曰當署小學曰重易押字朱子大全范文正家書曰叔父押諱錄解曰花押此二者於辨也今俗以其名字省變本畫而用於書緘曰着名

別以他字更加省變而用於牒尾者曰手例經國大典啓本式註曰只見在官員書銜署名又曰悉書見設員位名押不必僉署其下啓目則只用署平關則只用押牒呈則幷用署押準此始知署者今俗着名之謂押者今俗手例之謂也然小學註曰重易押字謂去舊替而改之然則以署釋押更無分別又大全社倉事目大保長下亦用押狀此乃我國牒呈之類而只以押行之尤似可疑未知中朝元無署押之辨耶抑押是着名花押是手例而署則通釋者耶 答尹拯

沙溪曰按面簽未詳丘儀名紙切少於尊長用之用白紙一半幅楷書其上曰侍生姓某再拜名帖敵以下用之用箋紙一小片書其上曰某拜所謂面簽或如此否 家禮輯覽

附處倫常之變

得罪倫常不得奉祀 見宗法黜嫡條

子婦放出之說

問子婦之未敬未孝者可放可出云婦則以義合者固可出也子乃天屬之親何可放乎 閔泰重 尤庵曰尹吉甫惑於蜂蠆之譖而出其子雜儀之言似指此等事而言然不可以吉甫之信譖爲是也

陶庵曰孔門出婦見於戴記者多此書元不足盡信而設令有是事此可謂齊家之道而謂之家齊則未也豈亦聖人所不能盡之一證耶若下於聖人而有此變故者則直當以不能齊家責之夫女子褊性雖失聽婉之美君子識量當從隱直之義況兄平生讀得幾卷書而乃不能容一婦女耶匹夫匹婦不獲其所仁者之所深耻如子而內有甚宜之心婦而中抱伊何之冤則其有傷於倫紀何如也我國俗之不輕許離貳者其意有在雖是一時暫出亦豈可容易爲之耶云云 答鄭羲河

以妾爲妻之變

問一新人崔柱八曾祖遇貞喪室得妾後追成婚書及爲老職同知受夫人帖給之但於子女分衿文書中有此母死不爲服喪云云其後遇貞之亡柱八父雲溥以長孫承重則或者謂他日庶祖母之死亦當服三年雲溥遂遍問於知禮家遂庵權先生及李諮議援經引禮斥之甚嚴及其死不爲服喪故妾之子載漢至於擊鼓以起大訟御史監司據法決定退斥載漢矣今又欲祔其母於宗家廟云云 或人 陶庵曰父命子不敢不從者經也然有治命焉有亂命焉從亂

禮疑類輯 八 附錄 下　十九

命者成父之過不孝大矣夫以妾爲妻追作婚書固爲悖理之甚者而此母死勿爲服喪之說猶出於迷復之良心此則治命之當從者也其妾子只當從其治命不當以亂命爲可從且受夫人帖尤所以彰其欺罔 國家之罪爲其子者以此藉重可謂無嚴矣況此是先生長者之所論定御史監司之所退斥則是非既判矣渠雖無識何敢復出祔廟二字於其口耶其宗孫者或撓奪於彼言則便非其子孫矣

附 被罪家處義

被罪家喪禮諸節 見喪變禮

被罪家子弟赴舉當否

陶庵曰被罪家子弟動以畸翁爲口實然畸翁事終恐不是矣圍籬即罪謫之極律非如尋常流配爲子弟之道只當惶懍感伏而已豈有餘念可及科名耶 答韓師直

堂室之制

正寢廳事

退溪曰正寢與廳事非係祠堂之制正寢今之東西軒待賓客之處然古人正寢皆在前而不在東西故曰正寢前堂也廳事如今大門內小廳所謂斜廊者耳 答寒岡

禮疑類輯 八 附錄 下　二十

尤庵曰祠堂章註曰正寢謂堂也此附註所謂堂指此而言廳謂廳事如今之外舍廊○庶人雖無廟豈無居室耶有居室則必有寢矣 答李選輝

問正寢 鄭尚樸 南溪曰補註古者堂室之制東西爲房中爲室即正寢也然則行狀所謂中堂實古正寢之前堂家禮豈以此遂名之爲正寢耶

廟制 見祭禮

祠堂之制 同上

冠服之制

緇冠幅巾帽子幞頭（并見冠禮三加冠服條）

深衣大帶（條帶革帶并論〇上同）

黑履（鞋靴并論〇上同）

襴衫皂衫（并上同）

涼衫（見參禮參條中參禮服色條）

四楑衫勒帛（并見冠禮將冠者服條）

野服（圖見尤庵集禮疑篇）

尤庵曰朱先生閒居野服據鶴林玉露則上衣下裳用黃或白青直領兩帶結之緣以皂如道服長與膝齊裳必用黃中及兩旁皆四幅頭帶皆用其一色取黃裳之義也別以白絹爲大帶兩旁皆以青或皂緣之謂之野服又謂之便服〇所謂直領非如我東所謂直領但如今喪服以全幅直下也所謂兩帶即小帶也所謂頭帶謂裳頭橫帶總十二幅者也白絹爲大帶據上衣而言盖當時朝服如今之盤領並始自隋煬帝至宋末改上衣下裳還爲閒居之服矣（答金壽增）〇晦庵先生休致後客位咨目有野服從事之語而不言其制先生嘗據鶴林玉露而製之袂兩帶爲上下圜樞裳爲前三後四之制用緇冠幅巾黑履一如深衣但大帶不再繚又不施條帶而晚年燕居有時

禮疑類輯　八　附錄下　二十一

服之楚山臨命命權遂庵俾用於身後（小斂上衣）矣此圖出自遂庵家附見於此云爾（野服圖說）〇裁用白方絲紬或白紬度用布帛尺〇衣全四幅長與膝齊用紬二幅各三尺六寸中屈下垂前後共爲四幅如深衣但少殺腋下九分有奇而旁縫其下三寸自肩至腋九寸自前緣至腋廣六寸八分半下齊廣七寸四分半也〇圓袂用紬二幅各二尺中屈之屬於衣之左右而縫合其下以爲圓袂袂口五寸五分其長惟當以自衣袂相屬處至袂口一尺二寸餘爲準不以一幅爲拘〇方領兩肩上各裁入廣一寸七分長七寸三分許反摺即剪去之別用紬廣四寸七分長一尺九寸七分自項後摺轉向前綴左右摺剪處則表裏各二寸合爲四寸〇裳用紬廣五寸三分長一尺八寸八分者前三幅後四幅每幅作三𢄼別用紬廣二寸長六尺許縱摺之綴前後七幅而夾縫之〇黑緣用黑絹緣領袂口衣邊裳下邊表裏各一寸二分〇大帶用紬廣二寸三分長六尺七寸夾縫之以黑絹表裏各二分許飾其紳一尺六寸五分（上同〇右男子冠服）

禮疑類輯　八　附錄下　二十二

假髻特髻（并見昏禮親迎條中婦服飾條）

大衣長裙（同上）

帔 同上

背子 見笄禮

衶衣

尤庵曰衶制以下送新制者見之則於古今俱無所當蓋衶之別於他服者其重只在紅緣矣欲從古制則連上衣下裳而緣之以紅欲從今制則衣身如紅長衫之樣裁用靑色而以紅緣之猶爲愈於純用俗制也今此衣之裳不續兩旁際而又有襞積則與古制上衣下裳之裳有異衣如深衣之衣則與俗制紅長衫者不同矣盖欲詳究古今爲一近正之制用於

一家云云 答尹宣舉

陶庵曰歷考禮書衶衣宵衣褖衣同是一衣而其制之可據者不過玄衣不殊裳以素紗爲裏袂長二尺二寸袂口尺二寸而衶則但有纁緣爲異耳尤庵有兩說一則以爲衶制未能考欲用古制則連上衣下裳而緣之以紅一則以爲衶亦是深衣而但緣用紅色爲異今亦未敢信其必然註疏以爲袍制而古人袿袍亦不可考然想與男子之袍不甚遠矣且褖衣是周禮王后六服之一六服制度無與特色章各殊爾周禮圖只有服之之象而衣制則未嘗著也就考三才圖會有所畫皇后褘衣制度恰與男子袍相似惟文章燦爛而已褖衣士妻得以服之則當去其文章倣此製成庶幾寡過矣今擬參酌而作一通用之服於嫁時則以纁襈衣下四五寸謂之衶衣於見舅姑及祭祀賓客及襲時皆去緣而用之以代宵衣褖衣用素爲之以代古之布深衣用於初喪易服時及忌祭則制約而用博庶爲近正之衣而可革時俗婦人服雜澆之弊矣盖婦人質略尚專一德無所兼故古者婦人服必連衣裳不異色至秦始皇乃令短作衫衣裙之分自秦始也今世之短衣長裳卽其謬所

謂服妖者家禮以大衣長裙爲盛服朱子旣因時制而從之則賢於今服遠矣而猶失尚專一之義又起隋唐之世則不可謂先王之法服矣故此編於喪禮婦人襲衣有所論說舉似褖衣而猶以深衣爲首者以褖衣制度之分明可據不如深衣故不得已爲從先進之論也茲著新制於下覽者詳之○玄衣纁裏衣身用黑絹二幅中屈下垂通衣裳長可曳地縱內外襟亦通衣裳而衣身通廣令可容當人之身衣身兩邊接袖處度二尺二寸爲袖斜入裁破腋下一尺畱一尺二寸爲袼袼下兩邊並前後幅及衿旁皆反

揩直下剪去之又用三幅長可自袼下至衣未交解裁之爲六幅一頭尖一頭濶尖頭向上濶頭向下二綴於左旁袼下一尺之下二綴於右旁亦如之二各綴一於內外兩衽旁亦如之並衣身下垂者前後合四幅內外衽下垂者二幅則爲裳十二幅縫之而平其下齊領則如俗所謂曆領者以綴之袖各用一幅長四尺四寸許中屈爲二尺二寸許綴於衣身兩旁縫合其下爲袂而袂端不圓袂口尺二寸縫合袂口下一尺大夫妻袂長三尺三寸袂口尺八寸四禮便覽○右

婦人衣服

禮疑類輯附錄下